ANNUAIRE DU CANADA 2007

Statistique Canada

Publication autorisée par le ministre responsable de Statistique Canada

En vente au Canada par l'entremise des agents libraires et autres librairies autorisées à :

Statistique Canada
Division des finances
Immeuble R.-H. Coats, 6e étage
100, promenade Tunney's Pasture
Ottawa (Ontario) K1A 0T6
Téléphone (Canada et États-Unis) : 1-800-267-6677
Télécopieur (Canada et États-Unis) : 1-877-287-4369
Courriel : *infostats@statcan.ca*

Septembre 2007
No 11-402-XPF au catalogue
ISSN 0316-8557
ISBN 978-0-660-97258-9
Périodicité : annuel
Ottawa
This publication is available in English upon request (catalogue no. 11-402-XPE).

Note de reconnaissance

Le succès du système statistique du Canada repose sur un partenariat bien établi entre Statistique Canada et la population, les entreprises et les administrations canadiennes. Sans cette collaboration et cette bonne volonté, il serait impossible de produire des statistiques exactes et actuelles.

Le papier utilisé dans la présente publication répond aux exigences minimales de l'American National Standard for Information Sciences – Permanence of Paper for Printed Library Materials, ANSI Z39.48 – 1984.

Imprimé au Canada
Tri-Graphic Printing (Ottawa) Limited

Données de catalogage avant publication de la Bibliothèque et Archives Canada
Annuaire du Canada
Publié aussi en anglais sous le titre : Canada year book.
ISBN 978-0-660-97258-9 (papier)
CS11-402-XPF
1. Canada – Statistiques. I. Statistique Canada. Division des communications et des services de bibliothèque.
HA744 S8114 2006 317.1

Avant-propos

Bienvenue à l'édition 2007 de *l'Annuaire du Canada*

Statistique Canada a le mandat de recueillir de l'information sur la vie au Canada et de présenter celle-ci de manière utile et intéressante. En outre, le Bureau doit veiller à ce que tous les Canadiens puissent avoir accès à ces données.

Cette année, *l'Annuaire du Canada* comporte de nouveaux chapitres sur les Autochtones, la diversité ethnique et l'immigration, les familles et le logement, les enfants et les jeunes, les langues et les aînés. Par ailleurs, les 25 autres chapitres de cet ouvrage ont été mis à jour avec les plus récentes statistiques et analyses.

En outre, nous sommes à un grand tournant cette année puisque nous présenterons la première phase de la collection en ligne de l'*Annuaire du Canada* dans laquelle nous avons numérisé les annuaires à partir du premier numéro publié en 1867. Il s'agit d'un outil précieux comprenant des archives que les Canadiens peuvent consulter en tout temps grâce à la plus récente technologie numérique. Veuillez visiter notre site à www.statcan.ca/annuaireducanada

En examinant les statistiques sur nos ancêtres, nous pouvons mieux comprendre l'évolution et le développement du Canada. Cela permet aussi d'anticiper l'orientation de notre pays. Nous espérons que nos lecteurs d'aujourd'hui et de demain trouveront l'édition 2007 de *l'Annuaire du Canada* très utile en tant qu'archives concernant l'époque actuelle.

Ivan P. Fellegi
Statisticien en chef du Canada

Remerciements

Cet *Annuaire du Canada* a vu le jour grâce au travail échelonné sur plusieurs mois d'un grand nombre de personnes. L'équipe de production voudrait remercier les nombreux employés de Statistique Canada qui ont contribué d'une façon ou d'une autre à rendre possible la publication de ce volume. Nos sincères remerciements à chacun des membres de l'équipe pour leur apport inestimable :

Gestionnaire de la production
- Catherine Pelletier

Rédacteurs
- Andrew Bisson, Thérèse Brown, Peter Hammerschmidt, Susan Hickman, Elizabeth Hostetter, Laurel Hyatt, Catherine Pelletier, Tim Prichard, Dale Simmons, Tom Vradenburg, Nancy Zukewich

Réviseurs principaux
- Christine Duchesne (français), Tim Prichard (anglais)

Réviseur de tableaux
- Brodie Fraser

Réviseur de graphiques
- Brian Drysdale

Analyste
- Patricia Tully

Vérification des faits
- Brian Drysdale

Révision et correction d'épreuves
- Thérèse Brown, Cailey Cavalin, Richard Drouin, Brodie Fraser, Paula Gherasim, Jennifer Kerr, Luc Moquin, Julie Morin

Composition et conception graphique
- Pamela Gendron-Moodie, Danielle Baum (consultante)

Production des tableaux et des graphiques
- Pamela Gendron-Moodie, Christian Massicotte, Paul McDermott

Conception de la page couverture
- Rachel Penkar

Cartographie
- Allan Rowell

Traduction
- Division des langues officielles et de la traduction

Indexage
- Patricia Buchanan (anglais), Monique Dumont (français)

Acquisition de services d'imprimerie
- Johanne Beauseigle

Marketing
- Jeff Jodoin

Direction
- François Bordé, Vicki Crompton, Eric St. John, Bernie Gloyn, Leila Ronkainen

Penny Stuart et Tom Vradenburg
Rédacteurs en chef

Abréviations et signes conventionnels

Provinces et territoires	
Terre-Neuve-et-Labrador	T.-N.-L.
Île-du-Prince-Édouard	Î.-P.-É.
Nouvelle-Écosse	N.-É.
Nouveau-Brunswick	N.-B.
Québec	Qc
Ontario	Ont.
Manitoba	Man.
Saskatchewan	Sask.
Alberta	Alb.
Colombie-Britannique	C.-B.
Yukon	Yn
Territoires du Nord-Ouest	T.N.-O.
Nunavut	Nt

Unités de mesure	
centimètre	cm
degré Celsius	°C
gramme	g
heure	h
kilogramme	kg
kilomètre	km
kilowatt	kW
litre	l
mètre	m
millilitre	ml
watt	W

Les signes dont il est question dans le présent document s'appliquent à toutes les données que Statistique Canada publie, y compris les totalisations simples et les estimations, quelle qu'en soit la source (enquêtes, recensements et fichiers administratifs).

.	indisponible pour toute période de référence
..	indisponible pour une période de référence précise
...	n'ayant pas lieu de figurer
0	zéro absolu ou valeur arrondie à zéro
0^s	valeur arrondie à 0 (zéro) là où il y a une distinction importante entre le zéro absolu et la valeur arrondie
^{p}	provisoire
^{r}	révisé
x	confidentiel en vertu des dispositions de la *Loi sur la statistique*
^{E}	à utiliser avec prudence
F	trop peu fiable pour être publié

Note : Dans certains tableaux, les chiffres ont été arrondis. Par conséquent, leur somme peut ne pas correspondre aux totaux indiqués.

Lorsqu'un chiffre n'est pas accompagné d'un signe de qualité de données, cela veut dire que la qualité des données a été jugée « acceptable ou supérieure » selon les politiques et les normes de Statistique Canada.

Les statistiques de cette édition sont celles les plus récentes au moment de sa préparation. Pour obtenir des données plus récentes, veuillez visiter le Canada en statistiques à www.statcan.ca

Table des matières

Agriculture

SURVOL

Lorsqu'on voyage dans certaines régions rurales du Canada, comme les Prairies ou le sud-ouest de l'Ontario, on serait porté à croire que chaque mètre carré du territoire est cultivé et que tout le monde habite sur une ferme et y travaille.

Il y a 100 ans, la plupart des Canadiens habitaient une région rurale et une bonne partie d'entre eux travaillaient dans l'agriculture. Par comparaison à ce qui se passait il y a 50 ans, l'agriculture occupe aujourd'hui à peu près la même superficie, mais elle emploie beaucoup moins de gens et sa production suffit amplement à nourrir notre population, qui a plus que doublé.

Ne vous laissez pas leurrer par les vastes champs cultivés qui bordent nos routes rurales. Tout juste 5 % des terres au Canada servent à l'agriculture. C'est quand même beaucoup — près de 46 millions d'hectares —, mais c'est seulement 3 % des terres agricoles dans le monde.

Comme dans la plupart des pays industrialisés, l'agriculture au Canada nécessite relativement peu de travailleurs. Environ 727 000 Canadiens habitaient une ferme en 2001, ce qui constitue 12 % de la population rurale du Canada et seulement 2 % de l'ensemble de la population.

Qui travaille dans les fermes?

L'agriculture est un mode de vie pour peu de gens. Même dans les régions les plus agricoles, une minorité de gens seulement travaillent dans le domaine. Autour de Maple Creek, en Saskatchewan, 45 % de la population active travaille dans l'agriculture — c'est le pourcentage le plus élevé de toutes les divisions de recensement; dans le comté de Huron, dans le sud-ouest de l'Ontario, le pourcentage est de 15 %.

En 2006, le secteur de l'agriculture regroupait plus de 346 000 Canadiens, soit 2 % de la population active. L'étape suivante dans le processus de production des aliments — la transformation des boissons et aliments — donne de l'emploi à 270 000 autres Canadiens.

Graphique 1.1
Populations agricole et non agricole

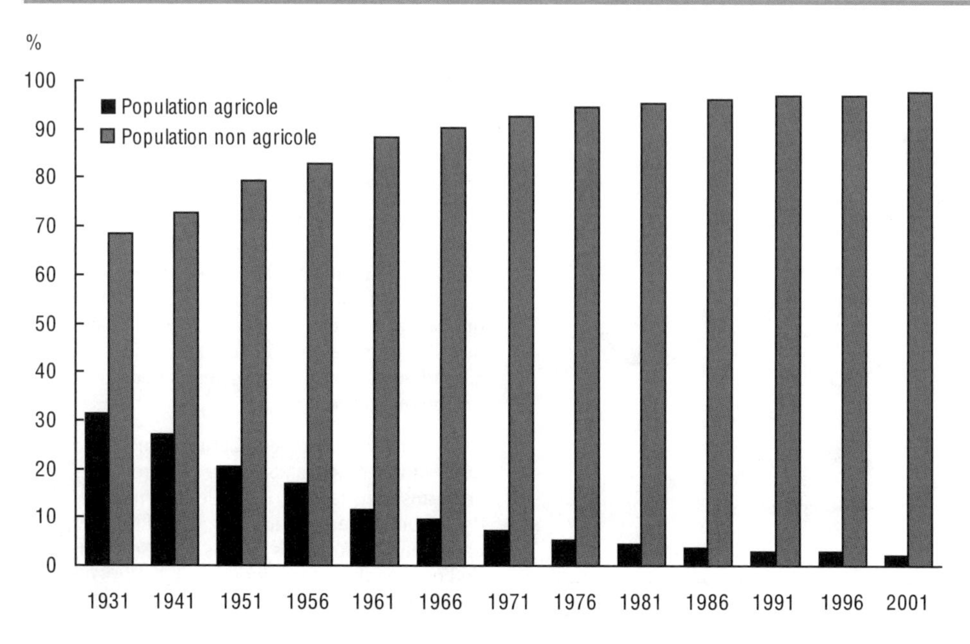

Source : Statistique Canada, produit nº 95F0303XIF au catalogue.

Ensemble, l'agriculture et les boissons et aliments représentent 3,4 % de la production économique du Canada, qu'on mesure au moyen du produit intérieur brut.

L'agriculture n'est pas que des champs de verdure ou de céréales dorées ondulant sous la brise légère. C'est un travail dur à longueur d'année : les prix de la plupart des produits diminuent depuis des décennies, et certains produits agricoles ont été particulièrement touchés ces dernières années.

Les apparences sont trompeuses

L'Indice des prix des produits agricoles de Statistique Canada représente une mesure des prix qui touchent les agriculteurs. Cet indice est basé sur l'année de référence 1997. En 2006, l'indice des prix de tous les produits agricoles s'établissait à 96,1, en baisse de 9,6 points de pourcentage par rapport au plus récent sommet atteint en 2002. En 2006, les prix de certains produits, tels que les céréales, les graines oléagineuses, le porc et la volaille, se situaient bien en deçà des prix de 1997. Par contre, en 2006, les prix des pommes de terre et d'autres légumes et ceux des produits laitiers étaient beaucoup plus élevés que les prix de 1997.

Les conditions du marché se sont améliorées chez les éleveurs de bovins depuis la réouverture des

Graphique 1.2
Indice des prix des produits agricoles, certains produits

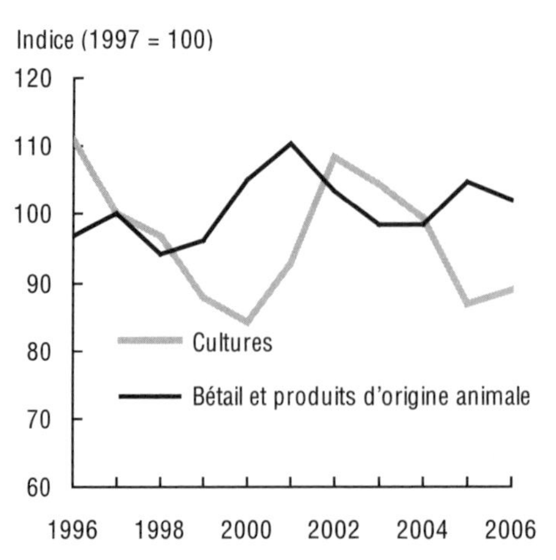

Source : Statistique Canada, CANSIM : tableau 002-0022.

Travailleurs expérimentés occupant un emploi dans le secteur de l'agriculture, certaines divisions de recensement

	2001
	%
Division nº 4 (comprend Maple Creek), Saskatchewan	45,2
Division nº 4 (comprend Pilot Mound and Somerset), Manitoba	43,1
Division nº 4 (comprend Hanna), Alberta	36,6
Les Jardins-de-Napierville, Québec	16,2
Huron County, Ontario	15,4
Carleton County, Nouveau-Brunswick	10,6

Source : Statistique Canada, totalisations spéciales fondées sur les données du Recensement de la population de 2001.

frontières américaines au milieu de 2005. On ne peut pas dire la même chose des producteurs de porc. Les recettes monétaires agricoles pour les bovins avaient progressé de 2 % par rapport à 2005, et les producteurs avaient doublé leurs expéditions de bovins. Bien que les producteurs de porc aient exporté un nombre record de bêtes vers les États-Unis, ils ont touché 14 % de moins qu'en 2005 à cause des prix moins élevés, en baisse de 10,8 points de pourcentage.

En général, les prix des céréales ont diminué au cours des deux dernières décennies. De 1984 à 2006, les prix des céréales ont chuté de plus de 33 %, malgré de brèves hausses vers la fin des années 1980, vers le milieu des années 1990 et au début du nouveau millénaire. Cependant, les prix plus élevés et les ventes de blé ont fait augmenter les recettes monétaires agricoles pour cette céréale de 16 % en 2006.

Le revenu agricole net est un autre indicateur des conditions économiques des agriculteurs. Statistique Canada recueille des données sur le « revenu net réalisé » des fermes canadiennes, qui est une mesure de l'écart entre les recettes monétaires et les frais d'exploitation des agriculteurs, moins l'amortissement et plus le revenu en nature.

Les données sur le revenu agricole net pour 2005 illustrent les effets d'une sécheresse de deux ans dans les Prairies et de la fermeture de la frontière américaine aux expéditions canadiennes de bovins vivants à cause de la crise de l'encéphalopathie spongiforme bovine (ESB). Par rapport à 2004, le revenu net réalisé des agriculteurs canadiens a diminué de 14 % pour atteindre 1,9 milliards de dollars et demeure à son plus faible niveau depuis 2003, avant la sécheresse et la crise de l'ESB. À plus long terme, le revenu agricole net a été de 16 % inférieur à la moyenne des années 2000 à 2004.

Les paiements de programmes agricoles ont contribué à modérer l'effet des fluctuations du marché sur les revenus des exploitants agricoles. En 2005, les paiements de programmes ont atteint un chiffre record de 4,9 milliards de dollars et ont représenté 13 % des recettes brutes globales.

On ne doit pas blâmer que l'ESB

Le piètre bilan financier de 2005 ne saurait être entièrement attribuable aux bovins puisque les expéditions d'animaux vivants vers les États-Unis ont repris au milieu de l'année. Les exportations de bovins et de veaux vivants sont passées de zéro au premier semestre de 2005 à 624 millions de dollars, soit près de 10 % des recettes imputables aux ventes de bovins et de veaux. Les recettes globales des producteurs de bovins, y compris les ventes intérieures, ont augmenté de 25 % depuis 2004.

Les cultures et le porc ont aussi contribué à la diminution de 2005. Les recettes des cultures ont chuté de 7 % par rapport à 2004, tandis que les recettes du porc ont perdu 8 %. La fluctuation des recettes s'explique habituellement par une combinaison complexe de facteurs, comme les

Graphique 1.3
Revenu net réalisé, valeur de la variation des stocks et revenu net total

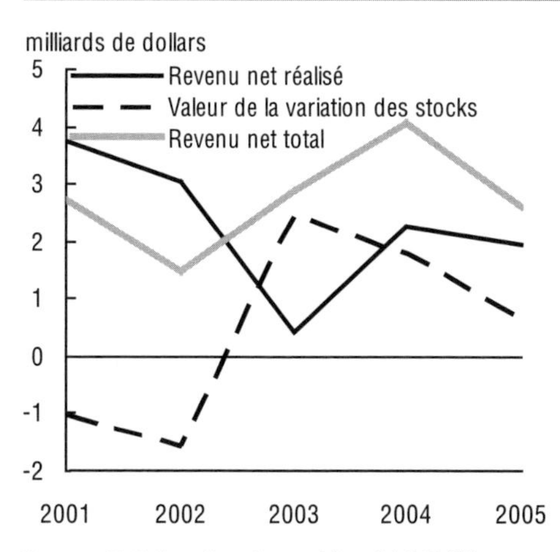

Source : Statistique Canada, produit nº 21-010-XIF au catalogue.

variations de prix, le rendement des cultures et les décisions des agriculteurs d'acheminer ou non leurs produits sur les marchés.

Les céréales sont un facteur important des recettes des cultures. Les approvisionnements mondiaux de céréales en 2005 ont été abondants, ce qui explique que les prix soient tombés près des niveaux records. Les recettes agricoles du blé, à l'exception du blé dur, ont dégringolé de 21 % par rapport à 2004 et ont perdu 28 % comparativement à la moyenne de 2000 à 2004. Pour le canola, les prix ont chuté de 24 % par rapport à 2004, mais la hausse des livraisons par les exploitants agricoles a contribué à atténuer le fléchissement des recettes qui a atteint 14 %.

Ces magnifiques champs peuvent donner sans doute l'impression que la récolte sera bonne, mais une foule de facteurs qu'on ne peut voir de la route — les prix, l'importance des stocks de céréales provenant des récoltes précédentes, le coût des facteurs, les fluctuations des devises, les restrictions commerciales et la variation de la demande — entreront en jeu pour déterminer si la récolte procurera à l'agriculteur un bon rendement pour l'année.

Sources choisies

Statistique Canada

- *Indice des prix des produits agricoles.* Mensuel. 21-007-XIF
- *Regards sur l'industrie agro-alimentaire et la communauté agricole.* Occasionnel. 21-004-XIF
- *Revenu agricole net : statistiques économiques agricoles.* Semestriel. 21-010-XIF
- *Statistiques sur les aliments.* Semestriel. 21-020-XIF
- *Statistiques sur les aliments au Canada.* Semestriel. 23F0001XBB
- *Statistiques de bovins.* Semestriel. 23-012-XIF
- *Statistiques de porcs.* Trimestriel. 23-010-XIF

Expansion des bioproduits

L'éthanol et le biodiesel sont deux des nombreux nouveaux bioproduits déjà sur le marché ou susceptibles d'y faire bientôt leur apparition. Les bioproduits sont des produits non agricoles provenant d'une matière biologique ou renouvelable d'origine agricole, alimentaire, forestière, maritime, industrielle ou municipale.

L'éthanol et le biodiesel, qu'on appelle des biocarburants, présentent sans doute les meilleures possibilités compte tenu de l'énorme consommation d'essence et de diesel des Canadiens. Le Canada a produit tout juste 250 millions de litres de biocarburants en 2004, alors que les États-Unis en ont produit 12,9 milliards de litres, selon l'Association canadienne des carburants renouvelables.

Toutefois, la production canadienne de biocarburants pourrait dépasser les 3 milliards de litres d'ici 2010, ou 5 % de la consommation totale d'essence, simplement pour respecter les cibles gouvernementales. Le Québec, l'Ontario, le Manitoba et la Saskatchewan ont tous mis en place des normes sur les carburants renouvelables qui imposent le mélange d'un pourcentage d'éthanol à l'essence.

Les autres bioproduits élaborés au Canada comprennent en autres des agents de lutte biologique contre les insectes et les mauvaises herbes susceptibles d'être moins toxiques pour l'environnement que les pesticides de synthèse, de nouveaux matériaux de construction faits à partir de fibres naturelles (comme la paille) et des plastiques biodégradables.

Le Québec, l'Ontario et la Colombie-Britannique, comportent 70 % des 232 entreprises mentionnées dans l'Enquête sur le développement des bioproduits de 2004. Ces entreprises ont tendance à être de petite taille, puisque seulement 16 % comptent 150 salariés ou plus.

Beaucoup de ces entreprises fabriquent aussi d'autres produits : les bioproduits représentent tout juste 25 % de leurs recettes totales. Des 3 milliards de dollars que les entreprises visées par l'enquête ont touchés de la vente de bioproduits en 2003, environ la moitié provient des exportations.

Graphique 1.4
Entreprises de bioproduits par région, Canada, 2003

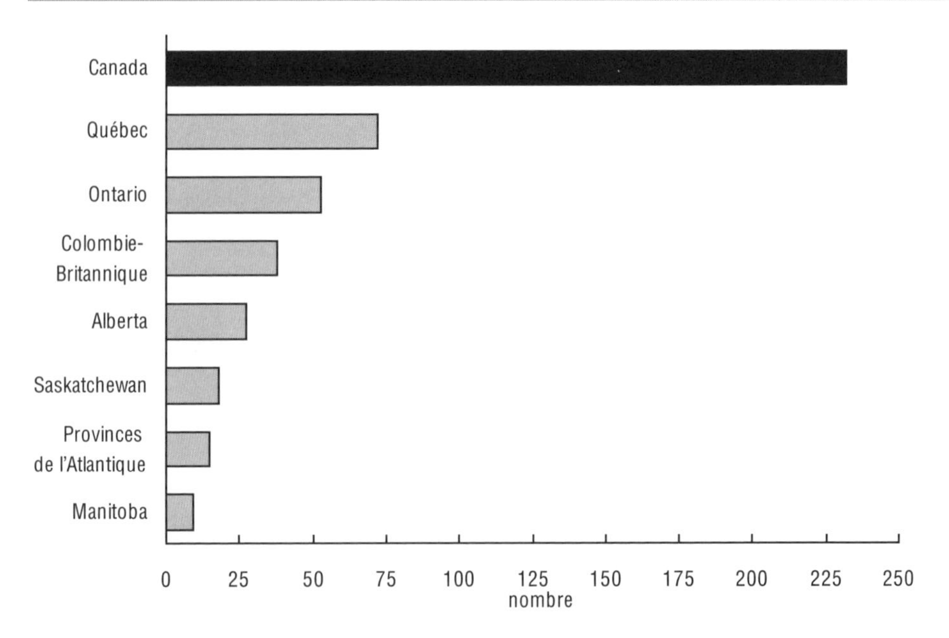

Source : Statistique Canada, produit nº 21-004-XIF au catalogue.

Vive la fraîcheur!

Les fruits et les légumes frais prennent une place de plus en plus importante dans le régime alimentaire des Canadiens, à une exception près : les pommes de terre.

Les Canadiens ont consommé en moyenne 39,4 kg de fruits frais en 2005, comparativement à 37,6 kg en 2004 et à 36,0 kg en 1995, selon *Statistiques sur les aliments au Canada*. Les pommes représentent environ le cinquième de la consommation de fruits frais, chaque Canadien en ayant consommé en moyenne 7,6 kg en 2005, par rapport à 6,8 kg en 2004. Si les bananes, les oranges et les raisins ont encore la faveur des Canadiens, les mangues, les limes, les papayes et les ananas gagnent en popularité. Les légumes frais, exception faite des pommes de terre, suivent une tendance semblable. En 2005, les Canadiens en ont consommé 40,5 kg en moyenne, ce qui constitue une légère hausse par rapport aux 39,8 kg enregistrés en 2004.

Les pommes de terre transformées, prenant la forme de frites et de croustilles, restent fort prisées. En 2005, la consommation moyenne de croustilles au Canada s'est élevée à 2,5 kg et la consommation de frites, à 6,4 kg. Environ 44 % des pommes de terre consommées par les Canadiens l'ont été sous la forme de croustilles et de frites; les autres (56 %) ont été servies cuites au four, bouillies, rôties, en purée ou gratinées à la dauphinoise. Les Canadiens ont consommé en moyenne 15,8 kg de pommes de terre achetées fraîches, comparativement à 21,8 kg en 1995.

Certaines des tendances qui se dégagent de ces données, que l'on recueille depuis 30 ans, peuvent sembler encourageantes, mais le portrait à long terme est plus complexe. De 1985 à 2005, la consommation alimentaire moyenne annuelle par personne a augmenté de 9,4 % pour atteindre 2 581 kilocalories, en baisse par rapport au sommet de 2 635 kilocalories atteint en 2001.

Statistiques sur les aliments au Canada renferme des estimations de la quantité totale de divers aliments destinés à la consommation, corrigées pour refléter la détérioration et les pertes.

Graphique 1.5
Énergie alimentaire consommée annuellement d'après l'approvisionnement alimentaire au Canada

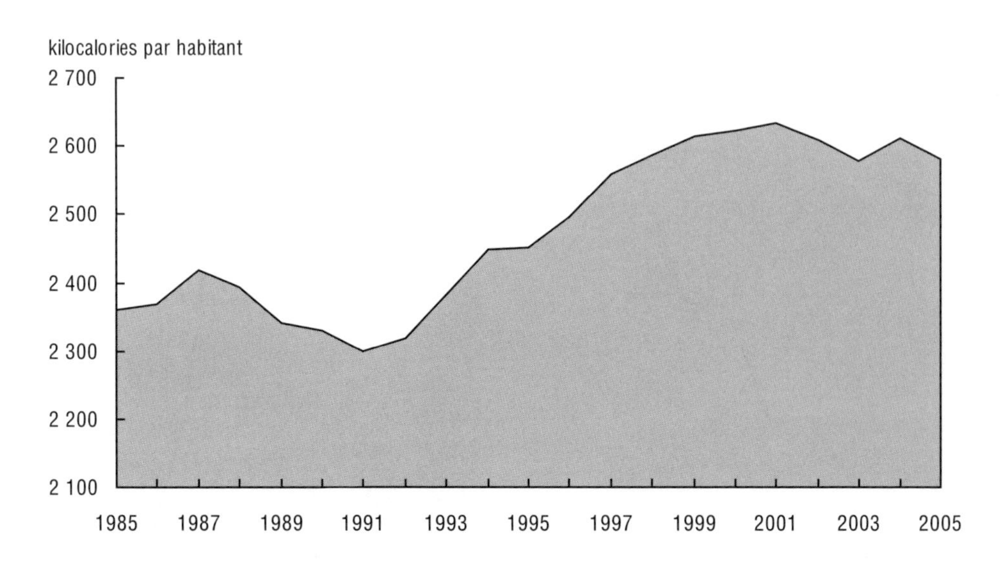

Notes : À titre expérimental, à utiliser avec prudence.
Les données ont été rajustées pour tenir compte des pertes qui peuvent survenir dans les points de vente au détail, dans les foyers, lors de la cuisson et dans l'assiette.
Source : Statistique Canada, CANSIM : tableau 003-0080.

Vivre après la crise de l'ESB

Les pires effets de la crise de l'encéphalopathie spongiforme bovine (ESB) semblent être du passé pour les producteurs de bovins du Canada. Maintenant que la frontière américaine est rouverte aux animaux vivants du Canada (mais uniquement ceux de moins de 30 mois dont l'engraissement est terminé ou en cours), les producteurs expédient des centaines de milliers d'animaux vers les États-Unis, ramenant ainsi leurs troupeaux à des niveaux plus pratiques. Cependant, les animaux plus âgés ne peuvent toujours pas passer la frontière vers les États-Unis.

La frontière a été rouverte en juillet 2005. Dans l'année qui a suivi, les troupeaux nationaux sont passés d'un sommet de 17,1 millions à 16,2 millions de têtes en juillet. La taille des troupeaux a diminué partout au pays, mais les trois quarts de la diminution de 810 000 têtes de 2006 sont survenus dans les Prairies.

Avant la fermeture de la frontière en mai 2003 à la suite d'un seul cas d'ESB, plus de 1 million de bovins vivants, notamment beaucoup d'animaux plus âgés, étaient exportés chaque année aux États-Unis. Lorsque les États-Unis et d'autres pays ont fermé leur frontière, les troupeaux de bovins du Canada ont pris de l'ampleur. Le pays ne disposait pas de la capacité nécessaire pour abattre ces animaux supplémentaires.

Les éleveurs faisaient face à des choix déchirants : vendre le plus d'animaux possible au Canada à faibles prix, ou les garder dans l'exploitation et acheter des aliments n'ajoutant aucune valeur à leur produit.

En 2004 et au premier semestre de 2005, les éleveurs ont envoyé un nombre record de bovins à l'abattoir. La capacité d'abattage du Canada a été augmentée, la demande intérieure de bœuf est demeurée forte et on a exporté de la viande emballée vers les États-Unis et d'autres pays.

Les restrictions d'âge permettent d'exporter de jeunes animaux destinés directement à l'abattoir ou à un engraissement d'un ou deux mois avant l'abattage. Toutefois, l'interdiction d'exporter des animaux plus âgés, entre autres des reproducteurs, a nui aux producteurs habitués de vendre des bovins de reproduction au sud de la frontière.

Graphique 1.6
Exportations de bovins et de veaux sur pied

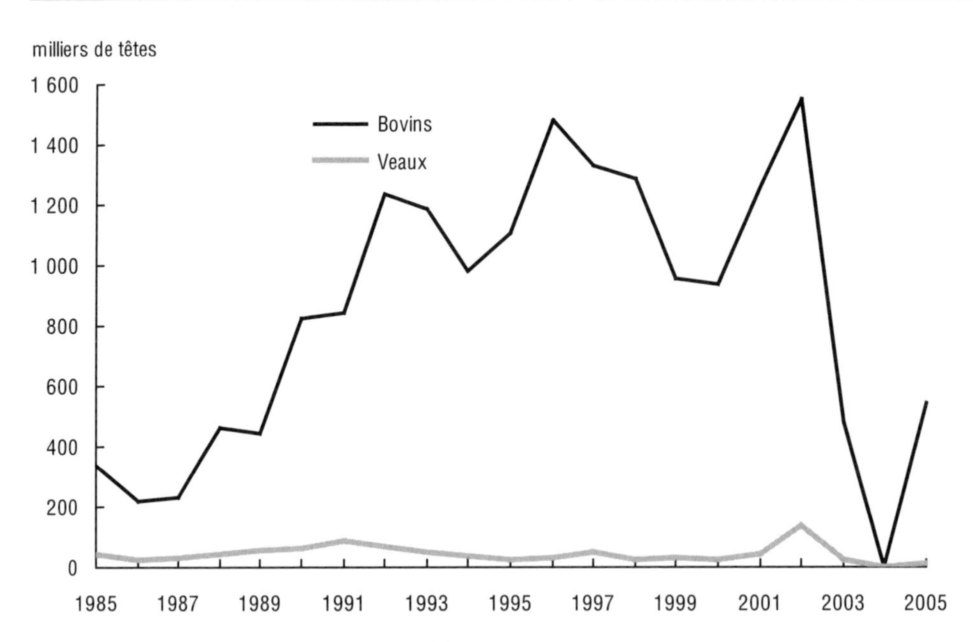

Source : Statistique Canada : CANSIM tableau 003-0026.

Un gros commerçant de produits alimentaires

Comme pays, le Canada importe environ la moitié de ce que nous mangeons et exporte près de la moitié des aliments que nous produisons. Cela fait du Canada l'un des pays qui dépendent le plus de leurs échanges commerciaux pour l'agriculture et les produits du poisson. D'autres pays, surtout les États-Unis, sont tout aussi friands de nos exportations agricoles.

Beaucoup de nos importations sont des produits que nous ne pouvons cultiver. Les raisins du Chili et les oranges du Maroc représentent deux des importations que nous tenons pour acquises chaque hiver. Nos exportations font de nous le magasin mondial des aliments en vrac. De toute évidence, les aliments en vrac sont une activité rentable pour le Canada, à preuve notre excédent commercial de 8,2 milliards de dollars pour les aliments et les produits du poisson en 2005.

Le Canada a importé en 2005 des produits de l'agriculture et du poisson pour une valeur de 22,0 milliards de dollars. Les fruits et les légumes, entiers ou préparés, ont représenté 29 % des importations. Les boissons et les autres aliments préparés ont constitué 29 %, le poisson, la viande et les animaux vivants, 18 %, et les produits céréaliers, le sucre, le fourrage et les aliments pour animaux, 24 %.

En 2005, nos exportations de produits de l'agriculture et du poisson ont atteint 30,2 milliards de dollars. Le poisson, la viande et les animaux vivants représentaient 38 %, les céréales, 19 %, les oléagineux et les autres produits légumiers, 9 % et les boissons alcoolisées et non alcoolisées, les autres aliments, les aliments pour animaux et le tabac, 34 %. Le Canada exporte les deux tiers de ses produits agricoles vers les États-Unis.

Les exportations de légumes de serre, ainsi que de bovins et de porcs vivants ont été très rentables dans les années 1990 à la suite de l'Accord de libre-échange nord-américain de 1988. Pour répondre à l'accroissement des exportations, il a fallu construire ou agrandir des serres, des parcs d'engraissement et des fermes porcines dans les 15 dernières années.

Graphique 1.7
Commerce des produits agricoles et des produits du poisson, 2005

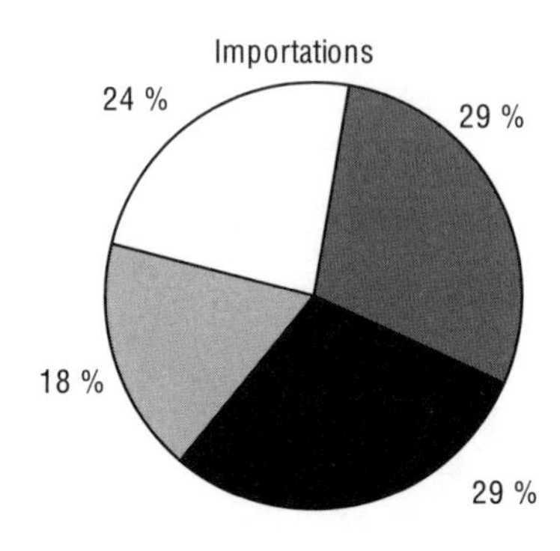

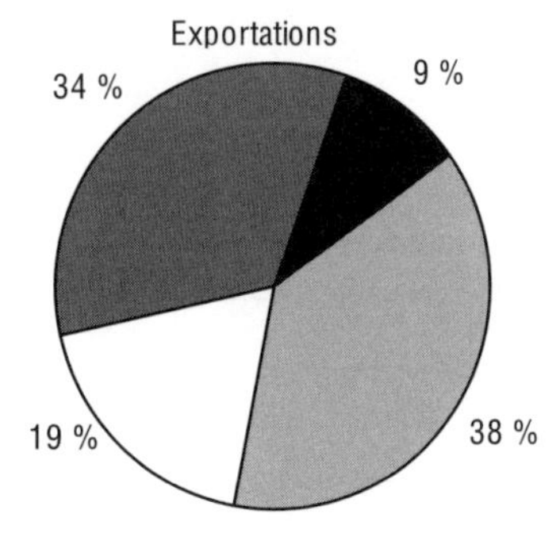

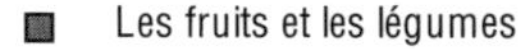

Importations :
- Les fruits et les légumes
- Les boissons et les autres aliments préparés
- Le poisson, la viande et les animaux vivants
- Les produits céréaliers, le sucre, le fourrage et les aliments pour animaux

Exportations :
- Les graines oléagineuses et les autres produits légumiers
- Le poisson, la viande et les animaux vivants
- Les céréales
- Les autres aliments, le fourrage, les boissons et les produits du tabac

Source : Statistique Canada, produit nº 21-004-XIF au catalogue.

Tableau 1.1 Bétail et volaille, 1992 à 2006

	1992	1993	1994	1995	1996	1997
	milliers					
Bovins	11 869	11 860	12 012	12 709	13 402	13 412
Taureaux[1]	216	226	233	249	249	246
Vaches laitières	1 283	1 223	1 224	1 245	1 237	1 231
Vaches de boucherie	3 790	3 912	3 982	4 252	4 381	4 387
Génisses laitières[2]	599	537	532	528	524	531
Génisses de boucherie[2]	1 150	1 226	1 182	1 290	1 418	1 388
Pour la reproduction	673	647	699	778	814	724
Pour le marché	476	579	484	512	604	664
Bouvillons[3]	935	768	806	775	864	981
Veaux	3 897	3 969	4 053	4 370	4 728	4 648
Porcs	10 784	10 566	10 888	11 522	11 490	11 740
Pour la reproduction	1 142	1 138	1 173	1 179	1 192	1 239
Verrats,[4] six mois et plus	65	63	65	63	60	58
Truies[5] et jeunes truies,[6] six mois et plus	1 077	1 075	1 108	1 115	1 132	1 181
Tous les autres porcs	9 641	9 427	9 715	10 344	10 299	10 501
Moins de 20 kilogrammes	3 234	3 137	3 233	3 339	3 349	3 433
20 à 60 kilogrammes	3 357	3 288	3 371	3 531	3 538	3 630
Plus de 60 kilogrammes	3 050	3 002	3 110	3 473	3 412	3 437
Moutons	465	469	466	441	456	447
Béliers[7]	23	22	24	23	22	23
Brebis[8]	442	447	443	418	434	425
Agneaux	183	164	173	176	187	180
Poulets	411 090	408 810	430 258	486 338	486 218	501 289
Dindons	19 841	19 863	19 448	19 811	21 255	21 475

Note : Les données représentent le nombre annuel moyen d'animaux.

1. Bovins mâles entiers.
2. Vaches n'ayant jamais mis bas.
3. Jeunes bovins châtrés.
4. Porcs mâles n'étant pas châtrés.
5. Porcs femelles ayant mis bas.
6. Porcs femelles n'ayant jamais mis bas.
7. Moutons mâles.
8. Moutons femelles ayant mis bas.

Source : Statistique Canada, CANSIM : tableaux 003-0004, 003-0018, 003-0031 et 003-0032.

1998	1999	2000	2001	2002	2003	2004	2005	2006
				milliers				
13 360	13 211	13 201	13 608	13 762	13 488	14 653	15 063	14 830
236	225	230	239	237	239	271	273	265
1 184	1 157	1 103	1 091	1 084	1 065	1 055	1 066	1 049
4 361	4 386	4 452	4 602	4 636	4 752	5 019	5 297	5 264
511	494	487	498	508	512	503	499	498
1 433	1 309	1 347	1 475	1 518	1 428	1 566	1 616	1 650
687	605	645	674	654	648	706	666	650
746	704	703	801	865	780	861	950	1 000
1 004	1 197	1 267	1 222	1 205	1 179	1 228	1 184	1 173
4 631	4 443	4 315	4 482	4 574	4 312	5 012	5 127	4 932
12 363	12 721	13 377	14 105	14 672	14 608	14 666	14 831	14 436
1 307	1 326	1 374	1 467	1 549	1 598	1 638	1 647	1 631
56	50	47	45	43	40	36	34	33
1 251	1 276	1 327	1 423	1 506	1 558	1 602	1 612	1 598
11 056	11 395	12 003	12 638	13 123	13 011	13 029	13 185	12 806
3 686	3 851	4 026	4 195	4 370	4 465	4 483	4 496	4 368
3 781	3 884	4 104	4 337	4 491	4 355	4 370	4 479	4 320
3 589	3 660	3 873	4 106	4 261	4 190	4 175	4 210	4 117
465	490	543	606	644	642	650	642	602
24	25	28	30	29	29	28	27	26
441	465	515	576	615	613	622	615	576
197	227	251	342	349	334	347	338	293
516 952	541 278	570 468	590 623	624 792	625 692	615 939	613 527	626 251
20 999	20 070	20 087	21 268	20 191	19 672	19 834	19 526	20 492

Tableau 1.2 Superficie ensemencée des principales grandes cultures, 1992 à 2007

	1992	1993	1994	1995	1996	1997	1998
				hectares			
Ensemble du blé	14 391 200	12 982 500	10 997 400	11 365 800	12 488 361	11 576 100	10 870 600
Blé de printemps	12 532 300	11 240 300	8 298 100	8 822 500	9 983 447	9 016 600	7 533 200
Blé d'hiver	347 400	279 300	352 100	358 000	441 114	327 600	403 500
Blé dur	1 511 500	1 462 900	2 347 200	2 185 300	2 063 800	2 231 900	2 933 900
Avoine	1 663 400	1 728 800	1 840 400	1 579 400	2 060 342	1 876 300	2 062 600
Orge	4 086 700	4 559 200	4 329 600	4 654 300	5 238 025	5 021 500	4 632 300
Ensemble du seigle	226 900	241 400	239 200	215 300	218 265	208 000	267 300
Seigle d'automne	192 500	217 100	204 800	197 100	202 065	191 800	249 100
Seigle de printemps	34 400	24 300	34 400	18 200	16 200	16 200	18 200
Céréales mélangées	287 300	311 800	306 800	321 000	291 619	317 800	275 200
Maïs-grain	1 081 300	1 035 900	987 900	1 006 500	1 130 775	1 052 500	1 126 500
Sarrasin	24 600	11 800	11 300	17 100	17 775	15 800	14 700
Pois secs	273 100	505 800	696 100	819 400	544 300	848 500	1 084 500
Haricots blancs secs	53 200	49 200	45 000	61 700	42 560	47 900	39 800
Haricots secs de couleur	19 800	37 200	38 600	43 200	43 144	43 900	54 100
Lin	297 400	528 100	732 400	876 100	592 900	736 600	878 200
Soya	642 600	751 900	821 100	826 100	875 993	1 061 700	980 600
Graines de moutarde	119 400	190 200	323 600	267 000	239 100	292 200	283 200
Canola (colza)	3 235 500	4 172 300	5 797 100	5 344 000	3 540 311	4 905 900	5 477 400
Graines de tournesol	74 400	85 000	83 000	48 600	36 400	50 600	68 800
Betteraves à sucre	22 600	22 200	25 500	24 900	23 800	14 200	18 200
Foin cultivé	6 414 200	6 514 700	6 738 800	6 577 600	6 395 660	6 349 500	6 578 600
Maïs fourrager	205 800	179 600	165 800	170 700	190 523	204 600	200 200
Lentilles	279 200	372 300	398 600	333 800	303 500	329 000	378 400
Alpiste des Canaries	94 300	126 300	204 300	147 600	248 800	113 300	210 400
Fèveroles	5 600	3 600	2 800	4 000	1 840	2 400	5 600
Triticale	1 200	15 400	25 900	23 000	25 100	23 000	56 600
Carthame	..	4 000	2 000	2 000	800	..	1 200
Graines de carvi	..	..	..	..	..	..	..
Graines de coriandre	..	..	..	..	..	..	..
Graines de bourrache	..	..	..	..	..	..	..
Pois chiches	..	..	..	..	..	10 500	38 800

Source : Statistique Canada, CANSIM : tableau 001-0010.

1999	2000	2001	2002	2003	2004	2005	2006	2007
				hectares				
10 469 000	11 072 200	10 950 500	10 678 000	10 662 100	10 399 100	10 125 300	10 715 700	9 684 400
8 288 900	8 001 100	8 325 400	7 752 300	7 511 700	7 527 000	7 245 600	8 204 200	6 911 800
395 400	428 500	460 100	436 900	667 600	642 300	538 500	751 100	769 400
1 784 700	2 642 600	2 165 000	2 488 800	2 482 800	2 229 800	2 341 200	1 760 400	2 003 200
1 885 700	1 825 700	1 907 400	2 398 500	2 272 000	1 994 900	1 853 300	1 922 600	2 299 500
4 409 100	5 101 300	4 700 200	5 147 100	5 046 100	4 677 500	4 440 000	3 860 900	4 375 600
225 000	188 200	181 400	159 900	246 400	280 400	225 800	200 600	175 500
208 800	167 900	163 200	143 700	228 200	264 200	225 800	200 600	175 500
16 200	20 300	18 200	16 200	18 200	16 200	..	..	..
278 700	290 200	364 200	284 000	240 700	220 400	208 800	244 900	139 500
1 166 200	1 206 000	1 294 200	1 299 300	1 264 600	1 184 800	1 124 200	1 127 200	1 420 800
13 900	15 900	15 900	12 100	9 300	6 100	4 000	6 100	..
851 300	1 240 200	1 343 600	1 296 900	1 303 000	1 388 000	1 365 700	1 410 300	1 442 700
79 200	80 600	84 400	115 300	72 900	64 800	76 900	66 700	66 800
70 700	84 400	94 900	109 700	88 800	94 200	120 100	116 200	92 600
809 400	594 900	671 800	692 000	744 600	728 400	841 800	841 700	578 700
1 004 000	1 068 700	1 081 500	1 030 300	1 050 800	1 229 100	1 176 400	1 237 900	1 186 100
279 900	212 300	165 800	289 300	339 800	316 800	212 400	143 600	170 000
5 598 700	4 937 000	3 826 800	3 891 000	4 735 700	5 319 400	5 491 300	5 372 600	6 002 100
85 000	74 800	72 800	99 500	118 500	87 000	93 000	74 900	74 900
18 200	17 000	12 100	12 100	12 100	14 200	13 800	15 000	..
6 937 100	7 270 700	7 663 400	7 697 500	7 532 600	7 482 700	7 316 300	7 562 700	..
188 600	211 500	233 800	226 000	233 900	242 800	219 800	228 700	189 400
506 300	698 900	708 200	600 900	553 900	778 900	883 800	566 500	514 000
149 800	165 900	170 000	287 300	250 900	356 000	190 200	119 400	165 900
2 800	6 100	5 200	5 200	4 800	6 000	4 800	10 400	..
74 800	70 800	47 300	87 000	82 100	74 900	53 800	48 600	36 400
4 000	5 200	2 400	2 000	..	..	..	..	..
..	..	7 300	8 100	8 100	4 000	..	..	..
..	..	..	8 100	8 100	12 100	10 100	..	..
..	..	..	2 000	2 000	4 000	..	..	..
141 600	295 400	485 700	220 500	62 700	46 600	78 800	143 600	210 500

Tableau 1.3 Production des principales grandes cultures, 1991 à 2006

	1991	1992	1993	1994	1995	1996	1997
				tonnes			
Ensemble du blé	31 945 600	29 877 200	27 225 900	22 919 500	24 989 400	29 801 400	24 299 400
Blé de printemps	26 603 400	25 360 400	23 100 000	16 944 400	18 847 100	24 146 900	19 032 400
Blé d'hiver	756 400	1 378 900	767 500	1 340 300	1 493 900	1 027 900	915 300
Blé dur	4 585 800	3 137 900	3 358 400	4 634 800	4 648 400	4 626 600	4 351 700
Avoine	1 793 900	2 828 500	3 556 800	3 640 500	2 872 800	4 361 100	3 489 300
Orge	11 617 300	11 031 500	12 972 100	11 692 000	13 032 500	15 562 000	13 533 900
Ensemble du seigle	338 700	281 100	318 600	399 700	309 600	309 400	320 000
Seigle d'automne	310 800	243 000	280 500	348 900	291 800	291 100	303 400
Seigle de printemps	27 900	38 100	38 100	50 800	17 800	18 300	16 600
Céréales mélangées	618 100	604 100	712 100	630 900	653 300	581 900	626 400
Maïs-grain	7 412 500	4 882 600	6 755 200	7 189 900	7 280 900	7 541 700	7 179 800
Sarrasin	23 300	10 750	7 500	12 400	21 200	22 200	16 500
Pois secs	409 700	504 800	970 200	1 441 000	1 454 700	1 173 000	1 762 300
Haricots blancs secs	0	53 100	77 800	84 800	116 200	61 200	82 600
Haricots secs de couleur	0	20 100	53 000	85 900	86 900	71 800	85 400
Lin	635 000	336 600	627 400	967 700	1 104 900	851 000	895 400
Soya	1 459 900	1 453 300	1 944 900	2 253 700	2 297 500	2 169 500	2 737 700
Graines de moutarde	121 100	133 300	215 900	319 300	244 300	230 800	243 400
Canola (colza)	4 224 200	3 872 400	5 524 900	7 232 500	6 434 200	5 062 300	6 393 100
Graines de tournesol	134 600	64 800	78 500	117 000	66 200	54 900	65 100
Betteraves à sucre	1 085 000	775 700	782 900	1 091 300	1 026 900	1 034 200	635 000
Foin cultivé	29 192 400	27 694 600	29 703 700	31 141 300	26 851 400	28 025 000	21 137 500
Maïs fourrager	5 536 600	5 273 800	5 248 800	4 743 800	4 995 700	5 375 400	5 466 600
Lentilles	342 800	349 000	348 700	450 400	431 900	402 500	378 800
Alpiste des Canaries	100 300	124 100	127 800	240 400	154 600	284 600	115 000
Fèveroles	18 800	11 200	5 200	6 800	5 800	5 520	4 300
Triticale	2 400	2 800	31 100	40 700	39 900	35 200	31 000
Carthame	..	..	500	1 100	2 000	700	..
Graines de carvi	..	..	..	..	..	..	..
Graines de coriandre	..	..	..	..	..	..	..
Graines de bourrache	..	..	..	..	..	..	..
Pois chiches	..	..	..	..	..	..	14 500

Source : Statistique Canada, CANSIM : tableau 001-0010.

1998	1999	2000	2001	2002	2003	2004	2005	2006
				tonnes				
24 082 300	26 959 900	26 535 500	20 630 200	16 197 500	23 552 000	25 860 400	26 775 000	27 276 600
16 564 600	20 900 800	19 027 000	16 010 200	10 767 400	16 440 300	18 451 000	18 788 100	20 052 100
1 475 800	1 718 200	1 800 000	1 570 500	1 553 200	2 832 100	2 447 400	2 072 300	3 403 400
6 041 900	4 340 900	5 708 500	3 049 500	3 876 900	4 279 600	4 962 000	5 914 600	3 821 100
3 957 500	3 641 300	3 403 300	2 690 700	2 910 700	3 691 000	3 683 100	3 432 300	3 602 300
12 708 700	13 196 000	13 228 600	10 845 600	7 489 400	12 327 600	13 186 400	12 481 200	10 004 500
408 200	386 600	260 300	227 800	133 800	327 100	417 900	358 600	301 500
391 700	366 800	247 000	215 600	129 400	307 800	403 900	358 600	301 500
16 500	19 800	13 300	12 200	4 400	19 300	14 000	..	..
540 000	462 800	434 900	446 500	358 900	384 400	318 000	303 100	290 700
8 952 400	9 161 300	6 953 700	8 389 200	8 998 800	9 587 300	8 836 800	9 460 800	9 268 200
14 800	12 500	13 600	16 300	12 200	9 900	1 500	4 600	6 500
2 336 800	2 251 900	2 864 300	2 044 800	1 365 500	2 124 400	3 338 200	3 099 800	2 806 300
73 900	149 100	119 300	136 200	209 700	151 000	72 100	117 900	137 600
111 200	135 400	142 100	153 000	197 100	193 300	141 500	201 100	235 100
1 080 900	1 022 400	693 400	715 000	679 400	754 400	516 900	1 082 000	1 041 100
2 736 600	2 780 900	2 703 000	1 635 200	2 335 700	2 268 300	3 048 000	3 161 300	3 532 800
238 600	306 400	202 200	104 800	154 300	226 100	305 500	201 400	116 100
7 643 300	8 798 300	7 205 300	5 017 100	4 520 500	6 771 200	7 728 100	9 660 200	9 105 100
111 800	121 900	119 300	103 800	157 400	150 300	54 400	89 300	153 200
880 000	743 900	821 000	544 300	344 700	680 400	743 900	607 800	870 900
21 825 000	25 032 900	23 921 600	20 373 500	18 140 900	22 360 400	25 614 500	26 629 400	27 617 300
6 425 600	6 611 500	5 890 300	6 079 000	6 355 800	7 213 000	7 908 700	7 469 000	8 382 400
479 800	723 800	914 100	566 300	353 800	519 900	962 000	1 277 900	692 800
235 300	166 000	170 800	113 900	185 700	226 400	300 500	227 200	117 300
13 700	6 500	15 400	10 200	9 100	8 400	15 300	9 800	18 000
85 300	126 200	89 700	31 200	26 000	68 600	80 000	43 200	26 900
1 400	3 800	6 700	2 900	1 100	..	..	..	..
..	..	..	2 000	2 400	3 200	2 500	..	..
..	..	..	..	5 200	4 800	7 900	8 900	..
..	..	..	..	800	500	700	..	..
50 900	187 200	387 500	455 000	156 500	67 600	51 200	103 900	182 300

Tableau 1.4 Production des principales grandes cultures, par province, 2006

	Canada	Terre-Neuve-et-Labrador	Île-du-Prince-Édouard	Nouvelle-Écosse	Nouveau-Brunswick
	tonnes				
Ensemble du blé	**27 276 600**	.	40 600	14 500	3 600
Blé de printemps	**20 052 100**	.	32 400	2 700	3 000
Blé d'hiver	**3 403 400**	.	8 200	11 800	600
Blé dur	**3 821 100**	.	.	.	.
Avoine	**3 602 300**	.	10 900	2 900	16 000
Orge	**10 004 500**	.	91 100	5 400	27 400
Seigle d'automne	**301 500**	.	..	..	.
Céréales mélangées	**290 700**	.	13 000	..	2 100
Maïs-grain	**9 268 200**	.	.	19 000	.
Sarrasin	**6 500**	.	..	..	..
Pois secs	**2 806 300**	.	..	..	..
Haricots blancs secs	**137 600**	.	.	.	.
Haricots secs de couleur	**235 100**	.	.	.	.
Lin	**1 041 100**	.	.	.	.
Soya	**3 532 800**	.	11 800	.	.
Graines de moutarde	**116 100**	.	.	.	.
Canola (colza)	**9 105 100**	.	.	.	.
Graines de tournesol	**153 200**	.	.	.	.
Betteraves à sucre	**870 900**	.	.	.	.
Foin cultivé	**27 617 300**	28 100	257 600	365 600	344 700
Maïs fourrager	**8 382 400**	.	..	69 900	47 200
Lentilles	**692 800**	.	.	.	.
Alpiste des Canaries	**117 300**	.	.	.	.
Fèveroles	**18 000**	.	.	.	.
Triticale	**26 900**	.	.	.	.
Graines de coriande	**..**	.	.	.	.
Pois chiches	**182 300**	.	.	.	.

Source : Statistique Canada, CANSIM : tableau 001-0010.

Québec	Ontario	Manitoba	Saskatchewan	Alberta	Colombie-Britannique
		tonnes			
163 500	2 642 700	4 084 600	12 482 300	7 818 100	26 700
153 000	247 700	3 543 600	9 076 800	6 966 200	26 700
10 500	2 395 000	541 000	275 700	160 600	..
.	.	..	3 129 800	691 300	.
270 000	98 200	979 000	1 526 800	670 900	27 600
310 000	298 300	1 145 900	3 470 500	4 624 500	31 400
4 400	50 000	81 300	134 600	31 200	..
52 000	156 000	7 100	13 300	43 900	3 300
2 730 000	6 096 300	406 400	.	16 500	.
..	..	6 500	..	..	.
..	..	91 000	2 126 900	586 100	2 300
..	85 000	52 600	.	..	.
14 700	64 600	93 000	.	51 900	.
..	..	193 000	805 200	42 900	..
540 000	2 721 600	259 400	.	.	.
.	.	..	90 500	25 600	.
11 800	11 300	1 826 800	3 962 100	3 265 900	27 200
.	.	153 200	..	..	.
..	..	..	.	870 900	.
4 005 200	5 796 900	3 147 900	4 413 500	8 019 500	1 238 300
1 670 100	4 535 900	957 100	..	517 100	585 100
.	.	..	692 800	..	.
.	.	4 500	112 800	..	.
.	.	9 500	2 000	4 800	.
.	.	..	11 900	15 000	.
.	.	.	..	.	.
.	.	.	159 500	22 800	.

Tableau 1.5 Recettes monétaires agricoles, 1992 à 2006

	1992	1993	1994	1995	1996	1997
	milliers de dollars					
Recettes monétaires agricoles	**23 730 202**	**24 188 520**	**25 881 396**	**27 123 321**	**29 075 327**	**29 838 629**
Recettes de cultures	8 551 035	9 045 654	11 542 606	13 114 105	14 016 229	14 102 990
Blé	2 232 747	1 752 339	2 436 389	2 823 648	3 482 441	3 520 740
Avoine	98 039	144 879	144 883	224 863	305 427	269 170
Orge	386 260	401 735	517 327	719 800	960 127	727 160
Paiements de la Commission canadienne du blé[1]	489 336	1 057 920	1 367 430	1 432 766	1 123 878	725 720
Seigle	21 173	20 540	24 310	30 776	38 989	34 242
Graines de lin	94 648	107 047	184 905	230 310	220 875	291 632
Canola (colza)	999 392	1 194 351	2 111 164	1 906 362	1 968 956	2 127 750
Soya	324 342	438 744	506 678	661 659	626 673	814 222
Maïs	514 863	419 255	505 789	704 294	808 128	696 106
Betteraves à sucre	28 559	31 651	40 548	52 043	40 670	34 483
Pommes de terre	345 771	425 586	533 104	517 641	533 124	512 581
Légumes	754 730	812 755	863 319	923 155	..	..
Légumes de serre	..	..	..	..	218 473	270 361
Autres légumes	..	..	..	..	749 685	773 255
Fruits de verger	193 872	183 157	207 773	252 265	241 440	234 840
Petits fruits et raisins	190 296	186 764	219 213	240 738	254 740	251 236
Industrie floricole et pépinière	866 160	861 662	883 978	941 540	999 335	1 095 216
Tabac	311 914	277 994	373 946	296 647	345 332	353 267
Autres cultures	698 933	729 275	621 850	1 155 598	1 097 936	1 371 009
Recettes de bétail et leurs produits[2]	11 388 328	12 300 208	12 513 891	12 703 800	13 857 294	14 626 880
Bovins et veaux	4 452 356	4 924 284	4 812 930	4 607 189	4 730 759	5 285 317
Porcs	1 787 118	2 042 353	2 031 823	2 252 460	2 884 759	2 989 333
Moutons	2 498	3 047	2 908	3 206	3 026	3 494
Agneaux	49 834	60 075	60 875	66 403	74 812	71 843
Produits laitiers	3 089 634	3 134 174	3 354 465	3 463 085	3 514 733	3 709 267
Poules et poulets	922 803	1 006 808	1 060 948	1 050 960	1 248 291	1 298 789
Dindons	212 902	210 047	221 061	237 891	266 906	258 588
Œufs	522 041	534 455	559 998	590 826	644 956	482 874
Autre bétail et produits	244 394	263 730	289 745	305 781	364 527	404 631
Recettes de paiements directs	3 790 839	2 842 658	1 824 899	1 305 416	1 201 804	1 108 759
Paiements, d'assurance-récolte[3]	355 954	723 721	414 825	306 725	256 832	302 721
Assurance-grêle privée	54 888	47 078	198 180	174 738	81 613	71 068
Paiements provinciaux de stabilisation	367 800	261 959	300 472	308 128	300 359	170 846
Subvention aux produits laitiers	230 979	229 930	222 304	213 553	170 657	146 610
Autres paiements	2 427 955	1 417 510	648 499	255 976	277 627	264 192
Paiements compte de stabilisation du revenu net	353 263	162 460	40 619	46 296	114 716	153 322
Programmes en cas de désastre lié aux revenus	..	..	..	..	..	..

1. Paiements versés aux producteurs.
2. La somme des données ne correspond pas aux totaux indiqués, car les données pour les chevaux et leurs produits sont supprimées pour des raisons de confidentialité.
3. À partir de 1992, les données ne comprennent pas les régimes privés d'assurance-grêle.

Source : Statistique Canada, CANSIM : tableau 002-0001.

1998	1999	2000	2001	2002	2003	2004	2005	2006
milliers de dollars								
29 686 323	**30 357 110**	**32 960 524**	**36 320 804**	**36 075 277**	**34 419 826**	**36 458 435**	**36 798 628**	**37 014 256**
13 822 114	13 217 869	13 062 085	13 590 638	14 454 970	13 400 716	14 434 436	13 481 153	14 482 106
2 413 393	2 337 436	2 350 429	2 548 885	2 474 708	2 246 500	2 151 495	1 755 772	2 170 959
193 228	174 621	196 413	273 962	307 737	244 503	232 487	254 931	331 970
510 285	421 352	477 987	621 288	505 702	379 483	434 556	346 792	329 791
948 849	948 353	811 564	1 042 085	981 534	337 267	1 007 545		
19 743	17 212	15 285	16 210	12 182	12 440	28 857	13 050	16 358
262 858	138 965	148 743	162 780	239 835	192 160	198 714	170 117	154 294
2 663 207	1 771 010	1 560 025	1 723 047	1 778 264	1 889 576	2 149 436	1 855 278	2 501 609
800 348	618 194	677 947	534 483	587 657	758 345	630 898	761 031	680 063
642 363	742 902	676 073	630 884	819 169	786 685	794 416	625 675	753 497
39 838	30 527	32 899	19 333	20 072	22 732	30 921	32 140	38 180
612 166	700 669	679 916	722 879	917 617	846 378	820 292	779 593	899 242
..	..	..	..	..	..	..	..	..
376 949	438 491	504 713	589 710	593 763	637 136	716 726	722 312	758 243
787 818	779 893	796 238	873 847	844 869	876 876	907 683	889 923	925 278
231 839	252 633	260 280	258 050	233 864	244 591	222 914	207 056	210 874
254 377	320 013	286 441	280 447	294 783	312 930	375 083	344 320	381 583
1 220 579	1 322 114	1 588 698	1 665 576	1 828 717	1 902 346	1 925 250	1 887 211	1 950 488
358 610	356 706	348 427	240 007	274 150	222 256	231 181	194 942	178 521
1 485 664	1 846 778	1 650 007	1 387 160	1 735 689	1 523 641	1 648 376		
14 442 665	15 163 207	17 089 735	18 964 226	18 191 366	16 170 994	17 161 734	18 394 053	17 959 991
5 704 605	6 185 002	6 874 942	7 891 897	7 654 142	5 119 181	5 071 927	6 359 135	6 495 015
2 201 165	2 395 395	3 355 238	3 827 869	3 284 628	3 442 646	4 277 920	3 941 305	3 428 012
4 034	4 013	5 214	4 743	3 568	4 395	4 296	6 245	6 770
67 727	70 464	81 526	92 273	99 486	96 459	87 193	113 260	121 681
3 846 077	3 920 935	4 029 833	4 142 313	4 135 287	4 480 779	4 598 535	4 841 889	4 830 672
1 356 008	1 320 852	1 368 143	1 522 306	1 452 936	1 528 417	1 579 731	1 615 170	1 545 233
248 836	240 235	263 253	262 534	258 822	262 642	267 824	271 505	278 304
466 165	477 591	511 052	547 878	574 980	570 337	567 249	547 223	560 530
424 085	418 552	462 421	518 676	564 038	535 460	559 883		
1 421 544	1 976 034	2 808 704	3 765 940	3 428 941	4 848 116	4 862 265	4 923 422	4 572 159
318 356	239 544	451 382	917 589	1 407 047	1 707 485	755 810	820 072	600 268
55 855	68 628	159 254	123 657	86 071	104 507	108 718	116 304	138 832
507 947	572 776	411 180	516 476	395 673	711 321	626 336	390 763	542 136
132 113	103 652	72 666	41 885	8 758	..	..	..	..
138 549	209 689	836 148	1 097 940	528 782	1 161 404	1 421 290		
268 724	444 918	456 221	441 711	615 685	723 065	934 140	442 340	316 950
..	339 321	421 853	626 682	386 925	440 331	1 014 044	1 777 161	2 760 427

Tableau 1.6 Exploitants agricoles selon le genre de ferme, par province, 2006

	Canada	Terre-Neuve-et-Labrador	Île-du-Prince-Édouard	Nouvelle-Écosse	Nouveau-Brunswick
	nombre				
Ensemble des exploitants[1,2]	**327 055**	**715**	**2 335**	**5 095**	**3 695**
Genre de ferme[3]					
Élevage de bovins laitiers et production laitière	**25 770**	55	360	495	430
Élevage de bovins de boucheire, y compris l'exploitation de parcs d'engraissement	**86 000**	60	475	905	670
Élevage de porcs	**9 245**	10	90	85	65
Production d'œufs de poules	**2 680**	20	20	75	45
Élevage de poulets à griller et d'autres volailles d'abattage	**2 935**	5	15	90	15
Élevage de dindons	**445**	0	5	15	5
Couvoirs	**70**	0	0	5	0
Élevage de volailles combiné à la production d'œufs	**240**	0	0	10	0
Élevage d'autres volailles	**390**	0	0	0	0
Élevage de moutons	**4 260**	30	20	80	25
Élevage de chèvres	**1 525**	5	0	35	20
Apiculture	**2 170**	5	10	30	35
Élevage de chevaux et d'autres équidés	**22 905**	15	115	260	195
Élevage d'animaux à fourrure et de lapins	**535**	25	15	125	20
Élevage mixte de bétail	**10 860**	20	80	220	150
Tous les autres types d'élevage divers	**3 770**	0	5	25	30
Culture de soja	**8 390**	0	10	0	5
Culture de plantes oléagineuses (sauf le soja)	**13 505**	0	0	0	0
Culture de pois et de haricots secs	**1 590**	0	0	0	0
Culture du blé	**15 480**	0	15	5	10
Culture du maïs	**4 880**	0	0	10	5
Autres cultures céréalières	**38 145**	5	70	15	35
Culture de pommes de terre	**2 405**	30	495	20	340
Autres cultures de légumes et de melons (sauf de pommes de terre)	**5 315**	95	70	175	100
Culture de fruits et de noix	**12 185**	50	205	1 185	485
Culture de champignons	**235**	0	0	5	5
Autres cultures vivrières en serre	**1 410**	10	5	40	10
Culture en pépinière et arboriculture	**6 895**	60	25	500	215
Floriculture	**4 135**	75	15	145	110
Culture de tabac	**910**	0	0	0	0
Culture du foin	**24 090**	85	110	345	395
Culture mixte de fruits et de légumes	**865**	30	10	35	30
Toutes les autres cultures agricoles diverses	**12 815**	20	90	165	245

Note : Chaque ferme de recensement est classée selon le produit ou le groupe de produits qui représente 50 % ou plus des revenus potentiels totaux.

1. Les chiffres ayant été arrondis, leur somme peut ne pas correspondre aux totaux indiqués. De légères différences entre les chiffres peuvent apparaître dans d'autres tableaux.
2. Le terme « exploitants agricoles » réfère aux personnes responsables de prendre les décisions de gestion nécessaires à la bonne marche d'une ferme de recensement ou d'une exploitation agricole. Jusqu'à trois exploitants agricoles peuvent être inscrits par ferme.
3. Les genres de fermes sont basés sur les catégories des genres de fermes du Système de classification des industries de l'Amérique du Nord (SCIAN). Même si le SCIAN est révisé de façon périodique, les classifications pour l'agriculture canadienne sont demeurées les mêmes et les données des deux années de recensement sont comparables.

Source : Statistique Canada, Recensement de l'agriculture de 2006.

Québec	Ontario	Manitoba	Saskatchewan	Alberta	Colombie-Britannique
		nombre			
45 470	**82 410**	**26 620**	**59 185**	**71 660**	**29 870**
12 545	8 540	820	360	1 050	1 115
6 375	15 000	9 240	16 795	30 115	6 365
2 975	3 395	1 155	315	950	200
225	935	180	75	220	880
555	1 260	135	110	295	455
70	165	35	15	50	85
10	20	10	5	10	10
30	70	15	5	25	85
100	135	15	10	35	85
930	1 515	195	260	615	590
235	555	105	80	265	225
215	530	350	350	395	255
1 200	6 560	1 265	1 600	7 095	4 600
95	170	25	0	10	45
885	3 665	660	1 285	2 365	1 535
270	445	180	725	1 605	485
475	7 665	225	5	5	0
20	35	1 940	7 130	4 270	115
0	195	170	1 085	130	5
100	1 225	1 645	8 730	3 680	70
2 535	2 270	35	0	10	15
1 580	6 155	5 050	16 110	8 945	185
435	345	240	130	250	110
1 240	2 250	145	60	185	1 000
1 840	2 835	185	230	360	4 815
25	105	0	0	10	80
395	510	10	35	135	260
910	2 080	215	115	820	1 960
740	1 525	210	220	415	690
5	900	0	0	0	0
2 360	7 965	1 655	2 470	5 855	2 850
160	255	15	20	60	250
5 935	3 115	510	845	1 435	460

Tableau 1.7 Exploitants agricoles selon le sexe et l'âge, années de recensements de 2001 et 2006

	2001		2006		2001 à 2006
	nombre	pourcentage de l'ensemble des exploitants	nombre	pourcentage de l'ensemble des exploitants	variation en pourcentage
Ensemble des exploitants[1,2]	**346 195**	**100,0**	**327 055**	**100,0**	**-5,5**
Moins de 35 ans	39 920	11,5	29 925	9,1	-25,0
35 à 54 ans	185 575	53,6	164 160	50,2	-11,5
55 ans et plus	120 705	34,9	132 975	40,7	10,2
Âge médian	49	...	51	...	4,1
Hommes	255 015	73,7	236 220	72,2	-7,4
Moins de 35 ans	29 430	8,5	22 170	6,8	-24,7
35 à 54 ans	132 060	38,1	114 695	35,1	-13,1
55 ans et plus	93 530	27,0	99 360	30,4	6,2
Âge médian	49	...	52	...	6,1
Femmes	91 180	26,3	90 835	27,8	-0,4
Moins de 35 ans	10 490	3,0	7 755	2,4	-26,1
35 à 54 ans	53 510	15,5	49 465	15,1	-7,6
55 ans et plus	27 175	7,8	33 615	10,3	23,7
Âge médian	48	...	50	...	4,2

1. Les chiffres ayant été arrondis, leur somme peut ne pas correspondre aux totaux indiqués. De légères différences entre les chiffres peuvent apparaître dans d'autres tableaux.
2. Le terme « exploitants agricoles » réfère aux personnes responsables de prendre les décisions de gestion nécessaires à la bonne marche d'une ferme de recensement ou d'une exploitation agricole. Jusqu'à trois exploitants agricoles peuvent être inscrits par ferme.

Source : Statistique Canada, recensements de l'agriculture de 2001 et 2006.

Tableau 1.8 Superficie agricole totale, modes d'occupation et terres en culture, années de recensements de 1986 à 2006

	1986	1991	1996	2001	2006
			nombre		
Nombre total de fermes	**293 089**	**280 043**	**276 548**	**246 923**	**229 373**
Superficie agricole totale					
Superficie en hectares[1]	67 825 757	67 753 700	68 054 956	67 502 446	67 586 739
Fermes déclarantes	293 089	280 043	276 548	246 923	229 373
Superficie moyenne en hectares par ferme déclarante	231	242	246	273	295
Superficie totale possédée					
Superficie en hectares[1]	43 218 905	42 961 352	43 060 963	42 265 706	41 377 673
Fermes déclarantes	273 963	264 837	262 152	235 131	220 513
Superficie moyenne en hectares par ferme déclarante	158	162	164	180	188
Superficie totale louée d'autrui[2]					
Superficie en hectares[1]	24 606 852	24 792 348	24 993 993	25 236 740	26 209 066
Fermes déclarantes	118 735	111 387	111 718	103 484	97 989
Superficie moyenne en hectares par ferme déclarante	207	223	224	244	267
Terres en culture (excluant la superficie en arbres de Noël)					
Superficie en hectares[1]	33 181 235	33 507 780	34 918 733	36 395 150	35 912 247
Fermes déclarantes	264 141	248 147	237 760	215 581	194 717
Superficie moyenne en hectares par ferme déclarante	126	135	147	169	184

1. Facteur de conversion : 1 hectare équivaut à 2,471 054 13 acres.
2. La superficie totale louée des autres comprend les terres louées des gouvernements, louées des autres et exploitées en métayage par cette exploitation.

Source : Statistique Canada, recensements de l'agriculture de 1986 à 2006.

Aînés

2

SURVOL

Comme la plupart des pays industrialisés, le Canada connaît un accroissement de sa population âgée. Durant les dernières décennies, la population de 65 ans et plus s'est accrue pour atteindre 4,3 millions de personnes en 2006.

Les aînés représentaient alors 13 % de l'ensemble de la population, comparativement à 10 % en 1981 et à seulement 5 % en 1921. En 2056, le pourcentage des 65 ans et plus pourrait atteindre 27 %. La population des aînés est majoritairement composée de femmes. En 2006, les femmes représentaient 56 % des Canadiens de 65 ans et plus et 64 % de ceux de 80 ans et plus.

On observe la croissance la plus rapide parmi les groupes plus âgés. En 2006, 3,6 % de la population avait 80 ans et plus. Ce chiffre pourrait atteindre 10 % en 2056.

Le pourcentage d'aînés varie considérablement selon la région métropolitaine de recensement. En 2006, St Catharines–Niagara et Victoria comptaient les proportions les plus élevées d'aînés, suivies de Trois-Rivières et Thunder Bay. Les aînés étaient proportionnellement moins nombreux à Calgary, St. John's, Oshawa, Edmonton et Ottawa–Gatineau. De 1986 à 2004, la proportion d'aînés a augmenté le plus à Saguenay, à Trois-Rivières et à Grand Sudbury.

Situation familiale

En 2001, 93 % des aînés vivaient dans un ménage privé et 7 %, dans des logements collectifs (surtout des établissements de soins de santé tels que des maisons de soins infirmiers et des hôpitaux). La proportion d'aînés vivant en établissement allait de 2 % chez les aînés de 65 à 74 ans à 32 % chez ceux de 85 ans et plus.

Dans tous les groupes d'âge, une plus grande proportion d'aînés vivaient avec un conjoint en 2001 qu'en 1981. Chez les personnes de 65 à 74 ans, par exemple, le pourcentage est passé de 51 % à 54 % de 1981 à 2001. L'écart entre l'espérance de vie des hommes et des femmes se rétrécit depuis la fin des années 1970.

Graphique 2.1
Projections démographiques, personnes de 65 ans et plus

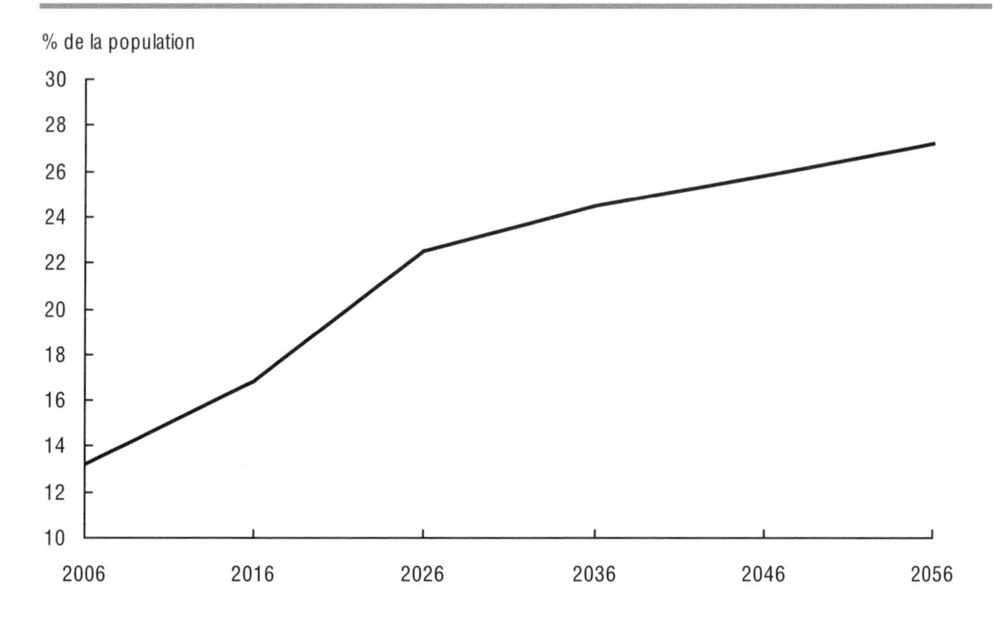

Note : Scénario de croissance moyenne.
Source : Statistique Canada, produit nº 91-520-XIF au catalogue.

En 2001, la plupart des aînés vivant avec leur conjoint avaient choisi le mariage comme mode d'union, la majorité d'entre eux s'étant unis quand le mariage légitime était la seule possibilité socialement acceptable. Ainsi, seulement 2 % des aînés vivaient en union libre en 2001; c'est un pourcentage nettement plus faible que celui de 14 % observé chez les couples de 25 à 54 ans.

De 1981 à 2001, on a observé une fluctuation importante chez les aînés de 85 ans et plus vivant seuls : 22 % des aînés de ce groupe d'âge vivaient seuls en 1981, comparativement à 34 % en 2001. Par contre, la proportion d'aînés de 65 à 74 ans vivant seuls est demeurée stable à 22 %.

Les femmes âgées étaient proportionnellement deux fois plus nombreuses que les hommes âgés à vivre seules en 2001. L'espérance de vie plus longue des femmes et le fait que les hommes sont plus susceptibles d'épouser des femmes plus jeunes peuvent expliquer cet écart. Puisque les femmes sont plus susceptibles d'être veuves que les hommes, elles sont plus enclines à vivre seules après le décès de leur conjoint.

Situation financière

La situation financière des aînés au Canada s'est beaucoup améliorée au cours des 25 dernières années. Le revenu médian après impôt des couples d'aînés mariés en dollars de 2005 est passé de 29 000 $ en 1980 à 38 900 $ en 2005, en hausse de 34 %. Dans les provinces, leur revenu médian après impôt allait de 28 700 $ à Terre-Neuve-Labrador à 44 100 $ en Ontario. Le revenu des aînés qui ne vivaient pas avec des membres de leur famille s'est accru dans des proportions encore plus élevées durant cette période.

Graphique 2.2
Revenu médian des personnes âgées selon le type de famille et le sexe

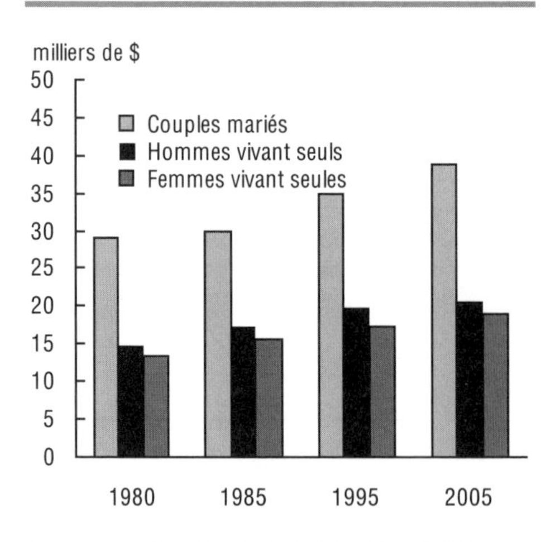

Source : Statistique Canada, CANSIM : tableau 202-0605.

Revenu des aînés selon la source, 2005

	nombre d'aînés	milliers de dollars
Revenu total d'emploi	**790 360**	**14 494 560**
Revenu de placements	2 385 030	13 660 905
Total des transferts gouvernementaux	4 095 270	52 657 997
Pensions privées	2 415 010	35 800 725
Régimes enregistré d'épargne-retraite	415 630	2 595 343
Autres revenus	1 082 520	4 549 203

Note : Population de 65 ans et plus.
Source : Statistique Canada, CANSIM : tableau 111-0035.

Un plus grand accès au Régime de pensions du Canada et au Régime de rentes du Québec, de même qu'une couverture élargie des régimes de retraites professionnels privés ont grandement contribué à améliorer la situation financière des aînés. En outre, la hausse de la proportion d'aînés admissibles aux prestations du Régime de pensions du Canada et du Régime des rentes du Québec a joué un rôle dans la baisse notable de la part des aînés ayant un faible revenu qui était, en 2005, moins élevée au Canada que dans la plupart des autres pays industrialisés. Il s'agit d'une fluctuation marquée par rapport aux années 1970, alors que le pourcentage d'aînés ayant un faible revenu au Canada était parmi les plus élevés des pays industrialisés.

Le pourcentage du revenu total provenant d'autres sources de revenu telles que les prestations de la Sécurité de la vieillesse (SV), du Supplément de revenu garanti (SRG) ou d'une allocation de conjoint (AAC) a diminué depuis le début des années 1980. Néanmoins, 97 % des aînés ont reçu des revenus provenant de l'une ou l'autre de ces sources en 2005. Ces sources représentaient 32 % du revenu des femmes aînées.

De 1980 à 1992, la part des hommes de 65 ans et plus qui recevaient une rémunération d'emploi a été ramenée de 24 % à 13 %. En 2005, elle a été remontée à 24 %.

État de santé

Au cours du XXe siècle au Canada, l'espérance de vie à 65 ans a augmenté considérablement. En 1901, une personne de 65 ans pouvait s'attendre à vivre encore 11 ans de plus; en 2001, une personne du même âge pouvait espérer vivre 19 ans de plus.

Le cancer et les maladies cardiaques sont les principales causes de décès chez les personnes de 65 ans et plus, suivis des accidents vasculaires cérébraux et des maladies respiratoires. Selon une étude portant sur les facteurs associés au décès des aînés menée sur une période de huit ans, la détresse psychologique est un facteur qui a une forte incidence sur le décès des femmes, tout comme l'a fait le veuvage chez l'homme.

L'arthrite (ou le rhumatisme) et l'hypertension sont les problèmes de santé chroniques qui ont été le plus souvent signalés chez les aînés en 2005, surtout chez les femmes. La fréquence de l'arthrite et de l'hypertension pourrait augmenter à l'avenir, car l'obésité, facteur étroitement lié à la probabilité de développer l'un de ces deux problèmes de santé chroniques, est à la hausse depuis quelques années.

Bien que le vieillissement soit associé à une moins bonne santé et à l'apparition de diverses formes de limitations d'activités, bon nombre d'aînés se portent encore bien. Selon l'Enquête sur la santé dans les collectivités canadiennes (ESCC) de 2003, plus de 7 aînés sur 10 avaient une bonne santé fonctionnelle, étaient autonomes dans les activités de la vie quotidienne et avaient une perception positive de leur état de santé général.

La proportion d'aînés en bonne santé fonctionnelle diminue beaucoup avec l'âge. En 2003, 80 % des aînés de 65 à 74 ans ne souffraient d'aucune incapacité ou avaient des incapacités complètement corrigées (porter des lunettes, par exemple). Chez les aînés de 85 ans et plus, seulement 37 % étaient dans cette situation. Le déclin le plus marqué selon l'âge touche la mobilité et les capacités cognitives.

Les données de l'ESCC de 2003 indiquent que faire de l'exercice occasionnellement ou fréquemment, consommer modérément des boissons alcoolisées, manger beaucoup de fruits et de légumes, avoir un indice de masse corporelle normal, ressentir peu de stress et éprouver un sentiment d'appartenance à la collectivité jouent un rôle important dans l'état de santé des aînés. Un suivi pendant huit ans d'aînés interrogés en 1994-1995 montre qu'éviter la consommation de tabac, l'obésité, l'inactivité et l'abus de consommation d'alcool a aidé les aînés à demeurer en santé et a augmenté leurs chances de rétablissement après une maladie.

Graphique 2.3
Personnes de 55 ans et plus en bonne santé, 2003

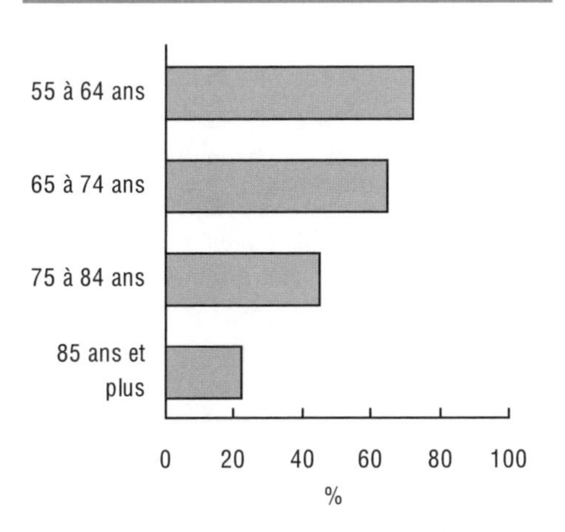

Source : Statistique Canada, produit no 82-003-SIF au catalogue.

Sources choisies

Statistique Canada

- *Analyse en bref.* Hors série. 11-621-MIF
- *Enquête sociale générale sur l'emploi du temps, cycle 19.* Hors série. 89-622-XIF
- *Projections démographiques pour le Canada, les provinces et les territoires.* Hors série. 91-520-XIF
- *Rapports sur la santé : supplément.* Annuel. 82-003-SIF
- *Un portrait des aînés au Canada.* Hors série. 89-519-XWF

Des aînés plus scolarisés

Les Canadiens âgés sont maintenant beaucoup plus scolarisés que ne l'étaient ceux des générations précédentes. Leurs niveaux de scolarité ont augmenté de manière considérable au cours de la dernière décennie et cette progression devrait se poursuivre pendant les prochaines années.

De 1990 à 2006, la part des hommes de 65 ans et plus qui n'avaient pas terminé leurs études secondaires a été ramenée de 63 % à 46 %, tandis que le pourcentage de diplômés d'études postsecondaires a augmenté. On observe les mêmes tendances chez les femmes de 65 ans et plus.

La hausse des niveaux de scolarité a été particulièrement frappante chez les personnes de 55 à 64 ans. Parmi les hommes de ce groupe d'âge, la part de ceux n'ayant pas de diplôme d'études secondaires a été réduite de moitié, passant de 53 % en 1990 à 24 % en 2006, tandis que la part de ceux qui avaient un grade universitaire a doublé, passant de 10 % à 22 %. Dans ce groupe d'âge, la proportion de femmes ayant un grade universitaire a triplé, passant de 5 % à 17 %.

Pendant les années 1960, les études postsecondaires sont devenues bien plus accessibles à la population qu'auparavant. Étant donné que les premiers baby-boomers atteignent maintenant la soixantaine, la proportion d'aînés ayant fait des études postsecondaires augmente considérablement. On prévoit que le niveau de scolarité des aînés continuera d'augmenter au cours des prochaines années à mesure que la génération du baby-boom remplacera les générations précédentes d'aînés.

Selon les résultats d'une étude récente, le niveau de scolarité est clairement associé à certains comportements et à certaines conditions socioéconomiques. Par exemple, les personnes plus instruites possèdent une meilleure santé, sont moins susceptibles d'avoir un faible revenu et souffrent moins souvent d'isolement social.

Graphique 2.4
Niveau de scolarité des personnes de 55 ans et plus

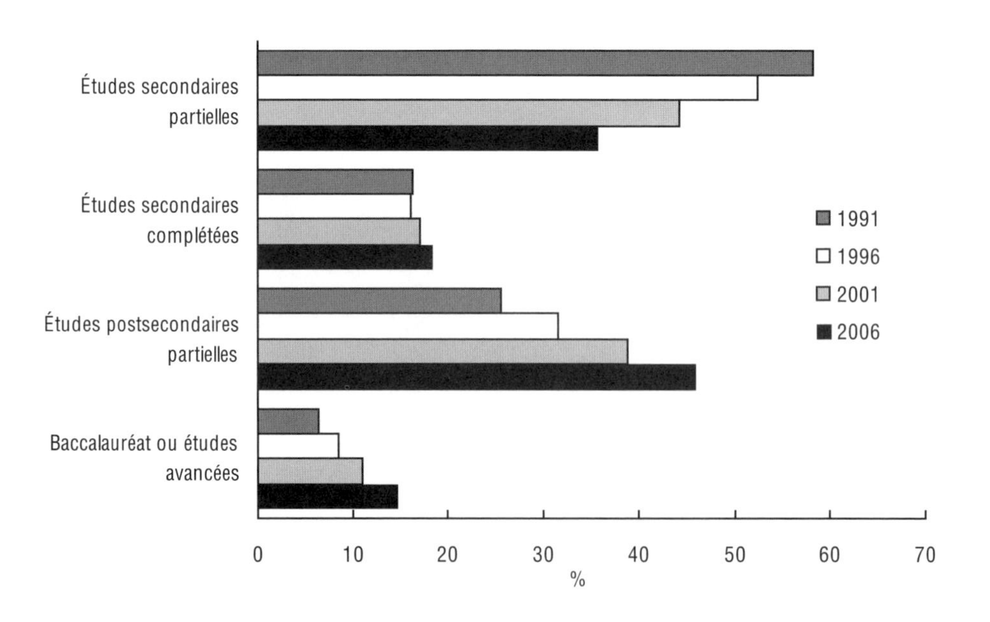

Source : Statistique Canada, CANSIM : tableau 282-0004.

Des personnes âgées satisfaites

Pour les 4 millions de Canadiens qui ont atteint l'âge officiel de la retraite, le vieillissement n'est pas nécessairement synonyme de maladie, de dépendance, de pauvreté, d'inactivité et de retrait de la vie sociale. Les aînés de 65 à 74 ans consacrent beaucoup moins de temps au travail rémunéré qu'ils ne le faisaient lorsqu'ils avaient entre 55 et 64 ans. Par contre, le temps qu'ils réservent au travail non rémunéré effectué à la maison ainsi qu'aux loisirs augmente.

En 2005, les Canadiens de 65 à 74 ans consacraient la plus grande partie de leur journée aux loisirs : 7,8 heures pour les hommes et 7,2 heures pour les femmes. Les hommes de plus de 75 ans passaient encore plus de temps à se divertir : ils s'adonnaient à leurs loisirs 8 heures par jour et les femmes, 7,9 heures. Les femmes retraitées passaient plus de temps que les hommes à s'occuper des tâches ménagères, mais les loisirs occupaient néanmoins plus de place dans leur journée.

En moyenne, les hommes et les femmes de 65 à 74 ans consacraient plus de temps aux loisirs actifs comme l'exercice physique, la lecture, les sorties et les rencontres qu'aux loisirs passifs comme la télévision, la radio et la musique. Les hommes de 75 ans et plus consacraient en moyenne le même nombre d'heures aux loisirs passifs qu'aux loisirs actifs, mais les loisirs actifs continuaient à prédominer aux âges avancés chez les femmes.

En 2005, les femmes de 65 à 74 ans passaient plus de temps que les hommes à faire du travail non rémunéré et y consacraient le même nombre d'heures en moyenne que les femmes plus jeunes. En moyenne, les hommes de 65 à 74 ans consacraient plus d'heures au travail non rémunéré que ceux du groupe des plus jeunes.

Les aînés, en particulier ceux de 65 à 74 ans, étaient plus satisfaits de leur vie que les personnes de 25 à 64 ans. Les aînés les moins en santé et les moins satisfaits étaient ceux qui consacraient le plus de temps aux loisirs passifs, et ce, dans tous les groupes d'âge.

Graphique 2.5
Temps consacré aux loisirs chez les 55 ans et plus, 2005

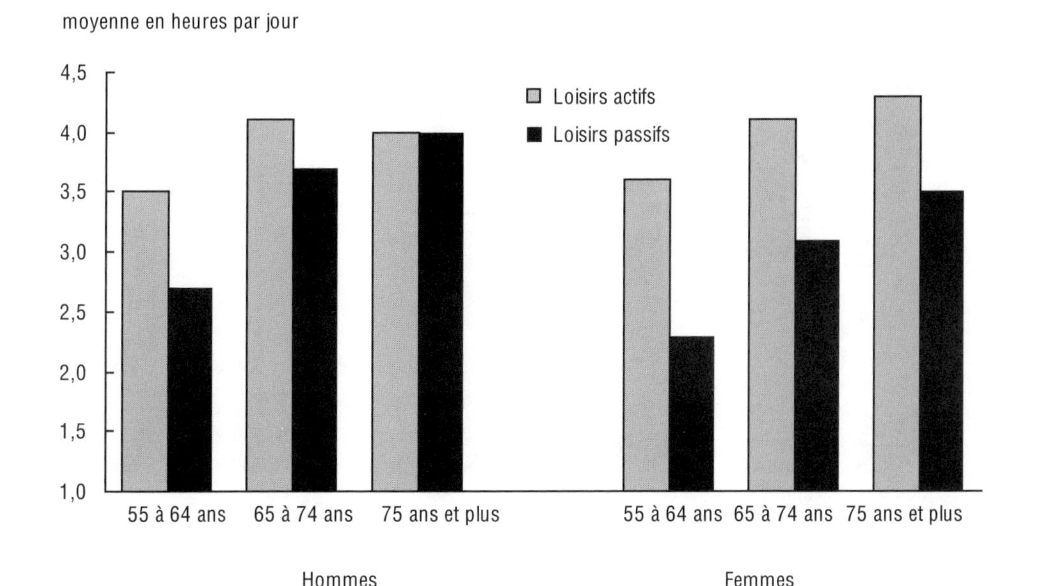

Source : Statistique Canada, produit nº 89-622-XIF au catalogue.

La plupart des aînés peuvent se déplacer

Au Canada, la majorité des aînés ont accès à un moyen de transport privé ou public pour se déplacer, que ce soit pour faire des courses, pour se rendre à un rendez-vous, pour visiter des membres de leur famille et des amis ou pour participer à des loisirs.

En 2005, 98 % des hommes et 95 % des femmes de 65 à 74 ans avaient accès à un véhicule appartenant à un membre de leur ménage ou au transport en commun. Les proportions diminuaient aux âges plus avancés. Néanmoins, 86 % des personnes de 85 ans et plus avaient accès à un véhicule de leur ménage ou au transport en commun.

Le transport en commun est une option satisfaisante pour plusieurs personnes, en particulier celles qui demeurent au centre-ville. Toutefois, l'accès à un véhicule privé facilite grandement les déplacements, surtout en situation d'urgence. En 2005, 80 % des aînés avaient accès à un véhicule de leur ménage, une proportion plus faible que celle de 91 % observée chez les 55 à 64 ans. En outre, 71 % des personnes de 65 ans et plus étaient aptes à conduire un véhicule. Les femmes de 75 ans et plus étaient proportionnellement moins nombreuses que les hommes à pouvoir conduire une automobile.

Les aînés qui avaient un permis de conduire valide et qui possédaient un véhicule étaient les plus susceptibles d'avoir quitté leur domicile au moins une fois dans la journée. En fait, ils étaient deux fois moins susceptibles d'être demeurés toute la journée chez eux un jour donné que ceux qui n'avaient ni accès au transport en commun ni à un véhicule du ménage. Les aînés qui avaient accès à leur propre véhicule étaient aussi plus portés à avoir fait du bénévolat au cours de l'année précédente.

Très peu d'aînés étaient complètement dépourvus en matière de transport. Cependant, les personnes de 85 ans et plus, les femmes et les aînés en milieu rural étaient particulièrement susceptibles d'être limités dans leurs déplacements.

Graphique 2.6
Accès des aînés à un véhicule du ménage ou au transport en commun, 2005

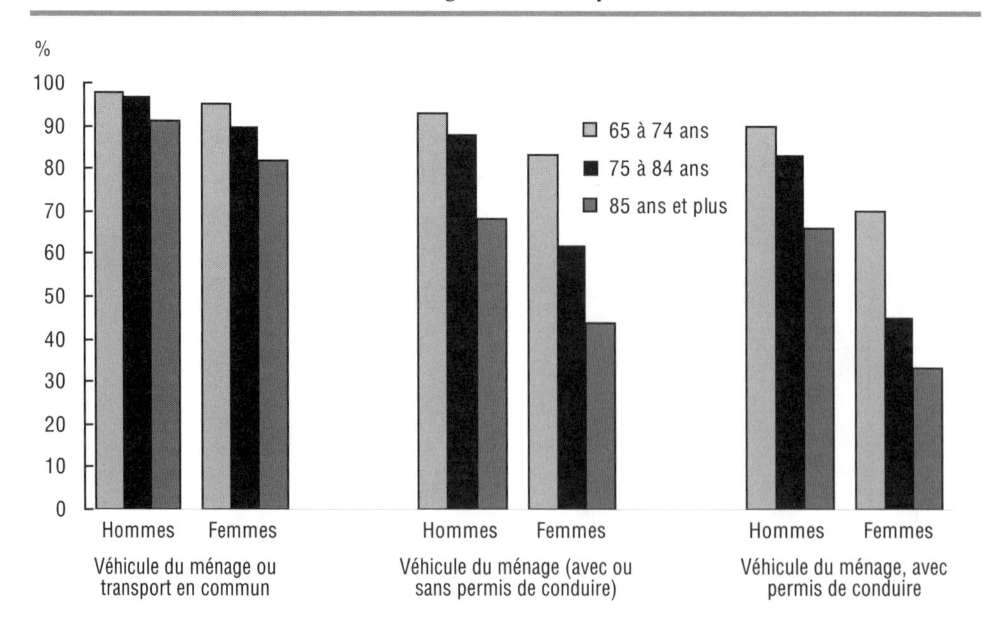

Source : Statistique Canada, produit nº 11-008-XIF au catalogue.

L'inflation touche-t-elle plus les aînés?

Les habitudes de dépenses dans les ménages composés d'aînés diffèrent considérablement de celles des autres ménages. Pourtant, il semble que l'inflation ne soit pas tellement plus diffèrent chez les aînés que dans les autres groupes. Dans l'ensemble, de janvier 1992 à février 2004, les ménages composés d'aînés ont subi une hausse des prix de 26,1 %, comparativement à 24,4 % pour les autres ménages.

Les aînés consacrent proportionnellement plus d'argent à l'achat de produits comme le matériel de voyage et les services de loisir et de sport. De plus, les prix de certains de leurs loisirs préférés, dont les abonnements à la câblodistribution et les voyages, ont augmenté. Cette situation a pu contribuer à l'inflation plus élevée chez les ménages composés d'aînés. Par contre, les aînés dépensent proportionnellement moins d'argent pour le transport (ex.: l'achat d'une nouvelle auto et l'essence), ainsi que pour l'habillement et les chaussures. Ils achètent aussi moins d'alcool et de produits du tabac. Ils sont donc moins touchés par les variations de prix de ces produits.

La chute constante du prix des appareils électroniques n'a pas contribué à abaisser le taux d'inflation dans les ménages composés d'aînés comme elle l'a fait dans l'ensemble des ménages. Puisque les autres ménages consacrent une proportion plus importante de leur revenu à l'achat d'appareils électroniques, la baisse continue du prix de ces appareils a freiné davantage les hausses de l'indice des prix à la consommation dans leur cas que dans celui des ménages composés d'aînés.

Le fait que les aînés soient propriétaires ou locataires de leur logement a une incidence sur le taux d'inflation qu'ils subissent. De 1992 à 2004, le taux d'inflation à l'échelle nationale des aînés locataires s'établissait à 22,7 % en moyenne. Ce chiffre est nettement inférieur au taux de 28,1 % chez les aînés propriétaires de leur logement.

En moyenne, le taux d'inflation des aînés allait de 21,2 % au Québec à 32,0 % en Alberta. Il était égal ou supérieur à la moyenne nationale en Nouvelle-Écosse, en Ontario, au Manitoba, en Saskatchewan et en Alberta.

Graphique 2.7
Taux d'inflation, ménages des aînés et des autres ménages selon certaines caractéristiques

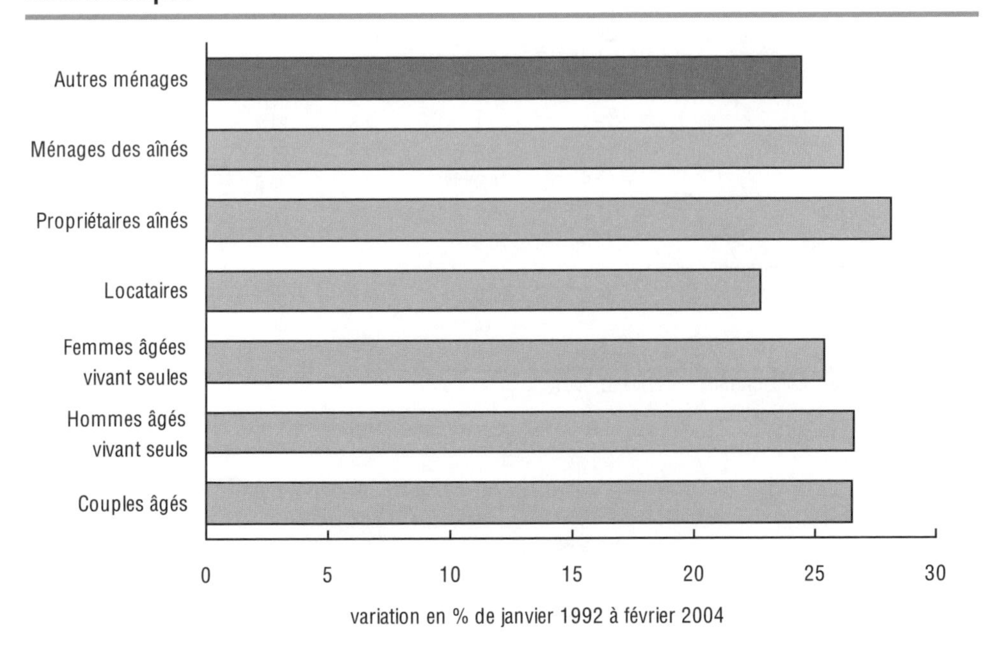

Source : Statistique Canada, produit nº 11-621-XIF au catalogue.

Tableau 2.1 Estimations et projections de la population selon le groupe d'âge, par province et territoire, années sélectionées de 1981 à 2026

	1981			1991		
	0 à 14 ans	15 à 64 ans	65 ans et plus	0 à 14 ans	15 à 64 ans	65 ans et plus
	milliers					
Canada	**5 532,4**	**16 910,7**	**2 377,3**	**5 789,8**	**19 024,3**	**3 217,3**
Terre-Neuve-et-Labrador	168,0	362,7	44,1	128,4	395,4	55,7
Île-du-Prince-Édouard	30,6	78,2	15,0	29,4	83,8	17,1
Nouvelle-Écosse	199,0	562,7	92,9	185,9	614,9	114,3
Nouveau-Brunswick	174,7	460,7	71,0	154,2	501,8	89,5
Québec	1 407,7	4 566,8	573,2	1 396,7	4 885,6	782,3
Ontario	1 904,5	6 032,7	874,1	2 099,3	7 123,5	1 205,3
Manitoba	239,2	675,0	122,2	242,5	719,4	147,7
Saskatchewan	239,5	619,8	116,5	239,2	622,4	141,1
Alberta	548,8	1 580,4	165,0	611,2	1 748,6	232,9
Colombie-Britannique	598,0	1 924,7	301,2	676,4	2 268,4	428,7
Yukon	6,2	16,9	0,8	7,0	20,7	1,1
Territoires du Nord-Ouest (incluant le Nunavut)	16,2	30,0	1,4	..	..	..
Territoires du Nord-Ouest	..	..	..	11,0	26,5	1,2
Nunavut	..	..	..	8,5	13,2	0,4
	pourcentage					
Canada	**22,3**	**68,1**	**9,6**	**20,7**	**67,9**	**11,5**
Terre-Neuve-et-Labrador	29,2	63,1	7,7	22,2	68,2	9,6
Île-du-Prince-Édouard	24,7	63,2	12,1	22,5	64,3	13,1
Nouvelle-Écosse	23,3	65,8	10,9	20,3	67,2	12,5
Nouveau-Brunswick	24,7	65,2	10,0	20,7	67,3	12,0
Québec	21,5	69,7	8,8	19,8	69,2	11,1
Ontario	21,6	68,5	9,9	20,1	68,3	11,6
Manitoba	23,1	65,1	11,8	21,9	64,8	13,3
Saskatchewan	24,5	63,5	11,9	23,9	62,1	14,1
Alberta	23,9	68,9	7,2	23,6	67,4	9,0
Colombie-Britannique	21,2	68,2	10,7	20,1	67,2	12,7
Yukon	25,9	70,9	3,3	24,3	71,8	3,9
Territoires du Nord-Ouest (incluant le Nunavut)	34,1	63,0	3,0	..	..	..
Territoires du Nord-Ouest	..	..	..	28,4	68,5	3,1
Nunavut	..	..	..	38,5	59,6	2,0

Source : Statistique Canada, CANSIM : tableau 051-0001.

2001			2006			2026		
0 à 14 ans	15 à 64 ans	65 ans et plus	0 à 14 ans	15 à 64 ans	65 ans et plus	0 à 14 ans	15 à 64 ans	65 ans et plus
milliers								
5 854,5	**21 243,7**	**3 923,1**	**5 644,6**	**22 664,6**	**4 314,2**	**5 680,5**	**24 155,9**	**8 046,2**
89,3	369,4	63,3	78,3	362,4	69,0	63,0	310,9	135,2
26,7	91,4	18,6	24,0	94,6	19,9	21,3	91,2	35,5
166,6	638,3	127,5	147,7	650,7	136,0	127,9	601,4	246,6
131,5	518,8	99,6	118,2	524,4	106,6	98,9	472,5	196,9
1 305,1	5 126,7	965,2	1 241,6	5 334,5	1 075,3	1 169,7	5 214,7	1 922,6
2 309,0	8 099,3	1 489,3	2 262,9	8 782,6	1 641,5	2 365,6	10 027,1	3 079,1
238,2	755,9	157,2	228,0	790,0	159,8	231,1	829,7	263,2
209,7	642,4	148,1	190,0	648,3	147,0	166,5	589,6	220,9
626,6	2 119,6	310,5	637,4	2 386,0	352,3	663,5	2 571,7	767,0
724,6	2 814,2	539,6	690,2	3 018,7	601,5	745,8	3 370,1	1 164,0
6,2	22,1	1,8	5,6	23,3	2,3	5,5	21,8	6,0
..	..	..	..	..	..	..	..	..
10,8	28,3	1,7	10,2	29,7	2,0	11,0	35,0	6,8
10,3	17,3	0,6	10,4	19,5	0,9	10,6	20,5	1,8
pourcentage								
18,9	**68,5**	**12,6**	**17,3**	**69,5**	**13,2**	**15,0**	**63,8**	**21,2**
17,1	70,8	12,1	15,4	71,1	13,5	12,4	61,1	26,6
19,5	66,9	13,6	17,3	68,3	14,4	14,4	61,5	24,0
17,9	68,5	13,7	15,8	69,6	14,6	13,1	61,6	25,3
17,5	69,2	13,3	15,8	70,0	14,2	12,9	61,5	25,6
17,6	69,3	13,0	16,2	69,7	14,1	14,1	62,8	23,1
19,4	68,1	12,5	17,8	69,2	12,9	15,3	64,8	19,9
20,7	65,7	13,7	19,4	67,1	13,6	17,5	62,7	19,9
21,0	64,2	14,8	19,3	65,8	14,9	17,0	60,3	22,6
20,5	69,3	10,2	18,9	70,7	10,4	16,6	64,3	19,2
17,8	69,0	13,2	16,0	70,0	14,0	14,1	63,8	22,0
20,7	73,5	5,9	18,0	74,5	7,5	16,5	65,3	18,0
..	..	..	..	..	..	..	..	..
26,5	69,3	4,1	24,2	70,9	4,8	20,8	66,2	12,9
36,5	61,4	2,2	33,9	63,2	2,9	32,1	62,1	5,5

Tableau 2.2 Proportion de la population qui représente les aînés selon la région métropolitaine de recensement, années sélectionnées de 1986 à 2006

	1986	1991	1996	2001	2006
	pourcentage				
Ensemble des régions métropolitaines de recensement	**10,0**	**10,8**	**11,5**	**11,9**	**12,3**
St. John's	9,6	9,2	9,9	10,5	10,9
Halifax	8,9	9,6	10,1	10,8	11,5
Saint John	12,1	12,2	12,5	12,9	13,3
Québec	9,4	10,6	11,5	12,9	14,1
Sherbrooke	10,4	11,4	12,1	13,0	13,9
Montréal	10,1	11,1	12,0	12,7	13,4
Ottawa–Gatineau	8,8	9,4	10,1	10,5	11,3
Toronto	9,5	10,2	10,8	10,9	11,2
Thunder Bay	10,4	13,1	13,8	14,6	15,6
Winnipeg	12,1	12,7	13,2	13,4	13,3
Regina	10,4	10,8	11,6	12,3	12,8
Calgary	6,9	7,7	8,6	8,8	9,1
Vancouver	11,8	12,0	11,6	11,8	12,2
Victoria	17,9	18,3	17,5	17,2	17,2

Note : Les aînés sont les personnes de 65 ans et plus.
Source : Statistique Canada, CANSIM : tableau 051-0036.

Tableau 2.3 Espérance de vie à la naissance et à 65 ans selon le sexe, années sélectionnées de 1921 à 2004

	Espérance de vie à la naissance			Espérance de vie à 65 ans		
	Les deux sexes	Hommes	Femmes	Les deux sexes	Hommes	Femmes
1921	59,7	58,8	60,6	13,3	13,0	13,6
1931	61,0	60,0	62,1	13,3	13,0	13,7
1941	64,6	63,0	66,3	13,4	12,8	14,1
1951	68,5	66,4	70,9	14,1	13,3	15,0
1961	71,1	68,4	74,3	14,8	13,6	16,1
1971	72,7	69,4	76,5	15,7	13,8	17,6
1981	75,4	71,9	79,1	16,8	14,6	18,9
1991	77,8	74,6	80,9	18,0	15,8	19,9
2001	79,6	77,0	82,1	19,0	17,1	20,6
2002	79,7	77,2	82,1	19,1	17,2	20,6
2003	79,9	77,4	82,4	19,2	17,4	20,8
2004	80,2	77,8	82,6	19,5	17,7	21,0

Notes : Les estimation d'espérance de vie de 1921 à 1981 sont basées sur les tableaux de mortalité complets.
Terre-Neuve-et-Labrador n'est pas inclut dans les estimations d'espérance de vie de 1921 à 1946.
Le Québec n'est pas inclus dans les estimations d'espérance de vie de 1921.
Source : Statistique Canada, CANSIM : tableau 102-0511 et produit n° 89-506-XPB au catalogue.

Tableau 2.4 Revenu des aînés selon le sexe et certaines sources de revenu, années sélectionnées de 1980 à 2005

	1980	1985	1990	1995	2000	2005
	pourcentage					
Hommes						
Gains	24,2	16,4	14,3	13,9	20,8	24,3
Revenu de placements	67,4	61,7	64,9	54,9	59,2	55,1
Revenu de retraite	39,8	45,3	53,7	56,9	68,3	69,8
Sécurité de la vieillesse, le Supplément de revenu garanti et l'Allocation au conjoint	96,0	96,8	99,0	97,4	95,1	95,7
Régime de pensions du Canada et régime des rentes du Québec	68,6	77,7	85,3	90,2	94,1	94,3
	revenu global en millions de dollars constants de 2005					
Gains	5 909	3 802	3 433	4 084	3 574	5 633
Revenu de placements	5 964	6 151	7 131	5 810	5 770	5 997
Revenu de retraite	4 191	5 829	9 135	13 100	18 388	22 546
Sécurité de la vieillesse, le Supplément de revenu garanti et l'Allocation au conjoint	5 924	7 442	8 489	9 351	9 633	10 809
Régime de pensions du Canada et régime des rentes du Québec	2 700	4 416	6 921	8 988	10 385	11 383
	revenu moyen en millers de dollars constants de 2005					
Gains	25 900	21 800	19 100	20 700	10 800	13 100
Revenu de placements	9 400	9 400	8 800	7 500	6 200	6 100
Revenu de retraite	11 200	12 200	13 500	16 200	17 000	18 200
Sécurité de la vieillesse, le Supplément de revenu garanti et l'Allocation au conjoint	6 500	7 300	6 800	6 800	6 400	6 400
Régime de pensions du Canada et régime des rentes du Québec	4 200	5 400	6 500	7 000	7 000	6 800
	pourcentage					
Femmes						
Gains	8,7	6,2	5,1	5,2	7,9	10,8
Revenu de placements	56,5	53,6	61,0	51,6	59,6	57,0
Revenu de retraite	19,7	21,1	26,9	33,6	47,9	53,1
Sécurité de la vieillesse, le Supplément de revenu garanti et l'Allocation au conjoint	96,7	97,9	98,9	97,3	97,2	98,1
Régime de pensions du Canada et régime des rentes du Québec	34,8	44,2	61,8	70,8	80,5	82,7
	revenu global en millions de dollars constants de 2005					
Gains	1 308	1 052	1 383	1 404	1 359	1 789
Revenu de placements	5 262	6 793	9 213	6 922	6 043	5 568
Revenu de retraite	1 683	2 180	3 888	6 113	9 660	13 034
Sécurité de la vieillesse, le Supplément de revenu garanti et l'Allocation au conjoint	8 212	10 948	12 612	13 499	13 960	15 249
Régime de pensions du Canada et régime des rentes du Québec	1 353	2 451	4 599	6 779	8 315	9 617
	revenu moyen en milliers de dollars constants de 2005					
Gains	12 500	12 100	16 400	14 600	8 500	7 600
Revenu de placements	7 800	9 000	9 100	7 200	5 000	4 400
Revenu de retraite	7 100	7 400	8 700	9 800	10 000	11 100
Sécurité de la vieillesse, le Supplément de revenu garanti et l'Allocation au conjoint	7 100	8 000	7 700	7 500	7 100	7 100
Régime de pensions du Canada et régime des rentes du Québec	3 300	3 900	4 500	5 200	5 100	5 300

Note : Les aînés sont les personnes de 65 ans et plus.
Source : Statistique Canada, CANSIM : tableau 202-0407.

Tableau 2.5 Effet de la douleur sur les activités des adultes âgés selon le groupe d'âge et le sexe, 2003 et 2005

	Douleurs ou malaises empêchant peu ou quelques activités		Douleurs ou malaises empêchant la plupart des activités	
	2003	2005	2003	2005
	pourcentage			
Les deux sexes				
55 à 64 ans	11,2	11,4	4,1	4,8
65 ans et plus	12,7	13,1	5,0	5,8
65 à 74 ans	11,5	12,2	4,5	4,3
75 ans et plus	14,6	14,3	5,8	7,8
Hommes				
55 à 64 ans	7,9	7,8	4,0	5,1
65 ans et plus	8,5	8,1	4,3	4,9
65 à 74 ans	7,4	8,5	4,0[E]	3,3[E]
75 ans et plus	10,3	7,4	4,8[E]	7,5
Femmes				
55 à 64 ans	14,6	15,1	4,1	4,5
65 ans et plus	16,1	17,1	5,6	6,4
65 à 74 ans	15,1	15,7	4,9	5,2
75 ans et plus	17,3	18,7	6,5	7,9

Note : Les douleurs incluent les malaises.
Source : Statistique Canada, CANSIM : tableau 105-0203.

Tableau 2.6 Affectations chroniques des adultes âgés selon le groupe d'âge et le sexe, 2005

	Arthrite ou rhumatisme	Asthme	Hypertension	Diabète
	pourcentage			
Les deux sexes				
45 à 64 ans	23,5	7,1	21,7	6,9
65 ans et plus	45,9	7,4	44,1	14,6
65 à 74 ans	42,5	7,6	42,3	14,6
75 ans et plus	50,5	7,2	46,6	14,6
Hommes				
45 à 64 ans	18,2	5,0	22,0	7,9
65 ans et plus	36,4	6,7	39,4	17,1
65 à 74 ans	33,3	6,5	38,8	17,3
75 ans et plus	41,2	7,0	40,3	16,8
Femmes				
45 à 64 ans	28,7	9,2	21,3	5,9
65 ans et plus	53,6	8,0	47,9	12,6
65 à 74 ans	50,8	8,6	45,4	12,3
75 ans et plus	56,8	7,3	50,8	13,1

Note : Population qui a déclaré avoir reçu un diagnostique de l'affectation chronique d'un professionnel de la santé.
Source : Statistique Canada, CANSIM : tableaux 105-0401, 105-0402, 105-0410 et 105-0411.

Tableau 2.7 Taux de mortalité des aînés selon certaines causes de décès, le groupe d'âge et le sexe, 2000 et 2004

	65 à 74 ans		75 à 84 ans		85 ans et plus	
	2000	2004	2000	2004	2000	2004
	taux de mortalité selon l'âge pour 100 000 personnes					
Les deux sexes						
Ensemble des causes de décès	4 111,4	3 684,4	10 852,9	9 972,2	32 286,4	31 269,3
Tumeurs malignes	1 674,9	1 592,4	2 917,5	2 917,6	4 172,9	4 202,3
Maladie d'Alzheimer	36,5	32,7	306,8	284,1	1 507,8	1 539,4
Cardiopathies ischémiques	807,6	612,7	2 372,5	1 873,9	7 198,4	6 524,7
Maladies cérébrovasculaires	216,5	168,3	938,0	758,2	3 481,2	3 033,5
Grippe et pneumopathie	45,3	45,6	243,1	233,7	1 563,2	1 608,5
Maladies chroniques des voies respiratoires inférieures	205,1	178,9	668,8	603,4	1 440,3	1 416,8
Chutes	19,3	22,4	73,5	96,2	361,5	467,5
Hommes						
Ensemble des causes de décès	5 336,3	4 646,1	14 207,0	12 676,0	37 640,5	36 347,1
Tumeurs malignes	2 102,8	1 931,4	4 013,7	3 855,5	6 150,4	6 216,9
Maladie d'Alzheimer	38,1	30,2	296,7	249,7	1 158,6	1 129,6
Cardiopathies ischémiques	1 186,3	896,1	3 274,1	2 559,0	8 564,8	7 861,2
Maladies cérébrovasculaires	264,5	202,1	1 078,8	860,6	3 287,1	2 925,6
Grippe et pneumopathie	58,7	56,1	326,9	304,2	1 952,5	2 025,7
Maladies chroniques des voies respiratoires inférieures	260,4	217,2	1 004,6	817,8	2 554,2	2 294,6
Chutes	28,8	29,1	98,0	118,6	470,4	527,5
Femmes						
Ensemble des causes de décès	3 046,8	2 821,7	8 713,8	8 147,8	30 056,8	29 133,8
Tumeurs malignes	1 304,5	1 289,0	2 216,6	2 282,2	3 366,4	3 372,5
Maladie d'Alzheimer	35,0	34,9	312,4	306,3	1 638,8	1 692,0
Cardiopathies ischémiques	477,2	358,0	1 795,0	1 411,6	6 625,3	5 959,7
Maladies cérébrovasculaires	175,0	138,1	847,4	688,8	3 543,6	3 072,0
Grippe et pneumopathie	33,9	36,3	190,9	187,1	1 409,5	1 445,3
Maladies chroniques des voies respiratoires inférieures	157,4	144,8	457,1	460,7	996,3	1 062,0
Chutes	10,9	16,4	57,8	81,1	322,3	443,7

Notes : Âge au moment du décès.
Les aînés sont les personnes de 65 ans et plus.

Source : Statistique Canada, CANSIM : tableau 102-0551.

Tableau 2.8 Emploi du temps des aînés selon le type d'activité, la santé et la satisfaction au regard de la vie, le groupe d'âge et le sexe, 2005

	Hommes				Femmes			
	En santé et satisfaits	En moins bonne santé et satisfaits	En santé et moins satisfaits	En moins bonne santé et moins satisfaits	En santé et satisfaites	En moins bonne santé et satisfaites	En santé et moins satisfaites	En moins bonne santé et moins satisfaites
	heures par jour							
65 à 74 ans								
Travail rémunéré	F	F	F	F	F	F	F	F
Travail non rémunéré	4,4	3,9	4,1	3,5	5,3	4,6	5,0	4,5
Soins personnels	11,1	11,0	11,0	11,8	11,2	11,9	11,2	12,1
Loisirs passifs	3,1	4,5	3,4	4,0	2,8	3,0	2,8	3,4
Loisirs cognitifs	2,0	1,8	1,5	1,6	2,2	1,6	2,0	1,8
Loisirs sociaux	1,7	1,7	2,0	1,4	1,7	2,3	1,7	1,8
Loisirs physiques	0,9	F	0,9	0,6	0,4	F	0,6	0,3
75 ans et plus								
Travail rémunéré	F	F	F	F	F	F	F	F
Travail non rémunéré	3,4	3,2	3,8	3,3	3,7	3,9	3,9	3,6
Soins personnels	12,0	12,9	11,9	12,5	12,1	12,3	12,1	12,5
Loisirs passifs	3,3	4,0	4,0	4,2	3,2	3,5	3,5	3,6
Loisirs cognitifs	1,9	1,5	1,9	1,9	2,9	2,1	2,2	1,9
Loisirs sociaux	F	1,4	F	1,3	1,7	2,0	1,8	2,1
Loisirs physiques	F	F	F	F	F	F	0,3	0,2

Notes : Satisfait fait référence à la satisfaction par rapport à la vie.
Les aînés sont les personnes de 65 ans et plus.

Source : Statistique Canada, produit n° 89-622-XIF au catalogue.

Tableau 2.9 Mode de vie des aînés selon le groupe d'âge, années de recensement de 1981, 1991 et 2001

	65 à 74 ans			75 à 84 ans			85 ans et plus		
	1981	1991	2001	1981	1991	2001	1981	1991	2001
	pourcentage								
Ensemble des modes de vie	**100,0**	**100,0**	**100,0**	**100,0**	**100,0**	**100,0**	**100,0**	**100,0**	**100,0**
Institués	3,4	3,0	2,2	12,2	10,9	8,2	37,5	37,4	31,6
Époux, épouses	50,9	53,3	54,4	33,6	37,3	39,9	12,7	13,6	16,2
Enfants ou petit-enfants	17,8	16,3	18,9	17,0	12,8	16,0	21,1	15,1	15,8
Seuls	21,7	21,7	21,5	30,0	32,6	33,0	22,4	27,6	33,7
Autres	6,2	5,7	2,9	7,2	6,5	2,8	6,3	6,3	2,6

Source : Statistique Canada, recensements de la population de 1981, 1991 et 2001.

Commerce de détail et de gros

3

SURVOL

L'achat et la vente de marchandises — vente des fabricants et des importateurs aux grossistes, des grossistes aux détaillants, et des détaillants aux consommateurs — sont des activités importantes dans l'économie canadienne. Ensemble, le commerce de détail et le commerce de gros emploient le plus grand nombre de travailleurs au pays.

En 2005, le commerce de détail employait quelque 1,7 million de travailleurs, soit environ 12 % de la main-d'œuvre totale. Le commerce de gros, quant à lui, regroupait 607 100 travailleurs. Cette année-là, le commerce de détail et le commerce de gros ont contribué chacun à 6 % de l'économie canadienne.

Mais ces deux secteurs d'activité sont sensibles aux mouvements économiques. Les baisses et les hausses épisodiques des recettes sont parfois attribuables à la variation des prix de gros des produits, ceux de l'essence par exemple. Les ventes au détail sont souvent saisonnières — les ventes de vêtements diminuent en octobre après la frénésie du retour à l'école, tandis qu'en décembre les ventes de nombreuses catégories de produits s'intensifient en prévision des Fêtes.

Commerce de détail

Dans l'ensemble, les recettes du commerce de détail au Canada ont augmenté constamment de 2004 à 2005. Les détaillants qui ont pignon sur rue ainsi que les détaillants hors magasin comme ceux qui commercent exclusivement en ligne, par correspondance, ou par catalogues ont affiché, en 2005, des recettes d'exploitation de 403,6 milliards de dollars, en hausse de 5 % par rapport à l'année précédente. Les consommateurs ont dépensé davantage notamment en raison de la hausse du prix de l'essence et de l'augmentation des achats d'articles d'ameublement.

De 2000 à 2005, l'Alberta a pris le premier rang au pays pour ce qui est de la croissance des ventes au détail, grâce au boom du secteur

Graphique 3.1
PIB du commerce de détail et de gros

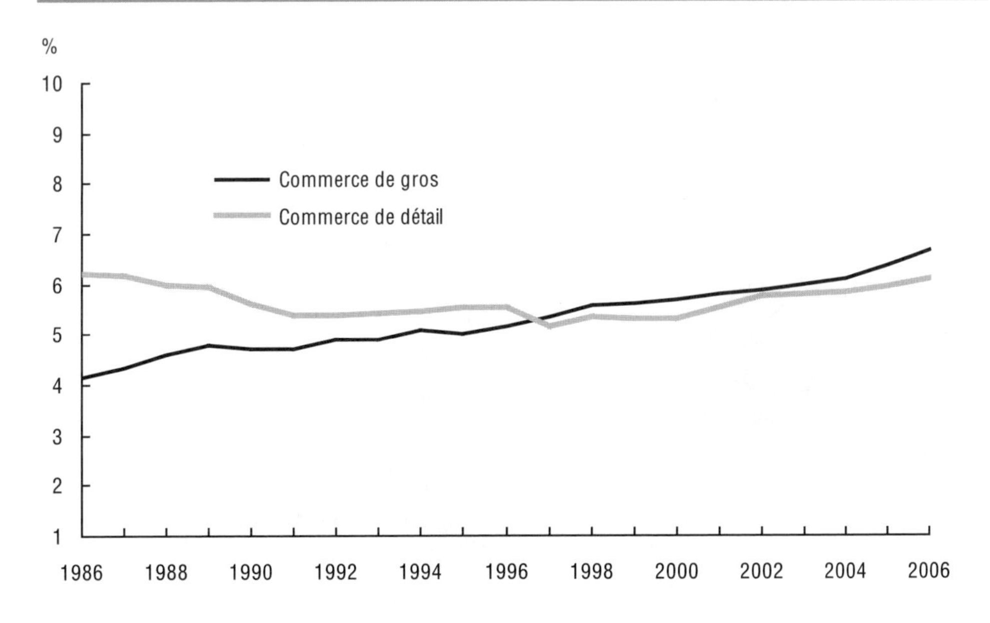

Source : Statistique Canada, CANSIM : tableau 379-0017.

de l'énergie. Les hausses observées en Alberta durant cette période ont été près de deux fois supérieures à celles relevées dans la province occupant le deuxième rang, la Colombie-Britannique, où les détaillants ont tiré parti de l'effervescence du marché de l'habitation.

La marge brute totale — soit la différence entre les recettes totales d'exploitation et le coût des biens vendus — pour l'ensemble des détaillants en magasin a augmenté de 6 % en 2005. Les hausses les plus fortes à ce chapitre ont été observées dans les magasins de meubles (+13 % par rapport à 2004), les magasins d'articles d'ameublement (+10 %) et les stations-service (+10 %).

Les bénéfices d'exploitation — soit les recettes totales d'exploitation moins les dépenses totales d'exploitation et le coût des biens vendus — constituent une autre mesure de la vitalité du commerce de détail. En 2005, les bénéfices d'exploitation ont progressé de 6 % par rapport à l'année précédente pour les détaillants en magasin et de 10 % pour les détaillants hors magasin.

D'autres formes de magasinage

Le temps où le consommateur passait au magasin, payait comptant et repartait avec ses emplettes est

Graphique 3.2
Recettes d'exploitation du commerce de détail hors magasin, selon le groupe d'industrie, 2005

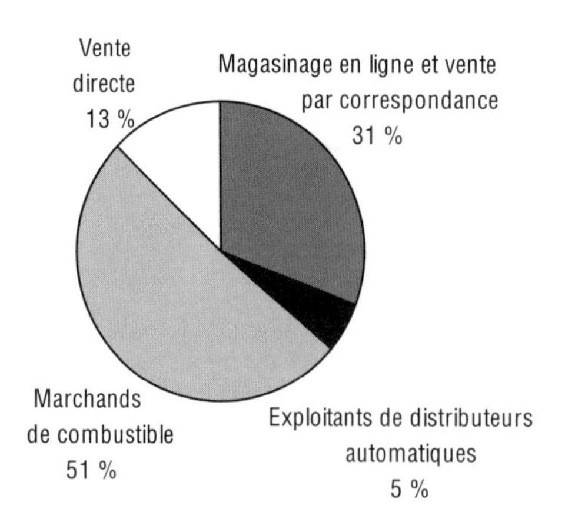

Note : Répartition en pourcentage.
Source : Statistique Canada, CANSIM : tableau 080-0012.

Magasinage sur Internet selon certains types de produit et service, 2005

	%
Arrangements de voyage	36,4
Livres, revues et journaux en ligne	35,4
Vêtements, bijoux et accessoires	24,8
Logiciels d'ordinateur	20,2
Équipement sportif	6,6
Aliments, condiments et boissons	3,4

Source : Statistique Canada, CANSIM : tableau 358-0136.

révolu. Aujourd'hui, les Canadiens ont l'embarras du choix quand il s'agit de magasiner, et Internet continue de transformer le commerce de détail.

Les enquêtes auprès des détaillants ne fournissent pas de répartition pour les ventes en ligne, pas plus qu'elles ne permettent de rendre compte des consommateurs qui font du lèche-vitrine en ligne mais achètent ensuite les produits par téléphone, par la poste ou en magasin. Néanmoins, l'Enquête canadienne sur l'utilisation d'Internet, menée en novembre 2005, donne quelques indications sur les habitudes des consommateurs quant au magasinage en ligne.

Au cours des 12 mois ayant précédé novembre 2005, 7 millions de Canadiens âgés de 18 ans et plus ont commandé, en ligne, des biens et services pour usage personnel d'une valeur de 7,9 milliards de dollars — ce qui comprend les réservations en prévision de voyages et les billets de concert, qui ne sont pas considérés comme des ventes au détail. Les fournisseurs canadiens ont occupé près des deux tiers (63 %) de la valeur des commandes passées sur Internet.

Parmi les produits les plus populaires vendus en ligne figurent les livres, revues et journaux en ligne, achetés par 35 % des adeptes canadiens du magasinage par Internet, les vêtements, bijoux et accessoires (25 %), les logiciels (20 %), la musique (16 %), les appareils électroniques grand public (16 %), les vidéos et vidéodisques numériques (13 %).

Même nos modes de paiement dans les magasins traditionnels se transforment. La proportion de détaillants offrant des cartes-cadeaux échangeables contre des marchandises monte en flèche. De décembre 2003 à décembre 2005, la proportion de magasins détenus par de grands détaillants qui offraient des cartes-cadeaux a grimpé de 29 points de pourcentage pour atteindre 82 %. À la saison du magasinage des Fêtes de 2005, tous les grands détaillants d'appareils électroniques et d'électroménagers du Canada proposaient des cartes-cadeaux, et 79 % des grands magasins de vêtements (y compris les magasins de chaussures) de même que 70 % des supermarchés avaient emboîté le pas.

Pour les consommateurs, il est facile et pratique d'offrir et de recevoir des cartes-cadeaux, tandis que pour les détaillants, ces cartes permettent de fidéliser la clientèle et d'accroître les ventes, particulièrement en janvier, puisque la plupart des consommateurs qui échangent leur carte-cadeau dépensent davantage au magasin que la valeur nominale de cette carte.

Commerce de gros

La plupart des consommateurs canadiens ne font pas affaire avec les grossistes. Ces derniers distribuent les marchandises aux détaillants et à d'autres entreprises et forment la principale courroie de transmission entre les fabricants et le marché. En 2005, les recettes d'exploitation des grossistes ont augmenté de 8 % par rapport à l'année précédente pour s'établir à 626,5 milliards de dollars.

Les plus fortes hausses ont été déclarées par les grossistes de l'industrie du pétrole (les recettes ayant bondi de 25 % par rapport à l'année précédente surtout en raison de l'augmentation du prix du pétrole brut), de produits métalliques (+ 17 %) et de machines et fournitures (+ 15 %). En 2005, les recettes ont diminué dans 5 des 17 groupes sectoriels — produits agricoles, alcool et tabac, véhicules automobiles, bois d'œuvre et menuiseries, agents et courtiers.

Graphique 3.3
Recettes d'exploitation du commerce de gros

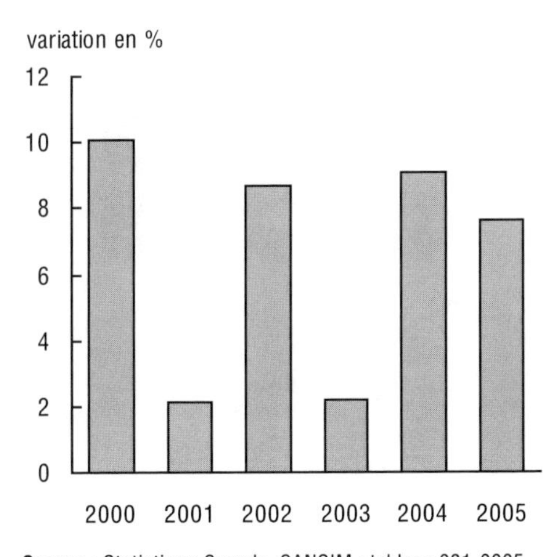

Source : Statistique Canada, CANSIM : tableau 081-0005.

Les prix de gros des marchandises peuvent également avoir une incidence sur les ventes dans ce secteur et sont conditionnés par divers facteurs économiques. Ainsi, le raffermissement du dollar canadien a fait baisser les prix de certains biens importés des États-Unis. En 2005, la demande de produits importés a continué d'augmenter, ce qui est important pour le commerce de gros, puisque environ 40 % de toutes les importations arrivent au pays par l'entremise des grossistes.

La marge brute en proportion des recettes d'exploitation pour l'ensemble des grossistes a diminué d'un point de pourcentage pour se fixer à 17 % en 2005. La marge des bénéfices d'exploitation, exprimée en pourcentage des recettes totales d'exploitation, s'est également repliée d'un point en 2005 pour s'établir à 5 %.

Sources choisies

Statistique Canada

- *Analyse en bref.* Hors série. 11-621-MIF
- *Commerce de détail.* Mensuel. 63-005-XIF
- *Commerce de gros.* Mensuel. 63-008-XWF
- *Regard sur le marché du travail canadien.* Irrégulier. 71-222-XIF
- *Revue trimestrielle des comptes économiques canadiens.* Trimestriel. 13-010-XWF
- *Ventes de véhicules automobiles neufs.* Mensuel. 63-007-XIF

De tout dans tous les magasins

Par le passé, les consommateurs achetaient leur nourriture à l'épicerie, leurs médicaments à la pharmacie et leurs vêtements dans les grands magasins. Aujourd'hui, ils peuvent faire pratiquement tous ces achats dans l'un ou l'autre de ces établissements. En effet, les détaillants qui cherchent à s'imposer comme des guichets uniques pour les consommateurs pressés se disputent les créneaux de marché traditionnellement occupés par leurs concurrents.

Les marchés d'alimentation grossissent et élargissent leurs gammes de produits, pendant que certaines chaînes de pharmacies ouvrent des magasins plus grands et vendent des produits alimentaires. Les grands magasins de vente au rabais se sont mis à vendre de la nourriture. Tous s'emploient à gruger la part de marché de leurs concurrents. Les pourcentages en jeu peuvent sembler minces, mais les activités du commerce de détail se chiffrent dans les milliards de dollars, ce qui peut avoir des effets fort importants.

En 1998, les magasins d'alimentation constituaient 82 % des dépenses totales au titre des aliments et des boissons. En 2004, cette proportion était tombée à 77 % — une baisse de 5 points de pourcentage de la part de marché de ces produits. Les magasins d'alimentation ont partiellement contrebalancé ce repli en gagnant 2 points dans les ventes d'articles de santé et de soins personnels — des produits généralement vendus dans les pharmacies et les magasins de marchandises diverses — et 3 points dans les ventes d'autres produits non alimentaires.

Pendant ces six années, les magasins de marchandises diverses ont gagné 1 point de pourcentage dans la part de marché des aliments et des boissons et 3 points dans celle des articles de santé et de soins personnels, mais ont cédé à leurs concurrents 4 points de leur part de marché d'autres produits non alimentaires.

Les pharmacies, parallèlement, perdent leur part de marché des médicaments sur ordonnance et en vente libre au profit de ces autres magasins. En 1998, les pharmacies réalisaient 84 % des ventes de médicaments; en 2005, elles n'en réalisaient plus que 77 %.

Graphique 3.4
Magasins d'alimentation et de marchandises diverses, ventes de produits choisis

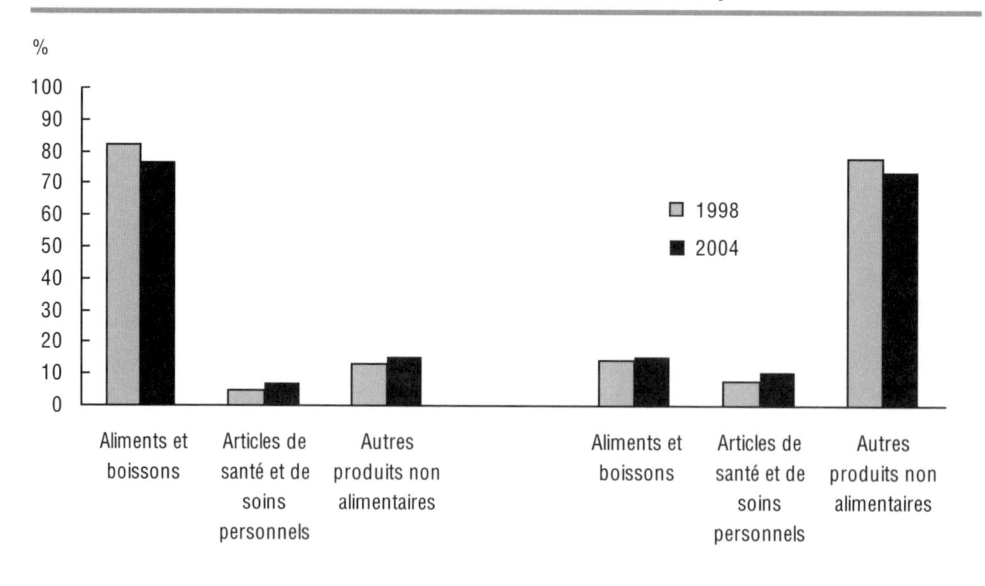

Source : Statistique Canada, produit nº 11-621-MIF au catalogue.

Vigueur des ventes d'automobiles

Les ventes de voitures, de camions, de véhicules récréatifs et autres véhicules ont été vigoureuses en 2006 malgré la hausse du prix de l'essence. Outre les consommateurs, les entreprises sont nombreuses à acheter des véhicules pour leur fonctionnement, peu importe le prix de l'essence.

Au total, on a vendu 1 666 327 véhicules neufs en 2006, le deuxième plus important niveau de ventes annuelles jamais atteint au Canada. Les ventes ont crû de 4 % par rapport à 2005 pour gagner un sommet inégalé de 54,3 milliards de dollars. Les programmes de stimulation ont contribué à la hausse des ventes en 2006.

Les ventes de camions (mini-fourgonnettes, véhicules utilitaires sport, camions légers et lourds, fourgonnettes et autobus) ont affiché un record de 803 166 véhicules en 2006, une hausse de 2 % par rapport à 2005.

La demande de véhicules récréatifs a également été forte. Les ventes de véhicules récréatifs neufs et d'occasion ont grimpé de 39 % en 2006 pour se chiffrer à plus de 3,1 milliards de dollars. Près du tiers de ces véhicules ont été vendus en Alberta, les ventes dans cette province ayant totalisé 1,0 milliard de dollars — un bond remarquable de 69 % par rapport à 2005.

La popularité des véhicules récréatifs en Alberta est partiellement attribuable à la pénurie de logements dans l'industrie pétrolière en plein essor. Certains travailleurs vivent temporairement dans des véhicules récréatifs. À l'échelle du pays, la progression des ventes de ces véhicules peut s'expliquer en partie par le nombre croissant de retraités s'offrant une maison sur roues.

Les véhicules représentent le principal poste de dépenses de détail des consommateurs. En 2005, les consommateurs ont consacré 20 % de leurs dépenses pour des achats au détail de véhicules, pièces et services automobiles, et 9 % de carburants, huiles et additifs.

Certains n'achètent pas d'automobiles mais en rêvent. En 2005, 25 % des Canadiens adeptes du magasinage en ligne ont utilisé Internet pour faire des recherches sur des produits automobiles.

Graphique 3.5
Ventes de véhicules automobiles neufs, par province, 2006

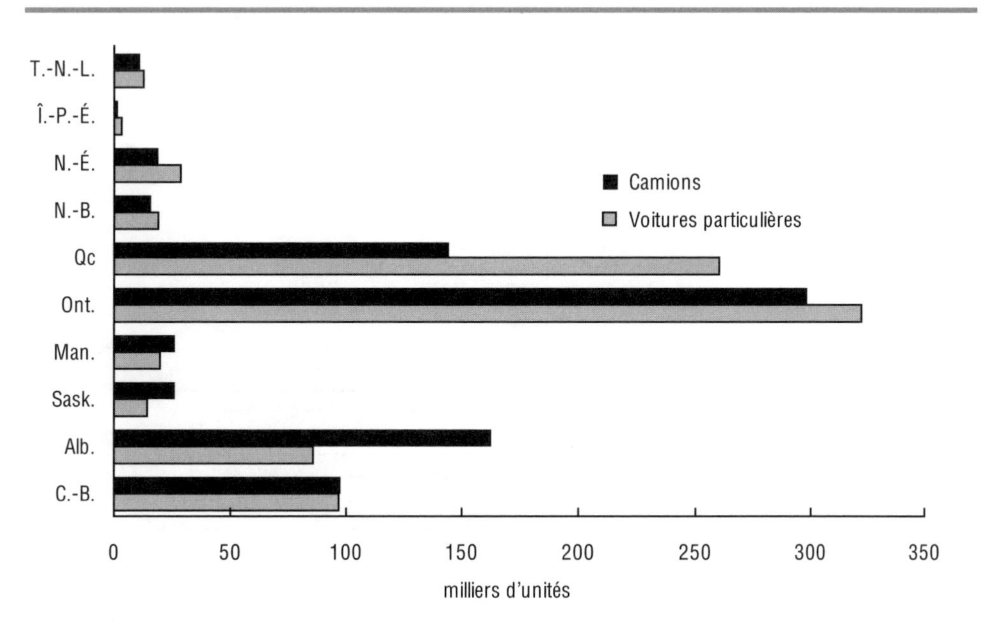

Source : Statistique Canada, CANSIM : tableau 079-0001.

Boom chez les grossistes de l'Ouest

Les grossistes qui vendent leurs produits aux détaillants et à d'autres entreprises profitent du boom économique de l'Ouest du pays. De 2002 à 2005, les grossistes du Manitoba, de la Saskatchewan, de l'Alberta et de la Colombie-Britannique ont affiché le taux de croissance des ventes en gros le plus élevé au Canada.

Au cours de cette période de trois ans, les ventes des grossistes établis dans l'Ouest ont augmenté à un taux annuel moyen de 10 %, soit près du double de la moyenne nationale de 5 %.

Le boom économique et démographique a entraîné un gonflement de la demande de machines et de fournitures électroniques et de matériaux de construction, ces deux catégories ayant enregistré la plus forte expansion dans l'Ouest canadien.

Parmi les grossistes de l'Ouest, ceux de l'Alberta et de la Colombie-Britannique ont occupé presque 90 % de la croissance observée depuis 2002. En 2005, les ventes des grossistes de l'Alberta se sont chiffrées à près de 54,6 milliards de dollars, en hausse de 16 % par rapport à 2004. Celles de la Colombie-Britannique ont crû de 9 % pour atteindre 47,3 milliards de dollars.

Les sociétés pétrolières ont accéléré leurs investissements au titre des machines, ce qui a été profitable pour les grossistes de machines de l'Alberta. Les grossistes de bois d'œuvre de la Colombie-Britannique ont accru le volume de leurs ventes, notamment grâce aux exportations visant à alimenter le secteur de la construction aux États-Unis. Cependant, la valeur des ventes a fléchi en raison de la baisse des prix.

Parmi les grossistes de toutes les provinces, ce sont ceux de l'Alberta qui ont affiché le taux de croissance le plus élevé. Dans cette province, on a observé des hausses appréciables dans la catégorie des machines et de l'équipement électronique.

En Saskatchewan, les revenus des entreprises qui vendent des produits agricoles ont fait un bond de 27 % en 2005, largement attribuable à la réouverture, en juillet, du marché américain aux bovins canadiens de moins de 30 mois.

Graphique 3.6
Croissance des ventes des grossistes, par province, 2004 à 2005

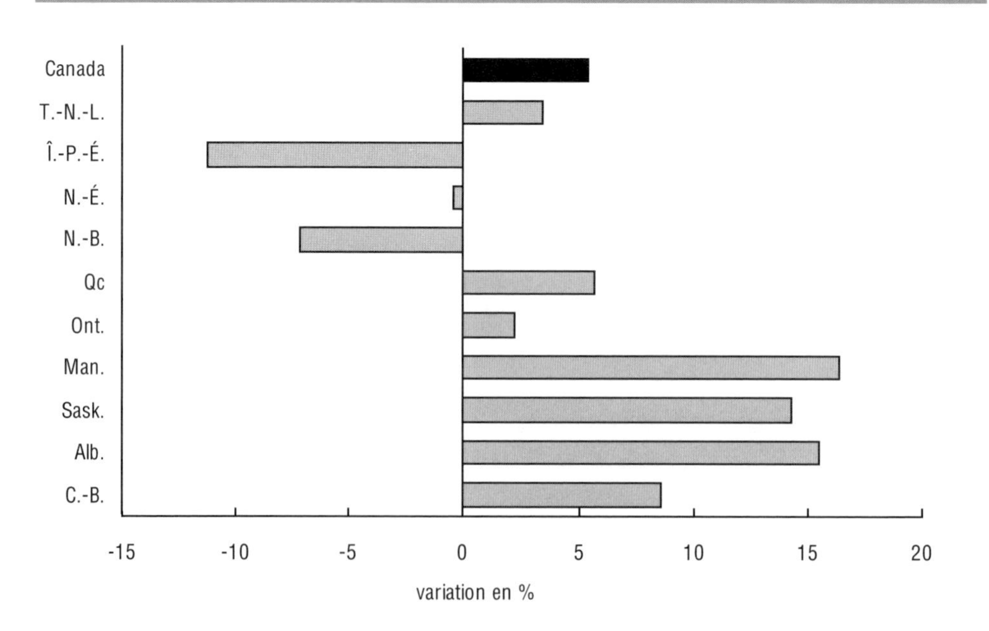

Source : Statistique Canada, CANSIM : tableau 081-0007.

Magasinage hors établissement

Il nous arrive tous de faire des achats ailleurs que dans les magasins. En 2005, les Canadiens ont acheté des biens et services d'une valeur de 12,8 milliards de dollars chez des « détaillants hors magasin », ce qui comprend la vente par correspondance, les catalogues en ligne, le porte-à-porte, l'infopublicité télévisée et les distributeurs automatiques. Les ventes hors magasin ne représentent toutefois que 3 % des ventes au détail du Canada, malgré une croissance vigoureuse de ce secteur.

En 2005, les ventes des détaillants hors magasin ont crû de 8 % par rapport à 2004, comparativement à 5 % pour les magasins traditionnels. Les marchands de combustible se sont taillé la part du lion en 2005, accaparant 51 % des recettes d'exploitation des détaillants hors magasin. Leurs recettes ont bondi de 18 % et leurs bénéfices ont grimpé de 8 %.

Le magasinage en ligne et les ventes par correspondance occupent le deuxième rang; ils ont généré 31 % des recettes des détaillants hors magasin en 2005. Leurs ventes ont crû de moins de 1 % par rapport à 2004, mais certains de ces détaillants grignotent la part de marché de leurs concurrents des magasins traditionnels. Ainsi, en 2005, les recettes des magasins d'ordinateurs et de logiciels n'ont crû que de 2 % par rapport à 2004. Par contre, les ventes de logiciels en ligne et par correspondance ont fait un bond de 121 %.

Les ventes des exploitants de distributeurs automatiques et des établissements de vente directe ont fléchi de 4,0 % et 5,2 % respectivement en 2005. Toutefois, la diminution des dépenses d'exploitation a plus que compensé ces baisses des recettes, de sorte que ces deux groupes de détaillants ont affiché les plus hauts taux de croissance des bénéfices : 22 % pour les exploitants de distributeurs automatiques et 30 % pour les établissements de vente directe.

Parmi les produits vendus par les détaillants hors magasin, les services, comme les repas et collations, les réparations, la location et le crédit-bail ont connu la plus forte hausse des ventes. Ces dernières ont crû de 20 % pour se chiffrer à 376,8 millions de dollars en 2005.

Graphique 3.7
Marge brute, industries du commerce de détail hors magasin

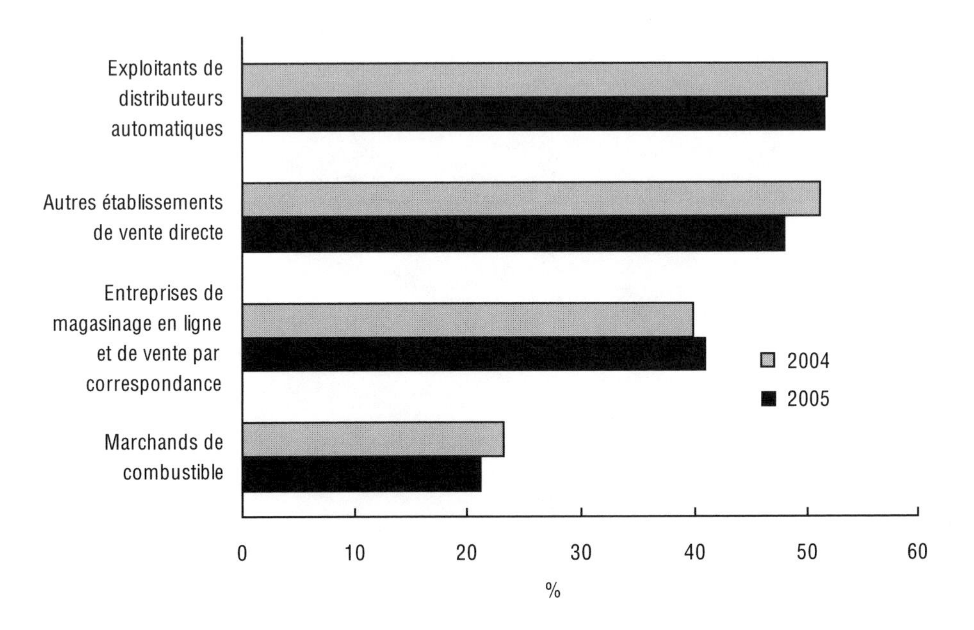

Source : Statistique Canada, CANSIM : tableau 080-0012.

Tableau 3.1 Commerce interprovincial, par province et territoire, 2006

	Ensemble des biens et des services	Biens	Services
	millions de dollars		
Importations interprovinciales	**281 646**	.	.
Terre-Neuve-et-Labrador	6 724	3 173	3 551
Île-du-Prince-Édouard	2 103	1 039	1 064
Nouvelle-Écosse	10 396	5 418	4 978
Nouveau-Brunswick	11 066	6 316	4 750
Québec	58 591	32 520	26 071
Ontario	78 200	48 989	29 211
Manitoba	15 537	8 931	6 606
Saskatchewan	16 828	8 462	8 366
Alberta	43 292	23 340	19 952
Colombie-Britannique	35 449	18 097	17 352
Yukon	656	265	391
Territoires du Nord-Ouest	1 847	856	991
Nunavut	756	303	453
Extérieur du Canada	201	146	55
Exportations interprovinciales	**281 646**	.	.
Terre-Neuve-et-Labrador	6 440	5 476	964
Île-du-Prince-Édouard	974	555	419
Nouvelle-Écosse	6 635	3 991	2 644
Nouveau-Brunswick	8 331	5 748	2 583
Québec	55 967	34 122	21 845
Ontario	100 462	44 698	55 764
Manitoba	12 553	6 143	6 410
Saskatchewan	12 767	9 742	3 025
Alberta	49 150	33 743	15 407
Colombie-Britannique	27 124	13 034	14 090
Yukon	215	77	138
Territoires du Nord-Ouest	888	518	370
Nunavut	132	9	123
Extérieur du Canada	7	0	7

Note : Produit intérieur brut en termes de dépenses.

Source : Statistique Canada, CANSIM : tableau 384-0002.

Tableau 3.2 Commerce de gros, ventes selon le groupe de commerce, 2002 à 2006

	2002	2003	2004	2005	2006
	millions de dollars				
Ensemble des groupes de commerce	**409 927,7**	**418 810,2**	**444 913,5**	**468 043,0**	**497 397,6**
Produits agricoles	4 723,3	4 759,5	5 104,1	5 548,8	5 247,1
Produits alimentaires	76 873,3	78 038,4	78 240,6	79 308,5	82 974,7
Alcool et tabac	6 974,3	7 538,4	7 743,3	7 558,0	7 888,6
Habillement	8 746,5	9 102,2	8 634,9	8 923,1	9 015,1
Articles ménagers et personnels	23 678,1	23 960,6	25 330,9	27 747,6	31 320,0
Produits pharmaceutiques	22 531,0	24 829,0	28 551,0	30 205,4	32 059,7
Véhicules automobiles	73 643,4	73 235,4	72 902,6	71 919,8	75 854,9
Pièces et accessoires de véhicules automobiles	15 690,7	15 462,5	18 268,2	18 499,6	18 611,7
Matériaux de construction	30 582,5	30 814,8	35 331,4	39 302,5	42 658,3
Produits métalliques	9 721,4	9 497,8	12 663,9	13 566,2	15 120,3
Bois d'œuvre et menuiseries	10 110,7	10 458,5	12 947,5	13 264,8	12 711,9
Machines et fournitures	34 102,8	35 108,4	38 925,4	45 240,1	49 420,7
Ordinateurs et autres appareils électroniques	28 839,0	27 561,6	27 259,0	28 606,3	31 479,5
Machines de bureau et d'usage professionnel	20 615,6	19 992,7	20 516,7	21 687,3	23 887,4
Autres produits	43 095,2	48 450,3	52 494,0	56 665,1	59 147,7

Note : Systeme de classification des industries de l'Amérique du Nord (SCIAN), 2002.
Source : Statistique Canada, CANSIM : tableau 081-0007.

Tableau 3.3 Commerce de gros, ventes par province et territoire, 2002 à 2006

	2002	2003	2004	2005	2006
	millions de dollars				
Canada	**409 927,7**	**418 810,2**	**444 913,5**	**468 043,0**	**497 397,6**
Terre-Neuve-et-Labrador	2 517,8	2 514,6	2 504,5	2 588,2	2 766,0
Île-du-Prince-Édouard	489,1	543,2	591,7	524,8	432,7
Nouvelle-Écosse	6 651,4	6 854,3	6 256,5	6 241,8	6 472,3
Nouveau-Brunswick	5 374,7	5 282,0	5 234,5	4 863,8	4 908,9
Québec	79 113,0	79 635,4	85 613,6	90 627,6	93 697,3
Ontario	216 669,2	219 780,9	230 987,7	235 850,0	250 920,5
Manitoba	10 040,9	10 608,4	10 838,6	11 547,1	11 901,5
Saskatchewan	11 656,2	11 760,4	11 920,1	13 644,7	13 556,4
Alberta	38 758,1	41 868,0	47 163,1	54 550,6	61 644,8
Colombie-Britannique	38 228,9	39 658,9	43 497,7	47 277,0	50 724,8
Yukon	86,9	83,3	85,9	95,1	119,1
Territoires du Nord-Ouest	301,4	198,8	192,7	207,6	229,5
Nunavut	40,0	21,9	27,0	24,8	23,7

Source : Statistique Canada, CANSIM : tableau 081-0007.

Tableau 3.4 Ventes au détail en magasin selon certaines marchandises, 2001 à 2006

	2001	2002	2003	2004	2005	2006
	milliers de dollars					
Total des marchandises vendues	**301 221 201**	**320 372 749**	**332 027 040**	**347 703 971**	**368 840 320**	**392 383 358**
Aliments (sauf nourriture pour animaux de compagnie, repas et repas légers)	49 960 489	51 657 937	53 903 751	56 652 229	59 886 997	61 988 503
Boissons non alcoolisées	3 937 096	3 983 295	4 171 140	4 487 664	4 690 359	4 996 518
Boissons alcoolisées	13 530 245	14 408 373	15 208 713	15 728 696	16 441 560	17 318 455
Articles de soins personnels, de santé et de beauté (non électrique)[1]	7 348 008	8 005 008	8 243 691	9 136 351	9 414 283	9 954 328
Lunetteries avec et sans ordonnance	1 194 276	1 234 260	1 220 881	1 299 106	1 374 389	1 470 314
Médicaments (avec et sans ordonnance), vitamines et autres suppléments de santé	14 615 318	16 258 706	17 689 289	18 847 652	20 007 650	22 060 709
Bagages et bijoux	2 514 320	2 669 784	2 729 653	2 922 966	2 987 334	3 333 074
Vêtements et accessoires	20 947 535	21 064 469	21 330 150	22 193 535	23 074 904	24 462 809
Chaussures	3 860 406	4 015 217	4 096 491	4 089 528	4 358 938	4 738 369
Meubles d'intérieur, appareils ménagers et appareils électroniques	19 335 333	20 830 879	21 968 969	23 216 362	24 360 169	26 258 607
Articles d'ameublement	6 924 673	7 615 669	7 905 124	8 388 694	8 837 044	9 672 991
Véhicules automobiles neufs	39 082 958	42 609 510	42 110 185	42 135 933	44 504 086	46 348 067
Véhicules automobiles d'occasion	19 647 076	20 921 130	19 211 016	18 939 461	19 216 268	20 417 572
Pièces et accessoires pour véhicules automobiles, recettes de main-d'oeuvre et recettes de location	13 299 379	13 904 854	14 949 971	15 524 002	16 991 122	17 968 047
Carburant pour véhicules automobiles	22 189 024	22 963 371	24 498 428	28 204 465	33 307 031	36 603 086
Huiles et additifs pour véhicules automobiles	749 950	756 394	826 626	811 850	855 827	971 098
Articles de table, articles de cuisine, batteries de cuisine et moules à cuisson	1 447 901	1 592 461	1 630 403	1 748 933	1 790 832	1 948 572
Produits d'entretien ménager, produits chimiques et produits de papier pour la maison	3 068 739	3 266 793	3 385 810	3 464 650	3 574 421	3 667 577
Autres fournitures pour la maison	1 711 239	1 918 349	2 022 554	2 073 350	2 120 387	2 266 021
Quincaillerie et matériel de rénovation	13 150 607	14 816 055	16 609 941	18 369 582	19 821 803	21 707 980
Produits, équipement et plantes pour pelouse et jardin	3 609 879	3 996 625	4 388 176	4 819 370	5 322 215	5 766 409
Articles de sport	3 649 056	3 836 514	3 881 883	3 844 770	4 009 702	4 326 360
Jouets, jeux et articles de passe-temps (y compris jeux vidéo)	2 403 394	2 531 502	2 595 763	2 642 719	2 797 759	3 052 072
Tissus, fils et articles de couture et de mercerie	741 439	735 625	722 810	740 717	696 441	675 078
Fournitures pour artistes et d'artisanat	353 440	340 664	348 376	382 897	381 630	403 734
Média préenregistrés[2]	1 638 959	1 757 464	1 830 651	1 940 899	2 056 302	2 064 746
Livres, journaux et autres périodiques	2 547 702	2 596 982	2 658 077	2 740 443	2 897 746	2 944 384
Instruments, pièces, accessoires et fournitures de musique	475 161	461 840	469 330	502 270	496 088	460 386
Véhicules de loisir	5 706 758	5 920 353	6 078 357	5 826 704	6 016 296	6 786 682
Nourriture, fournitures et accessoires pour animaux de compagnie	1 315 402	1 447 161	1 606 080	1 767 702	1 953 193	2 031 854
Produits du tabac et fournitures	6 926 104	8 091 879	8 882 966	8 844 281	8 578 727	8 492 866
Cadeaux, articles de fantaisie et souvenirs	1 651 751	1 555 145	1 401 010	1 297 702	1 200 625	1 347 595
Papeterie, fournitures de bureau, cartes, papier d'emballage et articles pour réceptions	2 763 797	2 814 674	3 105 829	3 329 898	3 357 798	3 454 584
Marchandises d'occasion et antiquités	1 159 228	1 353 210	1 400 177	1 394 336	1 455 556	1 687 320
Repas et repas légers	673 584	764 193	831 503	889 098	947 065	1 053 721

1. Inclut le matériel et fournitures de soins de santé à domicile.
2. Inclut les disques compacts (CD), vidéodisques numériques (DVD) et vidéocassettes et sonores préenregistrés (sauf location).

Source : Statistique Canada, CANSIM : tableau 080-0018.

Tableau 3.5 Commerce de détail, ventes selon le groupe de commerce, 2002 à 2006

	2002	2003	2004	2005	2006
	millions de dollars				
Ensemble des groupes de commerce	**319 525,4**	**331 143,4**	**346 721,5**	**366 170,7**	**389 567,4**
Concessionnaires d'automobiles neuves	69 161,0	68 183,6	68 141,1	71 515,6	74 663,2
Concessionnaires de véhicules automobiles d'occasion, de plaisance et de pièces	14 303,0	14 393,9	14 559,2	15 301,4	17 380,5
Stations-service	28 138,4	29 951,3	33 363,8	38 356,8	41 606,9
Magasins de meubles	7 467,3	7 923,8	8 506,5	8 914,4	9 585,5
Magasins d'accessoires de maison	3 701,2	3 971,6	4 438,9	4 686,3	5 339,9
Magasins d'ordinateurs et de logiciels	1 967,7	1 883,9	1 581,8	1 557,5	1 517,6
Magasins d'appareils électroniques et d'électroménagers	8 361,1	9 089,7	9 443,1	10 164,8	11 157,0
Centres de rénovation et quincailleries	12 517,4	14 595,2	16 597,8	18 220,7	20 126,5
Magasins de matériaux de construction spécialisés et de jardinage	4 234,1	4 316,0	4 372,8	4 340,4	4 627,9
Supermarchés	54 343,6	56 874,1	59 760,9	62 196,3	63 512,5
Dépanneurs et épiceries spécialisées	7 694,4	8 371,4	8 806,9	9 128,6	9 356,4
Magasins de bière, de vin et de spiritueux	12 696,7	13 293,7	13 789,8	14 343,9	15 160,3
Pharmacies et magasins de produits de soins personnels	20 410,4	21 266,6	22 769,3	23 642,7	26 070,3
Magasins de vêtements	14 220,0	14 567,1	15 311,6	16 069,3	17 248,5
Magasins de chaussures, d'accessoires vestimentaires et bijouteries	4 925,6	4 903,8	4 876,8	4 981,3	5 400,3
Magasins de marchandises diverses	38 419,5	40 011,0	42 123,7	43 758,4	46 518,3
Grands magasins	20 112,5	20 800,8	21 849,9	x	..
Autres magasins de marchandises diverses[1]	18 307,0	19 210,2	20 273,8	x	..
Magasins d'articles de sport, de passe-temps, de musique et librairies	8 501,2	8 676,1	8 831,4	9 379,3	10 003,1
Magasins de détail divers[2]	8 462,8	8 870,7	9 446,1	9 613,1	10 292,8

Note : Système de classification des industries de l'Amerique du Nord (SCIAN), 2002.

1. Inclut les clubs-entrepôts et hypermarchés et tous les autres grands magasins de marchandises diverses.
2. Inclut les fleuristes; les magasins de fournitures de bureau et de papeterie; les magasins de cadeaux, d'articles de fantaisies et de souvenirs; les magasins de marchandises d'occasion; les animaleries et magasins de fournitures pour animaux; les marchands d'œuvres d'art; les marchands de maisons mobiles; tous les autres magasins de détail divers.

Source : Statistique Canada, CANSIM : tableau 080-0014.

Tableau 3.6 Commerce de détail, par province et territoire, 2002 à 2006

	2002	2003	2004	2005	2006
	millions de dollars				
Canada	**319 525,4**	**331 143,4**	**346 721,5**	**366 170,7**	**389 567,4**
Terre-Neuve-et-Labrador	5 407,0	5 736,3	5 755,5	5 825,9	6 042,4
Île-du-Prince-Édouard	1 369,0	1 382,6	1 384,7	1 423,9	1 481,3
Nouvelle-Écosse	9 839,5	10 014,9	10 296,5	10 526,9	11 191,8
Nouveau-Brunswick	7 786,8	7 826,8	7 962,7	8 326,1	8 834,8
Québec	72 099,0	75 325,7	78 517,9	82 532,5	86 762,8
Ontario	120 992,0	125 122,5	129 085,8	135 320,6	140 835,4
Manitoba	10 569,5	10 953,2	11 691,6	12 381,3	12 938,3
Saskatchewan	9 388,8	9 858,1	10 259,4	10 796,1	11 494,7
Alberta	37 662,7	39 317,8	43 371,6	48 493,0	56 046,6
Colombie-Britannique	43 265,0	44 421,0	47 216,6	49 286,3	52 626,9
Yukon	413,9	421,6	414,0	433,9	451,1
Territoires du Nord-Ouest	505,0	529,9	532,1	574,8	599,6
Nunavut	227,2	232,9	233,2	249,2	261,8

Source : Statistique Canada, CANSIM : tableau 080-0014.

Tableau 3.7 Commerce de détail hors magasin, estimations financières selon le groupe de commerce, 2005

	Ensemble des détaillants hors magasins	Enterprise de télémagasinage et de vente par correspondance	Exploitants de distributeurs automatiques	Marchands de combustible	Autres établissements de vente directe
	milliers de dollars				
Total des revenus d'exploitation	**12 767 494**	3 953 575	651 293	6 520 859	1 641 767
Ventes de produits pour la revente	**11 999 059**	3 666 871	626 708	6 292 204	1 413 276
Stocks d'ouverture	**596 065**	356 814	40 190	100 796	98 265
Achats	**8 556 557**	2 330 999	290 643	5 092 030	842 886
Stocks de clôture	**679 224**	409 465	38 477	101 620	129 662
Coûts des biens vendus	**8 638 117**	2 333 111	314 697	5 137 750	852 558
Total des dépenses d'exploitation	**3 190 329**	1 323 694	292 653	898 196	675 786
Total de la rénumération du travail	**1 080 116**	352 130	119 244	367 560	241 183

Note : Système de classification des industries de l'Amérique du Nord (SCIAN), 2002.

Source : Statistique Canada, CANSIM : tableau 080-0012.

Commerce international de marchandises

4

SURVOL

Le pont Lions Gate de Vancouver offre un bon point de vue pour observer le commerce international du Canada à l'œuvre. À l'est, du côté du port de Vancouver, les navires de charge se dirigent vers leur poste d'amarrage; à l'ouest, d'autres navires ont jeté l'ancre à l'entrée de la baie Howe, attendant leur tour pour accoster.

Vancouver est notre port le plus achalandé. La majeure partie des marchandises qui y transitent sont destinées à l'étranger, principalement au marché asiatique. Cependant, les produits du Canada sont acheminés par bien d'autres modes de transport, notamment par camion, par train, par avion, par pipeline et par ligne d'énergie électrique.

Le Canada exporte plus qu'il n'importe : en 2006, nous avons exporté pour 458,2 milliards de dollars de marchandises, soit 1,1 % de plus qu'en 2005, et nous avons importé pour 404,5 milliards de dollars de marchandises, soit 4,2 % de plus qu'en 2005. Nous affichons un excédent commercial tous les ans depuis 1976.

En 2006, la valeur et le volume de nos exportations et de nos importations ont atteint des sommets record. Ce mouvement s'inscrit dans une tendance plus vaste : depuis 1990, les échanges mondiaux se sont accrus autant qu'ils l'avaient fait au cours des 100 années précédentes en raison de la conclusion d'ententes commerciales internationales, de la baisse des coûts de transport et de la libre circulation de l'information, des idées et des commandes de produits.

Les États-Unis demeurent notre principal partenaire commercial, loin devant la Chine, qui se classe au deuxième rang. Les échanges commerciaux avec les autres pays varient au fil des ans. La Chine a devancé le Japon en 2003.

Le commerce avec la Chine — le quatrième marché d'exportation et le deuxième marché d'importation du Canada — s'est considérablement intensifié. La Chine est devenue une grande importatrice et consommatrice de nos matières premières

Graphique 4.1
Importations et exportations de marchandises

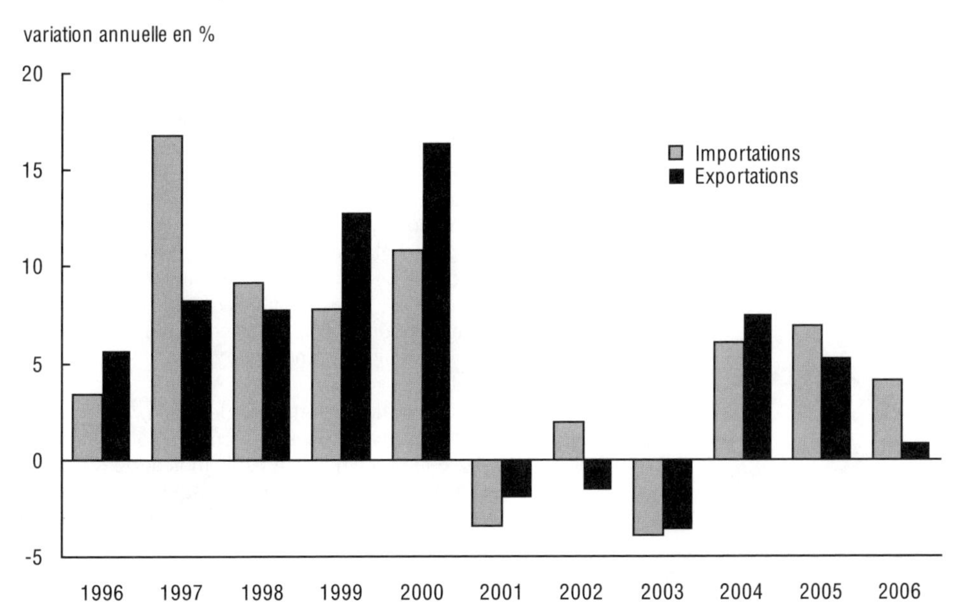

Note : Sur la base de la balance des paiements.
Source : Statistique Canada, CANSIM : tableau 228-0003.

et une puissante exportatrice. Dernièrement, les fabricants chinois se sont tournés vers la fabrication de biens d'équipement de plus grande valeur, comme les ordinateurs et le matériel électronique. Depuis 2003, les importations canadiennes de ces produits dépassent celles des produits de moindre valeur tels que les vêtements et les chaussures.

À titre d'exportateur, le Canada a profité directement de la révolution industrielle chinoise. Indirectement, la demande chinoise de toutes sortes de matières premières industrielles, surtout d'énergie et de métaux, a fait monter les prix mondiaux. Comme important producteur de matières premières, le Canada profite de la hausse de ces prix, que ces matières soient vendues à la Chine ou à d'autres pays. En 2006, le Royaume-Uni a devancé le Japon pour atteindre le deuxième rang de nos marchés d'exportation. L'essor de nos exportations vers le Japon est resté sans entrain, mais les gains des prix de métaux ces dernières années ont fait croître la valeur des exportations d'or, d'uranium et de nickel vers le Royaume-Uni.

Exportations : les marchandises, encore la clé de voûte

Le commerce de la fourrure et du bois se pratiquait avant même que le Canada existe. La Marine royale britannique utilisait le bois

Graphique 4.2
Commerce de marchandises avec les États-Unis

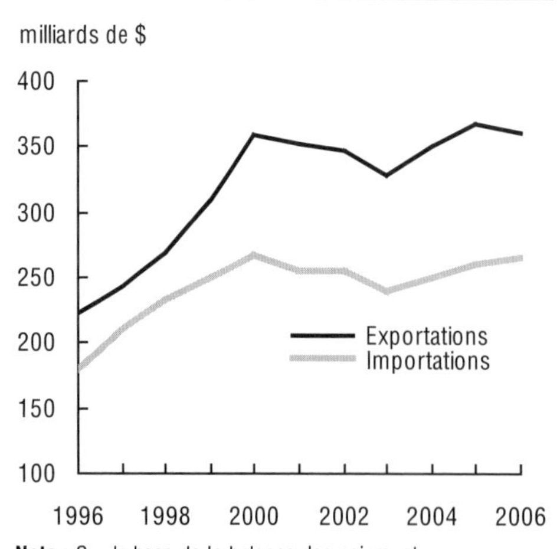

Note : Sur la base de la balance des paiements.
Source : Statistique Canada, CANSIM : tableau 228-0003.

Partenaires commerciaux du Canada, 2006

	Importations	Exportations
	milliards de $	
Total	**396,5**	**440,2**
États-Unis	217,6	359,3
Chine	34,5	7,7
Japon	15,3	9,4
Mexique	16,0	4,4
Royaume-Uni	10,8	10,1
Autres pays de l'Union européenne	38,1	18,7
Autres pays	64,2	42,7

Note : Sur base douanière.
Source : Statistique Canada, CANSIM : tableau 228-0003 et produit nº 65-208-XIF au catalogue.

canadien pour les mâts des navires qu'elle construisait pour combattre Napoléon. Jusqu'au début de la Seconde Guerre mondiale, en 1939, les céréales et le bois représentaient les deux tiers des exportations canadiennes.

Les ressources demeurent essentielles à nos échanges commerciaux. Les produits de l'agriculture, de la pêche et de la foresterie, l'énergie, les métaux, les produits chimiques et les engrais ont représenté environ la moitié de nos exportations en 2006. Les entreprises engagées dans l'exploitation des ressources naturelles ont connu une année florissante, sauf les compagnies forestières, dont l'industrie piétine en raison du marasme qui règne dans le secteur américain de l'habitation. Dans l'Ouest, la hausse des recettes d'exportation de pétrole brut et de produits métalliques a donné lieu à une prospérité sans précédent. Au Québec et en Ontario, la vigueur des exportations de métaux a contrebalancé les pertes essuyées dans les secteurs de la foresterie et de l'automobile. Sur la côte Est, les exportations de Terre-Neuve-et-Labrador ont augmenté grâce au minerai de fer et aux produits de l'énergie.

La valeur des exportations de métaux et de minerais métalliques est montée à 45 milliards de dollars, ce qui en a fait le moteur de l'augmentation des exportations en 2006. Les cours du cuivre, du zinc, de l'or, de l'aluminium, du nickel, de la potasse et de l'uranium ont tous progressé. Le Royaume-Uni a été le principal marché des métaux canadiens à l'extérieur des États-Unis. Venaient ensuite la Chine, le Japon, la Norvège, la Corée du Sud et les Pays-Bas.

Les exportations de pétrole brut ont aussi augmenté en 2006, atteignant un nouveau sommet de 39 milliards de dollars, ce qui est tout un exploit compte tenu de ce que les prix ont monté en flèche au quatrième trimestre de 2005 après le passage des ouragans dans le golfe du Mexique. Par contre, les exportations de produits forestiers ont diminué pour une deuxième année consécutive, pour s'inscrire à 33,5 milliards de dollars en 2006. Il s'agit d'une baisse par rapport aux 40 milliards de 2004, année où les prix du bois de construction ont monté en flèche.

Les exportations de produits de l'automobile ont aussi fléchi ces dernières années, tandis que les importations de véhicules automobiles fabriqués outre-mer ont augmenté. En 1999, l'excédent commercial du secteur de l'automobile se classait au deuxième rang, derrière celui des produits forestiers, à 21 milliards de dollars. Mais en 2006, l'excédent du secteur de l'automobile avait fondu à 3 milliards de dollars.

Importations : biens d'équipement et biens de consommation

Le boom des provinces de l'Ouest n'a cessé de faire les grands titres au fur et à mesure de l'exploitation des sables bitumineux et de l'arrivée massive de gens venus profiter des meilleurs salaires offerts grâce à la rareté de la main-d'œuvre. L'augmentation des bénéfices des entreprises et la vigueur des revenus des particuliers ont fait monter rapidement les dépenses en immobilisations et les dépenses de consommation. Cet accroissement de la demande a fait grimper les importations de machines, de matériel électronique, de voitures, de camions, d'articles d'ameublement et de vêtements.

Graphique 4.3
Exportations de produits énergétiques et de biens industriels

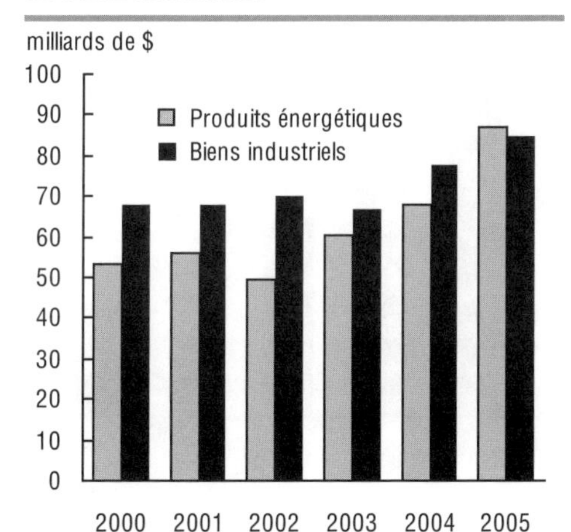

Note : Sur la base de la balance des paiements.
Source : Statistique Canada, produit nº 65-208-XIF au catalogue.

En 2006, il s'est importé beaucoup de machines d'usage industriel dans l'Ouest, ce qui a contribué à faire monter les importations de machines et de matériel de 3 %, à 114,7 milliards de dollars. L'appréciation du dollar, qui s'est traduite par une baisse des prix à l'importation, et les cours élevés du pétrole brut et des métaux ont entraîné une hausse des bénéfices des entreprises et encouragé cet influx de biens d'équipement.

L'augmentation du revenu des ménages a stimulé les dépenses de consommation en 2006; les ventes de voitures ont d'ailleurs atteint un sommet historique grâce surtout à l'Alberta. S'il s'est vendu davantage de véhicules automobiles, il s'agissait surtout de modèles japonais et allemands fabriqués à l'extérieur de l'Amérique du Nord, ce qui a fait monter la valeur des importations de véhicules automobiles.

La rénovation et le design sont devenus des activités très lucratives, comme en témoignent les importations. En 2006, les Canadiens ont importé une valeur record d'articles d'ameublement (près de 8,0 milliards de dollars). Outre les tissus et les meubles, les téléviseurs haute définition (HD) étaient très en demande. On estime qu'en 2006, il s'est frayé dans les magasins de produits électroniques du Canada plus de 1,3 milliard de dollars de téléviseurs HD, importés surtout du Mexique, mais également de la Chine.

Les importations de vêtements ont augmenté ces dernières années puisqu'on en a éliminé le contingentement. En 2006, elles ont bondi de 6,5 %, pour atteindre 8,3 milliards de dollars, malgré la baisse des prix. En chiffres absolus, c'est-à-dire ajustés selon la baisse des prix, les importations de vêtements sont montées en flèche, s'étant accrues de 11,0 % pour atteindre 9,6 milliards de dollars. On a aussi observé une hausse de la demande d'appareils électroniques personnels provenant surtout de la Chine, de la Corée du Sud et de la Malaisie. Ces hausses touchent particulièrement les téléphones cellulaires et les assistants numériques. Ainsi, nous avons musique, photos, courriels et Internet à portée de la main.

Des navires à perte de vue

La majeure partie des navires qui passent sous le pont Lions Gate de Vancouver transportent du charbon, des céréales et d'autres marchandises canadiennes destinées au marché asiatique.

En 2004, le Japon, la Chine, la Corée du Sud, les États-Unis et les Pays-Bas étaient les cinq principales destinations des livraisons en partance de Vancouver mesurées en tonnes métriques. La Chine, les États-Unis, la Corée du Sud, Hong Kong et le Mexique étaient les principaux endroits d'origine des marchandises entrantes.

En 2004, le port de Vancouver a manutentionné au total 75,0 millions de tonnes de marchandises : 65,9 millions de tonnes ont été chargées et 9,1 millions de tonnes ont été déchargées de ce port. Le charbon constituait la principale marchandise destinée à l'exportation qui transite par Vancouver. Mesuré au poids, le charbon a surpassé les céréales, qui se classaient au deuxième rang, par un facteur d'environ 3 pour 1. Le soufre, la potasse et la pâte de bois représentaient également des marchandises qui ont été manutentionnées en quantités importantes dans le port de Vancouver.

Ces produits sont généralement expédiés en vrac, alors que les produits manufacturés sont surtout expédiés dans des conteneurs qui peuvent être chargés sur des trains de marchandises. En 2004, Vancouver a manutentionné 45 % du trafic conteneurisé au Canada.

En outre, le trafic de marchandises en vrac et le trafic conteneurisé ont augmenté dans les autres principaux ports du pays. En 2004, l'ensemble des ports canadiens a manutentionné un chiffre record de 452,3 millions de tonnes de marchandises, en hausse de 2 % par rapport à 2003; il s'agissait de la troisième année consécutive où les ports ont manutentionné plus de 400 millions de tonnes de marchandises. Par ailleurs, le trafic international a augmenté de 3 % pour se situer à un total sans précédent de 314,6 millions de tonnes de marchandises, tandis que le trafic intérieur est demeuré pratiquement inchangé atteignant 137,8 millions de tonnes.

Graphique 4.4
Fret chargé au port de Vancouver selon les principaux partenaires commerciaux, 2004

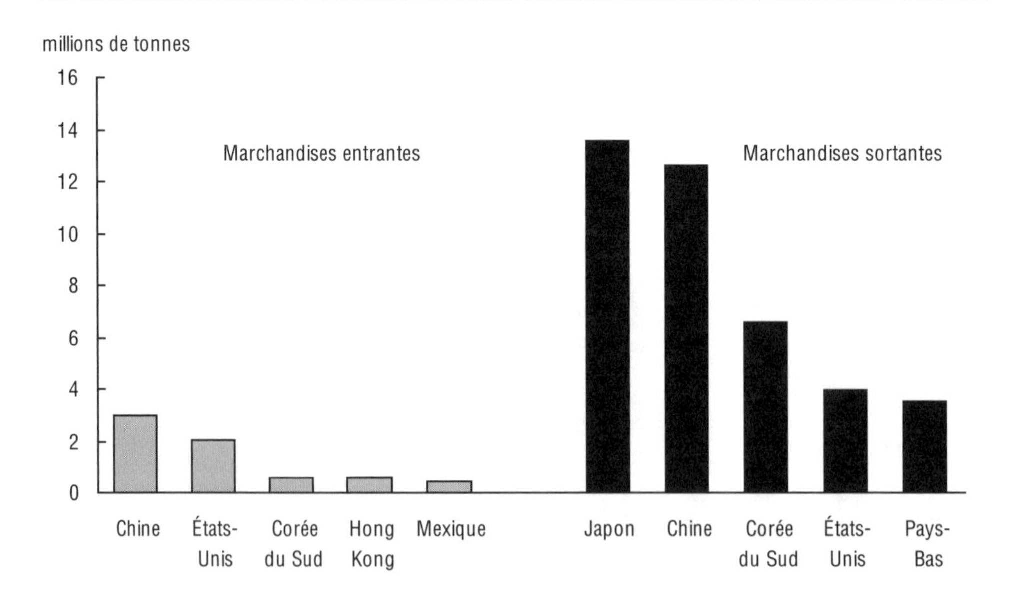

Source : Administration portuaire de Vancouver.

Où est-ce fabriqué?

Nos vêtements, comme d'autres biens que nous achetons régulièrement, nous proviennent d'un ensemble de pays en constante mutation. Depuis 2002, la Chine et le Bangladesh s'imposent comme les deux principales sources de vêtements que nous importons.

Il n'en a pas toujours été ainsi. Durant les années 1960, la plupart des Canadiens portaient des vêtements fabriqués au Canada et très peu de ces biens étaient alors importés. Au moment où a commencé à se manifester la puissance manufacturière de pays comme Taïwan, la Corée du Sud et Hong Kong, le Canada et d'autres pays occidentaux ont négocié, au cours des années 1970 et 1980, diverses ententes visant à restreindre les importations de vêtements.

Un changement important est survenu lorsque le Canada a conclu l'Accord de libre-échange avec les États-Unis en 1989. Pas plus tard qu'en 1998, ce pays était notre premier fournisseur étranger de vêtements. Une poussée des exportations vers le marché américain au cours de cette période a dynamisé notre industrie intérieure.

Un autre changement s'est amorcé en 1995, lorsque l'Accord sur les textiles et les vêtements de l'Organisation mondiale du commerce s'est traduit par une levée graduelle des quotas s'appliquant aux importations de vêtements. Ce sont les industries du vêtement de nos partenaires commerciaux de Taïwan, de la Corée du Sud, de Hong Kong, de la Malaisie, de la Thaïlande, du Pakistan, du Sri Lanka, des Philippines et de Macao qui ont le plus tiré parti de la libéralisation des échanges. En 2003, le Bangladesh a pu expédier au Canada des marchandises exemptes de tarifs douaniers, suivi de la Chine en 2004.

Les fabricants canadiens de vêtements n'ont pas disparu pour autant : ils ont fourni 32 % du marché intérieur en 2005. Cette industrie perd cependant du terrain. De 2002 à 2005, le nombre d'emplois dans l'industrie du vêtement a diminué: il est passé de 94 000 à 60 000 emplois.

L'incidence de la concurrence étrangère est aussi visible pour les consommateurs. Après avoir augmenté pendant les années 1980 et 1990, les prix des vêtements ont diminué. En 2005, les prix à la consommation pour les vêtements avaient fléchi de 6 % par rapport à 2001.

Graphique 4.5
Emplois dans la fabrication de vêtements

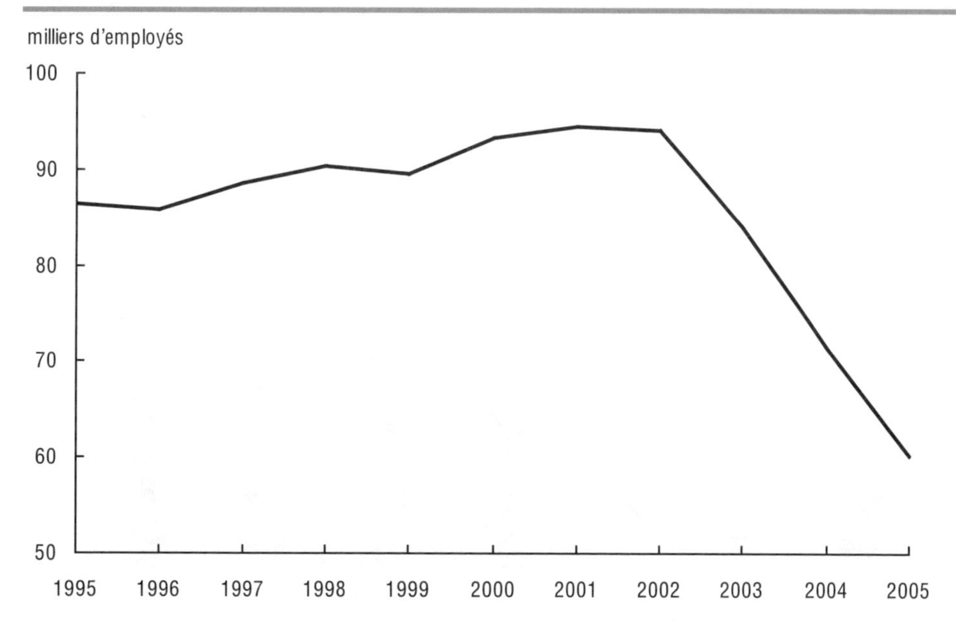

Note : Les données sont annuelles et ne sont pas ajustées en fonction de la variation saisonnière.
Source : Statistique Canada, CANSIM : tableau 281-0024.

Des diamants dans la glace

Un siècle après la ruée vers l'or du Klondike, la terre du soleil de minuit livre une nouvelle matière précieuse, le diamant. Le Canada a vite grimpé au troisième rang sur la liste des pays producteurs de diamants, derrière le Botswana et la Russie.

Quelques sociétés minières audacieuses ont pris la tête des activités d'exploration et d'exploitation minière. L'ouverture de mines de diamants a eu une incidence aussi marquante sur l'économie du Nord que la ruée vers l'or sur celle du Klondike, particulièrement dans les Territoires du Nord-Ouest.

De 1999, la première année de production, à 2005, le produit intérieur brut par habitant dans les Territoires du Nord-Ouest a augmenté au taux moyen annuel de 12,5 % comparativement à 1,7 % avant 1999, soit presque le triple du taux de croissance observé dans l'ensemble du Canada.

En 2006, trois mines, regroupées au nord-est de Yellowknife, étaient exploitées dans les Territoires du Nord-Ouest. Une quatrième mine se trouve juste de l'autre côté des limites territoriales, au Nunavut.

De 1998 à 2002, les sociétés minières ont extrait environ 13,8 millions de carats de diamants au Canada, ce qui équivaut à 2,8 milliards de dollars. Cela représente environ 1 825 sacs de glace de 1,5 kilogramme, mais d'une valeur de 1,5 million de dollars chacun. Les diamants canadiens sont très prisés. Ils se transigeaient en moyenne à 228 $ le carat en 2001, au troisième rang mondial derrière les diamants namibiens et angolais.

La valeur des exportations de diamants a triplé de 1999 à 2005. Les exportations des Territoires du Nord-Ouest valaient 1,7 milliard de dollars en 2005. Environ 95 % des exportations canadiennes mesurées selon la valeur prennent la forme de diamants « bruts », qui n'ont pas encore été triés, taillés et polis. Plus de 90 % des exportations sont destinées aux deux principaux centres de vente de diamants au monde : Londres en Angleterre et Anvers en Belgique.

Graphique 4.6
Valeur des exportations de diamants, Canada et Territoires du Nord-Ouest

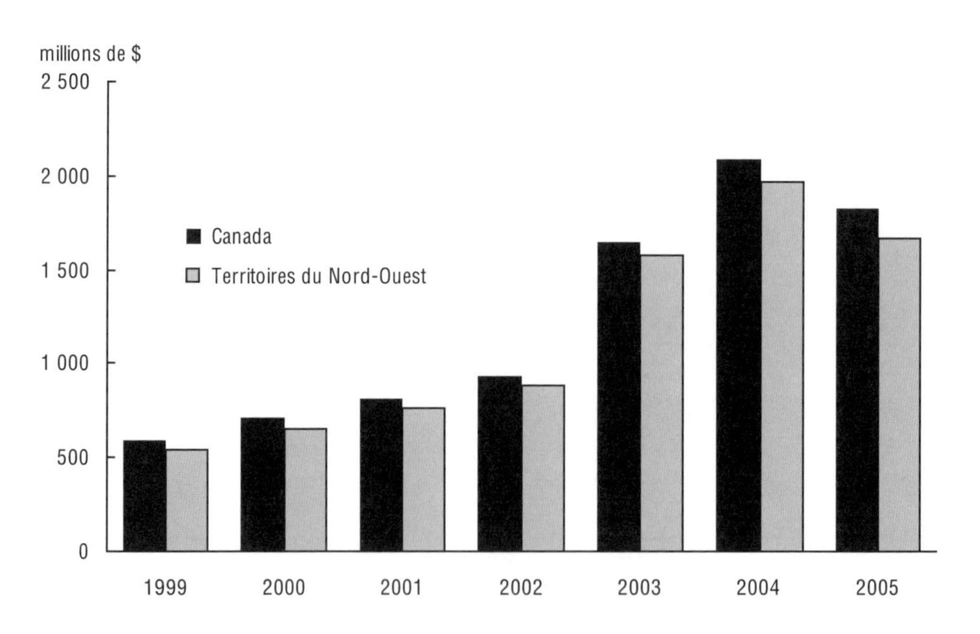

Source : Statistique Canada, produit nº 65-507-MWF au catalogue.

Pétrole : allées et venues

Le Canada est à la fois un grand exportateur et un grand importateur de pétrole brut. En 2005, il a exporté environ 67 % de sa production intérieure de pétrole — principalement de l'Alberta vers les États-Unis. Il a importé, d'une multitude de pays, environ 55 % du pétrole consommé cette année-là, pour alimenter les provinces de l'Est.

Les exportations de pétrole brut se sont chiffrées à 30,2 milliards de dollars en 2005, en hausse par rapport aux 25,0 milliards de dollars de 2004, et presque quatre fois la valeur des exportations enregistrées en 1995. Cependant, la hausse observée entre 2004 et 2005 est attribuable à une poussée des prix de 30 %, le volume des exportations de pétrole ayant, en fait, légèrement diminué. La valeur des importations en 2005 s'est élevée à 21,9 milliards de dollars.

Quatre-vingt-dix-neuf pour cent des exportations de pétrole brute du Canada en 2005 étaient expédiées au États-Unis. L'Alberta a produit 69 % de toutes les exportations; la Saskatchewan, près de 21 %; les provinces de l'Atlantique, 10 %; et la Colombie-Britannique et le Manitoba combinés, moins de 1 %.

L'Alberta a généré les deux tiers de la production pétrolière du pays en 2005. La Saskatchewan a fourni 18 % de la production, et les installations de forage pétrolier en mer de Terre-Neuve-et-Labrador ont assuré 13 % de la production. Ensemble, l'Ontario, le Manitoba, la Colombie-Britannique et les Territoires du Nord-Ouest ont produit 3 % du pétrole canadien.

En 2005, les raffineries canadiennes ont transformé 102,5 millions de mètres cubes de pétrole, soit 645 millions de barils. Les raffineries des provinces de l'Est s'approvisionnent en pétrole brut à Terre-Neuve-et-Labrador et à l'étranger pour combler leurs besoins en matière de raffinage, tandis que les provinces du Centre du pays dépendent du pétrole brut provenant des provinces de l'Ouest et de l'Est ainsi que du pétrole importé. Les raffineries des provinces de l'Ouest transforment uniquement la production de leur propre région, dont le pétrole brut extrait des sables bitumineux.

Graphique 4.7
Importations de pétrole brut de certains pays, 2005

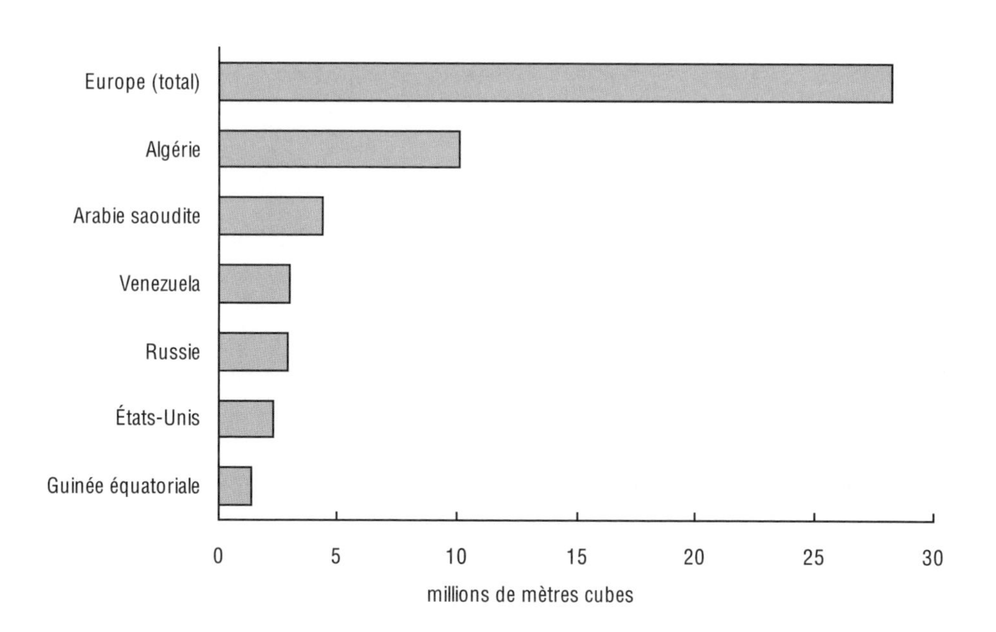

Source : Statistique Canada, produit nº 11-621-MIF au catalogue.

Tableau 4.1 Importations de marchandises selon le type, 1992 à 2006

	1992	1993	1994	1995	1996	1997
	millions de dollars					
Importations, ensemble des marchandises	**154 429,6**	**177 123,2**	**207 872,5**	**229 936,5**	**237 688,6**	**277 726,5**
Animaux vivants	150,8	174,0	215,4	188,3	171,1	183,8
Aliments, aliments de provende, boissons et tabac	8 976,7	10 114,3	11 597,4	12 222,4	12 954,6	14 363,5
Viandes et préparations de viandes	875,8	992,2	1 137,4	1 133,7	1 033,7	1 200,0
Poissons et animaux marins	776,6	996,1	1 126,4	1 286,5	1 469,6	1 434,0
Fruits frais et baies	1 192,6	1 283,9	1 303,4	1 387,5	1 418,3	1 503,0
Fruits séchés, fruits et préparations à base de fruits	673,3	648,0	693,4	745,6	861,1	900,8
Légumes frais	827,3	944,7	949,6	1 054,4	971,7	1 112,5
Autres légumes et préparations à base de légumes	556,0	643,9	700,3	718,3	761,1	838,2
Cacao, café, thé et autres matières alimentaires	1 229,3	1 452,9	2 089,3	2 056,9	2 131,7	2 589,7
Produits laitiers, œufs et miel	212,5	245,2	265,5	276,1	352,0	355,0
Blé d'Inde (maïs) égrené	144,9	157,6	158,5	216,9	251,0	250,3
Autres céréales et préparations céréalières	568,7	632,9	750,1	805,1	891,1	998,0
Sucre et préparations à base de sucre	677,0	759,7	866,5	879,4	970,7	1 035,6
Fourrages et aliments de provende sauf céréales non moulues	462,1	551,1	613,7	628,4	728,6	809,9
Boissons	720,3	746,2	872,8	959,4	1 015,3	1 214,7
Tabac	60,4	60,0	70,4	74,2	98,6	121,6
Matières brutes non comestibles	8 180,0	9 143,2	9 898,0	11 531,4	13 048,1	14 171,5
Minerais, concentrés et déchets métallifères	1 676,2	1 983,6	2 326,2	2 989,1	2 863,0	2 950,2
Houille et autres produits connexes	661,2	476,9	548,0	591,6	751,4	910,3
Pétrole brut	4 174,9	4 687,9	4 609,3	4 833,2	6 707,8	7 189,4
Produits bruts d'origine animale	136,4	163,9	221,8	239,1	248,0	293,2
Produits végétaux bruts	528,7	638,4	663,1	815,2	843,9	949,6
Matières en bois brut	252,6	293,3	406,8	560,4	435,7	544,1
Coton	80,2	86,8	101,6	149,2	168,3	154,0
Laine et fibres artificielles	144,3	204,8	260,0	296,5	279,9	328,5
Minéraux non métalliques bruts	525,5	607,5	761,2	1 057,1	750,0	852,1
Matières travaillées non comestibles	27 572,4	32 279,3	38 823,1	44 277,2	45 967,5	54 508,4
Produits finis non comestibles	99 297,1	114 407,5	136 993,1	151 331,7	153 330,6	181 930,0
Transactions spéciales commerciales	4 061,2	4 349,2	4 877,0	5 441,4	7 075,9	6 954,9
Autres ajustements de la base de la balance des paiements	6 191,4	6 655,7	5 468,5	4 944,0	5 140,8	5 614,5

Note : Sur la base de la balance des paiements.

Source : Statistique Canada, CANSIM : tableau 228-0003.

1998	1999	2000	2001	2002	2003	2004	2005	2006
millions de dollars								
303 398,6	**327 026,0**	**362 336,7**	**350 071,2**	**356 727,1**	**342 691,9**	**363 638,5**	**388 210,3**	**404 535,0**
235,0	302,7	410,2	398,0	236,7	174,3	137,7	144,2	165,2
15 858,3	16 249,3	16 978,4	18 687,0	20 195,2	19 946,2	19 823,0	20 680,5	22 050,0
1 251,4	1 279,8	1 404,0	1 635,9	1 681,4	1 596,6	1 311,0	1 456,3	1 653,9
1 635,8	1 869,7	1 928,8	1 945,3	1 935,4	1 812,2	1 803,6	1 822,4	1 815,1
1 581,3	1 645,8	1 679,4	1 815,3	2 020,1	2 013,5	2 070,8	2 207,6	2 317,3
935,3	1 020,3	1 003,8	992,1	1 075,6	1 061,8	1 102,2	1 137,7	1 235,9
1 233,8	1 213,6	1 386,6	1 502,3	1 700,3	1 638,7	1 633,1	1 718,5	1 785,9
963,5	1 050,0	1 048,8	1 133,4	1 275,1	1 211,3	1 239,7	1 336,5	1 360,4
2 948,9	2 865,0	2 817,4	2 948,7	3 340,3	3 427,2	3 590,5	3 696,0	3 920,3
409,7	437,8	487,6	581,4	583,3	567,3	638,9	617,2	540,2
283,6	228,1	300,0	555,3	733,0	599,9	366,4	342,4	322,6
1 136,6	1 164,1	1 243,6	1 380,1	1 484,5	1 416,5	1 453,6	1 489,3	1 559,5
1 100,9	991,6	1 034,0	1 218,1	1 179,2	1 221,6	1 140,7	1 241,0	1 409,0
796,4	734,0	825,3	981,0	1 041,2	967,9	1 007,1	892,0	982,7
1 455,8	1 669,2	1 735,1	1 910,2	2 035,3	2 294,9	2 357,1	2 602,5	2 885,9
125,2	80,3	84,1	88,0	110,6	116,9	108,4	121,0	261,0
12 476,7	14 316,0	21 462,6	20 936,6	20 405,7	22 813,5	27 988,2	34 418,7	36 033,4
2 788,4	2 747,4	3 067,1	2 991,7	2 980,1	3 029,1	4 110,7	4 373,2	6 084,6
1 116,3	1 098,1	1 270,2	1 430,5	1 932,9	2 838,8	3 714,3	5 084,0	3 886,3
5 227,4	7 160,3	13 436,6	12 814,3	11 722,3	13 301,0	16 468,3	21 581,9	22 768,4
256,2	242,1	272,9	300,3	317,6	302,7	285,6	257,0	265,8
939,3	965,5	995,8	1 119,2	1 214,3	1 229,4	1 257,2	1 151,1	1 175,3
618,8	626,9	695,2	703,6	686,0	619,2	632,4	609,6	561,4
221,3	138,0	172,4	168,5	133,7	159,1	142,4	78,6	56,6
343,7	348,6	389,8	380,2	370,7	361,4	343,3	326,2	288,6
965,4	989,1	1 162,4	1 028,4	1 048,0	972,9	1 034,0	957,1	946,3
60 113,0	62 411,8	69 870,4	69 411,3	69 538,7	66 669,5	74 902,5	82 164,1	87 093,0
202 489,8	221 180,5	240 462,0	227 417,2	233 889,6	221 440,3	229 091,6	238 708,1	246 500,3
6 339,2	6 343,1	6 653,7	6 851,6	5 973,8	5 310,4	4 932,7	4 557,6	4 631,3
5 886,5	6 222,5	6 499,5	6 369,5	6 487,3	6 337,7	6 762,7	7 537,0	8 061,8

Tableau 4.2 Exportations de marchandises selon le type, 1992 à 2006

	1992	1993	1994	1995	1996	1997
	millions de dollars					
Exportations, ensemble des marchandises	**163 463,5**	**190 213,1**	**228 167,1**	**265 333,9**	**280 079,3**	**303 378,2**
Animaux vivants	1 285,2	1 393,5	1 338,3	1 517,7	1 888,4	1 905,3
Aliments, aliments de provendes, boissons et tabac	12 873,1	13 233,3	14 890,6	17 014,1	18 884,6	20 380,4
Poissons et préparations de poissons	2 735,7	2 867,5	3 258,5	3 496,2	3 444,1	3 497,8
Orge	444,1	460,7	590,5	564,5	847,8	683,0
Blé	3 835,8	2 952,4	3 547,3	4 325,2	4 658,6	5 051,5
Farine de blé	32,6	24,8	46,2	50,6	33,8	39,7
Autres céréales non moulues	186,1	220,3	250,9	318,6	432,5	489,8
Autres préparations céréalières	459,1	567,7	678,5	798,5	1 017,1	1 115,2
Viandes et préparations de viandes	1 213,7	1 456,8	1 603,0	1 845,2	2 161,0	2 641,8
Boissons alcooliques	782,9	853,0	1 026,2	980,0	1 071,0	1 166,7
Autres aliments, aliments de provendes, boissons et tabac	3 183,1	3 830,2	3 889,4	4 635,4	5 218,7	5 695,0
Matières brutes non comestibles	19 405,4	20 880,4	23 584,9	26 469,0	30 266,3	31 655,2
Graine de colza	573,7	735,1	1 571,5	1 265,3	1 158,0	1 126,1
Autres produits végétaux bruts	606,7	790,3	1 013,2	1 169,0	1 236,7	1 362,1
Minerais, concentrés et déchets de fer	952,4	998,5	1 272,0	1 386,0	1 440,2	1 841,5
Minerais, concentrés et déchets de cuivre	919,5	822,5	774,0	1 196,3	872,0	928,5
Minerais, concentrés et déchets de nickel	666,3	618,0	592,9	981,5	1 117,7	907,3
Minerais, concentrés et déchets de zinc	551,5	324,6	349,1	486,8	536,6	695,4
Autres minerais, concentrés et déchets métallifères	1 268,9	1 127,9	1 346,8	1 812,5	1 949,3	1 534,2
Pétrole brut	5 885,3	6 222,5	6 507,1	8 263,5	10 497,2	10 366,3
Gaz naturel	4 730,1	5 903,4	6 427,8	5 649,1	7 432,8	8 625,6
Charbon et substances bitumineuses brutes	1 116,5	1 194,8	1 298,5	1 384,7	1 433,7	1 515,1
Amiante non ouvré	299,5	265,2	303,3	323,3	343,3	226,7
Autres produits bruts d'origine animale	423,3	474,8	523,0	579,2	610,8	664,7
Autres matières en bois brut	374,0	394,0	322,6	347,9	346,2	432,6
Autres minéraux non métalliques bruts	500,2	484,5	625,9	714,1	694,5	652,9
Autres matières brutes non comestibles	537,5	524,3	657,1	909,7	597,3	776,1
Matières travaillées non comestibles	49 624,2	56 994,3	69 826,7	84 003,2	85 042,6	89 749,4
Produits finis non comestibles	74 463,3	91 064,8	110 410,1	127 264,6	134 806,7	149 130,3
Transactions spéciales commerciales	1 835,7	2 164,9	2 564,1	2 865,1	3 154,5	4 074,5
Autres ajustements de la base de la balance des paiements	3 976,6	4 481,9	5 552,5	6 200,3	6 036,2	6 483,1

Note : Sur la base de la balance des paiements.

Source : Statistique Canada, CANSIM : tableau 228-0003.

1998	1999	2000	2001	2002	2003	2004	2005	2006
millions de dollars								
327 161,5	**369 034,9**	**429 372,2**	**420 730,4**	**414 038,5**	**398 953,9**	**429 120,9**	**453 060,1**	**458 166,9**
1 975,8	1 567,8	1 742,7	2 394,3	2 506,9	1 318,7	873,3	1 542,8	2 015,7
19 814,5	21 312,6	23 268,6	25 911,5	25 843,1	25 056,3	26 906,1	25 823,5	26 111,5
3 664,5	4 260,8	4 560,6	4 722,3	5 239,5	4 987,1	4 870,0	4 699,6	4 525,7
340,3	256,9	377,9	383,9	194,1	172,1	323,6	361,5	257,5
3 642,3	3 356,2	3 608,9	3 807,2	3 052,6	2 809,2	3 493,1	2 698,7	3 619,8
35,3	54,8	60,1	64,0	91,4	81,3	85,3	79,8	84,1
348,4	400,3	263,5	279,8	288,5	299,2	312,4	312,7	410,5
1 290,5	1 449,8	1 593,3	1 830,6	2 048,0	2 138,7	2 214,0	2 248,5	2 321,0
2 669,5	3 247,8	4 005,1	4 885,6	4 840,8	4 203,5	4 985,4	5 099,2	4 306,6
1 217,5	1 366,4	1 310,6	1 357,6	1 185,4	1 300,2	1 230,5	1 044,3	1 014,0
6 606,1	6 919,8	7 488,5	8 580,5	8 902,9	9 065,1	9 391,6	9 279,0	9 572,3
29 854,0	34 562,6	53 398,2	54 713,5	50 980,7	61 228,2	69 460,0	85 927,4	88 641,5
1 638,5	1 332,8	1 147,5	1 275,8	921,1	1 298,0	1 419,8	1 297,6	1 764,1
1 610,9	1 399,1	1 441,7	1 496,4	1 601,7	1 570,3	1 545,3	1 553,7	1 634,5
1 830,9	1 493,3	1 532,1	1 381,2	1 634,5	1 743,5	2 048,5	2 722,0	3 337,0
614,4	452,1	792,6	661,9	577,2	592,3	845,5	1 346,0	2 307,6
917,4	807,1	1 071,9	1 010,6	1 139,1	1 143,9	1 829,4	1 700,1	2 435,5
509,2	479,0	481,2	436,7	388,4	228,4	234,6	217,4	330,0
1 499,0	1 917,0	2 073,8	2 177,7	2 147,6	2 081,5	2 400,2	2 924,1	3 130,6
7 829,8	11 017,1	19 165,9	15 370,2	18 550,8	20 644,3	25 512,8	30 388,3	38 604,6
8 967,1	10 951,4	20 536,8	25 595,1	18 372,0	26 083,4	27 382,1	35 988,6	27 488,5
1 343,7	1 228,7	1 194,4	1 217,5	1 212,1	1 160,9	1 190,4	2 661,1	2 699,0
172,5	164,7	149,4	122,9	100,7	70,6	72,4	67,3	62,5
677,2	652,6	711,0	784,9	802,2	720,5	735,6	816,2	891,1
523,0	671,4	846,1	848,5	1 027,9	902,9	839,6	947,2	931,9
847,4	1 496,7	1 707,0	1 842,9	2 014,3	2 493,8	2 833,9	2 720,9	2 489,1
873,1	499,9	546,8	491,2	491,1	493,9	569,8	577,0	535,5
91 817,6	97 976,8	113 102,1	111 908,3	108 291,9	103 448,5	118 599,8	125 095,8	129 479,1
171 731,0	199 953,3	223 135,3	211 387,0	211 446,2	193 250,7	198 899,0	200 124,8	196 940,0
5 563,4	7 348,2	7 980,0	8 168,1	8 232,5	7 689,1	7 984,8	8 289,1	8 733,0
6 405,3	6 313,7	6 745,3	6 247,7	6 737,2	6 962,4	6 397,9	6 256,8	6 246,3

Tableau 4.3 Importations et exportations de marchandises selon l'origine et la destination, 1992 à 2006

	Ensemble des marchandises		États-Unis[1]		Royaume-Uni	
	millions de dollars	variation en pourcentage depuis l'année précédente	millions de dollars	variation en pourcentage depuis l'année précédente	millions de dollars	variation en pourcentage depuis l'année précédente
Importations						
1992	**154 429,6**	9,8	110 378,5	13,1	4 015,4	-7,0
1993	**177 123,2**	14,7	130 244,3	18,0	4 484,0	11,7
1994	**207 872,5**	17,4	155 661,3	19,5	4 854,4	8,3
1995	**229 936,5**	10,6	172 516,5	10,8	4 899,1	0,9
1996	**237 688,6**	3,4	180 010,1	4,3	5 581,1	13,9
1997	**277 726,5**	16,8	211 450,8	17,5	6 126,5	9,8
1998	**303 398,6**	9,2	233 777,6	10,6	6 083,1	-0,7
1999	**327 026,0**	7,8	249 485,3	6,7	7 685,4	26,3
2000	**362 336,7**	10,8	266 511,1	6,8	12 289,3	59,9
2001	**350 071,2**	-3,4	254 330,7	-4,6	11 954,1	-2,7
2002	**356 727,1**	1,9	255 232,5	0,4	10 181,3	-14,8
2003	**342 691,9**	-3,9	240 340,4	-5,8	9 180,9	-9,8
2004	**363 638,5**	6,1	250 515,6	4,2	9 466,3	3,1
2005	**388 210,3**	6,8	259 783,9	3,7	9 061,6	-4,3
2006	**404 535,0**	4,2	264 777,6	1,9	9 685,1	6,9
Exportations						
1992	**163 463,5**	10,7	123 376,9	13,6	3 415,0	5,3
1993	**190 213,1**	16,4	149 099,7	20,8	3 211,5	-6,0
1994	**228 167,1**	20,0	181 049,3	21,4	3 677,1	14,5
1995	**265 333,9**	16,3	205 690,6	13,6	4 377,0	19,0
1996	**280 079,3**	5,6	222 461,3	8,2	4 608,5	5,3
1997	**303 378,2**	8,3	242 542,3	9,0	4 689,5	1,8
1998	**327 161,5**	7,8	269 318,9	11,0	5 323,3	13,5
1999	**369 034,9**	12,8	309 116,8	14,8	6 002,9	12,8
2000	**429 372,2**	16,4	359 021,2	16,1	7 273,3	21,2
2001	**420 730,4**	-2,0	352 165,0	-1,9	6 910,3	-5,0
2002	**414 038,5**	-1,6	347 051,8	-1,5	6 161,5	-10,8
2003	**398 953,9**	-3,6	329 000,3	-5,2	7 695,8	24,9
2004	**429 120,9**	7,6	350 751,0	6,6	9 425,2	22,5
2005	**453 060,1**	5,6	368 577,3	5,1	9 683,2	2,7
2006	**458 166,9**	1,1	361 308,7	-2,0	11 838,5	22,3

Note : Sur la base de la balance des paiements.

1. Inclut Puerto Rico et Îles Vierges.

Source : Statistique Canada, CANSIM : tableau 228-0003.

Japon		Autres pays de l'Organisation de coopération et de développment économiques		Autres pays		Autres pays de la Communauté économique européenne	
millions de dollars	variation en pourcentage depuis l'année précédente	millions de dollars	variation en pourcentage depuis l'année précédente	millions de dollars	variation en pourcentage depuis l'année précédente	millions de dollars	variation en pourcentage depuis l'année précédente
8 913,3	1,9	4 615,8	1,4	16 598,7	8,7	9 907,8	-2,8
8 477,4	-4,9	4 683,9	1,5	19 691,1	18,6	9 542,4	-3,7
8 315,4	-1,9	7 364,7	57,2	20 126,9	2,2	11 549,9	21,0
8 427,6	1,3	7 942,3	7,8	20 761,0	3,2	15 390,0	33,2
7 227,4	-14,2	9 040,6	13,8	20 834,6	0,4	14 994,7	-2,6
8 711,0	20,5	11 376,7	25,8	21 948,7	5,3	18 112,9	20,8
9 671,8	11,0	11 398,8	0,2	23 326,1	6,3	19 141,2	5,7
10 592,2	9,5	13 257,2	16,3	25 240,1	8,2	20 765,8	8,5
11 729,8	10,7	19 067,6	43,8	31 602,5	25,2	21 136,5	1,8
10 571,9	-9,9	18 649,8	-2,2	31 367,6	-0,7	23 197,1	9,7
11 732,6	11,0	19 686,6	5,6	34 027,1	8,5	25 867,0	11,5
10 645,1	-9,3	19 695,3	0,0	36 830,7	8,2	25 999,6	0,5
10 096,9	-5,1	22 254,1	13,0	44 293,2	20,3	27 012,3	3,9
11 214,3	11,1	24 308,8	9,2	54 556,1	23,2	29 285,6	8,4
11 877,1	5,9	23 724,5	-2,4	61 981,4	13,6	32 489,4	10,9
8 253,7	8,0	3 178,6	15,8	15 877,8	-1,3	9 361,5	0,2
9 184,5	11,3	3 361,7	5,8	16 557,6	4,3	8 798,0	-6,0
10 788,5	17,5	4 536,0	34,9	18 753,5	13,3	9 362,7	6,4
13 286,1	23,2	4 563,4	0,6	23 537,6	25,5	13 879,3	48,2
12 423,4	-6,5	5 087,8	11,5	22 702,0	-3,6	12 796,3	-7,8
11 925,5	-4,0	8 849,0	73,9	22 111,6	-2,6	13 260,4	3,6
9 745,8	-18,3	9 120,9	3,1	19 652,2	-11,1	14 000,5	5,6
10 125,9	3,9	9 947,2	9,1	19 458,4	-1,0	14 383,8	2,7
11 297,4	11,6	12 059,0	21,2	22 875,1	17,6	16 846,3	17,1
10 120,8	-10,4	12 172,5	0,9	22 672,9	-0,9	16 688,9	-0,9
10 115,0	-0,1	12 670,7	4,1	21 745,2	-4,1	16 294,3	-2,4
9 800,7	-3,1	12 751,1	0,6	23 291,5	7,1	16 414,5	0,7
9 950,6	1,5	14 399,1	12,9	27 243,1	17,0	17 351,9	5,7
10 470,5	5,2	15 245,5	5,9	29 876,9	9,7	19 206,8	10,7
10 760,8	2,8	18 379,2	20,6	34 160,6	14,3	21 719,0	13,1

Tableau 4.4 Commerce international des services, 1990 à 2005

	Recettes			
	1990	1995	2000	2005
	millions de dollars			
Voyages	**7 398**	**10 819**	**15 997**	**16 460**
Voyages d'affaires	1 549	1 988	2 920	2 793
Voyages à titre personnel	5 849	8 831	13 077	13 667
Transports	**4 920**	**7 207**	**11 196**	**11 632**
Transports maritimes	1 524	1 994	2 317	3 278
Transports aériens	2 234	2 900	5 184	4 841
Transports terrestres et autres transports	1 162	2 313	3 695	3 513
Services commerciaux	**9 061**	**16 805**	**31 101**	**35 115**
Services de communication	1 220	1 753	2 046	2 655
Services de construction	52	131	323	167
Services d'assurance	1 957	3 096	2 877	3 716
Autres services financiers	490	866	1 304	2 131
Services informatiques et d'information	546	1 387	3 604	4 141
Redevances et droits de licences	173	513	3 353	4 206
Commissions non financières	306	500	713	906
Location de matériel	197	224	280	282
Services de gestion	849	1 459	3 257	4 855
Publicité et services connexes	124	174	495	449
Recherche et développement	700	1 463	4 230	2 910
Services d'architecture, de génie et autres services techniques	549	2 000	2 654	4 077
Services divers aux entreprises	1 392	2 211	3 809	2 614
Services audio visuels	348	877	1 966	1 768
Services personnels, culturels et de loisirs	157	150	188	240

Source : Statistique Canada, CANSIM : tableaux 376-0031, 376-0032 et 376-0033.

Paiements				Soldes			
1990	1995	2000	2005	1990	1995	2000	2005
millions de dollars							
12 757	**14 093**	**18 444**	**22 260**	**-5 359**	**-3 274**	**-2 447**	**-5 800**
2 048	3 049	3 921	3 563	-498	-1 061	-1 001	-771
10 709	11 044	14 524	18 696	-4 860	-2 213	-1 447	-5 029
6 746	**10 911**	**13 916**	**17 528**	**-1 826**	**-3 703**	**-2 719**	**-5 897**
2 287	4 044	5 101	7 173	-763	-2 050	-2 784	-3 896
3 323	4 673	6 066	7 952	-1 089	-1 773	-882	-3 110
1 136	2 193	2 749	2 404	26	120	946	1 109
12 554	**20 260**	**32 366**	**37 946**	**-3 493**	**-3 455**	**-1 265**	**-2 831**
1 210	1 745	2 050	2 062	10	8	-4	592
35	266	119	134	17	-135	204	33
2 238	3 811	4 215	5 759	-281	-714	-1 338	-2 043
733	1 291	2 290	2 724	-244	-425	-987	-593
344	678	1 335	2 542	202	709	2 269	1 599
1 941	2 584	5 600	8 046	-1 768	-2 070	-2 247	-3 839
341	581	711	651	-35	-81	3	254
308	406	679	788	-111	-182	-398	-506
1 419	2 390	4 783	4 692	-570	-931	-1 526	163
211	448	536	666	-87	-274	-40	-217
483	861	1 711	1 105	217	602	2 520	1 805
439	848	1 546	2 531	110	1 152	1 108	1 545
2 018	2 979	4 341	3 887	-626	-769	-533	-1 274
709	1 228	2 283	2 146	-361	-352	-317	-379
123	143	166	211	34	7	23	28

Tableau 4.5 Commerce international par province et territoire, 1985 à 2005

	1985	1990	1995	2000	2005
	millions de dollars				
Importations au Canada	**126 077**	**174 624**	**276 618**	**428 754**	**467 673**
Terre-Neuve-et-Labrador	990	1 838	2 505	4 998	6 064
Île-du-Prince-Édouard	220	267	438	782	973
Nouvelle-Écosse	2 868	4 037	5 209	8 502	9 921
Nouveau-Brunswick	2 801	3 559	5 614	8 917	12 229
Québec	27 896	39 385	55 139	89 999	95 688
Ontario	63 566	86 785	143 920	215 663	221 134
Manitoba	3 361	4 205	8 004	10 473	11 678
Saskatchewan	3 055	3 326	6 463	9 367	10 510
Alberta	9 722	12 820	19 521	40 419	53 327
Colombie-Britannique	10 789	17 297	28 786	38 240	44 290
Yukon	74	113	199	263	351
Territoires du Nord-Ouest (incluant le Nunavut)	234	271	376	..	..
Territoires du Nord-Ouest	..	..	..	581	842
Nunavut	..	..	..	232	283
Extérieur du Canada	501	721	444	318	382
Exportations du Canada	**137 379**	**175 513**	**302 480**	**490 688**	**519 680**
Terre-Neuve-et-Labrador	1 825	2 638	3 069	5 899	8 344
Île-du-Prince-Édouard	162	277	516	1 035	1 106
Nouvelle-Écosse	1 922	2 675	4 100	6 953	7 860
Nouveau-Brunswick	2 670	3 609	5 385	8 441	11 981
Québec	24 128	33 429	59 188	97 305	91 945
Ontario	64 657	82 739	148 030	237 395	231 957
Manitoba	3 169	4 485	6 888	10 471	12 487
Saskatchewan	5 141	5 302	9 739	14 684	17 428
Alberta	17 086	17 850	30 009	61 198	86 103
Colombie-Britannique	16 155	21 348	34 763	46 028	48 450
Yukon	102	574	240	210	191
Territoires du Nord-Ouest (incluant le Nunavut)	251	443	533	..	..
Territoires du Nord-Ouest	..	..	..	804	1 785
Nunavut	..	..	..	261	42
Extérieur du Canada	111	144	20	3	2

Note : Produit intérieur brut en termes de dépenses.

Source : Statistique Canada, CANSIM : tableau 384-0002.

Comptes économiques

5

SURVOL

Comment se porte l'économie du Canada? La question semble s'adresser davantage aux statisticiens et aux économistes, mais elle touche tous les Canadiens. Presque toutes nos activités quotidiennes sont liées à l'économie : se rendre au travail, acheter des biens et des services, payer des taxes, accumuler de la richesse et faire des placements. Si on se fie aux principaux comptes économiques du Canada, les outils utilisés par les statisticiens et les économistes pour mesurer l'importance et le rendement de l'économie, notre économie s'est fort bien portée au cours de la dernière décennie.

Une longue période de prospérité

De 1996 à 2006, le produit intérieur brut (PIB) du Canada, la valeur totale de tous les biens et services produits par un pays, n'a pas cessé de progresser. En termes réels (corrigé en fonction de l'inflation), le PIB a augmenté de 23 % pendant la première moitié de la décennie et il a connu une autre hausse de 14 % pendant la seconde. À la fin de 2006, les industries canadiennes avaient collectivement produit des biens et des services d'une valeur de 1,45 billion de dollars aux prix de base, soit 44 000 dollars pour chaque homme, femme et enfant du pays.

Le secteur des services domine l'économie : il représentait plus des deux tiers du PIB en 2006. Il a également été la force motrice de la croissance économique globale du Canada, augmentant de près de 17 % durant les cinq dernières années, presque deux fois plus rapidement que le secteur de production des biens, qui a crû d'un peu plus de 9 % pendant la même période.

En plus de le mesurer selon la production de l'industrie, il est également possible de calculer le PIB à l'aide d'autres outils mesurant le rendement économique.L'approche « PIB en termes de revenus » permet de suivre les gains des ménages, des entreprises et des administrations publiques. L'addition de tous les revenus touchés au Canada, comme la rémunération, les intérêts et les bénéfices, montre que l'économie s'est accrue de

Graphique 5.1
Produit intérieur brut, estimations en termes de revenus

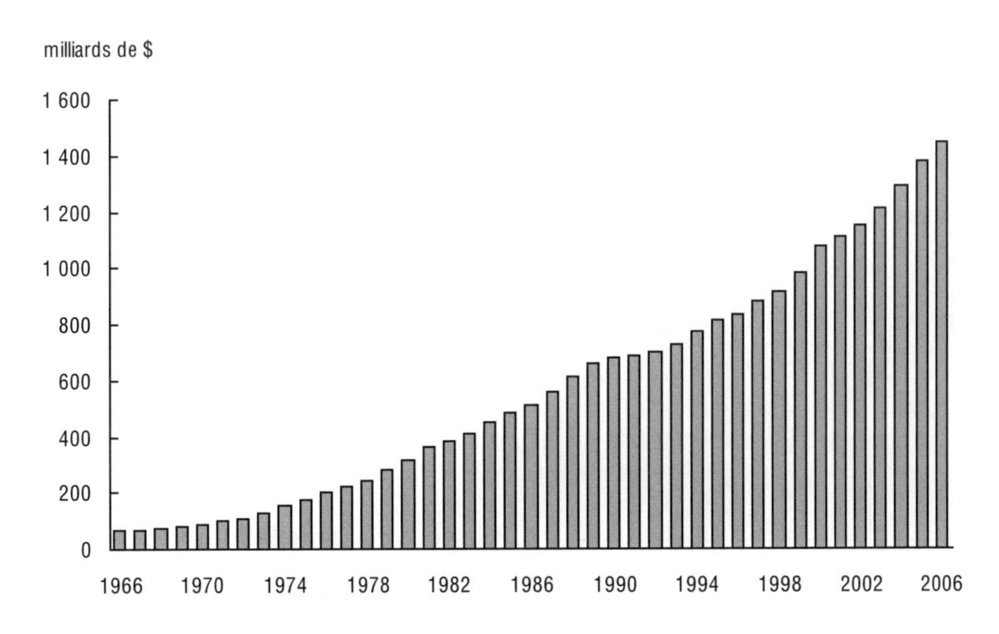

Source : Statistique Canada, CANSIM : tableau 380-0016.

presque 25 % de 2002 à 2006 (avant rajustement en fonction de l'inflation). La croissance rapide des bénéfices des entreprises ainsi que les hausses des salaires et des traitements rendent compte de la plus grande partie de cette augmentation.

Un autre outil, le « PIB en termes de dépenses », permet de suivre le rendement économique du point de vue des dépenses, ce qui englobe la consommation des ménages, les investissements et les achats des administrations publiques. Les achats de biens et de services effectués par les Canadiens représentaient 56 % de tout l'argent dépensé dans notre économie en 2006 (avant rajustement en fonction de l'inflation). Les trois ordres d'administrations publiques, pour leur part, avaient réalisé environ 20 % de tous les achats de biens et de services. Le PIB en termes de dépenses a crû de 2,8 % au Canada.

Croissance de la richesse nationale

L'économie a considérablement progressé durant la dernière décennie et les Canadiens ont profité de cette croissance. Les comptes nationaux financiers et du patrimoine, un autre outil des économistes, montrent que la croissance économique a contribué à augmenter la valeur nette globale du Canada. En 2006, les Canadiens et les entreprises avaient accumulé 16,7 billions de dollars en actifs et 11,6 billions de dollars en passifs, pour un total de 5,1 billions en valeur nette. Il s'agit d'un bond de presque 35 % depuis 2002.

Graphique 5.2
Valeur nette nationale

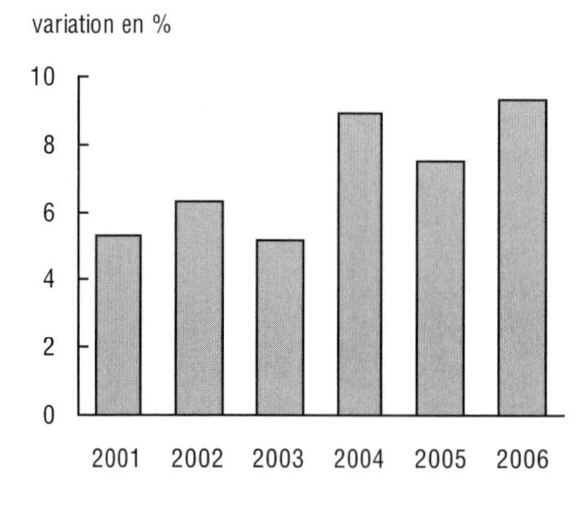

Source : Statistique Canada, CANSIM : tableau 378-0004.

Bilan national

	2002	2006
	millions de $	
Ensemble de l'actif	12 155 289	16 713 938
Ensemble du passif	8 386 110	11 594 704
Valeur nette	3 769 179	5 119 234

Source : Statistique Canada, CANSIM : tableau 378-0004.

La valeur nette nationale a fait un saut de 10 % en 2006 grâce à une baisse appréciable de l'endettement combinée à une forte hausse des actifs non financiers. La plus grande part des gains en actifs non financiers est redevable aux investissements des entreprises privées en bâtiments non résidentiels ainsi qu'à la croissance continue de la valeur des biens immobiliers.

Ce sont les particuliers qui possèdent la plupart des richesses de l'économie, sous forme de biens immobiliers et de placements substantiels dans des corporations par l'entremise de portefeuilles d'actions, surtout grâce aux fonds de placements et aux caisses de retraite. Les actifs de la population canadienne sont principalement financiers, et ceux-ci ont connu une croissance vigoureuse au cours des quatre dernières années. Les fonds de placements, de pension et les actions constituent 76 % des actifs des ménages, ou 3,7 billions de dollars. Une autre tranche de 0,7 billion de dollars est composée d'espèces et de billets déposés dans les banques et d'autres établissements financiers.

Pour de nombreux Canadiens, la croissance la plus marquée a été celle de la valeur de leur maison et de leurs biens durables. En 2006, la valeur totale des actifs non financiers des ménages a atteint 2,6 billions de dollars, soit environ 45 % de plus qu'en 2002.

Cet essor immobilier s'accompagnait bien entendu d'une augmentation des prêts. Les passifs, particulièrement les prêts hypothécaires, et le crédit à la consommation, ont connu une hausse de 37 % depuis 2002.

Commercer avec le monde

Comme l'économie du Canada repose sur les échanges commerciaux, la santé économique de la nation dépend autant des activités se déroulant à l'extérieur qu'à l'intérieur de nos frontières. La boîte à outils des économistes contient également certains comptes économiques permettant de suivre ces activités.

La balance des paiements internationaux du Canada est l'un de ces comptes. Il s'agit d'un résumé des opérations économiques entre le Canada et le reste du monde. Du côté du compte courant, qui retrace les exportations et les importations de biens et de services ainsi que d'autres activités internationales, la valeur des biens exportés vers d'autres pays en 2006 a augmenté pour une troisième année d'affilée, se situant à 455,7 milliards de dollars. Toujours en 2006, les Canadiens ont importé pour 404,4 milliards de dollars de biens. Ensemble, ces exportations et ces importations se sont soldées par un excédent commercial de 51,3 milliards de dollars qui, bien qu'il soit le plus petit en sept ans, n'en demeure pas moins important.

Pour ce qui est du commerce international des services canadiens, nous importons invariablement davantage de services que nous en exportons, ce qui donne lieu à un déficit commercial de services année après année. En 2006, le déficit enregistré s'établissait à 15,2 milliards de dollars, un record en la matière.

De l'autre côté du bilan, les fonds et le compte financier du Canada se composent principalement de transactions d'instruments financiers. En 2006, la sortie nette de capitaux suite à ces transactions s'établissait à 18,5 milliards de dollars. Autrement dit, l'actif international du Canada a augmenté plus rapidement que le passif envers l'étranger, ce qui a été la norme au cours des huit dernières années. La sortie nette de capitaux a toutefois été la plus basse enregistrée depuis 2003.

La croissance des actifs en 2006 était largement attribuable aux investissements de portefeuille du Canada, surtout les obligations étrangères. Les investissements directs canadiens à l'étranger, les plus importants en six ans, étaient à l'origine de l'augmentation du passif.

Graphique 5.3
Balance des paiements internationaux

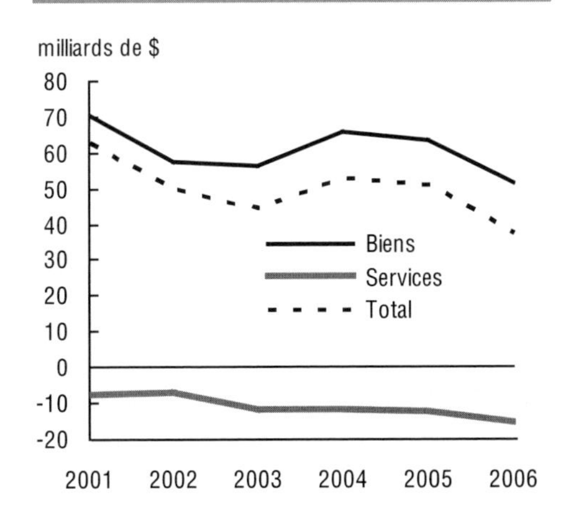

Source : Statistique Canada, CANSIM : tableau 376-0001.

Sources choisies

Statistique Canada

- *Balance des paiements internationaux du Canada.* Trimestriel. 67-001-XWF
- *Comptes du bilan national : estimations trimestrielles.* Trimestriel. 13-214-XWF
- *Comptes économiques provinciaux : estimations annuelles - Tableaux et document analytique.* Semestriel. 13-213-PPB
- *Comptes nationaux des revenus et dépenses : estimations trimestrielles.* Trimestriel. 13-001-XIB
- *Opérations internationales du Canada en valeurs mobilières.* Mensuel. 67-002-XWF
- *Produit intérieur brut par industrie.* Mensuel. 15-001-XIF
- *Revue trimestrielle des comptes économiques canadiens.* Trimestriel. 13-010-XWF
- *Revue des comptes économiques des provinces et des territoires.* Semestriel. 13-016-XIF

Un déplacement d'est en ouest

L'essor continu du secteur des ressources a déplacé la croissance économique d'est en ouest. Depuis, 2003, l'Alberta et la Colombie-Britannique connaissent une croissance supérieure à la moyenne nationale.

L'Alberta a dominé la croissance économique des provinces pour une troisième année consécutive en 2006, son économie ayant progressé de 6,8 % si on tient compte de l'inflation. Les cours élevés du pétrole ont été les principaux facteurs de cette croissance, mais leurs effets se répercutent au-delà de l'économie de la province.

La croissance en Colombie-Britannique a dépassé la moyenne nationale pour une cinquième année de suite avec un hausse de 3,6 % en 2006. La demande de logements et les investissements liés aux Jeux olympiques d'hiver de 2010 ont profité au secteur de la construction. L'économie du Yukon a crû pour une troisième année : de 2,9 % par rapport à 2005. Les cours élevés des métaux et des minéraux y ont stimulé la prospection.

La fabrication de machines et de matériel pour le marché albertain a profité à la Saskatchewan, mais son activité économique n'a crû que de 0,4 % en 2006, soit moins que la hausse de 3,1 % observée en 2005. Les conditions agricoles idéales ayant mené à de fortes exportations de canola et de blé et la croissance économique du Manitoba a dépassé la moyenne nationale en 2006 pour la première fois depuis 1998.

Les facteurs ayant stimulé la croissance dans l'Ouest du Canada l'ont limité à l'est du Manitoba. Les prix élevés des produits de base ont renforcé le dollar et majoré les prix du carburant; cela a haussé le coût de la production manufacturière et ralenti les exportations.
La croissance en Ontario et au Québec, les traditionnels centres manufacturiers, est tombée sous la moyenne nationale de 2003 à 2006. Terre-Neuve-et-Labrador a connu une croissance de 2,8 % par rapport à 2005, grâce à la première année complète de production d'une mine de nickel et d'un gisement pétrolier. L'économie du Nouveau-Brunswick a crû de 2,6 % en 2006 avec la réouverture de deux usines de pâtes et papiers. L'Île-du-Prince-Édouard a connu une croissance de 2,0 %, grâce à une bonne récolte de pommes de terre et à la construction d'un parc éolien.

Graphique 5.4
PIB réel, par province et territoire, 2006

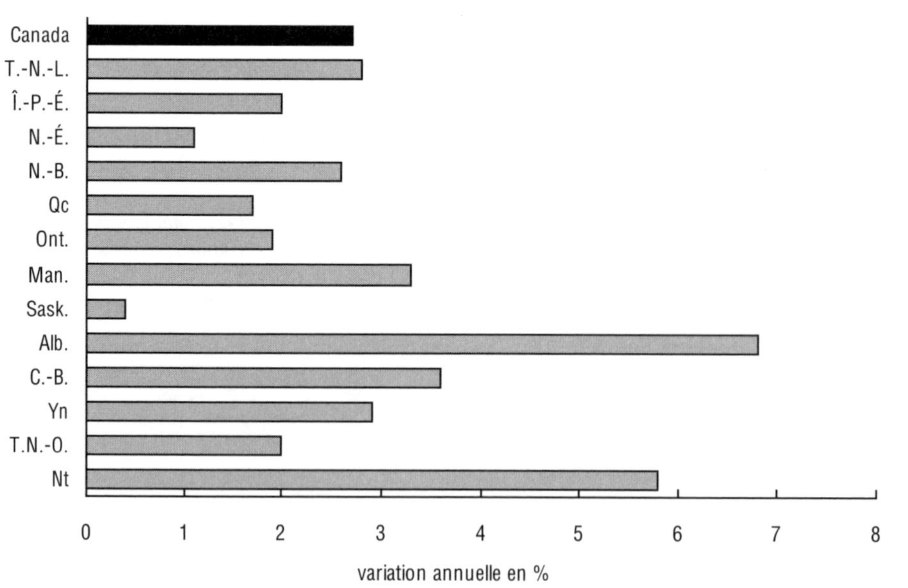

Note : Dollars enchaînés de 1997.
Source : Statistique Canada, CANSIM : tableau 384-0002.

Les secteurs clés de la croissance

Avec tout ce qu'on a dit sur le renouveau des industries axées sur les ressources naturelles, on pourrait croire que la croissance de l'économie du Canada est attribuable à l'extraction minière, pétrolière et gazière. Si ce secteur et les activités économiques connexes sont à l'origine d'une importante croissance ces dernières années, d'autres secteurs industriels ont aussi joué un rôle essentiel pour notre bien-être économique.

Dans l'ensemble, l'économie du pays a augmenté de 2,8 % en 2006, soit un peu moins qu'en 2005 (tous les chiffres sont corrigés en fonction de l'inflation). La plus grande partie de cette croissance est attribuable aux consommateurs canadiens, les dépenses à la consommation s'étant accrues de 4,2 %.

Le secteur de la construction a affiché le taux de croissance le plus élevé de toute l'économie en 2006, soit 7,4 %. Une grande partie de cette croissance était attribuable aux travaux de génie civil liés au secteur pétrolier, quoique la construction de logements et d'immeubles commerciaux y ait également contribué.

Le commerce de gros et celui de détail ont été prospères en 2006 : les rayons des magasins étaient bien garnis et les caisses résonnaient. Les détaillants ont vu augmenter leur taux de croissance de 5,2 % en 2006, dépassant celui enregistré en 2005. Quant aux grossistes, leur taux de croissance s'est situé à près de 7 % pour une deuxième année consécutive.

L'univers des cols blancs de la finance, des assurances et de l'immobilier constitue un autre secteur performant : sa croissance a été de 3,8 % en 2006 et de plus de 18 % depuis 2001.

Un autre aspect, moins positif : l'activité dans le secteur de la fabrication a baissé de 1,3 %, la fabrication des biens non durables enregistrant le déclin le plus important. Malgré les très bons résultats du secteur de la construction et la visibilité constante du secteur de l'énergie, les services, qui génèrent plus de deux tiers de notre PIB et qui emploient 3 Canadiens sur 4, ont été le principal moteur de la croissance économique du Canada. Tandis que les industries productrices de biens ont connu une hausse collective de 0,8 % en 2006, les services se sont accrus de 3,6 %.

Graphique 5.5
PIB selon certaines industries, 2006

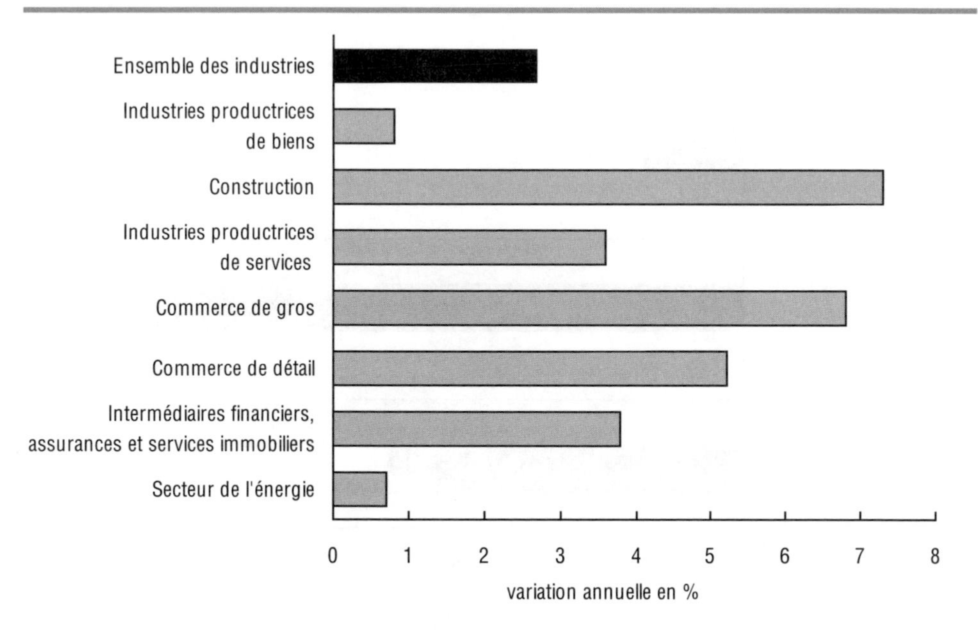

Note : Dollars enchaînés de 1997.
Source: Statistique Canada, produit nº 15-001-XIF au catalogue.

Investissements des entreprises

Les consommateurs ont guidé la croissance économique en 2006, mais les investissements des entreprises y ont également contribué. En 2006, les dépenses des consommateurs ont augmenté de 4,2 % par rapport à 2005, le montant le plus élevé depuis 1997. Les investissements des entreprises dans la construction résidentielle, les infrastructures ainsi que les bâtiments commerciaux et industriels ont augmenté encore plus rapidement, à un rythme de 7,1 %, et ce, même si les sommes investies étaient inférieures aux dépenses des consommateurs.

Les dépenses en immobilisations ont représenté une partie considérable de la croissance annuelle du PIB depuis 2003. Cela s'explique en grande partie par l'essor du secteur immobilier. L'augmentation du prix des logements et la hausse de la demande ont entraîné une forte croissance annuelle chez les constructeurs de maisons depuis 2000 (14,1 % en 2002 seulement). Les bricoleurs ont également contribué à l'essor des investissements en construction résidentielle.

Les dépenses de rénovations ont connu en 2006 leur huitième année consécutive de croissance vigoureuse, à 7,1 %.

Alors que le rythme global des investissements en construction résidentielle ralentissait dans les deux dernières années, la croissance s'élevant à 2,1 % à la fin de 2006, les investissements des entreprises en bâtiments non résidentiels, machines et matériel se sont accélérés et ont atteint 9,9 %.

Les fortes dépenses des consommateurs expliquent pourquoi les entreprises investissent souvent dans la construction d'un plus grand nombre de magasins, de centres commerciaux et d'entrepôts. Cependant, c'est surtout l'essor que connaît le secteur pétrolier et gazier dans l'Ouest du Canada qui stimule les investissements non résidentiels. La hausse des prix a fait augmenter les investissements dans les infrastructures, particulièrement dans les champs de sables bitumineux d'Alberta, où ils ont presque doublé en 2005.

Graphique 5.6
PIB réel, formation brute de capital fixe des entreprises

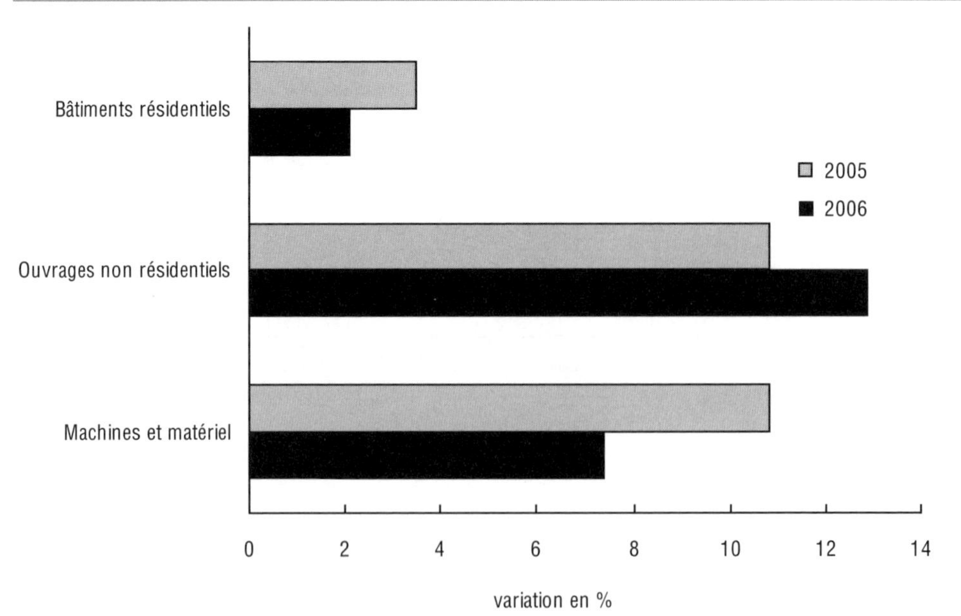

Note : Dollars enchaînés de 2002.
Source : Statistique Canada, produit n° 13-010-XWF au catalogue.

Investissement à l'étranger

Les Canadiens n'ont jamais craint d'investir à l'étranger, et cette tendance s'est récemment intensifiée. À la fin de 2006, de forts marchés internationaux ont favorisé les investissements records des Canadiens dans des titres étrangers.

Pour un 23e mois consécutif en décembre 2006, les Canadiens ont ajouté des actions et des obligations étrangères à leur portefeuille. En 2006 seulement, cet investissement étranger atteignait le montant record de 78,7 milliards de dollars : 64 % était placé dans les titres d'emprunt, comme les obligations; le reste était placé dans des actions.

Les obligations étrangères émises par les entreprises ou les administrations publiques pour réunir des fonds, et qui sont remboursées à un prix et à une date fixe, ont été très populaires. Le gouvernement du Canada a levé les restrictions relatives aux avoirs étrangers en 2005. Cela a déplacé l'intérêt des investisseurs pour les obligations canadiennes à croissance lente vers les obligations étrangères à croissance plus rapide. Afin de diversifier les avoirs et d'assurer une forte croissance, de nombreux investisseurs se sont tournés vers les « obligations feuille d'érable », des obligations émises en dollars canadiens par des entreprises étrangères. Le montant investi dans les obligations étrangères a donc plus que quintuplé depuis 2003.

Les placements des Canadiens dans les actions étrangères peuvent varier grandement de mois en mois. Ils sont passés de 5,2 milliards de dollars d'actions achetées en août 2006 à 952 millions de dollars vendues en septembre, mais sont demeurés très forts dans l'ensemble. En 2006, les Canadiens ont acheté pour 28,3 milliards de dollars d'actions étrangères, le montant le plus élevé depuis 2001; de ces achats, 69 % ont porté sur des actions américaines. Les actions d'entreprises d'outre-mer œuvrant dans les secteurs des mines, de l'extraction de pétrole et de gaz, des services bancaires et d'assurance ont été populaires auprès des investisseurs canadiens.

Graphique 5.7
Investissements canadiens de portefeuille en valeurs mobilères étrangères

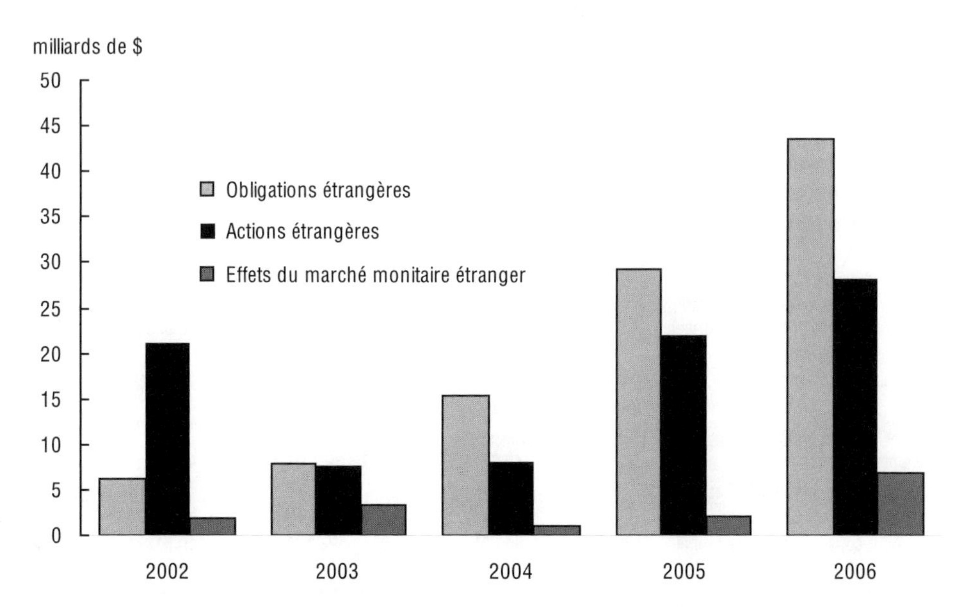

Note : Flux nets; signes inversés de la balance des paiements.
Source : Statistique Canada, CANSIM : tableau 376-0018.

Tableau 5.1 Produit intérieur brut en termes de dépenses, par province et territoire, 1992 à 2006

	1992	1993	1994	1995	1996	1997
	millions de dollars					
Canada	**700 480**	**727 184**	**770 873**	**810 426**	**836 864**	**882 733**
Terre-Neuve-et-Labrador	9 549	9 771	10 264	10 652	10 417	10 533
Île-du-Prince-Édouard	2 345	2 471	2 521	2 662	2 823	2 800
Nouvelle-Écosse	18 094	18 343	18 667	19 296	19 512	20 368
Nouveau-Brunswick	14 038	14 693	15 286	16 380	16 626	16 845
Québec	158 362	162 229	170 478	177 331	180 526	188 424
Ontario	286 493	293 405	311 096	329 317	338 173	359 353
Manitoba	24 434	24 590	25 958	26 966	28 434	29 751
Saskatchewan	21 220	22 928	24 480	26 425	28 944	29 157
Alberta	74 936	81 179	88 041	92 036	98 634	107 048
Colombie-Britannique	87 242	94 077	100 512	105 670	108 865	114 383
Yukon	1 086	882	910	1 047	1 128	1 107
Territoires du Nord-Ouest (incluant le Nunavut)	2 174	2 267	2 387	2 400	2 525	2 691
Territoires du Nord-Ouest	..	..	..	..	..	..
Nunavut	..	..	..	..	..	..
Extérieur du Canada	507	349	273	244	257	273

Note : Montant en dollars aux prix courants.
Source : Statistique Canada, CANSIM : tableau 384-0002.

Tableau 5.2 Produit intérieur brut en termes de revenus, 1992 à 2006

	1992	1993	1994	1995	1996	1997
	millions de dollars					
Produit intérieur brut aux prix du marché	**700 480**	**727 184**	**770 873**	**810 426**	**836 864**	**882 733**
Produit intérieur net aux prix de base	557 995	576 833	613 352	644 818	664 294	700 063
Rémunération des salariés et revenu supplémentaire du travail	387 788	394 816	404 918	418 825	428 792	453 073
Bénéfices des sociétés avant impôts	32 648	41 102	65 464	76 270	80 335	87 932
Bénéfices des entreprises publiques avant impôts	5 993	4 694	5 827	6 709	6 143	6 653
Intérêts et revenus divers de placements	52 742	52 381	52 000	50 981	50 477	48 881
Revenus comptables nets des exploitations agricoles au titre de la production agricole	1 727	2 017	1 255	2 702	3 825	1 663
Revenus nets des entreprises individuelles non agricoles, loyers inclus	39 406	42 068	44 931	46 363	49 278	54 663
Ajustement de la valeur des stocks	-3 285	-3 122	-5 372	-2 473	-1 596	-623
Impôts moins les subventions sur les facteurs de production	40 976	42 877	44 329	45 441	47 040	47 821
Impôts moins les subventions sur les produits	51 378	54 350	56 721	59 758	61 126	66 025
Provisions pour consommation de capital	89 573	94 035	99 631	105 021	110 818	116 574
Divergence statistique	1 534	1 966	1 169	829	626	71

Note : Montant en dollars aux prix courants.
Source : Statistique Canada, CANSIM : tableau 380-0016.

1998	1999	2000	2001	2002	2003	2004	2005	2006
				millions de dollars				
914 973	**982 441**	**1 076 577**	**1 108 048**	**1 152 905**	**1 213 408**	**1 290 788**	**1 371 425**	**1 439 291**
11 176	12 184	13 922	14 179	16 457	18 186	19 473	21 486	24 897
2 981	3 159	3 366	3 431	3 701	3 806	4 027	4 169	4 332
21 401	23 059	24 658	25 909	27 082	28 801	29 859	31 344	31 966
17 633	19 041	20 085	20 684	21 169	22 346	23 487	24 162	25 221
196 258	210 809	224 928	231 624	241 448	250 626	262 988	273 588	284 158
377 897	409 020	440 759	453 701	477 763	493 219	517 608	537 657	556 282
30 972	31 966	34 057	35 157	36 559	37 420	39 825	41 681	44 757
29 550	30 778	33 828	33 127	34 343	36 583	40 021	42 897	45 051
107 439	117 080	144 789	151 274	150 594	170 300	188 865	218 433	235 593
115 641	120 921	131 333	133 514	138 193	145 763	157 540	168 855	179 701
1 087	1 085	1 190	1 259	1 254	1 302	1 404	1 521	1 596
2 652	..	..	..	..	..	..	..	..
..	2 292	2 515	2 972	3 033	3 691	4 245	4 121	4 103
..	747	834	876	951	992	1 073	1 113	1 213
286	300	313	341	358	373	373	398	422

1998	1999	2000	2001	2002	2003	2004	2005	2006
				millions de dollars				
914 973	**982 441**	**1 076 577**	**1 108 048**	**1 152 905**	**1 213 175**	**1 290 828**	**1 375 080**	**1 446 307**
723 487	780 786	863 254	884 203	912 615	967 051	1 032 534	1 104 917	1 164 344
475 335	502 726	545 204	570 008	593 307	621 003	654 957	694 041	737 382
86 132	110 769	135 978	127 073	135 229	144 501	169 151	189 357	198 859
7 080	8 401	11 329	10 787	11 661	12 604	12 923	14 578	13 823
47 134	47 249	55 302	52 579	46 693	49 989	54 109	61 070	65 310
1 724	1 819	1 243	1 675	1 101	1 439	3 106	1 321	344
57 936	61 466	64 944	68 857	74 292	77 181	81 037	83 636	85 980
-753	-2 317	-2 439	574	-3 584	4 262	-1 747	-933	-1 775
48 899	50 673	51 693	52 650	53 916	56 072	58 998	61 847	64 421
68 439	72 747	76 647	75 871	84 139	84 380	89 838	94 334	97 161
122 659	128 999	137 425	147 536	155 567	161 817	168 274	176 338	184 750
388	-91	-749	438	584	-73	182	-509	52

Tableau 5.3 Produit intérieur brut en termes de dépenses, 1992 à 2006

	1992	1993	1994	1995	1996	1997
			millions de dollars			
Produit intérieur brut aux prix du marché	**700 480**	**727 184**	**770 873**	**810 426**	**836 864**	**882 733**
Dépenses personnelles en biens et services de consommation	411 167	428 219	445 857	460 906	480 427	510 695
Biens durables	48 808	50 170	54 116	56 169	59 197	67 988
Biens semi-durables	38 129	39 263	41 104	42 304	42 766	44 939
Biens non durables	108 307	111 863	112 287	115 024	118 697	123 143
Services	215 923	226 923	238 350	247 409	259 767	274 625
Dépenses courantes des administrations publiques en biens et services	168 787	171 163	171 590	172 459	171 161	171 756
Formation brute de capital fixe des administrations publiques	19 959	19 805	21 634	21 406	20 587	20 104
Stocks des administrations publiques	-40	-4	-1	30	-2	5
Formation brute de capital fixe des entreprises	111 272	111 269	123 321	121 592	129 351	154 737
Bâtiments résidentiels	39 903	39 666	42 422	36 136	39 538	43 519
Ouvrages non résidentiels et équipement	71 369	71 603	80 899	85 456	89 813	111 218
Ouvrages non résidentiels	29 654	30 192	34 002	34 669	36 360	43 872
Machines et matériel	41 715	41 411	46 897	50 787	53 453	67 346
Investissement des entreprises en stocks	-6 522	-1 294	528	8 999	2 271	8 174
Non agricoles	-5 810	-2 153	775	8 705	1 577	9 174
Agricoles	-712	859	-247	294	694	-1 000
Exportations de biens et services	189 784	219 664	262 127	302 480	321 248	348 604
Biens	163 464	190 213	228 168	265 334	280 079	303 379
Services	26 320	29 451	33 959	37 146	41 169	45 225
Importations de biens et services	192 393	219 673	253 014	276 618	287 553	331 271
Biens	154 428	177 121	207 875	229 938	237 689	277 727
Services	37 965	42 552	45 139	46 680	49 864	53 544
Divergence statistique	-1 534	-1 965	-1 169	-828	-626	-71
Demande intérieure finale	**711 185**	**730 456**	**762 402**	**776 363**	**801 526**	**857 292**

Note : Montant en dollars aux prix courants.

Source : Statistique Canada, CANSIM : tableau 380-0017.

1998	1999	2000	2001	2002	2003	2004	2005	2006
				millions de dollars				
914 973	**982 441**	**1 076 577**	**1 108 048**	**1 152 905**	**1 213 175**	**1 290 828**	**1 375 080**	**1 446 307**
531 169	560 884	596 009	620 614	655 722	686 552	720 401	760 701	803 502
71 325	77 693	81 958	84 930	92 085	93 793	95 479	100 014	105 716
47 262	49 548	52 115	54 565	57 052	58 485	60 608	63 055	66 818
126 253	132 959	143 264	150 305	158 399	168 144	176 939	187 836	195 572
286 329	300 684	318 672	330 814	348 186	366 130	387 375	409 796	435 396
179 317	186 054	200 084	211 706	224 428	238 416	248 868	262 650	279 806
20 046	23 039	24 524	27 287	28 589	30 107	32 082	36 296	40 336
-27	-3	24	13	-45	15	21	27	-41
161 790	171 431	181 748	189 978	196 585	208 090	229 434	253 074	277 885
42 497	45 100	48 572	55 133	65 651	72 714	82 918	89 791	98 386
119 293	126 331	133 176	134 845	130 934	135 376	146 516	163 283	179 499
45 177	47 229	49 826	52 966	50 659	54 545	62 081	72 674	85 698
74 116	79 102	83 350	81 879	80 275	80 831	84 435	90 609	93 801
4 733	4 990	11 505	-4 740	-2 674	4 305	5 589	9 642	7 824
5 409	4 951	11 355	-3 745	-1 094	2 982	4 098	9 038	8 369
-676	39	150	-995	-1 580	1 323	1 491	604	-545
379 203	424 258	490 688	482 463	479 185	462 473	495 347	520 379	524 706
327 160	369 037	429 375	420 733	414 034	399 122	429 064	451 779	455 696
52 043	55 221	61 313	61 730	65 151	63 351	66 283	68 600	69 010
360 871	388 303	428 754	418 836	428 301	416 856	440 732	468 197	487 660
303 395	327 026	362 337	350 067	356 728	342 711	363 307	388 282	404 391
57 476	61 277	66 417	68 769	71 573	74 145	77 425	79 915	83 269
-387	91	749	-437	-584	73	-182	508	-51
892 322	**941 408**	**1 002 365**	**1 049 585**	**1 105 324**	**1 163 165**	**1 230 785**	**1 312 721**	**1 401 529**

Tableau 5.4 Produit intérieur brut aux prix de base selon le secteur, 1992 à 2006

	1992	1993	1994	1995	1996	1997
	millions de dollars constants de 1997					
Ensemble des secteurs[1]	**703 485**	**720 700**	**753 118**	**772 843**	**783 810**	**816 763**
Secteur des biens						
Agriculture, foresterie, pêche et chasse	19 054	20 397	20 683	20 993	21 228	20 427
Extraction minière et extraction de pétrole et de gaz	28 917	30 158	31 479	32 601	32 948	33 935
Fabrication	110 926	117 004	125 812	132 123	133 569	142 282
Construction	41 072	39 621	40 831	39 310	40 713	42 995
Services publics	22 950	23 533	24 123	25 010	25 455	26 685
Secteur des services						
Transport et entreposage	32 773	33 561	36 219	37 640	38 774	40 337
Industrie de l'information et industrie culturelle	22 206	22 269	22 985	23 786	24 130	27 979
Commerce de gros	34 542	35 296	38 193	38 781	40 402	43 694
Commerce de détail	37 813	38 989	41 192	42 755	43 521	42 252
Finance et assurances, services immobiliers et de location et de location à bail et gestion de sociétés et d'entreprises	134 790	138 688	146 423	150 679	154 435	161 052
Services professionnels, scientifiques et techniques	19 962	21 137	22 590	23 837	24 317	30 289
Services administratifs, services de soutien, services de gestion des déchets et services d'assainissement	14 920	15 662	16 267	17 783	18 503	15 386
Services d'enseignement	42 825	43 276	43 469	43 827	43 938	42 314
Soins de santé et assistance sociale	51 723	51 699	51 941	52 031	51 072	51 403
Arts, spectacles et loisirs	6 330	6 205	6 647	6 809	6 935	7 405
Hébergement et services de restauration	17 298	17 705	18 324	18 982	19 084	19 652
Administrations publiques	50 000	50 031	50 437	50 374	49 117	49 482
Autres services	14 608	15 000	15 281	15 564	15 689	19 194

Note : Système de classification des industries de l'Amérique du Nord (SCIAN), 2002.

1. Les agrégats peuvent différer de la somme de leurs composantes entre 1981 et 1996 à cause du changement dans les prix relatifs causé par l'adoption d'une nouvelle année de référence.

Source : Statistique Canada, CANSIM : tableau 379-0017.

1998	1999	2000	2001	2002	2003	2004	2005	2006
				millions de dollars constants de 1997				
848 963	**896 577**	**946 025**	**960 658**	**985 873**	**1 006 985**	**1 039 166**	**1 069 661**	**1 100 363**
21 696	23 322	22 904	20 811	19 721	21 632	23 047	23 777	23 391
34 461	34 399	35 459	35 507	36 345	38 287	39 469	39 750	40 173
149 390	161 526	179 564	170 761	172 130	171 499	174 992	176 497	174 946
44 348	46 415	48 833	52 367	54 620	56 274	59 764	63 108	67 658
26 140	26 409	26 502	25 533	26 982	27 221	27 366	28 562	28 045
41 036	43 604	45 764	46 741	46 638	47 176	49 494	51 403	52 782
29 866	33 658	36 356	39 232	41 017	41 924	42 534	44 258	45 310
47 202	50 467	53 696	55 858	57 846	60 252	63 510	68 040	73 508
45 442	47 497	50 291	53 371	56 771	58 533	60 732	63 627	67 275
166 070	174 007	181 064	187 897	193 595	197 828	205 480	212 385	220 522
34 032	37 549	41 462	42 631	43 729	45 610	46 838	48 284	49 736
16 418	18 328	19 083	19 988	21 799	22 531	23 351	24 187	25 668
42 575	43 565	43 757	43 972	44 712	45 252	46 293	47 055	47 969
51 901	53 411	55 113	56 134	56 933	58 369	59 477	60 305	61 561
7 603	7 984	8 499	8 913	9 130	9 117	9 223	9 283	9 523
20 779	21 630	22 319	22 661	23 063	22 533	22 983	23 223	24 136
50 249	51 828	53 208	54 693	56 346	57 882	59 084	59 902	61 533
19 755	20 978	22 151	23 588	24 496	25 065	25 529	26 015	26 627

Tableau 5.5 Solde des paiements internationaux du Canada, 1992 à 2006

	1992	1993	1994	1995	1996	1997
	millions de dollars					
Compte courant						
Recettes	**205 455**	**235 576**	**285 601**	**330 978**	**351 038**	**385 415**
Biens et services	188 585	218 444	260 917	301 130	319 965	347 134
Biens	163 464	190 213	228 167	265 334	280 079	303 378
Services	25 122	28 230	32 750	35 796	39 886	43 755
Revenus de placements	13 770	13 787	21 100	25 898	26 176	33 252
Transferts	3 100	3 346	3 584	3 951	4 897	5 029
Paiements	**230 815**	**263 670**	**303 331**	**337 078**	**346 438**	**396 812**
Biens et services	191 674	218 964	252 285	275 869	286 650	330 346
Biens	154 430	177 123	207 873	229 937	237 689	277 727
Services	37 245	41 840	44 413	45 933	48 961	52 619
Revenus de placements	34 903	40 619	46 990	57 089	55 571	62 133
Transferts	4 237	4 088	4 056	4 120	4 217	4 333
Solde	**-25 360**	**-28 093**	**-17 730**	**-6 099**	**4 600**	**-11 397**
Biens et services	-3 089	-520	8 632	25 261	33 315	16 788
Biens	9 034	13 090	20 295	35 397	42 391	25 652
Services	-12 123	-13 610	-11 663	-10 136	-9 076	-8 864
Revenus de placements	-21 133	-26 832	-25 889	-31 191	-29 395	-28 882
Transferts	-1 137	-742	-472	-169	680	697
Compte de capital, flux net	**8 574**	**10 704**	**10 241**	**6 784**	**7 957**	**7 508**
Compte financier, flux net[1]	**13 316**	**23 763**	**7 520**	**-5 489**	**-20 191**	**8 256**
Actif du Canada, flux net	-14 411	-26 943	-49 029	-38 394	-73 306	-62 546
Investissements directs canadiens à l'étranger	-4 339	-7 354	-12 694	-15 732	-17 858	-31 937
Investissements de portefeuille canadiens	-11 749	-17 881	-8 927	-7 331	-19 317	-11 849
Obligations étrangères de portefeuille	-1 401	-5 071	435	-1 085	-2 070	-6 642
Actions étrangères de portefeuille	-10 348	-12 811	-9 362	-6 247	-17 247	-5 207
Effets du marché monétaire étranger	..	..	..	..	..	..
Autres investissements canadiens	1 677	-1 707	-27 408	-15 331	-36 132	-18 760
Prêts	-877	-1 139	123	-3 438	-4 208	-18 923
Dépôts	1 604	10 214	-19 889	-7 162	-18 015	-2 898
Réserves officielles internationales	5 750	-1 206	489	-3 778	-7 498	3 389
Autres actifs	-4 800	-9 576	-8 131	-952	-6 411	-328
Engagements du Canada, flux net	27 727	50 706	56 550	32 905	53 116	70 803
Investissements directs étrangers au Canada	5 708	6 103	11 206	12 703	13 137	15 958
Investissements de portefeuille étrangers	24 701	52 799	23 312	25 233	18 668	16 181
Obligations canadiennes de portefeuille	18 766	31 446	15 995	30 730	17 953	6 166
Actions canadiennes de portefeuille	1 036	12 056	6 412	-4 242	8 034	7 645
Effets du marché monétaire canadien	4 898	9 296	905	-1 254	-7 319	2 369
Autres investissements étrangers	-2 682	-8 196	22 032	-5 032	21 311	38 664
Emprunts	792	-325	-137	1 129	5 994	1 873
Dépôts	-4 037	-8 180	21 005	-6 009	16 863	34 106
Autres passifs	564	310	1 165	-151	-1 546	2 685
Divergence statistique	3 470	-6 374	-32	4 805	7 633	-4 367

1. Un signe moins indique une sortie de capital, résultant d'un accroissement des créances envers les non-résidents ou d'une diminution des engagements envers les non-résidents.

Source : Statistique Canada, CANSIM : tableaux 376-0001 et 376-0002.

1998	1999	2000	2001	2002	2003	2004	2005	2006
				millions de dollars				
414 777	**461 219**	**531 961**	**513 754**	**514 913**	**496 899**	**539 081**	**575 151**	**594 207**
377 385	422 670	489 090	480 795	477 522	460 903	493 757	518 762	522 926
327 162	369 035	429 372	420 730	414 039	399 122	429 067	451 783	455 696
50 223	53 636	59 718	60 065	63 483	61 781	64 690	66 979	67 230
32 338	32 905	36 755	25 990	30 502	29 253	38 169	48 213	61 599
5 054	5 644	6 116	6 968	6 890	6 743	7 155	8 176	9 682
426 140	**458 649**	**502 692**	**488 649**	**495 135**	**482 250**	**510 030**	**547 208**	**570 629**
359 947	387 298	427 836	417 945	427 434	416 011	439 988	467 423	486 789
303 399	327 026	362 337	350 071	356 727	342 710	363 308	388 282	404 395
56 549	60 272	65 500	67 874	70 707	73 302	76 680	79 141	82 394
61 965	66 518	69 863	65 320	60 799	59 284	62 468	70 735	73 446
4 228	4 834	4 992	5 384	6 902	6 955	7 574	9 051	10 394
-11 363	**2 570**	**29 269**	**25 104**	**19 778**	**14 649**	**29 051**	**27 943**	**23 578**
17 438	35 373	61 254	62 850	50 088	44 892	53 769	51 340	36 137
23 763	42 009	67 036	70 659	57 311	56 413	65 759	63 501	51 302
-6 325	-6 636	-5 782	-7 809	-7 224	-11 521	-11 990	-12 162	-15 165
-29 627	-33 613	-33 109	-39 330	-30 297	-30 031	-24 299	-22 522	-11 847
826	810	1 124	1 584	-12	-212	-419	-875	-712
4 934	**5 049**	**5 314**	**5 752**	**4 936**	**4 225**	**4 466**	**5 940**	**4 201**
-405	**-17 531**	**-27 070**	**-21 375**	**-22 144**	**-19 935**	**-37 295**	**-38 287**	**-22 741**
-67 161	-41 946	-142 039	-113 930	-83 631	-67 724	-87 448	-116 081	-165 339
-50 957	-25 625	-66 352	-55 800	-42 015	-32 118	-56 841	-40 645	-51 322
-22 497	-23 101	-63 927	-37 573	-29 319	-19 054	-24 369	-53 279	-78 693
-7 064	-2 477	-3 963	-1 920	-6 229	-7 974	-15 290	-29 238	-43 602
-15 433	-20 623	-59 965	-35 653	-21 253	-7 699	-8 092	-21 951	-28 291
..	..	..	..	-1 837	-3 381	-987	-2 089	-6 800
6 292	6 780	-11 759	-20 556	-12 297	-16 553	-6 238	-22 157	-35 325
12 637	2 680	-5 126	-8 051	-8 587	7 614	3 558	8 217	-12 201
-6 225	10 592	3 973	-2 172	5 844	-19 286	-10 661	-15 817	-8 183
-7 452	-8 818	-5 480	-3 353	298	4 693	3 427	-1 653	-1 013
7 332	2 326	-5 125	-6 980	-9 851	-9 574	-2 561	-12 903	-13 927
66 757	24 415	114 969	92 555	61 487	47 789	50 153	77 793	142 598
33 828	36 762	99 198	42 844	34 769	10 483	-474	35 046	78 317
24 779	3 738	14 598	37 779	18 599	19 714	54 762	9 577	32 544
10 337	2 602	-21 458	41 002	18 297	7 870	19 449	-78	18 015
14 311	14 346	35 232	4 125	-1 531	13 491	35 742	9 133	10 814
130	-13 209	824	-7 349	1 833	-1 646	-429	522	3 715
8 149	-16 086	1 173	11 932	8 119	17 592	-4 135	33 171	31 737
3 181	6 641	3 396	-5 941	1 400	2 192	-2 013	3 496	11 873
3 375	-24 103	-962	23 716	13 565	18 304	-531	28 951	20 724
1 593	1 377	-1 261	-5 843	-6 846	-2 904	-1 591	723	-860
6 833	9 912	-7 514	-9 481	-2 570	1 062	3 778	4 404	-5 038

Tableau 5.6 Bilan national, actif, 1992 à 2006

	1992	1993	1994	1995	1996	1997
	millions de dollars					
Ensemble de l'actif	**6 436 779**	**6 836 021**	**7 261 081**	**7 621 198**	**8 105 253**	**8 682 898**
Actif non financier	2 546 805	2 654 584	2 783 847	2 852 877	2 942 186	3 077 380
Immeubles résidentiels	667 367	707 914	739 526	749 702	770 434	798 876
Immeubles non résidentiels	697 122	709 197	737 311	759 734	788 612	818 984
Machinerie et équipement	255 061	266 244	280 939	291 852	295 130	316 413
Biens de consommation durables	212 657	218 930	227 097	231 167	236 360	246 692
Stocks	121 723	124 483	131 535	146 976	151 010	158 782
Terrains	592 875	627 816	667 439	673 446	700 640	737 633
Actif financier	3 889 974	4 181 437	4 477 234	4 768 321	5 163 067	5 605 518
Réserves officielles	15 135	16 881	17 487	20 769	28 204	25 705
Argent et dépôts bancaires	346 096	386 748	414 558	442 188	464 682	504 193
Autres dépôts dans les autres institutions	211 405	183 650	173 614	177 209	181 106	168 562
Devises et dépôts étrangers	41 662	43 663	51 390	60 940	80 699	83 313
Crédit à la consommation	99 752	104 551	111 166	116 713	124 054	132 826
Comptes à recevoir	130 487	139 379	145 109	156 170	164 913	171 371
Prêts bancaires	150 209	146 588	152 733	156 407	155 890	165 433
Autres prêts	91 638	92 441	103 787	108 681	116 467	132 026
Effets à court terme du gouvernement du Canada	138 696	139 687	129 356	133 524	117 851	95 038
Autres effets à court terme	54 139	63 370	66 829	69 965	80 505	103 581
Hypothèques	398 735	417 936	433 497	443 906	459 879	478 715
Obligations fédérales	147 180	160 497	196 841	211 323	236 162	257 268
Obligations provinciales	168 367	172 593	174 398	185 059	189 232	196 566
Obligations municipales	30 771	32 413	33 240	32 896	33 851	33 669
Autres obligations canadiennes	95 287	105 496	118 813	121 893	127 457	146 112
Assurance-vie et rentes	470 799	526 636	562 116	606 231	655 736	716 423
Créances des entreprises	436 091	462 841	503 729	545 557	576 758	645 998
Créances des administrations publiques	119 113	115 210	118 551	116 629	128 318	127 675
Actions	402 959	464 964	514 889	551 957	641 383	747 558
Investissements étrangers	65 302	80 452	96 910	104 850	127 767	150 569
Autres éléments de l'actif	276 151	325 441	358 221	405 454	472 153	522 917

Source : Statistique Canada, CANSIM : tableau 378-0004.

1998	1999	2000	2001	2002	2003	2004	2005	2006
				millions de dollars				
9 236 089	**9 885 481**	**10 555 419**	**11 160 760**	**11 737 908**	**12 194 457**	**13 046 496**	**14 048 355**	**15 231 434**
3 218 515	3 382 306	3 564 334	3 737 307	3 965 790	4 167 500	4 483 592	4 794 042	5 157 467
829 677	871 382	906 034	958 361	1 031 276	1 122 515	1 215 119	1 314 745	1 465 798
845 979	875 800	920 032	946 214	976 364	1 015 034	1 084 323	1 131 290	1 165 960
343 059	362 083	387 713	408 142	421 169	401 783	403 433	413 633	429 636
258 923	277 357	292 519	308 021	330 846	345 088	359 248	374 978	386 824
170 248	179 202	194 775	190 419	192 381	187 661	194 972	206 397	215 949
770 629	816 482	863 261	926 150	1 013 754	1 095 419	1 226 497	1 352 999	1 493 300
6 017 574	6 503 175	6 991 085	7 423 453	7 772 118	8 026 957	8 562 904	9 254 313	10 073 967
35 920	41 463	47 801	53 327	56 230	45 689	40 314	38 029	40 960
500 298	540 982	605 648	637 910	678 791	707 792	782 036	856 234	919 320
174 625	185 072	147 525	160 118	164 536	180 135	193 269	210 475	225 308
93 760	106 853	68 843	86 488	99 598	89 391	94 779	107 659	137 908
144 189	158 245	172 093	187 131	204 792	225 221	248 691	273 869	302 103
177 799	193 695	211 106	214 873	220 682	226 005	232 658	254 173	263 727
181 953	179 536	187 401	183 646	188 161	186 216	204 636	216 670	233 352
145 558	163 978	170 401	176 959	194 674	192 815	209 452	219 123	233 575
77 955	85 482	72 775	92 290	97 163	108 420	110 734	120 159	113 158
128 194	160 587	173 781	169 597	171 604	156 627	154 342	175 390	214 354
497 928	519 765	544 082	571 944	601 957	640 838	687 882	748 525	816 121
272 808	270 424	275 418	265 727	252 269	256 616	241 593	239 769	233 402
194 756	212 204	223 209	229 529	243 154	249 110	269 554	279 833	277 287
30 354	28 140	31 248	31 468	32 827	34 068	35 633	36 067	38 557
165 706	197 381	223 714	244 926	275 042	307 390	349 091	414 970	476 637
788 892	861 409	940 531	955 577	979 100	1 012 979	1 080 258	1 165 390	1 262 798
734 715	748 271	868 874	976 178	1 063 854	1 075 689	1 168 054	1 217 074	1 308 610
138 481	178 467	194 366	206 288	211 297	208 916	209 713	209 243	217 751
835 134	925 606	1 030 985	1 083 434	1 112 494	1 146 388	1 201 121	1 313 995	1 463 863
172 303	193 275	225 148	256 414	280 438	263 886	265 695	295 396	367 418
526 246	552 340	576 136	639 629	643 455	712 766	783 399	862 270	927 758

Tableau 5.7 Bilan national, passif, 1992 à 2006

	1992	1993	1994	1995	1996	1997
	millions de dollars					
Passif et valeur nette	**6 436 779**	**6 836 021**	**7 261 081**	**7 621 198**	**8 105 253**	**8 682 898**
Ensemble du passif	4 188 088	4 505 176	4 810 317	5 092 511	5 474 432	5 895 740
Argent et dépôts bancaires	352 489	393 728	423 528	450 727	471 893	513 500
Dépôts dans les autres institutions	211 662	183 874	173 741	177 332	181 229	168 672
Devises et dépôts étrangers	74 342	72 791	85 759	82 751	94 066	110 575
Crédit à la consommation	99 752	104 551	111 166	116 713	124 054	132 826
Comptes à payer	130 709	141 647	147 728	158 491	165 026	171 156
Emprunts bancaires	144 312	138 914	146 186	149 012	150 255	155 889
Autres emprunts	121 007	120 616	126 871	130 736	138 149	149 057
Effets à court terme du gouvernement du Canada	160 396	172 479	165 199	164 230	142 128	116 782
Autres effets à court terme	68 542	76 391	78 504	83 360	94 351	122 071
Hypothèques	399 140	418 319	433 889	444 326	460 199	479 026
Obligations fédérales	214 358	236 552	271 078	297 160	330 359	348 389
Obligations provinciales	268 362	294 409	321 003	335 365	339 388	342 060
Obligations municipales	35 534	37 553	39 007	38 947	39 858	39 432
Autres obligations canadiennes	161 012	179 281	200 766	212 669	226 424	262 779
Assurance-vie et rentes	470 799	526 636	562 116	606 231	655 736	716 423
Créances des entreprises	183 583	194 280	211 810	229 417	244 039	288 752
Créances des administrations publiques	119 113	115 210	118 551	116 629	128 318	127 675
Actions	699 599	779 751	843 824	906 591	1 027 530	1 157 537
Autres éléments du passif	273 377	318 194	349 591	391 824	461 430	493 139
Valeur nette	**2 248 691**	**2 330 845**	**2 450 764**	**2 528 687**	**2 630 821**	**2 787 158**

Source : Statistique Canada, CANSIM : tableau 378-0004.

1998	1999	2000	2001	2002	2003	2004	2005	2006
millions de dollars								
9 236 089	**9 885 481**	**10 555 419**	**11 160 760**	**11 737 908**	**12 194 457**	**13 046 496**	**14 048 355**	**15 231 434**
6 317 237	6 746 853	7 199 917	7 626 890	7 980 810	8 243 656	8 743 026	9 420 744	10 172 955
510 176	552 014	618 480	654 150	692 773	722 022	798 264	872 473	940 210
174 732	185 186	147 525	160 118	164 536	180 135	193 269	210 475	225 308
120 232	124 102	93 582	110 309	120 120	107 519	103 666	116 274	132 089
144 189	158 245	172 093	187 131	204 792	225 221	248 691	273 869	302 103
175 277	191 070	211 065	219 593	227 139	227 310	231 656	251 353	265 928
174 593	171 523	177 246	173 216	178 433	180 701	196 762	207 364	217 241
163 928	182 862	185 987	187 799	199 182	196 217	206 014	217 614	222 459
97 253	98 203	84 362	99 729	107 050	118 941	118 762	129 632	126 307
149 783	175 332	189 948	183 283	186 542	166 356	165 240	185 764	223 451
498 252	520 095	544 397	572 266	602 323	641 194	688 233	748 873	816 467
360 273	359 966	355 308	339 262	331 079	315 027	295 423	285 530	278 641
352 913	351 666	354 263	362 379	376 886	368 899	383 642	391 666	392 391
36 277	33 410	36 071	35 926	36 389	37 202	39 080	39 827	42 664
310 331	343 500	371 832	452 086	498 611	519 113	568 588	627 889	710 072
788 892	861 409	940 531	955 577	979 100	1 012 979	1 080 258	1 165 390	1 262 798
331 966	324 638	356 884	399 148	440 710	427 029	429 373	478 062	513 323
138 481	178 467	194 366	206 288	211 297	208 916	209 713	209 243	217 751
1 285 010	1 397 217	1 599 601	1 705 341	1 791 515	1 886 844	2 019 868	2 167 565	2 380 209
504 679	537 948	566 376	623 289	632 333	702 031	766 524	841 881	903 543
2 918 852	**3 138 628**	**3 355 502**	**3 533 870**	**3 757 098**	**3 950 801**	**4 303 470**	**4 627 611**	**5 058 479**

Tableau 5.8 Bilan canadien des investissements internationaux, actif, 2001 à 2006

	2001	2002	2003	2004	2005	2006
	millions de dollars					
Ensemble de l'actif	**921 976**	**979 184**	**921 148**	**961 998**	**1 013 424**	**1 190 429**
Investissements directs canadiens à l'étranger	399 253	435 494	412 217	448 975	459 606	523 260
Investissements de portefeuille canadiens	239 762	270 775	253 788	265 374	292 412	364 664
Obligations étrangères de portefeuille	38 870	45 392	45 809	58 549	82 276	128 505
Actions étrangères de portefeuille	200 892	216 307	197 025	195 745	197 082	216 194
Autres investissements canadiens	282 962	272 915	255 143	247 649	261 405	302 504
Prêts	68 402	71 731	50 695	49 392	45 957	72 360
Provisions	-11 851	-11 918	..	..	..	..
Dépôts	108 929	99 056	103 583	109 442	120 813	131 427
Réserves officielles internationales	53 327	56 230	45 690	40 315	38 030	40 959
Autre actif	64 155	57 817	55 174	48 500	56 605	57 758

Note : Les données sont en date du 31 décembre.
Source : Statistique Canada, CANSIM : tableau 376-0037.

Tableau 5.9 Bilan canadien des investissements internationaux, passif, 2001 à 2006

	2001	2002	2003	2004	2005	2006
	millions de dollars					
Ensemble du passif	**1 125 414**	**1 187 876**	**1 137 847**	**1 142 120**	**1 179 855**	**1 289 417**
Investissements directs étrangers au Canada	340 429	356 819	373 685	383 498	407 610	448 858
Investissements de portefeuille étrangers	526 178	554 975	507 150	520 432	507 419	541 677
Obligations canadiennes de portefeuille	427 228	449 072	401 050	398 090	380 818	404 590
Actions canadiennes de portefeuille	77 487	80 617	84 712	102 721	105 818	112 571
Effets du marché monétaire canadien de portefeuille	21 463	25 285	21 388	19 621	20 783	24 515
Autres investissements étrangers	258 806	276 082	257 012	238 190	264 826	298 882
Emprunts	56 035	58 772	52 398	40 237	41 645	49 508
Dépôts	181 055	195 036	183 125	175 978	201 025	227 149
Autre passif	21 716	22 275	21 489	21 975	22 156	22 225
Bilan net des investissements internationaux du Canada	**-203 437**	**-208 692**	**-216 699**	**-180 122**	**-166 431**	**-98 988**

Note : Les données sont en date du 31 décembre.
Source : Statistique Canada, CANSIM : tableau 376-0037.

Construction

6

SURVOL

Le bruit assourdissant des marteaux et les manœuvres des grues sur les chantiers de construction partout au Canada révèlent les tendances économiques et sociales au pays. L'exemple récent le plus frappant, c'est l'énorme demande dans le secteur de la construction résidentielle et commerciale dans l'économie en forte croissance de l'Alberta, qui a créé des emplois et attiré des milliers de migrants de partout au pays et du monde entier.

La construction est en plein essor partout au Canada. La baisse des taux d'intérêt incite les Canadiens à acheter des maisons neuves ou à rénover des maisons déjà construites. De plus, en raison de l'augmentation des ventes en gros et au détail, les entreprises se sont empressées de construire des bureaux, des magasins de détail et des entrepôts, ce qui a contribué à stimuler la construction non résidentielle.

Ainsi, les entrepreneurs ont pulvérisé un record de 66,3 milliards de dollars au chapitre des permis de construction résidentielle en 2006, en hausse de 9 % par rapport aux 60,8 milliards de dollars en 2005. Les municipalités au pays ont autorisé la construction de 233 200 logements neufs cette année, ce qui représente une faible baisse par rapport à 2005, mais il s'agit toujours du troisième nombre le plus élevé depuis 1988. De plus, la valeur des permis de construction résidentielle a augmenté dans 20 des 28 régions métropolitaines de recensement en 2006.

Travaux de rénovation

Entre-temps, les Canadiens ont entrepris des travaux de rénovation pour une valeur de 32,0 milliards de dollars en 2006, ce qui représente 40 % de tous les investissements effectués dans la construction résidentielle et une augmentation de 9 % par rapport à 2005.

La valeur des permis de construction non résidentielle a aussi augmenté. Les investissements dans la construction d'immeubles non résidentiels ont atteint 35,5 milliards de dollars

Graphique 6.1
Valeur des permis de construction non résidentielle, par province

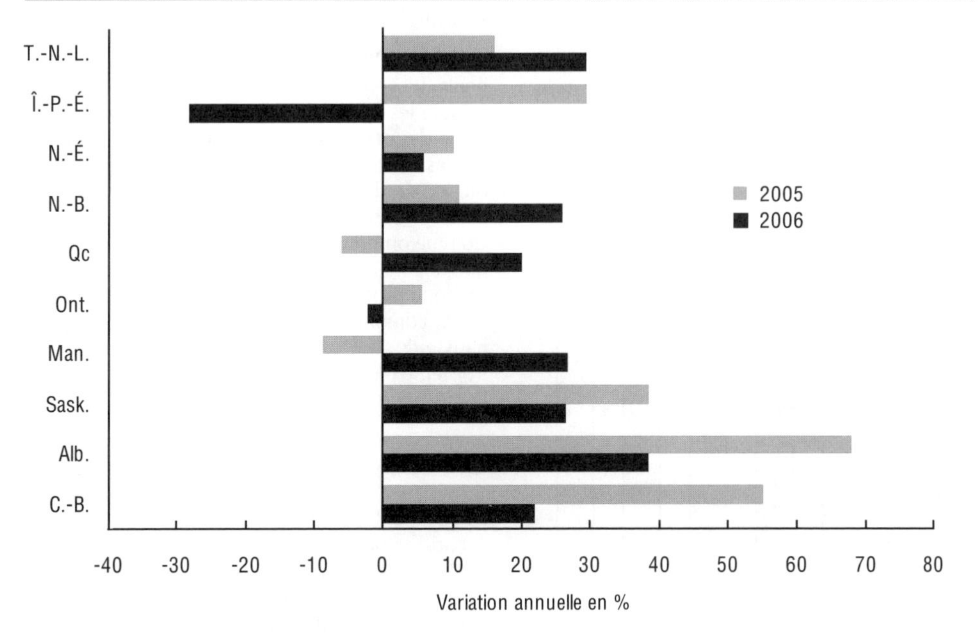

Source : Statistique Canada, CANSIM : tableau 026-0005.

en 2006, en hausse de 12 % par rapport à 2005, le gain le plus important enregistré, ce qui est le signe d'une économie prospère et en plein essor.

Dans l'ensemble, en 2006, le secteur de la construction a ajouté 67,7 milliards de dollars au produit intérieur brut (PIB) du Canada, après avoir dépassé pour la première fois le cap des 60 milliards de dollars en 2005. Cependant, l'emploi s'est stabilisé en 2006 après plusieurs années de croissance.

PIB de l'industrie de la construction

	2002	2006
	millions de dollars constants de 1997	
Construction	**54 620**	**67 657**
Construction résidentielle	18 307	22 193
Construction non résidentielle	11 189	11 649
Génie, réparations et autres activités de construction	25 124	33 815

Source : Statistique Canada, CANSIM : tableau 379-0017.

Investissement dans l'habitation

La santé de l'économie et les faibles taux d'intérêt ont favorisé le marché de l'habitation florissant en 2006. En dépit d'une offre soutenue, les investissements en logements neufs continuent d'augmenter. La croissance la plus forte au chapitre des investissements dans les maisons neuves s'observe dans les deux secteurs suivants : les maisons unifamiliales (en hausse de 9 % pour atteindre 25,5 milliards de dollars), et les immeubles d'habitation et les condominiums (en hausse de 13 % pour se situer à 9,3 milliards de dollars). Cette hausse est surtout attribuable à l'augmentation des investissements; bien que le nombre de mises en chantier soit demeuré à peu près identique, chaque maison neuve coûte plus cher à construire.

Les principaux déterminants de la progression des investissements dans les maisons neuves (notamment dans l'Ouest canadien) sont le dynamisme de l'économie, la migration interprovinciale, l'augmentation de l'emploi, l'immigration internationale et des taux hypothécaires relativement bas.

Graphique 6.2
Indice des prix des logements neufs

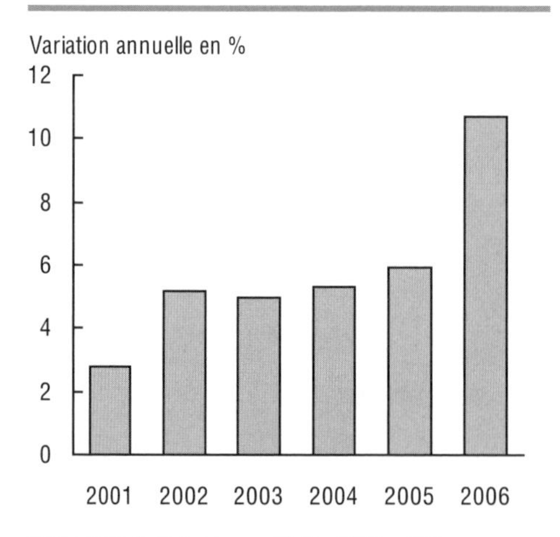

Note : Période de base pour l'indice 1997 = 100.
Source : Statistique Canada, CANSIM : tableau 327-0005.

La Société canadienne d'hypothèques et de logement (SCHL) assure le suivi du prix moyen des maisons unifamiliales et jumelées neuves. Le prix moyen à l'échelle nationale est passé de 342 000 $ à l'été 2005 à 381 000 $ à l'été 2006, en hausse de 11 %. À Toronto, le prix moyen était de 631 585 $. À Calgary et à Edmonton, il a progressé pour se situer à 359 286 $ et 284 521 $ respectivement; par ailleurs, le prix moyen à Vancouver a atteint 763 076 $. Le prix moyen le plus bas dans la catégorie maisons neuves unifamiliales et jumelées dans une région métropolitaine a été enregistré à Trois-Rivières : il s'élevait à 159 250 $.

À la fin de 2006, l'Indice des prix des logements neufs (IPLN) de Statistique Canada (indice qui mesure les variations dans le temps du prix de vente des maisons résidentielles neuves facturé par les entrepreneurs) était de 147,5. Autrement dit, le prix des maisons neuves s'est accru de 47,5 % depuis 1997, année de base de l'indice. Comme on pouvait s'y attendre, l'IPLN montre que le coût des logements neufs à Calgary a fait un bond prodigieux de 42,4 % depuis décembre 2005. Edmonton a emboîté le pas, avec une hausse de 41,5 %. Saskatoon se classe en troisième place avec 16,1 %. L' augmentation de la moyenne nationale était de 10,7 %.

Constructions non résidentielles

La construction non résidentielle a été en expansion pour la sixième année consécutive en 2006, essentiellement en raison de l'essor de l'économie dans l'Ouest canadien. Parmi les neuf provinces qui ont affiché une croissance dans la construction non résidentielle, c'est l'Alberta qui a réalisé le gain le plus important, soit 40 %, suivie de la Colombie-Britannique avec 27 %. L'Alberta et la Colombie-Britannique représentaient ensemble environ 80 % de l'augmentation totale des investissements dans le secteur de la construction non résidentielle au Canada.

L'augmentation de la construction non résidentielle s'explique surtout par les investissements en immeubles commerciaux qui ont augmenté de 14 %, passant à 20,4 milliards de dollars. Le fait que la construction d'immeubles à bureaux ait augmenté de 23 % pour atteindre 7,6 milliards est le principal facteur sous-jacent.

La construction d'entrepôts a fait également un bond de près de 29 % pour atteindre 2,7 milliards de dollars. La hausse est probablement attribuable à la baisse des taux d'innocupation des immeubles de bureaux dans les grands centres urbains et aux bons résultats des détaillants et des grossistes, conjugués à la hausse des dépenses de consommation et au développement du commerce international. Les investissements dans les hôpitaux et les cliniques de santé ont progressé de 16 %. Il s'agit de la sixième augmentation annuelle consécutive dans cette catégorie.

Graphique 6.3
Approbations de prêts hypothécaires pour maisons neuves

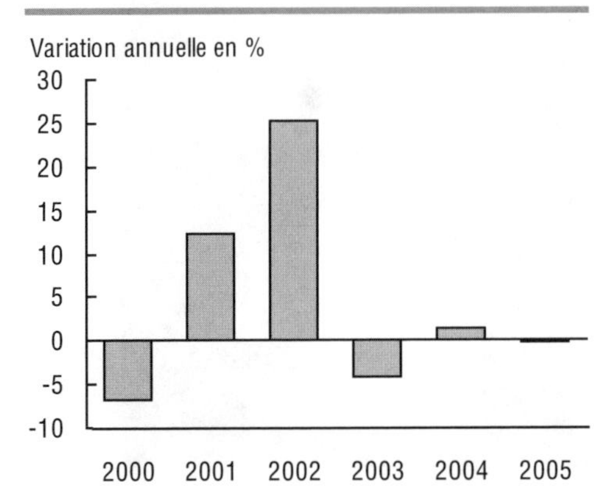

Notes : Les données se limitent aux prêts consentis par la SCHL ou des prêteurs agréés et dont les dossiers sont complets.
Exclut le Nunavut.

Source : Statistique Canada, CANSIM : tableau 027-0017.

Approbations hypothécaires

Les faibles taux d'intérêt ont contribué à motiver plusieurs Canadiens à acheter des maisons et à présenter une demande de prêt hypothécaire pour financer l'achat d'une maison. En fait, la valeur des prêts hypothécaires approuvés par la SCHL et les prêteurs autorisés a augmenté, passant à 182,1 milliards de dollars en 2005, soit une hausse de 11 % par rapport à l'année précédente. Les prêts approuvés ont augmenté de 2 %, et le montant moyen des prêts en 2005 était de 11 % plus élevé qu'en 2004.

En 2005, les prêteurs ont approuvé des prêts pour l'achat de 135 500 unités de logements neufs, soit une faible baisse par rapport aux 135 700 logements en 2004. La plus forte hausse a eu lieu de 2001 à 2002 : le nombre d'unités approuvées est alors passé de 111 700 à 139 900.

Le nombre d'approbations de propriétés résidentielles déjà construites en 2005 est demeuré relativement stable par rapport à 2004, soit 1,1 million d'unités de logement. En 2001, 812 300 unités avaient été approuvées. La plupart des approbations en 2005 concernait des maisons individuelles neuves et déjà construites.

La hausse fulgurante de la valeur des prêts hypothécaires approuvés a également contribué à augmenter le crédit hypothécaire (la dette hypothécaire totale contractée par les Canadiens), qui est passé de 628,6 milliards de dollars en 2005 à 687 milliards de dollars en 2006.

Sources choisies

Statistique Canada

- *Entre le producteur et le détaillant : une revue du commerce de gros en 2005.* Hors série. 11-621-MWF2006040
- *L'Observateur économique canadien.* Mensuel. 11-010-XWB
- *Permis de bâtir.* Mensuel. 64-001-XWF

Autres

- Bureau du recensement des États-Unis
- Institut canadien des courtiers et des prêteurs hypothécaires
- Société canadienne d'hypothèques et de logement

Vieillissement de la main-d'œuvre

Comme de nombreux secteurs, la construction fait appel à une main-d'œuvre vieillissante. Un nombre croissant de baby-boommers travaillent après leur 55e anniversaire ou retournent travailler après la retraite. En outre, les jeunes sont moins nombreux à choisir les métiers du bâtiment.

Le nombre d'emplois dans la construction a constamment augmenté, passant de 824 000 en 2001 à un peu plus de 1 million en 2005. En juillet 2006, il avait atteint un sommet de 1,2 million. La plupart des employés dans ce secteur — y compris les vendeurs, les gestionnaires et les agents de soutien administratif — ont de 25 à 45 ans, leur âge moyen s'établissant à 39,7 ans. L'hébergement et les services de restauration affichent l'âge moyen des effectifs le plus bas (31,8 ans) et l'agriculture, le plus élevé (43,9 ans).

Dans toutes les industries, le nombre de travailleurs de 55 ans et plus a augmenté de 6,2 % de 2004 à 2005, comparativement à une hausse de 0,7 % pour les moins de 55 ans.

En 2001, on comptait 2,7 personnes actives de 20 à 34 ans pour chaque personne active de 55 ans et plus, en baisse par rapport au ratio de 3,7 observé en 1981.

En 1976, 66 000 travailleurs de la construction au Canada avaient 55 ans et plus; en 2005, ce chiffre a plus que doublé pour atteindre 137 000. La construction comptait 143 400 travailleurs de 15 à 24 ans en 1976, mais ce chiffre a diminué pratiquement de moitié pour atteindre 72 000 durant la récession du début des années 1990. En 2005, le nombre de travailleurs de ce groupe d'âge a rebondi pour s'établir à 141 900, soit presque le niveau observé en 1976.

Malgré ce redressement, les jeunes considèrent les métiers spécialisés comme des carrières moins viables et depuis la fin de la Seconde Guerre mondiale, le Canada a compté sur les immigrants pour combler ces emplois. La construction subira vraisemblablement une pénurie de main-d'œuvre, lorsque les baby-boomers arriveront à l'âge de la retraite.

Graphique 6.4
Âge moyen des salariés, certaines industries

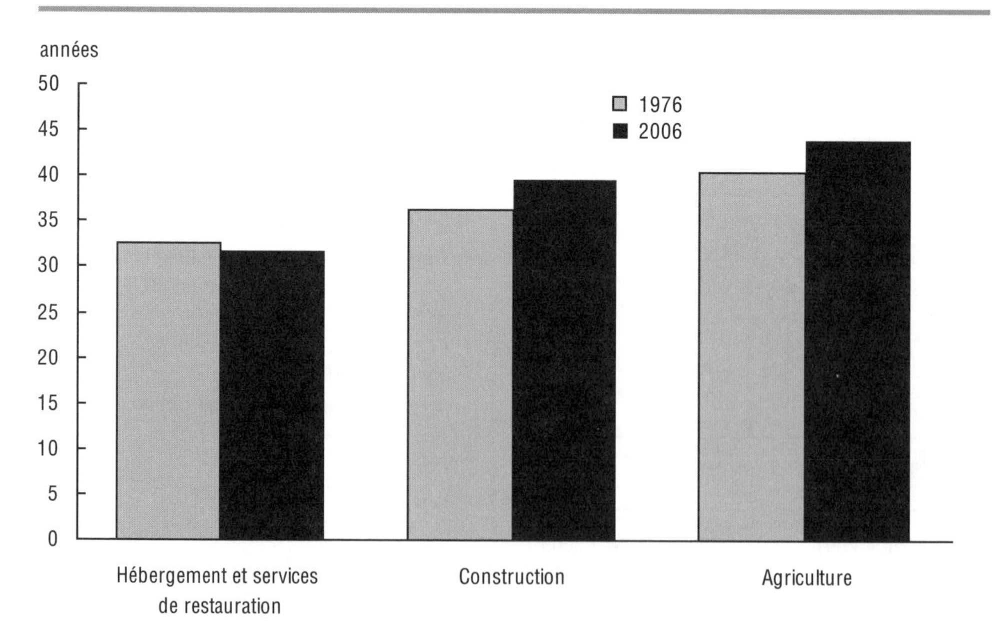

Source : Statistique Canada, Enquête sur la population active.

Matériaux de construction : recul

Les propriétaires entreprenant des rénovations tendent à acheter leurs matériaux de construction dans les magasins à grande surface ou les détaillants spécialisés, par exemple les marchands de bois. Les entreprises de construction résidentielle achètent le bois d'œuvre, l'acier et les autres produits auprès de grossistes.

En 2005, les grossistes de matériaux de construction ont enregistré des ventes de plus de 66 milliards de dollars, en hausse de 8,5 % par rapport à 2004 : cela représente toutefois moins de la moitié du taux de 20,0 % observé en 2003.

Les ventes de bois d'œuvre ont monté de 2,5 %, atteignant 13 milliards de dollars; il s'agit d'une fraction de la progression de 23,8 % relevée en 2004. Ce recul est attribuable en partie au prix du bois d'œuvre ayant fléchi de 5,0 %. La capacité de production excédentaire en Amérique du Nord et l'intensification de la concurrence mondiale ont aussi contribué à cette tendance. L'évolution des marchés de l'habitation aux États-Unis et au Canada expliquent aussi ces résultats. D'abord, les entreprises américaines construisent davantage d'immeubles à logements multiples exigeant moins de bois d'œuvre. Ensuite, le nombre de mises en chantier résidentielles au Canada s'est replié de 3,4 % en 2005.

Les produits métalliques (les câblages et l'acier de construction) ont affiché une progression inférieure à celle du bois d'œuvre en 2005. Les grossistes de produits métalliques ont déclaré des ventes de 14 milliards de dollars, en hausse de seulement 7,1 %, comparativement à la croissance de 33,3 % en 2004. Les prix ont commencé à plafonner en 2005 après l'entrée en scène de la Chine dans la production de l'acier.

Les grossistes de matériaux comme la peinture ou la quincaillerie ont continué d'afficher de bons résultats, leurs ventes s'élevant à plus de 39 milliards de dollars en 2005. Il s'agit d'une croissance de 11,2 %, en baisse légère par rapport à la progression de 14,7 % en 2004. Ces grossistes ont connu une période de croissance quasi ininterrompue depuis l'automne 2003 en raison de la performance du marché de la rénovation et de la construction.

Graphique 6.5
Commerce de gros, taux de croissance des ventes de matériaux de construction

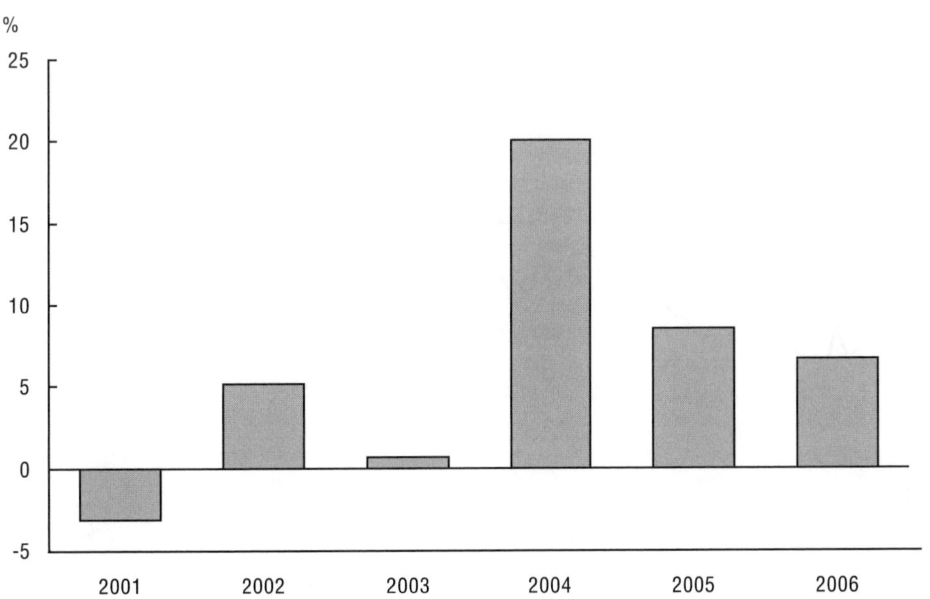

Note : Système de classification des industries de l'Amérique du Nord 2002, agrégation spéciale.
Source : Statistique Canada, CANSIM : tableau 081-0010.

Construction en Amérique du Nord

La construction en Amérique du Nord connaît-elle une période de prospérité ou d'austérité? La réponse dépend de la région et du secteur.

En 2006, le secteur de l'habitation au Canada a profité de faibles taux hypothécaires avantageux, d'un marché du travail robuste, d'un niveau élevé de confiance des consommateurs et d'une forte demande de logements dans l'Ouest du pays. De 2005 à 2006, la construction résidentielle a augmenté de 8,5 % pour atteindre 79,8 milliards de dollars, et ce, malgré une baisse de 2,4 % d'unités approuvées par les municipalités.

Aux États-Unis, en revanche, le secteur de l'habitation a ralenti, malgré les taux hypothécaires avantageux, la croissance soutenue des dépenses de consommation, l'augmentation du revenu réel disponible et le niveau élevé de confiance des consommateurs. De 2005 à 2006, la construction de logements n'a diminué que de 1,9 % aux États-Unis, alors que le nombre des permis de bâtir des habitations privées a chuté de 14,9 %, des baisses supérieures à la moyenne ayant été accusées dans le Midwest américain (-19,3 %) et dans l'Ouest du pays (-19,0 %). Le fléchissement de l'habitation a été la cause principale du ralentissement de la croissance économique aux États-Unis.

En 2006, l'économie canadienne est restée propice à la construction non résidentielle. La valeur des permis de bâtir non résidentiels a bondi de 14,5 % par rapport à 2005, grâce à la vigueur des ventes au détail, à la baisse du taux d'inoccupation des bureaux, aux faibles taux d'intérêt et aux bénéfices records des sociétés. Aux États-Unis, la construction non résidentielle a grimpé de 13,3 %, celle-ci n'ayant pas subi les contrecoups du repli du marché de l'habitation et de l'offre excédentaire de logements.

L'Alberta et la Colombie-Britannique ont animé le boom de la construction au Canada. L'Alberta connaît une période de croissance économique sans précédent, grâce aux énormes entrées de fonds découlant de la hausse des cours du pétrole et des investissements de capitaux.

Graphique 6.6
Permis de bâtir, unités de logements, Canada et États-Unis

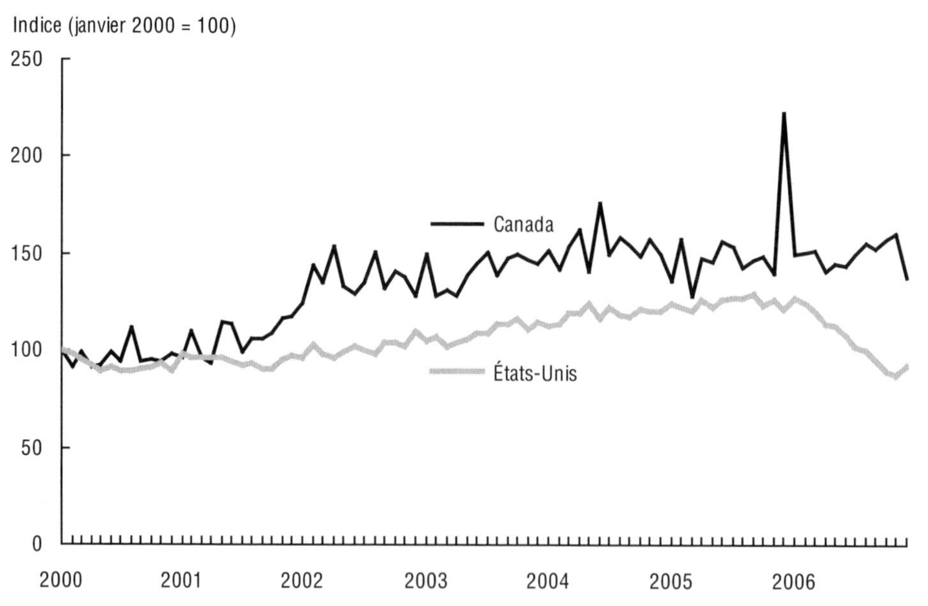

Sources : Statistique Canada, CANSIM : tableau 026-0010; United States Census Bureau; et Department of Housing and Urban Development.

Boom de la construction dans l'Ouest

Les deux principales provinces de l'Ouest, l'Alberta et la Colombie-Britannique, ont poursuivi leur expansion économique en 2006. L'essor dans le secteur des ressources naturelles et le commerce avec l'Asie ont stimulé l'économie en Colombie-Britannique, qui a enregistré son taux de chômage le plus faible depuis 30 ans. Quant à l'Alberta, sa population a augmenté de plus de 98 000 par rapport à 2005, grâce à l'abondance des emplois dans les ressources naturelles. Ce dynamisme, ainsi que les faibles taux d'intérêt, ont donné un élan à la demande de nouvelles maisons dans les deux provinces.

En Colombie-Britannique, la construction résidentielle a entamé, en 2006, sa sixième année consécutive d'expansion, c'est-à-dire la plus longue période de croissance continue depuis 1985 à 1989. Le nombre de mises en chantier résidentielles a bondi, passant de 14 400 en 2000 à 36 400 en 2006.

L'Alberta a enregistré 48 962 mises en chantier résidentielles en 2006 — le plus haut niveau depuis 1978. Calgary a affiché la plus forte augmentation, soit 25 % par rapport à 2005. La progression de la construction résidentielle et non résidentielle a entraîné une pénurie de travailleurs dans les métiers du bâtiment. Cependant, les nouvelles perspectives d'emploi dans la construction ont commencé à attirer les travailleurs d'autres secteurs comme l'agriculture, la fabrication et l'hébergement ainsi que les services de restauration.

En 2006, les salaires ont continué d'augmenter pour tenir compte du besoin de travailleurs de la construction. Le salaire syndical de base d'un charpentier de Calgary était de 27,50 $ l'heure en 2001; il a augmenté pour s'établir à 31,04 $ l'heure à la fin de 2006.

À Winnipeg, où la demande de nouvelles constructions n'est pas aussi intense que dans les autres villes, le salaire moyen d'un charpentier s'établissait à 24,07 $ l'heure à la fin de 2006, ce qui représente une légère hausse par rapport au taux horaire de 23,70 $ observé en 2001.

Graphique 6.7
Logements mis en chantier, Alberta et Colombie-Britannique

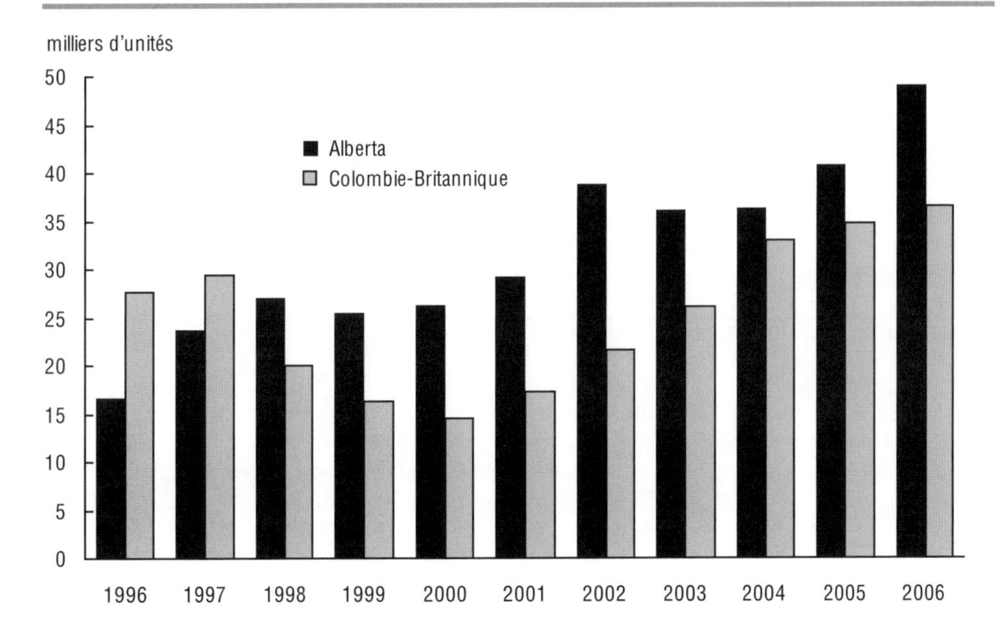

Source : Statistique Canada, CANSIM : tableau 027-0008.

Tableau 6.1 Logements mis en chantier, par province, 1992 à 2006

	1992	1993	1994	1995	1996	1997
	nombre					
Canada	**168 271**	**155 443**	**154 057**	**110 933**	**124 713**	**147 040**
Terre-Neuve-et-Labrador	2 271	2 405	2 243	1 712	2 034	1 696
Île-du-Prince-Édouard	644	645	669	422	554	470
Nouvelle-Écosse	4 673	4 282	4 748	4 168	4 059	3 813
Nouveau-Brunswick	3 310	3 693	3 203	2 300	2 722	2 702
Québec	38 228	34 015	34 154	21 885	23 220	25 896
Ontario	55 772	45 140	46 645	35 818	43 062	54 072
Manitoba	2 310	2 425	3 197	1 963	2 318	2 612
Saskatchewan	1 869	1 880	2 098	1 702	2 438	2 757
Alberta	18 573	18 151	17 692	13 906	16 665	23 671
Colombie-Britannique	40 621	42 807	39 408	27 057	27 641	29 351

Source : Statistique Canada, CANSIM : tableau 027-0009.

Tableau 6.2 Valeur des permis de bâtir, par province et territoire, 1992 à 2006

	1992	1993	1994	1995	1996	1997
	millions de dollars					
Canada	**26 957,1**	**25 586,3**	**27 636,7**	**24 589,3**	**26 155,4**	**30 838,2**
Terre-Neuve-et-Labrador	242,5	255,4	262,7	201,7	224,1	213,6
Île-du-Prince-Édouard	132,1	112,5	112,7	95,2	95,8	110,0
Nouvelle-Écosse	604,9	594,9	669,2	619,6	689,0	630,7
Nouveau-Brunswick	453,7	427,4	440,5	487,9	441,1	459,0
Québec	5 207,2	5 375,6	5 898,5	4 947,4	4 938,0	5 133,2
Ontario	9 962,9	8 774,7	10 001,3	9 192,2	9 597,6	12 888,7
Manitoba	541,2	528,6	685,3	525,4	592,3	689,6
Saskatchewan	323,1	326,8	372,3	478,2	543,0	626,8
Alberta	3 105,6	2 713,5	2 740,5	2 506,6	2 883,1	4 446,3
Colombie-Britannique	6 255,5	6 389,2	6 317,9	5 401,4	6 053,1	5 543,8
Yukon	71,2	42,2	51,0	74,0	51,8	49,6
Territoires du Nord-Ouest (incluant le Nunavut)	57,1	45,7	84,9	59,6	46,6	46,9
Territoires du Nord-Ouest	..	..	..	..	..	..
Nunavut	..	..	..	..	..	..

Source : Statistique Canada, CANSIM : tableau 026-0003.

1998	1999	2000	2001	2002	2003	2004	2005	2006
				nombre				
137 439	**149 968**	**151 653**	**162 733**	**205 034**	**218 426**	**233 431**	**225 481**	**227 395**
1 450	1 371	1 459	1 788	2 419	2 692	2 870	2 498	2 234
524	616	710	675	775	814	919	862	738
3 137	4 250	4 432	4 092	4 970	5 096	4 717	4 775	4 896
2 447	2 776	3 079	3 462	3 862	4 489	3 947	3 959	4 085
23 138	25 742	24 695	27 682	42 452	50 289	58 448	50 910	47 877
53 830	67 235	71 521	73 282	83 597	85 180	85 114	78 795	73 417
2 895	3 133	2 560	2 963	3 617	4 206	4 440	4 731	5 028
2 965	3 089	2 513	2 381	2 963	3 315	3 781	3 437	3 715
27 122	25 447	26 266	29 174	38 754	36 171	36 270	40 847	48 962
19 931	16 309	14 418	17 234	21 625	26 174	32 925	34 667	36 443

1998	1999	2000	2001	2002	2003	2004	2005	2006
				millions de dollars				
33 340,8	**35 736,1**	**36 950,1**	**40 856,1**	**47 262,1**	**50 772,0**	**55 578,6**	**60 750,7**	**66 265,8**
252,7	296,8	282,9	298,3	383,3	421,0	501,2	494,1	538,4
116,1	140,9	98,8	217,2	146,2	178,1	223,8	244,0	207,0
637,1	907,2	878,5	699,9	877,3	1 014,1	1 125,8	1 188,0	1 291,4
481,0	481,2	484,6	535,1	663,8	696,3	797,3	829,0	933,3
5 897,4	5 939,6	6 272,0	7 571,1	8 628,4	10 090,9	11 629,6	11 288,0	11 878,3
13 839,8	16 732,5	17 556,5	19 069,3	22 281,4	23 235,2	23 905,3	24 129,6	23 292,2
1 031,8	879,4	853,9	739,2	888,9	1 065,0	1 150,4	1 128,5	1 378,8
672,9	721,6	609,0	703,3	708,6	772,6	770,0	905,7	1 138,6
5 552,2	4 801,9	5 296,4	5 911,7	6 846,5	6 667,2	7 327,1	10 201,7	13 875,7
4 739,6	4 695,5	4 492,0	4 954,8	5 659,4	6 394,2	7 938,7	10 182,9	11 541,5
39,9	48,8	55,5	49,8	31,3	52,6	75,9	77,3	95,6
80,2	..	90,6	..	..	..	..	..	..
..	..	23,0	76,0	91,6	86,2	105,3	68,7	37,7
..	..	47,2	30,4	55,4	98,6	28,1	13,2	57,4

Tableau 6.3 Investissement en construction de bâtiments non résidentiels, par région métropolitaine de recensement, 2002 à 2006

	2002	2003	2004	2005	2006
	millions de dollars courants, non désaisonnalisé				
Ensemble des régions métropolitaines de recensement	**19 163,6**	**19 475,6**	**20 810,9**	**22 498,5**	**25 350,2**
St. John's	156,2	167,5	188,2	244,3	222,5
Halifax	179,0	233,9	306,1	461,0	601,3
Saint John	57,5	70,4	95,3	72,6	103,4
Saguenay	119,6	135,6	97,3	91,3	124,3
Québec	508,7	494,0	546,7	624,3	637,2
Sherbrooke	133,2	131,7	124,6	111,8	150,0
Trois-Rivières	109,6	168,4	145,9	103,1	131,3
Montréal	3 059,1	2 742,9	2 868,4	2 889,9	2 756,4
Ottawa–Gatineau	1 544,8	1 522,1	1 348,5	1 280,0	1 580,0
Partie québécoise	171,0	225,7	185,6	242,7	187,4
Partie ontarienne	1 373,8	1 296,4	1 162,9	1 037,3	1 392,7
Kingston	120,9	163,6	141,5	162,3	116,0
Oshawa	263,9	411,8	485,2	488,2	387,5
Toronto	4 772,7	5 034,4	6 188,3	6 435,6	6 252,9
Hamilton	693,3	698,6	741,1	571,8	621,2
St. Catharines–Niagara	405,2	407,4	356,5	281,7	275,1
Kitchener	693,2	584,2	534,5	635,7	503,2
London	547,2	614,3	535,8	561,5	424,3
Windsor	393,2	403,7	303,7	279,8	328,2
Greater Sudbury / Grand Sudbury	174,8	170,5	91,8	132,5	115,9
Thunder Bay	173,6	148,5	118,8	94,6	112,8
Winnipeg	420,4	557,7	659,9	684,7	884,5
Regina	180,0	233,4	226,7	232,0	316,7
Saskatoon	270,9	230,0	219,8	258,3	404,0
Calgary	1 222,1	1 234,4	1 357,8	1 828,7	2 653,2
Edmonton	942,0	898,5	1 002,5	1 248,3	1 683,1
Abbotsford	153,5	103,9	80,3	140,2	261,1
Vancouver	1 619,5	1 628,4	1 685,1	2 327,3	2 807,7
Victoria	249,4	285,8	360,4	257,0	341,0

Source : Statistique Canada, CANSIM : tableau 026-0016.

Tableau 6.4 Dépenses en immobilisations pour la construction, par secteur, 2003 à 2007

	Dépenses réelles			Dépenses réelles provisoires	Perspectives
	2003	2004	2005	2006[1]	2007[2]
	millions de dollars				
Canada	**136 763,6**	**154 125,2**	**171 964,8**	**193 276,3**	**202 392,2**
Agriculture, foresterie, pêche et chasse	1 471,0	1 476,2	1 359,4	1 330,2	1 342,6
Extraction minière et extraction de pétrole et de gaz	24 588,2	29 942,4	39 397,4	45 938,8	43 714,6
Services publics	8 534,4	8 843,5	9 861,4	12 357,2	15 218,0
Construction	444,1	500,5	531,0	571,0	618,3
Fabrication	2 870,6	2 611,6	2 235,7	2 326,8	2 484,2
Commerce de gros	983,4	900,8	1 106,7	1 281,3	1 433,1
Commerce de détail	2 894,4	4 063,5	3 665,8	3 918,5	4 194,1
Transport et entreposage	3 543,1	3 510,7	3 966,3	5 483,5	6 454,9
Industrie de l'information et industrie culturelle	2 243,1	2 411,1	2 693,5	2 238,4	2 216,5
Finance et assurances	580,0	525,9	809,0	637,5	871,3
Services immobiliers et services de location et de location à bail	2 713,4	3 308,3	3 550,1	4 739,9	5 601,6
Services professionnels, scientifiques et techniques	332,9	358,2	330,8	441,8	450,4
Gestion de sociétés et d'entreprises	25,1	43,4	26,5	22,2	32,0
Services administratifs, services de soutien, services de gestion des déchets et services d'assainissement	205,2	214,2	248,8	248,8	325,7
Services d'enseignement	4 358,4	4 355,1	4 707,7	5 088,0	5 496,3
Soins de santé et assistance sociale	3 371,2	3 061,0	3 708,7	4 099,4	4 459,7
Arts, spectacles et loisirs	518,3	901,7	692,6	610,1	1 336,4
Hébergement et services de restauration	1 099,1	1 231,5	1 508,6	1 750,2	1 820,5
Logement	61 607,5	70 060,2	73 574,9	79 857,2	80 971,1
Administrations publiques	13 978,2	15 316,1	17 511,6	19 851,5	22 857,6
Autres services (excluant les administrations publiques)	402,0	489,1	478,4	483,9	493,6

Notes : L'Enquête sur les dépenses en immobilisations recueille des données sur les intentions d'investissements en immobilisations et les dépenses pour les deux années précédentes.
Système de classification des industries de l'Amérique du Nord, 2002.

1. Les données reflètent les estimations provisoires des dépenses en immobilisations pour 2006.
2. Les données reflètent les perspectives des dépenses en immobilisations pour 2007.

Source : Statistique Canada, CANSIM : tableau 029-0005.

Tableau 6.5 Population active employée dans la construction, par province, 2001 à 2006

	2001	2002	2003	2004	2005	2006
	milliers					
Canada	**824,3**	**865,2**	**906,0**	**951,7**	**1 019,5**	**1 069,7**
Terre-Neuve-et-Labrador	10,5	9,3	9,5	11,7	12,4	12,9
Île-du-Prince-Édouard	4,5	4,3	4,2	4,1	4,7	5,7
Nouvelle-Écosse	24,6	24,0	24,5	28,2	27,7	27,3
Nouveau-Brunswick	18,7	19,7	19,2	19,4	18,6	21,1
Québec	137,6	153,4	162,9	164,5	179,2	186,1
Ontario	336,3	344,5	369,1	367,6	394,8	405,2
Manitoba	27,1	26,0	26,9	27,7	28,2	29,9
Saskatchewan	23,1	24,8	23,3	24,0	26,3	29,6
Alberta	131,3	141,4	146,6	160,5	159,7	172,6
Colombie-Britannique	110,7	118,1	119,8	144,0	168,0	179,3

Note : Données annuelles.
Source : Statistique Canada, CANSIM : tableau 282-0008.

Tableau 6.6 Production de matériaux de construction, 2002 à 2006

	2002	2003	2004	2005	2006
	milliers de mètres cubes				
Bois d'œuvre sec	79 803,7	79 319,3	84 589,6	82 888,9	80 870,4
	milliers de paquets métriques				
Bardeaux d'asphalte, toutes dimensions	43 391,0	39 747,0	43 639,0	40 284,7	44 590,3
	milliers de tonnes métriques				
Ciment	13 081,0	13 418,0	13 862,9	14 179,4	14 335,5
Tuyaux et tubes en aciers	2 220,1	2 431,6	2 647,2	2 837,1	2 948,5

Note : Classification type des biens.
Source : Statistique Canada, CANSIM : tableaux 303-0001, 303-0003, 303-0006, 303-0009, 303-0046, 303-0052 et 303-0060.

Crime et justice

7

SURVOL

L'application des lois touche tous les Canadiens, que l'on pense à l'agent de police qui procède à une arrestation dans une petite ville canadienne ou à la Gendarmerie royale du Canada qui assure la sécurité sur la Colline du Parlement. C'est aussi une activité coûteuse pour les administrations publiques : en 2002-2003, les administrations fédérale, provinciales, territoriales et municipales ont déboursé plus de 12 milliards de dollars dans les services de police, les tribunaux, l'aide juridique, les poursuites criminelles et les services correctionnels pour adultes. (Étant donné que tous les ordres du gouvernement contribuent à absorber les frais juridiques, le calcul du coût total est plutôt laborieux.) Les services de police ont représenté 61 % des frais juridiques : les services correctionnels pour adultes, 22 %; les tribunaux, 9 %; l'aide juridique, 5 % et les poursuites criminelles, 3 %.

L'ampleur de la criminalité est mesurée en fonction du taux de criminalité, c'est-à-dire le nombre d'incidents signalés pour 100 000 habitants au cours d'une année. En 2005, le taux de criminalité au Canada se situait à 7 761 infractions pour 100 000 habitants, en baisse de 5 % par rapport à 2004.

Le taux de criminalité a baissé principalement en raison de la diminution des crimes sans violence, tels que les délits de contrefaçon, les introductions par effraction et les vols de véhicules automobiles. Les services de police ont déclaré une diminution de 6 % des crimes contre les biens, de 7 % des vols de véhicules automobiles ainsi que des introductions par effraction, tandis que les vols de moins de 5 000 $ ont baissé de 6 %.

Les crimes graves avec violence ont représenté 12 % des infractions au *Code criminel*. En 2005, le taux d'homicide a augmenté à son plus haut niveau en 9 ans, mais le taux global de crimes violents (tentatives de meurtre, voies de fait, vols qualifiés, agressions sexuelles et autres infractions sexuelles et enlèvements) est demeuré stable.

Les taux provinciaux de criminalité vont d'un minimum de 5 780 cas pour 100 000 habitants

Graphique 7.1
Crimes de violence selon la province

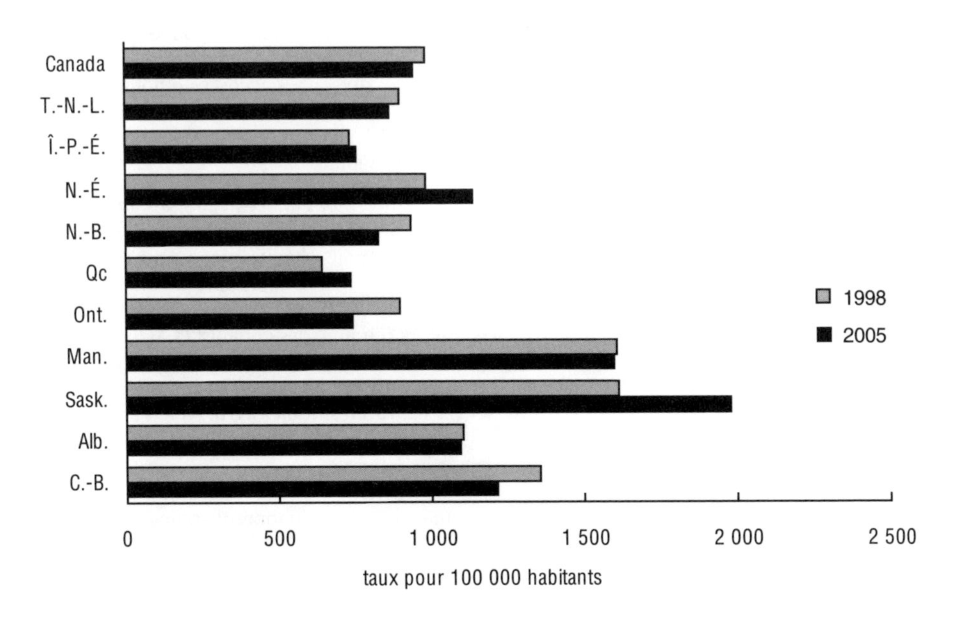

Source : Statistique Canada, CANSIM : tableau 252-0013.

en Ontario à un maximum de 14 320 cas en Saskatchewan. Pour une huitième année consécutive, la Saskatchewan a affiché le taux de crimes avec violence le plus élevé de toutes les provinces, soit un taux de 24 % supérieur à celui du Manitoba, qui se classe au deuxième rang. Même si le Québec a enregistré une hausse de 2 % des crimes avec violence en 2005, il a déclaré les taux les plus faibles à ce chapitre au cours de la dernière décennie parmi les autres provinces.

Augmentation du taux d'homicide

Les services de police ont rapporté 658 homicides en 2005, soit environ 2 victimes pour 100 000 habitants. Après avoir atteint en 2003 une baisse sans précédent en 30 ans, le taux d'homicide au Canada a grimpé de 4 % en 2005 pour gagner un sommet inégalé depuis une décennie. Les plus fortes hausses du nombre d'homicides ont été observées en Ontario (31 homicides de plus qu'en 2004) et en Alberta (23 homicides de plus).

Les victimes d'homicide sont plus susceptibles d'être tuées par une personne de leur entourage que par un étranger. Dans les 478 cas d'homicides résolus, environ 50 % des victimes ont été tuées par une connaissance, environ 30 %, par un membre de la famille et environ 20 %, par un étranger.

Graphique 7.2
Homicides au Canada

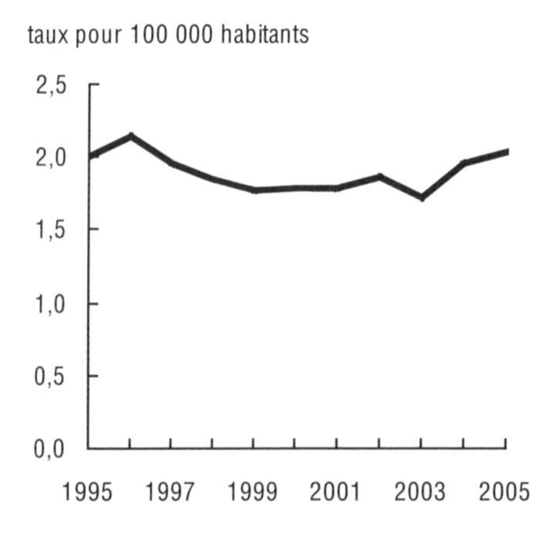

Source : Statistique Canada, CANSIM : tableau 252-0013.

Crimes de violence

	2004	2005
	% de crimes de violence	
Total	**100,0**	**100,0**
Homicide	0,2	0,2
Tentative de meurtre	0,2	0,3
Voies de fait (niveaux 1 à 3)[1]	77,5	77,1
Agression sexuelle	7,6	7,7
Autres infractions d'ordre sexuel	0,9	0,9
Vol qualifié	9,1	9,4
Autres crimes de violence[2]	4,5	4,4

1. Constitue une infraction commise par une personne qui applique intentionnellement de la force sans le consentement du plaignant, tente ou menace d'employer la force contre une personne, ou porte une arme (ou une imitation d'arme) ou aborde ou importune une personne.
2. Comprend les lésions corporelles, les décharges d'armes à feu intentionnelles, les enlèvements, les voies de fait contre un agent de police, les voies de fait contre un autre agent de la paix ou un fonctionnaire public ainsi que les autres voies de fait.

Source : Statistique Canada, CANSIM : tableau 252-0013.

En 2005, les homicides ont fait sensiblement plus de victimes chez les hommes que chez les femmes, 480 contre 178. Le plus haut taux de victimes chez les hommes est relevé dans le groupe des 25 à 29 ans, tandis que chez les femmes, il est observé dans le groupe des 30 à 39 ans. En outre, les hommes ont représenté les neuf dixièmes des personnes accusées d'homicide, et le taux des accusés a atteint un sommet dans le groupe des 18 à 24 ans, tant chez les hommes que chez les femmes.

Depuis le milieu des années 1980, les armes à feu sont utilisées dans environ le tiers des homicides commis chaque année. En 2005, 222 victimes d'homicide au Canada ont été tuées par une arme à feu, soit 49 de plus qu'en 2004. Le nombre d'homicides commis à l'aide d'une arme à feu a augmenté dans toutes les régions, sauf au Manitoba, en Colombie-Britannique et dans les territoires. Toutefois, le type d'armes à feu employées dans les homicides a changé depuis le début des années 1970. L'usage des carabines et des fusils de chasse a constamment diminué, alors que les armes de poing ont gagné du terrain.

Si l'on ne tient pas compte des homicides, les armes à feu sont rarement utilisées dans la plupart des autres crimes au Canada.

Homicides attribuables à des gangs

On dispose de très peu de données sur les activités des gangs au Canada. Et si l'on admet généralement que le crime organisé existe au Canada, on ne connaît pas la portée de ce phénomène. Les homicides attribuables à des gangs — qui découlent des activités du crime organisé et des gangs de rue — ont augmenté constamment, passant de 4 % de tous les homicides en 1994 à 15 % en 2003, pour ensuite retomber à 11 % en 2004. En 2005, toutefois, le nombre d'homicides attribuables à des gangs a grimpé de nouveau pour atteindre 107, soit 16 % de l'ensemble des homicides. La hausse la plus marquée est survenue en Ontario, où le nombre d'homicides attribuables à des gangs a doublé, passant de 14 en 2004 à 31 en 2005.

En 2005, c'est à Toronto (23), Edmonton (16), Montréal (15) et Calgary (9) que l'on a relevé le plus d'homicides attribuables à des gangs. De tous les homicides attribuables à des gangs, 69 % ont été commis à l'aide d'une arme à feu, généralement une arme de poing, contre 27 % dans le cas des autres homicides.

Baisse de la criminalité des jeunes

En 2005, le taux de criminalité des jeunes, c'est-à-dire des personnes de 12 à 17 ans, a chuté de 6 % par rapport à 2004, et le taux de crimes avec violence perpétrés par des jeunes a diminué de 2 %. Au cours de la même période, le taux de jeunes inculpés a fléchi de 6 % et celui des infractions classées sans mise en accusation chez les jeunes a baissé de 7 %. Les modifications apportées à la législation — par exemple, l'adoption de la *Loi sur le système de justice pénale pour les adolescents* (LSJPA) en 2003 — peuvent avoir une incidence considérable sur le nombre de jeunes dont les cas sont réglés par des mesures extrajudiciaires. La LSJPA comporte des dispositions législatives permettant aux jeunes ayant commis des infractions moins graves de ne pas passer par les tribunaux ou les établissements de détention, tandis que ceux qui ont commis des délits plus graves doivent purger une peine de plus longue durée.

Graphique 7.3
Jeunes accusés d'un crime

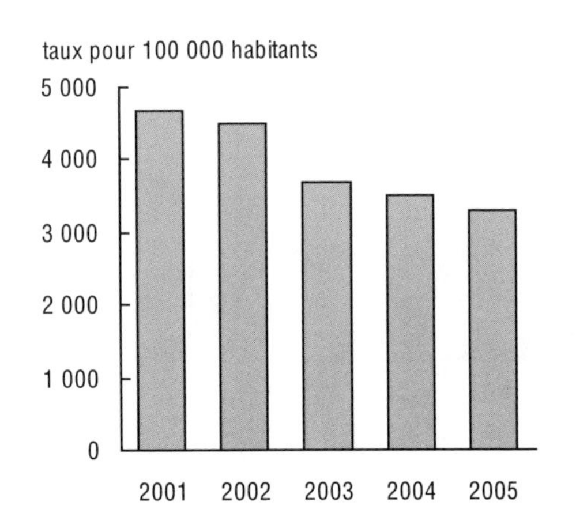

Source : Statistique Canada, CANSIM : tableau 252-0014.

Depuis l'adoption de la LSJPA, la proportion de jeunes contre lesquels des accusations formelles ont été portées a diminué, passant de 56 % en 2002 — lorsque la *Loi sur les jeunes contrevenants* était encore en vigueur — à 43 % en 2005.

Les jeunes accusés ne sont pas toujours officiellement inculpés, même si les services de police ont suffisamment d'éléments de preuve pour le faire. Lorsqu'il s'agit de porter une accusation formelle, les services de police ont plusieurs possibilités : ils ont le choix de ne prendre aucune mesure, de donner un avertissement informel, de diriger le jeune vers des programmes communautaires ou de lui donner un avertissement formel.

Sources choisies

Statistique Canada

- *Juristat.* Irrégulier. 85-002-XIF.
- *La violence familiale au Canada : un profil statistique.* Annuel. 85-224-XIF.
- *Les ressources policières au Canada.* Annuel. 85-225-XIF.
- *Mesure de la violence faite aux femmes : Tendances statistiques.* Hors série. 85-570-XIF.
- *Pensions alimentaires pour les enfants et le conjoint : les statistiques de l'Enquête sur l'exécution des ordonnances alimentaires.* Annuel. 85-228-XIF.

Exécution des ordonnances alimentaires

Les personnes séparées ou divorcées peuvent éprouver des difficultés à toucher les pensions alimentaires pour les enfants et le conjoint imposées par les tribunaux. Les lignes directrices fédérales sur les pensions alimentaires insistent sur l'obligation des deux conjoints de soutenir financièrement les enfants après une séparation.

On estime que la moitié des ordonnances des tribunaux et des ententes volontaires en matière de paiement des pensions alimentaires pour les enfants et le conjoint sont maintenant inscrites auprès de programmes d'exécution des ordonnances alimentaires (PEOA). Même si les PEOA visent à aider les parents à obtenir ces pensions, il faudra continuer à recourir aux tribunaux pour traiter les cas plus difficiles. Les pensions alimentaires pour enfants représentent plus de 90 % des cas assujettis à un PEOA.

Près de 407 800 cas étaient inscrits à un PEOA en mars 2006, et ces chiffres ne comprennent pas Terre-Neuve-et-Labrador, le Manitoba et le Nunavut. Les profils des clients et les responsabilités assumées, les pouvoirs et les pratiques d'exécution, les procédures d'inscription et le mode de traitement des paiements varient d'une province ou d'un territoire à l'autre. En outre, les cas ne sont pas tous automatiquement inscrits à un PEOA.

La majorité des cas inscrits à un PEOA exige le paiement mensuel d'une pension alimentaire qui porte sur des montants de 400 $ ou moins. Moins de 5 % des cas se caractérisent par des paiements mensuels supérieurs à 1 000 $ et, dans la plupart des cas (soit de 56 % à 78 %), les paiements mensuels réguliers sont effectivement acquittés.

En mars 2006, la proportion de cas ayant des arriérés lors de l'inscription variait de 46 % à 72 %. Toutefois, dans de nombreux cas, le payeur avait soit intégralement remboursé ses arriérés, soit diminué le montant exigible au 31 mars 2006. Le montant alors recueilli dans le cadre des PEOA de sept provinces, sous forme de paiements réguliers principalement au bénéfice des enfants, s'est élevé à 604 millions de dollars, excluant le paiement des arriérés.

Graphique 7.4
Cas d'exécution des ordonnances alimentaires selon le montant mensuel régulier, certaines provinces, 2006

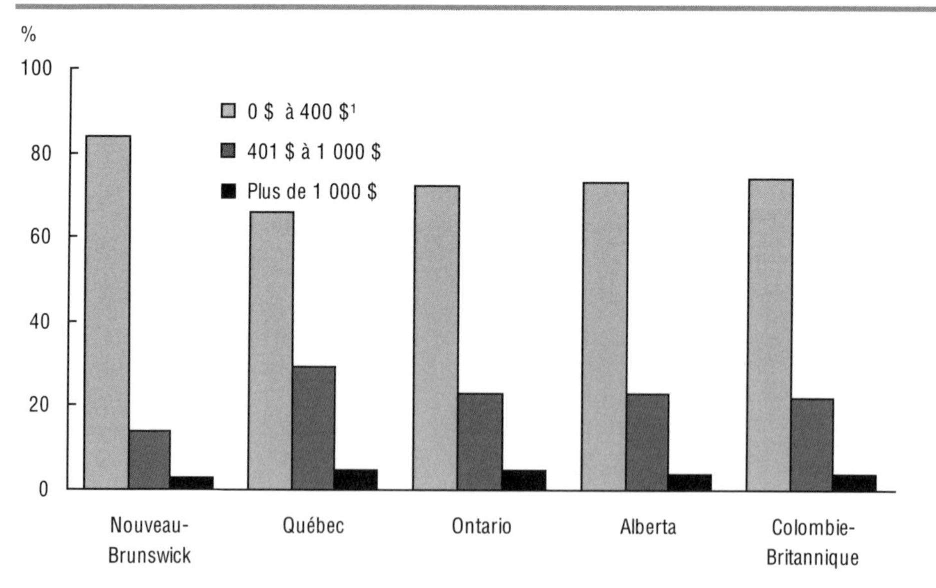

Note : Paiement dû au 31 mars.

1. Certains cas peuvent afficher un montant de 0 $ parce qu'aucun montant n'est régulièrement dû, il n'y a que des arriérés ou les paiements sont effectués selon une périodicité différente, comme trimestriellement.

Source : Statistique Canada, produit nº 85-228-XIF au catalogue.

Violence faite aux femmes

Les femmes sont plus susceptibles que les hommes d'être victimes des formes les plus graves de violence conjugale, notamment d'homicide entre conjoints, d'agression sexuelle et de harcèlement criminel. Alors que les hommes sont plus susceptibles d'être tués, agressés physiquement ou volés par des étrangers ou des connaissances dans un lieu public, les femmes sont plus à risque d'être victimisées dans leur propre domicile par un partenaire intime.

De 1975 à 2004, les homicides entre conjoints ont fait plus de trois fois plus de victimes chez les femmes que chez les hommes : 2 178 femmes contre 638 hommes. Durant cette période, les hommes ont été deux fois plus susceptibles que les femmes d'être inculpés de meurtre au premier degré dans des cas d'homicide entre conjoints.

Selon les données de l'Enquête sociale générale (ESG) de 1999 et de 2004, moins du tiers des répondants ayant déclaré être victimes de violence conjugale s'étaient adressés à la police pour obtenir de l'aide. Les raisons de ne pas signaler l'acte violent à la police étaient semblables pour les deux sexes, mais beaucoup plus d'hommes que de femmes ont dit qu'ils n'avaient pas signalé l'affaire parce qu'ils ne voulaient pas que quelqu'un d'autre découvre la violence (44 % contre 27 %).

En 2004, 86 % des victimes d'infractions d'ordre sexuel déclarées à la police étaient des femmes. Les données révèlent constamment que les femmes de moins de 25 ans sont les plus à risque d'agression sexuelle. En 2005, les services policiers ont déclaré plus de 23 000 agressions sexuelles et le taux d'agression sexuelle est resté stable par rapport à 2004. Toutefois, selon les données de l'ESG de 2004, 88 % des agressions sexuelles ne sont pas signalées.

Les femmes sont plus susceptibles que les hommes d'être victimes de harcèlement criminel. Selon les données provenant de 68 services de police, les actes de harcèlement criminel ont augmenté constamment de 1998 à 2004. Si cette hausse peut indiquer une montée du harcèlement criminel, elle peut également s'expliquer par une augmentation des signalements ou par des changements dans l'application de la loi.

Graphique 7.5
Types de violence selon le sexe de la victime, 2004

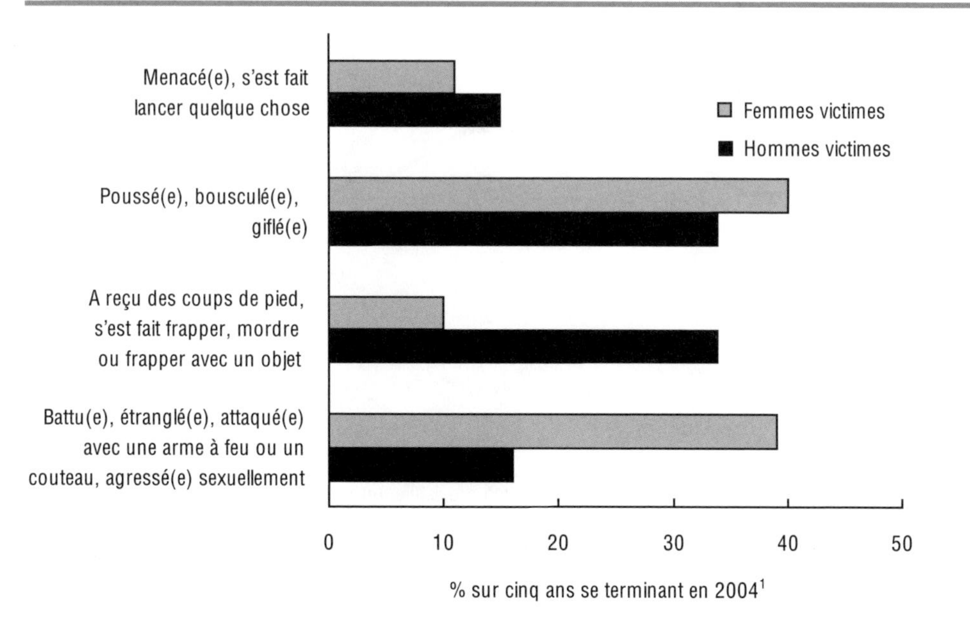

1. Population âgée de 15 ans et plus.
Source : Statistique Canada, produit nº 85-570-XIF au catalogue.

Évolution de la population en détention

La composition de la population des adultes détenus dans le système correctionnel des provinces et des territoires s'est considérablement modifiée depuis les années 1980. Pour la première fois au Canada, le nombre d'adultes en détention provisoire ou de ceux détenus temporairement pour d'autres raisons et le nombre d'adultes en détention après condamnation étaient pratiquement égaux.

En 2005, les prisons provinciales et territoriales comptaient, un jour type, quelque 9 800 adultes condamnés à une peine de détention et 9 900 adultes en détention provisoire ou détenus temporairement pour d'autres raisons. Une décennie plus tôt, les contrevenants purgeant une peine d'emprisonnement représentaient 72 % des détenus dans les prisons provinciales et territoriales, les autres (28 %) étaient en détention provisoire. Il s'agit là d'une augmentation de 83 % du compte des personnes en détention provisoire de 1995 à 2005. Au cours de la même période, le compte des placements sous garde à la suite d'une condamnation a diminué de 31 %.

Plusieurs facteurs peuvent expliquer la hausse du nombre des personnes en détention provisoire. Par exemple, des changements dans les pratiques et les politiques pourraient avoir une incidence sur la fréquence des refus de mise en liberté sous caution. De plus, la complexité et la durée accrues des causes instruites par les tribunaux de juridiction criminelle ont pour effet de garder les adultes plus longtemps en détention provisoire.

De 1995 à 2005, la proportion des prévenus adultes détenus entre une semaine et un mois a augmenté, passant de 20 % à 25 %, et celle des adultes en détention provisoire pendant plus d'un mois a grimpé de 14 % à 22 %.

La condamnation avec sursis, introduite à titre de mesure punitive en 1996, contribue vraisemblablement à la diminution du nombre d'adultes qui purgent leur peine en prison. Le nombre de causes admissibles à une condamnation avec sursis a presque doublé de 1997 à 2005, ce qui laisse à penser que les contrevenants qui, autrement, auraient été admis dans un établissement de détention purgent plutôt leur peine dans la collectivité.

Graphique 7.6
Population des détenus adultes selon le statut

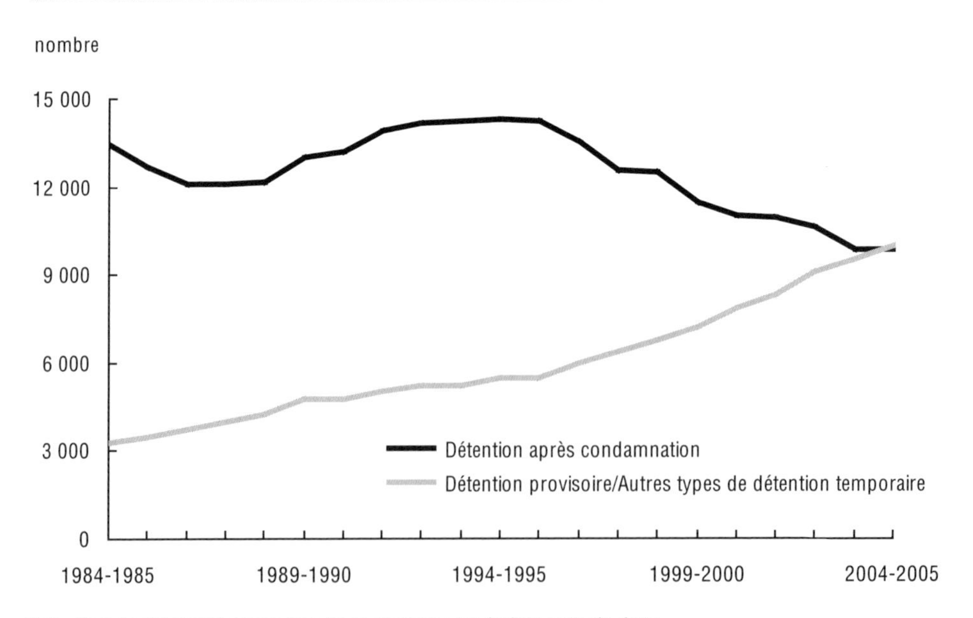

Note : Compte réel annuel moyen dans les programmes provinciaux ou territoriaux.
Source : Statistique Canada, CANSIM : tableau 251-0005.

Services de police : effectifs et dépenses

En mai 2006, le Canada comptait près de 62 500 policiers, soit 1 policier pour 520 Canadiens, l'effectif policier ayant atteint son plus haut niveau depuis plus d'une décennie. Cependant, au cours des 30 dernières années, cet effectif est resté relativement stable.

Le taux national de 192 policiers pour 100 000 habitants en 2006 est de 7 % inférieur au sommet de 206 policiers observé en 1976. En 2006, la Saskatchewan, qui enregistre le taux provincial de criminalité le plus élevé depuis 1997, a affiché le taux d'effectif policier le plus important au pays pour une sixième année consécutive, soit 205 policiers pour 100 000 habitants. Le Québec se classe au deuxième rang pour ce qui est du taux d'effectif policier et se démarque par l'un des taux de criminalité les plus faibles au pays.

En 2006, les taux les plus bas d'effectif policier ont été observés à Terre-Neuve-et-Labrador (156 policiers pour 100 000 habitants) et à l'Île-du-Prince-Édouard (159 policiers pour 100 000 habitants), ces deux provinces enregistrant des taux de criminalité relativement faibles.

De 1996 à 2006, le nombre de femmes au sein de l'effectif policier a augmenté trois fois plus vite que celui des hommes. En 2006, 11 200 femmes travaillaient comme policières, en hausse de 6 % par rapport à 2005. Grâce à ces hausses, les femmes formaient près du cinquième de l'effectif policier. En 2006, les plus fortes proportions de femmes parmi les policiers ont été relevées en Colombie-Britannique (21 % de l'effectif) et au Québec (20 % de l'effectif). L'Île-du-Prince-Édouard, le Nouveau-Brunswick et le Manitoba prennent les derniers rangs à ce chapitre, avec 14 % de l'effectif dans chacune de ces provinces.

Les dépenses au chapitre des services de police se sont chiffrées à 9,3 milliards de dollars en 2005. Il s'agit là d'une hausse de 4 % par rapport à 2004, après correction pour l'inflation, ce qui représente des dépenses de 288 $ par habitant. Pour chaque dollar consacré à l'ensemble des secteurs du système de justice, 0,61 $ sont alloués aux services policiers. L'administration fédérale ainsi que celles des provinces, des territoires et des municipalités se partagent les responsabilités et les coûts des services de police.

Graphique 7.7
Policiers selon le sexe

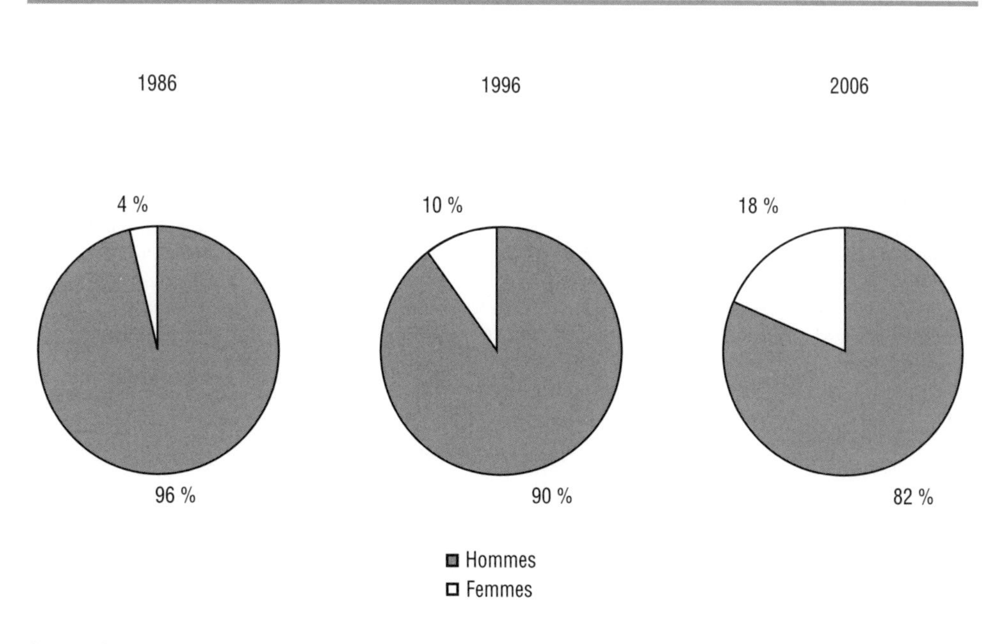

Source : Statistique Canada, CANSIM : tableau 254-0003.

Tableau 7.1 Crimes selon le type d'infraction, par province et territoire, 2005

	Canada	Terre-Neuve-et-Labrador	Île-du-Prince-Édouard	Nouvelle-Écosse	Nouveau-Brunswick
	taux pour 100 000 habitants				
Ensemble des infractions	**8 512,6**	**6 603,8**	**8 625,6**	**8 963,5**	**7 449,5**
Infractions au *Code criminel* (excluant les infractions aux règlements de la circulation)	**7 761,1**	6 088,8	7 985,5	8 345,2	6 755,5
Crimes contre la personne	**942,9**	868,7	761,7	1 138,2	834,0
Homicide	**2,0**	1,7	0,0	2,1	1,2
Tentative de meurtre	**2,4**	0,6	0,0	4,2	1,5
Voies de fait (niveaux 1 à 3)[1]	**727,4**	728,5	648,7	935,1	685,6
Agression sexuelle	**72,2**	84,5	64,4	82,6	68,0
Autres infractions d'ordre sexuel	**8,5**	4,1	7,2	6,9	14,0
Vol qualifié	**88,8**	28,9	12,3	75,4	32,7
Autres crimes contre la personne[2]	**41,5**	20,3	29,0	31,9	31,1
Crimes contre la propriété	**3 737,6**	2 534,7	3 468,2	3 625,7	2 722,9
Introduction par effraction	**804,2**	813,6	611,8	778,1	647,6
Vol de véhicules à moteur	**496,1**	150,2	165,8	280,6	191,5
Vol de plus de 5 000 dollars	**54,2**	22,9	26,1	40,7	45,5
Vol de 5 000 dollars et moins	**1 985,5**	1 296,2	2 331,4	2 009,4	1 518,6
Possession de biens volés	**104,9**	35,9	55,8	213,9	52,5
Fraude	**292,7**	215,9	277,3	302,9	267,2
Autres infractions au *Code criminel*	**3 080,7**	2 685,5	3 755,6	3 581,3	3 198,6
Infractions aux règlements de la circulation en vertu du *Code criminel*	**368,0**	231,0	472,8	339,6	359,3
Conduite avec facultés affaiblies	**234,3**	169,0	399,0	278,8	283,2
Autres infractions aux règlements de la circulation[3]	**133,6**	62,0	73,9	60,8	76,1
Infractions aux lois fédérales	**383,5**	283,9	167,3	278,7	334,7
Drogues[4]	**285,9**	164,0	134,7	214,7	239,4
Autres infractions aux lois fédérales	**97,6**	120,0	32,6	64,0	95,3

1. Constitue une infraction commise par une personne qui applique intentionnellement de la force sans le consentement du plaignant, tente ou menace d'employer la force contre une personne, ou porte une arme (ou une imitation d'arme) en abordant ou en importunant une personne.
2. Comprennent les lésions corporelles infligées illégalement, les décharges d'armes à feu intentionnelles, les enlèvements, les voies de fait contre un agent de police, les voies de fait contre un autre agent de la paix ou un fonctionnaire public ainsi que les autres voies de fait.
3. Comprennent la conduite dangereuse d'un véhicule automobile, d'un bateau, d'un navire ou d'un aéronef, la conduite dangereuse d'un véhicule automobile, d'un bateau, d'un navire ou d'un aéronef causant des lésions corporelles ou causant la mort, la conduite d'un véhicule automobile pendant une interdiction de conduire ainsi que les délits de fuite.
4. Comprennent la possession, le trafic, l'importation et la production.

Source : Statistique Canada, CANSIM : tableau 252-0013.

Québec	Ontario	Manitoba	Saskatchewan	Alberta	Colombie-Britannique	Yukon	Territoires du Nord-Ouest	Nunavut
taux pour 100 000 habitants								
6 744,9	**6 336,7**	**12 554,1**	**15 956,2**	**10 841,4**	**13 104,4**	**24 183,6**	**44 037,0**	**34 292,5**
6 032,1	5 779,8	11 743,1	14 319,5	10 023,4	11 946,6	22 399,0	41 245,2	32 782,1
739,3	747,8	1 599,7	1 983,4	1 096,0	1 214,5	3 088,3	6 614,4	7 041,9
1,3	1,7	4,2	4,3	3,4	2,3	3,2	0,0	6,7
3,5	1,7	1,6	5,4	1,7	2,5	6,5	4,7	16,7
524,7	558,1	1 253,0	1 625,9	877,2	977,9	2 765,6	5 942,0	5 974,9
65,0	62,2	111,9	131,5	69,0	80,3	180,7	407,2	796,9
14,1	4,8	7,5	16,4	6,5	8,9	19,4	23,3	26,7
88,9	79,1	170,4	125,0	91,3	108,6	51,6	34,9	20,0
41,9	40,2	51,0	74,8	47,0	34,1	61,3	202,4	200,1
3 132,8	2 807,7	4 994,7	5 483,6	4 874,0	6 234,5	6 028,1	6 484,1	5 554,8
857,7	545,0	1 122,5	1 468,2	891,6	1 166,1	1 603,9	2 284,7	2 844,1
507,3	314,8	1 205,9	621,4	651,9	818,0	477,6	639,8	546,8
66,7	46,3	58,4	52,1	67,8	52,6	113,0	76,8	46,7
1 425,7	1 523,5	2 315,2	2 772,4	2 669,3	3 677,6	3 475,5	3 029,2	1 830,5
38,3	100,8	85,9	193,6	177,0	160,3	116,2	153,6	66,7
237,1	277,4	206,8	375,9	416,3	360,0	242,0	300,1	220,1
2 160,0	2 224,2	5 148,8	6 852,6	4 053,5	4 497,7	13 282,6	28 146,7	20 185,4
394,9	253,2	328,7	998,4	486,3	434,8	1 232,7	1 277,3	596,8
216,9	141,6	252,5	520,2	364,4	335,6	1 013,3	1 056,3	480,1
178,0	111,6	76,2	478,2	121,9	99,2	219,4	221,0	116,7
317,9	303,8	482,2	638,4	331,6	723,0	551,8	1 514,6	913,6
252,4	225,1	163,2	310,2	258,2	606,7	309,8	1 019,0	816,9
65,5	78,7	319,0	328,1	73,4	116,3	242,0	495,6	96,7

Tableau 7.2 Crimes selon le type d'infraction, 2000 à 2005

	2000	2001	2002	2003	2004	2005
	taux pour 100 000 habitants					
Ensemble des infractions	**8 432,6**	**8 453,7**	**8 504,0**	**8 902,5**	**8 954,9**	**8 512,6**
Infractions au *Code criminel* (excluant les infractions aux règlements de la circulation)	7 666,5	7 655,4	7 705,6	8 144,1	8 165,8	7 761,1
Crimes contre la personne	984,4	983,8	968,8	965,2	945,0	942,9
Homicide	1,8	1,8	1,9	1,7	2,0	2,0
Tentative de meurtre	2,5	2,3	2,2	2,2	2,1	2,4
Voies de fait (niveaux 1 à 3)[1]	761,6	763,9	751,3	747,7	732,7	727,4
Agression sexuelle	78,2	77,5	78,1	74,3	72,1	72,2
Autres infractions d'ordre sexuel	10,2	8,7	8,8	8,1	8,2	8,5
Vol qualifié	88,1	88,0	85,0	89,8	86,0	88,8
Autres crimes contre la personne[2]	42,1	41,7	41,6	41,4	42,1	41,5
Crimes contre la propriété	4 080,9	4 003,5	3 973,2	4 121,5	3 971,9	3 737,6
Introduction par effraction	955,9	900,9	878,4	899,7	862,8	804,2
Vol de véhicules à moteur	522,4	543,5	516,1	550,1	531,6	496,1
Vol de plus de 5 000 dollars	69,6	67,2	63,2	61,3	53,1	54,2
Vol de 5 000 dollars et moins	2 160,5	2 126,3	2 127,1	2 212,3	2 107,9	1 985,5
Possession de biens volés	93,0	86,9	95,8	104,7	111,8	104,9
Fraude	279,6	278,8	292,7	293,4	304,8	292,7
Autres infractions au *Code criminel*	2 601,2	2 668,1	2 763,6	3 057,5	3 248,9	3 080,7
Infractions aux règlements de la circulation en vertu du *Code criminel*	366,4	387,6	374,8	369,8	377,3	368,0
Conduite avec facultés affaiblies	258,2	266,7	255,1	245,2	251,3	234,3
Autres infractions aux règlements de la circulation[3]	108,2	120,9	119,6	124,7	126,0	133,6
Infractions aux lois fédérales	399,8	410,7	423,6	388,6	411,7	383,5
Drogues[4]	287,0	288,2	295,7	274,1	305,3	285,9
Autres infractions aux lois fédérales	112,7	122,5	127,9	114,5	106,4	97,6

1. Constitue une infraction commise par une personne qui applique intentionnellement de la force sans le consentement du plaignant, tente ou menace d'employer la force contre une personne, ou porte une arme (ou une imitation d'arme) en abordant ou en importunant une personne.
2. Comprennent les lésions corporelles infligées illégalement, les décharges d'armes à feu intentionnelles, les enlèvements, les voies de fait contre un agent de police, les voies de fait contre un autre agent de la paix ou un fonctionnaire public ainsi que les autres voies de fait.
3. Comprennent la conduite dangereuse d'un véhicule automobile, d'un bateau, d'un navire ou d'un aéronef, la conduite dangereuse d'un véhicule automobile, d'un bateau, d'un navire ou d'un aéronef causant des lésions corporelles ou causant la mort, la conduite d'un véhicule automobile pendant une interdiction de conduire ainsi que les délits de fuite.
4. Comprennent la possession, le trafic, l'importation et la production.

Source : Statistique Canada, CANSIM : tableau 252-0013.

Tableau 7.3 Personnes accusées selon le type d'infraction, 1995 et 2005

	1995			2005		
	Jeunes et adultes accusés	Jeunes accusés	Adultes accusés	Jeunes et adultes accusés	Jeunes accusés	Adultes accusés
	taux pour 100 000 habitants					
Ensemble des infractions	**2 781,2**	**5 402,5**	**2 498,9**	**2 196,5**	**3 297,9**	**2 084,8**
Infractions au *Code criminel* (excluant les infractions aux règlements de la circulation)	**2 158,8**	5 060,8	1 846,3	**1 698,4**	2 864,2	1 580,2
Crimes contre la personne	**570,2**	941,2	530,3	**492,1**	782,4	462,6
Homicide	**2,3**	2,6	2,3	**2,0**	2,5	1,9
Tentative de meurtre	**3,3**	3,6	3,3	**2,0**	1,8	2,0
Voies de fait (niveaux 1 à 3)[1]	**437,1**	666,8	412,4	**384,7**	549,0	368,1
Agression sexuelle	**44,1**	66,5	41,7	**28,4**	48,2	26,4
Autres infractions d'ordre sexuel	**4,9**	8,0	4,5	**2,6**	5,6	2,2
Vol qualifié	**40,9**	148,3	29,3	**38,0**	128,5	28,8
Autres crimes contre la personne[2]	**37,7**	45,5	36,8	**34,3**	46,7	33,1
Crimes contre la propriété	**926,5**	2 856,4	718,7	**533,4**	1 045,1	481,5
Introduction par effraction	**190,5**	782,4	126,8	**92,9**	316,9	70,1
Vol de véhicules à moteur	**63,2**	288,4	38,9	**36,4**	127,4	27,1
Vol de plus de 5 000 dollars	**18,6**	38,4	16,5	**6,8**	8,3	6,7
Vol de 5 000 dollars et moins	**433,7**	1 377,7	332,1	**229,6**	372,9	215,1
Possession de biens volés	**94,6**	273,1	75,3	**88,2**	175,9	79,3
Fraude	**126,0**	96,6	129,2	**79,5**	43,6	83,2
Autres infractions au *Code criminel*	**662,0**	1 263,2	597,3	**673,0**	1 036,7	636,1
Infractions aux règlements de la circulation en vertu du *Code criminel*	**403,0**	0,0	446,4	**267,4**	0,0	294,6
Conduite avec facultés affaiblies	**342,8**	0,0	379,8	**215,0**	0,0	236,8
Autres infractions aux règlements de la circulation[3]	**60,2**	0,0	66,6	**52,5**	0,0	57,8
Infraction aux lois fédérales	**219,4**	341,7	206,3	**230,6**	433,7	210,0
Drogues[4]	**174,7**	212,5	170,6	**185,4**	221,2	181,7
Autres infractions aux lois fédérales	**44,8**	129,1	35,7	**45,3**	212,5	28,3

1. Constitue une infraction commise par une personne qui applique intentionnellement de la force sans le consentement du plaignant, tente ou menace d'employer la force contre une personne, ou porte une arme (ou une imitation d'arme) en abordant ou en importunant une personne.
2. Comprennent les lésions corporelles infligées illégalement, les décharges d'armes à feu intentionnelles, les enlèvements, les voies de fait contre un agent de police, les voies de fait contre un autre agent de la paix ou un fonctionnaire public ainsi que les autres voies de fait.
3. Comprennent la conduite dangereuse d'un véhicule automobile, d'un bateau, d'un navire ou d'un aéronef, la conduite dangereuse d'un véhicule automobile, d'un bateau, d'un navire ou d'un aéronef causant des lésions corporelles ou causant la mort, la conduite d'un véhicule automobile pendant une interdiction de conduire ainsi que les délits de fuite.
4. Comprennent la possession, le trafic, l'importation et la production.

Source : Statistique Canada, CANSIM : tableau 252-0014.

Tableau 7,4 Homicides, par province et territoire, 2003 à 2005

	2003		2004		2005	
	nombre	taux pour 100 000 habitants	nombre	taux pour 100 000 habitants	nombre	taux pour 100 000 habitants
Canada	**549**	**1,7**	**624**	**2,0**	**658**	**2,0**
Terre-Neuve-et-Labrador	5	0,1	2	0,4	9	1,7
Île-du-Prince-Édouard	1	0,7	0	0,0	0	0,0
Nouvelle-Écosse	8	0,9	14	1,5	20	2,1
Nouveau-Brunswick	8	1,1	7	0,9	9	1,2
Québec	99	1,3	111	1,5	100	1,3
Ontario	178	1,5	187	1,5	218	1,7
Manitoba	43	3,7	50	4,3	49	4,2
Saskatchewan	41	4,1	39	3,9	43	4,3
Alberta	64	2,0	86	2,7	109	3,4
Colombie-Britannique	94	2,3	113	2,7	98	2,3
Yukon	1	3,3	7	22,7	1	3,2
Territoires du Nord-Ouest	4	9,5	4	9,3	0	0,0
Nunavut	3	10,3	4	13,5	2	6,7

Note : L'homicide comprend le meurtre, l'homicide involontaire coupable et l'infanticide.

Source : Statistique Canada, CANSIM : tableau 253-0001.

Tableau 7.5 Homicides selon le mode de perpétration, 2003 à 2005

	2003		2004		2005	
	nombre	pourcentage	nombre	pourcentage	nombre	pourcentage
Tous les modes	**549**	**100,0**	**624**	**100,0**	**658**	**100,0**
Décharge d'arme à feu	161	29,3	173	27,7	222	33,7
Poignard	142	25,9	205	32,9	198	30,1
Coups	121	22,0	136	21,8	145	22,0
Étranglement	64	11,7	63	10,1	45	6,8
Feu (brûlures / suffocation)	12	2,2	13	2,1	7	1,1
Autres modes	27	4,9	21	3,4	24	3,6
Mode inconnu	22	4,0	13	2,1	17	2,6

Note : L'homicide comprend le meurtre, l'homicide involontaire coupable et l'infanticide.

Source : Statistique Canada, CANSIM : tableau 253-0002.

Tableau 7.6 Homicides résolus selon le type de relation entre l'accusé et la victime, 2000 à 2005

	2000	2001	2002	2003	2004	2005
	nombre					
Total des relations entre l'accusé et la victime	**420**	**453**	**468**	**430**	**476**	**478**
Total des relations familiales	132	187	184	142	163	156
Époux ou épouse	69	89	84	78	75	74
Parent	31	43	36	31	36	20
Autre relation familiale	32	55	64	33	52	62
Autre relation intime	24	13	17	11	24	16
Connaissance	187	185	188	207	214	217
Étranger	72	62	72	61	73	86
Relation entre la victime et l'accusé inconnue	5	6	7	9	2	3

Source : Statistique Canada, CANSIM : tableau 253-0006.

Tableau 7.7 Homicides selon la région métropolitaine de recensement, 1995 à 2005

	Moyenne de 1995 à 2004		2005[1]		
	nombre	taux pour 100 000 habitants	population de la région métropolitaine de recensement[2]	nombre	taux pour 100 000 habitants
Population de 500 000 habitants et plus					
Toronto	81	1,7	5 306 912	104	2,0
Montréal[3]	70	2,0	3 675 155	48	1,3
Vancouver[4]	53	2,6	2 156 509	62	2,9
Calgary	15	1,6	1 061 524	26	2,5
Edmonton[3]	24	2,5	1 024 946	44	4,3
Ottawa[5]	10	1,2	876 798	11	1,3
Québec	8	1,2	720 787	5	0,7
Winnipeg	21	3,1	698 791	26	3,7
Hamilton[6]	11	1,7	697 239	11	1,6
Population de 100 000 à 499 999 habitants					
Kitchener	5	1,0	485 248	7	1,4
London	5	1,0	471 033	14	3,0
St. Catharines–Niagara	6	1,4	434 347	14	3,2
Halifax	7	2,0	380 844	10	2,6
Victoria	6	1,9	336 030	2	0,6
Oshawa	2	0,8	333 617	1	0,3
Windsor	6	2,0	333 163	5	1,5
Gatineau[7]	4	1,3	284 963	3	1,1
Saskatoon	6	2,5	244 826	9	3,7
Regina	6	3,2	201 435	8	4,0
St. John's	2	1,1	181 527	2	1,1
Abbotsford[8]	5	3,0	162 907	4	2,5
Greater Sudbury / Grand Sudbury	3	1,6	160 912	2	1,2
Kingston[8,9]	3	1,6	154 389	5	3,2
Sherbrooke	2	1,1	148 225	0	0,0
Saguenay	1	0,8	147 071	1	0,7
Trois-Rivières	2	1,0	145 567	0	0,0
Saint John	1	0,9	145 363	0	0,0
Thunder Bay	2	1,8	124 262	3	2,4

1. En 2005, on a déclaré et inclus dans les totaux 13 homicides qui avaient eu lieu au cours d'années précédentes : 2 à Montréal, 1 à Toronto, 1 à Kitchener, 1 à Edmonton, 3 à Vancouver et 5 dans les régions comptant moins de 100 000 habitants.
2. Les estimations ont été révisées et ajustées par le personnel du Centre canadien de la statistique juridique afin de correspondre aux limites des territoires policiers.
3. Comprend un homicide qui s'est produit dans un établissement correctionnel en 2005.
4. Par suite des enquêtes en cours à Port Coquitlam, en Colombie-Britannique, on a inclus dans les données de Vancouver cinq homicides déclarés en 2004 qui ont eu lieu au cours d'années précédentes. Les homicides sont comptés dans l'année au cours de laquelle la police a déposé le rapport.
5. Ottawa représente la partie d'Ottawa–Gatineau située en Ontario.
6. Comprend un homicide qui s'est produit dans un établissement correctionnel en 2004.
7. Gatineau représente la partie d'Ottawa–Gatineau située au Québec.
8. Abbotsford et Kingston sont devenues des régions métropolitaines de recensement en 2001. La moyenne et le taux sont calculés pour la période de 2001 à 2004.
9. Comprend un homicide qui s'est produit dans un établissement correctionnel et un dans une maison de transition en 2005.

Source : Statistique Canada, produit n° 85-002-XIF au catalogue.

Tableau 7.8 Tribunaux de juridiction criminelle pour adultes, causes avec peine d'emprisonnement, 1999 à 2003

	1999	2000	2001	2002	2003
			nombre		
Ensemble des infractions	**74 309**	**74 941**	**86 399**	**88 990**	**83 077**
Infractions au *Code criminel*	68 713	69 494	80 197	82 624	77 326
Crimes contre la personne	17 045	17 491	20 352	20 803	18 736
Homicide	89	100	142	129	105
Tentative de meurtre	50	36	38	69	35
Vol qualifié	969	766	939	876	738
Agression sexuelle	482	480	466	436	398
Autre infractions d'ordre sexuel	4 819	5 036	5 704	6 037	5 387
Voies de fait graves	5 227	5 516	6 254	6 398	5 615
Voies de fait simples	2 865	2 999	3 615	3 661	3 327
Proférer des menaces	343	399	508	502	497
Harcèlement criminel	1 847	1 757	2 188	2 192	2 173
Autres infractions contre la personne[1]	354	402	498	503	461
Crimes contre la propriété	20 843	19 859	23 659	24 447	23 601
Vol	5 106	4 659	4 920	5 021	4 795
Introduction par effraction	7 224	6 901	9 099	9 477	9 405
Fraude	1 041	1 100	1 328	1 368	1 207
Méfait	3 767	3 536	4 345	4 467	4 343
Possession de bien volés	3 505	3 495	3 789	3 898	3 641
Autres crimes contre la propriété	200	168	178	216	210
Infractions contre l'administration de la justice	17 806	19 600	22 708	24 049	23 075
Autres infractions au *Code criminel*	4 533	4 456	5 003	5 213	4 736
Infractions aux règlements de la circulation en vertu du *Code criminel*	8 486	8 088	8 475	8 112	7 178
Conduite avec facultés affaiblies	5 249	5 035	5 143	4 950	4 167
Autres infractions aux règlements de la circulation[2]	3 237	3 053	3 332	3 162	3 011
Infractions aux lois fédérales	5 596	5 447	6 202	6 366	5 751
Possession de drogues	945	945	1 182	1 193	1 104
Trafic de drogues	2 214	2 227	2 841	3 011	2 520
Loi sur le système de justice pénale pour les adolescents	426	458	507	480	253
Infractions aux lois fédérales restantes	2 011	1 817	1 672	1 682	1 874

Notes : Les données de l'Enquête sur les tribunaux de juridiction criminelle pour adultes excluent le Manitoba et le Nunavut. Les Territoires du Nord-Ouest ont participé à l'enquête la dernière fois en 1999-2000. Les données de l'enquête pour 2002-2003 ont dû être révisées à cause d'une erreur de traitement. Les révisions ont touché principalement le nombre de causes en 2002-2003 au Québec. Les tribunaux de juridiction criminelle pour adultes dans neuf provinces et un territoire participent à l'enquête depuis 2001-2002. Les secteurs de compétences ayant fait une déclaration de données sont les suivants : Terre-Neuve-et-Labrador, Île-du-Prince-Éduard, Nouvelle-Écosse, Nouveau-Brunswick, Québec, Ontario, Saskatchewan, Alberta, Colombie-Britannique et Yukon. Au Canada, ces secteurs de compétence ont représenté environ 90 % du nombre de causes réglées par les tribunaux de juridiction criminelle pour adultes. Le Nouveau-Brunswick et la Colombie-Britannique ont commencé à participer à l'enquête en 2001-2002.

Ne comprend pas les cas où la durée de la peine d'emprisonnement n'était pas connue et les cas où l'on a indiqué une période indéterminée.

1. Comprennent les lésions corporelles infligées illégalement, les décharges d'armes à feu intentionnelles, les enlèvements, les voies de fait contre un agent de police, les voies de fait contre un autre agent de la paix ou un fonctionnaire public ainsi que les autres voies de fait.
2. Comprennent la conduite dangereuse d'un véhicule automobile, d'un bateau, d'un navire ou d'un aéronef, la conduite dangereuse d'un véhicule automobile, d'un bateau, d'un navire ou d'un aéronef causant des lésions corporelles ou causant la mort, la conduite d'un véhicule automobile pendant une interdiction de conduire ainsi que les délits de fuite.

Source : Statistique Canada, CANSIM : tableau 252-0021.

Tableau 7.9 Tribunaux de la jeunesse, causes avec condamnation selon la peine, 2003

	Causes avec une peine de placement sous garde		Causes avec une peine de probation	
	nombre	durée médiane en jours	nombre	durée médiane en jours
Ensemble des infractions	**9 084**	**33**	**25 261**	**360**
Infractions au *Code criminel*	7 433	40	21 727	360
Crimes contre la personne	2 774	60	8 806	360
Homicide	11	720	3	360
Tentative de meurtre	4	450	8	360
Vol qualifié	119	180	481	540
Agressions sexuelles	46	120	241	540
Autre infraction d'ordre sexuel	732	65	2 076	360
Voies de fait graves	841	30	3 594	360
Voies de fait simples	335	33	1 120	360
Proférer des menaces	22	52	88	360
Harcèlement criminel	615	112	1 071	360
Autres crimes contre la personne[1]	49	120	124	360
Crimes contre la propriété	2 834	45	9 788	360
Vol	1 087	60	3 385	360
Introduction par effraction	865	30	3 191	360
Fraude	105	28	969	360
Méfait	625	40	1 565	360
Possession de biens volés	120	40	506	360
Autres crimes contre la propriété	32	60	172	360
Infractions contre l'administration de la justice	1 383	20	1 590	360
Autres infractions au *Code criminel*	378	40	1 221	360
Infractions aux réglements de la circulation[2]	64	60	322	360
Conduite avec facultés affaiblies	3	40	111	360
Autres infractions aux réglements de la circulation	61	60	211	360
Autres infractions aux lois fédérales	1 651	20	3 534	360
Possession de drogues	32	18	343	360
Trafic de drogues	114	60	726	360
Loi sur le système de justice pénale pour les adolescents / Loi sur les jeunes contrevenants	1 411	20	2 369	360
Infractions aux lois fédérales restantes	94	9	96	207

1. Comprennent les lésions corporelles infligées illégalement, les décharges d'armes à feu intentionnelles, les enlèvements, les voies de fait contre un agent de police, les voies de fait contre un autre agent de la paix ou un fonctionnaire public ainsi que les autres voies de fait.
2. Comprennent la conduite dangereuse d'un véhicule automobile, d'un bateau, d'un navire ou d'un aéronef, la conduite dangereuse d'un véhicule automobile, d'un bateau, d'un navire ou d'un aéronef causant des lésions corporelles ou causant la mort, la conduite d'un véhicule automobile pendant une interdiction de conduire ainsi que les délits de fuite.

Source : Statistique Canada, CANSIM : tableau 252-0041.

Tableau 7.10 Composition des services correctionnels pour adultes, 2002 à 2005

	2002	2003	2004	2005
	nombre			
Ensemble des services correctionnels	**154 653**	**159 013**	**154 351**	**152 618**
Surveillance en détention	32 012	32 523	31 747	32 117
Ensemble de la détention provinciale et territoriale	19 262	19 685	19 368	19 816
Détention provinciale ou territoriale, après condamnation	10 931	10 607	9 863	9 830
Détention provisoire	7 980	8 727	9 163	9 640
Autres types de détention temporaire provinciale ou territoriale	351	351	342	346
Détention fédérale, après condamnation	12 750	12 838	12 380	12 301
Surveillance dans la collectivité	122 641	126 490	122 604	120 500
Ensemble de la surveillance communautaire provinciale	115 243	119 268	115 510	113 546
Probation	101 915	105 061	100 993	98 805
Libération conditionnelle provinciale	1 388	1 014	885	810
Condamnation avec sursis	11 941	13 193	13 632	13 931
Libération dans la collectivité[1]	7 397	7 222	7 094	6 954

Note : Les données désignent le compte quotidien moyen de contrevenants qui doivent, en vertu de la loi, être détenus dans un établissement et qui sont présents au moment où le compte est effectué.

1. Le passage de la détention à la mise en liberté sous condition fédérale. Elle comprend les contrevenants sous responsabilité fédérale, provinciale ou territoriale en semi-liberté et en liberté conditionnelle totale, ainsi que les contrevenants fédéraux en liberté d'office. Elle exclut les contrevenants mis en liberté à l'expiration d'un mandat et d'autres types de mises en liberté.

Source : Statistique Canada, produit nº 85-002-XIF au catalogue.

Tableau 7.11 Services correctionnels pour adultes, taux d'incarcération et de probation dans les programmes fédéraux, provinciaux et territoriaux, années sélectionnés de 1994 à 2004

	1994	1996	1998	2000	2002	2004
	taux pour 100 000 adultes					
Taux d'incarcération[1]						
Canada[2]	**155**	**150**	**141**	**134**	**133**	**129**
Provinces et territoires[3]	91	87	84	80	81	79
Secteur de compétence fédéral[4]	64	63	57	54	52	49
Taux de probation						
Canada[2]	**462**	**462**	**444**	**438**	**433**	**396**
Provinces et territoires[3]	462	462	444	438	433	396
Secteur de compétence fédéral[4]	.	.	.	.	.	.

Note : Ce ne sont pas toutes les variables qui s'appliquent à tous les secteurs de compétence ou qui sont disponibles pour ces derniers. Il faut faire preuve de prudence en effectuant des comparaisons entre les divers secteurs.

1. Fondé sur le compte réel total des détenus.
2. Représente le total ou la moyenne pondérée des chiffres des secteurs de compétence fédéral, provinciaux et territoriaux, selon le cas.
3. Représente le total pour tous les secteurs de compétence déclarantes et ne constitue donc pas un total provincial et territorial complet dans les cas où les données de certains secteurs sont incomplètes ou indisponibles. En 2003-2004, les comptes de détenus condamnés et des détenus ayant un autre statut pour 1999-2000 et 2000-2001 ont été révisés.
4. Les valeurs fédérales représentent le total des cinq régions de Service correctionnel Canada.

Source : Statistique Canada, CANSIM : tableau 251-0004.

Culture et loisirs

8

SURVOL

Le Canada est fier de sa longue tradition artistique, culturelle et sportive. Nous sommes reconnus sur la scène internationale pour la qualité de nos productions musicales, la spécificité de nos œuvres cinématographiques, nos romans primés et nos sports, comme le hockey. Le Canada est également riche d'une multitude de galeries d'art, de lieux historiques et de musées qui attirent des millions de visiteurs.

Les arts d'interprétation, comme le théâtre et les événements musicaux, restent populaires en 2005. Toutefois, les Canadiens préfèrent le cinéma comme divertissement à l'extérieur de la maison : les ménages y ont consacré en moyenne 106 $. Les résidents des Territoires du Nord-Ouest sont ceux qui dépensent le plus à ce chapitre : en moyenne 132 $ par ménage.

Les sports-spectacles sont aussi très prisés. En 2005, les ménages ont dépensé en moyenne 44 $ pour assister à de tels événements, et les résidents de la Colombie-Britannique y ont consacré les montants les plus élevés : 70 $ par ménage.

Afin de se divertir et pour garder la forme, les Canadiens participent à des activités telles que le golf, le soccer, la course et la natation.

Les Canadiens passent également beaucoup de temps à lire des livres ou des magazines, à regarder la télévision et à écouter de la musique. Ils sont de plus en plus nombreux à utiliser Internet pour regarder et télécharger des films, des émissions de télévision, de la musique et des émissions de radio. Les jeux vidéo et les jeux de hasard en ligne sont populaires eux aussi, particulièrement auprès des jeunes.

Retombées économiques de la culture et des loisirs

Les entreprises de la culture et des loisirs ont introduit 54 milliards de dollars dans l'économie canadienne en 2005, soit une hausse substantielle de 19 % par rapport à 2000, une hausse supérieure à la croissance de 13 % du produit intérieur brut (PIB) global au cours de

Graphique 8.1
Dépenses annuelles des ménages pour les divertissements

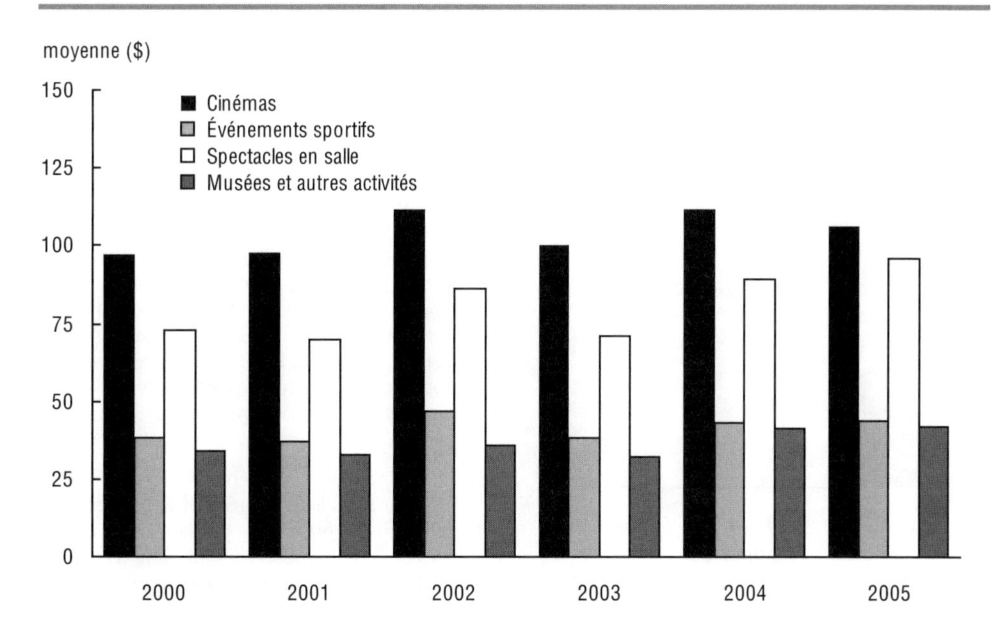

Source : Statistique Canada, CANSIM : tableau 203-0010.

la même période. Le secteur de l'information et des industries culturelles (l'édition, le film et l'enregistrement sonore, la radiodiffusion et les télécommunications, les services d'information et les bibliothèques) a affiché la progression la plus forte au cours de cette période (+22 %). La contribution de ce secteur au PIB s'est chiffrée à 44 milliards de dollars en 2005.

Les arts, les spectacles et les loisirs (les arts d'interprétation, les sports-spectacles, les musées, les sites patrimoniaux, les zoos, les parcs d'attractions, les jeux de hasard, les terrains de golf, les centres de ski, les centres de conditionnement physique et les salles de quilles) ont généré 9 milliards de dollars en 2005, une hausse de 9 % par rapport à 2000.

En 2005, la contribution de l'industrie de l'édition à l'économie canadienne s'est chiffrée à près de 8,8 milliards de dollars, comparativement à 8,3 milliards de dollars l'année précédente.

L'industrie de l'édition de magazines a prospéré en 2003-2004; elle a fait paraître 2 383 titres et a vendu 758 millions d'exemplaires. Dix ans plus tôt, les éditeurs canadiens de magazines avaient produit 1 678 titres et vendu 575 millions d'exemplaires.

En 2004, les éditeurs de livres ont fait paraître 16 776 nouveaux titres, une augmentation de près de 7 % par rapport à 2000, et ont réimprimé

Graphique 8.2
PIB, ensemble des industries, industries de la culture et des loisirs

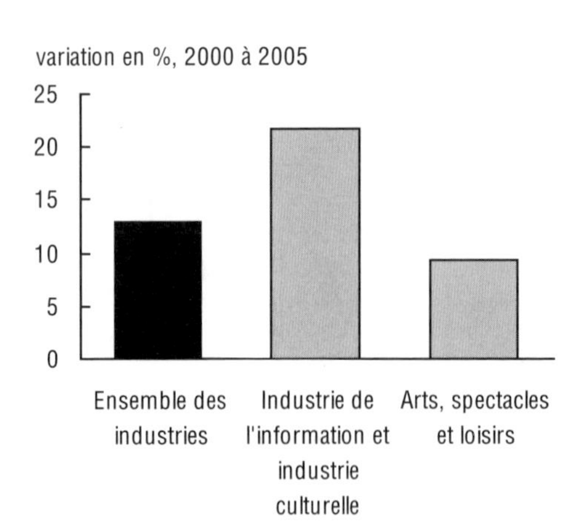

Source : Statistique Canada, CANSIM : tableau 379-0017.

Livres publiés au Canada

	2004		
	Ouvrages publiés	Ouvrages réimprimés	Ouvrages inscrits au catalogue
	nombre		
Total	**16 776**	**12 387**	**121 524**
Manuels scolaires	3 412	6 644	49 919
Livres pour les enfants	2 228	1 961	16 933
Autres ouvrages, tous les formats[1]	8 833	2 635	36 952
Autres[2]	2 304	1 148	17 721

1. Comprend les formats de poche, les ouvrages à couverture souple et les ouvrages à couverture rigide.

2. Comprend les ouvrages savants, les ouvrages de référence et les ouvrages professionnels et techniques.

Source : Statistique Canada, produit nº 87F0004XIF au catalogue.

12 387 titres existants, en hausse de 19 % sur une période de quatre ans. Les romans et les ouvrages d'intérêt général destinés aux adultes ont représenté plus de la moitié des nouveaux titres publiés en 2004. Les éditeurs canadiens ont lancé 2 228 nouveaux livres pour enfants en 2004 et en ont réimprimé 1 961. Toujours en 2004, l'industrie de l'édition du livre a enregistré des bénéfices totaux de 235 millions de dollars.

Légère hausse des dépenses en activités récréatives

Le regain d'intérêt porté au bien-être, particulièrement par la génération du baby-boom, conjugué à l'augmentation du revenu personnel, s'est traduit par des dépenses accrues relativement à la santé et à la forme physique en 2005. Ce phénomène a stimulé l'aménagement de nouveaux centres récréatifs et de conditionnement physique partout au pays. Le golf jouit également de la faveur des Canadiens, et la popularité croissante de cette activité s'explique peut-être par l'arrivée des baby-boomers retraités sur les terrains de golf.

En 2005, les ménages ont dépensé en moyenne 3 918 $ pour leurs activités récréatives, ce qui représente une légère hausse par rapport aux dépenses de 3 678 $ observées en 2004. Les chiffres de 2005 comprennent notamment des dépenses moyennes de 166 $ relativement au matériel de sport et à l'athlétisme; de 665 $ pour l'achat et l'utilisation de véhicules récréatifs comme les motoneiges, les bicyclettes ou les caravanes; et de 299 $ pour l'utilisation d'installations sportives et récréatives.

En 2005, les Canadiens de 15 ans et plus ont consacré en moyenne 1,1 heure par jour aux activités sportives et récréatives, soit 1,3 heure par jour pour les hommes et 0,9 heure pour les femmes.

Par ailleurs, les sports-spectacles (les clubs et les équipes de sports professionnels et semi-professionnels ainsi que les courses de chevaux) restent une attraction de taille. En 2005, les Canadiens ont dépensé en moyenne 44 $ dans les sports-spectacles, soit un peu plus que l'année précédente.

Les arts d'interprétation continuent de jouir d'appuis solides

En 2004, les arts d'interprétation au Canada ont continué de jouir d'un appui public solide, tant au guichet que sous la forme d'octrois, de subventions et de dons de diverses sources publiques et privées.

Les spectacles sur scène ont généré près de la moitié des recettes des sociétés d'arts d'interprétation à but lucratif et à but non lucratif en 2004, comme c'était le cas en 2001. Les recettes totales de ces sociétés se sont élevées à plus de 1,2 milliard de dollars en 2004, en hausse de 4 % par rapport à 2003 et d'environ 26 % par rapport à 2001. Les sociétés à but lucratif ont produit un peu plus de la moitié du total.

Les compagnies de théâtre, le secteur d'activité prédominant, ont touché 28 % des recettes totales; viennent ensuite les formations musicales de toutes sortes, qu'il s'agisse d'orchestres ou de groupes rock, qui ont obtenu 25 % des recettes. Les 47 % restants se sont répartis entre les compagnies de comédie musicale (qui comprennent les compagnies d'opéra), de danse et les autres compagnies d'arts d'interprétation (qui produisent notamment des spectacles de cirque et de patinage artistique).

Les octrois, les subventions et les dons de diverses sources publiques et privées ont représenté 27 % des recettes totales, en légère baisse par rapport au pourcentage enregistré trois ans plus tôt (28 %). Dans le secteur des organismes à but non lucratif, les octrois, les subventions et les dons ont progressé de 6 % par rapport à 2003. Les contributions versées par les administrations publiques ont augmenté de 7 %, soit plus du double du taux de croissance de 3 % pour les dons de sources privées.

Les administrations publiques provinciales ont été les principaux bailleurs de fonds des sociétés à but non lucratif en 2004. Elles ont versé à ces sociétés 75 millions de dollars, soit 46 % du soutien total du secteur public.

Graphique 8.3
Sources des revenus d'exploitation, arts de la scène, 2004

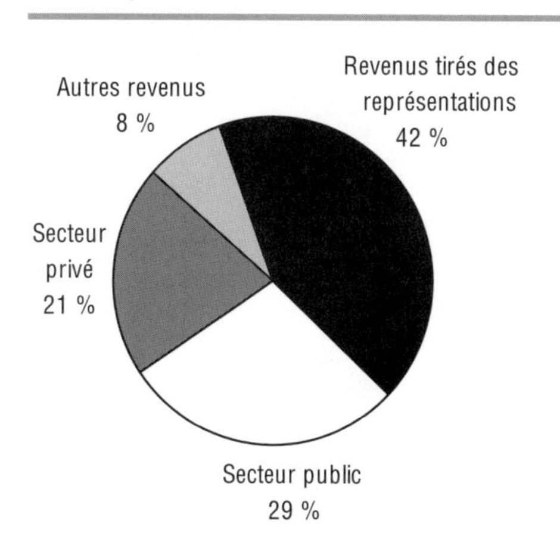

Note : Sociétés à but non lucratif.
Source : Statistique Canada, produit nº 87F0003XIF au catalogue.

Sources choisies

Statistique Canada

- *Naissances.* Semestriel. 84F0210XIF
- *Projections démographiques pour le Canada, les provinces, et les territoires.* Hors série. 91-520-XWF
- *Estimations démographiques annuelles.* Annuel. 91-213-XIB
- *Statistiques démographiques trimestrielles.* Trimestriel. 91-002-XWF
- *Tendances sociales canadiennes.* Trimestriel. 11-008-XIF

Établissements du patrimoine

Les établissements du patrimoine (les musées, les lieux historiques, les zoos, les aquariums, les galeries d'art et les jardins botaniques) des régions urbaines et rurales du Canada ont accueilli un nombre record de visiteurs en 2004 : plus de 35 millions, comparativement à près de 32 millions en 2002. La majorité de ces visites (86 %) ont eu lieu dans des établissements à but non lucratif.

Les musées de tous genres (centres d'exposition, planétariums et observatoires) ont attiré le plus de visiteurs, soit 45 % des personnes ayant fréquenté des établissements du patrimoine. En 2005, les ménages ont dépensé en moyenne 42 $ pour visiter des musées ou d'autres établissements du patrimoine.

Les industries culturelles, comme les arts visuels et les établissements du patrimoine, emploient plus de travailleurs en régions urbaines qu'en régions rurales. En 2003, moins de 3 % de la main-d'œuvre rurale travaillait dans le secteur culturel. Toutefois, les résidents ruraux obtiennent plusieurs emplois dans le secteur de la culture. De 1996 à 2003, ils ont occupé 25 % des emplois dans les établissements du patrimoine et 20 % des emplois dans les arts visuels. Dans le secteur culturel, 37 % des résidents ruraux travaillaient à temps partiel, contre 22% pour l'ensemble des travailleurs. Les établissements du patrimoine à but non lucratif comptent aussi beaucoup sur les bénévoles, lesquels formaient en 2004 85 % de la main-d'œuvre totale des musées d'art et des galeries d'art, soit le taux le plus élevé parmi les établissements du patrimoine. Les lieux historiques dépendent aussi fortement des bénévoles : presque 74 % de la main-d'œuvre y travaillent sans rémunération.

Les établissements à but non lucratif ont été les principaux bénéficiaires des octrois et subventions des administrations publiques en 2004. L'administration fédérale a versé la majeure partie des fonds servant à appuyer ces organisations (43 %); quant aux administrations provinciales, elles en ont versé 41 %, le 16 % restant ayant été accordé par les autres administrations publiques, principalement les administrations régionales et municipales.

Graphique 8.4
Emplois dans les établissements du patrimoine, 2004

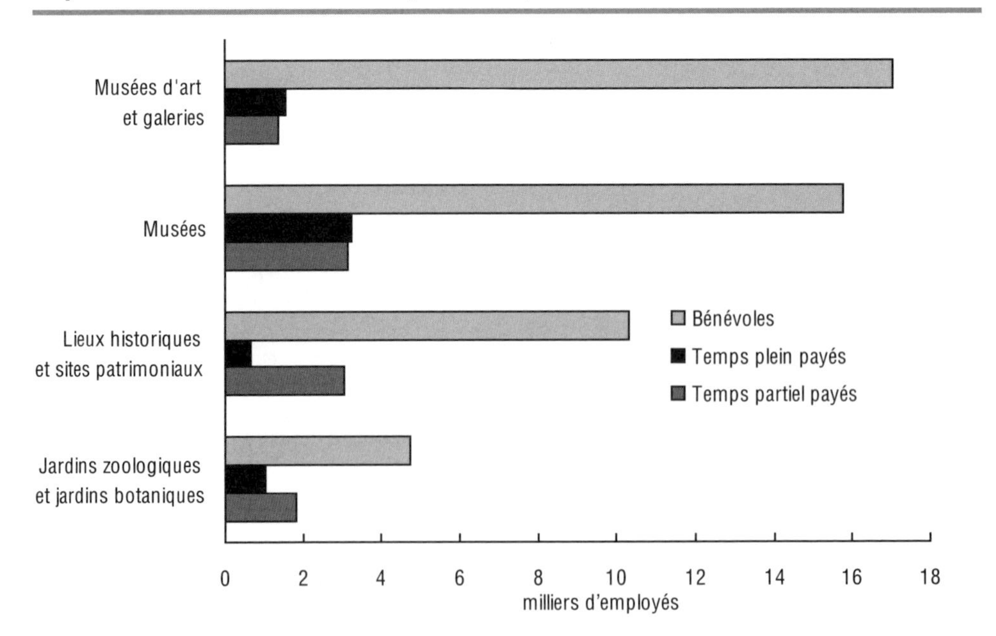

Source : Statistique Canada, produit n° 87F0002XIF au catalogue.

Commerce des biens de la culture

La Chine, l'un des principaux partenaires du Canada dans le commerce des biens de la culture, est devenue en l'an 2000 le deuxième grand exportateur de ces biens au Canada, devant le Royaume-Uni et la France. Toutefois, la plupart des importations canadiennes de produits culturels continuent de provenir des États-Unis.

En 2005, les sociétés canadiennes ont importé de la Chine des biens culturels d'une valeur de 278 millions de dollars et y ont exporté des biens évalués à 13 millions de dollars, en baisse par rapport aux exportations records de 15,5 millions de dollars observées en 2004.

Les écrits et les ouvrages publiés ont représenté 58 % de la valeur des biens culturels que nous avons importés de la Chine en 2005, et les arts visuels ont représenté 32 %.

Les importations canadiennes de biens culturels ont augmenté en 2005, poursuivant ainsi la tendance à la hausse amorcée en 1996, laquelle est soutenue notamment par la vigueur du dollar canadien. En revanche, les exportations canadiennes de biens culturels ont fléchi en 2005 pour une deuxième année consécutive.

Les importations de biens culturels en provenance des États-Unis représentaient 76 % des importations canadiennes en 2005 contre 82 % en 1999. Plus de 89 % de nos exportations de biens culturels ont été acheminées aux États-Unis en 2005, comparativement à 94 % en 1999. Un sommet d'environ 96 % a été atteint en 2002. En 2005, le Canada a importé 3,1 milliards de dollars en biens de la culture des États-Unis; les exportations vers ce pays atteignaient 2,1milliards de dollars.

Toujours en 2005, les importations d'écrits et d'ouvrages publiés ont représenté 75 % des biens culturels en provenance des États-Unis, comparativement à 77 % en 1997. Les livres, les journaux et les périodiques ont représenté les trois quarts des importations canadiennes de biens de la culture en provenance des États-Unis; les films, la publicité et les livres ont représenté la moitié de nos exportations de produits culturels aux États-Unis.

Graphique 8.5
Commerce des biens de la culture avec les États-Unis

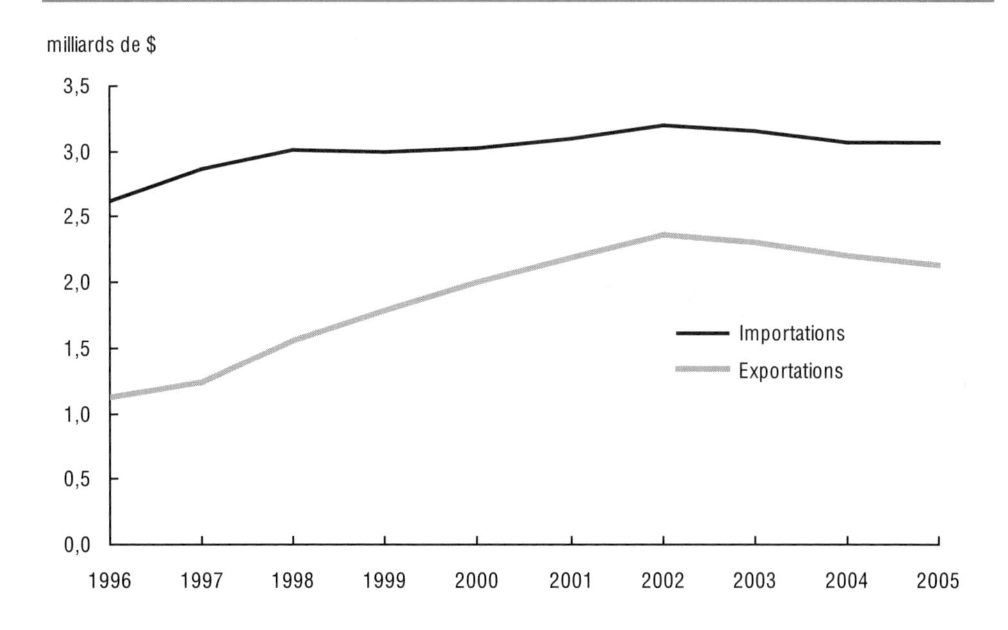

Source : Statistique Canada, produit n° 87-007-XIF au catalogue.

État de la radio commerciale

Les technologies comme le partage de fichiers, la radio sur le Web et le téléchargement de productions radiophoniques et de musique sont en voie de transformer notre façon d'écouter la radio ou d'acheter et de conserver des œuvres musicales. Les ventes de disques compacts se sont fortement contractées, passant de 794 millions de dollars en 1998 à 687 millions de dollars en 2003. Par contre, l'écoute de la radio traditionnelle est restée stable en 2005, et ce, pour une troisième année consécutive.

En 2005, les Canadiens écoutaient la radio 19,1 heures par semaine en moyenne, soit environ une heure de moins que le sommet de 20,5 heures enregistré en 1999.

Les adolescents de sexe masculin de 12 à 17 ans, un groupe susceptible de télécharger de la musique et d'autres fichiers de divertissement d'Internet, sont ceux dont les heures d'écoute ont le plus diminué de 2000 à 2005. Ils ont écouté la radio en moyenne plus de 8,6 heures par semaine en 2005, en baisse par rapport aux 10,1 heures par semaine relevées en 2001. Cependant, leurs heures d'écoute semblent s'être stabilisées. Les adolescents de l'Alberta ont écouté la radio 10,0 heures par semaine, soit le nombre d'heures le plus élevé de toutes les provinces.

La musique contemporaine reste le premier choix des adolescents : ils y ont consacré 26 % de leurs heures d'écoute en 2005, soit la même proportion qu'un an plus tôt. La hausse des heures d'écoute de ce type de musique est entièrement attribuable aux adultes de 18 ans et plus.

Si l'écart entre les heures d'écoute des adultes et celles des adolescents reste très grand, il a cessé de se creuser, malgré que les adultes écoutent la radio environ deux fois plus que les adolescents. Les adultes de 18 ans et plus forment le cœur de l'auditoire de la radio commerciale au Canada.

Les prince-édouardiens ont été les auditeurs de radio les plus fervents au pays en 2005 : ils y ont consacré 21,2 heures par semaine.

Graphique 8.6
Écoute de la radio selon la formule de la station de radio et les caractéristiques de l'auditoire, 2005

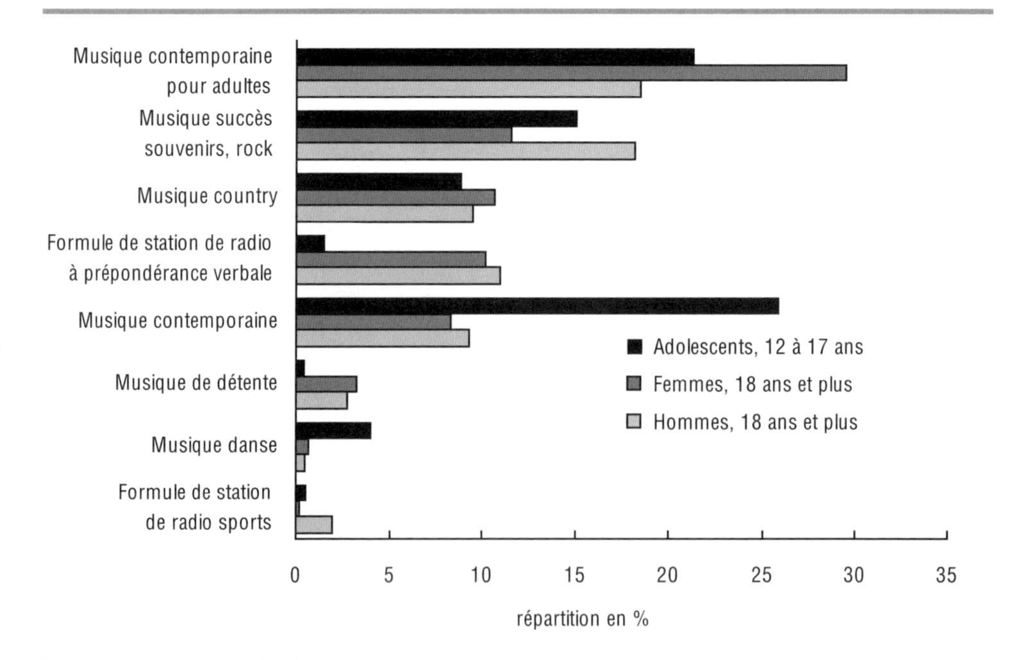

Source : Statistique Canada, CANSIM : tableau 503-0003.

Dépenses des ménages en loisirs

Combien d'argent dépensez-vous pour vos divertissements? Achetez-vous des billets de cinéma ou de ballet, ou encore, des livres et des œuvres d'art? Les ménages canadiens consacrent la majeure partie de leur revenu à l'impôt, à l'alimentation, au logement et au transport. Les biens et services de la culture, comme les livres et les billets d'entrée au musée, ne représentent qu'une petite partie de leurs dépenses.

De 1999 à 2004, les dépenses moyennes des ménages en biens et services de la culture ont augmenté de 12 %, ce qui est comparable au taux d'inflation ayant progressé de 13 %. Durant la même période, les dépenses globales des ménages ont grimpé de 21 %.

En 2004, les ménages canadiens ont dépensé en moyenne 1 450 $ en biens et services de la culture comparativement à 1 290 $ en 1999. Toutefois, après correction en fonction de l'inflation, on constate que les dépenses moyennes en produits culturels ont peu changé.

Les services de câblodistribution et de télévision par satellite accaparent une grande part du budget alloué aux biens et services de la culture (32 %), affichant des dépenses moyennes de 462 $ par ménage en 2004 contre 332 $ en 1999. Viennent ensuite, les DVD, les CD et les cassettes audio et vidéo dont les dépenses se chiffrent à 116 $ par ménage (8 %), suivie des entrées au cinéma, à 112 $ par ménage (8 %).

En 2004, les ménages ont consacré 111 $ en moyenne à l'achat de manuels et, 106 $ à l'achat d'autres ouvrages. Leurs dépenses au chapitre des journaux se sont élevées en moyenne à 99 $ en 2004, en baisse par rapport aux 108 $ enregistrés en 1999.

Les couples avec enfants — le principal marché de l'industrie du divertissement — constituent les plus importants acheteurs de manuels, de médias audio et vidéo préenregistrés, de livres, de services photographiques et d'entrées aux musées et à d'autres établissements culturels.

Graphique 8.7
Dépenses annuelles des ménages pour certains biens et services de la culture

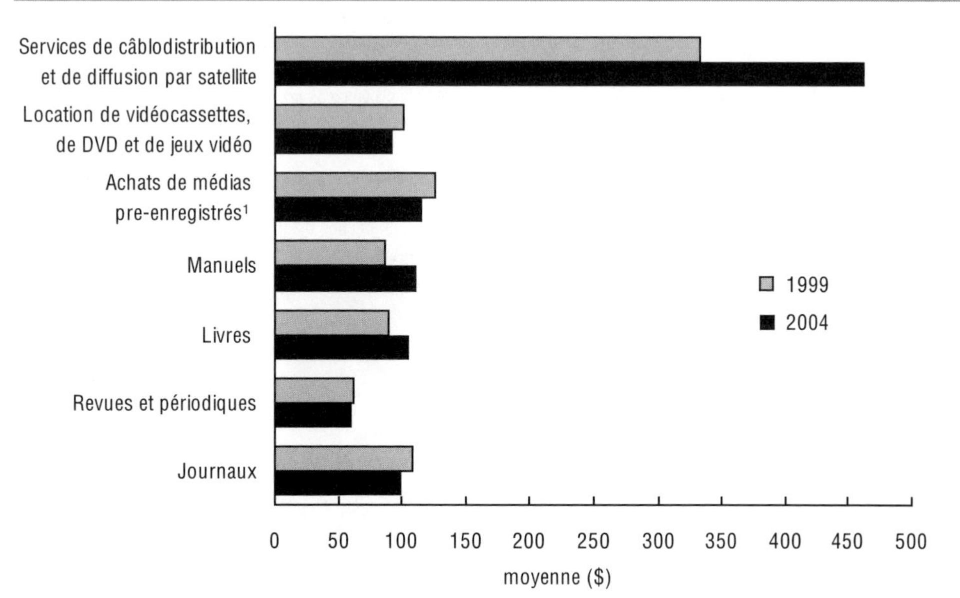

1. DVD, DC, vidéo et audiocassettes, vidéodisques et téléchargements.
Note : Dollars constants de 2004.
Source : Statistique Canada, produit nº 87-004-XWF au catalogue.

Tableau 8.1 Dépenses de l'administration fédérale au titre de la culture selon l'activité culturelle, par province et territoire, 2003-2004

	Canada[1]	Terre-Neuve-et-Labrador	Île-du-Prince-Édouard	Nouvelle-Écosse	Nouveau-Brunswick
	milliers de dollars				
Ensemble des activités culturelles	**3 499 568**	**45 048**	**19 023**	**117 397**	**56 009**
Bibliothèques	**43 289**	0	2	15	15
Ressources du patrimoine	**937 218**	20 917	8 809	50 067	14 654
Enseignement des arts[3]	**18 263**	0	0	0	2
Littérature	**162 144**	555	128	1 653	813
Arts d'interprétation	**184 503**	1 896	2 613	5 428	5 711
Arts visuels et artisanat	**23 226**	261	187	921	435
Cinéma et vidéo	**386 183**	1 032	578	14 307	3 163
Radiodiffusion et télévision[4]	**1 605 488**	17 122	4 625	42 667	27 474
Enregistrement sonore	**28 507**	4	78	50	86
Multiculturalisme	**14 317**	234	108	303	304
Activités multidisciplinaires[5]	**81 474**	2 969	1 866	1 842	2 887
Autres activités culturelles	**14 956**	59	30	145	466

Note : Les chiffres ayant été arrondis, leur somme peut ne pas correspondre aux totaux indiqués.

1. Les dépenses totales à l'échelle nationale excluent les dépenses intra-muros (fonctionnement et investissement) de Développement des ressources humaines Canada qui sont directement reliées à la formation et au développement de l'emploi dans le secteur de la culture.
2. Comprend les organismes nationaux, les pays étrangers et les dépenses non attribuées.
3. L'enseignement des arts renvoie aux beaux-arts, aux arts appliqués et aux arts d'interprétation plutôt qu'aux domaines strictement pédagogiques comme les langues, l'histoire, la littérature, etc. Les « arts » englobent ici le théâtre, la musique, la danse, la peinture, l'art dramatique, la photographie et tous les domaines d'études des arts, tels que désignés par les établissements d'enseignement des arts.
4. La Société Radio-Canada a réparti les coûts de sa programmation selon la province où les activités de production ont eu lieu. Les coûts de transmission des stations et de distribution de ses réseaux sont liés à l'emplacement géographique de l'émetteur, sauf pour les lignes terrestres et les voies de transmission par satellite dont les coûts sont assumés par Ottawa, pour ensuite être transférés aux réseaux de Toronto et de Montréal. Les paiements versés aux filiales privées sont imputés aux réseaux responsables et se rapportent également à la province où ces réseaux sont situés. Les frais administratifs et les dépenses d'immobilisation de la Société sont répartis dans la province où la fonction d'administration est exercée.
5. Ces dépenses comprennent l'aide financière accordée aux installations, aux festivals et aux centres culturels, ainsi qu'aux municipalités, aux programmes d'échange culturel et aux organismes artistiques visant diverses activités culturelles.

Source : Statistique Canada, CANSIM : tableau 505-0001.

Québec	Ontario	Manitoba	Saskatchewan	Alberta	Colombie-Britannique	Yukon	Territoires du Nord-Ouest	Nunavut	Autres organismes nationaux et les pays étrangers[2]
				milliers de dollars					
1 171 180	**1 463 715**	**85 078**	**45 762**	**152 848**	**203 084**	**16 425**	**30 471**	**11 125**	**82 402**
28 165	14 809	28	7	53	66	10	7	7	105
267 773	339 321	34 281	15 534	74 823	73 414	10 172	15 210	9 055	3 188
7 484	8 024	703	0	1 562	488	0	0	0	0
40 004	81 108	1 653	1 080	3 718	8 095	108	76	17	23 136
37 967	90 970	8 256	2 942	9 442	14 679	672	754	131	3 042
6 011	7 943	1 581	980	1 043	3 373	60	33	70	330
173 930	129 526	7 696	2 129	13 191	36 712	106	37	230	3 548
555 195	749 519	28 201	21 108	43 288	58 211	5 059	14 100	1 490	37 428
18 670	9 216	36	45	63	238	11	0	0	10
3 571	2 624	487	642	1 629	903	0	58	0	3 453
28 543	20 613	2 008	1 257	3 997	6 837	173	196	124	8 162
3 868	10 041	147	38	38	68	54	0	0	0

Tableau 8.2 Dépenses de l'administration fédérale au titre de la culture selon l'activité culturelle, 1998-1999 à 2003-2004

	1998-1999	1999-2000	2000-2001	2001-2002	2002-2003	2003-2004
			milliers de dollars			
Ensemble des activités culturelles[1]	**2 817 086**	**2 809 375**	**2 954 793**	**3 216 927**	**3 425 691**	**3 499 568**
Bibliothèques	45 079	36 794	39 896	51 218	45 285	43 289
Ressources du patrimoine	654 391	638 856	709 491	739 495	786 199	937 218
Enseignement des arts[2]	7 489	11 404	10 881	11 996	14 227	18 263
Littérature	123 486	129 158	160 038	174 679	183 357	162 144
Arts d'interprétation	112 001	126 093	131 787	164 477	207 858	184 503
Arts visuels et artisanat	17 023	17 520	18 423	21 227	21 351	23 226
Cinéma et vidéo	292 547	294 072	305 945	328 585	397 786	386 183
Radiodiffusion et télévision[3]	1 455 905	1 435 663	1 475 316	1 585 541	1 600 551	1 605 488
Enregistrement sonore	9 279	9 777	10 210	18 606	22 977	28 507
Multiculturalisme	1 744	3 635	3 520	888	11 720	14 317
Activités multidisciplinaires[4]	79 142	97 217	80 453	108 259	102 671	81 474
Autres activités culturelles	19 000	9 185	8 832	11 954	31 709	14 956

Note : Les chiffres ayant été arrondis, leur somme peut ne pas correspondre aux totaux indiqués.

1. Les dépenses totales à l'échelle nationale excluent les dépenses intra-muros (fonctionnement et investissement) de Développement des ressources humaines Canada qui sont directement reliées à la formation et au développement de l'emploi dans le secteur de la culture.
2. L'enseignement des arts renvoie aux beaux-arts, aux arts appliqués et aux arts d'interprétation plutôt qu'aux domaines strictement pédagogiques comme les langues, l'histoire, la littérature, etc. Les « arts » englobent ici le théâtre, la musique, la danse, la peinture, l'art dramatique, la photographie et tous les domaines d'études des arts, tels que désignés par les établissements d'enseignement des arts.
3. La Société Radio-Canada a réparti les coûts de sa programmation selon la province où les activités de production ont eu lieu. Les coûts de transmission des stations et de distribution de ses réseaux sont liés à l'emplacement géographique de l'émetteur, sauf pour les lignes terrestres et les voies de transmission par satellite dont les coûts sont assumés par Ottawa, pour ensuite être transférés aux réseaux de Toronto et de Montréal. Les paiements versés aux filiales privées sont imputés aux réseaux responsables et se rapportent également à la province où ces réseaux sont situés. Les frais administratifs et les dépenses d'immobilisation de la Société sont répartis dans la province où la fonction d'administration est exercée.
4. Ces dépenses comprennent l'aide financière accordée aux installations, aux festivals et aux centres culturels, ainsi qu'aux municipalités, aux programmes d'échange culturel et aux organismes artistiques visant diverses activités culturelles.

Source : Statistique Canada, CANSIM : tableau 505-0001.

Tableau 8.3 Assistance aux représentations culturelles selon l'activité culturelle, 2004

	Assistance totale[1]	Assistances à demeure	Assistances en tournée	Assistances pour la jeunesse[2]	Assistance moyenne par représentation
			nombre		
Ensemble des activités culturelles	**14 199 261**	**10 868 597**	**3 187 010**	**3 358 709**	**325**
Théâtre	**7 820 079**	5 910 478	1 886 489	2 086 254	261
Comédie musicale, café-théâtre, opéra	**1 147 858**	1 087 723	55 174	140 472	340
Danse	**1 583 245**	977 083	554 794	332 292	461
Formations musicale ou artiste	**3 185 490**	2 676 518	468 459	630 012	644
Autres compagnies d'arts de la scène	**462 589**	216 795	222 094	169 679	232

Note : Les chiffres ayant été arrondis, leur somme peut ne pas correspondre aux totaux indiqués.

1. L'assistance totale peut dépasser la somme de l'assistance aux représentations données à demeure et en tournée, car un certain nombre de représentations sont classées sous la rubrique « autres » et cette rubrique ne paraît pas dans ce tableau.
2. Les représentations pour la jeunesse comprennent les représentations données à demeure et en tournée.

Source : Statistique Canada, produit n° 87F0003XIF au catalogue.

Tableau 8.4 Assistance aux représentations culturelles, par province, 2004

	Assistance totale[1]	Assistances à demeure	Assistances en tournée	Assistances pour la jeunesse[2]	Assistance moyenne par représentation
	nombre				
Canada	**14 199 262**	**10 868 598**	**3 187 011**	**3 358 708**	**325**
Terre-Neuve-et-Labrador	**318 519**	287 860	30 256	25 584	147
Île-du-Prince-Édouard	**x**	x	x	x	x
Nouvelle-Écosse	**377 806**	125 026	252 780	51 591	431
Nouveau-Brunswick	**227 817**	136 703	88 714	61 545	299
Québec	**3 914 295**	2 611 611	1 247 952	989 106	311
Ontario	**5 071 897**	4 361 684	682 968	995 218	379
Manitoba	**509 657**	340 019	165 438	114 950	371
Saskatchewan	**293 210**	235 544	46 666	59 599	343
Alberta	**1 386 596**	1 143 238	201 914	301 413	298
Colombie-Britannique	**2 082 265**	1 610 438	469 598	758 619	302

Note : Les chiffres ayant été arrondis, leur somme peut ne pas correspondre aux totaux indiqués.

1. L'assistance totale peut dépasser la somme de l'assistance aux représentations données à demeure et en tournée, car un certain nombre de représentations sont classées sous la rubrique « autres » et cette rubrique ne paraît pas dans ce tableau.
2. Comprend les représentations données à demeure et en tournée.

Source : Statistique Canada, produit nº 87F0003XIF au catalogue.

Tableau 8.5 Dépenses publiques au titre de la culture selon l'ordre de gouvernement, par province et territoire, 2003-2004

	Dépenses totales brutes	Administration fédérale	Administrations provinciales et territoriales	Administrations locales[1]
	milliers de dollars			
Dépenses totales	**7 706 675[2]**	**3 499 568**	**2 200 067**	**2 007 040**
Terre-Neuve-et-Labrador	**96 057**	45 048	39 006	12 003
Île-du-Prince-Édouard	**33 486**	19 023	11 753	2 710
Nouvelle-Écosse	**209 243**	117 397	57 007	34 839
Nouveau-Brunswick	**131 943**	56 009	52 082	23 852
Québec	**2 317 653**	1 171 180	726 842	419 631
Ontario	**2 969 512**	1 463 715	628 228	877 569
Manitoba	**262 407**	85 078	111 832	65 497
Saskatchewan	**206 349**	45 762	87 733	72 854
Alberta	**537 275**	152 848	198 518	185 909
Colombie-Britannique	**777 259**	203 084	264 668	309 507
Yukon	**29 885**	16 425	12 779	681
Territoires du Nord-Ouest	**41 942**	30 471	9 620	1 851
Nunavut	**11 262**	11 125	0	137
Autres[3]	**82 403**	82 403	0	0

1. Calculées pour l'année civile.
2. Comprend des transferts entre les administrations publiques de l'ordre de 365 millions de dollars.
3. Comprend les organismes nationaux, les pays étrangers et les dépenses non attribuées.

Source : Statistique Canada, produit nº 87F0001XIF au catalogue.

Tableau 8.6 Édition de périodiques, renseignements sur les finances et les effectifs, par région, 2003-2004

	Canada	Atlantique	Québec
		milliers de dollars	
Recettes	**1 553 196**	**30 114**	**418 137**
Publicités	**993 589**	16 670	231 874
Ventes à l'unité	**117 745**	1 890	62 899
Ventes par abonnement	**291 330**	8 286	94 319
Subventions gouvernementales	**35 095**	741	11 550
Site Web et commerce électronique	**11 856**	121	1 340
Produits connexes	**37 708**	429	5 544
Autres revenus	**65 874**	1 977	10 612
Dépenses	**1 401 904**	**29 217**	**365 184**
Rédaction et conception	**248 139**	5 731	67 187
Production et impression	**439 922**	9 219	123 580
Exécution des commandes	**142 772**	2 006	34 894
Commercialisation et promotion	**188 377**	3 763	40 783
Diffusion	**119 353**	2 053	28 788
Administration et général	**216 495**	5 855	62 450
Site Web et commerce électronique	**15 045**	107	1 832
Produits connexes	**31 800**	482	5 669
Profit ou perte avant impôts	**151 293**	**897**	**52 953**
		pourcentage	
Marges bénéficiaires	**9,7**	**3,0**	**12,7**
		nombre	
Périodiques avec profit ou perte	**2 383**	**123**	**551**
Avec profit	**1 490**	79	346
Avec perte	**893**	44	205
Effectifs			
Effectifs à temps plein	**6 462**	286	1 448
Effectifs à temps partiel	**3 018**	106	773
Bénévoles et personnel non rémunéré	**4 956**	369	1 247
		milliers de dollars	
Rémunération	**411 716**	**11 773**	**92 742**
Temps plein	**298 793**	9 734	67 204
Temps partiel	**39 743**	1 063	8 129
Honoraires versés à des pigistes	**73 180**	976	17 408
		milliers	
Tirage			
Annuel total	**758 160**	13 946	178 753
Tirage par périodique	**318**	113	324
		nombre	
Tirage par numéro	**26 908**	8 561	26 113

1. Inclut le Yukon, les Territoires du Nord-Ouest et le Nunavut.

Source : Statistique Canada, produit nº 87F0005XIF au catalogue.

Ontario	Manitoba	Saskatchewan	Alberta	Colombie-Britannique	Territoires[1]
		milliers de dollars			
918 756	**32 057**	**20 068**	**32 848**	**99 474**	**1 741**
610 982	22 203	14 100	25 439	71 032	1 289
45 917	1 241	478	206	5 067	46
161 700	4 790	4 681	3 753	13 530	270
18 426	1 190	315	648	2 156	70
10 071	x	27	121	175	x
30 004	x	x	429	1 172	x
41 656	x	x	2 252	6 342	x
833 112	**30 082**	**14 664**	**31 264**	**96 480**	**1 900**
144 378	5 944	3 190	6 343	14 837	529
248 770	9 541	5 433	10 056	32 815	507
96 522	2 391	1 234	1 064	4 412	248
117 532	4 417	2 055	4 026	15 529	272
71 992	2 898	1 042	3 215	9 318	49
117 159	4 684	1 663	5 900	18 489	295
12 431	102	x	320	244	x
24 327	105	x	340	837	x
85 645	**1 975**	**5 404**	**1 585**	**2 994**	**-159**
		pourcentage			
9,3	**6,2**	**26,9**	**4,8**	**3,0**	**-9,1**
		nombre			
1 162	**104**	**40**	**157**	**240**	**6**
728	56	24	99	154	4
434	48	16	58	86	2
3 481	215	107	269	647	9
1 456	120	63	169	315	16
2 282	260	50	256	488	x
		milliers de dollars			
243 496	**10 564**	**5 626**	**12 109**	**34 674**	**732**
174 700	7 711	5 020	8 297	25 730	397
22 824	1 370	458	1 951	3 734	214
45 972	1 484	148	1 861	5 211	121
		milliers			
465 709	12 424	6 852	23 509	56 677	289
401	119	171	150	236	48
		nombre			
32 746	15 670	8 537	16 779	24 910	7 785

Tableau 8.7 Établissements du patrimoine, 2004

	Total	Musées	Musées d'art et les galeries	Lieux historiques et sites patrimoniaux	Jardins zoologiques et jardins botaniques
	nombre				
Ensemble des établissements du patrimoine	**613**	**299**	**109**	**173**	**33**
	milliers de dollars				
Total des recettes de fonctionnement	**897 402**	**435 485**	**235 335**	**90 755**	**135 827**
Total des recettesde fonctionnement non gagnées	**581 851**	313 460	172 535	51 360	44 496
Administration fédérale	**202 283**	126 702	x	x	1 146
Administration provinciale	**192 706**	109 126	60 439	14 270	8 871
Autres administrations publiques	**74 074**	24 863	x	x	21 427
Secteur institutionnel ou privé	**112 788**	52 769	x	x	13 052
Total des recettes de fonctionnement gagnées	**329 683**	132 981	64 930	39 915	91 858
Droits d'entrée	**134 547**	56 546	12 609	14 610	50 782
Cotisations	**14 680**	6 013	4 320	589	3 759
Autres recettes gagnées	**180 456**	70 422	48 001	24 716	37 317
Total des dépenses de fonctionnement	**921 519**	**450 063**	**243 591**	**93 535**	**134 330**
Salaires	**431 674**	206 362	105 190	50 717	69 405
Artefacts	**26 081**	6 247	19 027	711	96
Autres dépenses de fonctionnement	**463 765**	237 453	119 374	42 108	64 830
Bénéfice d'exploitation	**-24 117**	**-14 578**	**-8 256**	**-2 780**	**1 497**
	nombre				
Emploi					
Temps plein	**6 466**	3 231	1 557	640	1 038
Temps partiel	**9 384**	3 156	1 350	3 053	1 826
Bénévoles	**47 856**	15 771	17 033	10 310	4 743

Note : Les chiffres ayant été arrondis, leur somme peut ne pas correspondre aux totaux indiqués.

Source : Statistique Canada, produit nº 87F0002XIF au catalogue.

Tableau 8.8 Enregistrements sonores selon la langue des paroles et le genre de musique, 1998, 2000 et 2003

	1998	2000	2003
		nombre	
Langue des paroles			
Par des artistes canadiens	1 023	1 034	904
Paroles en anglais	452	457	429
Paroles en français	159	189	205
Autres[1]	412	388	270
Par des artistes non canadiens	5 705	5 620	4 715
Paroles en anglais	3 950	4 093	3 698
Paroles en français	125	144	107
Autres[1]	1 630	1 383	910
Catégories musicales[2]			
Par des artistes canadiens	1 023	1 034	904
Musique populaire/rock	379	363	300
Musique classique	159	131	97
Jazz et blues	62	52	73
Musique country et traditionnelle	99	126	120
Musique pour enfants	31	38	31
Autres genres	293	324	283
Par des artistes non canadiens	5 705	5 620	4 715
Musique populaire/rock	2 099	2 022	2 039
Musique classique	1 508	1 338	912
Jazz et blues	533	767	441
Musique country et traditionnelle	367	266	196
Musique pour enfants	121	68	84
Autres genres	1 077	1 159	1 043

Note : Les données ne comprennent pas les simples (tout enregistrement sonore qui contient jusqu'à trois plages, dont les disques compacts et les cassettes).

1. Pièce instrumentale (sans paroles) ou paroles dans une autre langue que l'anglais ou le français.
2. Les catégories musicales ont été assignées par les répondants à l'enquête.

Source : Statistique Canada, CANSIM : tableaux 507-0004 et 507-0005.

Tableau 8.9 Industrie de l'enregistrement sonore, recettes des ventes d'enregistrements, 1998, 2000 et 2003

	1998	2000	2003
		milliers de dollars	
Ensemble des formats	**891 645**	**861 402**	**708 723**
Enregistrements simples	3 784	1 523	2 845
Albums en vinyle	807	913	608
Disques compacts	794 244	805 451	686 967
Cassettes	x	53 403	x
Autres formats[1]	x	112	x
Ensemble des catégories musicales[2]	**891 645**	**861 402**	**708 723**
Musique populaire/rock	651 533	622 893	472 661
Musique classique	59 653	52 528	55 551
Jazz et blues	37 816	54 993	48 888
Musique country et traditionnelle	51 930	43 912	47 892
Musique pour enfants	20 059	13 040	13 944
Autres genres	70 655	74 036	69 787

Note : Les chiffres ayant été arrondis, leur somme peut ne pas correspondre aux totaux indiqués.

1. Inclut le support multimédia.

2. Les catégories musicales ont été assignées par les répondants à l'enquête.

Source : Statistique Canada, CANSIM : tableaux 507-0001, 507-0006 et 507-0007.

Tableau 8.10 Certaines statistiques financières de l'industrie de l'enregistrement sonore, 1998, 2000 et 2003

	1998	2000	2003
		nombre	
Sociétés sous contrôle canadien et étranger	**280**	**331**	**300**
Canadien	263	315	287
Étranger	17	16	13
Nouveaux enregistrements	**6 728**	**6 654**	**5 619**
		milliers de dollars	
Recettes	**1 323 880**	**1 319 264**	**1 153 205**
Recettes provenant d'activités liées à l'industrie	1 137 758	1 193 423	985 430
Ventes d'enregistrements par des artistes canadiens	154 047	137 969	110 366
Ventes d'enregistrements par des artistes non canadiens	737 598	723 433	598 357
Ventes de bandes maîtresses, des droits d'octroi de licence et d'autres droits[1]	70 297	56 997	53 401
Autres recettes provenant d'activités liées à l'industrie	175 815	275 024	223 305
Recettes ne provenant pas d'activités liées à l'industrie	186 122	F	167 775
Dépenses	**1 134 042**	**1 161 698**	**1 122 662**
Coût des produits vendus	638 465	578 604	530 249
Intérêt	4 186	76 792	73 306
Amortissement	10 907	15 602	19 684
Autres dépenses d'exploitation	480 484	490 700	499 424
Bénéfices avant impôts	**189 838**	**157 566**	**30 542**

Note : Les chiffres ayant été arrondis, leur somme peut ne pas correspondre aux totaux indiqués.

1. Tous les types de redevances sont compris. En 2003, on a ajouté les droits voisins.

Source : Statistique Canada, CANSIM : tableau 507-0001.

Tableau 8.11 Industrie de la distribution de films, de vidéos et de vente en gros de vidéocassettes, 2000-2001 à 2004-2005

	2000-2001	2001-2002	2002-2003	2003-2004	2004-2005
	milliers de dollars				
Recettes	**2 813 116**	**3 036 646**	**3 278 386**	**3 437 629**	**3 539 617**
Ensemble du marché intérieur et des exportations (clients étrangers)	1 293 115	1 416 325	1 551 737	1 515 513	1 588 673
Marché intérieur, recettes de distribution cinématographique, vidéo et audiovisuelle	1 070 860	1 211 661	1 292 707	1 194 539	1 256 764
Cinéma	390 584	403 066	462 583	382 666	446 338
Télévision payante	81 212	110 528	112 340	105 633	134 592
Télévision conventionnelle	409 576	465 504	471 317	433 576	404 353
Vidéo domestique	165 746	212 966	227 018	244 916	246 564
Hors commerce	23 742	19 598	19 449	27 749	24 916
Exportations (clients étrangers)	222 256	204 664	259 030	320 975	331 909
Ventes en gros de vidéocassettes	1 399 383	1 508 251	1 607 954	1 816 057	1 817 096
Autres recettes	120 618	112 070	118 695	106 059	133 848
Dépenses	**2 465 884**	**2 707 572**	**2 837 886**	**2 687 072**	**2 737 531**
Salaires et avantages sociaux	144 578	172 005	147 565	153 203	166 939
Coûts relatifs aux droits (redevances et autres frais)	806 685	856 954	965 709	837 587	846 967
Dépréciation et amortissement	48 765	56 511	66 484	36 512	15 697
Frais d'intérêts	15 381	18 314	20 170	14 949	18 368
Autres dépenses	1 450 475	1 603 788	1 637 958	1 643 621	1 689 560
	nombre				
Contrôle canadien et étranger	**216**	**217**	**211**	**215**	**207**
Contrôle canadien	193	195	192	193	184
Contrôle étranger	23	22	19	22	23
Emplois	**3 592**	**3 900**	**4 033**	**3 972**	**4 152**
Emplois à temps plein	3 045	3 551	3 699	3 468	3 481
Emplois à temps partiel	518	335	320	490	660
Propriétaires actifs	29	14	14	14	11
	pourcentage				
Marge bénéficiaire[1]	**12,3**	**10,8**	**13,4**	**21,8**	**22,7**

1. Différence entre les recettes totales et les dépenses, exprimée en pourcentage des recettes totales.

Source : Statistique Canada, CANSIM : tableaux 501-0001, 501-0002, 501-0003 et 501-0005.

Tableau 8.12 Cinémas et ciné-parcs selon certaines caractéristiques, 1999-2000 à 2004-2005

	1999-2000	2000-2001	2002-2003	2003-2004	2004-2005
			nombre		
Cinémas					
Ensemble des cinémas et ciné-parcs	712	744	645	628	641
Cinémas	644	677	587	574	583
Ciné-parcs	68	67	58	54	58
Écrans					
Ensemble des cinémas et ciné-parcs	2 926	3 258	2 979	2 980	2 933
Cinémas	2 820	3 152	2 890	2 896	2 842
Ciné-parcs	106	106	89	84	91
			milliers		
Entrées payantes					
Ensemble des cinémas et ciné-parcs	119 291	119 271	125 358	119 637	120 275
Cinémas	117 352	117 574	123 815	118 161	118 498
Ciné-parcs	1 940	1 696	1 543	1 477	1 778
			milliers de dollars		
Frais d'exploitation					
Ensemble des cinémas et ciné-parcs	904 994	1 048 127	1 171 463	1 169 184	1 137 033
Cinémas	887 804	1 032 069	1 155 535	1 153 627	1 119 828
Ciné-parcs	17 190	16 058	15 928	15 557	17 206
			dollars		
Prix moyen des billets					
Ensemble des cinémas et ciné-parcs	5,78	6,30	7,27	7,45	7,47
Cinémas	5,77	6,29	7,27	7,45	7,47
Ciné-parcs	6,30	6,55	7,29	7,54	7,02
			pourcentage		
Marge bénéficiaire					
Ensemble des cinémas et ciné-parcs	4,4	-2,7	5,3	4,5	8,7
Cinémas	4,2	-2,9	5,2	4,4	8,7
Ciné-parcs	12,5	9,4	10,0	11,5	9,2

Note : Les données de 2001-2002 ne sont pas disponibles.

Source : Statistique Canada, CANSIM : tableau 501-0010.

Diversité ethnique et immigration

9

SURVOL

Au cours des 100 dernières années, plus de 13 millions d'immigrants sont arrivés au Canada pour s'y bâtir une nouvelle vie, faisant de notre pays l'un des plus diversifié sur le plan ethnique au monde. La plupart d'entre eux sont venus d'Europe durant la première moitié du 20e siècle. Plus tard, les non-Européens ont commencé à arriver en grand nombre comme immigrants de la composante économique, réfugiés ou membres de la famille d'immigrants arrivés antérieurement.

En 1970, la moitié de tous les immigrants provenaient des Caraïbes, d'Asie et d'Amérique du Sud. Durant les années 1980, un nombre croissant d'immigrants venaient d'Afrique.

Pendant les années 1990, 58 % des immigrants au Canada étaient nés en Asie (y compris au Moyen-Orient), 20 % venaient d'Europe et 22 %, des Caraïbes, d'Amérique centrale et du Sud, d'Afrique et des États-Unis. La plupart (73 %) se sont établis à Toronto, Montréal et Vancouver, transformant ainsi la composition ethnoculturelle et la dynamique socioéconomique de ces villes.

En 2001, près de la moitié des Canadiens de 15 ans et plus, à l'exclusion des Autochtones, soit 10,3 millions de personnes, ont déclaré être d'origine ethnique britannique, française ou canadienne ou une combinaison des trois. Cela témoigne de la longue histoire des peuples britannique et français au Canada. Entre-temps, 4,3 millions de Canadiens ont déclaré une autre origine européenne, 2,9 millions, une origine non européenne, et 3,3 millions, une origine ethnique mixte.

Les minorités visibles croissent vite

La population de minorités visibles croît à un rythme beaucoup plus rapide que la population totale, soit au taux de 25 % de 1996 à 2001 par rapport à 4 % pour la population en général. Ce phénomène est surtout attribuable à l'immigration en provenance d'Asie, d'Afrique, des Caraïbes, d'Amérique centrale et du Sud et du Moyen-Orient. En 2001, environ 70 % des minorités visibles étaient nées à l'extérieur du Canada.

Graphique 9.1
Nouveaux immigrants au Canada selon la région d'origine

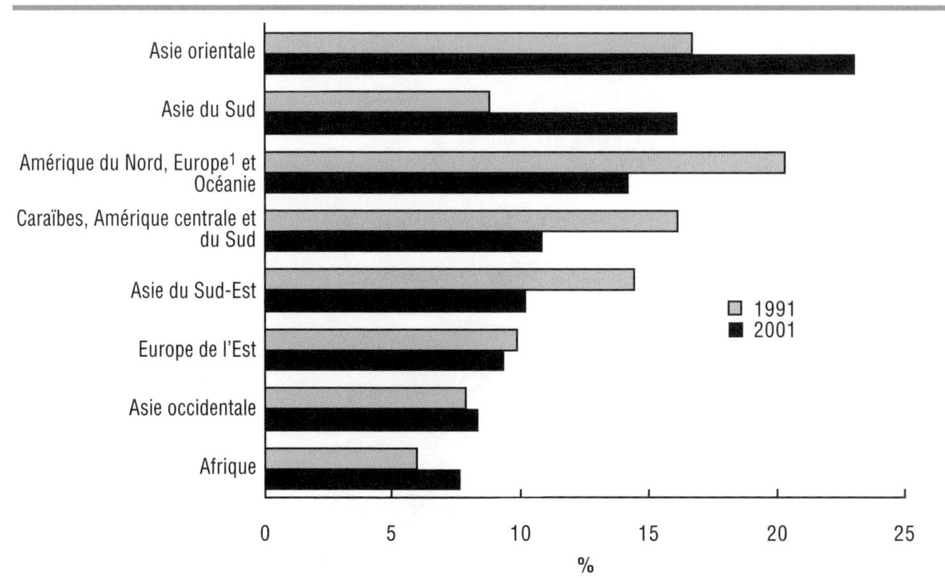

Note : Les nouveaux immigrants sont les personnes nées à l'étranger qui ont immigré au Canada durant les dix années qui ont précédé le Recensement de 1991 ou le Recensement de 2001.

1. Europe du Nord, de l'Ouest et du Sud.

Source : Statistique Canada, produit no 89-613-MIF au catalogue.

De 1981 à 2001, le nombre de minorités visibles a plus que triplé, passant de 1,1 million de personnes, ou près de 5 % de la population, à 4,0 millions de personnes, soit 13 % de la population. En 2001, les Chinois constituaient le groupe de minorités visibles le plus important, suivi des Sud-Asiatiques et des Africains.

En 2017, environ 20 % de la population pourrait faire partie des minorités visibles, soit entre 6,3 millions et 8,5 millions de personnes. Selon les prévisions, près de la moitié seraient des Sud-Asiatiques ou des Chinois. Les taux de croissance les plus élevés sont prévus pour les groupes des Asiatiques occidentaux, des Coréens et des Arabes; leurs populations pourraient plus que doubler d'ici 2017 tout en restant petites par rapport à la population sud-asiatique, chinoise et africaine. En 2017, 95 % des minorités visibles vivraient dans les régions métropolitaines de recensement (RMR); il s'agirait d'une proportion pratiquement inchangée par rapport à 2001.

La population canadienne est très urbaine : en 2001, 64 % des Canadiens vivaient dans une RMR. La proportion de nouveaux immigrants s'établissant dans une RMR est passée de 84 % en 1981 à 94 % en 2001. La proportion des personnes nées au Canada vivant dans une RMR est passée de 53 % à 59 %.

Les nouveaux immigrants préfèrent les RMR pour plusieurs raisons : 41 % citent la présence d'un conjoint, d'un partenaire ou de famille dans la région, tandis que 18 % mentionnent la proximité d'amis. D'autres facteurs comprennent les perspectives d'emploi, les possibilités d'études, le style de vie et le logement.

De 1981 à 2001, les cinq plus grandes villes du Canada, soit Toronto, Montréal, Vancouver, Ottawa–Gatineau et Calgary, ont accueilli des proportions beaucoup plus faibles d'immigrants en provenance d'Amérique du Nord, d'Europe

Nouveaux immigrants selon leurs régions d'origine et certaines RMR, 2001

	Montréal	Toronto	Vancouver
	%		
Amérique du Nord, Europe[1] et Océanie	12,5	8,4	9,8
Europe de l'Est	10,8	10,7	4,6
Antilles, Amérique centrale et du Sud	19,1	12,6	3,2
Afrique	18,2	6,0	3,0
Asie du Sud	10,9	22,9	11,1
Asie du Sud-Est	6,8	9,7	12,0
Asie orientale	9,2	21,5	51,0
Asie occidentale	12,5	8,3	5,4

Note : Comprend les personnes nées à l'étranger qui ont immigré au Canada entre 1991 et 2001.

1. Inclut les pays d'Europe du Nord, de l'Ouest et du Sud.

Source : Statistique Canada, produit nº 89-613-MIF au catalogue.

Graphique 9.2
Croissance de la population de minorités visibles

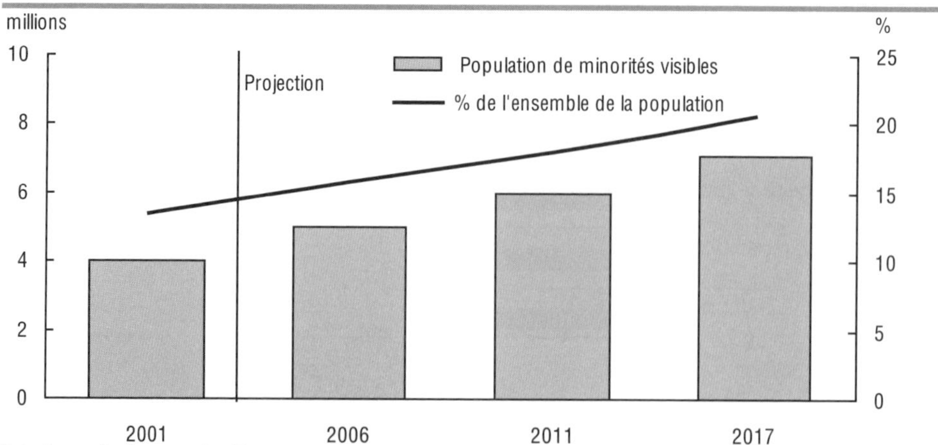

Note: Les projections sont fondées sur un scénario qui s'appuie sur les tendances observées au cours du Recensement de 2001 et des recensements des années précédentes.

Source : Statistique Canada, produit nº 91-541-XIF au catalogue.

de l'Ouest et de l'Océanie, mais des proportions plus importantes d'immigrants venant d'Asie occidentale, d'Asie du Sud et d'Asie orientale.

En ce qui concerne Montréal, la plupart des immigrants récents sont venus d'Haïti, d'Algérie, de France et du Liban. À Vancouver, en 2001, plus de la moitié des nouveaux immigrants provenaient d'Asie orientale et 62 % d'entre eux de cinq pays seulement : la Chine, Hong Kong, Taïwan, l'Inde et les Philippines.

En 2017, les immigrants pourraient représenter jusqu'à 49 % de la population de Toronto, en hausse par rapport à 44 % en 2001. À Vancouver, on prévoit que la proportion passera de 38 % en 2001 à 44 % en 2017.

Les nouveaux immigrants ont des liens ethniques étroits

La vigueur de l'attachement d'un immigrant à un groupe ethnique est liée à la durée du séjour au Canada. Les nouveaux immigrants s'établissent souvent près de leurs familles et amis, qui sont généralement d'origine ethnique semblable, ce qui peut venir renforcer le sentiment d'appartenance au groupe ethnique.

Parmi les immigrants qui sont arrivés au Canada de 1991 à 2001, 71 % ont déclaré au moins l'une de leurs origines ancestrales comme étant importante pour leur identité. En revanche, c'était le cas de 57 % des Canadiens de la deuxième génération (ceux nés au Canada dont au moins l'un des parents était né à l'étranger) et de 44 % des Canadiens de la troisième génération (ceux nés au Canada de deux parents nés au Canada).

Le sentiment d'appartenance varie également selon le groupe ethnique. Par exemple, 78 % des Canadiens d'origine philippine ont déclaré avoir des liens étroits avec leur groupe ethnique, de même que 65 % des Indiens de l'Inde et 65 % des Portugais. Toutefois, seulement 36 % des Hollandais, 33 % des Allemands et 33 % des Ukrainiens ont déclaré avoir un fort sentiment d'appartenance à leur groupe ethnique. Cela s'explique probablement par la plus longue durée du séjour de ces groupes au Canada.

Quelle que soit la durée du séjour au Canada, les immigrants sont plus susceptibles que les personnes nées au pays de participer à des associations ethniques ou d'immigrants. Les nouveaux immigrants, toutefois, sont moins susceptibles de participer à d'autres types d'organisations au Canada.

Graphique 9.3
Nouveaux immigrants, certaines régions métropolitaines de recensement

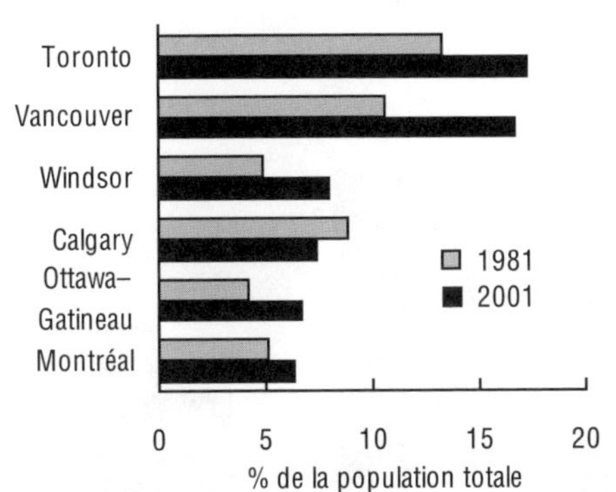

Note : Les nouveaux immigrants sont les personnes nées à l'étranger qui ont immigré au Canada durant les dix années qui ont précédé le Recensement de 1981 ou de 2001.

Source : Statistique Canada, recensements de la population de 1981 et 2001.

Sources choisies

Statistique Canada

- *Dix choses à savoir sur les régions métropolitaines du Canada : synthèse de la série « Tendances et conditions dans les régions métropolitaines de recensement » de Statistique Canada.* Hors série. 89-613-MWF2005009
- *Enquête sur la diversité ethnique : portrait d'une société multiculturelle.* Hors série. 89-593-XIF
- *Les immigrants dans les régions métropolitaines de recensement au Canada.* Hors série. 89-613-MWF2004003
- *Projections de la population des groupes de minorités visibles, Canada, provinces et régions.* Hors série. 91-541-XIF
- *Tendances sociales canadiennes.* Irrégulier. 11-008-XWF

Le nombre de couples mixtes augmente

Dans les années 1990, le nombre de mariages et d'unions libres de personnes de différents groupes de population a augmenté. En 2001, parmi les 14,1 millions de personnes mariées ou en union libre, 452 000 faisaient partie d'un couple dont l'un des conjoints était membre d'une minorité visible et l'autre non, ou d'un couple composé de conjoints appartenant à deux minorités visibles différentes. En 2001, 3 % des personnes en couple faisaient partie d'une telle union mixte, une légère hausse par rapport à 1991.

Les Canadiens d'origine japonaise sont les plus susceptibles d'épouser une personne qui n'est pas japonaise ou de vivre en union libre avec celle-ci. Ils sont suivis des personnes d'origine latino-américaine et des Noirs. Les Sud-Asiatiques et les Chinois sont les moins susceptibles d'épouser une personne d'un autre groupe ethnique.

Les unions mixtes représentent 7 % de tous les couples mariés ou en union libre à Vancouver, 6 % à Toronto et 3 % à Montréal. Toutefois, chez les personnes de 20 à 29 ans, les proportions sont presque deux fois plus élevées : 13 % à Vancouver, 11 % à Toronto et 6 % à Montréal.

Les couples mixtes sont plus jeunes — en 2001, ils représentaient 5 % de tous les couples de 20 à 29 ans, comparativement à 1 % des couples de 65 ans et plus — et ils sont plus susceptibles d'être nés à l'étranger et de vivre dans une grande ville. Ils ont aussi tendance à avoir un niveau de scolarité plus élevé que les couples dans la population en général. Par exemple, 6 % des titulaires d'un diplôme universitaire vivent en union mixte, par rapport à 2 % des titulaires d'un diplôme d'études secondaires ou des personnes ayant un niveau inférieur d'études.

Les couples mixtes sont plus susceptibles d'avoir des enfants. En 2001, 57 % de tous les couples dans la population en général avaient des enfants, comparativement à 59 % des couples composés d'un conjoint d'une minorité visible et d'un conjoint n'était pas d'une minorité visible et à 69 % des couples composés de conjoints appartenant à deux minorités visibles différentes.

Graphique 9.4
Personnes en unions mixtes selon le groupe d'âge

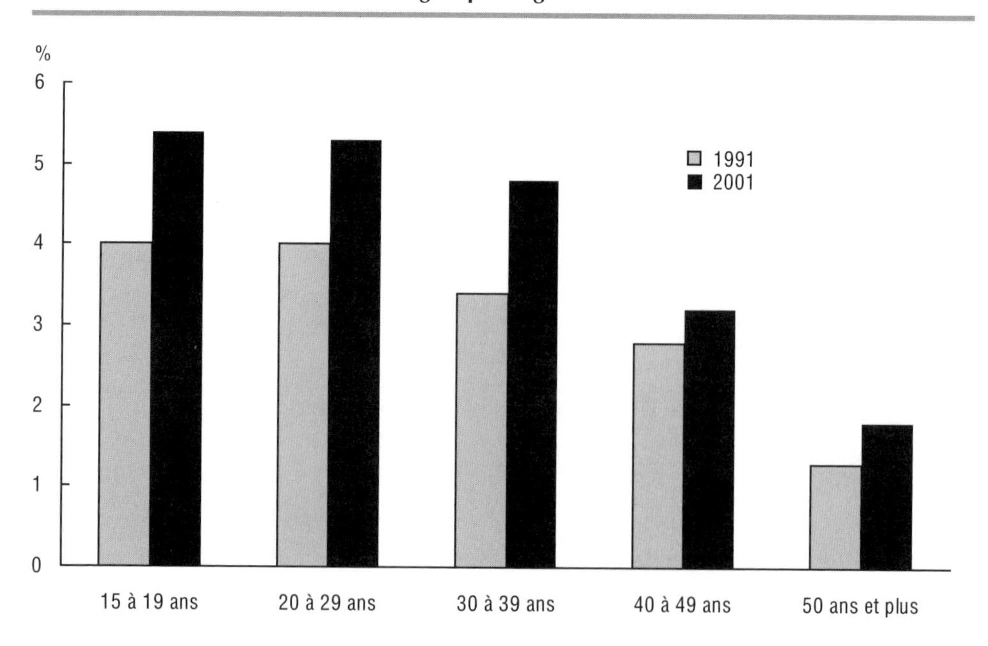

Source : Statistique Canada, recensements de la population de 1991 et 2001.

L'accession à la propriété est en baisse

De 1981 à 2001, la proportion de familles immigrantes propriétaires de leur maison a diminué de façon marquée dans certaines villes, et ce, particulièrement chez les familles dont le principal soutien était âgé de 25 à 54 ans.

Ce phénomène est en partie associé aux difficultés que les immigrants éprouvent sur le marché du travail. Le temps passé au Canada est aussi un facteur : en 2001, 37 % des immigrants avaient vécu au Canada pendant 10 ans ou moins, comparativement à 30 % en 1981. L'âge est un autre facteur : de 1981 à 2001, les taux de propriété ont été plus élevés parmi les immigrants de 45 à 54 ans qu'ils ne l'ont été parmi la population du même groupe d'âge née au Canada. Cependant, durant cette période, les immigrants de 35 à 44 ans ont vu chuter leur taux de propriété; en 2001, leur taux est descendu en deçà de celui des personnes du même groupe d'âge nées au Canada.

À Montréal, 52 % des familles immigrantes étaient propriétaires en 1981, contre 46 % des familles nées au Canada. À Toronto, 65 % des familles immigrantes étaient propriétaires, comparativement à 55 % des familles nées au pays. À Vancouver, les proportions s'élevaient à 70 % et 58 % respectivement.

En 2001, la situation s'était inversée à Montréal (42 % des familles immigrantes étaient propriétaires, comparativement à 54 % des familles nées au Canada) et à Toronto (61 % contre 64 %). En revanche, la situation avait peu changé à Vancouver (64 % contre 55 %).

Le logement a constitué un problème particulier chez les immigrants qui sont arrivés au Canada entre 1996 et 2001. Certains ont trouvé le coût d'un logement de qualité au-dessus de leur moyens, de sorte qu'ils sont devenus des locataires ayant un besoin impérieux de logement. Autrement dit, ils habitaient dans des logements loués nécessitant des réparations majeures, surpeuplés ou dont le loyer représentait 30 % ou plus de leur revenu avant impôt.

Graphique 9.5
Accession à la propriété, chefs de famille immigrants et chefs de familles nés au Canada, certaines régions métropolitaines de recensement

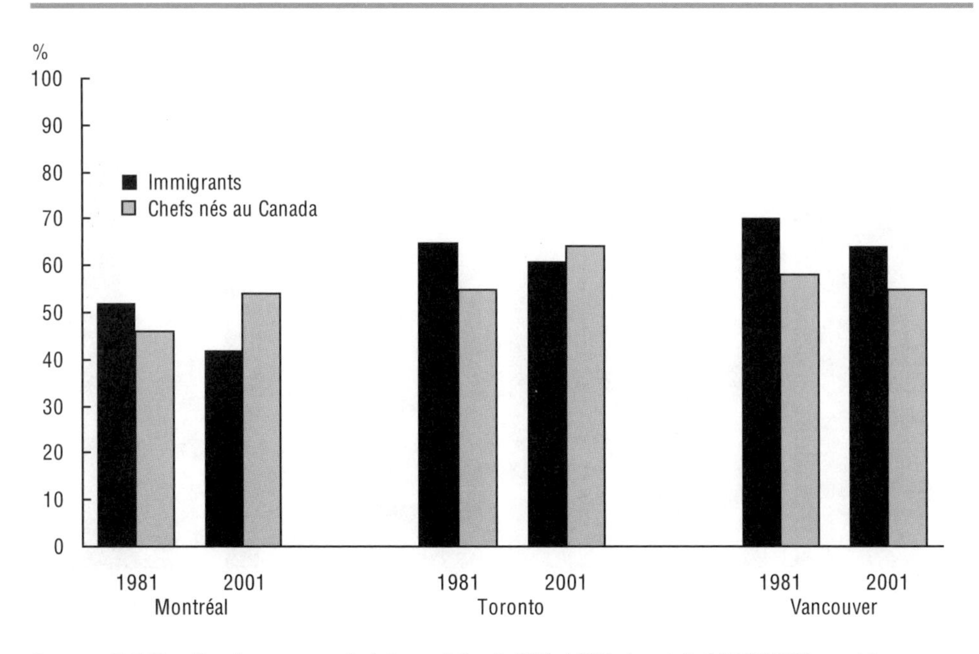

Sources : Statistique Canada, recensements de la population de 1981 et 2001 et produit nº 11F0019MIF au catalogue.

Devenir Canadien

La naturalisation, c'est-à-dire l'obtention de la citoyenneté, peut être la dernière étape du processus d'immigration d'un nouvel arrivant et une déclaration d'engagement envers le Canada. La citoyenneté confère le droit de voter, d'occuper une charge publique, d'occuper un emploi dans la fonction publique et de détenir un passeport canadien.

La plupart des habitants du Canada sont des citoyens canadiens, 81 % de naissance et 14 % par naturalisation. Les autres 5 % sont soit inadmissibles à la citoyenneté canadienne, soit admissibles mais n'ont pas pris de mesures pour obtenir la citoyenneté par naturalisation, ou ils ne sont pas des résidents permanents. Selon le Recensement de 2001, 84 % des immigrants admissibles, soit ceux vivant au Canada depuis au moins trois ans, sont des citoyens canadiens.

Les réfugiés et les personnes de pays en développement ou de pays dont les régimes politique, économique ou social diffèrent des nôtres, comme certains pays d'Asie et d'Afrique, sont les plus susceptibles d'obtenir la citoyenneté. En 2001, 93 % des immigrants admissibles du Vietnam et 89 % de ceux de la République populaire de Chine sont devenus Canadiens. Plus de 80 % des nouveaux arrivants d'Afrique habitant au Canada depuis plus de cinq ans ont aussi obtenu leur citoyenneté canadienne. Peu importe le lieu d'origine d'un nouvel arrivant, plus la durée du séjour au pays est longue, plus il est susceptible de devenir citoyen canadien.

Les immigrants plus jeunes sont davantage susceptibles d'obtenir la citoyenneté canadienne que les immigrants plus âgés. Environ 85 % de ceux de moins de 20 ans à l'entrée au pays acquièrent la citoyenneté, comparativement à 72 % seulement de ceux de 70 ans et plus.

Les facteurs qui influent sur la décision d'obtenir la naturalisation comprennent la durée prévue du séjour, les règles régissant la double citoyenneté, l'attachement au pays d'origine et au Canada, les lois et règles fiscales régissant les transferts d'actifs du pays d'origine, ainsi que le temps, le coût et les connaissances requises pour devenir citoyen canadien.

Graphique 9.6
Immigrants qui sont citoyens canadiens selon la durée de résidence au Canada

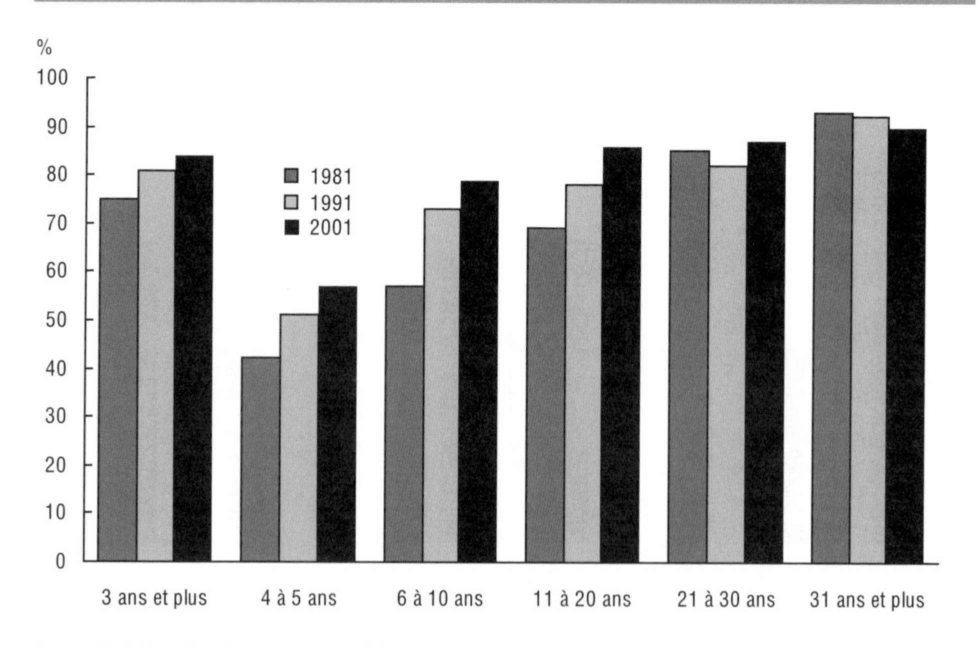

Source : Statistique Canada, recensements de la population de 1981, 1991 et 2001.

Les enfants d'immigrants s'en tirent bien

Les Canadiens de deuxième génération s'en tirent bien — et nombre d'entre eux s'en tirent mieux que les Canadiens de troisième génération — selon une étude menée auprès des personnes nées au Canada d'au moins un parent immigrant. En général, les Canadiens de deuxième génération sont plus instruits et gagnent en moyenne davantage que les Canadiens du même âge dont les deux parents sont nés ici.

Les Canadiens de deuxième génération de sexe masculin nés entre 1964 et 1976 sont plus susceptibles d'avoir un diplôme universitaire que les Canadiens du même âge dont les deux parents sont nés au Canada. Ils touchent aussi des gains hebdomadaires plus élevés (environ 6 % au-dessus de la moyenne en 2000), sauf si leur père est né dans les Caraïbes, en Amérique centrale, en Amérique du Sud ou en Océanie; ces Canadiens de deuxième génération ont touché des gains de 14 % en dessous de la moyenne. Toutefois, pour ceux dont le père venait de l'Amérique du Nord, de l'Europe du Nord ou de l'Europe occidentale, l'avantage en matière de gains de la deuxième génération de sexe masculin était de 14 % au-dessus de la moyenne.

Un tableau semblable se dessine pour les Canadiennes, sauf que, dans leur cas, le pays de naissance du père a moins de répercussions sur leur niveau de scolarité et de gains. Ces femmes ont touché en moyenne un peu plus de 27 000 $ en 2000, tandis que les femmes dont les deux parents sont nés au Canada ont gagné moins de 25 000 $. Les femmes dont le père est né en Asie et celles dont le père est né en Afrique ont enregistré des gains respectifs de 27 % et 26 % au-dessus de la moyenne.

En 2001, plus de 1 personne sur 3 de 16 à 65 ans était un immigrant ou un enfant d'immigrants. Environ 7 % de la population se composait de Canadiens de deuxième génération dont les deux parents étaient nés dans un autre pays, tandis qu'une autre tranche de 7 % à 8 % des Canadiens étaient nés de parents dont l'un était originaire d'un autre pays.

Graphique 9.7
Niveau de scolarité des enfants d'immigrants établis au Canada depuis deux générations ou plus selon le sexe, 2001

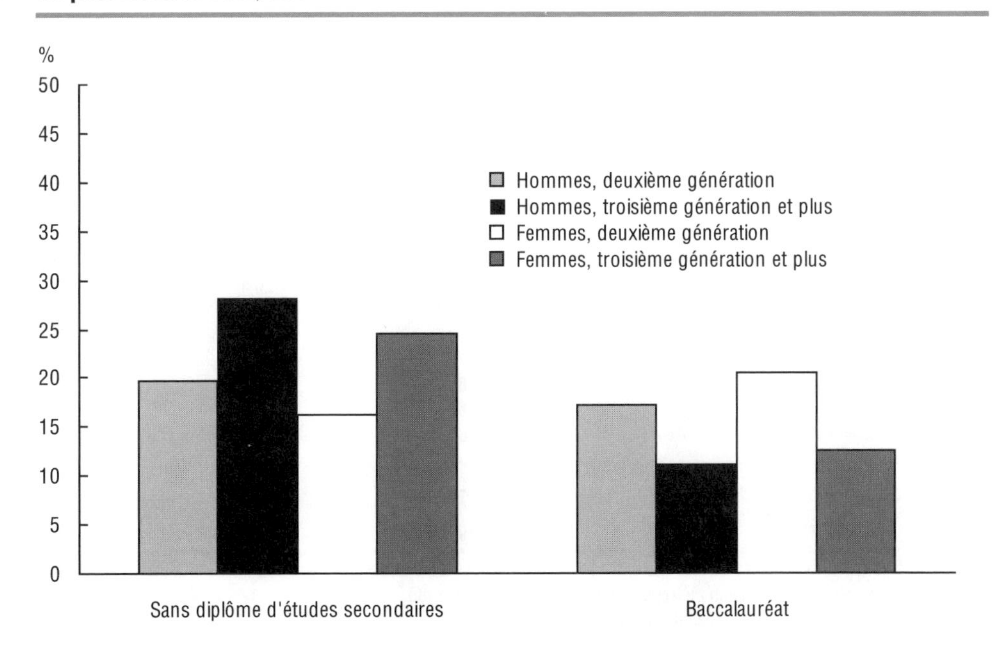

Source : Statistique Canada, produit nº 11F0019MIF au catalogue.

Tableau 9.1 Population née à l'étranger, par province et territoire, années de recensement 1991 à 2001

	1991	1996	2001
	pourcentage de la population totale		
Canada	**16,2**	**17,5**	**18,5**
Terre-Neuve-et-Labrador	1,5	1,6	1,6
Île-du-Prince-Édouard	3,2	3,3	3,1
Nouvelle-Écosse	4,4	4,7	4,6
Nouveau-Brunswick	3,4	3,3	3,1
Québec	8,7	9,5	10,0
Ontario	24,1	25,8	27,1
Manitoba	12,9	12,4	12,2
Saskatchewan	5,9	5,4	5,0
Alberta	15,2	15,2	15,0
Colombie-Britannique	22,5	24,7	26,4
Yukon	10,8	10,4	10,6
Territoires du Nord-Ouest	4,9	4,8	6,4
Nunavut	..	..	1,7

Source : Statistique Canada, recensements de la population de 1991 à 2001.

Tableau 9.2 Personnes nées à l'étranger selon la région métropolitaine de recensement, années de recensement 1991 à 2001

	1991	1996	2001
	pourcentage de la population totale		
St. John's	2,8	2,9	2,9
Halifax	6,4	7,0	6,9
Saint John	4,3	4,0	3,8
Saguenay (anciennement Chicoutimi)	0,7	0,7	0,9
Québec	2,2	2,6	2,9
Sherbrooke[1]	3,8	4,3	4,6
Trois-Rivières	1,3	1,6	1,5
Montréal	16,4	17,8	18,4
Ottawa–Gatineau (anciennement Ottawa–Hull)	14,7	16,3	17,6
Kingston[2]	13,5	12,8	12,4
Oshawa	17,2	16,5	15,7
Toronto	38,0	41,9	43,7
Hamilton	23,5	23,6	23,6
St. Catharines–Niagara	18,9	18,3	17,8
Kitchener	21,5	21,8	22,1
London	18,8	19,2	18,8
Windsor	20,6	20,4	22,3
Greater Sudbury / Grand Sudbury (anciennement Sudbury)	8,1	7,5	7,0
Thunder Bay	13,1	12,2	11,1
Winnipeg	17,4	16,9	16,5
Regina	8,4	8,0	7,4
Saskatoon	8,2	7,6	7,6
Calgary	20,3	20,9	20,9
Edmonton	18,3	18,5	17,8
Abbotsford[2]	19,8	20,3	21,8
Vancouver	30,1	34,9	37,5
Victoria	19,5	19,3	18,8

Note : Les régions métropolitaines de recensement sont celles adoptées dans le Recensement de 2001.

1. Sherbrooke est devenue une région métropolitaine de recensement en 1986.
2. Kingston et Abbotsford sont devenues des régions métropolitaines de recensement en 2001.

Source : Statistique Canada, recensements de la population de 1981 à 2001.

Tableau 9.3 Certaines origines ethniques, 2001

	Total des réponses	Réponse unique[1]	Réponses multiples[2]
		nombre	
Population totale	**29 639 035**	**18 307 545**	**11 331 490**
Canadien	11 682 680	6 748 135	4 934 545
Anglais	5 978 875	1 479 525	4 499 355
Français	4 668 410	1 060 760	3 607 655
Écossais	4 157 210	607 235	3 549 975
Irlandais	3 822 660	496 865	3 325 795
Allemand	2 742 765	705 600	2 037 170
Italien	1 270 370	726 275	544 090
Chinois	1 094 700	936 210	158 490
Ukrainien	1 071 060	326 195	744 860
Indien de l'Amérique du Nord	1 000 890	455 805	545 085
Hollandais (Néerlandais)	923 310	316 220	607 090
Polonais	817 085	260 415	556 665
Indien de l'Inde	713 330	581 665	131 665
Norvégien	363 760	47 230	316 530
Portugais	357 690	252 835	104 855
Gallois	350 365	28 445	321 920
Juif	348 605	186 475	162 130
Russe	337 960	70 895	267 070
Philippin	327 550	266 140	61 405
Métis	307 845	72 210	235 635
Suédois	282 760	30 440	252 325
Hongrois (Magyar)	267 255	91 800	175 455
Américain (États-Unis)	250 005	25 205	224 805
Grec	215 105	143 785	71 325
Espagnol	213 105	66 545	146 555
Jamaïcain	211 720	138 180	73 545
Danois	170 780	33 795	136 985
Vietnamien	151 410	119 120	32 290

1. Le répondant a déclaré avoir une seule origine ethnique.
2. Le répondant a déclaré avoir plus d'une origine ethnique.

Source : Statistique Canada, Recensement de la population de 2001.

Tableau 9.4 Population des minorités visibles, par province et territoire, 2001

	Population totale	Population des minorités visibles	Noir	Sud-Asiatique	Chinois
	nombre				
Canada	**29 639 035**	**3 983 845**	**662 210**	**917 075**	**1 029 395**
Terre-Neuve-et-Labrador	**508 075**	3 850	840	1 005	925
Île-du-Prince-Édouard	**133 385**	1 180	370	115	205
Nouvelle-Écosse	**897 570**	34 525	19 670	2 890	3 290
Nouveau-Brunswick	**719 710**	9 425	3 850	1 415	1 530
Québec	**7 125 580**	497 975	152 195	59 505	56 830
Ontario	**11 285 550**	2 153 045	411 095	554 870	481 505
Manitoba	**1 103 695**	87 110	12 820	12 880	11 930
Saskatchewan	**963 150**	27 580	4 165	4 090	8 085
Alberta	**2 941 150**	329 925	31 390	69 585	99 095
Colombie-Britannique	**3 868 870**	836 440	25 465	210 295	365 485
Yukon	**28 520**	1 025	115	210	225
Territoires du Nord-Ouest	**37 105**	1 545	170	190	255
Nunavut	**26 665**	210	65	30	35

Source : Statistique Canada, Recensement de la population de 2001.

Tableau 9.5 Population des minorités visibles selon la région métropolitaine de recensement, 2001

	Population totale	Population des minorités visibles	Noir	Sud-Asiatique	Chinois
	nombre				
St. John's	**171 105**	2 310	350	745	520
Halifax	**355 945**	25 085	13 085	2 345	2 440
Saint John	**121 340**	3 160	1 440	305	490
Saguenay	**153 020**	985	325	40	290
Québec	**673 105**	11 075	3 640	340	1 275
Sherbrooke	**150 385**	3 835	1 040	225	245
Trois-Rivières	**134 645**	1 240	515	50	90
Montréal	**3 380 645**	458 330	139 305	57 935	52 110
Ottawa–Gatineau	**1 050 755**	148 680	38 185	22 275	28 810
Kingston	**142 765**	6 735	850	1 525	1 605
Oshawa	**293 550**	20 690	7 180	4 630	2 355
Toronto	**4 647 960**	1 712 535	310 500	473 805	409 530
Hamilton	**655 055**	64 380	12 855	14 285	9 000
St. Catharines–Niagara	**371 400**	16 845	3 840	2 535	2 665
Kitchener	**409 770**	43 770	7 345	11 190	5 895
London	**427 215**	38 300	7 610	4 925	4 660
Windsor	**304 955**	39 330	8 125	6 530	5 710
Greater Sudbury / Grand Sudbury	**153 890**	3 125	1 075	535	715
Thunder Bay	**120 365**	2 690	440	330	420
Winnipeg	**661 725**	82 565	11 440	12 285	10 930
Regina	**190 020**	9 880	1 580	1 665	2 370
Saskatoon	**222 635**	12 410	1 520	1 850	3 960
Calgary	**943 310**	164 900	13 665	36 855	51 850
Edmonton	**927 020**	135 770	14 095	29 065	41 285
Abbotsford	**144 990**	25 755	595	18 660	1 610
Vancouver	**1 967 480**	725 655	18 405	164 360	342 665
Victoria	**306 970**	27 185	2 180	5 775	11 245

Source : Statistique Canada, Recensement de la population de 2001.

Coréen	Japonais	Asiatique du Sud-Est	Philippin	Arabe/Asiatique occidental	Latino-Américain	Minorités visibles, non incluses ailleurs	Minorités visibles multiples
				nombre			
100 660	**73 315**	**198 880**	**308 575**	**303 965**	**216 975**	**98 920**	**73 875**
105	70	120	260	350	85	45	45
20	80	45	40	180	75	30	20
585	420	790	655	4 000	520	1 170	535
105	130	305	355	770	425	265	275
4 410	2 830	44 115	18 550	85 760	59 520	7 555	6 705
53 955	24 925	86 410	156 515	155 645	106 835	78 915	42 375
1 040	1 665	5 480	30 490	2 100	4 775	2 070	1 860
635	435	2 600	3 030	1 475	2 005	420	640
7 800	9 950	23 740	33 940	24 550	18 745	4 220	6 910
31 965	32 730	34 970	64 005	28 985	23 880	4 195	14 465
0	35	105	235	30	45	10	15
20	40	190	465	105	55	20	35
10	0	10	35	15	10	0	0

Coréen	Japonais	Asiatique du Sud-Est	Philippin	Arabe/Asiatique occidental	Latino-Américain	Minorités visibles, non incluses ailleurs	Minorités visibles multiples
				nombre			
50	60	80	115	280	55	35	20
475	335	715	480	3 355	410	980	465
40	10	75	125	190	240	155	90
25	10	50	0	10	220	15	0
140	145	1 650	60	1 515	2 005	210	95
50	50	315	90	695	1 050	45	30
0	15	235	10	130	175	10	10
3 760	2 295	39 570	17 890	79 410	53 155	6 785	6 115
1 590	1 575	9 535	5 205	28 285	7 660	2 735	2 825
345	165	365	445	525	630	125	135
610	465	560	905	985	965	1 355	680
42 615	17 415	53 565	133 680	95 820	75 910	66 455	33 240
2 030	1 165	4 910	4 950	6 850	4 945	2 000	1 390
905	625	1 280	1 200	1 460	1 535	295	505
1 135	460	5 450	1 050	3 545	4 850	1 875	975
1 705	525	3 165	1 615	7 545	4 470	1 205	875
390	145	2 805	2 955	8 920	2 235	1 225	290
45	75	70	115	170	220	65	40
30	190	275	295	230	240	70	170
955	1 585	5 030	30 095	1 960	4 550	1 990	1 745
225	165	1 185	1 010	480	800	185	215
185	140	1 130	1 460	825	845	175	320
3 885	3 845	12 560	16 380	11 395	8 605	2 250	3 610
2 830	1 845	9 690	14 170	10 845	7 510	1 675	2 760
760	540	1 180	640	170	995	205	390
28 850	24 025	28 465	57 025	27 330	18 715	3 320	12 495
680	1 740	1 245	1 810	685	1 160	210	455

Tableau 9.6 Population des minorités visibles selon le groupe d'âge, 2001

	Ensembles des groupes d'âges	0 à 14 ans	15 à 24 ans	25 à 44 ans	45 à 64 ans	65 à 74 ans	75 ans et plus
	nombre						
Population totale	**29 639 030**	**5 737 670**	**3 988 205**	**9 047 175**	**7 241 135**	**2 106 875**	**1 517 975**
Population des minorités visibles	**3 983 845**	942 195	634 685	1 351 310	794 510	171 230	89 925
Noir	**662 210**	195 120	110 615	207 895	116 005	21 485	11 095
Sud-Asiatique	**917 075**	228 345	139 805	310 470	182 735	39 355	16 370
Chinois	**1 029 395**	195 255	157 730	342 650	231 950	65 000	36 810
Coréen	**100 660**	19 525	21 110	33 870	21 575	2 730	1 855
Japonais	**73 315**	12 735	10 980	23 780	15 990	5 360	4 470
Asiatique du Sud-Est	**198 880**	50 125	32 775	74 200	32 420	6 250	3 105
Philippin	**308 575**	68 795	44 485	108 895	68 110	10 745	7 545
Arabe/Asiatique occidental	**303 965**	76 580	50 840	111 055	52 780	9 055	3 650
Latino-Américain	**216 980**	48 450	38 550	81 985	40 745	4 860	2 385
Minorités visibles, non incluses ailleurs	**98 915**	21 705	14 890	35 145	21 125	4 280	1 765
Minorités visibles multiples	**73 875**	25 570	12 895	21 355	11 070	2 105	875

Source : Statistique Canada, Recensement de la population de 2001.

Éducation, formation et apprentissage

10

SURVOL

Depuis 20 ans, la proportion d'élèves ayant obtenu leur diplôme d'études secondaires n'a cessé d'augmenter. En outre, un nombre croissant de jeunes poursuivent des études postsecondaires et les filles sont maintenant proportionnellement plus nombreuses que les garçons à effectuer des études universitaires de premier cycle à temps plein. Les effectifs universitaires féminins sont presque à égalité avec les effectifs masculins aux deuxième et troisième cycles.

De façon générale, la population d'âge scolaire devrait diminuer au Canada au cours des prochaines années en raison de la baisse des taux de natalité. Le repli de la population d'âge scolaire dans certaines régions pourrait entraîner une sous-utilisation des installations, un sureffectif du personnel et une réduction des programmes offerts. Inversement, une région dont l'effectif scolaire est à la hausse risque de subir des pressions pour augmenter le financement, afin de maintenir le niveau des dépenses par élève.

La diversité culturelle croissante de la population d'âge scolaire peut aussi avoir des répercussions sur le système scolaire. Ainsi, dans certaines provinces, il existe divers conseils ou commissions scolaires qui reflètent les préférences religieuses et linguistiques. De plus, les élèves qui éprouvent des difficultés dans la langue d'enseignement, soit l'anglais ou le français, reçoivent habituellement une formation linguistique supplémentaire.

La population étudiante

Le nombre d'élèves inscrits dans les écoles publiques primaires et secondaires du Canada a légèrement diminué par rapport à l'année scolaire 1997-1998. Un peu moins de 5,3 millions d'enfants étaient inscrits dans les écoles publiques au cours de l'année scolaire 2003-2004, ce qui représente un recul de 1,2 % par rapport à 1997-1998.

Graphique 10.1
Effectifs des écoles publiques primaires et secondaires, par province

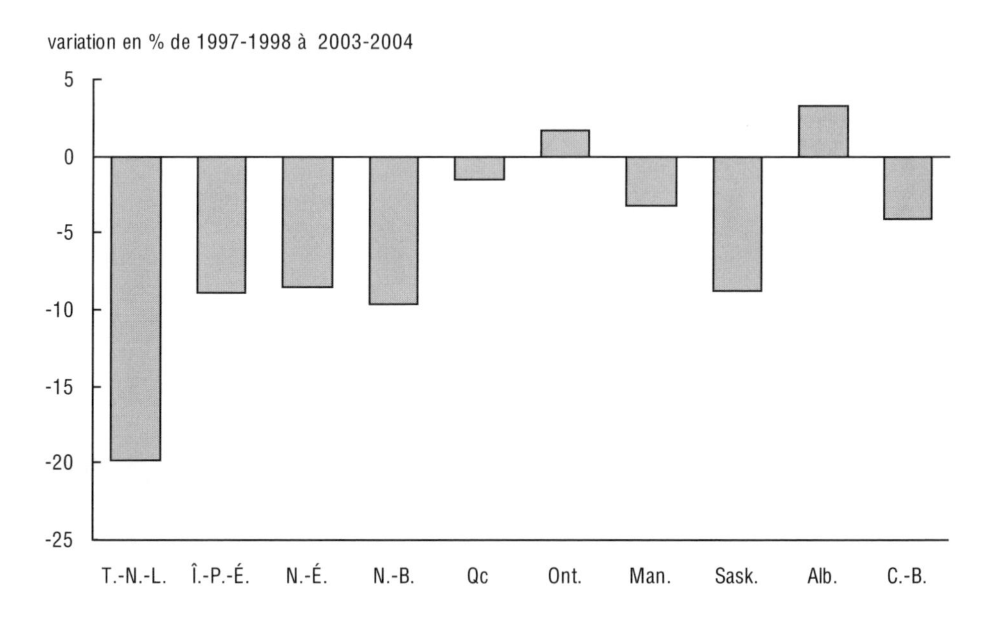

Source : Statistique Canada, produit n° 81-595-MIF au catalogue.

Au cours de cette période, les effectifs d'élèves dans les écoles primaires et secondaires publiques, mesurés en équivalents temps plein, ont augmenté en Ontario et en Alberta seulement. En Ontario, les effectifs ont atteint 2,1 millions d'élèves en 2003-2004, en hausse de 1,6 % comparativement à 1997-1998. En Alberta, les effectifs se sont établis à 549 500 élèves, en hausse de 3,2 %. En Ontario, la progression observée s'explique essentiellement par le niveau élevé d'immigration, tandis qu'en Alberta, elle est attribuable à la migration en provenance des autres provinces.

La plus forte baisse s'est produite à Terre-Neuve-et Labrador, où les effectifs ont chuté de près de 19,9 % depuis 1997-1998 pour s'établir à 81 545 élèves en 2003-2004. Cette situation s'explique en grande partie par une perte migratoire nette vers les autres provinces.

Le nombre d'étudiants inscrits dans les universités canadiennes a dépassé le cap du million pour la première fois au cours de l'année scolaire 2004-2005, en raison de la double cohorte en Ontario, d'une augmentation du nombre d'étudiants étrangers et d'une hausse du nombre de jeunes adultes. Il s'agit de la septième année de suite où les inscriptions ont atteint un sommet. Cependant, la hausse par rapport à l'année scolaire précédente n'a été que de 2,1 %, ce qui représente la plus faible augmentation observée depuis le début de la décennie.

Graphique 10.2
Grades universitaires décernés selon le niveau de scolarité et le sexe

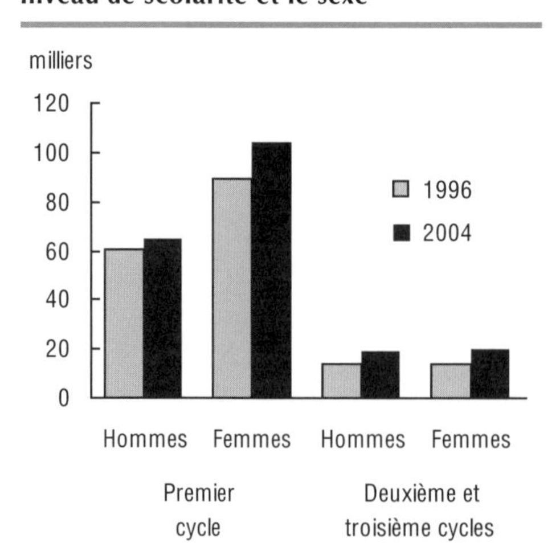

Source : Statistique Canada, CANSIM : tableau 477-0014.

Certains indicateurs pour les écoles publiques primaires et secondaires

	1997-1998	2003-2004
	nombre	
Effectifs scolaires	5 354 706	5 289 031
Diplômés	204 745	335 286
Éducateurs	327 538	338 787

Source : Statistique Canada, produit nº 81-595-MIF au catalogue.

Les diplômés

Un peu plus de 335 000 élèves des écoles publiques primaires et secondaires ont obtenu leur diplôme au cours de l'année scolaire 2003-2004, en hausse de 3,0 % par rapport à 1999-2000. Cette augmentation est principalement attribuable à l'élimination de la 13e année (CPO) en Ontario. Si l'on exclut les diplômés de la double cohorte de l'Ontario, le nombre total de diplômés au Canada a peu varié de 1999-2000 à 2003-2004.

Depuis le début des années 1990, le taux de décrochage du secondaire a considérablement diminué. Pendant l'année scolaire 1990-1991, 16,7 % des jeunes de 20 à 24 ans ne fréquentaient pas l'école et n'avaient pas de diplôme d'études secondaires. Toutefois, ce taux avait chuté à 9,8 % en 2004-2005. Parmi les 212 000 décrocheurs au Canada en 2004-2005, près des deux tiers étaient des garçons.

En 2004, les étudiants des universités ont obtenu un nombre sans précédent de baccalauréats et de maîtrises. En fait, les universités ont décerné un nombre record de 209 100 grades, diplômes et certificats en 2004, en hausse de 5,3 % par rapport à 2003, et au-delà de 30 000 titres de plus qu'en 2001.

De 1996 à 2004, le nombre de baccalauréats et premiers grades professionnels a crû de 15,8 %, ce qui compense un fléchissement de 6,4 % du nombre de diplômes et certificats de premier cycle observé durant la même période.

Un peu plus de 31 600 étudiants ont obtenu une maîtrise en 2004, en hausse de 9,0 % par rapport à l'année précédente. Il s'agit d'une septième augmentation annuelle de suite. Pour la première fois, les diplômes de maîtrise ont représenté au-delà de 15 % de l'ensemble des titres décernés.

Les femmes demeurent plus nombreuses que les hommes aux cérémonies de collation des grades.

Quelque 124 800 femmes ont reçu un grade en 2004. Les femmes ont représenté environ 60 % de l'ensemble des diplômés pour une troisième année d'affilée.

Le nombre de grades, de diplômes et de certificats s'est accru dans tous les domaines d'études en 2004, sauf celui de l'agriculture, des ressources naturelles et de la conservation. Le domaine où la croissance a été la plus forte est celui de la santé, des parcs, de la récréation et du conditionnement physique, ainsi que celui des arts visuels et d'interprétation et de la technologie des communications.

Le financement de l'éducation

De 1997-1998 à 2003-2004, les dépenses totales attribuées aux écoles publiques primaires et secondaires du Canada ont augmenté de 22 % : elles sont passées de 34,5 milliards de dollars à 42,2 milliards de dollars. À titre de comparaison, l'inflation a été de 14 % pendant la même période financière. Les administrations publiques financent l'éducation de base au primaire et au secondaire.

Les dépenses totales des universités et des collèges ont atteint 31,3 milliards de dollars en 2006. Il s'agit d'une augmentation par rapport à 2002, alors qu'elles s'établissaient à 23,5 milliards de dollars. Les universités et les collèges sont en grande partie financés par les fonds publics, mais d'autres sources de revenus comme les recettes de source propres, les ventes de biens et services et les frais de scolarité en assurent le financement.

Graphique 10.3
Frais de scolarité universitaires

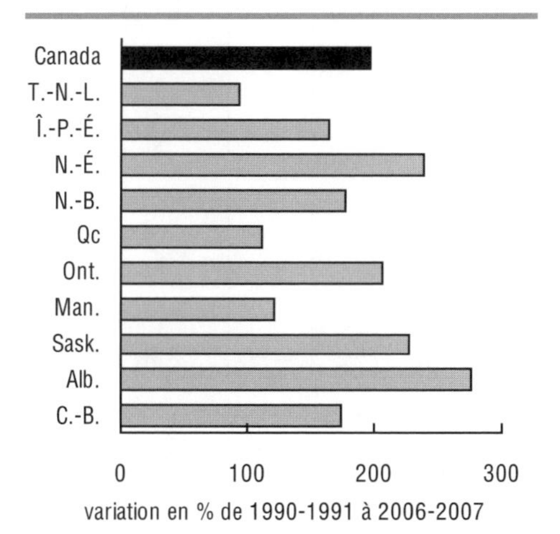

Source : Statistique Canada, Enquête sur les frais de scolarité et de subsistance.

Les frais de scolarité moyens des étudiants universitaires de premier cycle ont augmenté depuis le début des années 1990. Les étudiants de premier cycle ont payé en moyenne 4 347 $ en frais de scolarité pour l'année scolaire 2006-2007, en hausse comparativement à 4 211 $ l'année précédente. Ce montant représente près du triple de la moyenne de 1 464 $ affichée en 1990-1991.

Pour l'année scolaire 2006-2007, les hausses les plus marquées des frais de scolarité touchent les étudiants en architecture et en commerce. Les programmes les plus chers demeurent ceux de l'art dentaire et de la médecine.

Les frais de scolarité universitaires varient d'une province à l'autre. Par exemple, les frais de scolarité moyens des étudiants de premier cycle de la Nouvelle-Écosse sont les plus élevés au pays. Les étudiants de premier cycle du Québec continuent de payer les frais les moins élevés, en raison d'un gel des frais de scolarité s'appliquant aux résidents du Québec qui a maintenu les frais à moins de la moitié de la moyenne nationale depuis la fin des années 1990.

Sources choisies

Statistique Canada

- *Culture, tourisme et Centre de la statistique de l'éducation : documents de recherché.* Hors série. 81-595-MIF
- *Direction des études analytiques : documents de recherche.* Hors série. 11F0019MIF
- *Indicateurs de l'éducation au Canada : rapport du programme d'indicateurs pancanadiens de l'éducation.* Hors série. 81-582-XIF
- *L'emploi et le revenu en perspective.* Mensuel. 75-001-XIF
- *Questions d'éducation : le point sur l'éducation, l'apprentissage et la formation au Canada.* Bimestriel. 81-004-XIF

Lire favorise la réussite scolaire

Les compétences en lecture à l'âge de 15 ans jouent un rôle important dans l'achèvement des études secondaires et dans la fréquentation d'établissements d'enseignement postsecondaire. Selon des données de 2004, les jeunes ayant de bonnes compétences en lecture ont plus de chances d'obtenir leur diplôme d'études secondaires, alors que ceux qui éprouvent des difficultés dans ce domaine risquent davantage de décrocher ou de se trouver toujours à l'école secondaire à l'âge de 19 ans.

Dans l'ensemble, 87 % des élèves avaient terminé leurs études secondaires à 19 ans. Toutefois, chez les élèves affichant le plus faible niveau de compétences en lecture, seulement 62 % avaient terminé leurs études secondaires. Presque tous les élèves ayant atteint les niveaux les plus élevés avaient terminé leurs études secondaires à 19 ans.

En moyenne, les élèves qui n'avaient pas poursuivi d'études postsecondaires à 19 ans présentaient des résultats inférieurs de plus d'un niveau de compétences en lecture à ceux qui avaient fait des études postsecondaires. De plus, seulement 28 % des jeunes ayant le plus faible niveau de compétences en lecture avaient poursuivi une certaine forme d'études postsecondaires.

Les compétences en lecture ont une incidence sur l'obtention d'un diplôme d'études secondaires même lorsqu'on tient compte de facteurs comme le sexe, la langue maternelle, le niveau de scolarité des parents, le revenu familial, le lieu de résidence, l'engagement à l'école et l'engagement social. Ils ont aussi une incidence sur la participation aux études postsecondaires compte tenu des facteurs que l'on sait y être associés : le sexe, la langue maternelle, le niveau de scolarité des parents, le revenu familial.

La qualité des compétences en lecture et l'obtention de titres scolaires ne garantissent pas la réussite dans la vie. Cependant, sans eux, on risque davantage de connaître des entraves à l'emploi, une sécurité financière réduite et des résultats sociaux moins positifs.

Graphique 10.4
Taux d'achèvement des études secondaires selon le niveau de compétence en lecture à l'âge de 15 ans, 2004

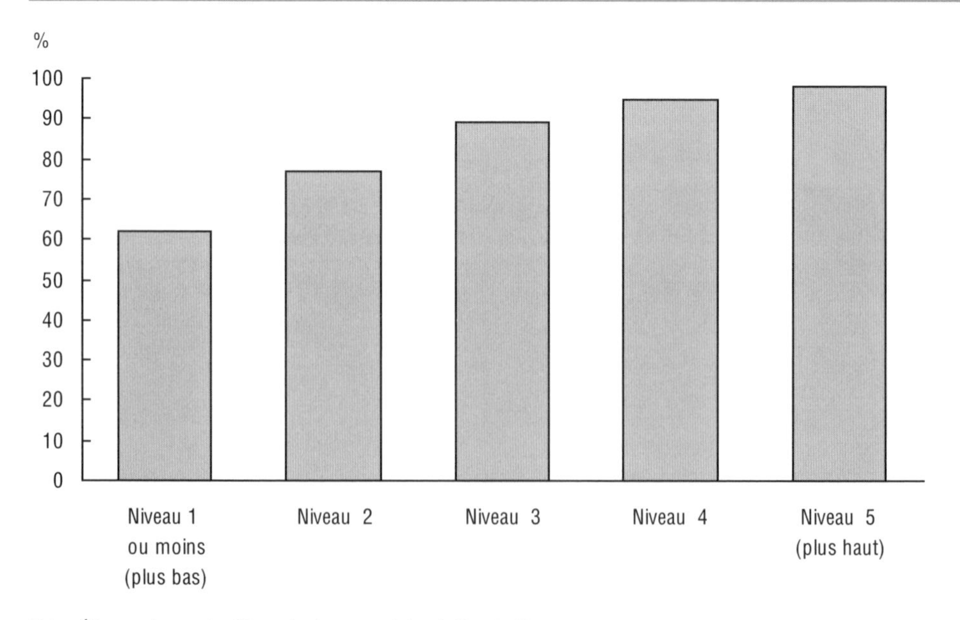

Note : Élèves qui ont achevé leurs études secondaires à l'âge de 19 ans.
Source : Statistique Canada, produit nº 81-595-MIF au catalogue.

Ils sont instruits, qualifiés et très mobiles

Certains Canadiens diplômés au niveau du doctorat choisissent de déménager dans un autre pays, mais la majorité restent ici. Toutefois, l'effet de chaque diplômé au niveau du doctorat qui quitte le pays peut sembler significatif parce qu'ils sont relativement peu nombreux.

Selon l'Equête auprès des titulaires d'un doctorat, environ 3 600 étudiants ont obtenu un doctorat d'une université canadienne de juillet 2003 à juin 2004. Des 3 300 diplômés qui ont participé à l'Enquête auprès des titulaires d'un doctorat, 20 % prévoyaient quitter le Canada après l'obtention du diplôme. Les deux tiers de ceux qui prévoyaient quitter le pays avaient l'intention de s'installer aux États-Unis. Parmi les titulaires d'un doctorat prévoyant quitter le Canada, 40 % étaient diplômés d'un programme en sciences de la vie comme l'agriculture, la biologie et les sciences de la santé.

Toutefois, environ la moitié des diplômés au niveau du doctorat prévoyant quitter le pays avaient l'intention de revenir au Canada à un moment donné dans l'avenir. Un autre tiers d'entre eux étaient incertains de revenir.

Le Canada attire aussi certains des éléments les meilleurs et les plus brillants dans d'autres pays. Environ 23 % des diplômés au niveau du doctorat en 2004 qui ont participé à l'enquête étaient des étudiants étrangers, et plus de 60 % d'entre eux prévoyaient rester au Canada après l'obtention du diplôme. Environ les trois quarts de ces étudiants étrangers ont obtenu un diplôme d'un programme intensif en recherche-développement (R-D) comme les études de génie, en sciences physiques et en sciences de la vie.

Pour de nombreux titulaires d'un doctorat, la perspective d'un emploi en R-D après l'obtention du diplôme était une grande motivation. Parmi ceux ayant des plans fermes en matière d'emploi, 30 % ont déclaré que leur emploi serait lié à la R-D et un autre 30 %, qu'ils enseigneraient.

Graphique 10.5
Principale activité des titulaires d'un doctorat, 2003-2004

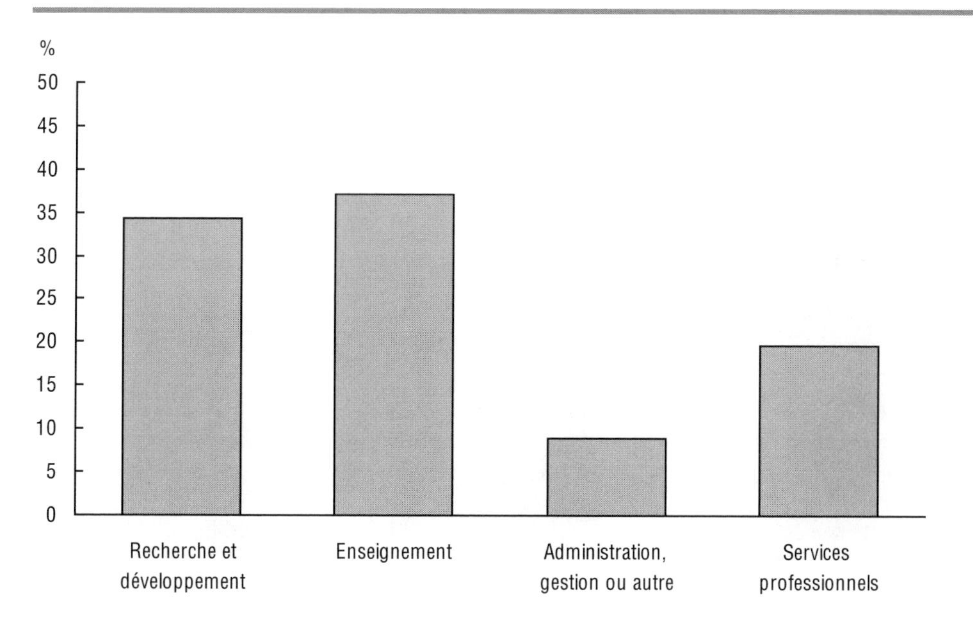

Note : Les titulaires du 1er juillet 2003 au 30 juin 2004, ayant un emploi assuré pour la prochaine année.
Source : Statistique Canada, produit nº 81-595-MIF au catalogue.

Est-il rentable de retourner aux études?

La notion que les études se terminent avec l'entrée sur le marché du travail est dépassée. Divers facteurs, dont l'évolution rapide de la technologie et le manque de nouveaux travailleurs qualifiés, font en sorte qu'un nombre croissant d'adultes retournent aux études pour actualiser leurs connaissances et leurs compétences ou pour en acquérir de nouvelles.

Selon une étude menée de 1993 à 2001, 14 % des hommes et 15 % des femmes ont poursuivi des études à l'âge adulte et plus de la moitié d'entre eux ont obtenu un certificat d'études postsecondaires. Les jeunes travailleurs scolarisés étaient plus susceptibles d'avoir participé à l'éducation des adultes que les travailleurs plus âgés et moins scolarisés.

La plupart des travailleurs adultes qui ont obtenu un certificat d'études postsecondaires ont connu des hausses appréciables de leurs salaires. Ainsi, tous les groupes d'hommes qui ont obtenu un certificat d'études postsecondaires ont connu une croissance plus élevée de leurs salaires horaires que ceux qui n'ont pas participé à l'éducation des adultes. Le rendement variait entre 6 % pour les hommes ayant au moins des études collégiales comme niveau de scolarité initial et 10 % pour ceux ayant un diplôme d'études secondaires ou moins. Quant aux gains annuels, ils ont augmenté de manière importante dans tous les groupes d'hommes autres que ceux de 35 à 59 ans.

Seules les femmes de 17 à 34 ans ont bénéficié d'un rendement élevé au chapitre des gains horaires et annuels (11 % et 15 %) après l'obtention d'un certificat d'études postsecondaires. Les femmes peu instruites qui ont obtenu un certificat d'études postsecondaires ont enregistré un rendement important sur le plan du salaire horaire, mais non des gains annuels.

Les jeunes travailleurs adultes et ceux plus âgés ont un parcours différent en matière de retour aux études. Chez les travailleurs âgés, seuls ceux qui sont restés au service du même employeur ont profité de l'éducation des adultes, tandis que chez les jeunes travailleurs, l'obtention d'un certificat d'études postsecondaires a été associée davantage à un nouvel emploi mieux rémunéré qu'à un salaire supérieur au même endroit.

Graphique 10.6
Taux de participation aux études chez les adultes selon l'âge et le sexe, de 1993 à 2001

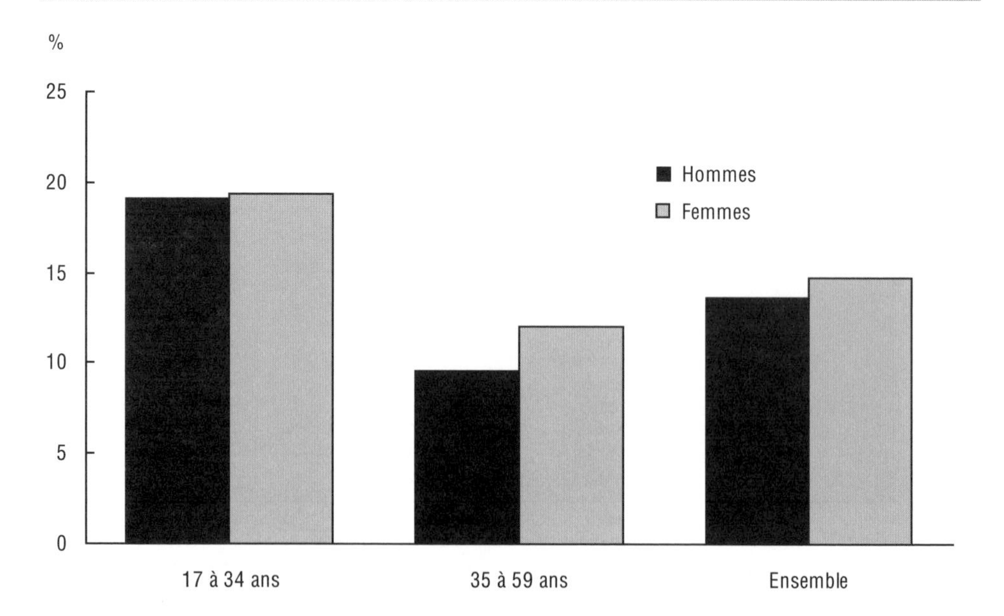

Source : Statistique Canada, produit nº 75-001-XIF au catalogue.

Moins de jeunes défavorisés à l'université

Les étudiants économiquement défavorisés au Canada sont moins susceptibles de poursuivre des études universitaires que ceux provenant de familles aisées. Selon une étude publiée en 2007, un peu plus de la moitié des jeunes de familles du quartile supérieur de la répartition du revenu fréquentaient l'université à 19 ans, comparativement à moins du tiers des jeunes de familles du quartile inférieur.

Selon les constatations de l'étude, il est peu probable que des contraintes financières soient un obstacle direct à la fréquentation de l'université. L'écart s'expliquerait plutôt presque entièrement par les différences du point de vue des résultats scolaires et de l'influence parentale.

Environ 84 % de l'écart était lié aux caractéristiques des jeunes provenant de divers milieux économiques, notamment les résultats scolaires, le niveau d'études des parents, les attentes parentales et l'école secondaire fréquentée. Par contre, 12 % seulement de l'écart dans la fréquentation universitaire était lié à l'incidence plus élevée des « contraintes financières » chez les jeunes à plus faible revenu.

La faiblesse des résultats scolaires des jeunes à plus faible revenu représentait un peu plus du tiers de l'écart. Plus précisément, les jeunes de milieux plus défavorisés avaient de moins bons résultats au test de rendement normalisé de lecture et de moins bonnes notes en général à l'âge de 15 ans.

Un autre 30 % de l'écart s'expliquait par le faible niveau d'études des parents des jeunes de familles à plus faible revenu. Environ 12 % de ces jeunes devaient répondre à des attentes moins élevées des parents en matière d'éducation.

L'étude conclut que l'écart en fonction du revenu dans la fréquentation de l'université résulte largement de facteurs présents bien avant que la plupart des jeunes n'envisagent d'y entrer.

Graphique 10.7
Taux de participation aux études universitaires selon le quartile de revenu des parents, 2003

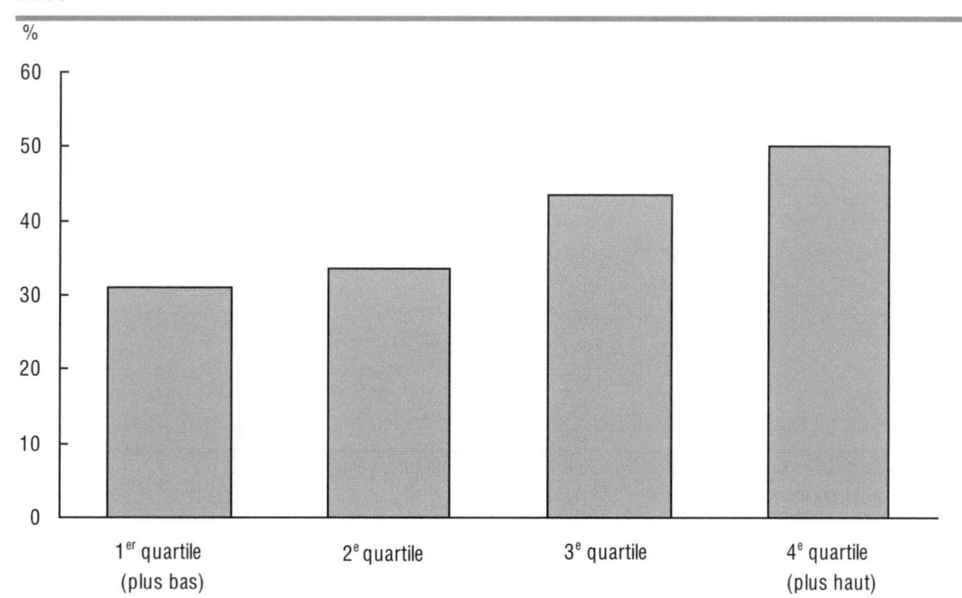

Note : Participation aux études universitaires de jeunes de 19 ans; revenu des parents quand les étudiants avaient 15 ans.
Source : Statistique Canada, produit nº 11F0019MIF au catalogue.

Tableau 10.1 Niveau de scolarité de la population en âge de travail selon le sexe, 1996 à 2006

	Population en âge de travailler	0 à 8 ans d'études		Études secondaires partielles		Études secondaires complétées	
	milliers	milliers	pourcentage	milliers	pourcentage	milliers	pourcentage
Les deux sexes							
1996	**22 967**	2 825	12,3	4 521	19,7	4 552	19,8
1997	**23 256**	2 747	11,8	4 423	19,0	4 362	18,8
1998	**23 523**	2 646	11,2	4 444	18,9	4 460	19,0
1999	**23 787**	2 588	10,9	4 395	18,5	4 570	19,2
2000	**24 094**	2 502	10,4	4 293	17,8	4 719	19,6
2001	**24 444**	2 371	9,7	4 272	17,5	4 740	19,4
2002	**24 797**	2 322	9,4	4 205	17,0	4 811	19,4
2003	**25 107**	2 262	9,0	4 015	16,0	4 810	19,2
2004	**25 443**	2 223	8,7	3 988	15,7	4 906	19,3
2005	**25 806**	2 163	8,4	3 918	15,2	5 121	19,8
2006	**26 185**	2 122	8,1	3 954	15,1	5 208	19,9
Hommes							
1996	**11 260**	1 347	12,0	2 282	20,3	2 094	18,6
1997	**11 404**	1 287	11,3	2 217	19,4	2 013	17,7
1998	**11 549**	1 249	10,8	2 226	19,3	2 076	18,0
1999	**11 683**	1 227	10,5	2 210	18,9	2 134	18,3
2000	**11 843**	1 181	10,0	2 160	18,2	2 210	18,7
2001	**12 024**	1 110	9,2	2 166	18,0	2 230	18,5
2002	**12 201**	1 092	9,0	2 132	17,5	2 260	18,5
2003	**12 352**	1 056	8,5	2 053	16,6	2 266	18,3
2004	**12 515**	1 031	8,2	2 041	16,3	2 319	18,5
2005	**12 693**	1 012	8,0	2 016	15,9	2 432	19,2
2006	**12 883**	983	7,6	2 022	15,7	2 496	19,4
Femmes							
1996	**11 707**	1 479	12,6	2 239	19,1	2 459	21,0
1997	**11 852**	1 459	12,3	2 205	18,6	2 349	19,8
1998	**11 974**	1 397	11,7	2 218	18,5	2 385	19,9
1999	**12 104**	1 361	11,2	2 185	18,1	2 436	20,1
2000	**12 252**	1 321	10,8	2 134	17,4	2 508	20,5
2001	**12 420**	1 261	10,2	2 106	17,0	2 510	20,2
2002	**12 596**	1 230	9,8	2 072	16,5	2 551	20,2
2003	**12 755**	1 206	9,5	1 962	15,4	2 545	20,0
2004	**12 928**	1 192	9,2	1 948	15,1	2 587	20,0
2005	**13 113**	1 151	8,8	1 902	14,5	2 690	20,5
2006	**13 303**	1 140	8,6	1 932	14,5	2 712	20,4

Note : Population de 15 ans et plus basé sur les estimations de l'Enquête sur la population active.

Source : Statistique Canada, CANSIM : tableau 282-0004.

Études postsecondaires partielles		Diplôme ou certificat d'études postsecondaires		Ensemble des grades universitaires		Baccalauréat		Diplôme ou certificat universitaire supérieur au baccalauréat	
milliers	pourcentage	milliers	pourcentage	milliers	pourcentage	milliers	pourcentage	milliers	pourcentage
2 031	8,8	5 932	25,8	3 106	13,5	2 115	9,2	991	4,3
2 121	9,1	6 357	27,3	3 247	14,0	2 214	9,5	1 033	4,4
2 120	9,0	6 513	27,7	3 340	14,2	2 304	9,8	1 036	4,4
2 116	8,9	6 597	27,7	3 522	14,8	2 402	10,1	1 119	4,7
2 275	9,4	6 584	27,3	3 722	15,4	2 507	10,4	1 215	5,0
2 241	9,2	6 916	28,3	3 905	16,0	2 661	10,9	1 244	5,1
2 274	9,2	7 124	28,7	4 061	16,4	2 790	11,3	1 271	5,1
2 453	9,8	7 261	28,9	4 306	17,2	2 969	11,8	1 337	5,3
2 478	9,7	7 458	29,3	4 390	17,3	3 070	12,1	1 320	5,2
2 221	8,6	7 692	29,8	4 690	18,2	3 227	12,5	1 464	5,7
2 117	8,1	7 832	29,9	4 952	18,9	3 445	13,2	1 507	5,8
979	8,7	2 897	25,7	1 662	14,8	1 051	9,3	611	5,4
1 019	8,9	3 132	27,5	1 735	15,2	1 105	9,7	630	5,5
1 018	8,8	3 197	27,7	1 784	15,4	1 159	10,0	625	5,4
1 020	8,7	3 247	27,8	1 847	15,8	1 170	10,0	676	5,8
1 107	9,3	3 259	27,5	1 926	16,3	1 208	10,2	718	6,1
1 088	9,0	3 406	28,3	2 025	16,8	1 295	10,8	730	6,1
1 117	9,2	3 505	28,7	2 095	17,2	1 351	11,1	744	6,1
1 189	9,6	3 586	29,0	2 203	17,8	1 430	11,6	773	6,3
1 229	9,8	3 675	29,4	2 220	17,7	1 463	11,7	758	6,1
1 106	8,7	3 783	29,8	2 345	18,5	1 519	12,0	827	6,5
1 060	8,2	3 857	29,9	2 466	19,1	1 612	12,5	853	6,6
1 052	9,0	3 035	25,9	1 444	12,3	1 063	9,1	380	3,2
1 102	9,3	3 225	27,2	1 512	12,8	1 109	9,4	403	3,4
1 103	9,2	3 316	27,7	1 556	13,0	1 145	9,6	411	3,4
1 096	9,1	3 351	27,7	1 675	13,8	1 232	10,2	443	3,7
1 168	9,5	3 325	27,1	1 796	14,7	1 299	10,6	497	4,1
1 152	9,3	3 510	28,3	1 881	15,1	1 366	11,0	515	4,1
1 158	9,2	3 619	28,7	1 967	15,6	1 439	11,4	528	4,2
1 264	9,9	3 675	28,8	2 103	16,5	1 540	12,1	563	4,4
1 249	9,7	3 783	29,3	2 170	16,8	1 608	12,4	562	4,3
1 116	8,5	3 909	29,8	2 345	17,9	1 708	13,0	637	4,9
1 057	7,9	3 975	29,9	2 487	18,7	1 833	13,8	654	4,9

Tableau 10.2 Recettes et dépenses des commissions scolaires, 1992 à 2006

	1992	1993	1994	1995	1996	1997
	milliers de dollars					
Recettes	**31 779 197**	**31 603 451**	**32 064 138**	**32 224 966**	**31 899 333**	**32 042 472**
Recettes autonomes	11 383 409	11 779 777	11 312 396	11 359 580	11 640 998	12 157 134
Impôts fonciers et impôts connexes	10 226 228	10 615 606	10 126 998	10 180 707	10 433 594	10 926 304
Impôts fonciers généraux	8 920 373	9 304 047	8 862 895	8 913 431	9 152 598	9 617 759
Subventions tenant lieu d'impôts fonciers	164 648	164 130	150 483	145 988	148 583	152 255
Administration publique fédérale	45 748	41 180	40 222	40 870	39 173	44 341
Entreprises publiques fédérales	2 279	1 815	1 900	1 815	1 843	1 962
Administrations publiques provinciales et territoriales	101 502	109 377	101 001	96 656	100 548	99 793
Entreprises publiques provinciales et territoriales	12 297	9 103	5 732	5 109	5 223	4 054
Administrations publiques locales	0	318	362	383	407	457
Entreprises publiques locales	2 822	2 337	1 266	1 155	1 389	1 648
Taxes d'affaires	956 251	958 475	976 084	1 006 023	1 015 806	1 047 918
Autres impôts fonciers et impôts connexes	184 956	188 954	137 536	115 265	116 607	108 372
Autres impôts	2 113	596	566	930	619	651
Vente de biens et de services	1 083 530	1 094 451	1 107 931	1 094 804	1 130 374	1 157 659
À d'autres administrations publiques	467 215	450 263	426 572	409 886	395 245	382 141
À la collectivité	616 315	644 188	681 359	684 918	735 129	775 518
Locations	49 015	49 479	54 413	40 309	41 443	43 403
Autres ventes de biens et de services	567 300	594 709	626 946	644 609	693 686	732 115
Revenus de placements	54 233	49 400	55 135	61 675	53 049	46 592
Autres intérêts	5 261	5 711	5 161	4 802	4 857	5 270
Autres revenus de placements	48 972	43 689	49 974	56 873	48 192	41 322
Autres recettes autonomes	17 305	19 724	21 766	21 464	23 362	25 927
Transferts à des fins particulières en provenance des autres composantes de l'administration publique	20 395 788	19 823 674	20 751 742	20 865 386	20 258 335	19 885 338
Administration publique fédérale	76 242	89 919	98 538	132 051	92 000	81 580
Administrations publiques provinciales et territoriales	20 165 582	19 584 064	20 502 833	20 585 449	20 015 657	19 650 260
Transferts en éducation	19 440 044	18 856 849	19 761 317	19 860 652	19 253 989	18 960 162
Service de la dette (intérêts)	725 538	727 215	741 516	724 797	761 668	690 098
Administrations publiques locales	153 964	149 691	150 371	147 886	150 678	153 498
Dépenses	**31 666 395**	**31 215 122**	**32 133 862**	**31 738 443**	**31 754 347**	**32 212 258**
Éducation	30 787 056	30 283 658	31 112 930	30 642 856	30 687 738	31 169 335
Service de la dette	879 339	931 464	1 020 932	1 095 587	1 066 609	1 042 923
Intérêts	879 140	931 302	1 020 779	1 095 385	1 066 523	1 042 534
Autres frais de la dette	199	162	153	202	86	389
Surplus / déficit (-)	**112 802**	**388 329**	**-69 724**	**486 523**	**144 986**	**-169 786**

Note : Données non disponibles pour le Nouveau-Brunswick, le Yukon et le Nunavut.

Source : Statistique Canada, CANSIM : tableau 385-0009.

1998	1999	2000	2001	2002	2003	2004	2005	2006
milliers de dollars								
35 590 628	**32 933 191**	**34 049 949**	**35 230 651**	**36 895 015**	**39 085 203**	**39 348 228**	**41 328 799**	**45 457 819**
9 186 870	9 593 045	9 696 626	9 851 322	10 121 370	10 349 619	10 435 931	10 907 645	11 315 980
7 801 048	8 009 046	7 999 391	8 105 789	8 197 216	8 355 012	8 483 512	8 902 057	9 233 020
7 602 321	7 814 361	7 803 833	7 907 445	8 013 090	8 163 446	8 293 159	8 702 948	9 033 628
96 439	89 993	90 908	84 244	78 233	82 718	81 214	84 155	82 172
40 772	36 637	36 802	32 480	30 971	31 887	32 509	33 603	33 001
2 330	2 116	1 447	876	469	376	308	322	313
48 405	46 928	47 941	44 850	40 749	44 254	41 924	43 433	42 144
3 148	3 026	3 367	3 758	4 322	4 228	4 243	4 452	4 369
484	483	469	510	527	525	536	543	574
1 300	803	882	1 770	1 195	1 448	1 694	1 802	1 771
26 780	28 381	29 054	31 123	32 065	33 432	34 535	36 010	34 671
75 508	76 311	75 596	82 977	73 828	75 416	74 604	78 944	82 549
599	650	708	723	695	692	715	746	718
1 304 790	1 492 498	1 590 727	1 644 381	1 822 908	1 878 446	1 839 105	1 888 136	1 963 120
457 962	483 870	547 924	519 393	515 877	512 769	527 331	540 674	562 263
846 828	1 008 628	1 042 803	1 124 988	1 307 031	1 365 677	1 311 774	1 347 462	1 400 857
49 226	56 675	58 919	66 368	105 892	117 929	119 779	124 752	129 212
797 557	951 953	983 884	1 058 620	1 201 139	1 247 748	1 191 995	1 222 710	1 271 645
54 598	65 691	78 818	74 635	71 844	83 865	81 960	84 756	86 023
4 641	5 892	5 574	6 324	6 985	5 322	5 498	5 733	5 520
49 957	59 799	73 244	68 311	64 859	78 543	76 462	79 023	80 503
25 835	25 160	26 982	25 794	28 707	31 604	30 639	31 950	33 099
26 403 758	23 340 146	24 353 323	25 379 329	26 773 645	28 735 584	28 912 297	30 421 154	34 141 839
82 258	90 975	84 721	89 923	104 689	98 705	86 519	89 211	93 242
26 161 478	23 088 695	24 103 915	25 120 176	26 494 344	28 459 642	28 650 516	30 151 637	33 867 134
25 637 572	22 688 501	23 723 258	24 701 947	26 089 163	28 059 578	28 240 574	29 734 232	33 433 957
523 906	400 194	380 657	418 229	405 181	400 064	409 942	417 405	433 177
160 022	160 476	164 687	169 230	174 612	177 237	175 262	180 306	181 463
32 091 168	**32 700 627**	**34 142 482**	**35 368 073**	**36 873 300**	**38 264 627**	**39 479 158**	**41 439 144**	**45 033 800**
31 309 610	31 955 580	33 416 048	34 624 407	36 150 312	37 528 221	38 759 210	40 735 347	44 356 765
781 558	745 047	726 434	743 666	722 988	736 406	719 948	703 797	677 035
781 414	737 104	721 368	734 845	712 633	729 472	712 874	696 623	669 470
144	7 943	5 066	8 821	10 355	6 934	7 074	7 174	7 565
3 499 460	**232 564**	**-92 533**	**-137 422**	**21 715**	**820 576**	**-130 930**	**-110 345**	**424 019**

Tableau 10.3 Effectifs dans les écoles publiques primaires et secondaires, par province et territoire, 1997-1998 à 2003-2004

	Canada	Terre-Neuve-et-Labrador	Île-du-Prince-Édouard	Nouvelle-Écosse	Nouveau-Brunswick
	nombre				
1997-1998	**5 354 706**	101 768	24 397	162 359	131 586
1998-1999	**5 359 724**	97 557	24 146	160 011	129 131
1999-2000	**5 372 346**	94 118	24 089	158 205	127 003
2000-2001	**5 358 545**	90 287	23 153	155 873	124 942
2001-2002	**5 367 314**	87 019	22 843	153 450	122 792
2002-2003	**5 349 725**	84 397	22 615	150 599	120 600
2003-2004	**5 289 031**	81 545	22 239	148 514	118 869
	variation en pourcentage				
1997-1998	..	..	..	..	..
1998-1999	**0,1**	-4,1	-1,0	-1,4	-1,9
1999-2000	**0,2**	-3,5	-0,2	-1,1	-1,6
2000-2001	**-0,3**	-4,1	-3,9	-1,5	-1,6
2001-2002	**0,2**	-3,6	-1,3	-1,6	-1,7
2002-2003	**-0,3**	-3,0	-1,0	-1,9	-1,8
2003-2004	**-1,1**	-3,4	-1,7	-1,4	-1,4

1. Jusqu'à 1998-1999, les données pour les Territoires du Nord-Ouest incluent le Nunavut; à partir de 1999-2000, les données pour les Territoires du Nord-Ouest excluent le Nunavut.

Source : Statistique Canada, produit nº 81-595MIF2006004 au catalogue.

Tableau 10.4 Diplômés des écoles publiques, primaires et secondaires, par province et territoire, 1997-1998 à 2003-2004

	Canada	Terre-Neuve-et-Labrador	Île-du-Prince-Édouard	Nouvelle-Écosse	Nouveau-Brunswick
	nombre				
1997-1998	**204 745**	7 365	1 735	10 387	8 754
1998-1999	**207 177**	6 896	1 628	10 151	8 798
1999-2000	**325 688**	6 810	1 798	9 914	8 912
2000-2001	**324 230**	6 109	1 717	10 064	8 552
2001-2002	**334 274**	6 079	1 667	10 124	8 574
2002-2003	**354 566**	5 956	1 753	10 387	8 291
2003-2004	**335 286**	5 631	1 734	10 445	7 996
	variation en pourcentage				
1997-1998	..	..	..	..	..
1998-1999	**1,2**	-6,4	-6,2	-2,3	0,5
1999-2000	**57,2**	-1,2	10,4	-2,3	1,3
2000-2001	**-0,4**	-10,3	-4,5	1,5	-4,0
2001-2002	**3,1**	-0,5	-2,9	0,6	0,3
2002-2003	**6,1**	-2,0	5,2	2,6	-3,3
2003-2004	**-5,4**	-5,5	-1,1	0,6	-3,6

Note : Les totaux pour le Canada excluent l'Ontario.

Source : Statistique Canada, produit nº 81-595MIF2006004 au catalogue.

Québec	Ontario	Manitoba	Saskatchewan	Alberta	Colombie-Britannique	Yukon	Territoires du Nord-Ouest[1]	Nunavut[1]
nombre								
1 260 513	2 095 630	194 798	196 013	532 301	631 445	6 333	17 563	...
1 250 268	2 111 622	195 091	194 797	543 387	629 544	6 102	18 068	...
1 245 022	2 131 626	199 419	192 885	546 402	628 265	5 975	9 753	9 584
1 237 981	2 143 599	192 299	190 711	549 633	625 073	5 764	9 672	9 558
1 244 689	2 163 108	191 102	186 518	548 122	622 837	5 608	9 678	9 548
1 245 339	2 164 940	189 217	182 687	551 375	613 235	5 610	9 747	9 364
1 241 071	2 129 742	188 498	178 932	549 533	605 517	5 520	9 689	9 362
variation en pourcentage								
..	..	..	..	..	..	..	..	...
-0,8	0,8	0,2	-0,6	2,1	-0,3	-3,6	2,9	...
-0,4	0,9	2,2	-1,0	0,6	-0,2	-2,1	-46,0	...
-0,6	0,6	-3,6	-1,1	0,6	-0,5	-3,5	-0,8	-0,3
0,5	0,9	-0,6	-2,2	-0,3	-0,4	-2,7	0,1	-0,1
0,1	0,1	-1,0	-2,1	0,6	-1,5	0,0	0,7	-1,9
-0,3	-1,6	-0,4	-2,1	-0,3	-1,3	-1,6	-0,6	0,0

Québec	Ontario	Manitoba	Saskatchewan	Alberta	Colombie-Britannique	Yukon	Territoires du Nord-Ouest	Nunavut
nombre								
90 884	..	11 970	10 969	25 743	36 360	245	242	91
91 680	..	11 829	11 218	26 561	37 740	290	258	128
90 051	114 404	13 433	11 682	28 321	39 716	258	255	134
87 468	115 599	12 508	11 512	29 303	40 703	283	284	128
86 708	124 783	12 424	11 449	29 877	41 923	280	250	136
85 817	143 187	13 354	11 429	31 155	42 534	282	282	139
87 713	123 238	13 952	11 083	32 159	40 571	332	302	130
variation en pourcentage								
..	..	..	..	..	..	..	..	...
0,9	..	-1,2	2,3	3,2	3,8	18,4	6,6	40,7
-1,8	..	13,6	4,1	6,6	5,2	-11,0	-1,2	4,7
-2,9	1,0	-6,9	-1,5	3,5	2,5	9,7	11,4	-4,5
-0,9	7,9	-0,7	-0,5	2,0	3,0	-1,1	-12,0	6,3
-1,0	14,7	7,5	-0,2	4,3	1,5	0,7	12,8	2,2
2,2	-13,9	4,5	-3,0	3,2	-4,6	17,7	7,1	-6,5

Tableau 10.5 Recettes et dépenses des universités et collèges, 1992 à 2007

	1992	1993	1994	1995	1996	1997	1998
	milliers de dollars						
Recettes	**15 777 481**	**16 369 729**	**16 419 382**	**16 759 086**	**17 260 407**	**16 729 056**	**17 389 686**
Recettes autonomes	4 775 098	5 232 539	5 612 258	5 889 502	6 277 982	6 653 193	7 447 138
Vente de biens et de services	3 581 381	4 036 333	4 349 760	4 567 345	4 843 608	5 187 833	5 699 797
Frais de scolarité	1 888 817	2 137 148	2 339 171	2 507 056	2 690 708	2 889 160	3 179 565
Autres ventes de biens et de services	1 692 564	1 899 185	2 010 590	2 060 289	2 152 900	2 298 673	2 520 232
Revenus de placements	372 453	376 157	367 552	366 970	427 658	408 272	556 419
Autres recettes autonomes	821 264	820 049	894 945	955 187	1 006 716	1 057 088	1 190 922
Transferts des autres administrations publiques	11 002 382	11 137 190	10 807 124	10 869 584	10 982 425	10 075 863	9 942 548
Administration publique fédérale	1 036 574	1 079 685	1 095 690	1 110 639	1 090 080	1 022 516	980 566
Administrations publiques provinciales et territoriales	9 959 687	10 049 264	9 701 848	9 746 774	9 877 178	9 028 729	8 932 862
Administrations publiques locales	6 121	8 241	9 586	12 171	15 167	24 618	29 120
Dépenses	**15 677 144**	**16 314 392**	**16 749 070**	**16 917 362**	**17 192 872**	**16 804 525**	**17 194 597**
Éducation postsecondaire	15 390 167	16 034 061	16 451 698	16 559 462	16 747 684	16 381 240	16 762 116
Administration	2 986 317	3 073 970	3 103 484	3 157 017	3 361 662	3 205 490	3 251 008
Éducation	8 750 877	9 127 476	9 320 107	9 304 767	9 249 982	9 176 367	9 253 953
Aide aux étudiants	375 646	404 958	428 626	447 082	453 669	307 665	347 649
Autres dépenses	3 277 326	3 427 656	3 599 481	3 650 595	3 682 371	3 691 718	3 909 506
Services particuliers de recyclage	..	..	..	..	..	..	..
Service de la dette	286 977	280 331	297 372	357 900	445 189	423 285	432 481
Surplus / déficit (-)	**100 337**	**55 337**	**-329 689**	**-158 276**	**67 535**	**-75 469**	**195 089**

Notes : Année financière se terminant le 31 mars.
Les données du Yukon College sont exclues pour des raisons de confidentialité.

Source : Statistique Canada, CANSIM : tableau 385-0007.

1999	2000	2001	2002	2003	2004	2005	2006	2007
				milliers de dollars				
20 064 718	**20 380 239**	**21 732 604**	**23 262 806**	**25 359 135**	**28 096 412**	**29 484 455**	**30 990 494**	**33 847 597**
7 887 522	8 791 925	9 630 461	10 339 207	11 244 357	12 752 007	13 336 261	13 976 578	15 413 521
6 044 702	6 715 382	7 371 133	8 132 232	9 026 491	9 906 500	10 520 144	11 024 426	12 168 566
3 506 275	3 881 521	4 144 097	4 486 787	5 085 897	5 766 539	6 152 681	6 453 724	7 147 470
2 538 427	2 833 861	3 227 036	3 645 445	3 940 594	4 139 962	4 367 463	4 570 702	5 021 096
476 694	592 797	604 613	396 046	370 231	821 830	645 905	678 871	747 924
1 366 126	1 483 746	1 654 715	1 810 929	1 847 635	2 023 677	2 170 212	2 273 281	2 497 031
12 177 196	11 588 314	12 102 143	12 923 599	14 114 778	15 344 405	16 148 194	17 013 916	18 434 076
1 112 046	1 352 613	1 624 714	1 922 197	2 270 560	2 564 931	2 678 489	2 819 458	3 073 356
11 049 246	10 221 834	10 451 811	10 947 140	11 817 345	12 750 006	13 444 014	14 167 730	15 330 445
15 904	13 867	25 618	54 262	26 873	29 468	25 691	26 728	30 274
18 022 802	**19 478 054**	**21 278 479**	**23 454 251**	**25 590 341**	**27 690 208**	**29 609 613**	**31 262 977**	**34 107 650**
17 679 221	18 800 032	20 569 831	22 717 330	24 820 214	26 804 032	28 699 579	30 277 775	33 044 907
3 438 931	3 826 107	4 267 373	4 662 921	4 717 093	4 759 180	5 377 969	5 737 298	6 257 850
9 724 860	9 806 404	10 447 939	11 372 063	12 485 313	13 748 442	14 250 885	15 003 320	16 351 516
407 889	513 845	603 597	718 845	818 445	961 623	1 031 730	1 080 572	1 197 408
4 107 541	4 653 676	5 250 922	5 963 501	6 799 363	7 334 787	8 038 995	8 456 584	9 238 132
..	240 451	243 966	272 106	271 758	284 984	277 324	288 372	318 114
343 581	437 571	464 682	464 815	498 369	575 652	606 483	669 187	716 182
2 041 916	**902 185**	**454 125**	**-191 445**	**-231 206**	**406 204**	**-125 158**	**-272 484**	**-260 053**

Tableau 10.6 Effectifs universitaires selon les programmes d'enseignement, 1993-1994 à 2004-2005

	1993-1994	1994-1995	1995-1996	1996-1997
	nombre			
Ensemble des programmes d'enseignement	**874 605**	**858 972**	**846 408**	**829 767**
Perfectionnement et initiation aux loisirs	..	..	..	..
Éducation	80 010	77 472	73 290	70 428
Arts visuels et d'interprétation et technologie des communications	25 479	25 494	25 704	24 882
Sciences humaines	143 907	139 254	144 522	135 750
Sciences sociales et du comportement et droit	148 179	147 720	143 607	136 992
Commerce, gestion et administration publique	130 134	123 222	120 414	121 188
Sciences physiques et de la vie et technologies	77 472	77 112	78 525	76 842
Mathématiques, informatique et sciences de l'information	32 607	32 454	32 133	32 622
Architecture, génie et services connexes	65 364	63 657	62 259	62 088
Agriculture, ressources naturelles et conservation	14 301	14 067	15 135	15 831
Santé, parcs, récréation et conditionnement physique	71 730	73 131	73 884	74 694
Services personnels, de protection et de transport	258	210	183	189
Autres programmes d'enseignement	85 167	85 173	76 752	78 255

Source : Statistique Canada, CANSIM : tableau 477-0013.

Tableau 10.7 Effectifs universitaires selon le niveau de scolarité, 1993-1994 à 2004-2005

	1993-1994	1994-1995	1995-1996	1996-1997
	nombre			
Ensemble des niveaux de scolarité	**874 605**	**858 972**	**846 408**	**829 767**
Certificat ou diplôme de formation technique ou professionnelle et de formation préparatoire	..	..	..	..
Certificat ou diplôme collégial et autre niveau collégial	3 015	2 016	2 409	2 457
Premier cycle	668 535	658 284	648 972	639 588
Baccalauréat et autres grades de premier cycle	596 274	586 116	580 185	575 886
Autres, premier cycle	72 261	72 168	68 787	63 702
Deuxième et troisième cycles	112 047	112 947	112 524	112 068
Maîtrise	69 942	69 783	69 300	69 093
Doctorat acquis	26 475	27 147	27 306	27 198
Autres, deuxième et troisième cycles[1]	15 633	16 017	15 918	15 777
Autres niveaux d'études[2]	91 008	85 722	82 503	75 651

1. Comprend l'année propédeutique, le certificat ou diplôme d'enseignement de deuxième et troisième cycles, les cours préparatoires au doctorat ainsi que l'internat (études médicales postdoctorales) et la résidence (en médecine, en dentisterie et en médecine vétérinaire).
2. Comprend les autres programmes et les cours hors programme (assister à des cours non crédités ou à des cours sans chercher à obtenir une attestation).

Source : Statistique Canada, CANSIM : tableau 477-0013.

1997-1998	1998-1999	1999-2000	2000-2001	2001-2002	2002-2003	2003-2004	2004-2005
			nombre				
822 774	**826 362**	**847 503**	**850 572**	**886 605**	**933 870**	**993 246**	**1 014 486**
..	..	..	0	66	69	51	30
67 623	65 673	66 279	66 879	69 747	72 216	76 839	72 561
24 984	25 359	25 413	26 922	27 900	29 862	33 984	35 514
130 038	127 392	119 358	123 744	129 738	136 083	147 918	145 146
132 135	129 795	132 498	136 659	140 247	151 671	164 832	178 146
124 626	128 556	134 367	134 517	141 165	151 695	160 539	162 849
76 536	75 537	79 272	79 140	80 553	83 616	91 719	96 441
34 407	37 473	41 574	43 527	46 377	45 897	44 190	40 929
63 438	65 223	67 434	70 023	74 817	81 087	85 776	86 451
16 731	16 362	16 416	15 420	14 841	14 487	14 613	14 640
74 781	74 826	74 847	74 268	80 589	84 810	91 908	97 950
351	345	372	1 047	1 185	1 317	1 299	1 683
77 118	79 821	89 673	78 426	79 374	81 063	79 575	82 152

1997-1998	1998-1999	1999-2000	2000-2001	2001-2002	2002-2003	2003-2004	2004-2005
			nombre				
822 774	**826 362**	**847 503**	**850 572**	**886 605**	**933 870**	**993 246**	**1 014 486**
..	..	147	204	90	159	168	105
2 352	2 232	2 811	2 295	2 088	2 268	2 946	2 367
633 018	633 495	650 367	657 189	680 619	719 058	770 391	785 757
572 331	571 161	583 146	589 695	613 473	648 321	696 720	716 982
60 687	62 337	67 221	67 497	67 146	70 737	73 671	68 775
112 692	113 481	116 304	118 152	124 605	134 952	142 644	148 776
69 852	71 292	74 331	75 195	79 533	85 800	89 385	92 148
27 003	26 505	26 493	26 598	27 390	29 340	32 004	34 527
15 834	15 681	15 483	16 356	17 679	19 815	21 249	22 101
74 712	77 154	77 868	72 738	79 206	77 433	77 103	77 478

Tableau 10.8 Grades, diplômes et certificats universitaires décernés, 1993 à 2004

	1993	1994	1995	1996
	nombre			
Ensemble des programmes d'enseignement	**173 850**	**178 074**	**178 065**	**178 113**
Perfectionnement et initiation aux loisirs	..	..	..	..
Éducation	26 628	26 304	26 454	25 713
Arts visuels et d'interprétation et technologie des communications	5 127	5 310	5 241	5 199
Sciences humaines	22 623	23 058	22 386	22 377
Sciences sociales et du comportement et droit	38 334	39 423	39 678	38 988
Commerce, gestion et administration publique	31 428	31 623	30 252	30 054
Sciences physiques et de la vie et technologies	12 015	13 119	13 662	14 631
Mathématiques, informatique et sciences de l'information	6 762	6 825	7 194	6 996
Architecture, génie et enseigment de technologies connexes	12 135	12 999	13 293	13 341
Agriculture, ressources naturelles et conservation	2 400	2 616	2 754	3 036
Santé, parcs, récréation et conditionnement physique	15 801	16 197	16 563	16 734
Services personnels, de protection et de transport	63	78	54	75
Autres programmes d'enseignement	534	525	537	966

Source : Statistique Canada, CANSIM : tableau 477-0014.

Tableau 10.9 Grades, diplômes et certificats universitaires décernés, par province, 1993 à 2004

	1993	1994	1995	1996
	nombre			
Canada	**173 850**	**178 074**	**178 065**	**178 113**
Terre-Neuve-et-Labrador	2 649	2 718	2 571	2 907
Île-du-Prince-Édouard	498	573	585	528
Nouvelle-Écosse	7 806	8 103	7 887	7 725
Nouveau-Brunswick	3 945	4 005	4 149	4 428
Québec	56 334	57 852	56 856	56 253
Ontario	64 803	66 189	66 861	67 668
Manitoba	5 958	6 285	6 315	6 030
Saskatchewan	6 216	5 415	5 784	5 715
Alberta	11 637	12 282	12 270	12 240
Colombie-Britannique	13 998	14 652	14 784	14 616

Source : Statistique Canada, CANSIM : tableau 477-0014.

1997	1998	1999	2000	2001	2002	2003	2004
			nombre				
173 934	**172 074**	**173 577**	**176 556**	**178 101**	**186 153**	**198 525**	**209 076**
..	..	..	..	..	..	..	3
23 742	21 636	22 290	22 542	22 395	23 754	24 942	25 428
5 205	5 256	5 202	5 373	5 904	5 949	6 654	7 320
20 988	20 364	19 593	20 064	19 809	20 463	22 095	22 350
37 872	37 899	36 702	36 315	36 096	37 398	39 120	41 757
29 916	30 492	31 629	33 213	34 728	37 485	40 785	43 170
15 183	15 552	14 607	14 730	14 808	14 283	14 685	15 186
6 867	6 966	7 710	8 448	9 060	10 008	10 647	11 079
12 912	13 026	12 798	13 305	13 839	14 766	16 380	17 460
3 240	3 258	3 825	4 008	3 885	3 654	3 765	3 576
16 746	16 497	16 920	16 518	16 215	17 220	18 129	20 136
102	81	90	81	228	270	270	360
1 158	1 047	2 211	1 959	1 131	903	1 053	1 254

1997	1998	1999	2000	2001	2002	2003	2004
			nombre				
173 934	**172 074**	**173 577**	**176 556**	**178 101**	**186 153**	**198 525**	**209 076**
2 952	3 000	3 114	2 931	2 862	2 898	2 976	3 168
570	405	540	534	606	555	624	672
7 785	7 812	7 824	7 638	7 680	7 878	8 766	9 579
4 311	4 032	3 975	4 032	4 101	4 395	4 557	4 944
53 589	51 066	50 958	50 847	51 153	54 009	57 786	61 212
65 562	65 898	65 697	67 221	68 286	70 749	75 864	80 436
5 895	5 640	5 442	5 340	5 397	5 580	5 871	6 309
5 337	5 445	5 547	5 793	5 694	5 739	5 865	5 835
12 816	13 002	13 560	14 052	15 087	16 344	17 199	18 012
15 117	15 780	16 917	18 171	17 238	18 000	19 017	18 906

Tableau 10.10 Emploi en services d'enseignement et services connexes, par province et territoire, 2002 à 2006

	2002	2003	2004	2005	2006
			nombre		
Canada	**983 699**	**996 387**	**1 010 814**	**1 031 380**	**1 055 465**
Terre-Neuve-et-Labrador	16 398	16 612	16 504	15 813	16 127
Île-du-Prince-Édouard	4 168	4 255	4 464	4 462	4 466
Nouvelle-Écosse	37 042	36 449	36 537	36 025	37 134
Nouveau-Brunswick	24 129	24 206	23 834	24 285	24 952
Québec	234 962	237 454	238 454	236 586	241 182
Ontario	351 465	362 346	370 804	387 460	397 519
Manitoba	42 403	43 166	44 584	46 156	45 841
Saskatchewan	37 061	37 202	37 977	38 603	38 818
Alberta	104 655	104 806	105 655	107 756	109 537
Colombie-Britannique	127 102	125 536	127 590	129 927	135 680
Yukon	1 118	1 146	1 156	1 200	1 234

Notes : Exclut les propriétaires et les associés des entreprises non constituées en sociétés et des bureaux voués à l'exercice d'une profession libérale, les travailleurs autonomes, les travailleurs familiaux non rémunérés, les personnes travaillant à l'extérieur du Canada, le personnel militaire et les employés occasionnels dont l'employeur n'est pas tenu de remplir la formule T4.
Donnés non disponible pour les Territoires du Nord-Ouest et le Nunavut.

Source : Statistique Canada, CANSIM : tableau 281-0024.

Tableau 10.11 Frais de scolarité pour les étudiants à temps plein du premier cycle, par discipline, 2002-2003 à 2006-2007

	2002-2003	2003-2004	2004-2005	2005-2006	2006-2007
			moyenne (dollars)		
Moyenne des frais de scolarité du premier cycle	**3 749**	**4 018**	**4 140**	**4 211**	**4 347**
Agriculture	3 301	3 495	3 618	3 643	3 712
Architecture	3 524	3 587	3 599	3 610	3 805
Arts	3 617	3 813	3 962	3 982	4 104
Commerce	3 743	3 985	3 790	3 806	3 989
Dentisterie	9 703	11 681	12 239	13 033	13 463
Éducation	3 019	3 149	3 252	3 277	3 334
Génie	3 865	4 400	4 591	4 740	4 887
Sciences domestiques	3 486	3 669	3 816	3 914	4 037
Droit	5 021	5 995	6 577	6 904	7 221
Médecine	8 063	9 137	10 139	10 318	10 553
Musique	3 586	3 759	3 754	3 936	4 092
Sciences	3 728	3 957	4 093	4 219	4 353

Note : Les moyennes des frais de scolarité ont été pondérées selon le nombre d'étudiants inscrits par établissement et par domaine d'études à l'aide des données les plus actuelles sur les inscriptions dont on disposait. Les calculs des moyennes pondérées tiennent compte des frais tant dans les établissements publics que dans les établissements privés.

Source : Statistique Canada, Centre de la statistique de l'éducation.

Tableau 10.12 Frais de scolarité pour les étudiants à temps plein du premier cycle, par province, 2002-2003 à 2006-2007

	2002-2003	2003-2004	2004-2005	2005-2006	2006-2007
			moyenne (dollars)		
Canada	**3 749**	**4 018**	**4 140**	**4 211**	**4 347**
Terre-Neuve-et-Labrador	2 729	2 606	2 606	2 606	2 606
Île-du-Prince-Édouard	3 891	4 133	4 374	4 645	4 947
Nouvelle-Écosse	5 214	5 556	6 003	6 323	6 571
Nouveau-Brunswick	4 186	4 457	4 719	5 037	5 328
Québec	1 851	1 865	1 888	1 900	1 916
Ontario	4 665	4 911	4 831	4 933	5 160
Manitoba	3 144	3 155	3 236	3 333	3 338
Saskatchewan	4 286	4 644	5 062	5 063	5 063
Alberta	4 165	4 511	4 940	4 838	4 828
Colombie-Britannique	3 176	4 098	4 735	4 867	4 960

Note : Les moyennes des frais de scolarité ont été pondérées selon le nombre d'étudiants inscrits par établissement et par domaine d'études à l'aide des données les plus actuelles sur les inscriptions dont on disposait. Les calculs des moyennes pondérées tiennent compte des frais tant dans les établissements publics que dans les établissements privés.

Source : Statistique Canada, Centre de la statistique de l'éducation.

Tableau 10.13 Dépenses publiques et privées au titre de l'éducation primaire et secondaire, 1997-1998 à 2002-2003

	1997-1998	1998-1999	1999-2000	2000-2001	2001-2002	2002-2003
			milliers de dollars			
Canada	**37 163 556**	**38 758 819**	**39 401 683**	**40 285 311**	**42 294 686**	**43 237 551**
Terre-Neuve-et-Labrador	564 714	569 287	573 908	577 319	608 376	626 352
Île-du-Prince-Édouard	127 047	143 263	142 211	150 277	156 399	154 311
Nouvelle-Écosse	920 575	1 027 450	1 080 247	996 439	1 006 261	1 145 116
Nouveau-Brunswick	847 354	866 150	885 836	843 565	864 441	891 580
Québec	7 600 775	7 772 687	8 554 451	8 860 058	9 628 481	9 616 102
Ontario	15 502 879	16 191 535	15 786 513	15 842 478	16 390 755	16 722 053
Manitoba	1 616 574	1 690 214	1 756 112	1 821 560	1 853 923	1 956 411
Saskatchewan	1 335 093	1 375 143	1 387 902	1 453 208	1 490 336	1 631 892
Alberta	3 528 301	3 882 363	3 922 073	4 139 444	4 401 026	4 504 733
Colombie-Britannique	4 802 043	4 907 057	5 005 492	5 294 063	5 552 127	5 617 944
Yukon	82 838	76 779	81 178	81 289	87 159	91 247
Territoires du Nord-Ouest (incluant Nunavut)	211 662	208 959	..	..	..	..
Territoires du Nord-Ouest	..	..	118 246	117 625	140 288	156 824
Nunavut	..	..	85 416	85 439	91 986	98 458
À l'étranger et non réparties[1]	23 701	47 932	22 098	22 547	23 128	24 528

Note : Les données sont estimées pour l'année la plus récente, budgétaires pour la deuxième année la plus récente et préliminaires pour la troisième année la plus récente.

1. Les dépenses à l'étranger et non réparties par le gouvernement fédéral qui ne sont pas attribuables à une province ou un territoire en particulier.

Source : Statistique Canada, CANSIM : tableau 478-0014.

Tableau 10.14 Inscriptions dans les collèges privés selon le domaine principal d'étude et le sexe, 1993 et 2003

	1993			2003		
	Les deux sexes[1]	Hommes	Femmes	Les deux sexes[1]	Hommes	Femmes
	pourcentage					
Total[1]	**100,0**	**17,5**	**82,5**	**100,0**	**30,7**	**69,3**
Techniques de secrétariat	39,0	0,4	38,6	18,3	1,0	17,3
Affaires et finance	13,8	4,0	9,8	23,5	7,1	16,4
Informatique	13,9	6,1	7,8	13,7	7,1	6,6
Professions de la santé	3,9	0,3	3,6	5,0	0,3	4,7
Divers	29,3	6,7	22,6	39,5	15,2	24,3

1. Le total peut différer de la somme des composantes en raison de l'arrondissement.

Source : Statistique Canada, Enquête sur la dynamique du travail et du revenu.

réserves de 180 milliards de barils de pétrole brut du Canada — qui n'est devancé à ce chapitre que par l'Arabie saoudite.

Les champs de gaz naturel les plus productifs s'épuisant, l'industrie se tourne vers le développement d'un gaz naturel non classique à partir du charbon, appelé méthane de houille, dans le bassin sédimentaire de l'Ouest canadien.

L'efficacité énergétique

Devant la preuve grandissante des répercussions de nos activités sur l'environnement, de nombreux Canadiens essaient de trouver d'autres moyens d'améliorer l'efficacité énergétique et de réduire les émissions de gaz à effet de serre (GES). Depuis 1990, selon les estimations, l'efficacité énergétique s'est accrue de 14 % au Canada. En 2004, les efforts de conservation de l'énergie ont permis d'en réduire la consommation de plus de 900 millions de gigajoules et de diminuer les émissions de GES de 53,6 mégatonnes, ce qui équivaut au retrait d'environ 13 millions d'automobiles et de camionnettes sur les routes.

L'introduction de nouveaux types d'appareils électroménagers et de véhicules, de machines nouvelles et de méthodes inédites de production a contribué à la solution. De 1990 à 2004, l'efficacité énergétique des maisons s'est accrue de 21 %, tandis que celle de l'industrie du transport s'est améliorée de 18 %. Les utilisateurs industriels ont amélioré leur efficacité énergétique de 12 %.

Sources choisies

Statistique Canada

- *Analyse en bref.* Hors série. 11-621-MIF
- *Bulletin de l'analyse en innovation.* Irrégulier. 88-003-XIF
- *Guide statistique de l'énergie.* Trimestriel. 57-601-XIF
- *L'activité humaine et l'environnement : statistiques annuelles.* Annuel. 16-201-XIF
- *L'Indice des prix à la consommation.* Mensuel. 62-001-XIB
- *Tendances sociales canadiennes.* Irrégulier. 11-008-XWF

Autres

- Association Canadienne de l'Énergie Éolienne
- Centre info-énergie
- L'Office national de l'énergie
- Ressources naturelles Canada

Graphique 11.3
Dépenses de recherche et développement en énergies alternatives

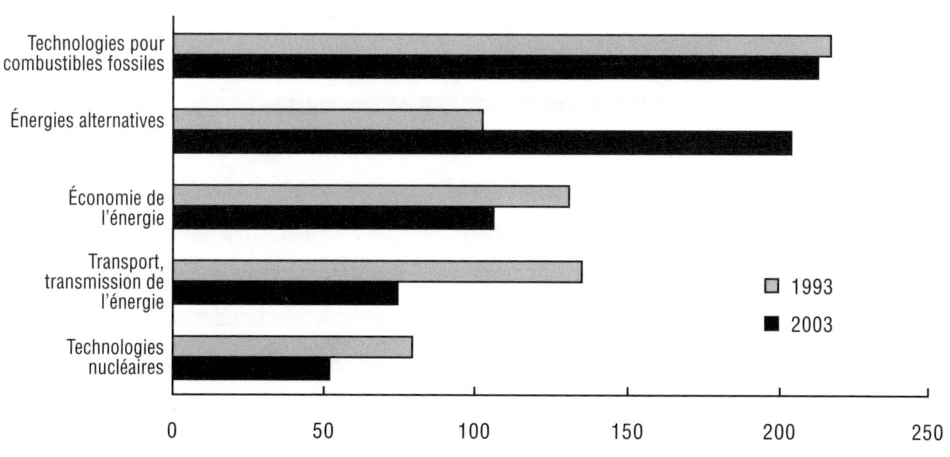

Source : Statistique Canada, produit nº 11-621-MIF au catalogue.

Flambée des prix du pétrole

Les Canadiens font face à une hausse des prix de l'essence à la pompe et des coûts de chauffage au mazout à cause des facteurs internationaux comme l'instabilité géopolitique, les catastrophes naturelles et l'augmentation de la demande de pétrole brut par l'industrie et les consommateurs, particulièrement en Inde et en Chine.

En 2001, le prix du pétrole s'établissait au niveau peu élevé de 15,95 $US le baril. Au cours des années suivantes, les cours du pétrole ont connu une hausse importante et rapide, en raison de la réduction de la production de l'OPEP, de la transformation de l'industrie pétrolière du Venezuela amorcée par le gouvernement Chavez et du déclenchement de la guerre en Iraq.

Puis, les ouragans ont frappé la côte du golfe du Mexique en 2004 et 2005, endommageant les installations de forage en mer et entraînant la fermeture de raffineries. En août 2005, l'ouragan Katrina a grandement perturbé la production de pétrole et de gaz naturel et a retardé les livraisons. À l'automne 2006, le prix du pétrole avait grimpé pour atteindre 77 $US le baril.

Tout cela s'est traduit par une hausse des prix assumés par les Canadiens. De 1990 à 2006, le prix payé par les ménages pour le mazout s'est accru de 123 %. Les prix au détail pour le mazout ont plus que doublé dans toutes les régions urbaines depuis 1990. Les résidents de Charlottetown et Summerside à l'Île-du-Prince-Édouard profitaient, en 2006, du prix annuel moyen le plus bas, 0,78 $ le litre, tandis que leurs concitoyens de Victoria en Colombie-Britannique payaient le prix annuel moyen le plus élevé en 2006, soit 0,94 $ le litre.

De 1990 à 2006, le prix de l'essence s'est accru de 57 %. En 2006, le prix annuel moyen au détail pour l'essence régulière sans plomb était d'un dollar ou plus le litre dans les régions urbaines de toutes les provinces et territoires, sauf en Ontario, en Alberta et au Manitoba. Les chauffeurs à Yellowknife, dans les Territoires du Nord-Ouest, payaient le prix annuel moyen au détail le plus élevé en 2006, soit presque 1,10 $ le litre, tandis que ceux d'Edmonton en Alberta payaient le plus bas prix moyen, soit 0,91 $ le litre.

Graphique 11.4
Mazout de chauffage domestique, prix de détail moyen, certains centres urbains

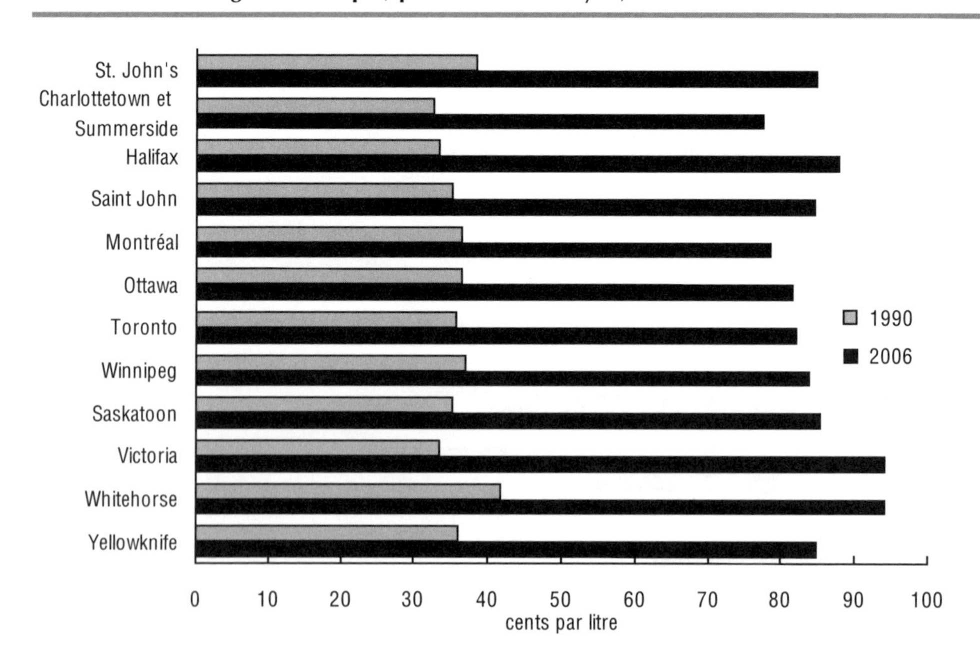

Source : Statistique Canada, CANSIM : tableau 326-0009.

Un vent de changement

Les Canadiens profitent depuis longtemps de la position géographique du pays pour produire de l'électricité à partir de l'eau : l'hydroélectricité est notre principale source d'énergie renouvelable. Les entreprises et les gouvernements du Canada investissent maintenant dans de nouvelles sources d'énergie renouvelable.

L'énergie éolienne et marémotrice sont les sources d'énergie renouvelable qui croissent le plus vite : leur production est économique et elles sont propres, abondantes et assez fiables là où les vents et le climat sont convenables. En 2000, les vents et marées du Canada ont servi à produire 263 820 mégawatts/heure d'électricité. En 2004, la production avait triplé à 971 873 mégawatts/heure; cela ne représentait que 0,2 % de l'électricité produite au Canada en 2004. Les génératrices hydroélectriques avaient produit 58 % de notre électricité.

En plus d'être un as dans la production de combustibles fossiles, l'Alberta produit la majorité de l'électricité de sources éoliennes et marémotrices au Canada, soit 64 % en 2004. Le Québec occupe la deuxième place avec 19 % de la production totale d'énergie éolienne et marémotrice en 2004. Le Québec produit aussi la moitié de l'hydroélectricité du pays. L'énergie éolienne et marémotrice représente moins de 1 % de l'électricité produite dans les provinces et territoires en 2004, sauf l'Île-du-Prince-Édouard qui a généré 73 % de sa production d'électricité à partir de sources éolienne et marémotrice.

D'autres sources d'énergie renouvelable sont en cours de développement. En 2003, les entreprises canadiennes ont dépensé 204 millions de dollars en recherche et développement des technologies et des sources d'énergie de remplacement. Plus de 40 % de ces dépenses ont été consacrées aux technologies pour emmagasiner l'énergie ou aux combustibles de remplacement comme l'éthanol et le biodiesel. L'amélioration de la production hydroélectrique a représenté 14 % des dépenses en recherche, et l'énergie solaire, 11 %. Seulement 7 % des sommes vouées à la recherche et développement ont été dépensés pour l'ensemble de l'énergie de biomasse, le captage du dioxyde de carbone et les technologies de courant éolien.

Graphique 11.5
Électricité éolienne et marémotrice générée

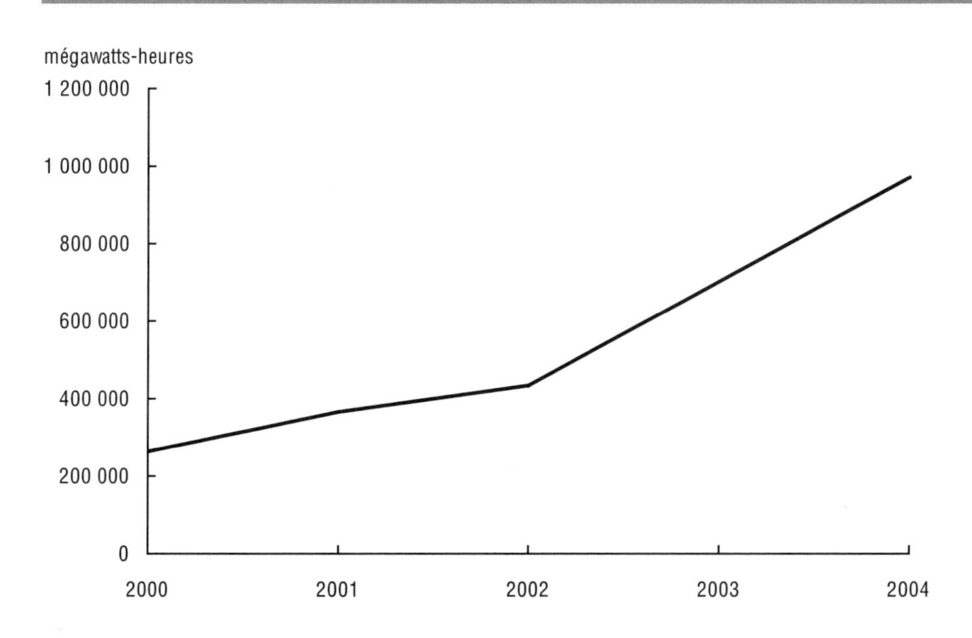

Source : Statistique Canada, produit n° 57-202-XIF au catalogue.

Chauffage : variations régionales

L'endroit où nous vivons au Canada — et la combinaison de sources d'énergie, de réseaux de distribution et de prix locaux dans cette province — détermine en bonne partie comment nous chauffons nos maisons.

Ainsi, l'abondance de l'hydroélectricité au Québec, au Manitoba, en Colombie-Britannique et à Terre-Neuve-et-Labrador en fait une importante source d'énergie de chauffage pour les ménages de ces provinces.

Au Québec, où les tarifs de l'électricité sont parmi les plus bas au Canada, plus des deux tiers des ménages chauffent leur domicile à l'électricité. Plus du tiers des logements du Québec sont des appartements et environ 80 % de ces bâtiments sont chauffés à l'électricité — un taux d'usage nettement supérieur à la moyenne nationale de 56 %.

La moitié des ménages du Nouveau-Brunswick et de Terre-Neuve-et-Labrador et le quart de ceux de la Nouvelle-Écosse emploient surtout l'électricité pour se chauffer. En Nouvelle-Écosse, 50 % des familles chauffent plutôt leur habitation au mazout, ce que font 81 % de celles de l'Île-du-Prince-Édouard.

Le bois est un autre combustible de chauffage populaire dans le Canada atlantique, où environ 1 ménage sur 7 choisit le bois et d'autres combustibles solides tels que le charbon pour se chauffer. Cette proportion monte à près de 1 ménage sur 5 à Terre-Neuve-et-Labrador.

Dans le Canada atlantique, on ne chauffe presque pas au gaz naturel, qui n'y est sur le marché que depuis 2004. Dans toutes les provinces à l'ouest du Québec, le gaz naturel est devenu le combustible de chauffage domestique le plus répandu et le seul dont l'utilisation s'est accrue au cours de la dernière décennie. Pas moins de 97 % des ménages de l'Alberta se chauffent au gaz naturel. Les nombreux gazoducs du Manitoba et de la Colombie-Britannique font qu'environ 60 % des ménages y utilisent le gaz naturel pour se chauffer. Les Ontariens utilisent aussi le gaz naturel comme principale source d'énergie de chauffage à la maison.

Graphique 11.6
Combustible de chauffage des ménages le plus utilisé

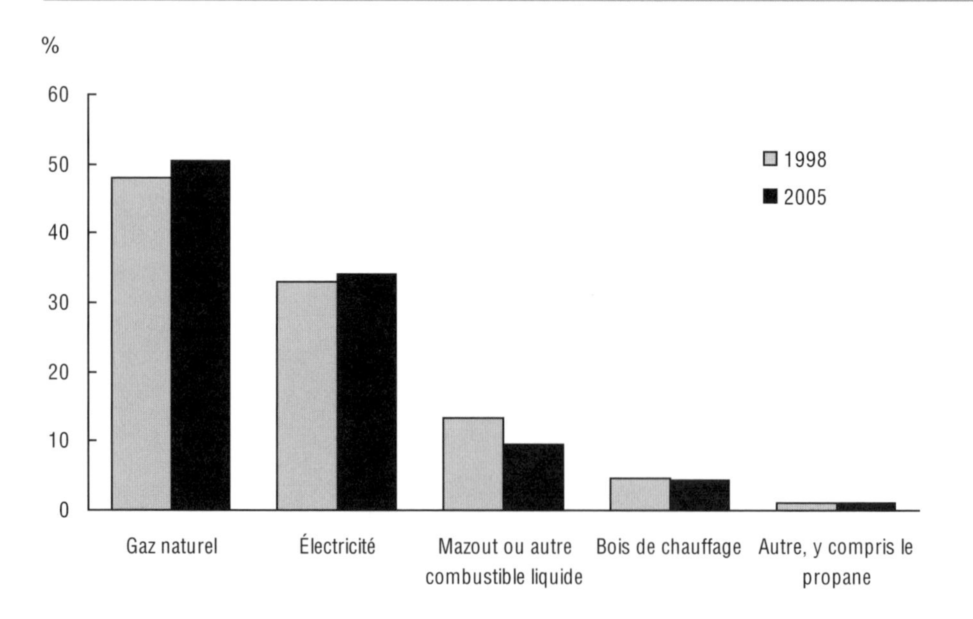

Source : Statistique Canada, CANSIM : tableau 203-0019.

Gaz naturel : tout feu tout flamme

Depuis 50 ans, les Canadiens se tournent de plus en plus vers le gaz naturel pour chauffer leurs maisons et leurs espaces commerciaux. En 2005, la moitié de tous les ménages canadiens se chauffaient principalement au gaz naturel. Pendant les années 1950, la construction du gazoduc transcanadien a permis à 26 % des ménages de se chauffer au gaz. Les crises du pétrole des années 1970 et les politiques gouvernementales subséquentes, qui ont favorisé l'utilisation du gaz naturel en Ontario et dans les provinces de l'Ouest, ont accéléré le recours au gaz pour chauffer les maisons. En 2005, plus de 5,1 millions de ménages étaient chauffés avec le gaz naturel au coût moyen annuel de 1 400 $.

La consommation de gaz naturel par les ménages et les entreprises au Canada était de 2,3 milliards de gigajoules en 2005.

Le Canada a produit 7,2 milliards de gigajoules de gaz naturel en 2005, dont la moitié a été exportée aux États-Unis : la plus grande partie était destinée aux services publics, aux industries et aux consommateurs du Midwest et du Nord-Est des États-Unis. En 2005, après une croissance au cours des années 1990, le gaz représentait 44 % de la production d'énergie primaire du Canada.

L'Alberta, la Colombie-Britannique et la Saskatchewan produisent 97 % du gaz naturel au Canada. Selon Ressources naturelles Canada, environ le quart de tout le gaz naturel produit en Amérique du Nord provient de ces trois provinces. Les 2 % restants de la production canadienne proviennent des gisements marins de la Nouvelle-Écosse et de Terre-Neuve-et-Labrador.

La croissance de l'emploi dans le secteur du pétrole et du gaz a été de 65 % de 1997 à 2006. Environ 75 % des emplois du secteur étaient en Alberta. Ces travailleurs ont beaucoup plus tendance à travailler à temps plein : de 95 % à 97 % comparativement à 82 % dans les autres secteurs. Ils ont aussi beaucoup moins tendance à être syndiqués (9 % contre 32 %). En 2006, leurs gains horaires moyens étaient de 30,36 $ l'heure, comparativement à 16,73 $, le salaire horaire moyen dans l'ensemble du marché du travail.

Graphique 11.7
Gaz naturel, réserves et valeur

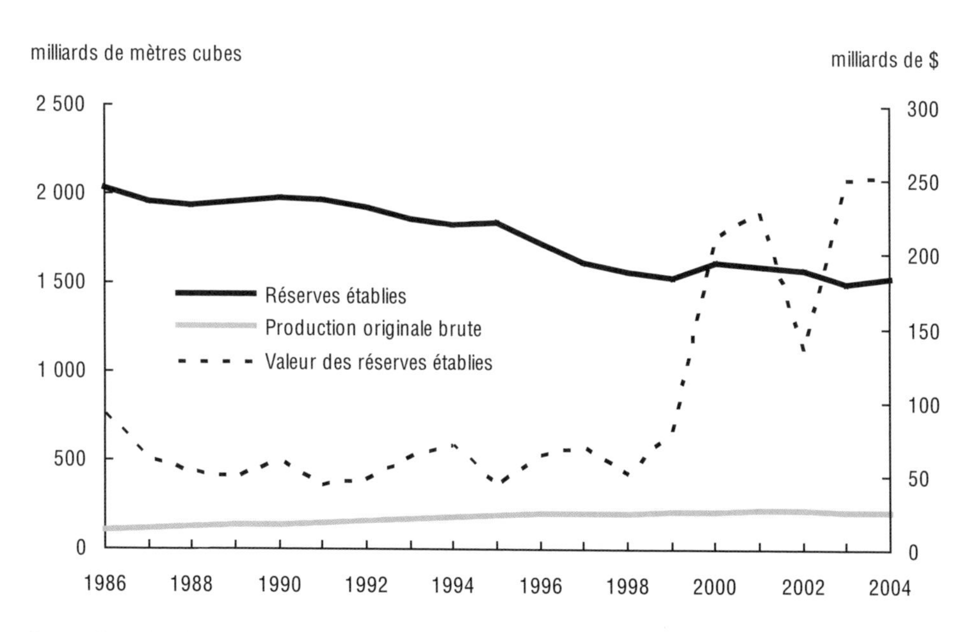

Source : Statistique Canada, CANSIM : tableaux 131-0001, 153-0001 et 153-0014.

Tableau 11.1 Offre et demande d'énergie, 1991 à 2005

	1991	1992	1993	1994	1995	1996
	pétajoules					
Énergie primaire[1]						
Disponibilité	9 091,0	9 176,3	9 314,1	9 564,3	9 695,2	10 097,2
Primaire	11 887,9	12 196,2	13 077,8	13 913,3	14 489,2	14 800,3
Exportations	4 998,0	5 246,8	5 653,8	6 348,6	6 878,6	6 950,2
Importations	1 628,9	1 625,0	1 644,9	1 749,7	1 682,5	1 977,2
Énergie primaire et énergie secondaire						
Disponibilité nette[2]	7 842,4	8 015,7	8 165,2	8 412,4	8 583,6	8 899,6
Autoconsommation	937,2	978,8	988,3	1 017,2	1 039,8	1 059,1
Usage non énergétique	696,4	709,2	729,5	740,6	758,8	800,0
Usage énergétique primaire et secondaire[3]	**6 208,8**	**6 327,6**	**6 447,4**	**6 654,7**	**6 785,0**	**7 040,4**
Industriel	1 977,8	1 961,6	1 973,2	2 053,4	2 105,6	2 180,5
Transport	1 795,1	1 885,8	1 918,2	2 021,3	2 065,1	2 124,7
Agriculture	195,2	196,9	198,8	195,8	209,2	222,9
Résidentiel	1 183,1	1 216,3	1 256,7	1 286,7	1 259,1	1 358,2
Administration publique	134,4	133,7	132,1	143,1	143,3	134,1
Commerce et autres institutions	923,1	933,4	968,6	954,4	1 002,6	1 020,4

1. Les sources primaires d'énergie sont composées du charbon, du pétrole brut, du gaz naturel, du gaz naturel liquéfié, de l'énergie électronucléaire et de l'énergie électrique.
2. Sources primaire et secondaire.
3. Écoulement final.

Source : Statistique Canada, CANSIM : tableaux 128-0002 et 128-0009.

Tableau 11.2 Indice des prix à la consommation de l'énergie, 1992 à 2006

	1992	1993	1994	1995	1996	1997
	1992 = 100					
Électricité	100,0	104,2	104,9	104,4	105,6	106,8
Gaz naturel	100,0	103,8	112,5	105,6	104,4	112,2
Mazout et autres combustibles	100,0	101,7	100,4	99,0	105,8	112,3

Source : Statistique Canada, CANSIM : tableau 326-0002.

1997	1998	1999	2000	2001	2002	2003	2004	2005
				pétajoules				
10 200,1	10 194,9	10 518,3	10 831,0	10 950,4	11 163,5	11 478,5	11 527,5	11 310,2
15 284,4	15 368,7	15 358,2	15 768,4	15 894,9	16 171,0	16 170,9	16 553,7	16 547,3
7 496,4	7 818,3	7 824,0	8 328,4	8 443,8	8 561,9	8 499,0	8 822,7	8 662,2
2 231,8	2 385,3	2 518,5	2 852,2	3 013,4	2 923,6	3 459,8	3 107,6	3 007,4
8 927,6	8 841,3	9 190,7	9 423,7	9 303,5	9 623,1	9 829,9	10 014,0	9 990,1
999,2	1 073,3	1 229,3	1 257,4	1 264,9	1 344,1	1 340,0	1 303,2	1 354,9
833,0	811,8	828,9	790,3	863,2	894,3	903,4	1 029,3	981,8
7 095,5	**6 956,2**	**7 132,5**	**7 376,0**	**7 175,4**	**7 384,7**	**7 586,5**	**7 681,6**	**7 653,5**
2 196,9	2 149,0	2 177,3	2 268,6	2 166,3	2 229,5	2 318,6	2 343,2	2 283,1
2 182,9	2 256,6	2 307,3	2 279,8	2 240,4	2 250,1	2 266,3	2 347,3	2 388,8
230,0	224,7	229,9	231,9	218,1	206,8	211,8	208,9	208,7
1 295,1	1 183,5	1 232,3	1 287,8	1 240,0	1 286,7	1 338,2	1 313,0	1 296,1
135,9	130,3	124,5	131,3	126,8	125,2	128,1	131,9	136,6
1 054,8	1 012,3	1 061,4	1 176,4	1 184,1	1 286,7	1 323,8	1 337,5	1 340,2

1998	1999	2000	2001	2002	2003	2004	2005	2006
				1992 = 100				
107,8	108,5	109,2	111,1	119,6	117,2	122,0	125,4	132,5
119,1	130,7	158,9	206,0	168,7	219,5	214,9	229,9	237,1
100,8	101,3	143,2	143,5	131,8	151,5	166,7	209,2	218,8

Tableau 11.3 Essence, prix de détail selon certains centres urbains, 1991 à 2006

	1991	1992	1993	1994	1995	1996
	cents par litre					
St. John's	63,6	60,8	57,0	58,6	62,8	61,4
Charlottetown et Summerside	63,3	60,8	56,8	55,0	59,3	59,2
Halifax	..	..	50,7	52,0	54,3	54,8
Saint John	..	..	54,7	53,6	56,0	55,1
Québec	64,2	61,1	59,0	56,7	58,2	60,6
Montréal	64,3	60,2	57,4	55,2	56,8	60,6
Ottawa	59,2	57,3	54,2	52,5	53,8	55,1
Toronto	53,8	52,4	51,1	49,8	52,4	56,1
Thunder Bay	58,8	57,2	56,5	56,2	56,6	61,2
Winnipeg	52,8	49,5	52,1	52,3	54,6	56,9
Regina	47,4	49,4	53,6	55,6	57,5	59,3
Saskatoon	52,7	51,6	55,7	55,3	57,8	60,8
Edmonton	49,8	47,6	45,7	45,4	47,6	49,6
Calgary	50,5	46,6	47,3	47,4	50,0	51,7
Vancouver	57,8	53,8	54,8	55,6	58,4	59,2
Victoria	58,2	52,1	51,0	51,8	54,8	57,9
Whitehorse	62,1	58,4	58,0	58,1	63,4	67,0
Yellowknife	66,1	64,4	65,2	65,7	70,2	73,2

Note : Prix moyen annuel de l'essence régulière sans plomb aux stations libre-service.

Source : Statistique Canada, CANSIM : tableau 326-0009.

Tableau 11.4 Mazout de chauffage domestique selon certains centres urbains, 1991 à 2006

	1991	1992	1993	1994	1995	1996	1997
	cents par litre						
St. John's	41,0	39,7	39,6	36,3	36,5	39,8	44,3
Charlottetown et Summerside	38,9	35,5	36,0	34,4	36,1	37,5	39,2
Halifax	37,2	36,5	36,5	33,8	34,0	38,5	42,8
Saint John	38,6	38,2	38,7	36,2	35,2	41,7	46,4
Québec	40,3	39,2	39,2	39,6	39,0	41,8	40,9
Montréal	38,9	37,7	37,0	36,5	33,4	34,6	36,7
Ottawa	39,0	37,3	37,4	37,3	37,3	39,6	42,8
Toronto	38,0	36,4	38,0	38,3	38,3	40,6	43,4
Thunder Bay	43,9	40,9	41,0	40,2	42,0	45,2	43,8
Winnipeg	42,5	41,0	42,5	41,8	41,9	44,4	47,8
Regina	38,2	36,1	35,7	35,6	36,9	39,7	42,7
Saskatoon	40,3	37,6	38,0	39,3	40,9	41,9	44,1
Vancouver	41,7	40,4	41,4	41,5	41,5	42,5	43,9
Victoria	39,8	39,0	39,5	39,6	39,6	40,5	44,2
Whitehorse	45,0	41,8	42,5	42,5	41,9	43,3	46,0
Yellowknife	39,5	37,1	38,7	38,7	37,9	39,6	38,9

Note : Prix moyen annuel.

Source : Statistique Canada, CANSIM : tableau 326-0009.

1997	1998	1999	2000	2001	2002	2003	2004	2005	2006
cents par litre									
67,7	64,4	66,2	83,0	79,1	77,0	82,8	91,7	102,1	107,6
60,6	53,6	52,9	70,1	71,9	68,2	74,0	84,1	96,4	103,0
60,6	57,1	60,8	76,1	72,8	73,4	78,0	87,5	97,9	103,7
60,2	55,4	59,2	73,3	70,0	72,5	78,8	88,0	97,9	102,2
61,3	55,2	61,5	71,9	74,0	72,1	77,8	87,0	97,5	102,4
61,9	56,3	63,0	77,2	73,8	71,4	76,7	85,8	96,4	100,8
56,0	51,3	56,2	69,0	66,0	65,9	70,2	77,2	88,5	92,2
56,1	51,6	57,5	70,8	67,8	67,3	70,9	76,6	89,0	93,4
62,6	54,0	58,0	72,6	72,5	71,0	76,9	82,8	94,0	98,5
57,4	53,3	57,3	66,7	65,0	63,2	67,6	76,7	90,0	96,6
60,0	55,6	60,5	71,7	72,2	72,7	76,0	82,5	92,7	99,6
60,6	56,7	59,8	71,7	72,2	73,0	75,9	82,8	93,5	99,8
52,1	47,0	51,4	63,5	61,3	63,4	67,4	75,9	85,1	91,0
53,2	48,9	52,6	64,0	64,5	64,6	66,3	74,8	85,8	92,3
58,8	50,6	54,3	69,1	68,9	70,4	76,8	86,0	97,1	103,8
59,0	52,7	59,2	73,5	73,9	73,9	81,1	89,9	99,2	105,4
67,9	66,9	67,3	81,4	81,7	80,8	83,6	93,9	105,5	107,6
73,9	72,1	73,6	85,4	88,2	88,5	92,2	96,8	105,0	109,5

1998	1999	2000	2001	2002	2003	2004	2005	2006
cents par litre								
35,1	38,6	56,1	54,5	50,1	54,8	62,4	78,6	84,8
32,4	32,8	48,8	51,3	46,5	53,4	56,8	73,8	77,6
36,9	38,9	56,1	54,7	53,3	61,4	68,5	83,6	87,9
41,5	40,9	59,4	58,7	54,9	62,4	66,0	83,2	84,7
37,0	38,2	50,2	49,1	48,8	56,3	61,3	77,2	79,0
32,8	33,6	51,3	49,9	46,3	54,3	58,6	75,0	78,6
39,2	39,3	53,4	56,8	49,2	57,2	62,9	77,4	81,6
41,2	39,1	54,3	55,9	50,8	57,9	64,0	78,0	82,2
37,7	39,1	54,3	54,6	47,9	57,1	62,9	81,4	85,5
47,0	45,6	56,1	60,2	53,0	60,8	64,4	81,6	84,0
40,9	41,4	53,3	55,2	51,8	55,7	62,4	82,0	82,6
42,1	41,7	54,0	56,5	54,6	59,3	65,3	80,0	85,5
41,4	42,2	57,1	58,1	54,2	59,2	69,4	88,1	89,0
40,7	42,9	57,9	58,0	53,6	62,9	72,3	90,8	94,1
42,4	41,6	57,0	63,1	57,5	64,5	72,3	88,4	94,1
35,0	37,1	52,3	51,9	49,0	56,5	62,0	81,3	84,8

Tableau 11.5 Réserves établies de pétrole, 1990 à 2004

	1990	1991	1992	1993	1994	1995
	millions de mètres cubes					
Canada	**657,3**	**614,9**	**590,4**	**582,2**	**544,5**	**553,0**
Terre-Neuve-et-Labrador	..	..	..	..	..	..
Ontario	1,4	1,3	1,2	1,2	2,0	1,9
Manitoba	7,4	7,2	6,7	6,5	6,3	5,6
Saskatchewan	119,8	120,2	122,6	130,2	141,9	150,1
Alberta	510,5	468,5	442,0	426,8	374,8	374,1
Colombie-Britannique	18,2	17,7	17,9	17,5	19,4	21,3

Note : Les données se rapportent au stock de clôture des réserves établies de pétrole brut.
Source : Statistique Canada, CANSIM : tableau 153-0013.

Tableau 11.6 Réserves établies de gaz naturel, 1990 à 2004

	1990	1991	1992	1993	1994	1995
	milliards de mètres cubes					
Canada	**1 978,6**	**1 965,2**	**1 929,1**	**1 859,9**	**1 832,7**	**1 840,9**
Nouvelle-Écosse	..	..	..	..	..	..
Ontario	16,9	16,7	16,9	17,2	13,4	12,0
Saskatchewan	83,9	82,1	78,4	84,7	86,7	86,6
Alberta	1 647,4	1 626,2	1 594,7	1 534,9	1 490,3	1 488,8
Colombie-Britannique	230,4	240,1	239,2	223,1	242,2	253,5

Note : Les données se rapportent au stock de clôture des réserves établies de gaz naturel.
Source : Statistique Canada, CANSIM : tableau 153-0014.

Tableau 11.7 Réserves établies de liquides de gaz naturel, 1990 à 2004

	1990	1991	1992	1993	1994	1995
	milliers de mètres cubes					
Canada	**649 718**	**639 935**	**636 588**	**621 645**	**593 278**	**599 569**
Manitoba	72	65	61	56	52	46
Saskatchewan	1 976	1 862	1 724	2 035	2 207	2 155
Alberta	637 300	626 600	623 700	603 200	574 300	580 600
Propane	124 800	121 400	121 100	118 100	111 600	109 400
Éthane	320 000	316 000	312 000	305 000	290 000	300 000
Butane	71 700	69 900	70 600	67 100	63 900	62 900
Pentanes plus	120 800	119 300	120 000	113 000	108 800	108 300
Colombie-Britannique	10 370	11 408	11 103	16 354	16 719	16 768

Note : Les données se rapportent au stock de clôture des réserves établies de liquides de gaz naturel.
Source : Statistique Canada, CANSIM : tableau 153-0015.

1996	1997	1998	1999	2000	2001	2002	2003	2004
millions de mètres cubes								
526,7	**532,2**	**673,5**	**642,5**	**667,3**	**644,7**	**606,1**	**590,0**	**603,8**
..	..	144,3	138,0	159,6	151,0	134,4	121,3	138,7
1,9	1,8	1,9	1,9	2,0	1,9	1,8	1,9	1,9
5,1	4,7	4,2	4,3	4,5	4,0	3,4	4,6	3,9
156,8	176,6	180,9	169,1	182,1	184,9	183,9	184,7	187,9
342,0	326,8	315,2	301,6	291,4	278,3	260,3	253,9	249,2
20,9	22,3	26,9	27,7	27,6	24,7	22,3	23,6	22,2

1996	1997	1998	1999	2000	2001	2002	2003	2004
milliards de mètres cubes								
1 725,9	**1 620,4**	**1 562,2**	**1 526,8**	**1 614,5**	**1 590,8**	**1 569,7**	**1 504,1**	**1 532,2**
..	..	..	..	67,1	61,7	56,2	23,2	19,3
12,5	12,5	12,2	12,0	11,6	11,5	11,3	11,5	11,5
81,8	76,5	71,5	68,6	75,6	81,7	76,2	87,4	85,0
1 378,1	1 284,0	1 239,9	1 207,2	1 210,7	1 184,4	1 171,4	1 122,2	1 127,0
253,5	247,4	238,6	239,0	249,5	251,5	254,7	259,9	289,4

1996	1997	1998	1999	2000	2001	2002	2003	2004
milliers de mètres cubes								
546 580	**502 751**	**487 525**	**487 339**	**486 977**	**476 429**	**370 919**	**310 651**	**307 546**
91	0	..	..	..	..	..	..	..
2 086	1 632	1 482	1 306	1 010	981	1 000	1 029	888
527 500	483 400	468 900	469 700	473 900	463 600	359 100	298 500	295 000
103 000	91 400	88 600	82 600	85 500	84 100	79 300	69 400	71 300
264 000	245 000	238 000	256 000	252 000	252 100	165 100	124 000	122 900
58 500	51 900	51 100	48 600	50 400	49 900	46 900	41 900	41 500
102 000	95 100	91 200	82 500	86 000	77 500	67 800	63 200	59 300
16 903	17 719	17 143	16 333	12 067	11 848	10 819	11 122	11 658

Tableau 11.8 Consommation d'énergie du secteur manufacturier, par sous-secteur, 2000 à 2005

	2000	2001	2002	2003	2004	2005
	térajoules					
Ensemble du secteur manufacturier	**2 597 020**	**2 511 331**	**2 511 322**	**2 521 077**	**2 614 696**	**2 526 174**
Aliments	94 607	89 116	88 765	89 041	90 928	91 666
Boissons et produits du tabac	13 113	12 196	12 896	12 237	12 266	12 018
Usines de textiles	9 993	8 634	8 238	8 050	8 058	7 287
Usines de produits textiles	4 053	4 275	4 303	3 554	3 545	3 498
Vêtements	5 107	5 174	4 985	4 978	3 997	2 504
Produits en cuir et produits analogues	1 137	1 071	966	768	568	372
Produits en bois	129 434	118 511	122 595	120 183	124 853	128 877
Papier	883 378	834 855	830 779	835 318	850 894	800 071
Impression et activités connexes de soutien	9 668	8 754	8 548	8 765	8 521	8 656
Produits du pétrole et du charbon	325 858	345 471	366 241	368 429	405 491	358 016
Produits chimiques	294 962	275 596	252 056	254 575	278 149	272 827
Produits en caoutchouc et en plastique	32 172	33 972	32 592	35 045	37 011	39 090
Produits minéraux non métalliques	121 203	115 198	118 845	117 924	126 049	124 494
Métaux de première transformation	536 431	524 957	519 559	521 073	521 069	529 160
Produits métalliques	33 678	38 542	41 361	39 784	41 647	41 982
Machines	13 893	14 070	13 819	15 223	16 042	17 529
Produits informatiques et électroniques	6 636	3 682	3 931	4 563	5 100	5 556
Matériel, appareils et composants électriques	7 046	6 318	6 011	6 708	7 107	7 180
Matériel de transport	59 592	54 249	57 134	56 725	56 267	57 524
Meubles et produits connexes	10 063	11 058	11 308	11 521	10 908	11 660
Activités diverses de fabrication	4 997	5 633	6 391	6 610	6 226	6 205

Note : Système de classification des industries de l'Amérique du Nord (SCIAN), 2002.
Source : Statistique Canada, CANSIM : tableau 128-0006.

Tableau 11.9 Consommation d'énergie du secteur manufacturier selon le type de combustible, 2000 à 2005

	2000	2001	2002	2003	2004	2005
	térajoules					
Énergie consommée	**2 597 020**	**2 511 331**	**2 511 322**	**2 521 077**	**2 614 696**	**2 526 174**
Charbon	49 055	47 572	46 775	50 841	55 381	50 285
Coke de charbon	103 429	96 338	93 299	92 236	93 389	92 150
Gaz de fours à coke	27 120	27 036	26 824	28 019	28 333	29 552
Énergie électrique	690 247	684 234	696 960	705 419	700 993	723 778
Mazouts lourds	139 163	139 351	114 653	138 696	150 234	126 039
Distillats moyens	24 885	22 736	19 838	18 166	19 896	20 603
Gaz naturel	782 775	721 897	726 312	672 564	694 866	662 989
Coke de pétrole et craquage catalytique	68 417	75 647	84 085	88 419	94 986	84 468
Propane	13 239	15 358	12 640	11 634	9 448	8 238
Gaz combustible de raffinerie	151 392	173 033	175 149	178 996	207 558	186 407
Lessive de pâte épuisée	319 683	288 942	290 859	292 635	299 806	283 722
Vapeur	37 394	40 076	41 336	47 956	48 029	48 764
Bois	190 220	179 109	182 594	195 495	211 777	209 178

Note : Système de classification des industries de l'Amérique du Nord (SCIAN), 2002.
Source : Statistique Canada, CANSIM : tableau 128-0006.

Enfants et jeunes

12

SURVOL

Les enfants sont en bien meilleure santé que ne l'étaient leurs prédécesseurs et la majorité atteignent l'adolescence en bonne ou en excellente santé. En outre, les enfants en bas âge meurent moins souvent à la suite de maladies et moins d'enfants grandissent dans des familles à faible revenu. Par ailleurs, un plus grand nombre d'adolescents terminent leurs études secondaires et poursuivent des études postsecondaires débouchant sur de bonnes perspectives d'emploi.

En 2006, on estimait à 10 millions le nombre d'enfants, d'adolescents et de jeunes adultes de moins de 25 ans au Canada. Plus précisément, 6 millions d'entre eux avaient moins de 15 ans, 2 millions avaient de 15 à 19 ans et 2 millions avaient de 20 à 24 ans. La proportion de jeunes de moins de 25 ans dans la population a diminué au cours des deux dernières décennies. De 1971 à 2006, elle est passée de 48 % à 31 %.

Contrairement aux groupes plus âgés où les femmes sont plus nombreuses que les hommes, le groupe des jeunes compte légèrement plus de garçons que de filles. En 2006, les hommes constituaient 51 % de la population de moins de 25 ans et les femmes, 49 %.

Structure familiale

En 2004, environ 6 millions de jeunes de 19 ans et moins vivaient dans une famille de recensement comptant un couple, ce qui représente 75 % de tous les jeunes de cet âge. Toutefois, 1,8 million d'enfants et d'adolescents soit environ 23 % des jeunes de ce groupe d'âge, vivaient dans une famille monoparentale comparativement à 21 % en 2000.

Bien que cela soit plus rare, certains enfants habitent avec leurs grands-parents. Selon le Recensement de 2001, 190 810 enfants de moins de 15 ans, soit 3,3 % des enfants, vivaient dans un ménage avec au moins un de leurs grands-parents; 25 245 de ces enfants, soit environ 0,4 %, habitaient le même ménage que leurs grands-parents, sans la présence des parents.

Graphique 12.1
Population de moins de 25 ans selon le sexe

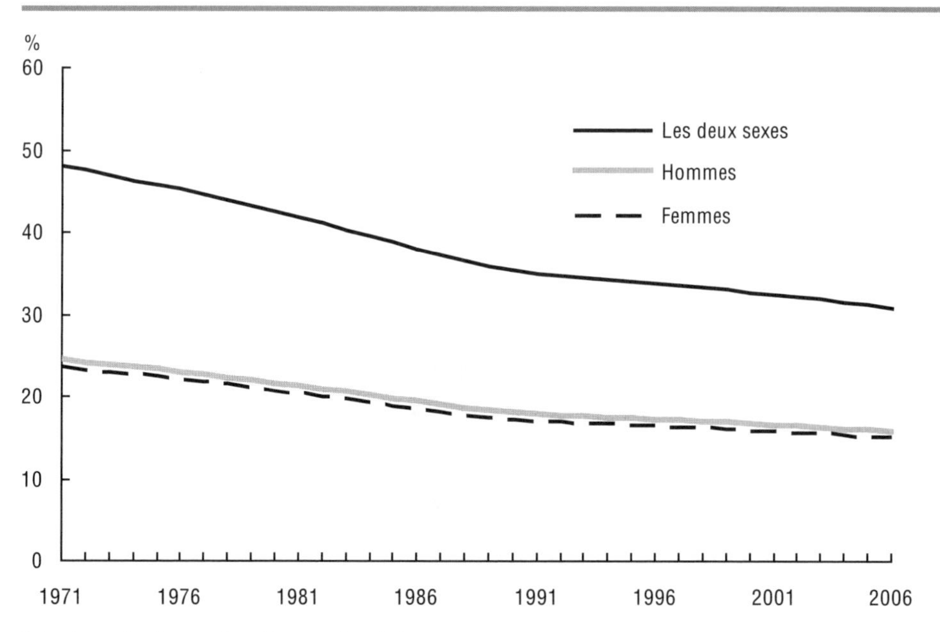

Note : Les estimations postcensitaires au 1er juillet.
Source : Statistique Canada, CANSIM : tableau 051-0001.

Peu d'adolescents étaient eux-mêmes parents. En 2004, 3 % des jeunes de 15 à 19 ans étaient parents dans une famille comptant un couple ou une famille monoparentale. De plus, la proportion de jeunes de cet âge vivant seuls ou hors du milieu familial n'était que de 7 %.

On constate plus de diversité dans la situation domestique des jeunes adultes de 20 à 24 ans que dans celle des jeunes de 19 ans et moins. En 2004, 20 % des jeunes de 20 à 24 ans habitaient seuls ou hors du milieu familial et 25 % étaient eux-mêmes parents. Cependant, la majorité (55 %) vivaient dans une famille comptant un couple ou une famille monoparentale.

État de santé

La santé des enfants et des adolecents s'est améliorée au cours des dernières décennies. Les taux de mortalité infantile ont diminué et plusieurs maladies infectieuses comme la diphtérie, la poliomyélite aiguë et la scarlatine dont mourraient jadis bon nombre d'enfants ont été pratiquement éradiquées. De plus, la majorité des bébés ont un poids suffisant à la naissance, c'est-à-dire un poids supérieur à 2 500 grammes.

En dépit des progrès de la médecine, quelque 2 515 enfants de 14 ans et moins sont décédés au Canada en 2004. Plus de 70 % d'entre eux sont morts avant l'âge de 1 an, principalement parce qu'ils étaient atteints d'une affection ou d'une maladie contractée avant ou au moment de leur naissance. Les blessures et les accidents sont demeurés la principale cause de décès chez les enfants de 1 à 14 ans. Malgré une incidence rare, le cancer est la maladie potentiellement mortelle la plus fréquente et la deuxième cause principale de décès chez les enfants de cet âge.

Un nombre croissant de jeunes souffrent d'un surplus de poids. En 2004, 26 % des Canadiens de 2 à 17 ans avaient de l'embonpoint ou étaient obèses selon leur indice de masse corporelle. Cela représente une hausse de 73 % par rapport au niveau de 15 % enregistré en 1979. Les données de 2004 indiquent que 59 % des enfants et des adolescents ne consommaient pas la quantité minimale de cinq portions de fruits et de légumes par jour recommandée dans le *Guide alimentaire canadien* de 2004. Ces jeunes

Population de moins de 25 ans selon le groupe d'âge et le sexe

	2006		
	Les deux sexes	Hommes	Femmes
	nombre		
Total	**10 075 694**	**5 159 304**	**4 916 390**
0 à 4 ans	1 712 848	877 078	835 770
5 à 9 ans	1 844 308	944 083	900 225
10 à 14 ans	2 087 453	1 069 711	1 017 742
15 à 19 ans	2 170 044	1 111 764	1 058 280
20 à 24 ans	2 261 041	1 156 668	1 104 373

Source : Statistique Canada, CANSIM : tableau 051-0001.

Graphique 12.2
Situation familiale des adolescents et des jeunes adultes, 2004

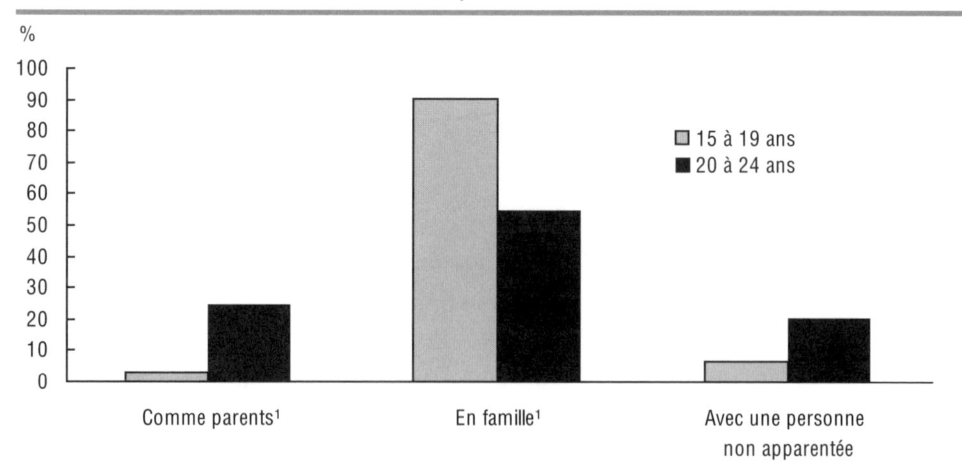

1. Comprend les familles comptant un couple et les familles monoparentales.
Source : Statistique Canada, CANSIM : tableau 111-0010.

étaient plus susceptibles d'avoir de l'embonpoint ou d'être obèses que ceux qui mangeaient plus souvent des fruits et des légumes.

Moins d'adolescents fument aujourd'hui. En 2001, 14 % des jeunes de 12 à 17 ans fumaient la cigarette quotidiennement ou occasionnellement; en 2005, la proportion se situait à 8 %. Par contre, 40 % des jeunes étaient exposés à la fumée secondaire en 2005, une proportion nettement plus élevée que celle de 23 % pour l'ensemble de la population.

En 2005, 31 % des jeunes de 15 à 19 ans ayant consommé de l'alcool régulièrement ont bu de l'alcool de façon excessive, c'est-à-dire cinq verres ou plus d'alcool en une même occasion au moins 12 fois par année. Une proportion plus élevée de garçons que de filles ont consommé de l'alcool de façon excessive : 38 % des garçons et 25 % des filles.

Occupations et activités

De nos jours, un peu plus de la moitié des enfants canadiens d'âge préscolaire fréquentent un service de garde quelconque. La majorité commencent l'école à 4 ou 5 ans et poursuivent leurs études au moins jusqu'à l'âge de 16 ou 17 ans.

Le nombre de jeunes poursuivant des études postsecondaires a augmenté ces dernières années,

Graphique 12.3
Fumeurs actuels selon le sexe et certains groupes d'âge

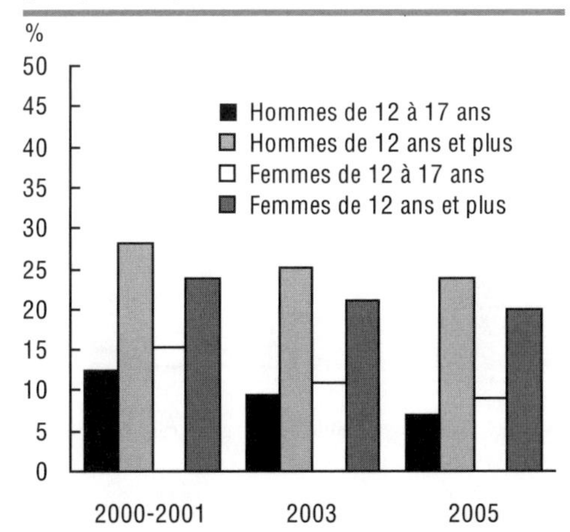

Note : Comprend les fumeurs quotidiens ou occasionnels.
Source : Statistique Canada, produit nº 82-621-XWF au catalogue.

en particulier chez les jeunes de 18 à 24 ans inscrits à l'université. De 1995-1996 à 2003-2004, la population étudiante universitaire de ce groupe d'âge a augmenté de 27 % pour atteindre 990 400 étudiants.

Même si la proportion d'étudiants qui travaillent en même temps qu'ils poursuivent leurs études a chuté depuis 1989-1990, 31 % des élèves du secondaire de 15 à 17 ans ont occupé un emploi pendant l'année scolaire 2004-2005; le pourcentage se situait à 46 % chez les étudiants de 18 à 24 ans. Par ailleurs, grâce à une économie plus vigoureuse, la création d'emplois chez les jeunes de 15 à 24 ans a augmenté de 21 % de 1997 à 2004, soit l'équivalent de 428 000 nouveaux postes.

Bon nombre de jeunes consacrent une partie de leur temps libre à regarder la télévision, à s'adonner à des jeux vidéo et à utiliser un ordinateur. En 2004, les jeunes de 12 à 17 ans ont passé, en moyenne, 10 heures par semaine à regarder la télévision. Si l'on ajoute le temps passé à l'ordinateur ou à s'adonner à des jeux vidéo, les adolescents ont passé, en moyenne, 20 heures par semaine devant l'écran.

Sources choisies

Statistique Canada

- *Femmes au Canada : rapport statistique fondé sur le sexe.* Hors série. 89-503-XIF
- *Indicateurs de la santé.* Semestriel. 82-221-XIF
- *La garde des enfants au Canada.* Hors série. 89-599-MIF
- *Le revenu et les résultats des enfants.* Hors série. 11F0019MIF2006281
- *Mortalité : liste sommaire des causes.* Annuel. 84F0209XWF
- *Question d'éducation : le point sur l'éducation, l'apprentissage et la formation au Canada.* Bimestriel. 81-004-XIF
- *Tendances sociales canadiennes.* Irrégulier. 11-008-XWF

Plus d'enfants en services de garde

Au cours des 30 dernières années, le nombre élevé de familles monoparentales et la hausse du pourcentage de femmes sur le marché du travail ont fait croître la demande de services de garde.

Cette situation coïncide avec une croissance importante du nombre de places dans les garderies autorisées. En 2003, on comptait près de 750 000 places dans les garderies autorisées canadiennes, soit 59 % de plus qu'en 1998. Le nombre de places était également deux fois plus élevé que celui du début des années 1990 et près de sept fois plus élevé qu'il ne l'était en 1980.

Par ailleurs, la proportion d'enfants qui fréquentaient des services de garde quelconques a augmenté. En 2002-2003, 54 % des enfants de 6 mois à 5 ans étaient confiés à des services de garde dispensés par des personnes autres que les parents, comparativement à 42 % en 1994-1995. Certains enfants, dont ceux de ménages à revenu élevé et ceux vivant avec un parent seul, étaient plus susceptibles que d'autres d'être gardés par des personnes autres que les parents.

Dans l'ensemble, on a observé un déclin dans la proportion d'enfants confiés à des services de garde hors du domicile dispensés par une personne non apparentée. Par contre, l'utilisation des garderies et de la garde à domicile par une personne apparentée a augmenté.

En 2002-2003, la garde dispensée à l'extérieur du domicile par une personne apparentée était plus fréquente pour les enfants des collectivités rurales que pour ceux des milieux urbains. Parallèlement, une plus grande proportion d'enfants dont les parents étaient nés à l'extérieur du Canada étaient gardés à domicile par une personne apparentée, comparativement aux enfants dont les parents étaient nés au Canada. En outre, les parents d'enfants de ménages à faible revenu et de ceux du Québec étaient proportionnellement plus nombreux à avoir recours à la garderie.

La moyenne d'heures que les enfants passent en service de garde a diminué au cours des huit dernières années. Elle est passée de 31 heures en 1994-1995 à 29 heures en 2002-2003.

Graphique 12.4
Enfants sous la garde de personnes autres que les parents selon le type de garde

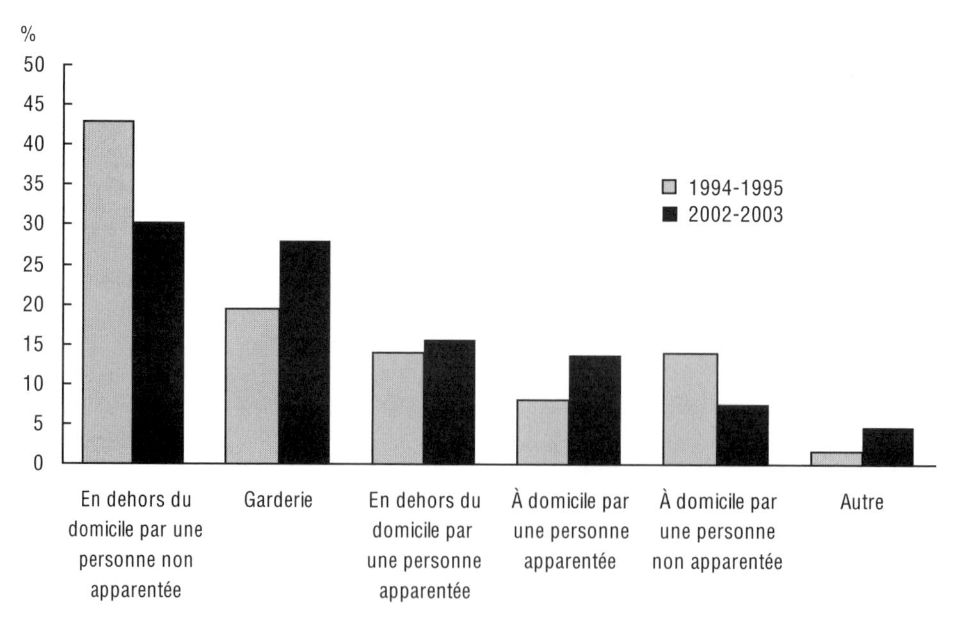

Source : Statistique Canada, produit nº 89-599-MIF au catalogue.

Des relations sociales positives : un atout

Bien que dans l'ensemble les adolescents canadiens affichent un bon état de santé, ils vivent une période de transition complexe dans laquelle ils font toutes sortes d'expériences telles que la prise de drogues, la consommation d'alcool, le tabagisme et les comportements sexuels à risque qui peuvent avoir des conséquences néfastes sur leur santé et leur bien-être. Cependant, mettre l'accent sur les comportements à risque et les indicateurs de mauvaise santé comme le font la plupart des études ne donne pas un portrait complet de l'état de santé et du développement des adolescents.

Afin de combler certaines lacunes, des analyses de données tirées de l'Enquête longitudinale nationale sur les enfants et les jeunes (ELNEJ) de 2000-2001 se concentrent sur l'association entre les relations positives à la maison, à l'école, dans la collectivité, ainsi qu'avec les amis et l'état de santé et le comportement des adolescents. Ces relations favorables que les adolescents entretiennent avec leur entourage sont considérées comme des acquis positifs.

Les résultats de l'ELNEJ révèlent que les jeunes qui se sentent valorisés par leurs parents et engagés dans leur école sont en meilleure santé et présentent des taux accrus de confiance en soi. En outre, ces jeunes sont moins enclins à adopter des comportements néfastes. Même si l'adolescence se caractérise par une indépendance accrue à l'égard des parents, la famille joue toujours un rôle important.

En général, les adolescents ayant un plus grand nombre d'acquis positifs sont moins susceptibles d'adopter des comportements à risque et ont plus de chances de déclarer un bon état de santé, une meilleure confiance en soi et un faible niveau d'anxiété que les adolescents qui en ont moins. En fait, les jeunes qui possèdent quatre ou cinq acquis présentent des niveaux de confiance en soi et de santé supérieurs aux jeunes qui en ont deux ou trois. Les niveaux de confiance en soi et d'état de santé sont plus élevés chez les jeunes qui possèdent deux ou trois acquis que chez ceux qui n'en ont pas ou n'en possèdent qu'un seul.

Graphique 12.5
Situation psychologique, état de santé et comportement des adolescents, selon le nombre d'acquis positifs, 2000-2001

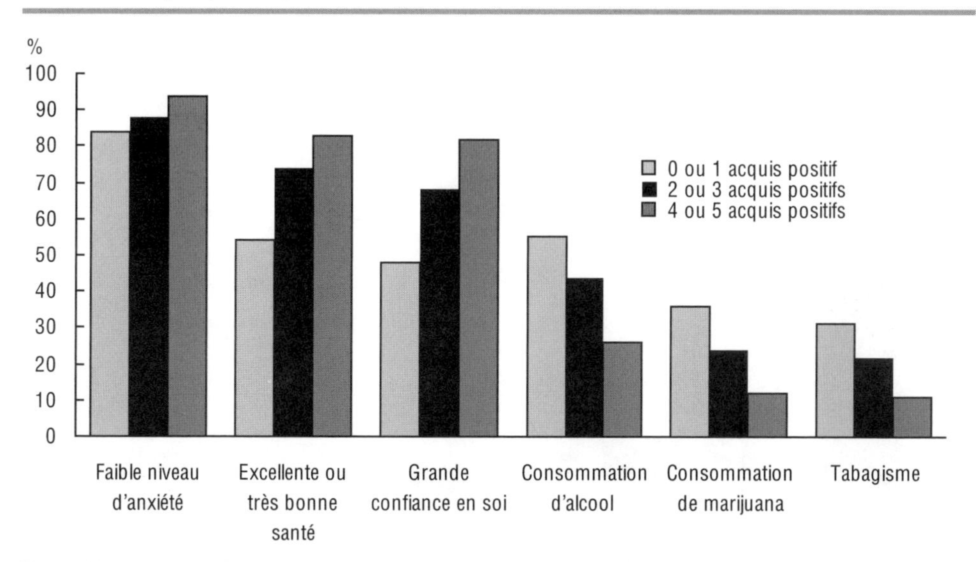

Notes : Adolescents de 12 à 15 ans.
Un acquis positif est défini comme un niveau élevé de valorisation parentale, de surveillance parentale, d'engagement envers l'école ou d'interdépendendance avec les amis déclaré par un enfant ou encore comme la participation d'un enfant à des activités bénévoles au cours des 12 derniers mois ayant précédé l'enquête.

Source : Institut canadien d'information sur la santé, analyse de données de l'Enquête longitudinale nationale sur les enfants et les jeunes de Statistique Canada.

Le comportement est lié au milieu familial

La plupart des enfants canadiens sont en bonne santé physique et émotionnelle et n'ont aucun problème social ou comportemental. Cependant, certains enfants éprouvent des difficultés, tant en classe que dans la société en général.

Selon l'Enquête longitudinale nationale sur les enfants et les jeunes de 2002-2003 (ELNEJ), 4 % des enfants de 8 à 11 ans ont été désignés comme ayant des troubles d'apprentissage en 2002. Ces enfants étaient légèrement plus susceptibles de souffrir d'anxiété et de perturbations affectives que les autres enfants. Ils ont aussi obtenu un pointage plus élevé que ceux qui n'en ont pas sur l'échelle de l'agressivité et des troubles de comportement. L'écart sur l'échelle des problèmes mentionnés précédemment demeure presque inchangé, même lorsqu'on tient compte de l'âge et du sexe de l'enfant.

Les tendances étaient un peu différentes dans le cas du comportement altruiste ou prosocial. Les enfants ayant des troubles d'apprentissage ont obtenu des pointages inférieurs à ceux des autres enfants à cet égard. Par contre, l'écart se rétrécit lorsqu'on tient compte de l'âge et du sexe.

Un milieu familial favorable peut compenser en partie pour les difficultés auxquelles sont confrontés les enfants ayant des troubles d'apprentissage. Par exemple, les enfants pour lesquels les pratiques parentales étaient inefficaces ont connu des niveaux plus élevés de comportements agressifs, de troubles de comportement, d'anxiété et de perturbations affectives. Ils ont obtenu des pointages plus faibles pour ce qui est de l'altruisme et du comportement prosocial.

Les liens que les enfants entretiennent avec leurs parents ont aussi une influence sur leur bien-être mental. Ainsi, l'ELNEJ de 2000-2001 révèle que les jeunes ayant signalé des degrés de proximité, d'affection et de compréhension plus élévés de la part de leur parent présentaient moins de symptômes dépressifs.

Graphique 12.6
Mesure de certains comportements chez les enfants de 8 à 11 ans, 2002-2003

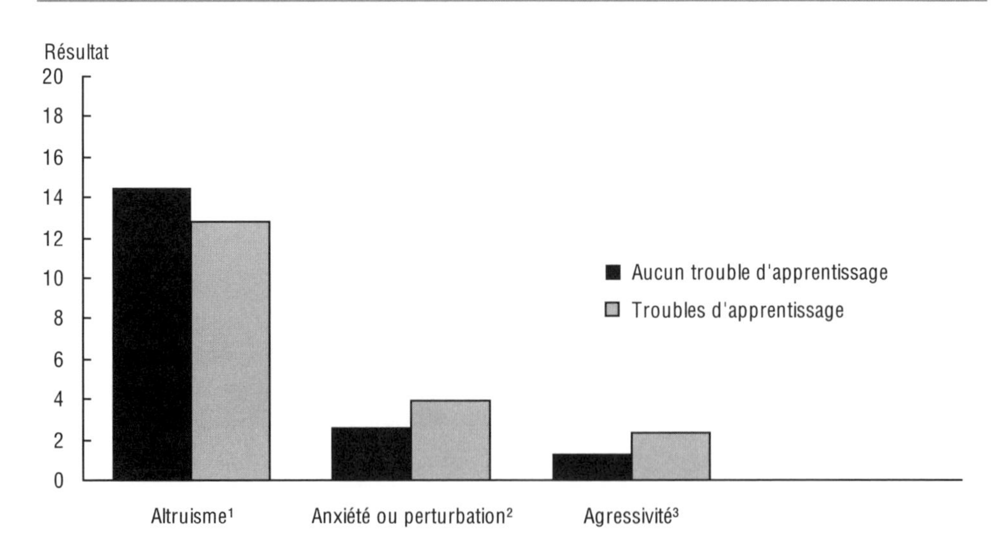

1. Mesure la présence de comportements altruistes ou prosociaux sur une échelle de 1 à 20.
2. Mesure la présence de comportements liés à l'anxiété ou à la perturbation affective sur une échelle de 1 à 14.
3. Mesure la présence de comportements liés à l'agression physique ou de troubles comportementaux sur une échelle de 1 à 12.

Source : Statistique Canada, produit nº 11-008-XIF au catalogue.

Moins d'enfants de familles à faible revenu

Depuis quelques années, le nombre et la proportion d'enfants vivant dans des familles à faible revenu a diminué. En 2004, environ 865 000 enfants de moins de 18 ans vivaient dans une famille à faible revenu, comparativement à 1,3 million en 1996. La proportion d'enfants de familles à faible revenu est passée d'un sommet de 19 % en 1996 à 13 % en 2004.

On comptait 550 000 familles monoparentales ayant à leur tête une femme en 2004. Parmi ces familles, la proportion de celles ayant un faible revenu était de 36 %, en baisse par rapport au taux de 56 % en 1996.

Cependant, les familles monoparentales ayant à leur tête une femme continuent d'afficher des taux disproportionnellement élevés de faible revenu comparativement aux familles biparentales. En 2004, la proportion d'enfants en situation de faible revenu était de 40 % dans les familles monoparentales ayant une femme à leur tête, ce qui représente cinq fois la proportion correspondante de 8 % dans les familles composées de deux parents.

D'après une étude de 2006 fondée sur l'Enquête longitudinale nationale sur les enfants et les jeunes, le bien-être des enfants semble presque toujours associé au revenu du ménage de leur famille. L'étude révèle qu'indépendamment de l'âge de l'enfant et de la façon dont le revenu du ménage est mesuré, le revenu plus élevé tend à être associé à un meilleur bien-être physique, socio-émotionnel, cognitif et comportemental des enfants.

Dans l'étude, même si l'ampleur de l'association variait selon les caractéristiques du bien-être qui étaient utilisées, les enfants des ménages à revenu élevé présentaient de meilleurs résultats que les enfants de familles à faible revenu. Cela restait valable pour tous les enfants de 4 à 15 ans.

Dans l'analyse, il a été impossible d'établir jusqu'à quel point la relation entre le revenu familial et le bien-être de l'enfant est une relation de cause à effet. Le revenu pourrait probablement servir d'indice pour d'autres caractéristiques familiales ayant des répercussions sur les résultats de l'enfant.

Graphique 12.7
Enfants de familles à faible revenu selon le type de famille

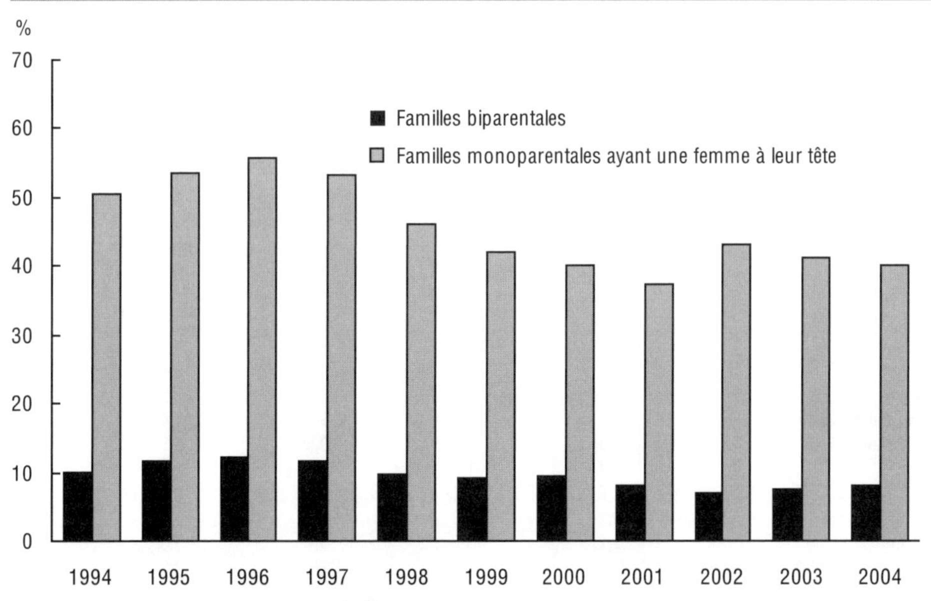

Notes : Seuils de faible revenu après impôt, base de 1992.
Enfants de moins de 18 ans.
Source : Statistique Canada, CANSIM : tableau 202-0802.

Tableau 12.1 Population d'enfants et de jeunes selon le groupe d'âge, années sélectionnées de 1971 à 2006

	1971		1976		1981	
	nombre	%	nombre	%	nombre	%
Les deux sexes, moins de 25 ans	**10 574 502**	**48,1**	**10 602 398**	**45,2**	**10 378 549**	**41,8**
Moins de 1 an	360 298	1,6	353 161	1,5	367 393	1,5
1 à 4 ans	1 475 835	6,7	1 406 373	6,0	1 436 167	5,8
5 à 9 ans	2 267 863	10,3	1 909 468	8,1	1 794 559	7,2
10 à 14 ans	2 328 801	10,6	2 290 924	9,8	1 934 296	7,8
15 à 19 ans	2 164 210	9,9	2 389 105	10,2	2 368 997	9,5
20 à 24 ans	1 977 495	9,0	2 253 367	9,6	2 477 137	10,0
Hommes, moins de 25 ans	**5 380 361**	**24,5**	**5 404 881**	**23,0**	**5 299 180**	**21,4**
Moins de 1 an	184 138	0,8	181 003	0,8	188 084	0,8
1 à 4 ans	754 678	3,4	721 493	3,1	736 714	3,0
5 à 9 ans	1 159 505	5,3	978 516	4,2	921 586	3,7
10 à 14 ans	1 190 029	5,4	1 171 796	5,0	991 714	4,0
15 à 19 ans	1 100 199	5,0	1 217 755	5,2	1 211 105	4,9
20 à 24 ans	991 812	4,5	1 134 318	4,8	1 249 977	5,0
Femmes, moins de 25 ans	**5 194 141**	**23,7**	**5 197 517**	**22,2**	**5 079 369**	**20,5**
Moins de 1 an	176 160	0,8	172 158	0,7	179 309	0,7
1 à 4 ans	721 157	3,3	684 880	2,9	699 453	2,8
5 à 9 ans	1 108 358	5,0	930 952	4,0	872 973	3,5
10 à 14 ans	1 138 772	5,2	1 119 128	4,8	942 582	3,8
15 à 19 ans	1 064 011	4,8	1 171 350	5,0	1 157 892	4,7
20 à 24 ans	985 683	4,5	1 119 049	4,8	1 227 160	4,9

Note : Pourcentage de l'ensemble de la population au Canada.
Source : Statistique Canada, CANSIM : tableau 051-0001.

Tableau 12.2 Population d'enfants et de jeunes selon le groupe d'âge, par province et territoire, 2006

	Canada	Terre-Neuve-et-Labrador	Île-du-Prince-Édouard	Nouvelle-Écosse	Nouveau-Brunswick
			%		
Les deux sexes, moins de 25 ans	**30,9**	**28,5**	**31,7**	**29,3**	**28,9**
Moins de 1 an	**1,1**	0,9	1,0	0,9	0,9
1 à 4 ans	**4,2**	3,7	4,0	3,7	3,7
5 à 9 ans	**5,7**	5,0	5,7	5,2	5,1
10 à 14 ans	**6,4**	5,8	6,7	6,0	6,0
15 à 19 ans	**6,7**	6,6	7,4	6,7	6,5
20 à 24 ans	**6,9**	6,6	7,0	6,8	6,6
Hommes, moins de 25 ans	**15,8**	**14,5**	**16,1**	**14,9**	**14,9**
Moins de 1 an	**0,5**	0,4	0,5	0,5	0,5
1 à 4 ans	**2,1**	1,9	1,9	1,9	1,9
5 à 9 ans	**2,9**	2,6	3,0	2,6	2,6
10 à 14 ans	**3,3**	3,0	3,5	3,0	3,1
15 à 19 ans	**3,4**	3,3	3,7	3,4	3,4
20 à 24 ans	**3,5**	3,3	3,5	3,5	3,4
Femmes, moins de 25 ans	**15,1**	**14,0**	**15,6**	**14,4**	**14,1**
Moins de 1 an	**0,5**	0,4	0,5	0,5	0,4
1 à 4 ans	**2,1**	1,8	2,1	1,8	1,8
5 à 9 ans	**2,8**	2,4	2,7	2,5	2,5
10 à 14 ans	**3,1**	2,8	3,2	3,0	2,9
15 à 19 ans	**3,2**	3,2	3,7	3,3	3,1
20 à 24 ans	**3,4**	3,3	3,5	3,3	3,2

Note : Pourcentage de l'ensemble de la population au Canada, dans les provinces ou les territoires.
Source : Statistique Canada, CANSIM : tableau 051-0001.

1986		1991		1996		2001		2006	
nombre	%	nombre	%	nombre	%	nombre	%	nombre	%
9 918 782	**38,0**	**9 806 045**	**35,0**	**9 997 399**	**33,8**	**10 081 766**	**32,5**	**10 075 694**	**30,9**
368 442	1,4	406 662	1,5	379 242	1,3	332 343	1,1	342 735	1,1
1 472 517	5,6	1 551 465	5,5	1 581 906	5,3	1 426 853	4,6	1 370 113	4,2
1 829 350	7,0	1 933 794	6,9	2 015 912	6,8	2 016 678	6,5	1 844 308	5,7
1 814 538	7,0	1 897 903	6,8	2 008 491	6,8	2 078 664	6,7	2 087 453	6,4
1 987 685	7,6	1 928 056	6,9	2 009 812	6,8	2 116 904	6,8	2 170 044	6,7
2 446 250	9,4	2 088 165	7,4	2 002 036	6,8	2 110 324	6,8	2 261 041	6,9
5 081 116	**19,5**	**5 020 195**	**17,9**	**5 119 696**	**17,3**	**5 165 165**	**16,7**	**5 159 304**	**15,8**
187 943	0,7	208 374	0,7	193 891	0,7	170 286	0,5	175 987	0,5
755 641	2,9	793 917	2,8	810 960	2,7	729 929	2,4	701 091	2,1
939 112	3,6	991 319	3,5	1 032 563	3,5	1 032 352	3,3	944 083	2,9
927 874	3,6	973 082	3,5	1 031 057	3,5	1 064 560	3,4	1 069 711	3,3
1 020 740	3,9	991 252	3,5	1 033 058	3,5	1 088 667	3,5	1 111 764	3,4
1 249 806	4,8	1 062 251	3,8	1 018 167	3,4	1 079 371	3,5	1 156 668	3,5
4 837 666	**18,5**	**4 785 850**	**17,1**	**4 877 703**	**16,5**	**4 916 601**	**15,8**	**4 916 390**	**15,1**
180 499	0,7	198 288	0,7	185 351	0,6	162 057	0,5	166 748	0,5
716 876	2,7	757 548	2,7	770 946	2,6	696 924	2,2	669 022	2,1
890 238	3,4	942 475	3,4	983 349	3,3	984 326	3,2	900 225	2,8
886 664	3,4	924 821	3,3	977 434	3,3	1 014 104	3,3	1 017 742	3,1
966 945	3,7	936 804	3,3	976 754	3,3	1 028 237	3,3	1 058 280	3,2
1 196 444	4,6	1 025 914	3,7	983 869	3,3	1 030 953	3,3	1 104 373	3,4

Québec	Ontario	Manitoba	Saskatchewan	Alberta	Colombie-Britannique	Yukon	Territoires du Nord-Ouest	Nunavut
				%				
28,9	**31,4**	**33,7**	**34,5**	**33,8**	**29,7**	**33,2**	**40,5**	**52,9**
1,0	1,0	1,2	1,2	1,2	0,9	1,2	1,6	2,5
3,9	4,3	4,7	4,8	4,9	3,8	4,2	6,1	9,6
5,1	5,9	6,4	6,2	6,1	5,2	5,8	7,9	11,2
6,1	6,6	7,1	7,0	6,6	6,0	6,9	8,6	10,6
6,2	6,7	7,2	7,7	7,1	6,5	7,7	8,2	10,3
6,4	6,9	7,2	7,5	7,9	7,1	7,5	8,1	8,8
14,8	**16,1**	**17,3**	**17,8**	**17,4**	**15,2**	**16,9**	**20,7**	**27,3**
0,5	0,5	0,6	0,6	0,6	0,5	0,6	0,8	1,3
2,0	2,2	2,4	2,5	2,5	2,0	2,2	2,9	5,0
2,6	3,0	3,3	3,2	3,1	2,7	2,7	4,1	5,9
3,1	3,4	3,6	3,6	3,4	3,1	3,4	4,5	5,4
3,2	3,4	3,7	4,0	3,7	3,3	4,1	4,1	5,2
3,3	3,5	3,7	3,9	4,0	3,7	3,9	4,2	4,4
14,1	**15,4**	**16,4**	**16,7**	**16,4**	**14,4**	**16,3**	**19,8**	**25,7**
0,5	0,5	0,6	0,6	0,6	0,5	0,6	0,8	1,2
1,9	2,1	2,3	2,3	2,4	1,9	2,0	3,2	4,6
2,5	2,9	3,1	3,0	3,0	2,5	3,0	3,7	5,3
3,0	3,2	3,5	3,4	3,2	2,9	3,5	4,1	5,2
3,0	3,3	3,5	3,7	3,5	3,2	3,5	4,1	5,0
3,1	3,4	3,5	3,6	3,8	3,5	3,6	3,9	4,3

Tableau 12.3 Enfants et jeunes selon la structure familiale, 2004

	Ensemble des enfants et des jeunes	Structure familiale		
		Dans les familles comptant un couple	Dans les familles monoparentales	Personnes hors famille
	nombre			
Âge de l'enfant				
0 à 4 ans	**1 669 740**	1 350 240	319 410	90
5 à 9 ans	**1 898 020**	1 465 490	432 260	260
10 à 14 ans[1]	**2 208 420**	1 657 540	549 730	1 150
15 à 19 ans[1]	**2 265 890**	1 573 560	534 040	158 290
20 à 24 ans[1]	**1 467 400**	888 820	175 520	403 060

1. Exclut les jeunes adultes qui sont eux-mêmes parents.

Source : Statistique Canada, CANSIM : tableau 111-0010.

Tableau 12.4 Jeunes parents selon la structure familiale, 2000 à 2004

	2000	2001	2002	2003	2004
	nombre				
Parents de 15 à 19 ans					
Familles comptant un couple	59 000	59 690	52 080	55 690	57 720
Familles monoparentales	14 400	13 850	13 210	12 680	11 750
Parents de 20 à 24 ans					
Familles comptant un couple	426 400	421 950	380 840	407 700	409 740
Familles monoparentales	74 510	73 840	73 040	73 080	71 340

Source : Statistique Canada, CANSIM : tableau 111-0010.

Tableau 12.5 Décès et taux de décès des enfants selon le groupe d'âge, 1994, 1999 et 2004

	1994		1999		2004	
	nombre	taux pour 100 000 habitants	nombre	taux pour 100 000 habitants	nombre	taux pour 100 000 habitants
Tous les âges[1]	**207 077**	**7,1**	**219 530**	**7,2**	**226 584**	**7,1**
Hommes	109 742	7,6	113 669	7,6	114 513	7,2
Femmes	97 335	6,6	105 861	6,9	112 071	6,9
Moins de 1 an	**2 417**	**6,3**	**1 776**	**5,3**	**1 775**	**5,3**
Garçons	1 374	6,9	985	5,7	953	5,5
Filles	1 043	5,6	791	4,8	822	5,0
1 à 4 ans	**518**	**0,3**	**387**	**0,3**	**286**	**0,2**
Garçons	293	0,4	214	0,3	154	0,2
Filles	225	0,3	173	0,2	132	0,2
5 à 9 ans	**318**	**0,2**	**284**	**0,1**	**195**	**0,1**
Garçons	185	0,2	169	0,2	126	0,1
Filles	133	0,1	115	0,1	69	0,1
10 à 14 ans	**408**	**0,2**	**330**	**0,2**	**259**	**0,1**
Garçons	246	0,2	213	0,2	157	0,1
Filles	162	0,2	117	0,1	102	0,1

1. L'ensemble des décès pour tous les Canadiens dans tous les groupes d'âges.

Source : Statistique Canada, CANSIM : tableau 102-0504.

Tableau 12.6 Causes de la mortalité des enfants selon le groupe d'âge, 2001 à 2003

	2001		2002		2003	
	nombre	taux pour 100 000 habitants	nombre	taux pour 100 000 habitants	nombre	taux pour 100 000 habitants
Moins de 1 an						
Conditions périnatales	925	277,2	918	279,2	981	292,7
Anomalies congénitales	436	130,6	427	129,9	423	126,2
Syndrome de la mort subite du nourrisson	112	33,7	111	33,9	96	29,1
1 à 4 ans						
Accidents (blessures involontaires)	97	6,9	85	6,0	86	6,3
Tumeurs malignes	45	3,2	33	2,3	29	2,1
Anomalies congénitales	41	2,9	41	2,9	35	2,5
5 à 9 ans						
Accidents (blessures involontaires)	87	4,3	83	4,2	69	3,5
Tumeurs malignes	57	2,8	50	2,5	45	2,3
Anomalies congénitales	18	0,9	17	0,9	12	0,6
10 à 14 ans						
Accidents (blessures involontaires)	102	4,9	131	6,2	110	5,2
Tumeurs malignes	44	2,1	42	2,0	40	1,9
Suicide (lésions auto-infligées)	27	1,3	35	1,7	27	1,3
15 à 19 ans						
Accidents (blessures involontaires)	472	22,6	454	21,4	444	20,9
Suicide (lésions auto-infligées)	207	9,9	215	10,1	216	10,2
Tumeurs malignes	77	3,7	56	2,6	83	3,9

Sources : Statistique Canada, CANSIM : tableaux 102-0538, 102-0551 et 102-4502.

Tableau 12.7 Jeunes fumeurs quotidiens ou occasionnels selon le groupe d'âge, années sélectionnées de 2000 à 2005

	2000 à 2001		2003		2005	
	nombre	%	nombre	%	nombre	%
12 à 19 ans	**605 558**	**18,7**	**490 404**	**14,8**	**405 109**	**12,1**
Hommes	292 307	17,6	244 134	14,4	204 113	11,9
Femmes	313 250	19,8	246 270	15,2	200 996	12,3
12 à 14 ans	69 203	6,0	43 731	3,4	30 923	2,5
Hommes	30 483	5,1	19 594	2,9	10 439	1,6
Femmes	38 720	7,0	24 137	4,0	20 485	3,5
15 à 19 ans	536 354	25,7	446 673	21,9	374 185	17,7
Hommes	261 824	24,7	224 540	21,7	193 674	18,1
Femmes	274 530	26,7	222 133	22,1	180 511	17,2
20 à 24 ans	**745 446**	**35,0**	**718 612**	**33,2**	**682 127**	**30,5**
Hommes	403 213	37,3	393 206	35,4	378 655	32,4
Femmes	342 232	32,6	325 406	30,8	303 472	28,3

Note : Population à domicile de 12 ans et plus.

Source : Statistique Canada, CANSIM : tableaux 105-0027, 105-0227 et 105-0427.

Tableau 12.8 Consommation d'alcool chez les jeunes selon le groupe d'âge, 2005

	Jamais 5 verres ou plus d'alcool en une même occasion		Cinq verres ou plus d'alcool en une même occasion, moins de 12 fois par année		Cinq verres ou plus d'alcool en une même occasion, 12 fois ou plus par année	
	nombre	%	nombre	%	nombre	%
12 à 19 ans	**659 167**	**38,3**	**540 132**	**31,4**	**475 980**	**27,7**
Hommes	288 123	32,7	275 922	31,3	292 601	33,2
Femmes	371 045	44,2	264 210	31,5	183 379	21,9
12 à 14 ans	169 247	71,8	42 273	17,9	10 690	4,5
Hommes	89 190	73,0	20 755	17,0	6 262E	5,1E
Femmes	80 057	70,6	21 518	19,0	4 428E	3,9E
15 à 19 ans	489 920	33,0	497 860	33,5	465 290	31,3
Hommes	198 933	26,2	255 167	33,6	286 339	37,7
Femmes	290 987	40,1	242 693	33,5	178 951	24,7
20 à 24 ans	**445 266**	**22,6**	**619 617**	**31,4**	**878 119**	**44,5**
Hommes	157 258	15,1	293 335	28,1	576 782	55,3
Femmes	288 007	31,0	326 282	35,1	301 337	32,4

Note : Population à domicile de 12 ans et plus qui consomme de l'alcool régulièrement.
Source : Statistique Canada, CANSIM : tableau 105-0431.

Tableau 12.9 Obésité mesurée chez les enfants selon le groupe d'âge, 2004

	Ni embonpoint ni obésité		Embonpoint		Obésité	
	nombre	%	nombre	%	nombre	%
2 à 11 ans	**2 780 278**	**75,8**	**619 039**	**16,9**	**270 416**	**7,4**
Garçons	1 426 706	76,8	288 868	15,5	142 186	7,7
Filles	1 353 572	74,7	330 172	18,2	128 230	7,1
2 à 5 ans	1 058 739	78,5	204 534	15,2	85 152	6,3
Garçons	551 625	80,6	89 872	13,1	42 829E	6,3E
Filles	507 114	76,4	114 662	17,3	42 323E	6,4E
6 à 11 ans	1 721 539	74,2	414 505	17,9	185 264	8,0
Garçons	875 081	74,6	198 996	17,0	99 357	8,5
Filles	846 458	73,7	215 510	18,8	85 907	7,5
12 à 14 ans	**911 624**	**70,6**	**264 893**	**20,5**	**114 075**	**8,8**
Garçons	473 031	66,8	156 447	22,1	78 647	11,1
Filles	438 593	75,3	108 446	18,6	35 428E	6,1E
15 à 17 ans	**869 471**	**71,0**	**232 908**	**19,0**	**121 721**	**9,9**
Garçons	421 070	68,8	122 648	20,0	68 240E	11,2E
Filles	448 400	73,3	110 260	18,0	53 482	8,7

Notes : Les catégories d'obésité sont fondées sur l'indice de masse corporelle mesuré.
Population à domicile de 2 à 17 ans, excluant les femmes enceintes et les résidents des territoires.
Source : Statistique Canada, CANSIM : tableau 105-2002.

Tableau 12.10 Obésité mesurée chez les enfants, par province, 2004

	Ni embonpoint ni obésité		Embonpoint		Obésité	
	nombre	%	nombre	%	nombre	%
Canada	**4 561 372**	**73,8**	**1 116 840**	**18,1**	**506 213**	**8,2**
Terre-Neuve-et-Labrador	59 575	64,4	17 544	19,0	15 392[E]	16,6[E]
Île-du-Prince-Édouard	20 075	69,8	6 457	22,4	2 242[E]	7,8[E]
Nouvelle-Écosse	116 716	68,0	38 875	22,6	16 053[E]	9,4[E]
Nouveau-Brunswick	91 044	65,8	29 270	21,1	18 151[E]	13,1[E]
Québec	1 058 652	77,4	211 533	15,5	97 444	7,1
Ontario	1 821 819	72,5	476 704	19,0	214 102	8,5
Manitoba	161 657	69,2	51 084	21,9	20 917	9,0
Saskatchewan	139 947	70,9	37 103	18,8	20 356	10,3
Alberta	523 224	78,2	95 785	14,3	50 376[E]	7,5[E]
Colombie-Britannique	568 663	73,6	152 484	19,7	51 180[E]	6,6[E]

Notes : Les catégories d'obésité sont fondées sur l'indice de masse corporelle mesuré.
Population à domicile de 2 à 17 ans, excluant les femmes enceintes et les résidents des territoires.

Source : Statistique Canada, CANSIM : tableau 105-2002.

Tableau 12.11 Taux d'obésité selon certains comportements qui influent sur la santé et le groupe d'âge, 2004

	Estimations de la population	Embonpoint	Obésité
	milliers	%	
Ensemble de la population de 2 à 17 ans	**6 184**	**18,1**	**8,2**
Consommation quotidienne de fruits et de légumes (de 2 à 17 ans)			
Moins de 3 portions	1 307	18,7	10,2
De 3 à 4 portions	2 310	19,0	9,0
5 portions ou plus	2 552	16,8	6,4
Activité physique hebdomadaire (de 6 à 11 ans)			
Moins de 7 heures	359	16,7	9,3E
De 7 à 13 heures	982	18,4	8,2
Au moins 14 heures	957	18,0	7,5E
Niveau d'activité physique durant les loisirs (de 12 à 17 ans)			
Garçons			
Actif ou modérément actif	974	24,0	9,3
Inactif	346	13,0	16,3E
Filles			
Active ou modérément active	709	18,5	6,3
Inactive	486	18,0	9,2E
Nombre d'heures quotidiennes passées devant l'écran (de 6 à 11 ans)			
1 heure ou moins	484	12,5E	5,3E
1 à 2 heures	1 013	15,3	7,1E
Plus de 2 heures	824	24,1	10,6
Nombre d'heures hebdomadaires passées devant l'écran (de 12 à 17 ans)			
Moins de 10 heures	614	13,9	9,1E
De 10 à 19 heures	699	21,9	6,6
De 20 à 29 heures	728	20,2	11,2
30 heures et plus	466	23,8	11,2E

Notes : Les catégories d'obésité sont fondées sur l'indice de masse corporelle mesuré.
Population à domicile de 2 à 17 ans, excluant les femmes enceintes et les résidents des territoires.

Source : Statistique Canada, produit nº 82-620-MWF au catalogue.

Environnement

13

SURVOL

Le rapport intitulé Indicateurs canadiens de durabilité de l'environnement de 2006 qui rendent compte de la qualité de l'air, des émissions de gaz à effet de serre (GES) et de la pérennité de la qualité de l'eau douce fait état de pressions accrues sur l'environnement au Canada et sur la santé et le bien-être des Canadiens, ainsi que des conséquences potentielles sur notre performance économique à long terme.

Les tendances en matière de qualité de l'air et d'émissions de GES laissent entrevoir des menaces plus importantes pour la santé humaine et le climat de la planète. L'indicateur de la qualité de l'eau indique que les recommandations sont dépassées, au moins à l'occasion, dans plusieurs sites de surveillance retenus dans tout le pays.

Les indicateurs donnent des renseignements clés sur la durabilité de l'environnement, sur la santé et le bien-être, ainsi que sur les conséquences de notre croissance économique et nos habitudes de vie. Les changements mesurés par les trois indicateurs sont parfois animés par les mêmes forces socioéconomiques; certaines substances ont une incidence sur les trois indicateurs et certaines chacun régions du pays subissent des stress selon les trois indicateurs retenus.

Indicateur de la qualité de l'air

Bon nombre de polluants atmosphériques — par exemple, les oxydes d'azote, l'ozone troposphérique, les composés organiques volatils (COV) et les particules fines — ont des effets néfastes sur l'environnement et sur la santé humaine. Le smog, par exemple, se compose principalement d'ozone troposphérique et de particules fines, deux polluants servant d'indicateurs nationaux de la qualité de l'air.

De 1990 à 2004, l'indicateur d'exposition de l'ozone troposphérique a affiché une hausse annuelle moyenne de 0,9 %. En 2004, on a observé les niveaux les plus élevés dans les stations de surveillance du sud de l'Ontario,

Graphique 13.1
Ozone troposphérique, 1990 à 2004

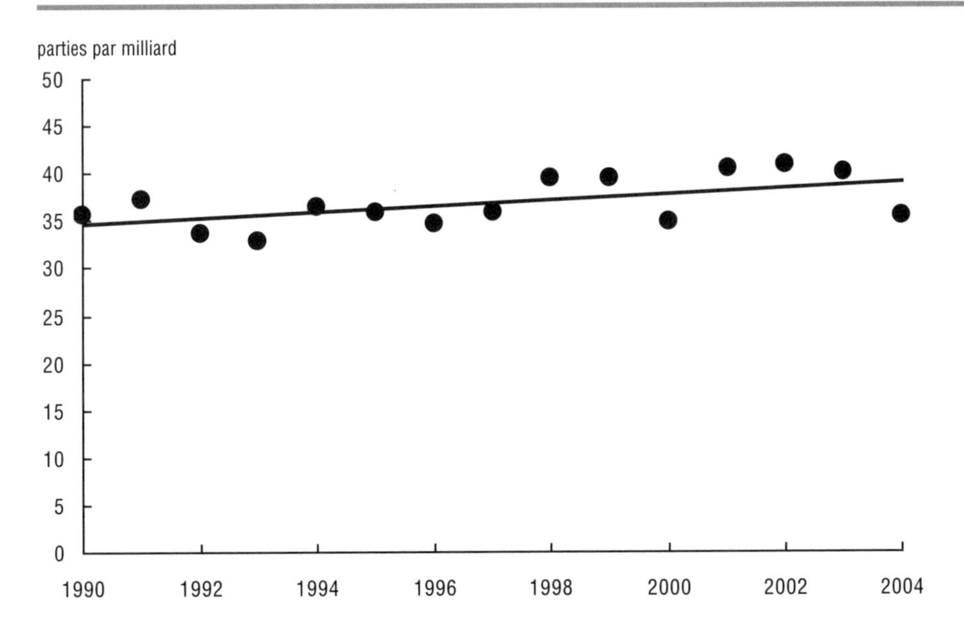

Source : Statistique Canada, produit nº 16-251-XWF au catalogue.

suivies de celles du Québec et de l'est de l'Ontario. Dans le sud de l'Ontario, le niveau d'ozone troposphérique suit une tendance à la hausse depuis 1990. Il n'y a pas de tendances perceptibles dans les autres régions.

Produit par l'activité humaine, l'ozone troposphérique est formé de réactions chimiques qui font monter les niveaux d'oxydes d'azote et de COV à la lumière du soleil. Les rejets de COV sont surtout attribuables à la production de pétrole et de gaz, à l'utilisation de véhicules, ainsi qu'à la combustion du bois. La plupart des oxydes d'azote proviennent des activités humaines, par exemple la consommation des combustibles fossiles.

En 2004, les plus fortes concentrations de particules fines ont été enregistrées dans le sud de l'Ontario, bien que certaines régions du sud du Québec et de l'est de l'Ontario présentaient également des niveaux élevés.

L'exposition à l'ozone troposphérique et aux particules fines inquiète, car il n'existe pas de seuils établis au-dessous desquels ces polluants sont sans danger. Les particules fines constituent une menace toute particulière pour la santé humaine parce qu'elles peuvent se loger profondément dans les poumons. Ces deux substances peuvent aggraver l'asthme, l'emphysème et d'autres problèmes respiratoires. Les enfants sont particulièrement sensibles à la pollution atmosphérique.

Graphique 13.2
Émissions de gaz à effet de serre, 1990 à 2004

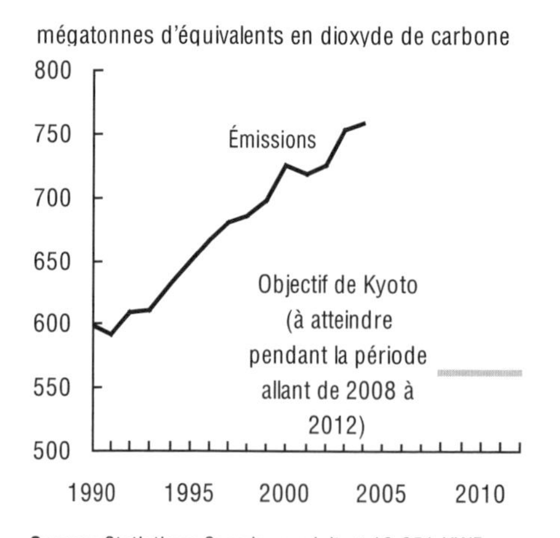

Source: Statistique Canada, produit nº 16-251-XWF au catalogue.

Ménages influencés par les avis concernant la mauvaise qualité de l'air en 2005 selon la province

	Ont pris connaissance d'un avis	Pas de modifications de leurs habitudes ou de leurs activités
	%	
Canada	**32**	**61**
Î.-P.-É.	7	70
Qc	25	69
Ont.	56	56
Sask.	5	71
Alb.	9	73
C.-B.	21	77

Source : Statistique Canada, Enquête sur les ménages et l'environnement, 2006.

En 2005, 32 % des ménages canadiens étaient au courant d'avertissements de mauvaise qualité de l'air dans leur région. De ce nombre, 39 % ont modifié leurs activités ou leurs habitudes. Par exemple, au moins un des membres du ménage a utilisé un inhalateur pour asthmatique, a réduit ses activités physiques à l'extérieur ou a utilisé le transport en commun plutôt que sa voiture.

Indicateur des émissions de GES

Bien que les GES se produisent naturellement et servent à réguler le climat de la Terre, les émissions de GES résultant de l'activité humaine contribuent au changement climatique mondial. En 2004, les émissions canadiennes de GES ont atteint 758 mégatonnes, en hausse de 27 % par rapport à 1990. Il s'agit d'une progression supérieure à la croissance démographique de 15 %. Autrement dit, les émissions par habitant ont augmenté de 10 % durant cette période, faisant du Canada l'un des plus grands émetteurs de GES par habitant au monde.

La répartition géographique des émissions correspond à l'emplacement des ressources naturelles, de la population et de l'industrie lourde. En 2004, les émissions de GES du Canada provenaient à 31 % de l'Alberta et 27 % de l'Ontario.

De 1990 à 2004, l'augmentation des émissions de GES a été principalement attribuable aux industries du pétrole, du gaz et du charbon (32 % de la croissance totale), au transport routier (24 %) et à la production de chaleur et d'électricité à partir d'énergie thermique (22 %).

Les industries de produits chimiques, de pâtes et papier de même que le secteur de la construction ont réduit leurs émissions de GES.

Les émissions canadiennes de gaz à effet de serre par unité du produit intérieur brut ont diminué de 14 % de 1990 à 2004, ce qui dénote une intensification de l'activité économique pour chaque tonne de GES émise. Cette amélioration découle en partie des gains en efficacité réalisés dans le secteur de l'énergie, sans lesquels les émissions totales auraient été nettement plus importantes. En dépit de ces gains, la croissance rapide de l'économie s'est traduite par une hausse des émissions de GES.

Indicateur de la qualité de l'eau

L'indicateur de la qualité de l'eau évalue la capacité qu'a l'eau douce de surface de protéger la vie aquatique comme les poissons, les invertébrés et les plantes; il n'évalue pas la qualité de l'eau destinée à la consommation humaine. Pour évaluer les effets nocifs potentiels, les experts mesurent certaines substances bien précises présentes dans l'eau et en comparent les concentrations à des normes établies scientifiquement.

En 2004, le secteur de la fabrication primaire, le secteur des services, les institutions et les ménages ont rejeté pas moins de 110 000 tonnes de polluants dans les eaux de surface du Canada. L'ion nitrate et l'ammoniac ont été les polluants rejetés dans l'eau en plus grandes quantités; d'autres substances beaucoup plus toxiques comme le mercure, le sont en quantités moindres, mais néanmoins importantes. Bien d'autres polluants se fraient indirectement un chemin jusqu'aux plans d'eau après avoir été rejetés dans l'air ou sur le sol.

De 2002 à 2004, la qualité de l'eau douce a été jugée « bonne ou excellente » dans 44 % des 340 sites de surveillance retenus dans le sud du Canada, « moyenne » dans 34 % de ces sites et « médiocre ou mauvaise » dans 22 % des sites.

L'évaluation de la qualité de l'eau pour les 30 sites de surveillance du nord du Canada s'établit ainsi : « bonne ou excellente » dans 67 % des sites, « moyenne » dans 20 % des sites et « médiocre ou mauvaise » dans 13 % des sites.

La qualité de l'eau dans la région des Grands Lacs est évaluée selon des méthodes différentes de celles employées pour les autres sites de surveillance, en raison de la vaste superficie des lacs (environ 92 200 kilomètres carrés au Canada) et de la nature du programme de surveillance de la qualité des eaux de surface et des sédiments des fonds lacustres.

En 2004 et 2005, la qualité de l'eau douce des Grands Lacs a été jugée « bonne ou excellente » dans le cas du lac Supérieur, du lac Huron, de la baie Georgienne et du lac Érié. Elle a été jugée « moyenne » dans le bassin central du lac Érié; dans le bassin ouest du lac Érié et dans le lac Ontario, elle était « médiocre ».

Graphique 13.3
État de la qualité de l'eau douce, dans les sites du sud du Canada, 2002 à 2004

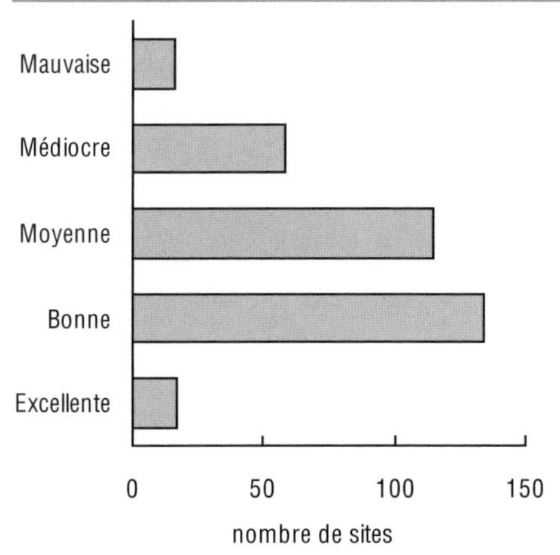

Source : Statistique Canada, produit nº 16-251-XWF au catalogue.

Sources choisies

Statistique Canada

- *Enquête sur l'industrie de la gestion des déchets : secteur des entreprises et des administrations publiques.* Bisannuel. 16F0023XIF
- *Indicateurs canadiens de durabilité de l'environnement.* Annuel. 16-251-XIF
- *L'activité humaine et l'environnement : statistiques annuelles.* Annuel. 16-201-XIF
- *L'Observateur économique canadien.* Mensuel. 11-010-XIB
- *Production minérale du Canada : calcul préliminaire.* Annuel. 26-202-XIB

Transport et qualité de l'air

Les Canadiens dépendent de leurs véhicules pour presque toutes leurs activités. Le transport est cependant une source importante de polluants qui contribuent à la mauvaise qualité de l'air, surtout dans les régions urbaines. De 1990 à 2004, le transport a été à l'origine de 28 % de l'augmentation des émissions de GES.

En 2004, près de 75 % du monoxyde de carbone, plus de 50 % des oxydes d'azote, plus de 25 % des COV et 17 % des particules fines dans l'air que nous respirons étaient attribuables au transport. De plus, 86 % de l'augmentation des émissions de GES étaient imputable aux véhicules routiers, notamment les camions légers — comme les fourgonnettes, les véhicules utilitaires sport et les camionnettes — et les véhicules lourds comme les camions de transport.

Malgré cela, les Canadiens ne changent pas leurs habitudes de consommation; les camions ont représenté 48 % des véhicules vendus en 2005. Environ la moitié de ces ventes étaient à des entreprises, ce qui reflète les conditions du pays. Les entreprises limitent leurs coûts en réduisant leurs stocks et en adoptant le principe de livraison « juste à temps » des pièces et des produits. Cela a favorisé l'essor du transport routier mais a aussi accru les déplacements des camions.

De 1999 à 2006, le nombre d'immatriculations au Canada pour les véhicules automobiles a augmenté de 14 %, et pour les véhicules légers (pesant moins de 4 500 kg, il s'est accru de 13 %. En 1951, on comptait près de cinq personnes par véhicule immatriculé au Canada; au milieu des années 1980, il n'y avait que deux personnes par véhicule.

Les carburants moins polluants et les convertisseurs catalytiques ont contribué à réduire les principaux polluants de l'air attribuables au transport. Cependant, les oxydes d'azote et les COV continuent de constituer une menace pour l'environnement parce qu'ils contribuent au smog et aux pluies acides, et le monoxyde de carbone demeure un facteur de risque grave pour la santé humaine.

Graphique 13.4
Émissions de gaz à effet de serre attribuables au transport selon le mode ou le type de véhicule choisi

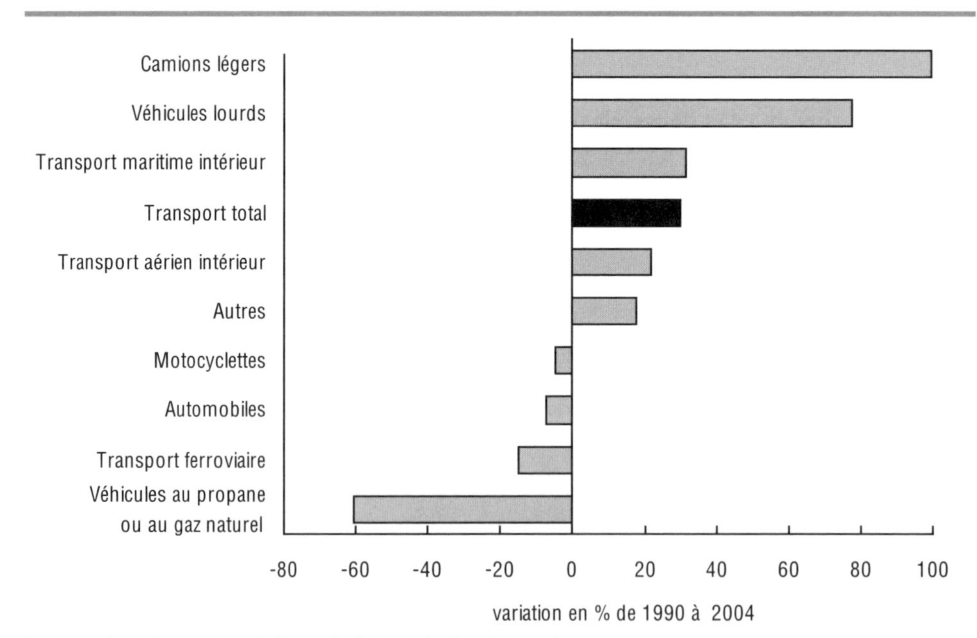

Note : Les émissions sont exprimées en équivalents de dioxyde de carbone.
Source : Statistique Canada, produit n° 16-201-XWF au catalogue.

Protection et gestion de l'environnement

La protection de l'environnement ne se limite pas à la prévention de la pollution et au nettoyage de nos dégâts. Pour la plupart des entreprises, cela nécessite des améliorations continues de la conception des produits, de la technologie et des opérations. Plusieurs entreprises peuvent réduire leurs émissions de polluants tout en diminuant leurs coûts et en augmentant leur productivité.

Au Canada, les industries primaires et le secteur de la fabrication ont dépensé 6,8 milliards de dollars pour la protection de l'environnement en 2002 — 24 % de plus qu'en 2000. Cette hausse est partiellement attribuable à la nouvelle réglementation environnementale ainsi qu'aux efforts déployés par les entreprises pour réduire leurs émissions de polluants, tels que les GES.

En 2002, les entreprises ont consacré plus de 1 milliard de dollars à la réduction des émissions de GES. L'industrie pétrolière et gazière s'est classée en tête de liste avec des dépenses de 245 millions de dollars, suivie de l'industrie des pâtes, du papier et du carton avec des dépenses de 242 millions de dollars.

Le secteur privé a investi 428 millions de dollars en 2002 dans la prévention et le contrôle de la pollution de l'eau ainsi que 1,5 milliard de dollars à la protection de la qualité de l'air — 75 % de ces dépenses ayant été engagées par les industries du pétrole et du gaz, de l'électricité, et des produits du pétrole et du charbon. Les entreprises ont investi 1,4 milliard de dollars dans l'équipement antipollution et 907 millions de dollars dans les systèmes de lutte contre la pollution (LCP) pour le traitement des déchets.

En 2002-2003, le gouvernement du Canada a dépensé 6,9 milliards de dollars au titre des systèmes de LCP, dont 2,9 milliards ont servi à la collecte et à l'évacuation des eaux usées et 2,0 milliards, à la collecte et à l'élimination des déchets. Les administrations locales ont géré 92 % de ces dépenses.

L'administration fédérale a également consacré, en 2003-2004, 349 millions de dollars à la recherche et au développement de la prévention de la pollution et de la protection de l'environnement, soit 200 millions de dollars de plus qu'en 1995-1996.

Graphique 13.5
Dépenses allouées à la protection de l'environnement, ensemble des industries, 2002

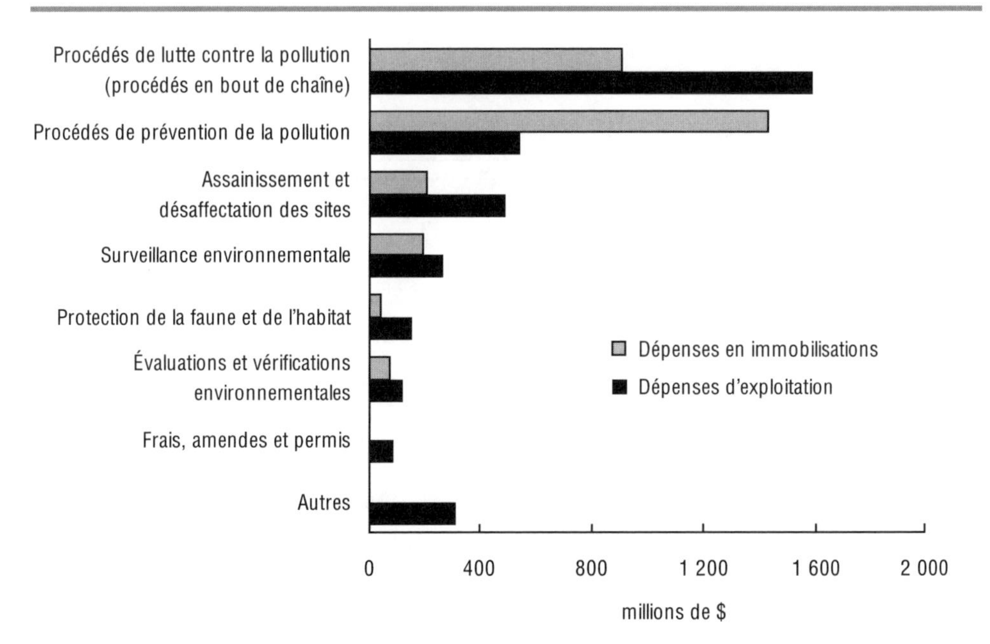

Source : Statistique Canada, produit nº 16F0006XIF au catalogue.

Déchets solides : gestion des ordures

Presque toutes nos activités génèrent des ordures sous une forme ou une autre et la gestion de nos déchets constitue un véritable défi. En 2004, les municipalités et les entreprises offrant des services de gestion des déchets ont pris en charge 33,2 millions de tonnes de déchets solides non dangereux au Canada, en hausse de 8 % par rapport à 2002. Il s'agit là d'une progression quatre fois supérieure à celle du taux de croissance démographique de 2 % observé au Canada au cours de la même période.

Les activités industrielles, commerciales et institutionnelles de même que les projets de construction, de rénovation et de démolition ont généré 61 % des déchets non dangereux et non recyclés, soit 15,5 millions de tonnes. Le reste des déchets non recyclés (39 %) est attribuable au secteur résidentiel. Les ménages canadiens ont produit 9,8 millions de tonnes de déchets en 2004, ce qui représente 306 kg par habitant et une hausse de 1,6 % par habitant par rapport à 2002.

L'Ontario et le Québec, qui forment 62 % de la population du Canada, ont produit 66 % des déchets résidentiels du pays en 2004. Si l'on considère le poids, les ordures ménagères comportent surtout des matières organiques provenant des déchets de cuisine ou de jardin. Viennent ensuite les journaux et autres fibres cellulosiques.

De plus en plus d'ordures ménagères sont recyclées. Environ 27 % des déchets résidentiels n'ont pas pris le chemin des sites d'enfouissement et des incinérateurs en 2004, en hausse de 4 points de pourcentage par rapport à 2002. En 2004, 7,9 millions de tonnes de déchets non dangereux ont été recyclés. Les déchets de sources non résidentielles ont représenté 54 % des matières destinées au recyclage, et les déchets ménagers, 46 %.

Les installations centralisées du pays ont composté 1,7 million de tonnes de déchets organiques en 2004, ce qui ne comprend pas les matières compostées par les particuliers ou sur place par les entreprises.

Graphique 13.6
Taux de réacheminement des déchets selon la province, 2004

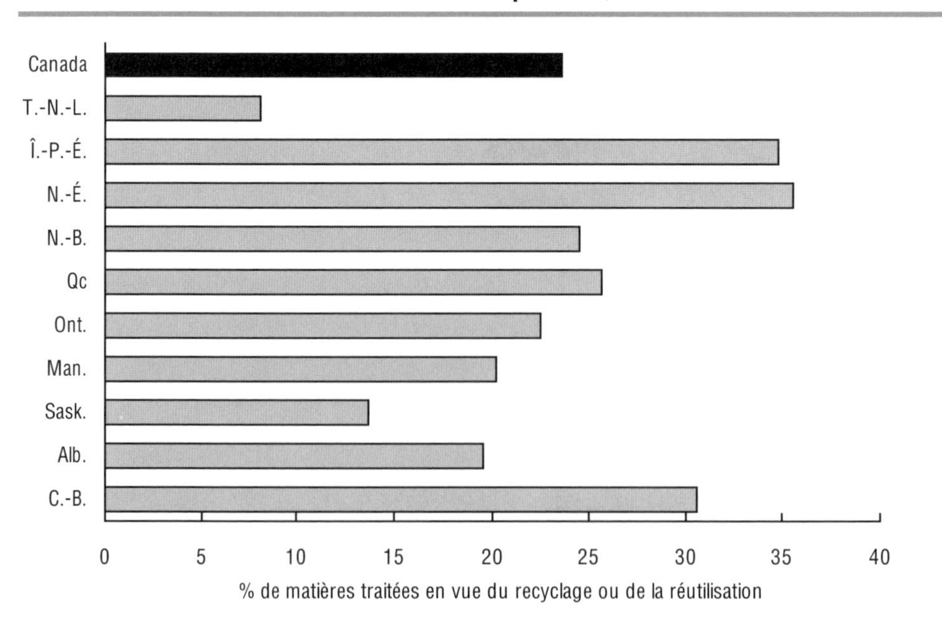

Note : Déchets non dangereux éliminés dans des sites d'élimination publics et privés.
Source : Statistique Canada, produit nº 16F0023XIF au catalogue.

Boom du secteur minier

Les ressources minérales du Canada contribuent au boom économique du pays. L'accroissement de la demande mondiale de produits miniers s'est traduit, en 2005, par une poussée de 67 % des bénéfices dans ce secteur, représentant 2,7 milliards de dollars.

Voilà un renversement surprenant pour les ressources minérales au Canada. Depuis 1990, les investissements dans l'extraction minière avaient été faibles et l'emploi s'était replié de 53 %. En 2005, toutefois, l'emploi dans les industries minières a grimpé de 16 % et les investissements ont fait un bond de 20 %.

De 2004 à 2005, la valeur de la production des minéraux métalliques a augmenté de 7,7 %, le nickel, le cuivre, l'or, le minerai de fer, l'uranium et le zinc se classant en tête de liste. La valeur de la production des minéraux non métalliques a progressé de 3,6 %, et la plus forte hausse a été observée dans la production de potasse qui a bondi de 31,3 %.

Le Canada est le premier producteur mondial d'uranium, un secteur d'activité de 500 millions de dollars au pays. Le Canada produit environ le tiers de la production mondiale d'uranium. En plus de fournir environ 15 % de l'électricité du Canada, l'uranium est exporté dans plusieurs pays qui s'en servent pour leurs centrales nucléaires.

Responsable de 33 % de la production mondiale, le Canada est aussi un leader en matière d'extraction de potasse. Son gisement de potasse, estimé à 56 milliards de tonnes, est le plus grand gisement connu de potasse au monde. La potasse est surtout extraite en Saskatchewan, mais le Nouveau-Brunswick en produit aussi.

La progression de l'extraction de diamants a été spectaculaire au Canada. Avant 1998, l'extraction de diamants était quasi inexistante. En 2004, le Canada a pris le troisième rang mondial en ce qui concerne la valeur de la production de diamants.

Le secteur minier a un impact sur l'environnement. En 2005, il a ajouté à l'environnement 15 600 kilotonnes de gaz à effet de serre. Ce secteur a dépensé 194 millions de dollars en prévention de la pollution et en contrôle et extinction de la pollution en 2002.

Graphique 13.7
Valeur de la production de minéraux au Canada

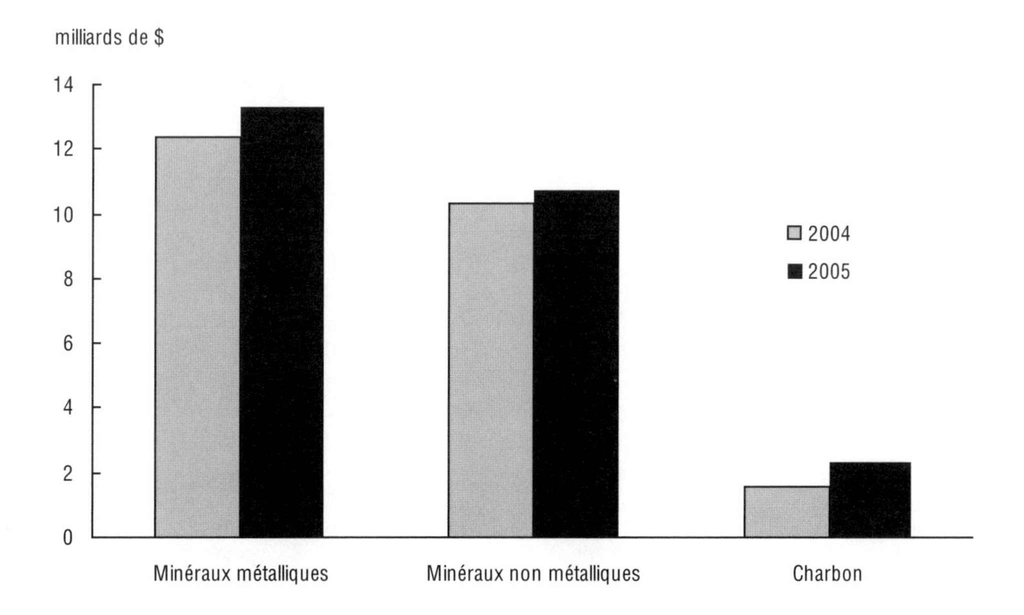

Source : Statistique Canada, produit nº 26-202-XIF au catalogue.

Tableau 13.1 Émissions de gaz à effet de serre selon la source, 1990 et 2004

	1990	2004	1990	2004	1990	2004
	Dioxyde de carbone		Méthane		Oxyde nitreux	
	kilotonnes					
Total[1]	**460 000**	**593 000**	**3 900**	**5 200**	**150**	**140**
Énergie	430 000	553 000	2 000	3 000	30	30
Sources de combustion fixes	277 000	352 000	200	200	7	9
Production d'électricité et de chaleur	94 700	129 000	1,8	4,7	2	2
Industries des combustibles fossiles	51 000	75 000	80	100	1	2
Raffinage du pétrole	23 000	29 000	0,4	0,6	0,4	0,5
Production de combustibles fossiles	28 100	46 200	80	100	0,7	1
Exploitation minière	6 160	15 300	0,1	0,3	0,1	0,3
Industries manufacturières	54 400	50 300	3	3	2	2
Sidérurgie	6 420	6 480	0,2	0,3	0,2	0,2
Métaux non ferreux	3 210	3 220	0,07	0,07	0,05	0,05
Produits chimiques	7 060	6 250	0,15	0,13	0,1	0,1
Pâtes et papiers	13 400	8 990	2	2	0,8	0,9
Ciment	3 570	4 310	0,07	0,09	0,05	0,05
Autres industries manufacturières	20 700	21 100	0,4	0,4	0,4	0,4
Construction	1 860	1 340	0,03	0,02	0,05	0,03
Commercial et institutionnel	25 700	37 700	0,5	0,7	0,5	0,8
Résidentiel	41 300	40 700	100	90	2	2
Agriculture et foresterie	2 400	2 080	0,04	0,04	0,05	0,06
Transport[2]	142 000	185 000	30	30	20	30
Transport aérien intérieur	6 220	7 590	0,5	0,4	0,6	0,7
Transport routier	103 000	140 000	16	12	12	16
Automobiles à essence	51 600	47 800	9	3,5	6,3	6,0
Camions légers à essence	20 300	41 000	4	4,5	4,2	8,3
Véhicules lourds à essence	2 990	4 010	0,42	0,57	0,44	0,60
Motocyclettes	225	214	0,18	0,17	0,00	0,00
Automobiles à moteur diesel	657	750	0,02	0,02	0,05	0,05
Camions légers à moteur diesel	578	873	0,02	0,02	0,04	0,06
Véhicules lourds à moteur diesel	24 300	44 400	1	2	0,7	1
Véhicules au propane ou au gaz naturel	2 160	837	2	1	0,04	0,02
Transport ferroviaire	6 320	5 350	0,3	0,3	3	2
Transport maritime intérieur	4 730	6 260	0,4	0,5	1	1
Autres	22 000	26 000	10	10	4	6
Véhicules tout-terrain à essence	5 000	4 000	6	4	0,1	0,08
Véhicules tout-terrain à moteur diesel	10 000	14 000	0,5	0,7	4	5
Pipelines	6 700	8 280	6,7	8,3	0,2	0,2
Sources fugitives	11 000	16 000	1 600	2 400	...	0,1
Exploitation de la houille	...	...	90	50	...	...
Pétrole et gaz naturel	11 000	16 000	1 500	2 300	...	0
Pétrole	1 910	3 650	230	300	...	...
Production de gaz naturel	4 200	7 200	640	1 000	...	...
Fuites	110	160	...	1 000	...	0,1
Torchage	4 340	5 350	2,61	3,91	...	0,00

Voir les notes et la source à la fin du tableau.

	1990	2004	1990	2004	1990	2004
	Dioxyde de carbone		Méthane		Oxyde nitreux	
			kilotonnes			
Procédés industriels	30 300	39 600	...	...	37,1	12,7
Production de minéraux	8 300	9 500	...	...	...	...
Ciment	5 400	7 100	...	...	...	...
Chaux	2 000	2 000	...	...	...	...
Utilisation de produits minéraux[3]	1 100	630	...	...	...	...
Industries chimiques	3 900	5 700	...	...	37,1	12,7
Production d'ammoniac	3 900	5 700	...	...	...	...
Production d'acide nitrique	...	...	...	...	2,5	2,7
Production d'acide adipique	...	...	...	...	34,6	9,98
Production de métaux	9 800	12 000	...	...	...	...
Sidérurgie	7 060	8 160	...	...	...	...
Production d'aluminium	2 700	4 200	...	...	...	...
Soufre hexafluoride utilisé dans les usines de magnésium	...	...	...	...	...	...
Consommation d'halocarbures et de soufre hexafluoride	...	...	...	...	...	...
Production d'autres produits et de produits indifférenciés	8 300	12 000	...	...	...	...
Utilisation de solvants et d'autres produits	...	...	...	...	1,3	1,6
Agriculture	...	...	1 000	1 290	77	89
Fermentation entérique	...	...	877	1 140	...	...
Gestion du fumier	...	...	120	150	13	17
Sols agricoles	...	...	...	...	63	72
Sources directes	...	...	...	...	35	37
Fumier sur les pâturages et les enclos	...	...	...	...	10	14
Sources indirectes	...	...	...	...	20	20
Déchets	270	200	1 100	1 300	3	3
Enfouissement des déchets solides	...	...	1 100	1 300	...	...
Épuration des eaux	...	...	11	12	3	3
Incinération des déchets	270	200	0,4	0,06	0,4	0,2
Affectation des terres, changement d'affectation des terres et foresterie	-87 000	59 000	160	640	7	27
Terres forestières	-110 000	51 000	150	640	6,4	27
Terres cultivées	13 000	-140	...	5	...	0,3
Pâturages	.	.	.	.	.	.
Terres humides	6 000	1 000	...	0,1	...	0,01
Zones de peuplement	8 000	7 000	...	3	...	0

Note : Les chiffres ayant été arrondis, leur somme peut ne pas correspondre aux totaux indiqués.

1. Les totaux nationaux ne comprennent pas les gaz à effet de serre provenant de « l'affectation des terres, changement d'affectation des terres et foresterie ».
2. Les émissions d'éthanol sont déclarées dans les sous-catégories de véhicules à essence sous « transport ».
3. La catégorie « utilisation de produits minéraux » comprend les émissions de dioxyde de carbone provenant de l'utilisation de calcaire et de dolomite, de bicarbonate de soude et de magnésite.

Source : Environnement Canada.

Tableau 13.2 Substances rejetées dans le sol, 2004

	Rejets[1]	Part du total
	tonnes	pourcentage
Sulfure d'hydrogène	226 578,4	81,5
Zinc et ses composés	9 560,5	3,4
Amiante (forme friable)	7 447,6	2,7
Ammoniac[2]	6 985,6	2,5
Méthanol	5 751,0	2,1
Manganèse et ses composés	5 565,2	2,0
Phosphore (total)	3 601,5	1,3
Éthylèneglycol	2 703,8	1,0
Plomb et ses composés	2 038,5	0,7
Vanadium et ses composés (sauf lorsque dans un alliage)	1 507,7	0,5

Note : Les 10 principales substances seulement.
1. Les données comprennent l'élimination.
2. Il s'agit du total de l'ammoniac (NH_3) et de l'ion ammonium (NH_4^+) en solution.
Source : Statistique Canada, produit nº 16-201-XIF au catalogue.

Tableau 13.3 L'élimination et le réacheminement de déchets, par province, 2000, 2002 et 2004

	2000	2002	2004	2000	2002	2004
	Déchets éliminés			Matières réacheminées		
	tonnes					
Canada	**23 168 870**	**23 829 009**	**24 674 855**	**6 500 684**	**6 907 956**	**7 836 497**
Terre-Neuve et Labrador	398 818	376 593	400 048	38 386	30 386	35 308
Nouvelle-Écosse	391 827	389 194	399 967	169 724	215 349	231 526
Nouveau-Brunswick	415 058	413 606	442 173	122 724	144 661	149 804
Québec	5 806 200	5 543 800	55 438 002	1 743 000	1 743 376	1 743 376
Ontario	8 931 600	9 645 633	10 053 154	2 415 498	2 515 498	2 900 125
Manitoba	914 511	896 556	928 118	160 671	188 480	207 116
Saskatchewan	821 946	795 124	833 511	133 380	127 235	142 763
Alberta	2 750 004	2 890 294	3 077 311	589 642	690 517	768 408
Colombie-Britannique	2 581 336	2 738 180	2 841 361	1 105 121	1 214 475	1 324 166

Note : Les données pour l'Île-du-Prince-Édouard et les territoires ont été supprimées à cause des exigences de confidentialité de la *Loi sur la statistique*.
Source : Statistique Canada, produit nº 16-253-XIF au catalogue.

Tableau 13.4 Dépenses en immobilisations visant la prévention de la pollution selon le milieu environnemental et l'industrie, 2002

	Ensemble des milieux environnementaux	Air	Eaux de surface	Déchets solides et liquides contenus sur le site	Bruits, radiations et vibrations	Autres
	millions de dollars					
Ensemble des industries	**1 427,2**	**950,5**	**224,7**	**138,3**	**12,9**	**100,8**
Exploitation forestière	**0,6**	0,0	0,1	0,5	0,0	0,0
Extraction de pétrole et de gaz	**243,7**	184,0	34,6	19,0	3,5	2,7
Extraction minière	**31,1**	x	20,5	7,6	0,0	x
Production, transport et distribution d'électricité	**228,2**	164,9	27,7	x	x	x
Distribution de gaz naturel	**x**	x	x	x	0,0	0,0
Aliments	**46,4**	23,8	9,4	4,3	0,0	8,8
Boissons et produits du tabac	**6,4**	1,8	0,4	2,8	0,0	1,3
Produits en bois	**29,0**	x	5,4	15,6	x	0,4
Usines de pâte à papier, de papier et de carton	**152,9**	65,3	x	3,8	x	x
Produits du pétrole et du charbon	**499,9**	425,0	48,6	x	x	x
Produits chimiques	**x**	x	16,9	12,9	0,6	x
Produits minéraux non métalliques	**24,4**	3,5	2,0	1,2	0,2	17,5
Première transformation des métaux	**31,1**	15,5	7,2	7,2	0,0	1,2
Fabrication de produits métalliques	**x**	x	x	0,3	0,2	2,1
Matériel de transport	**27,3**	18,5	3,5	3,9	0,2	1,3
Transport par pipeline	**32,0**	5,3	x	20,5	x	x

Source : Statistique Canada, produit nº 16-201-XIF au catalogue.

Tableau 13.5 Dépenses en immobilisations visant les procédés de lutte contre la pollution selon le milieu environnemental et l'industrie, 2002

	Ensemble des milieux environnementaux	Air	Eaux de surface	Déchets solides et liquides contenus sur le site	Bruits, radiations et vibrations
	millions de dollars				
Ensemble des industries	**907,7**	**580,6**	**203,3**	**104,8**	**18,9**
Exploitation forestière	**x**	x	x	x	x
Extraction de pétrole et de gaz	**85,9**	48,4	21,2	13,7	2,7
Extraction minière	**36,3**	7,5	22,9	5,7	0,2
Production, transport et distribution d'électricité	**218,3**	166,8	36,5	14,9	0,3
Distribution de gaz naturel	**x**	x	0,0	x	0,1
Aliments	**59,5**	15,0	37,6	x	x
Boissons et produits du tabac	**1,9**	0,2	0,8	0,8	0,1
Produits en bois	**x**	x	x	x	x
Usines de pâte à papier, de papier et de carton	**57,4**	32,3	16,5	8,1	0,5
Produits du pétrole et du charbon	**226,7**	155,8	35,1	28,5	7,3
Produits chimiques	**26,4**	15,8	5,0	3,4	2,2
Produits minéraux non métalliques	**38,7**	27,8	2,0	7,9	1,0
Première transformation des métaux	**87,4**	66,1	13,9	7,2	0,2
Fabrication de produits métalliques	**x**	1,3	1,5	x	0,1
Matériel de transport	**29,7**	x	x	4,4	0,1
Transport par pipeline	**x**	x	0,1	x	x

Source : Statistique Canada, produit nº 16-201-XIF au catalogue.

Tableau 13.6 Production de certains minéraux, 2004 et 2005

	2004	2005p
	carats	
Diamants	12 679 910	12 299 733
	kilogrammes	
Or	130 727	120 061
Groupe platine	27 541	22 585
	tonnes	
Zinc	791 373	667 964
Cuivre	562 795	592 393
Nickel	186 694	188 749
Plomb	76 730	79 252
Uranium	11 599	11 627
Molybdène	9 519	7 910
Cobalt	5 060	5 533
Argent	1 337	1 127
Cadmium	848	671
Bismuth	217	193
Antimoine	105	96
Pierres gemmes	292	67
Tantale	91	63
	kilotonnes	
Sable et gravier	252 609	246 337
Pierre	161 975	160 384
Minerai de fer	28 405	32 210
Sel	13 903	13 632
Potasse	10 109	10 886
Gypse	9 904	8 581
Quartz	1 681	1 980
Tourbe	1 320	1 247
Syénite à néphéline	712	740
Stéatite, talc, pyrophyllite	72	76
Barytine	20	23

Note : Les mines canadiennes seulement.

Source : Statistique Canada, produit nº 26-202-XIB au catalogue.

Tableau 13.7 Extraction minière, travailleurs de la production et valeur de production, 2000 à 2005

	2000	2001	2002	2003	2004	2005
	nombre					
Extraction minière, sauf l'extraction de pétrole et de gaz	**39 443**	**37 724**	**36 811**	**35 829**	**34 786**	**35 342**
Extraction de charbon	4 759	4 531	4 331	3 923	3 731	3 822
Extraction de minerais de fer	3 680	2 923	3 085	3 275	2 663	2 811
Extraction de minerais d'or et d'argent	6 002	5 323	5 386	5 134	4 832	4 622
Extraction de diamants	419	485	762	992	1 032	763
Extraction de potasse	2 513	2 525	2 544	2 720	2 981	3 051
	millions de dollars					
Extraction minière, sauf l'extraction de pétrole et de gaz	**17 019,5**	**16 564,8**	**16 556,8**	**16 641,6**	**20 753,0**	**24 635,5**
Extraction de charbon	1 485,9	1 704,4	1 666,4	1 285,4	1 552,7	2 828,6
Extraction de minerais de fer	1 599,8	1 377,2	1 326,1	1 403,6	1 424,4	2 600,1
Extraction de minerais d'or et d'argent	2 118,6	2 261,8	2 490,6	2 460,3	2 494,1	2 319,3
Extraction de diamants	647,8	718,4	780,1	1 587,7	2 096,7	1 762,1
Extraction de potasse	1 703,2	1 669,6	1 681,6	1 623,5	2 197,3	2 553,4

Source : Statistique Canada, CANSIM : tableau 152-0005.

Fabrication

14

SURVOL

Près de deux millions de Canadiens travaillent dans le secteur de la fabrication. Ils transforment les matières premières en produits finis qui garnissent les rayons de nos magasins et qui sont exportés partout dans le monde. Une des industries les plus vigoureuses du Canada, la fabrication, est encore aujourd'hui la pierre angulaire de centaines de collectivités, petites et grandes.

Notre économie a évolué rapidement et, dans le contexte des prix moins élevés suscités par la concurrence mondiale, du raffermissement du dollar canadien et de la croissance énergique du secteur des services, le secteur de la fabrication connaît actuellement une période de contraction.

L'emploi diminue dans les usines

L'embauche dans le secteur de la fabrication a diminué. Selon l'enquête annuelle des fabricants, en 2005 il y avait 1,3 millions de travailleurs dans la production manufacturière, ce qui représente une baisse par rapport à 1,4 millions en 2003. Beaucoup de ces emplois ont disparu en Ontario et au Québec.

Du milieu à la fin des années 1990, le secteur manufacturier a été une source importante de nouveaux emplois. Cependant, en 2001, le secteur de la haute technologie a commencé à s'effondrer et de nombreux travailleurs de la production ont été mis à pied. À la fin de 2002, des licenciements massifs étaient effectués dans les usines. Les fabricants ont subi de nouveaux contrecoups, lorsque le dollar canadien s'est apprécié et a atteint, au dernier trimestre de 2005, un niveau inégalé en 14 ans. Le taux de change plus élevé a rendu les produits canadiens plus chers sur le marché mondial et a ralenti les ventes.

Les pertes d'emplois survenues dans le secteur manufacturier qui ont suivi ont été les plus importantes depuis la récession du début des années 1990, alors que les emplois disparaissaient deux fois plus rapidement que

Graphique 14.1
Emploi dans la fabrication selon la province

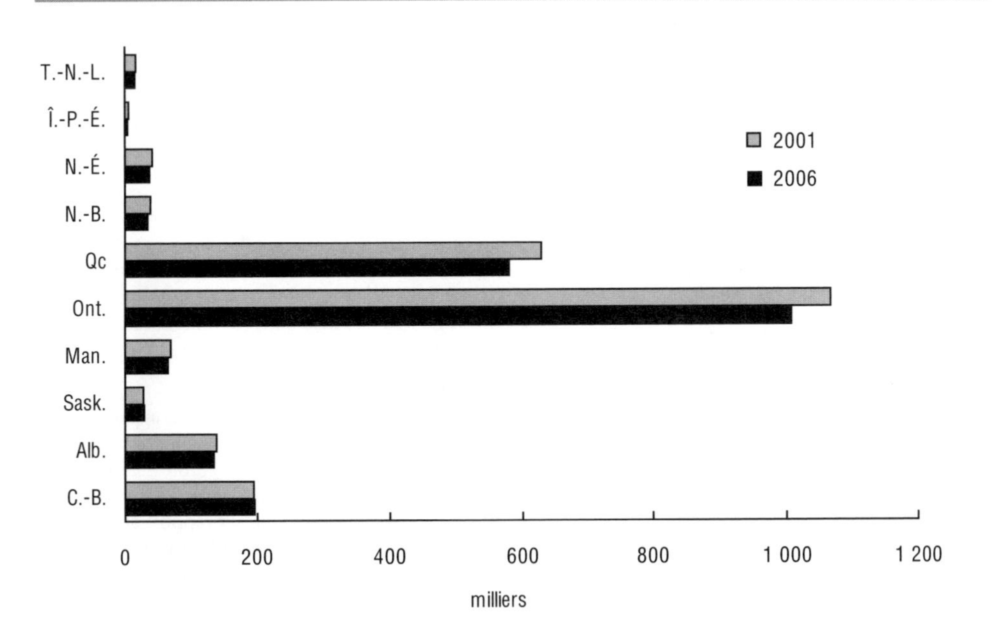

Source : Statistique Canada, CANSIM : tableau 282-0008.

maintenant. Les régions les plus touchées ont été le Québec et l'Ontario, où les pertes représentaient 90 % des pertes à l'échelle nationale dans ce secteur depuis 2002.

Les livraisons continuent

Quoi qu'il en soit, la fabrication demeure un moteur économique important au pays. Le secteur compte en effet pour environ 16 % du PIB du Canada et constitue le moteur économique de nombreuses collectivités et provinces.

Le matériel de transport constitue la plus importante industrie manufacturière du Canada. La fabrication d'automobiles et de pièces d'automobiles joue un rôle majeur dans ce secteur et représente le tiers de la production manufacturière de l'Ontario. L'industrie du matériel de transport comptait pour 21 % des 591 milliards de dollars de biens fabriqués en 2005. La fabrication de produits alimentaires arrivait en deuxième place à cet égard, représentant 11 % de la valeur de tous les biens livrés.

Plaques tournantes de l'activité manufacturière du Canada, l'Ontario et le Québec sont responsables des trois quarts des livraisons manufacturières du pays. Toutefois, de ces deux moteurs du secteur manufacturier, l'Ontario a perdu de la vigueur par rapport à l'ensemble du pays. En Ontario, des industries comme la fabrication de produits pétroliers et du charbon ont fait bonne figure, mais un repli de l'industrie de la fabrication d'automobiles a fait baisser le niveau et la valeur de toutes les livraisons de la province. Le Québec, toutefois, a connu une consolidation du secteur, grâce aux raffineries de pétrole, à l'industrie aérospatiale et à la fabrication de produits chimiques qui ont maintenu le secteur à flot. En fait, l'industrie du matériel de transport est devenue la deuxième source de livraisons manufacturières au Québec, après les métaux de première transformation.

Graphique 14.2
Livraisons selon certaines industries manufacturières, 2006

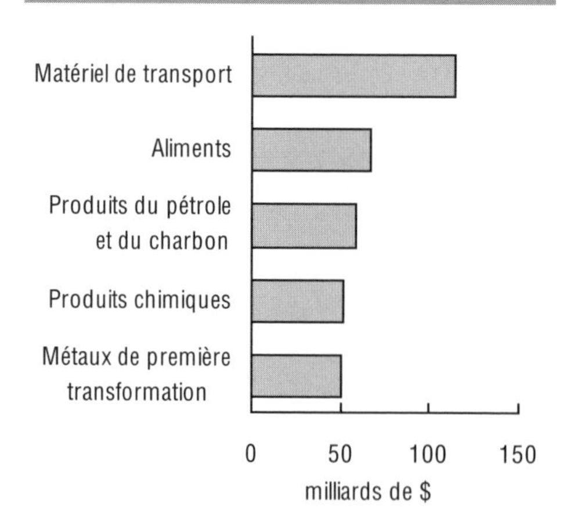

Source : Statistique Canada, CANSIM : tableau 304-0014.

Livraisons manufacturières selon la région, 2006

	milliards de $	% du total
Provinces de l'Atlantique	27,7	4,7
Québec	141,1	24,0
Ontario	287,6	49,0
Prairies	88,9	15,1
Colombie-Britannique	42,0	7,1

Note : Les données pour les territoires représentent moins de 1 % du total.

Source : Statistique Canada, CANSIM : tableau 304-0015.

La croissance dans le secteur manufacturier s'est sensiblement déplacée vers l'ouest en 2005. Les livraisons en Colombie-Britannique, en Alberta et en Saskatchewan ont augmenté plus rapidement que dans le centre du Canada. Les fabricants de l'Alberta et de la Saskatchewan ont notamment fait des gains spectaculaires, surtout en raison de la production de produits pétroliers et des métaux de première transformation. Les quatre provinces de l'Ouest comptaient pour 21 % de toutes les livraisons manufacturières en 2005, comparativement à 18 % en 2000.

Les provinces du Canada atlantique sont les hôtes d'une solide industrie de la fabrication de produits alimentaires, celle-ci représentant presque 5 % des livraisons manufacturières du pays.

Dans l'ensemble, les fabricants du Canada ont maintenu un nombre de livraisons constant dans les dernières années. Ils se préoccupent toutefois davantage de leur capacité d'accroître leur production dans le contexte suivant : la vigueur du dollar, particulièrement par rapport au dollar américain (les États-Unis étant leur principal partenaire commercial), les coûts plus élevés des matières premières, la concurrence des produits importés à meilleur marché, notamment ceux de l'Asie, ainsi que les pénuries de main-d'oeuvre qualifiée, particulièrement dans l'Ouest du Canada. La pénurie de main-d'œuvre a en effet touché un fabricant sur cinq en Alberta en 2005.

Chute des profits

Ces pressions sur le secteur se sont traduites par des baisses considérables des bénéfices d'exploitation pour les entreprises manufacturières. Leurs bénéfices d'exploitation ont atteint 49 milliards de dollars en 2004, un gain exceptionnel de 34 % par rapport à 2003. Toutefois, leurs bénéfices d'exploitation totaux avaient chuté à 42 milliards de dollars à la fin de 2005.

Dix des 13 industries manufacturières ont perdu du terrain en 2005, et les bénéfices sont demeurés essentiellement les mêmes en 2006. La chute de la demande nord-américaine, la hausse des prix du carburant, la concurrence étrangère, ainsi que les coûts élevés de la commercialisation et de la restructuration ont touché durement les fabricants d'automobiles et de pièces d'automobiles, les profits de ces derniers dégringolant de 83 %, passant de 9,0 milliards de dollars en 2000 à 1,5 milliard de dollars en 2006.

Le changement amène également de nouveaux défis pour d'autres fabricants. Par exemple, l'importance croissante que prennent les médias électroniques et l'amenuisement des marchés des journaux ont contribué à une chute de 58 % des bénéfices d'exploitation des fabricants de produits du bois et du papier dans les six dernières années, reculant de 7,8 milliards de dollars en 2000 à 3,3 milliards de dollars en 2006.

D'autre part, l'augmentation de la demande de pétrole et de charbon contribue au bond des bénéfices d'exploitation de ces industries, lesquels ont en effet grimpés à 11,7 milliards de dollars en 2005, le double de ce qu'ils étaient en 2000. Toujours au cours des dernières années, les fabricants de produits informatiques et électroniques – ce qui englobe le matériel de communication ainsi que le matériel audio et vidéo – ont tiré parti de la forte demande des consommateurs dans ce domaine. Même s'ils n'ont pas encore atteint les niveaux de la période de prospérité de la technologie de pointe de 2000, les bénéfices d'exploitation de ces fabricants augmentent depuis 2003.

Graphique 14.3
Bénéfices d'exploitation, certaines industries manufacturières

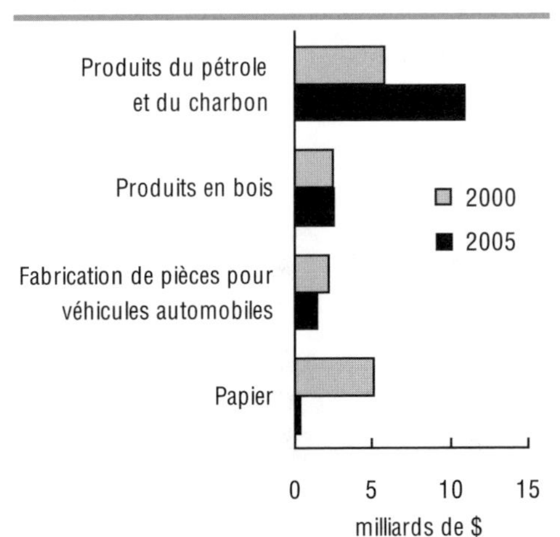

Source : Statistique Canada, produit nº 62-219-XIF au catalogue.

Sources choisies

Statistique Canada

- *Analyse en bref.* Hors série. 11-621-MIF
- *Information sur la population active.* Mensuel. 71-001-XIF
- *L'emploi et le revenu en perspective.* Mensuel. 75-001-XIF
- *L'Observateur économique canadien.* Mensuel. 11-010-XWB
- *Mise à jour sur l'analyse économique.* Irrégulier. 11-623-XIF
- *Produit intérieur brut par industrie.* Mensuel. 15-001-XIF
- *Série de documents de recherche sur l'analyse économique (AE).* Hors série. 11F0027MIF

Productivité du secteur de la fabrication

La croissance économique est stimulée par la productivité. L'application du principe selon lequel il faut faire plus avec moins – en formant des travailleurs hautement spécialisés, en utilisant des matériaux moins coûteux ou en adoptant de nouvelles technologies – permet aux usines d'accroître leur efficacité. En réduisant les coûts, on dégage plus d'argent pour créer encore plus de produits, pour augmenter la rémunération ou pour diminuer les prix à la consommation.

La croissance de la productivité est tellement importante qu'elle a compté pour plus de la moitié de l'augmentation du produit intérieur brut du Canada dans les 40 dernières années. Elle est aussi importante pour les individus : dans les quatre dernières décennies, la hausse du salaire horaire a suivi de près l'augmentation de la productivité du travail.

Malheureusement pour les fabricants canadiens, l'une des grandes tendances économiques de 2006 a été le ralentissement de la croissance de la productivité des industries productrices de biens. Après une vigoureuse hausse de 3,6 % en 2005, la productivité est demeurée au point mort en 2006, n'augmentant qu'à peine de 0,1 %.

La baisse de la productivité en 2006 a été le résultat d'une chute de la production par employé : en moyenne, chaque employé du secteur produisait moins en 2006 qu'en 2005. Cela a entraîné une baisse de l'« utilisation du potentiel » des usines du Canada (la mesure dans laquelle les usines étaient exploitées à leur plein potentiel). À la fin de l'année, les industries n'étaient exploitées qu'à 82,5 % de leur capacité, une diminution de 1,2 % par rapport à 2005.

En fait, au cours de cette décennie, les usines sont demeurées bien en deçà des hausses de productivité remarquables qu'elles avaient connues durant la période d'essor des technologies de pointe à la fin des années 1990. Le ralentissement soudain de la productivité en 2006 s'est particulièrement fait sentir dans les industries qui ne sont normalement pas considérées comme des industries de haute technologie, soit les textiles, les vêtements et les meubles. De nombreuses usines dans ces industries ont fermé leurs portes en 2006.

Graphique 14.4
Taux d'utilisation de la capacité industrielle, certaines industries

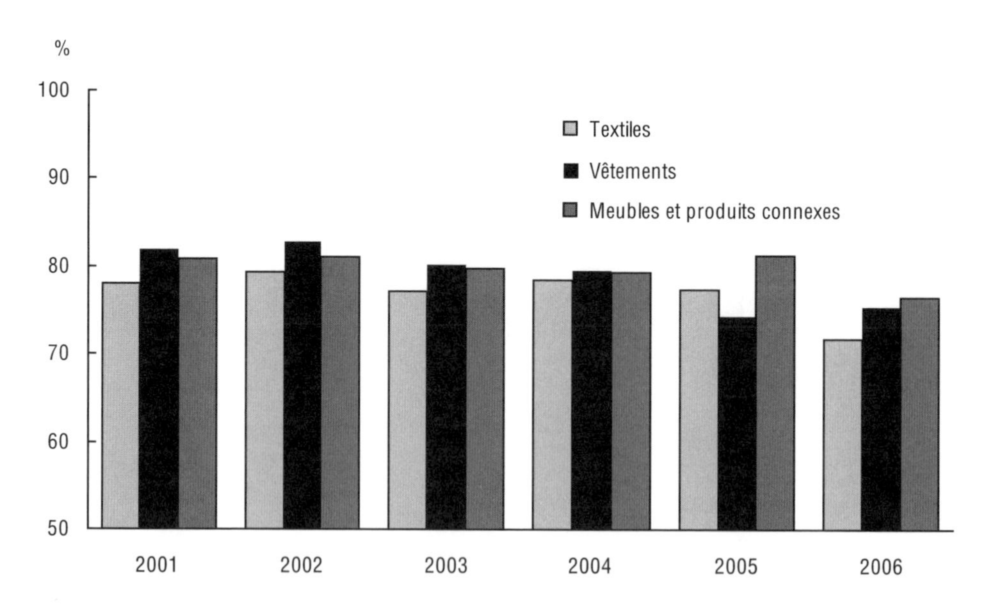

Source : Statistique Canada, CANSIM : tableau 028-0002.

Usines de fabrication : une vie brève

Tout comme les humains, les usines de fabrication ont une espérance de vie. Mais contrairement aux humains, dont la durée de vie augmente dans de nombreux pays, ces usines vivent relativement peu longtemps : la plupart disparaissent jeunes tandis que d'autres survivent un certain temps tant bien que mal.

Plus de la moitié des nouvelles usines dans le secteur de la fabrication ferment leurs portes six ans après avoir démarré. Moins de 20 % d'entre elles sont toujours en exploitation après 15 ans. En fait, la durée de vie moyenne des nouvelles usines de fabrication au Canada se situe à neuf ans seulement, et 14 % d'entre elles cessent leurs activités la première année.

La durée de vie d'une usine varie selon l'industrie. La durée de vie la plus longue se situe à 13 ans et s'observe dans deux industries, celle de la première transformation des métaux et celle du papier et des produits connexes. La durée de vie la plus courte (moins de huit ans) s'observe quant à elle dans les industries du bois et des meubles.

Le taux élevé de disparition des usines signifie que l'employé d'une installation de production n'y travaillera probablement pas toute sa vie. Lorsque des fermetures surviennent, les travailleurs peuvent être mutés à d'autres usines de la même entreprise.

Cependant, lorsque l'entreprise ferme, les employés se retrouvent souvent au chômage. Ils n'ont souvent d'autre choix que d'accepter un nouvel emploi souvent moins bien rémunéré que celui qu'ils avaient auparavant.

Les usines de fabrication qui intègrent des innovations technologiques à leurs procédés de fabrication ont un taux de survie plus élevé que celles qui consacrent leurs efforts à modifier leurs produits.

L'innovation accroît également la probabilité qu'une entreprise enregistre des taux plus élevés de croissance de la productivité. Bien que les nouvelles petites usines aient tendance à disparaître plus rapidement, l'absence d'innovation conduit à une disparition prématurée, même chez les plus grandes usines.

Graphique 14.5
Durée de vie des nouvelles usines de fabrication selon certaines industries

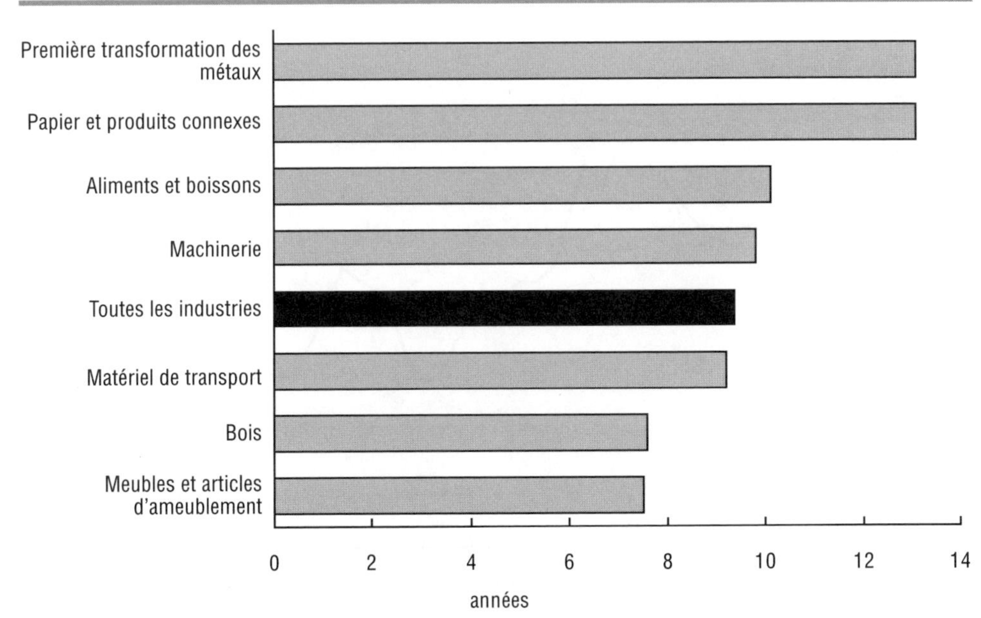

Note : Le taux de disparition de nouvelles usines dans le secteur de la fabrication est basé sur les données de 1960 à 1999.
Source : Statistique Canada, produit nº 11F0027MIF au catalogue.

La concurrence et le taux de change

Au cours des 40 dernières années, la valeur du dollar canadien par rapport à celui des États-Unis a varié d'un maximum de 1,04 dollar américain en octobre 1959 à un minimum de 0,62 dollar américain en janvier 2002. En décembre 2006, le dollar canadien valait 0,90 dollar américain. Que signifient ces fluctuations pour les fabricants du Canada?

Comme 43 % des machines, des automobiles et des biens de consommation que nous fabriquons sont exportés, il s'ensuit que les hausses et les baisses du dollar canadien peuvent avoir d'importantes incidences sur la compétitivité de nos produits sur le marché mondial.

Au milieu des années 1990, la faiblesse du dollar a fait grimper la demande de biens fabriqués au Canada et vendus dans les autres pays. Toutefois, depuis 2002, la hausse continue du dollar canadien et du prix des biens produits au Canada a fait en sorte que les produits des autres pays sont plus concurrentiels que les produits canadiens semblables.

La croissance de la productivité et les coûts de production (main-d'œuvre, énergie et matières, etc.) sont deux autres facteurs influant sur la compétitivité du Canada. Lorsque la productivité du Canada augmente plus rapidement que celle des États-Unis, nos biens sont généralement moins chers, ce qui place le Canada en position avantageuse pour vendre ses produits à l'étranger. À l'inverse, lorsque les coûts de production au Canada sont plus élevés que ceux aux États-Unis, les produits canadiens sont plus chers que les produits américains et la concurrence est plus difficile. Le taux de change peut cependant influencer ces facteurs.

De nombreuses industries axées sur l'exportation, comme la fabrication de véhicules automobiles, de machines, de même que de produits du bois et du papier, ont été en mesure d'ajuster rapidement leur marge bénéficiaire, diminuant ainsi l'incidence des fluctuations du taux de change.

Graphique 14.6
Taux de change, $US pour $CAN

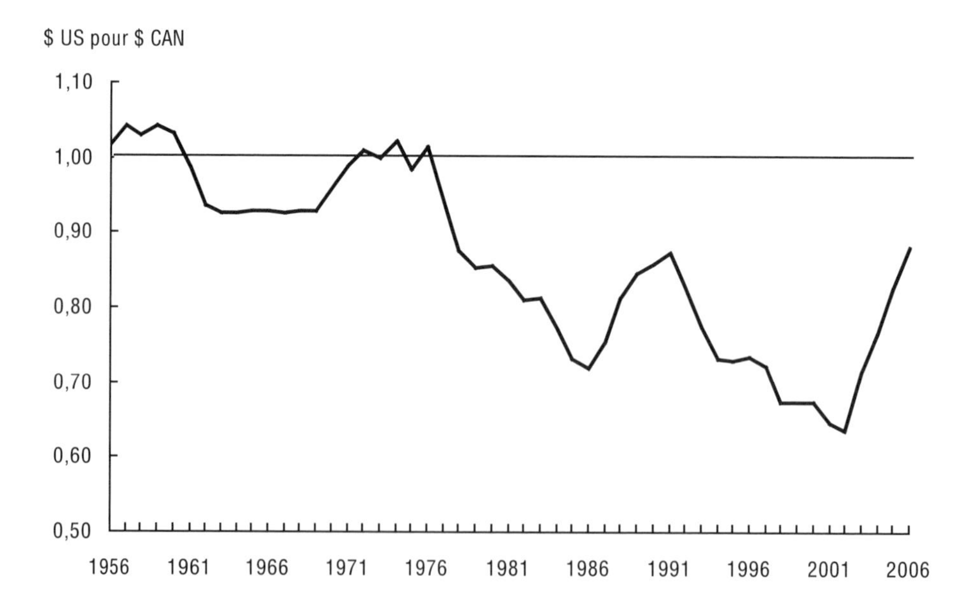

Source : Statistique Canada, CANSIM : tableau 176-0064.

L'automobile : un moteur de l'économie

L'industrie de l'automobile est l'un des moteurs de l'économie du Canada. Concentrée en Ontario, elle est d'une importance capitale pour l'économie de cette province. L'industrie emploie 42 000 personnes en Ontario, compte pour 24 % de toutes les ventes de produits manufacturés et est la locomotive d'autres industries comme celle des pièces d'automobiles.

Dans les 30 dernières années, le secteur de l'automobile a connu des hauts et des bas attribuables à des facteurs comme l'évolution de la demande des consommateurs, une concurrence accrue des pays en dehors de l'Amérique du Nord et une offre excédentaire de certains modèles. Les consommateurs sensibilisés aux questions énergétiques réévaluent aussi leur besoin de gros véhicules, ce qui a entraîné une baisse de la demande de véhicules utilitaires sport (VUS) et d'autres véhicules énergivores en Amérique du Nord. En 2005, l'industrie a dû composer avec des mises à pied, des interruptions temporaires de la production et des fermetures permanentes d'usines.

La concurrence des constructeurs novateurs étrangers a contribué à une régression des ventes au détail des trois grands constructeurs nord-américains d'automobiles : General Motors, Ford et Daimler Chrysler. En 2005, ces trois compagnies représentaient 75 % des usines de montage d'automobiles au Canada, une baisse par rapport à 85 % il y a seulement cinq ans.

Un nombre croissant de Canadiens a toutefois continué à acheter des camions et des VUS en 2005. Les ventes de camions ont été spécialement élevées en Alberta et sont demeurées fortes en Colombie-Britannique et en Ontario et au Québec.

Le fait que le secteur de la fabrication d'automobiles au Canada peut être revitalisé constitue une bonne nouvelle. Plusieurs des principaux intervenants à l'échelle mondiale ont annoncé qu'ils investiraient des milliards de dollars au Canada au cours des prochaines années, et de nombreux fabricants d'automobiles effectuent un réaménagement majeur de leurs gammes de produits pour répondre à la demande changeante des consommateurs.

Graphique 14.7
Ventes de véhicules automobiles neufs selon le genre

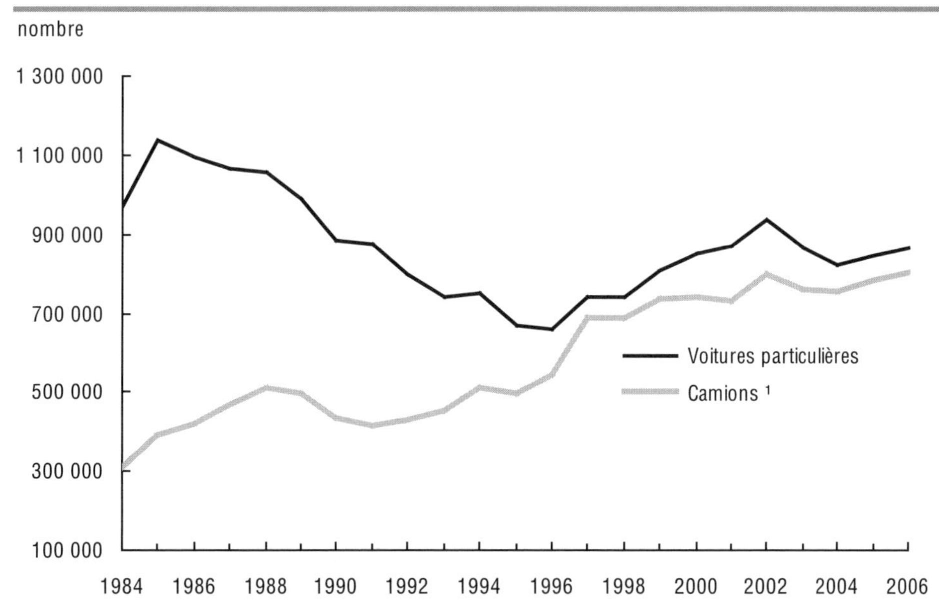

1. Les camions comprennent les mini-fourgonnettes, les véhicules utilitaires à caractère sportif, les camions légers et lourds, les fourgonnettes et les autobus.

Source : Statistique Canada, produit nº 63-007-XIF au catalogue.

Tableau 14.1 Produit intérieur brut aux prix de base selon le sous-secteur de la fabrication, 1998 à 2006

	1998	1999	2000
	millions de dollars enchaînés (1997)		
Secteur de la fabrication	**149 314**	**161 634**	**177 618**
Aliments	14 520	14 883	15 499
Boissons et produits du tabac	5 186	4 729	4 896
Usines de textiles et usines de produits textiles	2 431	2 458	2 703
Vêtements	3 266	3 164	3 778
Produits en cuir et produits analogues	388	371	437
Papier	10 559	11 606	12 035
Impression et activités connexes de soutien	4 313	4 411	5 042
Produits du pétrole et du charbon	1 805	1 737	1 741
Produits chimiques	12 958	13 470	14 926
Produits en caoutchouc et en plastique	7 343	7 989	9 138
Produits en bois	9 669	10 390	11 524
Produits minéraux non métalliques	4 121	4 152	4 566
Métaux de première transformation et produits métalliques	20 186	21 300	24 815
Machines	10 111	9 938	11 383
Produits informatiques et électroniques	8 841	12 384	14 963
Matériel, appareils et composants électriques	3 625	3 803	4 573
Matériel de transport	23 181	27 779	28 104
Meubles et produits connexes	4 102	4 487	5 241
Activités diverses de fabrication	2 768	2 734	3 142

Note : Système de classification des industries de l'Amérique du Nord (SCIAN), 2002.
Source : Statistique Canada, CANSIM : tableau 379-0017.

2001	2002	2003	2004	2005	2006
		millions de dollars enchaînés (1997)			
170 247	**171 800**	**170 465**	**173 726**	**174 987**	**172 706**
16 627	16 528	16 316	16 665	16 879	17 041
4 690	4 679	4 478	4 593	4 706	4 140
2 555	2 539	2 211	2 153	1 993	1 723
3 655	3 419	3 290	3 054	2 758	2 617
372	362	310	248	179	173
11 430	12 007	12 101	12 077	11 711	10 940
5 608	5 252	5 106	5 023	4 979	4 861
1 950	1 981	2 002	2 044	1 987	1 999
15 307	16 052	16 473	17 109	17 202	17 400
9 123	9 845	9 772	9 643	9 349	8 814
11 016	12 281	12 482	13 280	13 488	13 219
4 772	4 869	5 120	5 145	5 149	5 158
24 135	24 875	24 309	24 430	24 932	25 000
11 184	10 896	10 605	10 686	10 983	11 365
8 854	7 620	8 731	8 915	9 496	9 734
4 519	3 825	3 340	3 288	3 236	3 160
25 345	25 241	25 196	26 736	27 342	26 947
5 461	5 405	4 954	4 952	5 031	4 800
3 123	3 479	3 500	3 480	3 470	3 657

Tableau 14.2 Livraisons manufacturières selon le sous-secteur de la fabrication, 1994 à 2006

	1994	1995	1996	1997	1998
	millions de dollars				
Secteur de la fabrication	**346 940,8**	**389 779,5**	**400 085,1**	**426 519,4**	**441 152,6**
Aliments	43 075,3	45 170,0	48 246,0	50 513,4	51 468,6
Boissons et produits du tabac	9 175,8	9 317,9	9 610,4	10 154,4	11 190,5
Usines de textiles et usines de produits textiles	5 303,5	5 558,6	5 621,5	5 960,2	6 371,0
Vêtements	6 229,0	6 568,4	6 677,7	6 947,0	6 967,6
Produits en cuir et produits analogues	1 005,0	985,9	942,8	1 001,3	944,2
Papier	25 226,4	36 013,7	30 663,2	29 761,6	29 790,5
Impression et activités connexes de soutien	7 641,3	8 447,9	8 841,4	8 961,8	9 341,9
Produits du pétrole et du charbon	16 677,2	17 969,3	20 688,6	20 932,8	16 325,6
Produits chimiques	27 822,1	30 074,0	30 252,6	32 486,3	31 374,1
Produits en caoutchouc et en plastique	12 504,8	14 048,1	15 045,3	16 504,1	17 362,1
Produits en bois	22 274,8	22 621,5	24 000,3	25 960,2	25 994,4
Produits minéraux non métalliques	6 794,4	7 220,7	7 851,9	8 487,7	8 930,3
Métaux de première transformation	24 019,4	26 178,1	26 781,9	28 743,2	29 596,9
Produits métalliques	15 391,5	17 505,8	19 174,5	21 082,6	22 850,8
Machines	15 407,3	18 060,8	19 548,5	21 835,9	23 097,3
Produits informatiques et électroniques	18 122,7	22 845,0	22 072,9	23 154,3	25 356,4
Matériel, appareils et composants électriques	6 889,0	7 587,9	7 834,5	8 085,3	8 486,9
Matériel de transport	73 392,3	82 992,4	84 548,0	92 822,9	101 064,1
Meubles et produits connexes	5 664,9	6 140,3	6 839,8	7 892,6	9 013,0
Activités diverses de fabrication	4 324,3	4 473,0	4 843,2	5 231,8	5 626,2

Note : Système de classification des industries de l'Amérique du Nord (SCIAN), 2002.
Source : Statistique Canada, CANSIM : tableau 304-0014.

1999	2000	2001	2002	2003	2004	2005	2006
			millions de dollars				
510 549,9	**561 300,9**	**543 272,0**	**559 902,7**	**562 551,7**	**586 105,8**	**591 086,0**	**587 642,6**
55 104,9	57 278,7	61 609,3	64 089,5	67 065,8	68 163,7	65 814,5	67 587,2
11 250,8	11 625,5	11 699,1	12 074,4	12 191,5	12 428,2	12 607,1	11 762,9
6 602,4	6 966,1	6 848,8	7 211,0	6 672,8	6 167,6	5 514,5	4 936,8
7 429,3	7 936,6	7 685,0	8 024,4	7 893,8	6 482,3	4 980,1	4 793,2
967,1	956,4	967,2	933,6	849,6	668,2	475,1	452,5
33 236,4	38 213,2	35 852,9	34 284,4	33 359,4	33 894,4	33 241,8	31 753,2
10 436,0	11 079,3	11 633,8	12 155,3	12 435,5	11 948,7	11 717,1	11 455,3
21 347,3	33 918,0	33 407,5	33 690,1	37 585,3	45 736,2	56 278,3	59 282,3
34 194,7	37 205,8	38 391,4	40 469,2	43 088,5	47 425,1	50 177,5	51 081,3
21 108,8	21 858,0	22 986,9	25 286,6	26 464,1	26 069,6	26 130,8	25 460,9
31 214,5	31 669,8	30 074,1	32 801,6	32 360,0	35 913,6	31 811,5	28 229,5
9 653,4	9 926,8	10 324,3	11 630,8	12 029,4	12 272,2	12 315,7	12 799,1
30 755,1	36 352,2	34 115,3	36 074,9	36 812,6	43 249,5	44 160,2	50 523,0
27 625,0	29 685,8	30 189,5	32 210,5	33 080,6	33 032,4	32 707,8	32 900,7
24 284,6	26 283,4	26 422,0	27 448,5	28 070,2	28 833,2	30 015,2	31 449,4
27 295,3	37 273,3	27 040,1	22 656,3	20 826,3	20 195,8	18 630,4	17 250,5
10 488,1	11 595,5	11 637,6	10 135,9	9 482,2	9 534,2	9 554,6	9 872,0
130 037,5	132 252,5	122 560,4	126 451,6	119 935,1	122 745,9	123 079,7	113 895,1
10 995,4	12 608,2	13 054,9	13 916,5	13 719,5	13 349,2	12 786,5	12 622,8
6 523,2	6 615,9	6 771,9	8 357,6	8 702,3	8 525,2	9 087,7	9 534,7

Tableau 14.3 Emploi selon le sous-secteur de la fabrication, 1994 à 2006

	1994	1995	1996	1997
	nombre			
Secteur de la fabrication	**1 716 245**	**1 748 443**	**1 788 952**	**1 855 391**
Aliments	210 941	209 853	217 599	219 833
Boissons et produits du tabac	33 371	32 984	29 736	32 068
Usines de textiles	26 357	26 992	27 278	28 594
Usines de produits textiles	17 863	16 507	17 885	19 840
Vêtements	85 610	86 515	85 886	88 574
Produits en cuir et produits analogues	12 238	12 396	12 459	12 656
Papier	104 779	104 450	103 394	104 098
Impression et activités connexes de soutien	75 309	80 375	76 787	76 948
Produits du pétrole et du charbon	21 622	19 770	20 397	19 875
Produits chimiques	89 019	88 054	86 874	88 774
Produits en caoutchouc et en plastique	94 081	96 920	104 370	111 773
Produits en bois	109 790	108 431	116 544	124 299
Produits minéraux non métalliques	43 880	47 077	45 687	48 554
Métaux de première transformation	102 587	102 127	101 727	98 828
Produits métalliques	134 821	139 590	146 910	157 630
Machines	108 524	116 421	124 531	131 837
Produits informatiques et électroniques	79 622	87 969	87 403	91 747
Matériel, appareils et composants électriques	52 507	46 669	45 178	45 477
Matériel de transport	198 701	204 515	214 514	215 733
Meubles et produits connexes	67 232	68 425	70 346	80 754
Activités diverses de fabrication	47 390	52 402	53 447	57 498

Notes : Système de classification des industries de l'Amérique du Nord (SCIAN), 2002.
Comprend le nombre annuel d'employés à salaire fixe et les employés rémunérés à l'heure.

Source : Statistique Canada, CANSIM : tableau 281-0024.

Tableau 14.4 Établissements et travailleurs du secteur de la fabrication, par province et territoire, 2004 et 2005

	Canada	Terre-Neuve-et-Labrador	Île-du-Prince-Édouard	Nouvelle-Écosse	Nouveau-Brunswick
	nombre				
Établissements					
2004	**32 657**	387	204	747	656
2005	**32 582**	369	196	707	631
Travailleurs de la production					
2004	**1 317 711**	14 957	5 164	30 208	29 386
2005	**1 312 484**	14 136	4 973	29 867	28 028

Note : Le nombre d'établissements représente un décompte des emplacements qui réalisent des activités de fabrication et correspondent normalement à une usine, une manufacture ou à un moulin. Elle exclut les bureaux de ventes et les entrepôts qui appuient des activités de fabrication.

Source : Statistique Canada, CANSIM : tableau 301-0006.

1998	1999	2000	2001	2002	2003	2004	2005	2006
				nombre				
1 916 170	**1 955 914**	**2 047 798**	**2 008 877**	**1 968 314**	**1 950 380**	**1 909 124**	**1 872 657**	**1 854 475**
226 471	228 779	238 354	237 652	241 948	244 954	246 537	241 232	240 828
34 255	33 791	35 424	36 594	37 214	34 396	33 004	29 105	29 038
29 793	29 834	30 365	30 336	30 222	30 350	26 482	21 897	18 136
20 495	20 411	20 923	19 707	19 020	18 412	18 071	17 681	16 474
90 427	89 471	93 351	87 287	81 190	75 697	66 558	55 288	49 166
11 775	11 561	12 566	12 842	14 846	14 799	12 868	11 413	10 253
100 821	103 110	110 144	103 835	95 981	97 039	94 093	88 316	84 437
79 810	82 459	85 537	83 529	79 678	78 593	73 774	72 829	73 148
20 377	22 876	25 110	23 217	21 238	20 896	20 499	21 296	22 608
89 227	91 385	95 493	93 535	92 285	92 803	92 765	92 828	90 168
115 544	117 708	123 490	125 996	127 801	128 875	129 969	127 967	127 374
127 559	134 177	141 872	134 714	132 267	131 707	135 115	133 721	128 887
52 166	53 286	56 440	53 719	52 547	53 351	53 307	53 066	55 521
100 957	100 529	104 253	91 936	90 322	85 394	79 703	78 297	79 740
165 626	173 072	183 246	187 521	183 980	183 364	178 988	178 727	184 311
134 385	132 451	136 361	134 877	137 296	137 130	136 007	140 369	144 433
95 685	98 444	101 877	98 889	88 788	83 349	81 651	79 718	80 158
45 898	48 538	53 780	50 375	47 002	46 362	43 898	43 044	43 157
229 457	235 528	244 176	242 698	233 576	231 248	229 222	229 313	222 773
85 247	87 844	93 489	98 154	99 033	98 660	93 770	94 879	90 918
60 192	60 661	61 544	61 465	62 079	63 004	62 842	61 673	62 946

Québec	Ontario	Manitoba	Saskatchewan	Alberta	Colombie-Britannique	Yukon	Territoires du Nord-Ouest	Nunavut
				nombre				
8 058	13 533	1 034	760	3 088	4 129	32	18	11
8 059	13 451	995	767	3 100	4 241	35	20	11
351 649	612 078	46 357	18 513	93 685	115 329	128	170	87
342 379	609 718	46 432	20 071	99 697	116 737	159	204	83

Tableau 14.5 Taux d'utilisation de la capacité industrielle, 2006

	1er trimestre	2e trimestre	3e trimestre	4e trimestre
	pourcentage			
Ensemble des industries	**85,8**	**84,5**	**83,4**	**82,5**
Fabrication	84,6	83,2	82,2	81,4
Aliments	81,9	81,1	80,8	80,3
Boissons et produits du tabac	72,7	73,8	76,9	77,7
Usines de textiles et usines de produits textiles	74,1	70,5	69,5	73,0
Vêtements	75,9	81,0	74,9	70,3
Produits en cuir et produits analogues	76,0	76,3	73,6	68,6
Papier	86,2	86,7	88,0	88,5
Impression et activités connexes de soutien	78,2	77,0	72,1	71,9
Produits du pétrole et du charbon	87,4	85,8	88,5	84,4
Produits chimiques	82,3	83,2	82,8	83,0
Produits en caoutchouc et en plastique	81,9	78,0	76,4	73,4
Produits en bois	89,7	84,7	82,6	78,5
Produits minéraux non métalliques	88,8	82,4	79,4	79,1
Métaux de première transformation	94,1	94,5	93,6	89,3
Produits métalliques	84,4	80,0	79,3	78,1
Machines	87,9	80,9	81,2	81,7
Produits informatiques et électroniques	88,2	87,8	87,7	91,2
Matériel, appareils et composants électriques	77,8	77,6	77,3	80,1
Matériel de transport	86,5	87,0	84,4	83,1
Meubles et produits connexes	76,2	76,3	77,7	76,3
Activités diverses de fabrication	83,0	80,8	79,3	82,5

Note : Système de classification des industries de l'Amérique du Nord (SCIAN), 2002.
Source : Statistique Canada, CANSIM : tableau 028-0002.

Familles, ménages et logement 15

SURVOL

Depuis la fin des années 1960, les formes et les caractéristiques des familles et des ménages connaissent des changements importants. Le nombre d'unions libres, de familles monoparentales, de ménages de plus petite taille et de personnes vivant seules augmente. Plusieurs facteurs dont la chute de la fécondité, le report du mariage et des grossesses ainsi que la hausse des divorces peuvent expliquer de tels changements des modalités de vie.

Malgré tous ces changements, la famille demeure toujours bien vivante au sein de la société canadienne. En 2001, 25,6 millions de personnes vivaient dans un ménage familial, ce qui représente 87 % de l'ensemble de la population vivant dans un ménage privé. Le nombre de familles de recensement s'élevait à près de 8,5 millions, un chiffre plus élevé que celui de 5,0 millions enregistré en 1971.

La proportion de familles de type mère, père et enfants diminue, bien qu'elle constitue le groupe le plus important, alors que celle des familles sans enfants à la maison est à la hausse. En 2001, les couples mariés ou en union libre ayant des enfants de 24 ans et moins à la maison représentaient seulement 44 % de toutes les familles, alors qu'en 1981, ils en constituaient 55 %. La proportion de couples sans enfants à la maison était de 41 % en 2001, en hausse par rapport à 34 % en 1981.

L'union libre gagne en popularité

De plus en plus de couples vivent en union libre. De 1981 à 2001, la proportion de familles de couples vivant en union libre a plus que doublé, passant de 6 % à 14 %.

La tendance vers l'union libre était plus prononcée au Québec, où 30 % de tous les couples vivaient en union libre en 2001. Ce pourcentage se rapproche de celui de la Suède, un pays reconnu comme ayant l'une des plus importantes fréquences d'unions libres.

Si les Canadiens sont maintenant plus susceptibles d'amorcer leur vie conjugale par une

Graphique 15.1
Familles de recensement selon la présence d'enfants

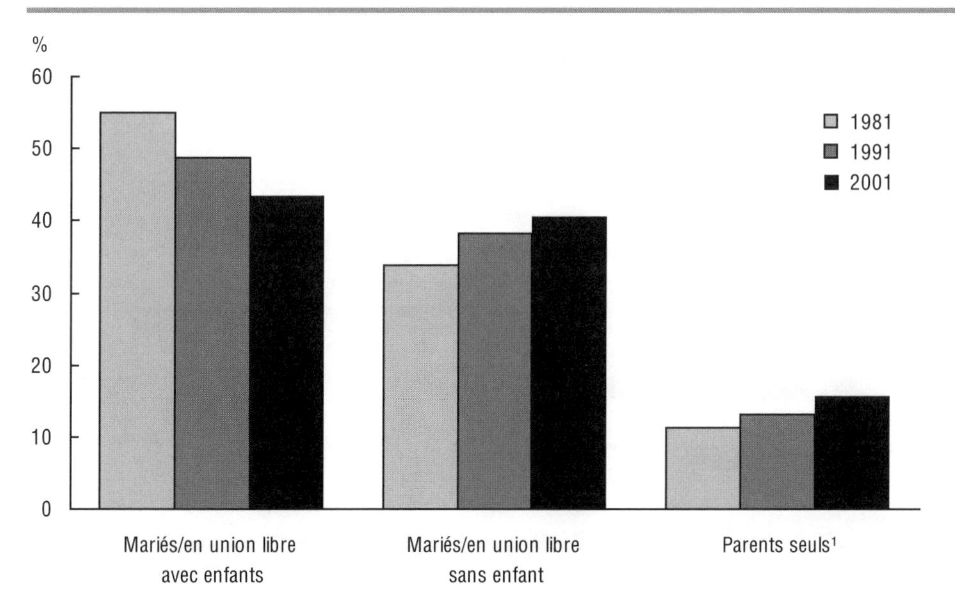

1. Des changements apportés à la définition de la famille de recensement en 2001 rendent les comparaisons difficiles avec les années antérieures pour les familles monoparentales.

Source : Statistique Canada, produit n° 96F0030XIF au catalogue.

union libre, il reste que la plupart des couples sont mariés. Selon les estimations, la proportion de couples légalement mariés s'élevait à 84 % en 2006.

Un nombre croissant d'enfants vivent néanmoins dans des structures familiales différentes de celles où les deux parents sont mariés. Environ 732 900 enfants de 14 ans et moins, soit 13 % des enfants, habitaient avec des parents en union libre en 2001, ce qui représente plus de quatre fois la proportion de 1981 (3 %). Les familles recomposées représentaient presque 12 % de l'ensemble des couples ayant des enfants en 2001, comparativement à 10 % en 1995.

En 2001, 1,1 million d'enfants de 14 ans et moins, soit 19 % des enfants, ne vivaient pas avec leurs deux parents. La plupart de ces enfants habitaient avec un parent seul, le plus souvent leur mère. En outre, environ 190 810 enfants vivaient dans le même ménage que leurs grands parents; ces enfants ne représentaient que 3 % de tous les enfants de 14 ans et moins.

On a commencé à enregistrer des mariages entre personnes de même sexe dans plusieurs provinces en 2003 et en 2004. Le Canada est devenu, le 28 juin 2005, le troisième pays après la Belgique et les Pays-Bas à reconnaître ce type de mariage. En 2003, 774 mariages entre conjoints de même sexe ont été célébrés en Colombie-Britannique, la seule province pour laquelle on a publié des statistiques sur les mariages entre partenaires de même sexe à ce moment. Un peu plus de la moitié des personnes de même sexe qui se sont mariées dans cette province ne résidaient pas au Canada et une plus grande proportion de femmes que d'hommes avaient épousé une personne du même sexe. De plus, près de 28 % des femmes qui avaient épousé une autre femme avaient déjà été mariées; chez les hommes, la proportion de ceux qui s'étaient déjà mariés précédemment s'établissait à 14 %.

Caractéristiques des familles, 2005

	nombre
Familles sans enfants	3 446 960
Familles avec un enfant	2 554 820
Familles avec deux enfants	2 051 520
Familles avec trois enfants et plus	888 790

Source : Statistique Canada, CANSIM : tableau 111-0011.

Les ménages sont plus petits

La taille des ménages a diminué au cours des 20 dernières années. De moins en moins de personnes vivent dans des ménages de grande taille et davantage de personnes vivent seules. En 1981, on comptait 2,9 personnes par ménage en moyenne; en 2001, la taille des ménages était de 2,6 personnes.

Durant la même période, la proportion des ménages d'une personne a augmenté : elle est

Graphique 15.2
Taille des ménages selon le nombre de personnes

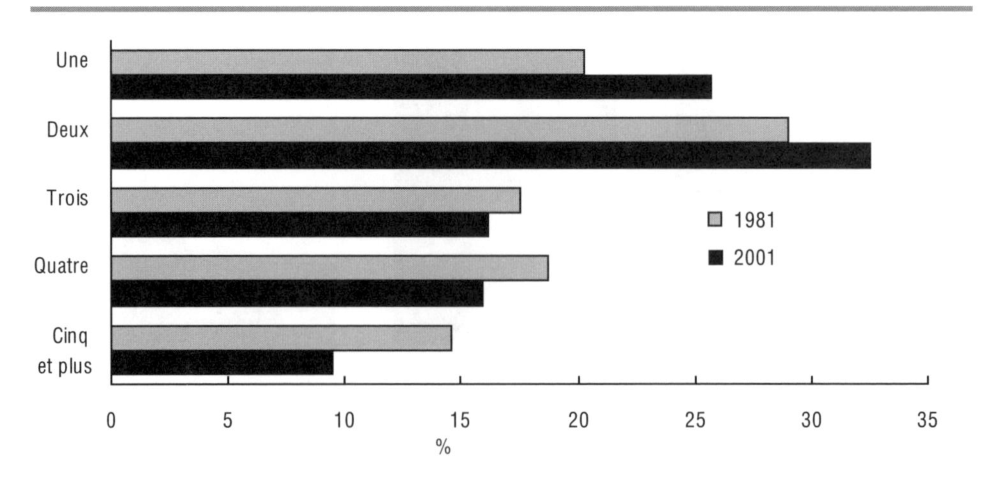

Source : Statistique Canada, produit nº 96F0030XIF au catalogue.

passée de 20 % de tous les ménages en 1981 à 26 % en 2001. Simultanément, la proportion de ménages composés de quatre personnes ou plus est passée de 33 % des ménages en 1981 à 26 % en 2001.

La diminution de la taille des ménages correspond, du moins en partie, à la baisse importante de la fécondité enregistrée au cours des dernières décennies, ce qui a pour effet de réduire le nombre moyen d'enfants par couple. De plus, un nombre croissant de familles composées d'un couple n'ont pas d'enfants à la maison, que ce soit des couples sans enfants ou des couples dont les enfants ont quitté le foyer. En outre, la dissolution des unions, tant chez les couples mariés que chez ceux vivant en union libre, ainsi que le décès du conjoint, créent souvent des ménages de plus petite taille.

L'augmentation du nombre de personnes âgées vivant seules contribue aussi à la hausse du nombre de ménages d'une personne. En 2001, chez les 65 ans et plus, 35 % des femmes et 16 % des hommes vivaient seuls, comparativement à 32 % des femmes et 13 % des hommes en 1981. Les femmes ont une espérance de vie plus longue que les hommes et sont plus susceptibles de devenir veuves. Elles sont donc proportionnellement plus nombreuses à vivre seules aux âges avancés.

Graphique 15.3
Familles de couples selon l'état matrimonial légal

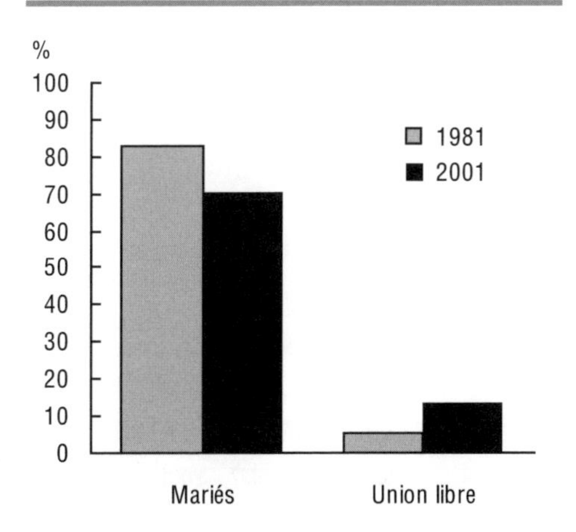

Source : Statistique Canada, produit nº 96F0030XIF au catalogue.

La plupart des ménages sont propriétaires

Au Canada, la majorité des Canadiens sont propriétaires de leur logement. En 2005, 67 % des ménages étaient propriétaires de leur logement, tandis que les autres ménages étaient locataires. Un peu moins de la moitié des propriétaires n'avaient pas d'emprunts hypothécaires. L'âge moyen des propriétaires sans hypothèque était de 60 ans, tandis que celui des propriétaires ayant une hypothèque était de 44 ans.

La proportion de ménages propriétaires est stable depuis plus de 10 ans. Cependant, les pourcentages varient d'une province à l'autre. En 2005, la proportion de ménages propriétaires allait de 80 % à Terre-Neuve-et-Labrador à 59 % au Québec. Si l'on tient compte des territoires, on constate que le Nunavut présente la proportion la plus élevée de ménages locataires.

Les maisons canadiennes sont de plus en plus spacieuses même si les familles sont plus petites. En 1997, 38 % des ménages vivaient dans un logement d'au moins 7 pièces; en 2005, la proportion avait augmenté pour atteindre 41 %. Durant la même période, la proportion de ménages habitant dans un logement de 1 à 4 pièces est demeurée relativement stable.

La majorité des logements canadiens sont en bon état. En 2005, 77 % des ménages vivaient dans un logement n'ayant besoin d'aucune réparation. La proportion de logements ayant besoin de réparations majeures n'était que de 7 %, ce qui représente une diminution par rapport à 1997, année où presque 9 % des ménages ont déclaré avoir eu besoin de telles réparations.

Sources choisies

Statistique Canada

- *La diversification de la vie conjugale au Canada.* Hors série. 89-576-XIF
- *L'emploi et le revenu en perspective.* Mensuel. 75-001-XIF
- *Les habitudes de dépenses au Canada.* Annuel. 62-202-XIF
- *Mariages.* Annuel. 84F0212XIF
- *Tendances sociales canadiennes.* Semestriel. 11-008-XIF

Toutes les commodités modernes

Les ménages canadiens ont mis moins d'une décennie à se doter des appareils de haute technologie leur permettant de profiter des réseaux de communications actuels. Par exemple, en 1997, 40 % des ménages possédaient un ordinateur; en 2005, la proportion avait augmenté pour atteindre 72 %. Durant la même période, la proportion de ménages utilisant Internet à la maison est passée de 17 % à 64 %.

La technologie a commencé à pénétrer dans les ménages canadiens après les années 1950. Les attentes des Canadiens en ce qui a trait aux nécessités de la vie ont alors augmenté considérablement et des appareils comme un réfrigérateur, une cuisinière, un téléviseur, une machine à laver automatique, une sécheuse et un téléphone sont devenus d'usage courant.

Le téléviseur a été l'un des premiers appareils électroniques à s'imposer rapidement au Canada. En 1954, 20 % des ménages possédaient un téléviseur; en 1960, la télévision faisait partie de 80 % des ménages. Par contre, la machine à laver automatique qui était présente dans 20 % des ménages en 1964 n'a été adoptée par 80 % des ménages que 37 ans plus tard en 2001.

Plus tard, on a continué à équiper les maisons de toutes sortes d'appareils. Ainsi, les fours à micro-ondes ont été adoptés rapidement par une plus grande proportion de ménages : en 1979, 5 % des ménages possédaient un micro-ondes; en 1997, la proportion s'élevait à 88 %. Le pourcentage de ménages ayant un micro-ondes a ensuite augmenté légèrement pour atteindre 94 % en 2005.

Depuis que les lecteurs DVD ont été déclarés pour la première fois par 20 % des ménages en 2001, ils sont devenus la nouvelle technologie adoptée le plus rapidement depuis la télévision dans les années 1950. En 2005, 77 % des ménages possédaient un de ces appareils. Quant aux téléphones cellulaires, leur proportion est passée de 22 % en 1997 à 64 % en 2005. Ce chiffre est plus élevé que le pourcentage de ménages qui avaient un lave-vaisselle, qui était de 57 % en 2005.

Graphique 15.4
Temps écoulé avant d'arriver au point de saturation de 80 %, certains articles ménagers

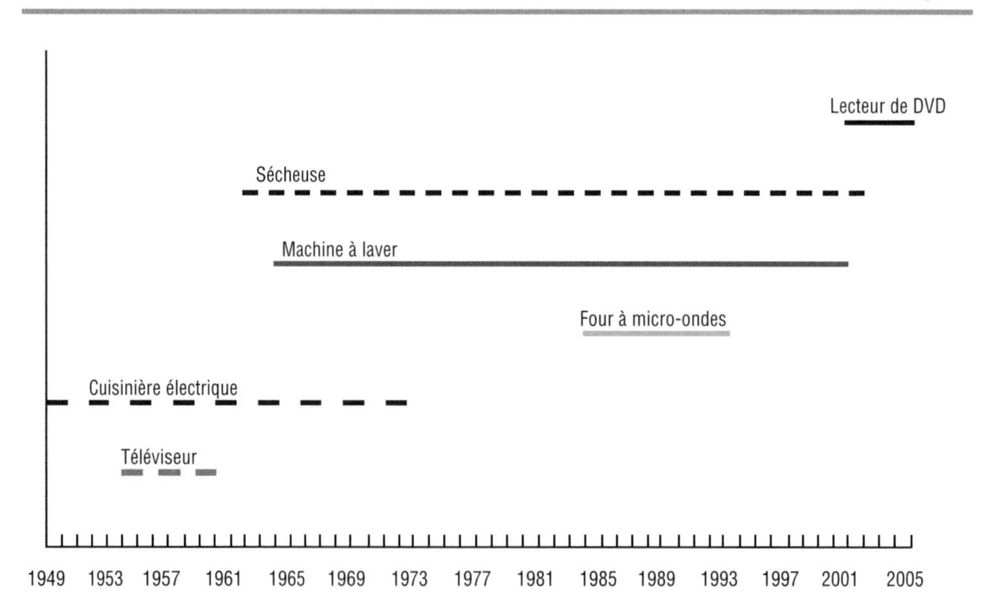

Note : Le graphique indique le temps écoulé pour que le pourcentage de ménages possédant des articles ménagers passe de 20 % à 80 %.
Source : Statistique Canada, Enquête sur l'équipement ménager et Enquête sur les dépenses des ménages.

Se marier plusieurs fois

Au cours des 30 dernières années, les divorces ont connu une forte progression et l'union libre n'a cessé de prendre de l'importance, alors que le mariage semble perdre de son attrait. Pourtant, la majorité des Canadiens continuent à se marier et certains se marient même plusieurs fois.

En 2001, un peu plus de 16,6 millions de personnes de 25 ans et plus ont été légalement mariées à un moment de leur vie. Parmi ce groupe, 89 % se sont mariées une fois, tandis que 10 % s'étaient mariées deux fois. Moins de 1 % des Canadiens avaient épousé plus de deux personnes au cours de leur vie.

En général, la probabilité que le mariage soit un succès est plus élevée chez les personnes se mariant dans la trentaine, qui n'ont pas vécu en union libre avant le mariage, ont des enfants, assistent à des services religieux, détiennent un diplôme universitaire et croient que le mariage est important pour être heureux.

La durée du mariage d'un couple est proportionnelle à la probabilité d'une réussite pour le premier mariage et les mariages subséquents. Par exemple, une personne qui s'est mariée pour la première fois au cours des années 1960 présentait un risque de rupture de 13 % inférieur à celui d'une personne mariée pendant les années 1970. Cependant, la possibilité d'une rupture est de 67 % supérieure chez les gens mariés pendant les années 1990.

La possibilité d'une rupture était encore plus élevée en ce qui a trait aux deuxièmes mariages. Les gens qui se sont mariés de nouveau pendant les années 1980 présentaient un risque de rupture de 43 % supérieur à ceux qui se sont remariés au cours des années 1970.

Environ 43 % des adultes dont le premier mariage s'est terminé par un divorce s'étaient remariés au moment de l'Enquête sociale générale de 2001. Selon plusieurs chercheurs, le soutien reçu de la famille et des amis joue un rôle important dans la qualité de la relation matrimoniale, plus particulièrement chez les couples où les deux partenaires sont remariés.

Graphique 15.5
Population de personnes légalement mariées selon le nombre de mariages, 2001

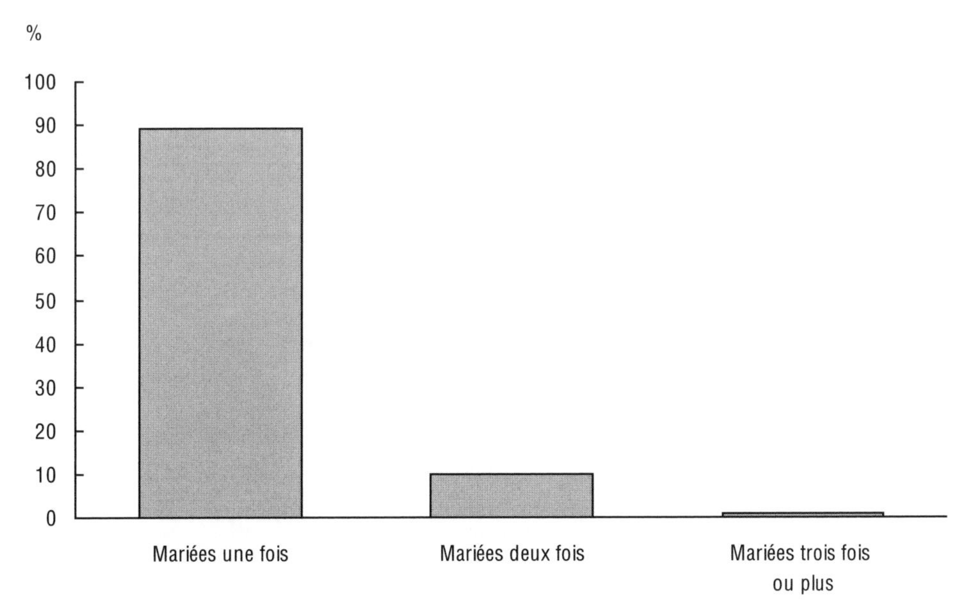

Note : Population de 25 ans et plus.
Source : Statistique Canada, produit nº 11-008-XIF au catalogue.

Les parents vivant avec un enfant adulte

Dans bon nombre d'annonces publicitaires, de films et d'émissions de télévision, on laisse entendre que les parents ne souhaitent que le départ de leurs enfants adultes de la maison. Pourtant, plusieurs parents apprécient la présence de leur enfant adulte, malgré la présence de certaines frictions. C'est une bonne nouvelle puisque, selon l'Enquête sociale générale de 2001, 32 % des parents dont l'enfant le plus jeune était âgé de 20 à 34 ans cohabitaient avec au moins un enfant adulte en 2001.

Même s'ils étaient minoritaires à exprimer cette opinion, les parents dont deux enfants adultes ou plus vivaient à la maison étaient deux fois plus susceptibles d'avoir déclaré être frustrés par le temps qu'ils devaient accorder à leurs enfants que ceux dont les enfants adultes avaient quitté la maison (probabilités respectives de 8 % et 4 %).

Malgré ces inconvénients, la majorité des parents qui hébergeaient leurs enfants adultes à la maison se sont dits heureux que leurs enfants vivent avec eux. En fait, 64 % des parents ayant des enfants adultes de 20 à 34 ans à la maison ont indiqué qu'ils étaient « très satisfaits de la quantité de temps passé avec leurs enfants ». Ce chiffre chutait à 54 % pour les parents dont les enfants adultes avaient déménagé.

Le quart des parents qui vivaient avec un enfant adulte cohabitaient avec un « enfant boomerang », c'est-à-dire un enfant revenu habiter chez ses parents après avoir vécu un certain temps hors du domicile parental. Les parents qui habitaient avec au moins un « enfant boomerang » étaient plus susceptibles que ceux dont les enfants adultes n'avaient jamais quitté la maison d'exprimer leur frustration en raison du temps qu'ils devaient consacrer à leurs enfants.

Les parents qui vivaient dans une grande région métropolitaine de recensement, qui étaient propriétaires d'une maison individuelle non attenante et qui étaient nés en Asie, en Amérique du Sud ou en Europe étaient proportionnellement plus nombreux à cohabiter avec au moins un de leurs enfants adultes.

Graphique 15.6
Probabilité de cohabiter avec un enfant adulte selon le lieu de naissance du parent, 2001

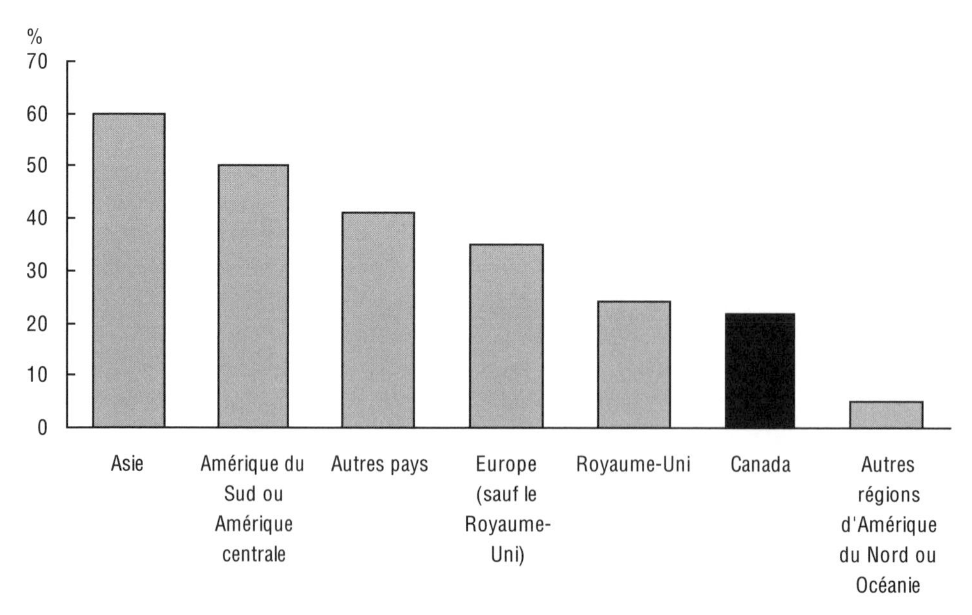

Source : Statistique Canada, produit nº 11-008-XIF au catalogue.

Mères seules : la scolarité, c'est payant

Élever des enfants est une tâche difficile, même pour deux personnes. Lorsqu'une seule personne assume cette responsabilité, chaque petit avantage est donc utile. Depuis 1981, les indicateurs ont été encourageants. En moyenne, les parents seuls étaient plus âgés, avaient moins d'enfants et étaient plus scolarisés en 2001 qu'ils ne l'étaient en 1981. Ces changements ont donné lieu à une croissance importante du nombre de mères seules ayant un emploi et à une hausse de la part d'entre elles occupées à temps plein.

De 1981 à 2001, le revenu d'emploi moyen après correction pour l'inflation chez les parents seuls s'est accru de 35 % et leur taux de faible revenu a diminué de 9 points de pourcentage, passant à 43 %. La scolarité est un facteur clé : l'amélioration du profil démographique chez les parents seuls ne semble pas avoir touché les mères seules de 25 à 34 ans qui n'avaient pas terminé leurs études secondaires. Durant les mêmes décennies, ces dernières ont connu une diminution de leurs gains d'emploi moyens et un accroissement important de leur taux de faible revenu.

Chez les pères seuls, un niveau de scolarité plus élevé n'a pas eu les mêmes conséquences. La proportion d'entre eux qui étaient occupés à temps partiel ou à temps plein était moins élevée en 2001 qu'en 1981. En général, leurs gains d'emploi ont fléchi, et ce, davantage chez les plus jeunes et les moins scolarisés.

Le travail à temps plein semble prémunir les parents seuls contre le faible revenu. En 2000, 14 % des mères seules travaillant à temps plein toute l'année touchaient un faible revenu contre 62 % de celles qui avaient un régime de travail différent ou qui ne participaient pas au marché du travail. Chez les pères seuls, les proportions étaient de 7 % et 38 % respectivement.

Le faible revenu est associé à des problèmes dans d'autres dimensions de la vie, comme la santé, le travail et les amis.

Graphique 15.7
Taux de faible revenu des mères seules travaillant à temps plein toute l'année

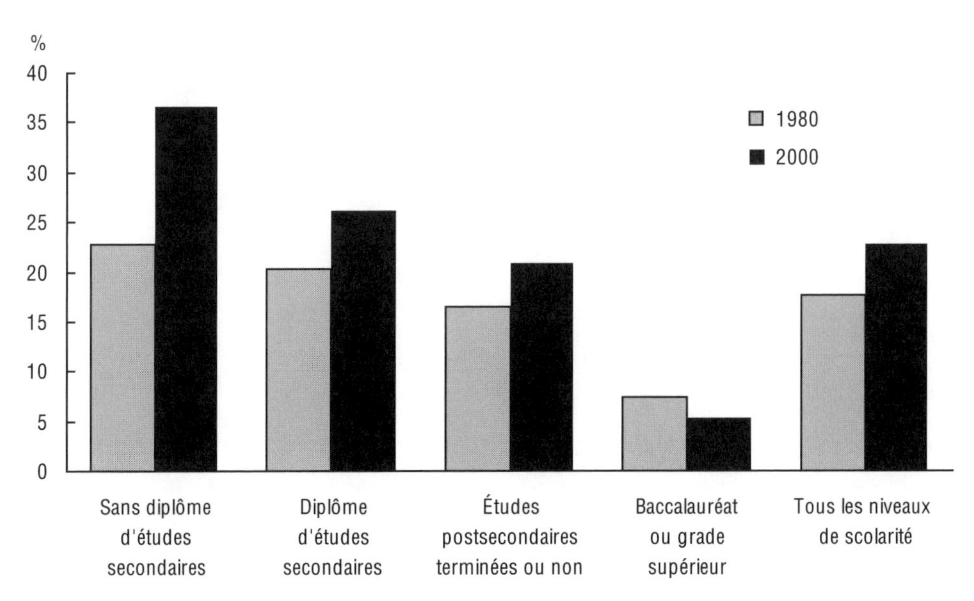

Note : Dollars constants de 2000.
Source : Statistique Canada, produit nº 75-001-XIF au catalogue.

Tableau 15.1 Population selon l'état matrimonial et le sexe, 2002 à 2006

	2002	2003	2004	2005	2006
			nombre		
Tous les états matrimoniaux	**31 372 587**	**31 676 077**	**31 989 454**	**32 299 496**	**32 623 490**
Hommes	15 538 572	15 688 977	15 842 787	15 995 582	16 155 454
Femmes	15 834 015	15 987 100	16 146 667	16 303 914	16 468 036
Célibataires	13 092 573	13 231 209	13 365 440	13 499 845	13 636 581
Hommes	6 999 555	7 078 089	7 153 823	7 229 446	7 306 199
Femmes	6 093 018	6 153 120	6 211 617	6 270 399	6 330 382
Marié(e)s[1]	15 340 377	15 438 972	15 554 963	15 669 374	15 793 063
Hommes	7 659 734	7 701 393	7 751 256	7 800 470	7 855 431
Femmes	7 680 643	7 737 579	7 803 707	7 868 904	7 937 632
Veuf ou veuves	1 520 850	1 532 940	1 544 635	1 553 989	1 564 356
Hommes	282 218	288 816	294 876	300 417	305 640
Femmes	1 238 632	1 244 124	1 249 759	1 253 572	1 258 716
Divorcé(e)s	1 418 787	1 472 956	1 524 416	1 576 288	1 629 490
Hommes	597 065	620 679	642 832	665 249	688 184
Femmes	821 722	852 277	881 584	911 039	941 306

Note : Estimation de la population au 1er juillet.

1. Inclut les personnes légalement mariées, celles légalement mariées mais séparées ainsi que les personnes vivant en union libre.

Source : Statistique Canada, CANSIM : tableau 051-0010.

Tableau 15.2 Mariages, par province et territoire, 2002 à 2006

	2002	2003	2004p	2005p	2006p
			nombre		
Canada	**146 738**	**147 391**	**148 585**	**151 047**	**149 236**
Terre-Neuve-et-Labrador	2 959	2 876	2 850	2 806	2 750
Île-du-Prince-Édouard	901	823	827	828	831
Nouvelle-Écosse	4 899	4 742	4 729	4 696	4 660
Nouveau-Brunswick	3 818	3 724	3 708	3 687	3 646
Québec	21 987	21 138	21 279	22 250	22 150
Ontario	61 615	63 485	64 114	64 668	65 115
Manitoba	5 905	5 659	5 710	5 733	5 747
Saskatchewan	5 067	4 977	5 011	5 000	4 982
Alberta	17 981	17 622	17 909	18 376	19 102
Colombie-Britannique	21 247	21 981	22 080	22 634	19 887
Yukon	143	158	160	160	160
Territoires du Nord-Ouest	144	139	141	140	136
Nunavut	72	67	67	69	70

Source : Statistique Canada, CANSIM : tableau 053-0001.

Tableau 15.3 Divorces, par province et territoire, 1999 à 2003

	1999	2000	2001	2002	2003
			nombre		
Canada	**70 910**	**71 144**	**71 110**	**70 155**	**70 828**
Terre-Neuve-et-Labrador	892	913	755	842	662
Île-du-Prince-Édouard	291	272	246	258	281
Nouvelle-Écosse	1 954	2 054	1 945	1 990	1 907
Nouveau-Brunswick	1 671	1 717	1 570	1 461	1 450
Québec	17 144	17 054	17 094	16 499	16 738
Ontario	26 088	26 148	26 516	26 170	27 513
Manitoba	2 572	2 430	2 480	2 396	2 352
Saskatchewan	2 237	2 194	1 955	1 959	1 992
Alberta	7 931	8 176	8 252	8 291	7 960
Colombie-Britannique	9 935	10 017	10 115	10 125	9 820
Yukon	112	68	91	90	87
Territoires du Nord-Ouest (incluant le Nunavut)	83	..	..	..	..
Territoires du Nord-Ouest	..	94	83	68	62
Nunavut	..	7	8	6	4

Source : Statistique Canada, CANSIM : tableau 053-0002.

Tableau 15.4 Familles de recensement, années sélectionnées de 1971 à 2004

	Ensemble des familles		Familles époux-épouse		Familles monoparentales	
	milliers	nombre moyen de personnes dans la famille	milliers	nombre moyen de personnes dans la famille	milliers	nombre moyen de personnes dans la famille
1971	**5 042,6**	3,7	4 566,3	3,8	476,3	3,1
1976	**5 714,5**	3,5	5 156,7	3,5	557,9	2,9
1981	**6 309,2**	3,3	5 597,2	3,3	712,0	2,7
1986	**6 864,2**	3,1	5 995,0	3,2	869,2	2,6
1991	**7 482,1**	3,1	6 511,8	3,1	970,3	2,6
1996	**7 975,0**	3,1	6 818,5	3,1	1 156,5	2,6
2001	**8 481,4**	3,0	7 149,1	3,1	1 332,3	2,5
2004	**8 701,7**	3,0	7 335,3	3,1	1 366,4	2,5

Source : Statistique Canada, produit n° 91-213-XIF au catalogue.

Tableau 15.5 Structure familiale, par province et territoire, 2001

	Canada	Terre-Neuve-et-Labrador	Île-du-Prince-Édouard	Nouvelle-Écosse	Nouveau-Brunswick
	nombre				
Ensemble des familles	**8 371 020**	**154 385**	**38 425**	**262 910**	**215 105**
Sans enfant à la maison	**3 059 225**	53 820	13 400	101 190	81 205
Avec des enfants à la maison	**5 311 795**	100 565	25 020	161 720	133 895
Familles de couples mariés	**5 901 430**	116 435	28 490	188 805	152 765
Sans enfant à la maison	**2 431 720**	46 155	11 475	83 930	66 420
Avec des enfants à la maison	**3 469 700**	70 285	17 015	104 870	86 340
Familles de couples en union libre	**1 158 410**	14 900	3 630	29 960	27 730
Sans enfant à la maison	**627 505**	7 665	1 925	17 260	14 790
Avec des enfants à la maison	**530 900**	7 230	1 705	12 705	12 940
Familles monoparentales	**1 311 190**	23 055	6 305	44 140	34 615
Parent de sexe masculin	**245 825**	4 115	1 060	7 440	6 535
Parent de sexe féminin	**1 065 365**	18 935	5 245	36 700	28 075

Note : Familles de recensements dans les ménages privés.
Source : Statistique Canada, Recensement de la population de 2001.

Tableau 15.6 Structure familiale selon la région métropolitaine de recensement, 2001

	Ensemble des familles			Familles de couples mariés		
	Ensemble des familles	Sans enfant à la maison	Avec des enfants à la maison	Familles de couples mariés	Sans enfant à la maison	Avec des enfants à la maison
	nombre					
St. John's	**49 515**	15 850	33 655	35 480	12 500	22 980
Halifax	**100 670**	37 720	62 950	71 405	29 575	41 825
Saint John	**35 210**	12 480	22 730	25 285	10 520	14 770
Saguenay	**44 800**	16 280	28 520	27 265	11 175	16 095
Québec	**189 430**	72 670	116 760	104 170	44 655	59 520
Sherbrooke	**41 725**	17 015	24 710	22 685	10 780	11 905
Trois-Rivières	**38 570**	15 145	23 430	21 350	10 160	11 195
Montréal	**935 255**	331 510	603 740	550 285	220 485	329 795
Ottawa–Gatineau	**293 705**	104 515	189 190	203 020	79 120	123 910
Oshawa	**74 855**	23 360	51 500	57 580	20 010	37 570
Toronto	**1 280 960**	381 710	899 245	974 350	320 725	653 625
Hamilton	**186 480**	66 570	119 905	141 370	56 925	84 445
St. Catharines–Niagara	**107 510**	42 340	65 170	81 020	36 945	44 080
Kitchener	**115 955**	40 015	75 940	87 595	33 385	54 205
London	**119 455**	44 330	75 125	87 405	36 640	50 765
Windsor	**85 890**	29 095	56 795	64 210	24 860	39 350
Greater Sudbury / Grand Sudbury	**45 560**	17 645	27 915	32 710	14 675	18 040
Thunder Bay	**34 300**	12 595	21 700	24 765	10 535	14 240
Winnipeg	**182 190**	64 925	117 265	131 720	53 935	77 785
Regina	**52 540**	18 650	33 890	37 435	15 560	21 875
Saskatoon	**60 245**	21 710	38 530	43 820	18 225	25 595
Calgary	**259 465**	92 980	166 485	191 570	72 990	118 575
Edmonton	**255 000**	89 330	165 670	186 250	72 210	114 040
Vancouver	**535 255**	189 915	345 340	401 385	152 540	248 845
Victoria	**86 295**	39 450	46 850	61 875	32 010	29 865

Note : Familles de recensements dans les ménages privés.
Source : Statistique Canada, Recensement de la population de 2001.

Québec	Ontario	Manitoba	Saskatchewan	Alberta	Colombie-Britannique	Yukon	Territoires du Nord-Ouest	Nunavut
nombre								
2 019 555	**3 190 985**	**302 855**	**265 620**	**811 285**	**1 086 030**	**7 810**	**9 700**	**6 355**
751 735	1 110 100	111 185	103 260	297 655	429 485	2 755	2 555	885
1 267 820	2 080 890	191 670	162 360	513 630	656 550	5 055	7 145	5 480
1 175 440	2 406 340	224 055	198 300	600 995	797 490	4 465	5 115	2 735
505 190	936 430	94 870	89 895	241 740	351 875	1 825	1 510	410
670 255	1 469 910	129 185	108 400	359 250	445 610	2 645	3 605	2 325
508 525	298 545	29 635	25 255	93 765	120 125	1 795	2 555	1 990
246 550	173 670	16 315	13 360	55 910	77 605	930	1 045	470
261 970	124 875	13 320	11 890	37 855	42 520	865	1 510	1 520
335 590	486 105	49 160	42 065	116 520	168 420	1 550	2 035	1 635
68 025	84 865	9 065	7 910	23 575	31 960	325	505	445
267 570	401 245	40 100	34 155	92 945	136 455	1 220	1 530	1 190

Familles de couples en union libre			Familles monoparentales		
Familles de couples en union libre	Sans enfant à la maison	Avec des enfants à la maison	Familles monoparentales	Parent de sexe masculin	Parent de sexe féminin
nombre					
5 050	3 355	1 700	8 980	1 470	7 515
12 550	8 140	4 405	16 715	2 390	14 325
3 540	1 960	1 575	6 385	950	5 435
10 870	5 110	5 765	6 660	1 460	5 205
54 045	28 015	26 035	31 205	6 525	24 680
12 165	6 240	5 930	6 870	1 615	5 255
10 450	4 985	5 465	6 770	1 305	5 460
215 780	111 025	104 760	169 185	30 430	138 755
42 555	25 400	17 155	48 125	8 825	39 310
6 745	3 345	3 400	10 535	1 850	8 685
96 610	60 985	35 630	209 995	34 350	175 645
16 570	9 650	6 930	28 535	4 815	23 715
9 625	5 400	4 230	16 855	3 005	13 850
11 710	6 630	5 080	16 650	2 660	13 990
12 690	7 685	4 995	19 360	3 105	16 255
7 290	4 235	3 050	14 390	2 340	12 050
5 340	2 975	2 365	7 510	1 280	6 230
3 670	2 065	1 605	5 860	1 070	4 790
18 155	10 990	7 165	32 315	5 630	26 685
5 205	3 090	2 115	9 900	1 715	8 180
5 815	3 490	2 325	10 610	1 570	9 040
29 740	19 985	9 760	38 155	7 300	30 855
27 705	17 120	10 580	41 055	7 810	33 240
52 005	37 370	14 635	81 860	14 810	67 050
10 620	7 435	3 185	13 800	2 435	11 365

Tableau 15.7 Population selon la situation des particuliers dans le ménage, par province et territoire, 2001

	Population totale dans les ménages privés	Personnes dans les ménages familiaux	Époux-épouse, couple vivant en union libre ou parents seuls	Enfants vivant dans des familles de recensement
	nombre			
Canada	**29 522 300**	**25 586 660**	**15 430 855**	**9 582 615**
Terre-Neuve-et-Labrador	**507 245**	463 185	285 715	167 590
Île-du-Prince-Édouard	**133 070**	118 110	70 545	45 565
Nouvelle-Écosse	**895 310**	777 715	481 680	279 785
Nouveau-Brunswick	**717 540**	633 475	395 595	224 885
Québec	**7 097 855**	5 993 305	3 703 515	2 190 140
Ontario	**11 254 730**	9 941 520	5 895 870	3 809 265
Manitoba	**1 090 630**	936 825	556 545	362 115
Saskatchewan	**956 635**	821 035	489 175	316 680
Alberta	**2 918 920**	2 532 540	1 506 050	962 450
Colombie-Britannique	**3 858 730**	3 287 350	2 003 650	1 187 490
Yukon	**28 165**	23 940	14 075	9 165
Territoires du Nord-Ouest	**36 955**	32 915	17 370	14 450
Nunavut	**26 525**	24 755	11 080	13 040

Note : Population dans les ménages privés.

1. Des personnes non apparentées peuvent également être présentes dans le ménage.

Source : Statistique Canada, Recensement de la population de 2001.

Tableau 15.8 Équipement ménager, 1997 à 2005

	1997	1998	1999	2000
	pourcentage			
Machine à laver	81,1	81,4	80,3	80,9
Sécheuse	77,4	78,9	77,6	78,5
Lave-vaisselle	48,8	50,9	49,4	51,2
Réfrigérateur	99,8	99,8	99,6	99,8
Congélateur	59,3	58,9	57,6	57,9
Four à micro-ondes	88,0	88,5	89,4	91,0
Air climatisé	32,0	33,1	34,1	34,4
Téléphone (régulier ou cellulaire)	98,4	98,5	98,7	98,8
Téléphone cellulaire	21,9	26,2	31,9	41,8
Lecteur de disques compacts (CD)	63,9	65,7	70,2	74,1
Télédistribution (câble)	74,8	72,9	73,3	72,4
Antenne parabolique	..	..	..	..
Lecteur de vidéodisques numériques (DVD)	..	..	..	..
Graveur de disques compacts (CD)	..	..	..	..
Graveur de vidéodisques numériques (DVD)	..	..	..	..
Magnétoscope	87,1	87,7	88,5	89,9
Ordinateur	39,8	45,0	49,8	54,9
Internet à la maison	17,4	24,7	33,1	42,3
Télévision en couleur	98,6	98,7	98,8	98,9
Véhicule (possédé ou loué à long terme)	..	82,4	82,4	83,5
Véhicules possédés (automobiles, camions, fourgonnettes)	78,8	78,5	78,1	79,3
Véhicules loués à long terme (automobiles, camions, fourgonnettes)	..	8,6	8,7	9,1

Notes : Toutes les données font référence au 31 décembre de l'année de référence.
Tous les deux ans à partir de 2001, les statistiques pour le Canada incluent les territoires. Pour les autres années, les statistiques pour le Canada incluent les 10 provinces seulement.

Source : Statistique Canada, CANSIM : tableau 203-0020.

Personnes hors famille vivant avec des personnes apparentées[1]	Personnes hors famille vivant avec une famille de recensement apparentée	Personnes dans des ménages non familiaux	Vivant avec des personnes apparentées[1]	Vivant avec des personnes non apparentées seulement	Vivant seules
		nombre			
332 085	**241 105**	**3 935 640**	**222 390**	**736 375**	**2 976 880**
6 545	3 340	44 055	3 195	6 805	34 060
1 185	815	14 960	1 005	2 370	11 580
9 585	6 660	117 595	6 460	22 125	89 005
7 435	5 560	84 065	5 340	15 140	63 585
57 960	41 685	1 104 545	59 770	164 010	880 765
149 515	86 870	1 313 215	77 830	245 220	990 160
9 955	8 210	153 805	9 175	22 870	121 760
7 550	7 635	135 595	8 495	21 950	105 150
30 955	33 095	386 380	23 675	107 330	255 375
50 170	46 040	571 380	26 805	126 440	418 135
250	455	4 225	180	780	3 265
545	555	4 040	270	990	2 785
435	190	1 775	195	330	1 250

2001	2002	2003	2004	2005
		pourcentage		
80,4	80,5	81,2	81,9	82,2
79,3	78,4	78,8	79,5	80,4
52,1	54,6	55,0	56,0	57,2
99,7	99,9	99,7	99,8	99,7
56,1	56,8	56,1	55,2	56,3
91,3	92,4	93,0	93,8	94,1
35,8	37,5	39,6	41,7	44,2
98,6	98,7	98,8	98,9	98,9
47,6	51,7	54,0	58,9	64,2
71,1	73,9	76,2	79,7	80,4
68,1	66,1	64,8	66,3	65,4
..	..	..	22,0	22,6
..	..	..	68,3	77,1
..	..	..	38,3	43,5
..	..	..	16,0	24,5
91,6	92,1	90,2	90,0	89,1
59,8	64,1	66,6	68,7	72,0
49,9	54,5	56,9	59,8	64,3
99,2	99,1	99,0	99,2	99,0
83,0	84,0	83,1	83,8	83,6
78,2	79,3	78,2	79,1	79,0
9,8	9,8	9,8	9,9	10,1

Tableau 15.9 Logements possédés, par province et territoire, 2000 à 2005

	2000	2001	2002	2003	2004	2005
	pourcentage					
Canada	**64,2**	**64,4**	**64,8**	**65,6**	**65,8**	**67,1**
Terre-Neuve-et-Labrador	74,8	76,4	76,5	77,0	76,6	79,6
Île-du-Prince-Édouard	71,0	71,3	69,8	73,2	72,7	68,5
Nouvelle-Écosse	69,7	72,4	69,5	69,9	71,1	71,2
Nouveau-Brunswick	75,0	72,6	71,7	73,8	76,9	76,8
Québec	55,6	57,7	56,8	57,1	56,6	59,2
Ontario	65,2	64,8	66,7	68,0	67,6	68,8
Manitoba	71,1	70,9	68,7	70,6	68,9	73,0
Saskatchewan	71,6	71,3	73,1	72,5	73,9	74,5
Alberta	71,5	70,4	71,1	72,1	72,2	74,0
Colombie-Britannique	64,5	63,7	63,3	64,0	66,6	65,3
Yukon	..	63,2	..	62,2	..	62,1
Territoires du Nord-Ouest	..	48,8	..	51,9	..	60,9
Nunavut	..	20,8	..	26,9	..	F

Notes : Toutes les données font référence au 31 décembre de l'année de référence.
Tous les deux ans à partir de 2001, les statistiques pour le Canada incluent les territoires. Pour les autres années, les statistiques pour le Canada incluent les 10 provinces seulement.
Inclut les logements possédés avec ou sans hypothèque.

Source : Statistique Canada, CANSIM : tableau 203-0019.

Tableau 15.10 Nombre moyen de pièces dans le logement selon la taille du ménage, par province et territoire, 2001

	Ensemble des ménages	Une personne	Deux personnes	Trois personnes	Quatre personnes	Cinq personnes	Six personnes ou plus
	nombre						
Canada	**6,3**	**4,7**	**6,1**	**6,8**	**7,5**	**7,9**	**8,1**
Terre-Neuve-et-Labrador	7,0	5,6	6,8	7,3	7,8	8,3	8,3
Île-du-Prince-Édouard	6,7	5,2	6,5	6,9	7,7	8,5	8,6
Nouvelle-Écosse	6,5	5,1	6,4	7,0	7,7	8,1	8,6
Nouveau-Brunswick	6,5	5,2	6,4	6,9	7,5	8,0	8,6
Québec	5,8	4,5	5,8	6,4	7,0	7,5	7,8
Ontario	6,4	4,8	6,2	6,8	7,5	7,9	8,0
Manitoba	6,1	4,6	6,0	6,7	7,3	7,6	7,5
Saskatchewan	6,6	5,1	6,6	7,2	7,8	8,1	7,9
Alberta	6,6	4,9	6,4	7,1	7,8	8,2	8,3
Colombie-Britannique	6,2	4,5	6,1	6,9	7,7	8,3	8,6
Yukon	5,9	4,5	5,6	6,4	7,3	7,6	7,9
Territoires du Nord-Ouest	5,7	4,3	5,4	5,9	6,5	6,6	6,8
Nunavut	5,2	4,1	4,7	5,1	5,4	5,6	6,1

Source : Statistique Canada, produit n° 95F0323XCB au catalogue.

Géographie

16

SURVOL

La géographie influence énormément nos vies : celle-ci affecte l'endroit où nous travaillons, la manière dont nous vivons et ce que nous faisons. En mesurant toutes ces activités, Statistique Canada se fonde sur un ensemble de régions géographiques bien définies afin de recueillir, d'organiser, d'analyser et de présenter la multitude de données économiques et sociales que l'organisme produit sur les gens et les lieux du Canada. La définition de ces régions géographiques — un processus appelé le géocodage — est déterminante dans la façon dont Statistique Canada mesure les tendances de la société canadienne.

Le géocodage est un élément essentiel en ce sens qu'il établit un lien entre les données sur les Canadiens et leur géographie. En combinant géocodage et données du recensement, les géographes peuvent savoir comment les villes grossissent, où les gens s'établissent, l'âge ou le revenu médian des habitants. Grâce à des logiciels qui permettent de faire des liens avec les codes postaux, les décideurs peuvent étudier les districts scolaires ou les habitudes de navettage, et les gouvernements peuvent utiliser ces données pour déterminer les paiements de transfert ou encore la nécessité de construire davantage d'hôpitaux ou d'offrir plus de services aux personnes âgées.

Une urbanisation croissante

Les données du Recensement de 2006 ont révélé que la population canadienne ne cesse de croître et de graviter autour de grands centres urbains. Afin de refléter cette tendance, les géographes ont ajouté six nouvelles régions métropolitaines de recensement (RMR) à la liste des grandes régions urbaines du Canada — Moncton, au Nouveau-Brunswick; Barrie, Brantford, Guelph et Peterborough, en Ontario; et Kelowna, en Colombie-Britannique.

Avec ces six villes, le Canada compte maintenant 33 RMR, lesquelles représentent 68 % de la

Carte 16.1
Grand Golden Horseshoe, accroissement de la population de 2001 à 2006 selon les subdivisions du Recensement de 2006

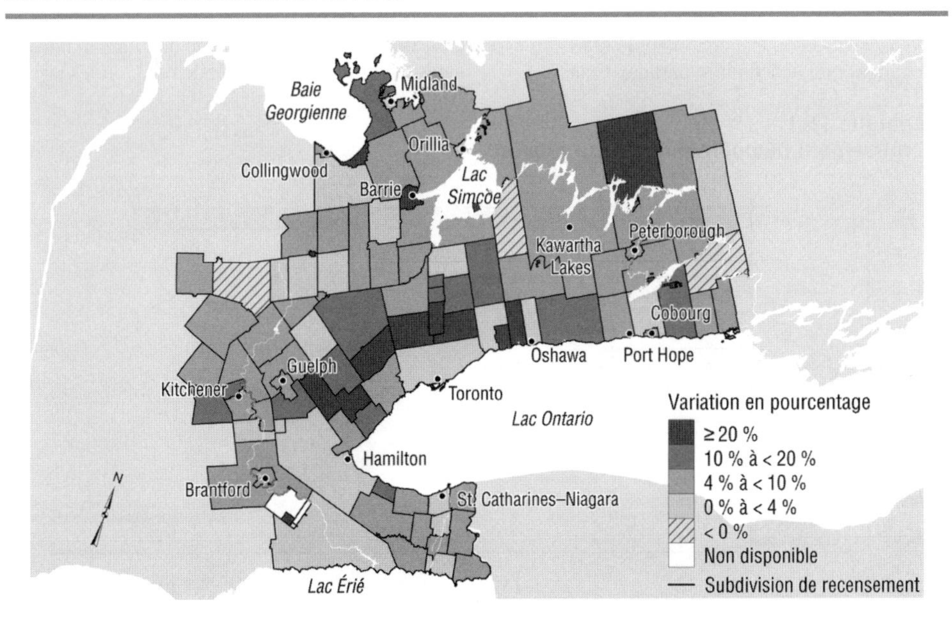

Source : Statistique Canada, Recensement de la population.

population. Il s'agit d'une hausse par rapport aux 27 RMR qui ont été dénombrées en 2001 et aux 25 RMR, en 1996.

Les plus petites régions urbaines sont connues sous le nom d'agglomérations de recensement (AR). Une AR doit être composée d'un noyau urbain d'au moins 10 000 habitants. Au Recensement de 2006, il y avait 111 AR au Canada, comparativement à 112 en 1996. Six AR sont devenues des RMR, sept nouvelles AR ont été créées, et deux AR — Gander et Labrador City, à Terre-Neuve-et-Labrador — ont été retirées du fait que la population du noyau urbain de chacune est tombée en deçà de 10 000 habitants.

Plusieurs facteurs — dont les principaux sont la population totale, la population du noyau urbain et le navettage — sont à l'origine de la transformation d'une AR en RMR. Une des raisons pour lesquelles le nombre de grands centres urbains a augmenté en 2006 est que les critères de délimitation d'une RMR ont changé. Depuis mars 2003, une AR n'a plus besoin d'avoir une population comptant un noyau urbain de 100 000 personnes pour obtenir le statut de RMR. Une AR endosse désormais le statut de RMR si sa population totale s'élève à au moins 100 000 habitants et que 50 000 d'entre eux vivent dans le noyau urbain.

Ensemble, les RMR et les AR représentent 80 % de la population du Canada, bien qu'elles n'occupent que 4 % de la superficie. Cela indique que nous formons une population de plus en plus urbanisée.

Population des six nouvelles RMR, 2006

	nombre
Barrie, Ontario	177 061
Kelowna, Colombie-Britannique	162 276
Guelph, Ontario	127 009
Moncton, Nouveau-Brunswick	126 424
Brantford, Ontario	124 607
Peterborough, Ontario	116 570

Source : Statistique Canada, Recensement de la population.

Un outil de planification

La classification officielle qu'utilise Statistique Canada pour les régions géographiques du Canada est la Classification géographique type (CGT). Les régions géographiques comprises dans la CGT — provinces et territoires, comtés, municipalités — ont été choisies parce que les Canadiens les connaissent et parce que ces entités sont d'importante utilisatrices de statistiques lorsqu'elles planifient des programmes qui nécessitent des dépenses de fonds publics.

Les 10 provinces et les 3 territoires — principales subdivisions politiques du Canada — apparaissent dans le haut de la hiérarchie de la CGT. Les divisions de recensement, que la CGT définit comme un groupe de municipalités avoisinantes, suivent. Généralement, on les utilise

Graphique 16.1
Accroissement démographique, par province

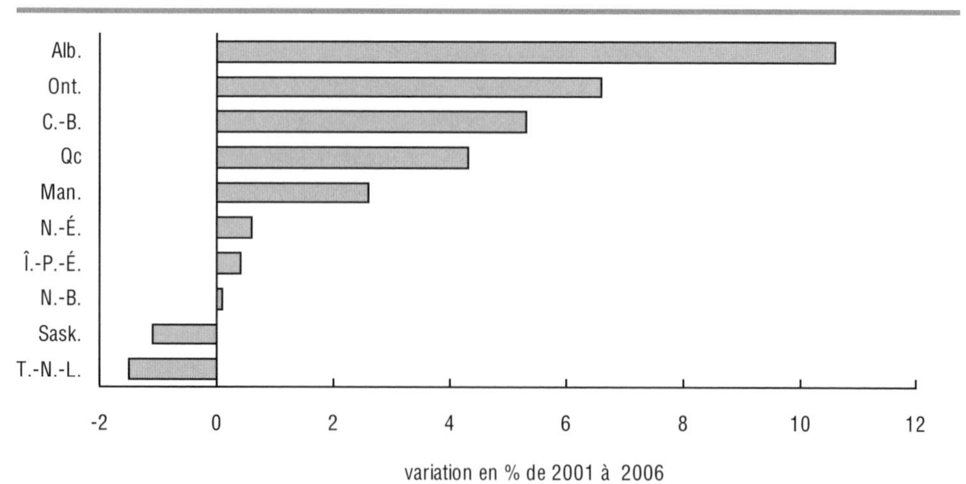

Source : Statistique Canada, Recensement de la population de 2006.

pour l'aménagement du territoire et la gestion des services communs comme les services de police. Souvent, une division de recensement correspond à un comté ou à un district régional.

Les divisions de recensement sont des régions géographiques relativement stables, ce qui facilite le suivi des tendances au fil du temps. Pour le Recensement de 2006, Statistique Canada a délimité 288 divisions de recensement qui n'ont pas changé depuis 1996.

Les subdivisions de recensement sont les plus petites régions géographiques de la CGT. En général, une subdivision de recensement correspond à une seule municipalité ou l'équivalent aux fins de statistiques— comme une réserve indienne. Toutefois les subdivisions de recensement peuvent changer, en raison d'une restructuration municipale ou d'une fusion. Dans le Recensement de 2006, on a dénombré 5 418 subdivisions de recensement, comparativement à 5 600 en 2001.

Les zones et les régions

Un peu comme un microscope, la CGT permet aux démographes d'examiner le Canada dans une perspective allant de la plus large — données nationales, provinciales et territoriales — vers sa perspective la plus étroite — les données provenant des banlieues, des périphéries et des quartiers d'une subdivision de recensement.

Un concept récent en géographie, la zone d'influence des régions métropolitaines (ZIM), utilise les données sur le navettage pour dégager les tendances et les degrés d'intégration économique et sociale entre les régions urbaines et les subdivisions de recensement qui ne sont pas incluses dans les RMR ou les AR. Ces dernières sont parfois décrites comme « les petites villes et les régions rurales du Canada ».

L'influence des RMR et des AR sur les petites villes et les régions rurales canadiennes avoisinantes peut être forte, modérée, faible ou totalement absente. Par exemple, un étudiant peut utiliser le concept de la ZIM pour comparer de près les caractéristiques démographiques d'une région rurale à proximité de Toronto avec celles des banlieues de Whitehorse, au Yukon, ou encore pour voir dans quelle mesure le loyer ou le taux de chômage est influencé par ces deux RMR très différentes.

On peut aussi examiner la géographie du Canada en regroupant ses divisions de recensement pour obtenir des régions économiques (RE). Comme leur nom l'indique, les 76 RE décrivent l'activité économique régionale. Une RE est une unité géographique assez petite pour permettre une analyse régionale, tout en étant assez étendue pour englober un nombre suffisant de répondants et permettre qu'on y recueille une vaste gamme de statistiques économiques. Citons en exemple les enquêtes sur la population active qui recueillent des données dans les régions économiques de certaines provinces.

Graphique 16.2
Personnes de moins de 15 ans et personnes de 65 ans et plus selon le type de région, 2006

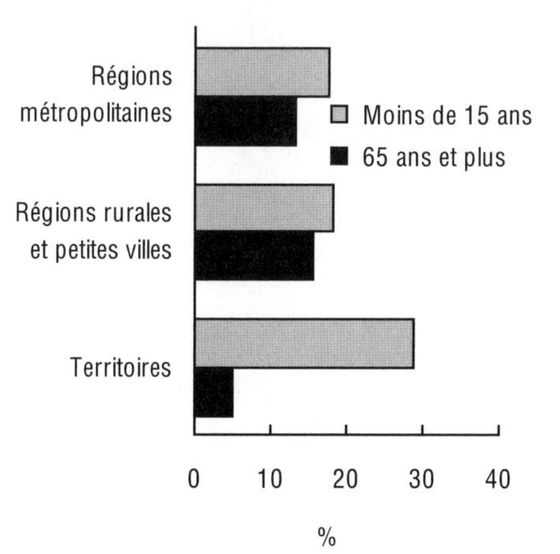

Source : Statistique Canada, Recensement de la population de 2006.

Sources choisies

Statistique Canada

- *Bulletin d'analyse : régions rurales et petites villes du Canada.* Occasionnel. 21-006-XIF
- *Classification géographique type.* Occasionnel. 12-571-XWF
- *Série de documents de travail de la géographie.* Occasionnel. 92F0138MIF
- *Série de documents de travail sur l'agriculture et le milieu rural.* Occasionnel. 21-601-MIF

Les collectivités : contexte régional

Ces dernières années, quelques régions ont connu un essor, alors que dans certaines collectivités de ces régions, la population a diminué.

De 1981 à 2001, 1 collectivité sur 3 a subi une baisse constante de population, et la plupart de ces collectivités (65 %) étaient situées dans des régions présentant la même diminution de population. En outre, 9 % des Canadiens habitaient ces collectivités en perte de population en 2001.

Une étude récente a recouru à des unités géographiques normalisées — des divisions de recensement pour représenter des régions, et des subdivisions de recensement unifiées pour représenter des collectivités — pour analyser les tendances démographiques des collectivités par rapport aux tendances démographiques des régions et au contexte régional. Une baisse démographique signifie que la population a chuté dans au moins trois des quatre recensements de cette période allant de 1981 à 2001.

Le contexte régional a son importance. En 2001, 43 % des Terre-Neuviens et Labradoriens résidaient dans une collectivité en perte démographique, elle-même située dans une région en perte de population. Les collectivités des régions rurales non adjacentes à des régions métropolitaines et des régions rurales nordiques ne sont pas aussi susceptibles d'afficher une croissance. Dans les régions rurales du nord, près de 2 collectivités sur 3 sont situées dans une région affichant une diminution de population.

Les collectivités ne reflètent pas toutes la tendance de leur région. Par exemple, même si seulement 20 % des collectivités dans la partie rurale du nord appartiennent à une région en croissance, 29 % ont une croissance imputable en partie à la population autochtone grandissante.

Dans les collectivités en perte démographique, un fort pourcentage de la population active se concentre dans des industries primaires comme l'agriculture et les industries manufacturières liées aux richesses naturelles. Les deux remplacent leur main-d'œuvre par des machines et sabrent dans leurs effectifs, contribuant ainsi à la baisse de population de ces collectivités.

Carte 16.2
Communautés canadiennes en croissance / en décroissance au sein de régions en croissance / en décroissance, 1981 à 2001

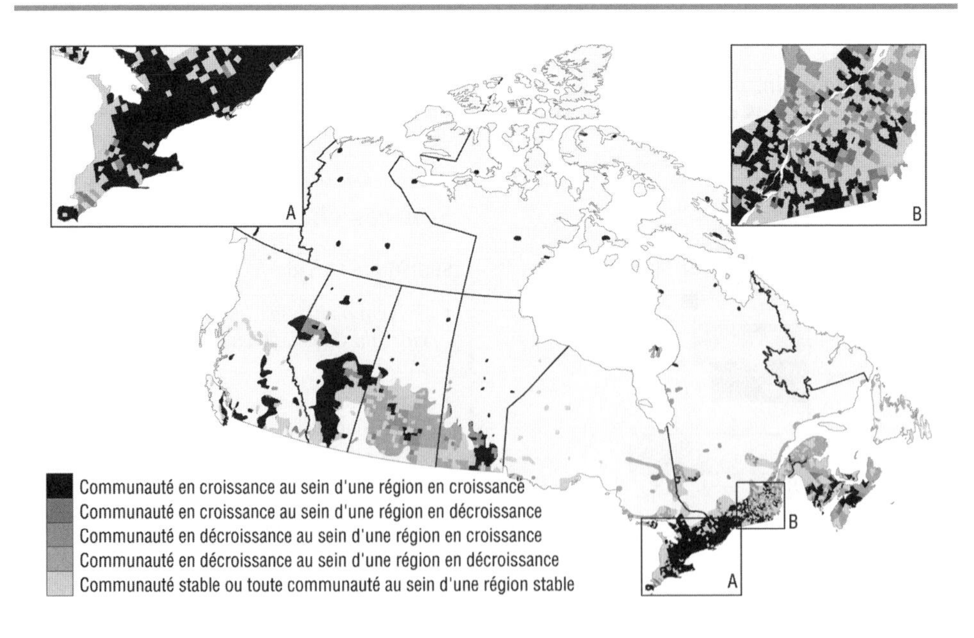

Source : Statistique Canada, Recensement de la population.

Le fumier : une source de pollution

Principale source d'engrais pour les cultures, le fumier est l'un des plus vieux exemples au monde de déchets recyclables. Toutefois, la mauvaise gestion du fumier peut contribuer à en faire une source de pollution. Non seulement est-il important de savoir où le fumier est produit, mais aussi faut-il déterminer de quelle façon il se répercute sur la zone de drainage avoisinante.

Les analystes déterminent ce lien au moyen d'une unité géographique, la sous-sous-aire de drainage (SSAD), afin de cartographier la production de fumier du bétail, qui est estimée à partir du nombre de bêtes déclarées au recensement de l'agriculture, au bassin de drainage avoisinant.

La SSAD est utile à cette fin, car elle présente des caractéristiques physiques fixes du terrain plutôt que des limites politiques ou administratives changeantes. Elle présente aussi une information locale qui est pertinente du point de vue de l'environnement. On compte au Canada 978 SSAD. En 2001, l'élevage de bétail se faisait dans moins de 400 d'entre elles.

La production de fumier est concentrée dans cinq grandes grappes géographiques : le centre et le sud de l'Alberta, le sud du Manitoba, le sud de l'Ontario, le sud-est du Québec et l'Île-du-Prince-Édouard. Il y a deux autres grandes régions, à savoir la vallée du bas Fraser dans le sud de la Colombie-Britannique et la région d'Annapolis en Nouvelle-Écosse.

Les trois plus vastes SSAD productrices de fumier en 2001 se trouvaient en Ontario. L'Alberta en comptait un nombre élevé où la production de fumier avait enregistré les plus fortes hausses entre 1981 et 2001. Le tiers du fumier produit en 2001 provenait des bovins de boucherie.

Dans un processus naturel, l'azote du fumier se transforme en nitrate, ce qui peut compromettre la qualité de l'eau potable et engendrer des problèmes de santé pour l'homme. Le phosphore dans le fumier peut provoquer une croissance excessive des algues dans nos lacs et rivières au point de les rendre inhabitables pour le poisson et d'autres formes de vie aquatique.

Carte 16.3
Ouest du Canada, production de fumier selon les sous-sous-bassins de drainage, 2001

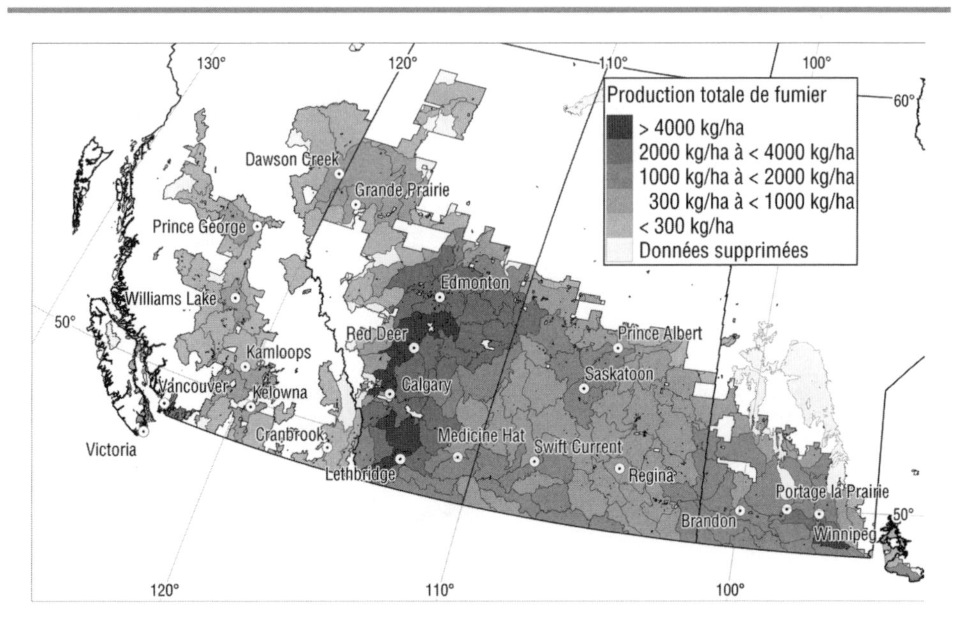

Note : Kilogrammes par hectare.
Source : Statistique Canada, Recensement de l'agriculture.

Pressions sur les bassins hydrographiques

Un avis de faire bouillir l'eau a surpris des millions de Vancouvérois en 2006. À Walkerton, en Ontario, de l'eau contaminée a causé la mort de sept personnes et a rendu malades des centaines de personnes en 2000. Ces événements ont suscité un débat quant aux meilleurs moyens de gérer nos bassins hydrographiques.

Un bassin hydrographique est une région où des plans d'eau interreliés fonctionnent comme un seul système. Ainsi, les activités en amont peuvent influer sur la quantité et la qualité de l'eau en aval. Les géographes ont répertorié 164 unités géographiques au Canada appelées des sous-bassins. Ces bassins hydrographiques sont des lieux de drainage des petites rivières qui se déversent dans les grandes rivières du Canada.

En 2001, 10 millions de personnes résidaient dans les six bassins hydrographiques les plus fortement urbanisés. Ces bassins ne représentent que 3 % du territoire canadien. De 1981 à 2001, la population de ces bassins hydrographiques a augmenté de 45 % ou 3 millions d'habitants. Cela reflète le caractère urbain de notre population et accentue la pression exercée sur certaines sources d'eau potable et sur les infrastructures qui assurent l'approvisionnement en eau et qui la traitent.

L'Ontario se démarque à cet égard avec ses 6 millions d'habitants qui vivent dans un seul bassin hydrographique couvrant la grande région de Toronto, le Golden Horseshoe et la péninsule de Niagara. En Colombie-Britannique, 2,3 millions de personnes vivent dans deux bassins hydrographiques couvrant la région métropolitaine de Vancouver et la vallée du Fraser. Un autre million d'habitants vivent dans les bassins hydrographiques fortement urbanisés de Calgary et de Fort McMurray, où l'utilisation de l'eau par les industries pétrolière et gazière inquiète les habitants.

Seulement 19 % de la population rurale vit dans des bassins hydrographiques où les résidents ruraux sont majoritaires. Cela illustre les difficultés que les Canadiens des régions rurales et urbaines devront surmonter pour trouver des solutions aux problèmes de gestion de l'eau.

Carte 16.4
Bassins hydrographiques selon le degré de ruralité de la population, 2001

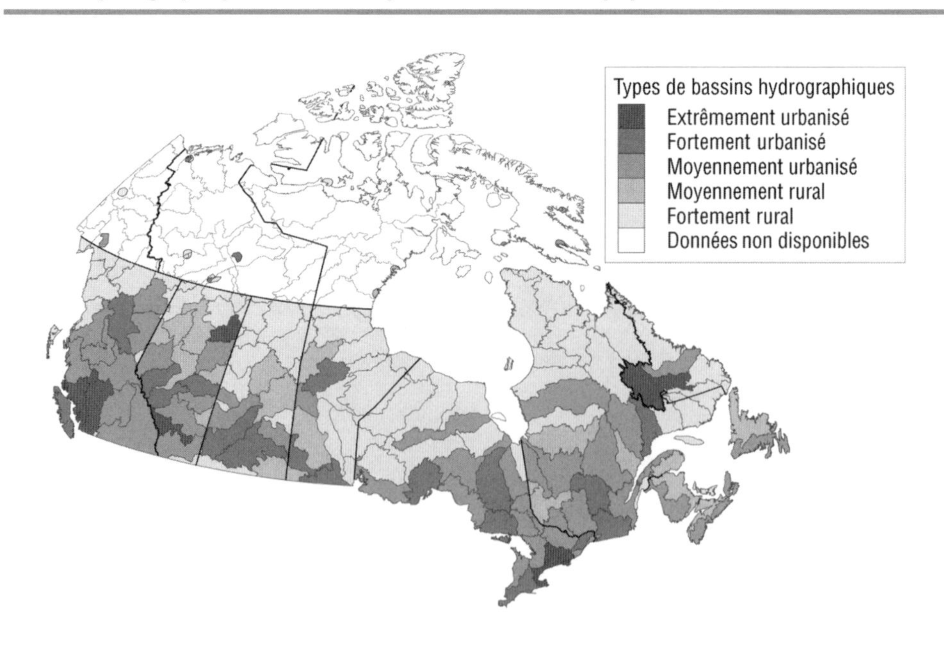

Source : Statistique Canada, Recensement de la population.

La cartographie des données

Statistique Canada recueille une énorme quantité de données sur la population, la société et la culture lors de ses nombreuses enquêtes et lors du recensement tous les cinq ans. Les analystes utilisent non seulement des tableaux, des graphiques et du texte en langage clair pour transmettre les conclusions qu'ils tirent de toutes ces données, mais aussi des cartes et des outils de cartographie disponibles gratuitement sous Cartes et géographie sur le site www.statcan.ca. On y trouve des cartes de référence, des cartes thématiques et des cartes interactives.

Les cartes de référence indiquent l'emplacement des régions géographiques en utilisant la géographie du recensement. Elles montrent les limites, le nom et les codes statistiques de régions géographiques normalisées. Elles illustrent également les principales caractéristiques visibles comme les routes, les chemins de fer, les côtes, les lacs et les rivières.

Les cartes thématiques facilitent la compréhension des données. Elles nous montrent les caractéristiques spatiales des données. Les géographes utilisent les données du recensement et des enquêtes pour créer des cartes thématiques sur divers sujets, notamment : l'occupation des sols par grande région de drainage; la proportion de la population selon le niveau de scolarité et la division de recensement; et la proportion de personnes obèses selon la région sociosanitaire.

Les cartes interactives situent des endroits sur une carte et montrent les dernières données du recensement et autres données pour ces endroits. Statistique Canada dispose de 10 catégories d'outils cartographiques interactifs, entre autres : Profils des communautés, Circonscriptions électorales fédérales et l'outil cartographique GéoRecherche qui facilite le repérage des données géographiques de base et des données de recensement pour tout endroit au Canada.

Tous ces outils de cartographie transforment les données en images pour nous aider à mieux comprendre la signification des chiffres et notre identité en tant que pays.

Carte 16.5
Obésité chez les adultes selon la région sociosanitaire, 2005

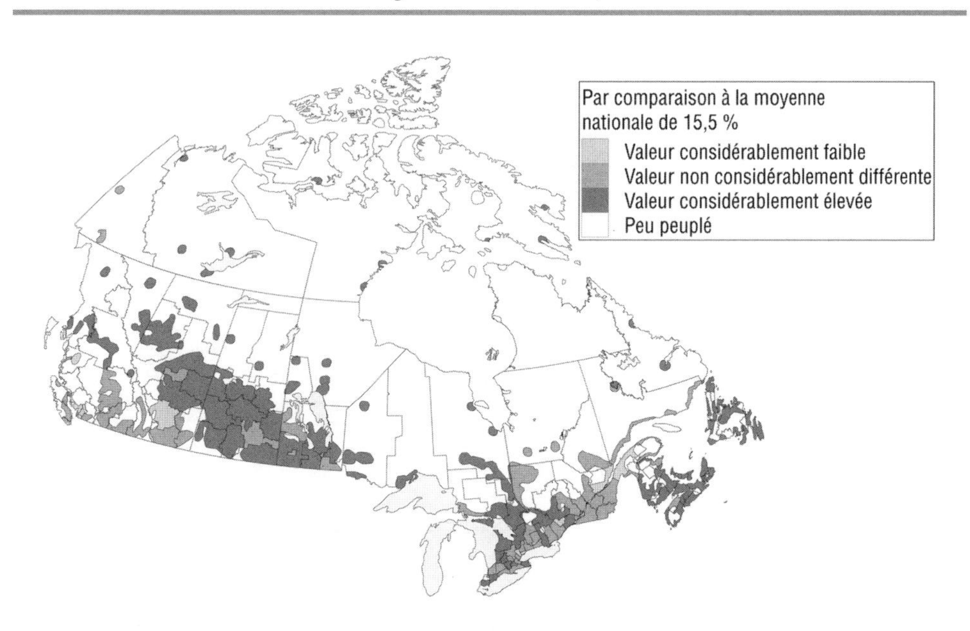

Note : Proportion de la population considérée comme obèse selon l'indice de masse coporelle.
Source : Statistique Canada, Enquête sur la santé dans les collectivités canadiennes.

Tableau 16.1 Conditions météorologiques selon certains centres urbains

	Température extrême maximale		Température extrême minimale		Pluie[1]	Neige[1,2]	Précipitations[2,3]
	degrés Celsius	années	degrés Celsius	années	millimètres	centimètres	millimètres
St. John's	31,5	1983	-23,8	1986	1 191,0	322,3	1 513,7
Charlottetown	34,4	1944	-30,5	1982	880,4	311,9	1 173,3
Halifax	35,0	1995	-28,5	1993	1 238,9	230,5	1 452,2
Saint John	34,4	1976	-36,7	1948	1 147,9	256,9	1 390,3
Fredericton	37,2	1975	-37,2	1962	885,5	276,5	1 143,3
Québec	35,6	1953	-36,1	1962	923,8	315,9	1 230,3
Sherbrooke	33,7	1983	-40,0	1979	873,9	294,3	1 144,1
Trois-Rivières	36,1	1975	-41,1	1976	858,6	241,4	1 099,8
Montréal	35,6	1955	-37,2	1933	819,7	220,5	1 046,2
Ottawa	37,8	1944	-36,1	1943	732,0	235,7	943,5
Kingston	34,3	1983	-34,5	1981	794,6	181,0	968,4
Oshawa	36,5	1988	-30,5	1981	759,5	118,4	877,9
Toronto	38,3	1948	-31,3	1981	684,6	115,4	792,7
Hamilton	37,4	1988	-28,0	1994	764,8	161,8	910,1
St. Catharines	37,4	1988	-25,7	1979	745,7	136,6	873,6
London	38,2	1988	-31,7	1970	817,9	202,4	987,1
Windsor	40,2	1988	-29,1	1994	805,2	126,6	918,3
Greater Sudbury / Grand Sudbury	38,3	1975	-39,3	1982	656,5	274,4	899,3
Thunder Bay	40,3	1983	-41,1	1951	559,0	187,6	711,6
Winnipeg	40,6	1949	-45,0	1966	415,6	110,6	513,7
Regina	43,3	1937	-50,0	1885	304,4	105,9	388,1
Saskatoon	40,6	1988	-50,0	1893	265,2	97,2	350,0
Edmonton	34,5	1998	-48,3	1938	365,7	123,5	476,9
Calgary	36,1	1919	-45,0	1893	320,6	126,7	412,6
Abbotsford	37,8	1958	-21,1	1950	1 507,5	63,5	1 573,2
Vancouver	33,3	1960	-17,8	1950	1 154,7	48,2	1 199,0
Victoria	36,1	1941	-15,6	1950	841,4	43,8	883,3
Whitehorse	34,4	1969	-52,2	1947	163,1	145,0	267,4
Yellowknife	32,5	1989	-51,2	1947	164,5	151,8	280,7
Iqaluit	25,8	2001	-45,6	1967	198,3	235,8	412,1

1. Moyenne annuelle.
2. En moyenne, un centimètre de neige égale un millimètre de pluie.
3. Les totaux peuvent ne pas égaler la somme de pluie et de neige, étant donné que la densité de la neige peut varier.

Source : Environnement Canada, Normales et moyennes climatiques au Canada, 1971 à 2001.

Tableau 16.2 Superficie des îles principales selon la région

	Superficie
	kilomètres carrés
Île de Baffin	507 451
Îles de la Reine-Élisabeth	
Ellesmere	196 236
Devon	55 247
Axel Heiberg	43 178
Melville	42 149
Bathurst	16 042
Prince Patrick	15 848
Ellef Ringnes	11 295
Cornwallis	6 995
Amund Ringnes	5 255
Mackenzie King	5 048
Borden	2 794
Cornwall	2 358
Eglinton	1 541
Graham	1 378
Lougheed	1 308
Byam Martin	1 150
Île Vanier	1 126
Cameron	1 059
Îles de l'Arctique au sud des Îles de la Reine-Élisabeth (mais au nord du cercle polaire arctique)[1]	
Victoria	217 291
Banks	70 028
Prince of Wales	33 339
Somerset	24 786
King William	13 111
Bylot	11 067
Prince Charles	9 521
Stefansson	4 463
Îles de l'Arctique au sud des Îles de la Reine-Élisabeth (mais au nord du cercle polaire arctique)[1] (fin)	
Richards	2 165
Air Force	1 720
Wales	1 137
Rowley	1 090
Territoires du Nord-Ouest et Nunavut au sud du cercle polaire arctique	
Southampton[2]	41 214
Coats[2]	5 498
Mansel[2]	3 180
Akimiski[2]	3 001
Flaherty[2]	1 585
Nottingham[3]	1 372
Resolution[3]	1 015
Côte du Pacifique	
Vancouver	31 285
Graham	6 361
Moresby	2 608
Princess Royal	2 251
Pitt	1 375
Côte de l'Atlantique et Golfe du Saint-Laurent	
Terre-Neuve-et-Labrador (île principale)	108 860
Golfe du Saint-Laurent	
Cap-Breton	10 311
Anticosti	7 941
Prince-Édouard	5 620
Baie de Fundy	
Grand Manan	137

Note : La superficie d'une île principale est supérieure à 130 kilomètres carrés.

1. Aucune île du Yukon n'a une superficie supérieure à 130 kilomètres carrés.
2. Anciennement le District de Keewatin.
3. Anciennement le District de Franklin.

Source : Ressources naturelles Canada, *Atlas du Canada*.

Tableau 16.3 Principales altitudes, par province et territoire

	Altitude
	mètres
Terre-Neuve-et-Labrador	
Monts Torngat	
Mont Caubvik[1,2] (à la limite T.-N.-L.–Qc)	1 652
Mont Cirque	1 568
Mont Cladonia	1 453
Mont Eliot	1 356
Mont Tetragona	1 356
Montagne Quartzite	1 186
Montagne Blow me down	1 183
Monts Mealy	
Montagne sans nom (53°37', 58°33')	1 176
Monts Kaumajet	
Bishops Mitre	1 113
Monts Long Range	
Collines Lewis	814
Gros Morne	806
Île-du-Prince-Édouard	
Comté de Queen's (46°20', 63°25')[2]	142
Nouvelle-Écosse	
Hautes-Terres-du-Cap-Breton (46°42', 60°36')[2]	532
Nouveau-Brunswick	
Mont Carleton[2]	817
Mont Wilkinson	785
Québec	
Monts Torngat	
Mont D'Iberville[1,2] (à la limite Qc–T.-N.-L.)	1 652
Les Appalaches	
Mont Jacques-Cartier	1 268
Mont Gosford	1 192
Mont Richardson	1 185
Mont Mégantic	1 105
Les Laurentides	
Montagne sans nom (47°19', 70°50')	1 166
Mont Tremblant	968
Mont Sainte-Anne	800
Mont Sir-Wilfrid	783
Québec (fin)	
Monts Otish	
Montagne sans nom (52°19', 71°27')	1 135
Collines montérégiennes	
Mont Brome	533
Ontario	
Crête Ishpatina[2]	693
Mont Ogidaki	665
Mont Batchawana	653
Mont Tip Top	640
Escarpement de Niagara	600
Blue Mountains	541
Osler Bluff	526
Mont Caledon	427
Manitoba	
Mont Baldy[2]	832
Plus haut sommet des collines Porcupine	823
Mont Riding	610
Saskatchewan	
Collines Cypress[2]	1 468
Mont Wood	1 013
Collines Vermilion	785
Alberta	
Montagnes Rocheuses	
Mont Columbia[2] (à la limite Alb.–C.-B.)	3 747
Mont North Twin	3 733
Mont Alberta	3 620
Mont Assiniboine (à la limite Alb.–C.-B.)	3 618
Mont Forbes	3 612
Mont South Twin	3 581
Mont Temple	3 547
Mont Brazeau	3 525
Mont Snow Dome (à la limite Alb.–C.-B.)	3 520
Mont Lyell (à la limite Alb.–C.-B.)	3 504
Montagne Hungabee (à la limite Alb.–C.-B.)	3 492
Mont Athabasca	3 491

Voir les notes et la source à la fin du tableau.

	Altitude		Altitude
	mètres		mètres
Alberta (fin)		**Yukon** (fin)	
Mont King Edward (à la limite Alb.–C.-B.)	3 490	Mont Lucania	5 226
Mont Kitchener	3 490	Pic King	5 173
Colombie-Britannique		Mont Steele	5 067
Massif St. Elias		Mont Wood	4 838
Mont Fairweather[2] (à la frontière Alaska–C.-B.)	4 663	Mont Vancouver (à la frontière Alaska–Yn)	4 785
Mont Quincy Adams (à la frontière Alaska–C.-B.)	4 133	Mont Macaulay	4 663
Mont Root (à la frontière Alaska–C.-B.)	3 901	Mont Slaggard	4 663
Chaîne Côtière		Mont Hubbard (à la frontière Alaska–Yn)	4 577
Mont Waddington	4 016	**Territoires du Nord-Ouest**	
Mont Tiedemann	3 848	Monts Mackenzie	
Montagne Combatant	3 756	Montagne sans nom (61°52' 127°42')[2]	2 773
Montagne Asperity	3 716	Mont Sir James MacBrien	2 762
Serra Peaks	3 642	Monts Franklin	
Montagne Monarch	3 459	Cap Mountain	1 577
Montagnes Rocheuses		Mont Clark	1 462
Mont Robson	3 954	Pointed Mountain	1 405
Mont Columbia (à la limite Alb.-C.-B.)	3 747	Butte Nahanni	1 396
Mont Clemenceau	3 642	Île Melville	
Mont Assiniboine (à la limite Alb.–C.-B.)	3 618	Montagne sans nom (75°25' 114°47')	776
Mont Goodsir, North Tower	3 581	Île Banks	
Mont Goodsir, South Tower	3 520	Durham Heights	732
Mont Snow Dome (à la limite Alb.–C.-B.)	3 520	Île Victoria	
Mont Bryce	3 507	Montagne sans nom (71°51' 112°36')	655
Monts Selkirk		**Nunavut**	
Mont Sir Sandford	3 522	Île Axel Heiberg	
Chaîne Columbia (Cariboo)		Mont Outlook Peak	2 210
Mont Sir Wilfrid Laurier	3 520	Île de Baffin	
Chaînon Purcell		Mont Odin	2 147
Mont Farnham	3 481	Île Devon	
Chaîne Monashee		Calotte glacière Summit Devon	1 908
Mont Torii	3 429	Île Ellesmere	
Yukon		Pic Barbeau[2]	2 616
Massif St. Elias			
Mont Logan[2,3]	5 959		
Mont St. Elias (à la frontière Alaska–Yn)	5 489		

1. Connu sous le nom de Mont D'Iberville au Québec et sous le nom de Mont Caubvik à Terre-Neuve-et-Labrador.
2. Plus haut sommet de la province ou territoire.
3. Plus haut sommet au Canada.

Source : Ressources naturelles Canada, *Atlas du Canada.*

Tableau 16.4 Principaux cours d'eau et leurs affluents

	Superficie drainée	Longueur
	kilomètres carrés	kilomètres
Se déversant dans le Pacifique		
Yukon (de l'embouchure à la source de la Nisutlin)	..	3 185
(de la frontière internationale à la source de la Nisutlin)	323 800	1 149
Porcupine	61 400	721
Stewart	51 000	644
Pelly	51 000	608
Teslin	35 500	393
White	38 000	265
Columbia (de l'embouchure à la tête du lac Columbia)	..	2 000
(de la frontière internationale à la tête du lac Columbia)	102 800	801
Kootenay	37 700	780
Kettle (depuis la tête du lac Holmes)	4 700	336
Okanagan (depuis la tête du lac Okanagan)	21 600	314
Fraser	232 300	1 370
Thompson (depuis la source de la Thompson-Nord)	55 400	489
Thompson-Nord	20 700	338
Thompson-Sud (depuis la source de la Shuswap)	17 800	332
Nechako (depuis la tête du lac Eutsuk)	47 100	462
Stuart (depuis la source de la Driftwood)	16 200	415
Skeena	54 400	579
Stikine	49 800	539
Nass	21 100	380
Se déversant dans l'Arctique		
Mackenzie (depuis la source de la Finlay)	1 805 200	4 241
de la Paix (depuis la source de la Finlay)	302 500	1 923
Smoky	51 300	492
Athabasca	95 300	1 231
Pembina	12 900	547
Liard	277 100	1 115
Se déversant dans l'Arctique (fin)		
Nahanni-Sud	36 300	563
Fort Nelson (depuis la source de la Sikanni Chief)	55 900	517
Petitot	..	404
Hay	48 200	702
Peel (de l'embouchure du Canal occidental à la source de l'Ogilvie)	73 600	684
Arctic Red	..	499
des Esclaves (de la rivière de la Paix au Grand lac des Esclaves)	616 400	415
Fond du Lac (depuis l'extrémité du lac Wollaston)	66 800	277
Back (depuis l'extrémité du lac Muskox)	106 500	974
Coppermine	..	845
Anderson	..	692
Horton	..	618
Se déversant dans la baie et le détroit d'Hudson		
Nelson (depuis la source de la Bow)	892 300	2 575
Nelson (depuis l'extrémité du lac Winnipeg)	802 900	644
Saskatchewan (depuis la source de la Bow)	334 100	1 939
Saskatchewan-Sud (depuis la source de la Bow)	144 300	1 392
Red Deer	45 100	724
Bow	26 200	587
Oldman	26 700	362
Saskatchewan-Nord	12 800	1 287
Battle (depuis la tête du lac Pigeon)	30 300	570
Rouge (depuis la source de la Sheyenne)	138 600	877
Assiniboine	160 600	1 070
Winnipeg (depuis la source de la Firesteel)	106 500	813
des Anglais	52 300	615
Fairford (depuis la source de la Red Deer au Manitoba)	80 300	684

Voir la source à la fin du tableau.

	Superficie drainée	Longueur
	kilomètres carrés	kilomètres
Se déversant dans la baie et le détroit d'Hudson (suite)		
Churchill (depuis la tête du lac Churchill)	281 300	1 609
Beaver (depuis l'extrémité du lac Beaver)	..	491
Severn (depuis la source de la Black Birch)	102 800	982
Albany (depuis la source de la Cat)	135 200	982
Thelon	142 400	904
Dubawnt	57 500	842
La Grande-Rivière (la Fort George)	97 600	893
Koksoak (depuis la source de la Caniapiscau)	133 400	874
Nottaway (via la Bell depuis la source de la Mégiscane)	65 800	776
Rupert (depuis la source de la Témiscamie)	43 400	763
Eastmain	46 400	756
Attawapiskat (depuis la tête du lac Bow)	50 500	748
Kazan (depuis la tête du lac Ennadai)	71 500	732
Grande rivière de la Baleine	42 700	724
George	41 700	565
Moose (depuis la source de la Mattagami)	108 500	547
Abitibi (depuis la tête du lac Louis)	29 500	547
Mattagami (depuis la tête du lac Minisinakwa)	37 000	443
Missinaibi	23 500	426
Harricana	29 300	533
Hayes	108 000	483
aux Feuilles	42 500	480
Winisk	67 300	475
Broadback	20 800	450
à la Baleine	31 900	428
de Povungnituk	28 500	389
Innuksuac	11 400	385
Se déversant dans la baie et le détroit d'Hudson (fin)		
Petite rivière de la Baleine	15 900	380
Arnaud	49 500	377
Nastapoca	13 400	360
Kogaluc	11 600	304
Se déversant dans l'Atlantique		
Saint-Laurent	839 200	3 058
Nipigon (depuis la source de la Ombabika)	25 400	209
Spanish	14 000	338
Trent (depuis la source de l'Irondale)	12 400	402
Outaouais	146 300	1 271
Gatineau	23 700	386
du Lièvre	..	330
Saguenay (depuis la source de la Péribonca)	88 000	698
Péribonca	28 200	451
Mistassini	21 900	298
Chamouchouane	..	266
Saint-Maurice	43 300	563
Manicouagan (depuis la source de la Mouchalagane)	45 800	560
aux Outardes	19 000	499
Romaine	14 350	496
Betsiamites (depuis la source de la Manouanis)	18 700	444
Moisie	19 200	410
Saint-Augustin	9 900	233
Richelieu (depuis l'embouchure du lac Champlain)	3 800	171
Churchill (depuis la source de l'Ashuanipi)	79 800	856
Saint John	35 500	673
du Petit Mécatina	19 600	547
Natashquan	16 100	410

Source : Ressources naturelles Canada, *Atlas du Canada*.

Tableau 16.5 Altitude et superficie des principaux lacs, par province et territoire

	Altitude	Superficie
	mètres	kilomètres carrés
Les Grands Lacs[1]		
Supérieur	184	28 700
Michigan	176	0
Huron	177	36 000
Érié	174	12 800
Ontario	75	10 000
Terre-Neuve-et-Labrador		
Réservoir Smallwood	471	6 527
Melville	à marée[2]	3 069
Nouvelle-Écosse		
Bras d'Or	à marée[2]	1 099
Québec		
Mistassini	372	2 335
Réservoir Manicouagan	360	1 942
Réservoir Gouin	404	1 570
Lac à l'Eau-Claire	241	1 383
Bienville	426	1 249
Saint-Jean	98	1 003
Réservoir Pipmuacan	396	978
Minto	168	761
Réservoir Cabonga	361	677
Ontario		
Nipigon	260	4 848
Lac des Bois[3]	323	3 150
Seul	357	1 657
Ontario (fin)		
Abitibi[3]	265	931
Nipissing	196	832
Simcoe	219	744
Lac à la Pluie[3]	338	741
Big Trout	213	661
Sainte-Claire	175	490
Manitoba		
Winnipeg	217	24 387
Winnipegosis	254	5 374
Manitoba	248	4 624
Southern Indian	254	2 247
Cedar	253	1 353
Island	227	1 223
Gods	178	1 151
Cross	207	755
Playgreen	217	657
Saskatchewan		
Athabasca[3]	213	7 935
Reindeer[3]	337	6 650
Wollaston	398	2 681
Cree	487	1 434
La Rouge	364	1 413
Peter Pond	421	778
Doré	459	640

Voir les notes et la source à la fin du tableau.

	Altitude	Superficie
	mètres	kilomètres carrés
Alberta		
Clair	213	1 436
Lesser Slave	577	1 168
Colombie-Britannique		
Williston	671	1 761
Atlin[3]	668	775
Yukon		
Kluane	781	409
Territoires du Nord-Ouest		
Grand lac de l'Ours[3]	156	31 328
Grand lac des Esclaves	156	28 568
la Martre	265	1 776
Kasba	336	1 341
MacKay	431	1 061
Hottah	180	918
Aylmer	375	847
Nonacho	354	784
Clinton-Colden	375	737
Selwyn	398	717
Point	375	701
Wholdaia	364	678
de Gras	396	633
Buffalo	265	612
Nunavut		
Nettilling	30	5 542
Nunavut (fin)		
Dubawnt	236	3 833
Amadjuak	113	3 115
Nueltin[3]	278	2 279
Baker	2	1 887
Yathkyed	140	1 449
Aberdeen	80	1 100
Napaktulik	381	1 080
Garry	148	976
Contwoyto	564	957
Ennadai	311	681
Tulemalu	279	668
Kamilukuak	266	638
Kaminak	53	600

Notes : La superficie d'un lac principal est supérieure à 400 kilomètres carrés.
Le Nouveau-Brunswick et l'île-du-Prince-Édouard n'ont pas de lacs de cette superficie.

1. Les données pour les Grands Lacs sont pour la superficie en territoire canadien seulement.
2. Des variations quotidiennes, mensuelles et saisonnières du rythme et du niveau des marées.
3. Comme le lac chevauche les limites provinciales et territoriales, il est cité sous la province ou le territoire qui en comprend la plus grande portion.

Source : Ressources naturelles Canada, *Atlas du Canada.*

Tableau 16.6 Superficie en terre et en eau douce, Canada et certains pays

	Superficie totale	Terre	Eau douce
		kilomètres carrés	
Russie	17 075 200	16 995 800	79 400
Canada	9 984 670	9 093 507	891 163
États-Unis	9 826 630	9 161 923	664 707
Chine	9 596 960	9 326 410	270 550
Brésil	8 511 965	8 456 510	55 455
Australie	7 686 850	7 617 930	68 920
Inde	3 287 590	2 973 190	314 400
Argentine	2 766 890	2 736 690	30 200
Kazakhstan	2 717 300	2 669 800	47 500
Soudan	2 505 810	2 376 000	129 810
Algérie	2 381 740	2 381 740	0
République démocratique du Congo	2 345 410	2 267 600	77 810
Arabie saoudite	2 149 690	2 149 690	0
Mexique	1 972 550	1 923 040	49 510
Indonésie	1 919 440	1 826 440	93 000
Libye	1 759 540	1 759 540	0
Iran	1 648 000	1 636 000	12 000
Mongolie	1 564 116	1 564 116	0
Pérou	1 285 220	1 280 000	5 220
Tchad	1 284 000	1 259 200	24 800

Source : *The World Factbook 2007*, Washington DC, Central Intelligence Agency, Office of Public Affairs, 2007.

Tableau 16.7 Superficie en terre et en eau douce, par province et territoire

	Superficie	Superficie	Terre	Eau douce
	pourcentage		kilomètres carrés	
Canada	**100,0**	**9 984 670**	**9 093 507**	**891 163**
Terre-Neuve-et-Labrador	4,1	405 212	373 872	31 340
Île-du-Prince-Édouard	0,1	5 660	5 660	0
Nouvelle-Écosse	0,6	55 284	53 338	1 946
Nouveau-Brunswick	0,7	72 908	71 450	1 458
Québec	15,4	1 542 056	1 365 128	176 928
Ontario	10,8	1 076 395	917 741	158 654
Manitoba	6,5	647 797	553 556	94 241
Saskatchewan	6,5	651 036	591 670	59 366
Alberta	6,6	661 848	642 317	19 531
Colombie-Britannique	9,5	944 735	925 186	19 549
Yukon	4,8	482 443	474 391	8 052
Territoires du Nord-Ouest	13,5	1 346 106	1 183 085	163 021
Nunavut	21,0	2 093 190	1 936 113	157 077

Source : Ressources naturelles Canada, *Atlas du Canada*.

Gouvernement

SURVOL

Les trois ordres de gouvernement fournissent aux Canadiens de nombreux services qui ne peuvent pas être facilement offerts par des entreprises privées. Par exemple, l'administration fédérale est responsable de la défense nationale et de la diplomatie internationale, tandis que les administrations provinciales et territoriales s'assurent que les Canadiens ont accès à des services essentiels, notamment en matière de santé et d'éducation. Quant aux administrations municipales, elles veillent à l'entretien des rues et à la sécurité des collectivités.

La constitution énonce les responsabilités de chaque ordre de gouvernement. Toutefois, leurs comptes indiquent quelles sont les priorités de ces administrations et comment l'argent des contribuables est dépensé. Tous comptes faits, en 2005-2006, les administrations publiques ont dépensé 516,9 milliards de dollars pour fournir des biens et des services aux Canadiens.

En 2005-2006, l'administration fédérale a dépensé 6 794 $ pour chaque homme, femme et enfant, et les administrations provinciales, territoriales et municipales ont dépensé une autre tranche de 10 839 $ par habitant.

Ces moyennes varient toutefois beaucoup, particulièrement d'une province et d'un territoire à l'autre. En raison du coût élevé de la prestation de services dans le Nord du Canada, le Nunavut a dépensé 38 859 $ par habitant, tandis que les dépenses des provinces par habitant allaient de 10 000 $ à 15 000 $.

Administration fédérale

L'assistance sociale constitue la plus importante dépense de l'administration fédérale. En 2005-2006, les paiements de sécurité sociale ainsi que les programmes d'allocations familiales et de maintien du revenu ont coûté un peu plus de 57,4 milliards de dollars, soit une hausse de 9,6 % depuis 2001-2002.

Les dépenses fédérales au titre des soins de santé ont bondi de 6,8 milliards de dollars

Graphique 17.1
Certaines dépenses de l'administration fédérale générale, 2006

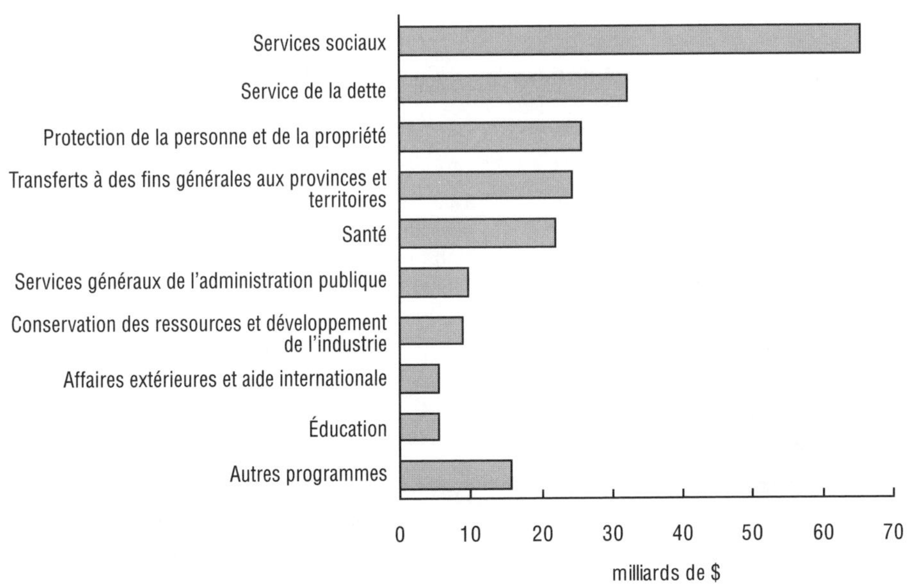

Note : Année financière se terminant le 31 mars.
Source : Statistique Canada, CANSIM : tableau 385-0002.

en 2003-2004 à 23,8 milliards de dollars en 2004-2005. En 2005-2006, elles se situaient à 21,8 milliards de dollars. L'augmentation observée en 2004-2005 était surtout attribuable au nouveau Transfert canadien en matière de santé, c'est-à-dire un transfert précis aux provinces et aux territoires au titre de la santé, qui s'est élevé à 14 milliards de dollars en 2004-2005. Avant 2004, les transferts fédéraux en santé faisaient partie d'un transfert à des fins générales, le Transfert canadien en matière de santé et de programmes sociaux. En conséquence, le transfert de nature générale a fléchi de 29,6 milliards de dollars en 2003-2004 à 21,0 milliards de dollars en 2004-2005.

La protection de la personne et de la propriété constitue un autre poste de dépense élevé pour l'administration fédérale. L'armée, la police fédérale, les pénitenciers et les tribunaux ont coûté 25,5 milliards de dollars en 2005-2006.

Administrations provinciales et territoriales

La principale responsabilité des provinces et des territoires est de fournir des soins hospitaliers et des soins de santé. Ensemble, ces paliers de gouvernement ont dépensé 93,8 milliards de dollars au chapitre de la santé en 2005-2006. Les transferts fédéraux accrus en santé, le vieillissement de la population et la hausse des coûts des services médicaux ont fait monter ces coûts de plus d'un quart depuis 2001-2002.

Graphique 17.2
Dépenses consolidées des administrations provinciales et territoriales, 2006

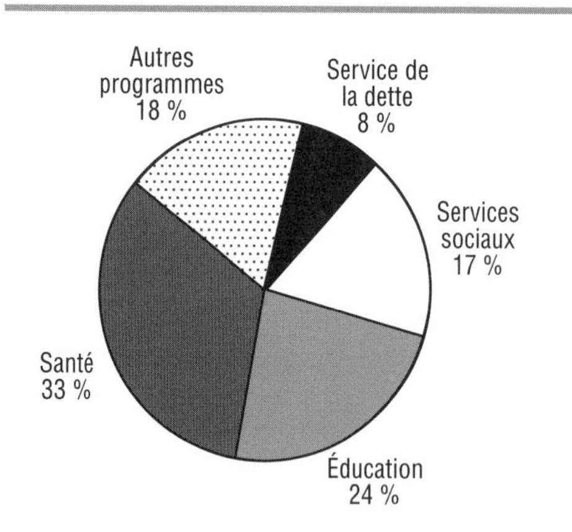

Note : Année financière se terminant le 31 mars.
Source : Statistique Canada, CANSIM : tableau 385-0001.

Emploi, salaires et traitements dans le secteur public

	2005	2006
	nombre	
Employés	3 082 690	3 142 270
	milliers de dollars	
Salaires et traitements	143 312 467	151 186 092

Source : Statistique Canada, CANSIM : tableau 183-0002.

L'éducation des Canadiens est la deuxième dépense en importance des administrations provinciales et territoriales : cette dépense atteignait la coquette somme de 70,6 milliards de dollars en 2005-2006. L'éducation primaire, secondaire et postsecondaire comptait pour 96 % de ce montant.

Administrations municipales

L'éducation primaire et secondaire, l'entretien des rues, la protection des quartiers et les infrastructures locales sont les plus grosses dépenses des administrations municipales. En 2005, les dépenses effectuées au chapitre de l'éducation primaire et secondaire se sont élevées à 40,1 milliards de dollars. Les administrations municipales ont consacré 10,5 milliards de dollars à des programmes de protection de l'environnement (épuration des eaux, cueillette des ordures ménagères, etc.) et 9,8 milliards de dollars, à la protection de la personne et de la propriété.

La construction et l'entretien de routes et de rues ainsi que la prestation de services de transport coûtent 11,8 milliards de dollars aux administrations municipales.

Taxes, impôts et autres sources de recettes

Diriger le pays coûte cher. Si elles ne percevaient pas d'impôts et de taxes auprès de la population, les administrations publiques ne pourraient pas offrir aux Canadiens les services qu'ils sont en droit d'obtenir. En 2005-2006, tous les ordres de gouvernement ont perçu 403,7 milliards de dollars en impôts et en taxes, soit environ 70,0 milliards de plus qu'en 2001-2002.

Plus de la moitié de cette somme (56,3 %) provenait des impôts sur le revenu : les impôts sur le revenu des particuliers et sur le revenu des entreprises totalisaient respectivement 169,2 milliards de dollars et 51,1 milliards de dollars. Les taxes à la consommation — comme les taxes sur les carburants, les droits de douane et les taxes sur l'alcool, le tabac et les jeux de hasard — comptaient pour une autre tranche de 108,0 milliards de dollars, et ce sont les provinces et les territoires qui ont perçu plus de la moitié de ces taxes. Les impôts fonciers totalisaient d'autre part 49,6 milliards de dollars, la plus grande partie de cette somme allant directement aux administrations municipales.

Les administrations publiques tirent également leurs recettes d'autres sources. En 2005-2006, elles ont touché collectivement 45,3 milliards de dollars provenant de placements, et elles ont vendu pour 43,1 milliards de dollars de biens et services tels des droits de scolarité et l'eau des municipalités.

Ensemble, les trois ordres de gouvernement du Canada ainsi que le Régime de pensions du Canada et le Régime de rentes du Québec ont touché davantage d'argent qu'ils n'en ont dépensé chaque année depuis 1999-2000. Cet excédent faisait suite à une série de déficits. Toutefois, une grande partie de cet excédent a été enregistré à l'échelon fédéral et en Alberta de même que dans les comptes du Régime de pensions du Canada et du Régime de rentes du Québec. En outre, bien que l'administration fédérale ait connu des excédents successifs depuis 1997-1998, les 13 administrations provinciales et territoriales n'ont enregistré que quatre excédents annuels dans la dernière décennie.

Graphique 17.3
Recettes consolidées des administrations fédérale, provinciales, territoriales et locales, 2006

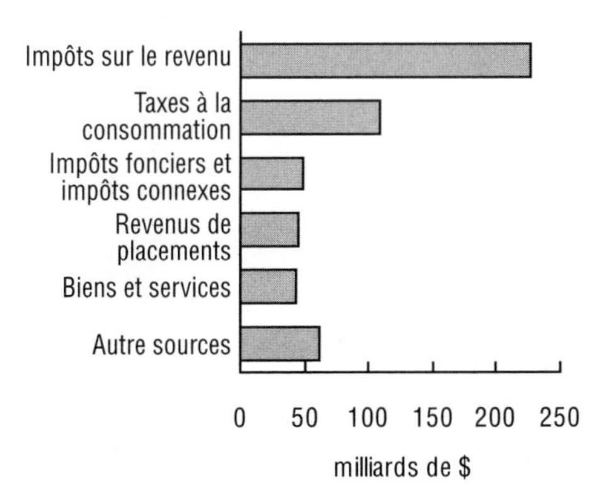

Note : Les données des administrations provinciales et territoriales sont en date du 31 mars et celles des administrations locales sont en date du 31 décembre.
Source : Statistique Canada, CANSIM : tableau 385-0001.

Employés du secteur public

Sur les 16,5 millions de travailleurs que comptait le Canada en 2006, un peu plus de 3,1 millions occupaient un poste dans le secteur public. Environ 1,1 million de ces derniers employés travaillaient pour les administrations publiques à proprement parler, tandis que 976 000 travaillaient pour des établissements d'enseignement et 780 000 étaient chargés de fournir des services de santé et des services sociaux.

Ensemble, ces employés du secteur public — policiers, employés des postes, diplomates, éboueurs, praticiens de la santé, bureaucrates et autres fournisseurs de services publics — ont touché une rémunération totalisant 151,2 milliards de dollars en 2006. Après être demeurés stables ou avoir pris du recul de 1994 à 1997, les salaires du secteur public s'étaient accrus de presque 50 % à la fin de 2006.

Sources choisies

Statistique Canada

- *Analyse en bref.* Hors série. 11-621-MIF
- *Le contrôle et la vente des boissons alcoolisées au Canada.* Annuel. 63-202-XIF
- *Programmes de revenu de retraite au Canada.* Irrégulier. 74-507-XCB
- *Revue chronologique de la population active.* Annuel. 71F0004XCB
- *Statistiques sur le secteur public.* Annuel. 68-213-XIF

Plus de Canadiens choisissent le vin

La bière est la boisson alcoolisée la plus populaire au Canada, les ventes atteignant 8,4 milliards de dollars ou un peu plus de la moitié de tout l'alcool vendu. Cependant, pour la première fois, les ventes de vin et non les ventes de spiritueux se sont classées en deuxième position en 2004-2005. Les spiritueux et le vin représentent chacun environ le quart de tout l'alcool vendu.

L'évolution des goûts des Canadiens se reflète dans la hausse des ventes de vin, qui ont invariablement dépassé celles de la bière et des spiritueux. Les ventes de vin ont augmenté de 6,5 % en 2004-2005 par rapport à l'année précédente, soit environ deux fois le taux de croissance du marché de la bière et près de trois fois celui des spiritueux. Les ventes de vin ont augmenté en moyenne de 8,0 % au cours des 10 dernières années.

Les Canadiens aiment goûter ce que le monde a à offrir et achètent de plus en plus de boissons importées, lesquelles ont accaparé 34 % du marché canadien en 2004-2005, comparativement à 22 % 10 ans plus tôt. Les marques canadiennes, particulièrement la bière, ont connu une croissance des ventes beaucoup plus lente que celle des marques importées.

Les Canadiens achètent souvent de l'alcool dans un point de vente du gouvernement. Le gouvernement réglemente la vente de l'alcool dans la plupart des provinces et territoires. En 2004-2005, les magasins d'alcool et de bière et leurs agents au Canada ont vendu 16,8 milliards de dollars de boissons alcoolisées aux consommateurs, aux bars, aux restaurants et à d'autres établissements.

Les revenus nets des régies des alcools des provinces et des territoires ont atteint 4,5 milliards de dollars en 2004-2005. C'est en Colombie-Britannique et en Ontario qu'ils ont augmenté le plus (hausses de 7,1 % et de 6,7 % respectivement), tandis qu'ils ont reculé de 4,4 % au Québec en raison d'une grève de trois mois à la Société des alcools du Québec.

Graphique 17.4
Ventes de boissons alcoolisées

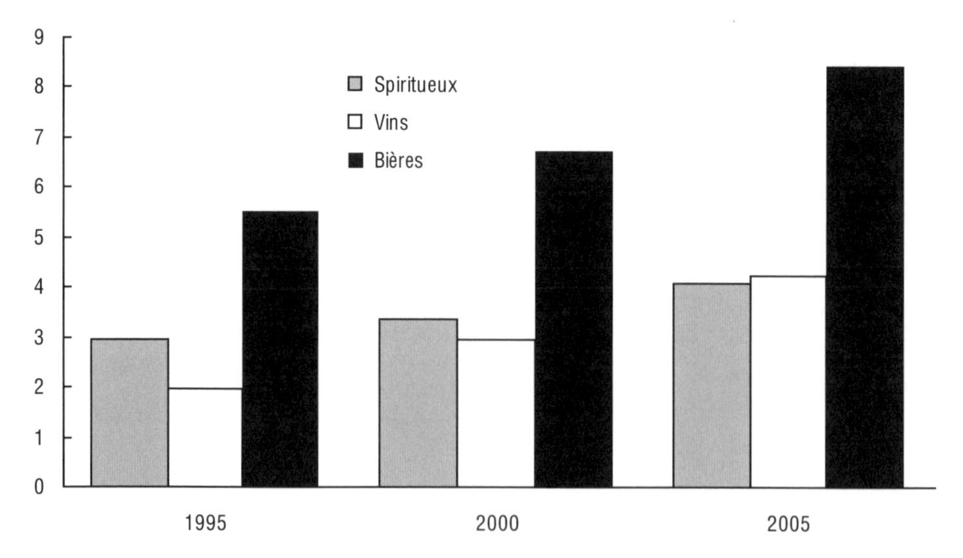

Source : Statistique Canada, CANSIM : tableau 183-0006.

Le défi de la dette publique au Canada

Le défi de la dette financière globale du Canada demeure entier, et ce, malgré les excédents que les trois ordres de gouvernement ont collectivement enregistrés depuis la fin des années 1990. En raison des dépenses publiques effectuées des années 1970 au milieu des années 1990, les Canadiens n'ont eu d'autre choix que d'endosser une dette se chiffrant à 798,4 milliards de dollars en mars 2004, ou 25 044 $ pour chaque personne du pays.

L'administration fédérale est celle qui a réussi le plus à faire baisser sa dette. Toutefois, elle détient la plus importante part du passif, soit environ 523,3 milliards de dollars en mars 2005. La dette financière fédérale nette par habitant est passée de 18 850 $ à 16 270 $ depuis 1995.

En 2006, 15 cents de chaque dollar que l'administration fédérale dépense vont aux intérêts débiteurs de la dette. Cela n'en constitue pas moins une remarquable amélioration par rapport à 1995, année où l'administration consacrait aux intérêts débiteurs près de 27 cents de chaque dollar.

Les administrations provinciales et territoriales ont eu des expériences très différentes en regard du fardeau de la dette. Au cours de la dernière décennie, les plus grosses provinces du Canada (le Québec, l'Ontario et la Colombie-Britannique) ont également enregistré les plus gros déficits annuels, faisant croître leur fardeau global chaque année. Cependant, le Manitoba, la Saskatchewan et le Nouveau-Brunswick ont affiché des excédents chaque année ou presque et ont réduit leur dette. L'Alberta a enregistré d'importants surplus ces dernières années et a complètement éliminé sa dette.

En mars 2004, toutes les provinces sauf l'Alberta étaient endettées. Le Yukon et les Territoires du Nord-Ouest n'ont pas eu de dette pendant la plus grande partie de la dernière décennie.

Les villes et villages du Canada sont également endettés, quoique leur dette soit beaucoup moins élevée que celle des autres administrations publiques. Elle s'élevait au total à 11,4 milliards de dollars en 2003.

Graphique 17.5
Dette financière nette par habitant, selon la province ou le territoire

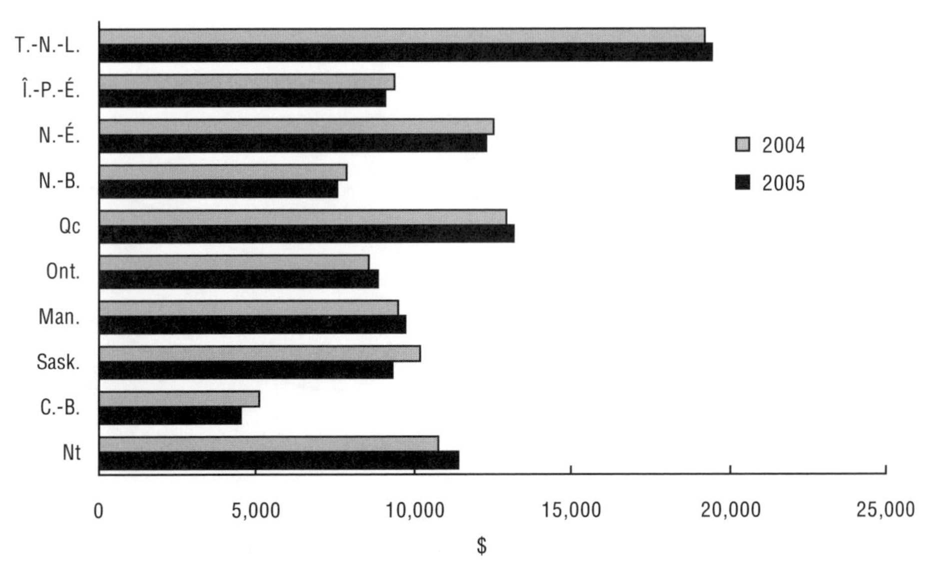

Notes : N'incluent pas les dettes des administrations publiques générales fédérale et locales.
L'Alberta, le Yukon et les Territoires du Nord-Ouest n'ont pas de dettes.
Estimations de la population au 1er avril.

Source : Statistique Canada, CANSIM : tableaux 051-0005 et 385-0014.

Investissement dans les infrastructures

Imaginez que vous n'investissiez jamais dans l'infrastructure de votre maison. Après 15 ans, votre toiture devra être réparée. Après 20 ans, les systèmes de chauffage et de climatisation commenceront à tomber en panne, et la plomberie et les composantes électriques commenceront à se détériorer. Votre maison serait rapidement invivable.

Les administrations publiques font face aux mêmes problèmes en ce qui concerne les infrastructures publiques, à savoir les routes, les réseaux d'égout, les installations de traitement des eaux usées et les ponts. En vérité, les installations de traitement des eaux, les réseaux d'égout ainsi que les routes et les autoroutes du Canada on plus de la moitié de leur durée de vie prévue. Cependant, grâce aux récentes hausses des investissements publics, l'âge moyen de l'infrastructure publique du Canada a reculé en 2003, la première baisse depuis 1973.

Les automobilistes canadiens ont beau pester encore contre les nids-de-poule et les embouteillages causés par les travaux routiers en été, notre réseau routier subit en fait une cure de rajeunissement depuis 1995, atteignant l'âge moyen de 16,6 ans en 2003. Toutefois, comme les routes et les autoroutes durent normalement environ 28 ans, elles ont néanmoins dépassé la moitié de leur durée de vie.

L'âge moyen des réseaux d'égout municipaux est en baisse depuis 1997. L'énorme investissement effectué ces dernières années par les administrations municipales dans ce type d'infrastructure a contribué à en tripler la valeur dans les 40 dernières années, la portant à 18,5 milliards de dollars.

De tous les types d'infrastructure, les installations de traitement des eaux usées étaient celles dont la durée de vie tirait le plus à sa fin. Encore une fois, ce sont les administrations municipales qui ont investi le plus, représentant 95 % de tous les investissements de 1997 à 2003. Par contre, les investissements provinciaux ont été faibles, et l'âge moyen des infrastructures provinciales a fait un bond spectaculaire, passant de 14,2 ans à 22,1 ans de 1963 à 2003.

Graphique 17.6
Âge de l'infrastructure publique

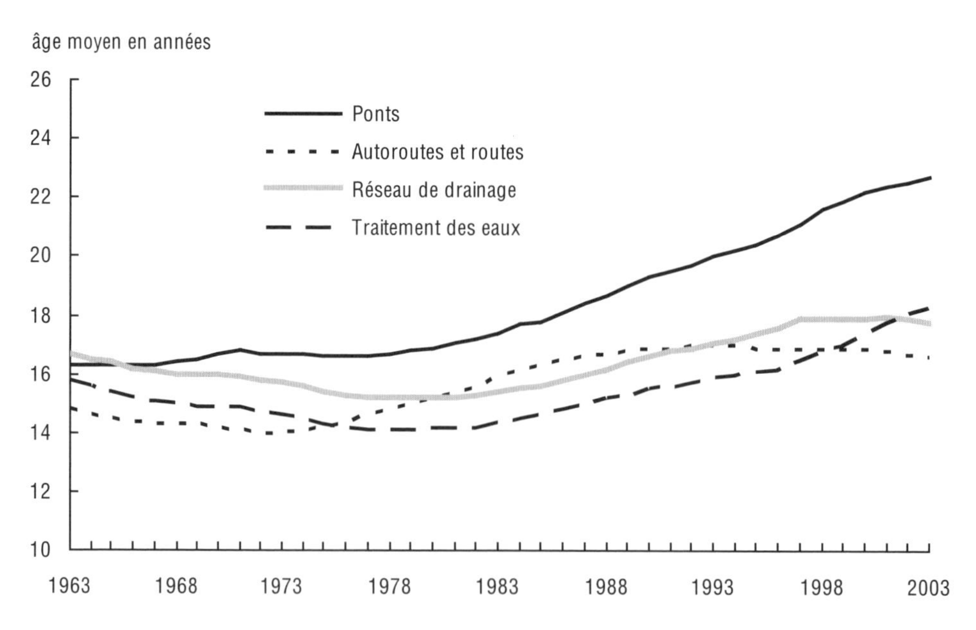

Source : Statistique Canada, produit nº 11-621-MIF au catalogue.

Régimes de retraite publics

La plupart des Canadiens attendent avec impatience et pendant de nombreuses années de prendre leur retraite : plus d'aller-retour entre la maison et le travail, plus de patrons et plus d'échéances. Toutefois, cette liberté a un prix : il n'y a plus de chèques de paye réguliers. Même si de nombreux Canadiens peuvent compter sur un régime de retraite duquel ils tirent un revenu pendant leurs années dorées, tous les Canadiens complètent leur revenu à la retraite par des prestations d'un régime de pension de l'État.

Fondé en 1966, le Régime de pensions du Canada (RPC) couvre les Canadiens de toutes les provinces et tous les territoires sauf le Québec, qui a son propre programme, le Régime de rentes du Québec (RRQ). Presque toutes les personnes occupées doivent verser des cotisations à ces régimes, lesquelles sont massivement investies en obligations et fonds de placement. En mars 2006, les actifs financiers combinés des deux régimes totalisaient un peu plus de 100,4 milliards de dollars. Le RPC représentait 77,0 milliards de dollars et le RRQ, 23,4 milliards de dollars.

Les deux régimes de pensions ont connu une énorme croissance depuis 2001, année où leur valeur combinée atteignait un peu plus de 64,1 milliards de dollars. Malgré les conditions précaires du marché au cours des premières années du nouveau siècle, des préoccupations concernant la diminution de ces fonds ont mené à une modification de la stratégie d'investissement pour les faire croître. Cette modification et les augmentations ultérieures des taux de cotisation aux deux régimes ont entraîné une grande amélioration de leur situation.

Les cotisations annuelles au RPC ont augmenté de plus du quart, passant de 23,5 milliards de dollars en 2001-2002 à près de 29,1 milliards de dollars en 2005-2006. Cette hausse, jumelée à des prestations de retraite augmentant à un rythme moins rapide (21 %) et à un revenu de placement stable, a permis au RPC de générer des excédents considérables pendant la même période. Les mêmes tendances générales s'observent pour le RRQ, quoique les cotisations à ce régime aient augmenté encore plus rapidement (33 %). Ces régimes représentent presque le cinquième du revenu total des Canadiens de 65 ans et plus.

Graphique 17.7
Situation financière nette des régimes de retraite publics

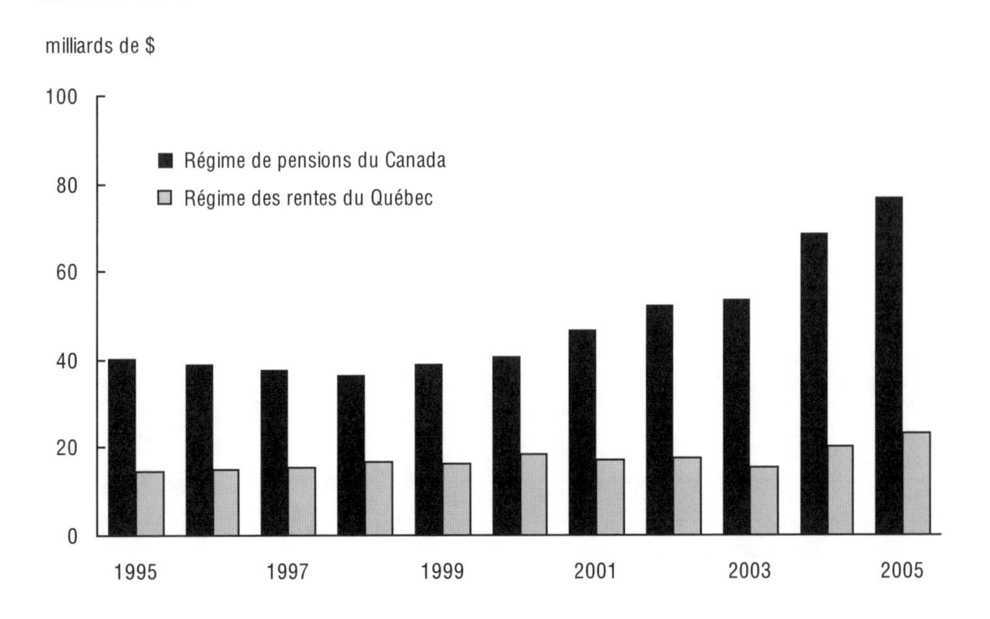

Source : Statistique Canada, CANSIM : tableau 385-0019.

Tableau 17.1 Recettes et dépenses consolidées des administrations fédérale, provinciales, territoriales et locales, 1992 à 2007

	1992	1993	1994	1995	1996	1997
	millions de dollars					
Recettes	**293 731**	**299 232**	**305 105**	**321 073**	**337 869**	**351 459**
Recettes autonomes	293 731	299 232	305 105	321 073	337 869	351 459
Impôts sur le revenu	117 709	113 434	115 128	123 417	134 343	143 578
Impôts sur le revenu des particuliers	101 935	99 514	98 426	102 144	108 649	113 750
Impôts sur le revenu des sociétés	14 417	12 606	15 240	19 525	23 604	26 758
Impôts sur l'exploitation minière et forestière	96	123	191	308	479	223
Impôts directs des non-résidents	1 261	1 191	1 272	1 439	1 611	2 847
Taxes à la consommation	59 554	61 112	63 268	65 647	66 951	69 372
Taxes générales de vente	33 608	35 204	37 517	40 050	40 320	42 222
Taxes sur les boissons alcoolisées et le tabac	7 992	7 450	6 592	5 389	5 459	5 581
Taxes sur les divertissements	248	270	208	309	351	411
Taxes sur les carburants	8 485	9 064	9 578	9 984	10 710	10 873
Droits de douane	3 999	3 811	3 652	3 576	2 971	2 677
Bénéfices sur la vente des boissons alcoolisées	2 428	2 402	2 408	2 356	2 658	2 519
Bénéfices remis, tirés des jeux de hasard	1 495	1 739	2 158	2 814	3 200	3 517
Autres taxes à la consommation	1 299	1 171	1 156	1 170	1 282	1 573
Impôts fonciers et impôts connexes	30 619	33 092	34 225	35 491	35 846	36 935
Autres impôts	11 028	11 431	12 030	12 455	13 039	13 080
Primes d'assurance-maladie	1 144	1 199	1 236	1 589	1 579	1 648
Contributions aux régimes de sécurité sociale	25 731	27 617	28 048	29 034	29 423	30 448
Vente de biens et services	22 413	23 094	24 082	25 208	25 993	28 036
Revenus de placements	22 303	22 718	22 733	23 621	25 338	25 340
Autres recettes autonomes	3 230	5 534	4 357	4 609	5 357	3 022
Dépenses	**356 372**	**365 336**	**368 752**	**373 760**	**381 158**	**371 693**
Services généraux de l'administration publique	11 896	12 179	12 234	12 227	12 157	12 255
Protection de la personne et de la propriété	27 569	28 195	29 538	29 248	29 330	28 501
Transports et communication	18 588	18 133	17 156	18 150	19 680	17 422
Santé	49 019	50 893	51 597	51 753	53 105	53 427
Services sociaux	92 692	97 838	101 106	97 324	97 215	98 392
Éducation	51 193	54 125	54 268	55 644	55 602	54 269
Conservation des ressources et développement industriel	18 987	16 685	15 777	15 473	15 029	13 072
Environnement	7 263	7 441	7 849	8 398	8 666	8 381
Loisirs et culture	8 805	9 077	8 832	8 906	9 189	9 010
Travail, emploi et immigration	3 255	3 556	2 628	2 575	2 805	2 237
Logement	3 981	4 113	3 976	3 885	3 948	4 053
Affaires extérieures et aide internationale	3 862	4 128	3 600	4 634	3 954	3 761
Planification et aménagement des régions	1 594	1 671	1 514	1 564	1 558	1 527
Établissements de recherche	1 655	1 932	1 904	2 135	1 933	1 623
Service de la dette	55 671	55 119	56 079	61 409	66 432	63 232
Autres dépenses	343	251	694	436	556	530
Surplus/déficit (-)	**-62 641**	**-66 104**	**-63 647**	**-52 687**	**-43 289**	**-20 234**

Notes : N'inclut ni le Régime de pensions du Canada ni le Régime de rentes du Québec.
Les données des administrations fédérale, provinciales et territoriales sont en date du 31 mars et celles des administrations locales sont en date du 31 décembre.

Source : Statistique Canada, CANSIM : tableau 385-0001.

1998	1999	2000	2001	2002	2003	2004	2005	2006	2007
				millions de dollars					
373 531	**385 460**	**414 170**	**446 959**	**437 288**	**447 861**	**468 557**	**499 072**	**535 469**	**558 817**
373 531	385 460	414 170	446 959	437 288	447 861	468 557	499 072	535 469	558 817
160 203	164 592	178 423	191 144	188 011	178 173	188 619	207 219	227 275	246 232
123 029	127 763	138 443	143 116	144 746	139 836	145 324	155 172	169 193	180 757
33 896	33 620	36 155	43 262	38 819	33 608	38 925	46 695	51 094	57 859
304	307	326	454	297	352	215	530	759	710
2 973	2 901	3 499	4 312	4 150	4 377	4 156	4 822	6 229	6 907
73 065	76 696	80 088	87 870	88 987	96 431	98 918	104 685	108 026	107 300
44 619	47 566	51 323	55 523	56 076	60 210	62 169	66 566	69 549	68 538
5 800	6 234	6 190	6 203	7 201	8 800	9 260	9 650	9 027	8 867
485	626	630	598	592	592	552	561	565	567
11 227	11 602	11 789	11 745	11 743	12 337	12 760	12 699	13 088	13 252
2 765	2 359	2 104	2 807	3 018	3 189	2 804	3 041	3 429	3 606
2 726	2 806	2 747	3 475	3 144	3 334	3 544	3 703	3 940	4 129
3 730	4 174	4 183	6 315	5 926	6 095	5 969	6 395	6 483	6 476
1 708	1 325	1 121	1 205	1 288	1 873	1 860	2 071	1 945	1 864
38 545	38 556	40 255	41 063	41 730	42 529	44 244	46 710	49 639	51 417
13 333	14 054	14 334	15 157	14 940	16 083	17 037	17 788	18 747	19 702
1 699	2 017	1 950	2 178	2 282	3 000	3 132	3 206	3 258	3 327
29 359	30 424	29 957	30 087	29 723	31 013	31 547	31 995	32 677	33 952
27 723	29 112	32 217	34 689	34 913	37 653	39 130	41 010	43 076	46 329
25 623	23 850	28 859	37 749	31 258	33 406	35 984	38 402	45 327	44 999
3 976	6 154	8 088	7 020	5 443	9 574	9 946	8 057	7 445	5 559
372 695	**387 438**	**401 520**	**424 557**	**437 568**	**455 442**	**474 712**	**487 552**	**516 910**	**540 339**
12 495	13 238	13 752	15 968	15 765	17 520	18 633	18 802	19 685	19 956
27 984	29 366	31 749	32 978	35 218	37 193	39 154	41 175	43 725	45 301
17 061	17 822	18 117	17 979	18 628	19 148	20 258	21 385	25 390	26 051
56 761	59 377	64 317	70 465	76 935	83 315	89 479	94 565	99 017	106 850
99 329	102 408	105 044	110 145	114 753	117 020	121 058	125 315	132 186	137 809
55 389	57 970	60 457	63 522	66 559	70 533	74 246	77 225	83 324	87 726
11 670	12 991	14 354	15 713	16 329	18 784	19 430	18 444	19 749	19 908
8 703	8 566	8 672	9 222	9 853	10 259	11 391	11 929	13 313	14 355
8 751	9 277	9 909	10 871	11 347	11 690	13 143	13 736	14 350	14 584
2 929	2 996	2 951	2 882	3 019	3 395	3 440	2 328	2 514	2 582
3 732	3 816	3 519	3 723	3 420	3 624	3 833	3 900	4 525	4 782
3 675	4 034	4 291	4 477	4 562	5 128	4 611	5 556	5 585	6 654
1 561	1 687	1 762	1 847	2 099	2 111	2 133	2 035	2 168	2 475
1 521	1 724	1 951	1 419	1 767	1 881	1 890	1 855	1 986	1 995
59 960	60 825	60 173	61 490	55 335	52 380	49 514	47 640	47 703	48 349
1 166	1 333	501	1 857	1 979	1 463	2 499	1 662	1 689	964
835	**-1 978**	**12 650**	**22 401**	**-280**	**-7 581**	**-6 156**	**11 520**	**18 559**	**18 477**

Tableau 17.2 Transferts des administrations publiques aux particuliers, 1991 à 2004

	1991	1992	1993	1994	1995	1996
	millions de dollars					
Ensemble des administrations publiques	**83 830**	**93 077**	**98 323**	**98 495**	**98 512**	**98 865**
Administration fédérale	45 385	49 317	51 600	50 166	48 879	48 752
Prestations familiales et allocations aux jeunes	2 824	2 870	37	37	38	39
Prestation fiscale et crédit d'impôt pour les enfants	598	658	5 252	5 259	5 214	5 228
Pensions (première et seconde guerres mondiales)	777	856	848	864	909	914
Allocations aux anciens combattants	439	443	441	417	397	383
Subventions aux Autochtones et à leurs organisations	2 376	2 573	2 886	3 027	3 566	3 564
Crédit pour taxes sur les produits et services	1 805	2 557	2 655	2 833	2 810	2 866
Prestations d'assurance-emploi	17 323	18 648	17 591	15 012	12 889	11 859
Paiements de la caisse de la sécurité de la vieillesse	17 955	18 776	19 479	20 170	20 622	21 221
Bourses d'études et subventions à la recherche	691	726	727	780	687	686
Transferts divers et autres	597	1 210	1 684	1 767	1 747	1 992
Administrations provinciales	20 937	23 651	24 603	24 815	25 406	25 576
Aide sociale, maintien du revenu	7 960	9 371	9 660	9 863	9 854	9 258
Aide sociale, autre	1 230	1 213	2 239	2 316	2 308	2 371
Indemnisations des accidentés du travail	3 982	4 091	3 925	3 811	3 992	4 198
Subventions aux associations de bienfaisance	5 571	6 848	5 506	5 577	5 962	6 123
Transferts divers	2 194	2 128	3 273	3 248	3 290	3 626
Administrations locales	2 700	3 410	3 899	3 949	3 738	2 950
Régime de pensions du Canada	11 298	12 808	14 058	15 132	15 777	16 559
Régime de rentes du Québec	3 510	3 891	4 163	4 433	4 712	5 028

Source : Statistique Canada, CANSIM : tableau 384-0009.

Tableau 17.3 Dette de l'administration fédérale, 1992 à 2006

	1992	1993	1994	1995	1996
	millions de dollars				
Dette fédérale brute	**476 104**	**514 357**	**557 604**	**595 877**	**634 939**
Dette non échue	352 905	383 798	414 942	441 991	470 581
Obligations négociables	161 499	181 322	208 464	233 621	262 279
Bons du trésor	152 300	162 050	166 000	164 450	166 100
Bons et trésor	7	2 552	5 649	9 046	7 296
Obligations d'épargne du Canada	35 598	34 369	31 331	31 386	31 428
Obligations détenues par le Régime de pensions du Canada	3 501	3 505	3 498	3 488	3 478
Comptes de pension de retraite	81 881	87 911	94 097	101 033	107 882
Billets du Dominion et monnaie en circulation	2 295	2 374	2 464	2 570	2 805
Autre passif	39 023	40 274	46 101	50 283	53 671
Dette non échue payable en devises étrangères	3 444	5 409	10 668	16 921	16 809
Actifs financiers	47 422	43 296	44 385	45 192	56 221
Dette fédérale nette[1]	**428 682**	**471 061**	**513 219**	**550 685**	**578 718**

Note : Année financière se terminant le 31 mars.

1. La dette fédérale nette est égale à la dette fédérale brute moins les actifs financiers.

Source : Statistique Canada, CANSIM : tableau 385-0010.

1997	1998	1999	2000	2001	2002	2003	2004
			millions de dollars				
100 431	**104 558**	**106 006**	**110 487**	**117 633**	**121 047**	**124 738**	**129 956**
49 234	50 739	51 575	53 479	57 965	60 857	62 949	65 436
43	58	84	99	116	133	140	157
5 310	5 600	5 939	6 577	7 379	7 824	8 051	8 549
921	918	910	973	1 196	1 398	1 463	1 527
387	387	414	404	267	212	223	266
3 730	4 447	4 271	4 511	4 448	4 800	4 951	5 191
2 905	2 924	2 943	2 974	3 099	3 140	3 264	3 346
10 874	10 713	10 150	9 615	11 361	12 837	13 361	13 269
21 798	22 398	22 907	23 790	24 789	25 747	26 931	27 992
700	519	519	531	560	585	612	668
2 566	2 775	3 438	4 005	4 750	4 181	3 953	4 471
25 945	26 717	27 170	28 574	29 662	29 781	30 039	31 021
8 723	8 050	7 048	6 538	6 547	6 603	6 642	6 739
2 408	2 241	2 546	2 906	2 966	2 936	3 130	3 229
4 067	3 886	4 073	4 434	4 840	5 150	5 034	5 117
6 714	7 196	7 322	7 953	8 406	8 500	8 593	8 868
4 033	5 344	6 181	6 743	6 903	6 592	6 640	7 068
2 640	3 523	2 990	3 248	3 641	2 637	2 737	2 870
17 327	18 054	18 540	19 183	20 023	21 076	21 986	23 129
5 285	5 525	5 731	6 003	6 342	6 696	7 027	7 500

1997	1998	1999	2000	2001	2002	2003	2004	2005	2006
				millions de dollars					
651 124	**645 725**	**648 389**	**648 212**	**644 900**	**640 526**	**629 638**	**628 830**	**626 217**	**619 701**
477 940	468 024	461 004	457 331	447 741	444 058	441 366	437 946	432 996	428 354
295 022	309 256	315 421	315 854	316 651	314 685	303 689	292 145	276 676	269 577
135 400	112 300	96 950	99 850	88 700	94 201	104 600	113 400	127 200	131 600
10 557	12 533	16 353	11 302	12 570	7 765	7 124	7 720	6 705	6 740
33 493	30 479	28 217	26 899	26 416	24 021	22 584	21 330	19 080	17 342
3 468	3 456	4 063	3 426	3 404	3 386	3 369	3 351	3 335	3 095
114 205	117 456	122 407	128 346	129 185	126 921	125 708	127 560	129 579	131 062
3 243	3 346	3 428	3 601	3 763	3 914	4 122	4 193	4 310	4 533
55 736	56 899	61 550	58 934	64 211	65 633	58 442	59 131	59 332	55 752
23 016	27 183	36 000	32 589	33 664	27 547	21 603	20 827	16 543	14 333
62 722	64 144	73 921	86 479	99 600	105 836	103 146	105 182	102 873	105 609
588 402	**581 581**	**574 468**	**561 733**	**545 300**	**534 690**	**526 492**	**523 648**	**523 344**	**514 089**

Tableau 17.4 Recettes et dépenses générales des administrations locales, 1991 à 2005

	1991	1992	1993	1994	1995	1996
	milliers de dollars					
Recettes	**34 960 527**	**37 313 812**	**37 911 249**	**39 289 875**	**41 133 761**	**39 340 577**
Recettes autonomes	26 270 406	27 609 032	28 277 839	29 310 874	30 582 415	30 515 429
Impôts fonciers et impôts connexes	16 806 435	17 936 420	18 500 589	19 055 608	19 158 680	19 545 258
Taxes à la consommation	71 049	60 916	46 897	50 055	51 119	53 752
Autres impôts	324 040	349 796	341 474	374 643	368 840	388 478
Ventes de biens et de services	6 619 034	6 900 550	7 039 517	7 398 971	7 887 476	7 943 709
Revenus de placements	2 094 570	1 988 056	1 941 689	1 988 419	2 691 690	2 153 561
Autres recettes autonomes	355 278	373 294	407 673	443 178	424 610	430 671
Transferts	8 690 121	9 704 780	9 633 410	9 979 001	10 551 346	8 825 148
Transferts à des fins générales	1 737 648	1 916 222	1 504 938	1 405 870	1 358 395	1 520 974
Transferts à des fins particulières	6 952 473	7 788 558	8 128 472	8 573 131	9 192 951	7 304 174
Administration fédérale	200 258	213 794	214 862	326 895	560 015	497 538
Administrations provinciales et territoriales	6 752 215	7 574 764	7 913 610	8 246 236	8 632 936	6 806 636
Dépenses	**36 700 754**	**38 388 959**	**39 175 489**	**39 830 832**	**41 422 310**	**39 531 850**
Services généraux de l'administration publique	3 734 926	3 751 067	3 724 583	3 759 375	4 006 555	3 876 999
Protection de la personne et de la propriété	5 379 143	5 625 165	5 759 405	5 849 975	6 049 580	6 113 280
Transports et communications	7 364 948	7 603 564	7 727 202	7 970 965	8 415 181	7 936 934
Santé	733 081	804 429	776 316	760 058	812 004	723 213
Services sociaux	4 119 790	4 860 749	5 376 493	5 396 899	5 186 296	4 263 112
Éducation	180 069	151 561	149 150	149 669	148 372	148 294
Conservation des ressources et développement industriel	795 391	765 319	757 393	812 597	808 144	720 586
Environnement	5 303 036	5 560 787	5 627 471	5 957 365	6 419 277	6 299 724
Loisirs et culture	4 237 428	4 453 275	4 382 103	4 474 516	4 821 431	4 846 078
Logement	777 657	735 781	664 941	634 745	575 561	550 909
Planification et aménagement des régions	693 106	701 830	662 301	624 732	693 551	623 945
Frais de la dette	3 083 493	3 220 211	3 364 485	3 197 402	3 219 343	3 109 192
Autres dépenses	298 686	155 221	203 646	242 534	267 015	319 584
Surplus/déficit (-)	**-1 740 227**	**-1 075 147**	**-1 264 240**	**-540 957**	**-288 549**	**-191 273**

Note : Année se terminant le 31 décembre.

Source : Statistique Canada, CANSIM : tableau 385-0004.

1997	1998	1999	2000	2001	2002	2003	2004	2005
milliers de dollars								
39 830 426	**44 329 474**	**46 681 044**	**45 707 480**	**47 914 279**	**49 529 673**	**52 088 450**	**54 873 078**	**56 375 316**
31 612 035	35 447 971	37 514 492	38 470 120	40 344 645	41 427 165	43 459 745	45 711 851	46 714 178
20 156 358	23 202 176	24 166 067	24 347 710	25 216 004	26 066 057	27 561 288	28 936 177	29 705 281
54 984	57 688	77 824	83 450	91 430	96 387	102 279	97 668	101 099
439 999	457 849	511 083	513 055	555 742	619 738	631 634	693 747	721 902
8 497 302	9 131 215	10 006 389	10 503 975	11 217 092	11 641 456	11 804 220	12 311 861	12 515 841
2 017 827	2 108 481	2 206 737	2 363 079	2 535 109	2 260 957	2 545 493	2 864 104	2 858 336
445 565	490 562	546 392	658 851	729 268	742 570	814 831	808 294	811 719
8 218 391	8 881 503	9 166 552	7 237 360	7 569 634	8 102 508	8 628 705	9 161 227	9 661 138
1 238 912	1 424 893	1 183 535	1 165 153	1 335 653	1 474 235	1 540 818	1 617 394	1 618 974
6 979 479	7 456 610	7 983 017	6 072 207	6 233 981	6 628 273	7 087 887	7 543 833	8 042 164
369 127	292 967	225 439	207 188	331 767	645 828	647 329	729 673	841 009
6 610 352	7 163 643	7 757 578	5 865 019	5 902 214	5 982 445	6 440 558	6 814 160	7 201 155
40 005 727	**42 247 792**	**43 396 277**	**44 911 636**	**46 724 396**	**48 669 333**	**53 658 124**	**55 559 653**	**58 531 338**
4 014 048	4 237 621	4 711 618	3 836 904	4 359 578	5 165 139	5 688 639	5 719 359	6 062 095
6 195 067	6 767 336	6 819 085	7 194 115	7 707 272	8 096 465	8 632 608	9 225 001	9 665 621
8 390 914	8 492 782	8 822 465	8 918 128	9 094 338	9 245 703	10 078 677	10 980 749	11 545 112
674 411	860 300	763 441	914 879	1 142 819	1 248 668	1 358 072	1 468 330	1 517 110
4 213 551	5 171 253	4 982 959	5 532 077	5 187 874	5 285 551	5 510 649	5 704 180	5 493 263
182 891	183 812	176 403	190 711	223 890	202 385	202 342	205 221	198 149
796 395	813 459	912 009	940 118	970 859	937 830	1 054 767	1 124 402	1 152 578
6 442 329	6 250 761	6 388 056	6 797 043	7 168 290	7 432 848	8 351 000	8 981 743	10 135 087
4 649 903	4 741 202	5 003 778	5 538 033	5 846 720	5 751 152	6 472 763	7 015 622	7 050 286
558 536	1 098 613	1 142 914	1 481 658	1 721 882	1 901 034	2 005 897	1 879 764	1 958 357
648 769	696 463	742 136	780 654	859 517	903 391	877 434	989 182	1 066 274
2 908 177	2 803 772	2 668 034	2 448 319	2 328 317	2 291 318	2 207 397	2 215 020	2 196 839
330 736	130 418	263 379	338 997	113 040	207 849	1 217 879	51 080	490 567
-175 301	**2 081 682**	**3 284 767**	**795 844**	**1 189 883**	**860 340**	**-1 569 674**	**-686 575**	**-2 156 022**

Tableau 17.5 Emplois, salaires et traitements dans le secteur public, 2002 à 2006

	2002	2003	2004	2005	2006
	nombre				
Emploi[1]	**2 953 012**	**3 024 090**	**3 038 693**	**3 082 690**	**3 142 270**
Administration publique	2 689 111	2 756 850	2 773 734	2 819 229	2 879 547
Administration publique générale fédérale[2]	359 477	366 428	366 654	370 601	386 685
Administrations publiques générales, provinciales et territoriales	333 193	345 684	344 384	347 828	350 756
Institutions de services de santé et services sociaux, provinciales et territoriales	723 854	752 279	753 425	766 773	780 390
Universités, collèges, instituts de formation professionnelle et écoles de métiers, provinciales et territoriales	309 735	320 542	328 985	334 720	340 289
Administrations publiques générales, locales	359 271	367 627	368 123	377 603	385 621
Commissions scolaires locales	603 581	604 290	612 162	621 703	635 806
Entreprises publiques	263 901	267 240	264 958	263 461	262 723
Entreprises publiques, fédérales	88 429	88 366	87 911	87 502	87 138
Entreprises publiques, provinciales et territoriales	125 185	127 292	123 988	121 243	119 028
Entreprises publiques, locales	50 287	51 582	53 060	54 717	56 558
	milliers de dollars				
Salaires et traitements[3]	**126 127 906**	**132 087 438**	**136 860 265**	**143 312 467**	**151 186 092**
Administration publique	113 719 389	119 301 395	123 990 420	130 297 376	137 984 277
Administration publique générale fédérale[2]	20 384 178	21 018 975	21 349 471	23 641 853	24 804 604
Administrations publiques générales, provinciales et territoriales	16 126 533	17 047 909	17 284 858	17 718 811	18 689 994
Institutions de services de santé et services sociaux, provinciales et territoriales	27 442 889	28 663 440	30 375 029	31 614 224	33 976 066
Universités, collèges, instituts de formation professionnelle et écoles de métiers, provinciales et territoriales	12 231 426	13 174 934	14 049 578	14 662 942	15 394 780
Administrations publiques générales, locales	13 831 226	14 826 207	15 468 000	16 328 820	17 173 727
Commissions scolaires locales	23 703 134	24 569 925	25 463 486	26 330 725	27 945 103
Entreprises publiques	12 408 518	12 786 045	12 869 841	13 015 090	13 201 815
Entreprises publiques, fédérales	3 720 828	3 776 196	3 831 447	3 909 689	3 990 372
Entreprises publiques, provinciales et territoriales	6 239 806	6 447 641	6 349 344	6 276 102	6 227 527
Entreprises publiques, locales	2 447 884	2 562 206	2 689 052	2 829 299	2 983 915

Notes : Le 24 août 2005, certains estimés antérieurs à l'année 2005 ont été révisés : les données relatives à l'administration publique générale du Nunavut ont été révisées à partir de l'année 2000; les données relatives aux entreprises publiques fédérales de la Nouvelle-Écosse et du Manitoba ont été révisées à partir de l'année 2003; les données relatives aux entreprises publiques provinciales de l'Ontario ont été révisées à partir de l'année 2003. Dans chaque cas, les totaux correspondants pour l'ensemble des administrations publiques, des entreprises publiques et de l'ensemble du secteur public ont été révisés.

Les données sont au 31 décembre.

1. Les données d'emplois ne sont pas en équivalent temps-plein et ne font pas de distinction entre les employés à temps plein et à temps partiel. Inclut les employés au Canada et à l'extérieur du Canada.
2. L'administration publique générale fédérale comprend les réservistes et les membres des forces aremées canadiennes à temps plein.
3. Les salaires et traitements sont une somme annuelle. Incluent les employés au Canada et à l'extérieur du Canada.

Source : Statistique Canada, CANSIM : tableau 183-0002.

Tableau 17.6 Personnel militaire et rémunération, 2002 à 2006

	2002	2003	2004	2005	2006
	nombre annuel moyen d'employés				
Canada et extérieur du Canada	**82 217**	**83 766**	**84 059**	**85 706**	**87 728**
Terre-Neuve-et-Labrador	1 240	1 295	1 402	1 375	1 226
Île-du-Prince-Édouard	263	262	266	284	213
Nouvelle-Écosse	10 526	10 598	10 696	10 830	10 520
Nouveau-Brunswick	4 852	4 949	4 959	5 084	5 300
Québec	15 569	15 384	15 402	16 121	17 663
Ontario	26 907	27 751	27 681	28 413	29 741
Manitoba	3 800	3 960	3 908	3 927	3 824
Saskatchewan	1 103	1 100	1 104	1 150	1 108
Alberta	8 887	9 052	9 209	9 078	9 090
Colombie-Britannique	7 461	7 741	7 776	7 793	7 298
Yukon	x	x	x	x	x
Territoires du Nord-Ouest	134	148	153	150	165
Nunavut	x	x	x	x	x
Extérieur du Canada	1 470	1 521	1 496	1 494	1 577
	traitements et salaires annuels totaux en milliers de dollars				
Canada et extérieur du Canada	**3 949 221**	**4 072 576**	**4 131 026**	**4 635 783**	**4 862 433**
Terre-Neuve-et-Labrador	42 203	44 635	45 623	55 668	54 956
Île-du-Prince-Édouard	4 722	4 516	4 838	6 299	4 643
Nouvelle-Écosse	560 373	571 509	577 835	645 756	651 303
Nouveau-Brunswick	214 374	218 997	224 536	257 565	271 461
Québec	652 574	667 067	691 186	777 348	868 205
Ontario	1 310 586	1 365 989	1 377 555	1 552 523	1 656 817
Manitoba	192 432	200 137	196 820	220 550	221 301
Saskatchewan	44 146	45 867	47 793	50 570	51 221
Alberta	417 826	426 726	433 678	483 977	504 057
Colombie-Britannique	387 656	399 413	406 287	448 902	424 966
Yukon	x	x	x	x	x
Territoires du Nord-Ouest	11 040	11 920	12 102	13 807	15 083
Nunavut	x	x	x	x	x
Extérieur du Canada	111 003	115 550	112 388	122 103	137 954

Notes : Les données d'emploi ne sont pas en équivalent à temps plein et ne font pas de distinction entre les employés à temps plein et à temps partiel.
Exclut les employés civils.

Source : Statistique Canada, CANSIM : tableau 183-0004.

Tableau 17.7 Recettes et dépenses des institutions de services de santé et de services sociaux, 2003 à 2007

	2003	2004	2005	2006	2007
	milliers de dollars				
Recettes	**53 363 118**	**57 163 948**	**60 362 742**	**63 712 802**	**69 039 362**
Recettes autonomes	8 066 583	8 417 204	8 985 511	9 508 376	10 326 873
Ventes de biens et de services	6 742 844	7 236 310	7 748 671	8 202 267	8 909 139
Revenus de placements	122 103	146 341	115 278	120 579	130 779
Autres recettes autonomes	1 201 636	1 034 552	1 121 562	1 185 531	1 286 956
Transferts de l'ensemble des administrations publiques	45 296 535	48 746 744	51 377 231	54 204 425	58 712 489
Administration fédérale	857	6 334	6 868	5 282	5 848
Administrations provinciales	45 105 809	48 475 693	51 148 536	53 962 320	58 449 620
Administrations locales	189 869	264 718	221 827	236 823	257 022
Dépenses	**55 064 854**	**59 121 941**	**61 907 633**	**63 972 758**	**69 301 721**
Santé	48 856 865	52 582 587	55 037 326	56 800 899	61 568 320
Soins hospitaliers	25 624 256	27 357 155	28 647 459	30 126 928	32 716 547
Soins médicaux	11 272 160	12 110 118	13 164 745	12 842 837	13 902 999
Soins préventifs	953 514	1 077 248	1 167 437	1 224 864	1 327 722
Autres services de santé	11 006 935	12 038 066	12 057 686	12 606 270	13 621 052
Services sociaux	5 998 135	6 315 931	6 641 924	6 938 575	7 484 622
Assistance sociale	58 051	47 541	41 312	4 471	4 906
Autres services sociaux	5 940 084	6 268 390	6 600 611	6 934 104	7 479 716
Service de la dette	205 220	218 531	224 545	233 223	248 713
Logement	4 634	4 893	3 838	61	67
Surplus/déficit (-)	**-1 701 734**	**-1 957 994**	**-1 544 891**	**-259 957**	**-262 359**

Note : Année financière se terminant le 31 mars.

Source : Statistique Canada, CANSIM : tableau 385-0008.

Tableau 17.8 Répartition des sièges de la Chambre des communes, 39e élection générale, 2006

	Tous les sièges	Parti conservateur du Canada	Parti libéral du Canada	Bloc Québécois	Nouveau Parti Démocratique	Indépendant
	nombre					
Canada	**308**	**124**	**103**	**51**	**29**	**1**
Terre-Neuve-et-Labrador	**7**	3	4	0	0	0
Île-du-Prince-Édouard	**4**	0	4	0	0	0
Nouvelle-Écosse	**11**	3	6	0	2	0
Nouveau-Brunswick	**10**	3	6	0	1	0
Québec	**75**	10	13	51	0	1
Ontario	**106**	40	54	0	12	0
Manitoba	**14**	8	3	0	3	0
Saskatchewan	**14**	12	2	0	0	0
Alberta	**28**	28	0	0	0	0
Colombie-Britannique	**36**	17	9	0	10	0
Yukon	**1**	0	1	0	0	0
Territoires du Nord-Ouest	**1**	0	0	0	1	0
Nunavut	**1**	0	1	0	0	0

Source : Élections Canada.

Langues

18

SURVOL

Selon les résultats du Recensement de 2001, l'anglais était la langue maternelle de 59 % des Canadiens, un pourcentage qui est demeuré inchangé depuis 1951. Le français était la langue maternelle de 23 % des Canadiens, en baisse par rapport au taux de 29 % enregistré en 1951. Une langue maternelle est la première langue apprise à la maison dans l'enfance et encore comprise.

Plus de 100 autres langues sont parlées au Canada, et on peut les entendre à la télévision et à la radio, au travail, à l'école, dans les autobus et au centre commercial du quartier. Par conséquent, des mots comme *pita*, *siesta* et *ciao* ont désormais leur place dans notre langage de tous les jours.

Après l'anglais et le français, le chinois est la langue la plus fréquemment parlée au Canada, suivie de l'italien et de l'allemand. En 1971, l'allemand était la troisième grande langue au pays, suivie de l'italien et de l'ukrainien. Les langues arabe, espagnole et pendjabi sont de plus en plus courantes, ce qui reflète la diversité ethnique croissante au pays et l'expansion des activités commerciales.

De nombreux facteurs influencent la façon dont les Canadiens utilisent les langues : l'immigration, la migration interprovinciale, les mariages interculturels, les taux de fécondité, les lois et la langue parlée à la maison et au travail.

Usage et transfert linguistiques

Pour la plupart des immigrants, l'anglais ou le français devient la langue la plus souvent utilisée à l'école et au travail, même si nombre d'entre eux s'efforcent de conserver leur langue ancestrale. À long terme, les enfants et les petits-enfants des immigrants sont enclins à adopter l'anglais ou le français comme langue maternelle.

Le transfert linguistique — la tendance à parler une autre langue que la langue maternelle à la maison — peut indiquer un changement de la langue qui sera transmise aux futures générations d'une même famille.

Graphique 18.1
Langue maternelle, Canada et Québec, 1951 et 2001

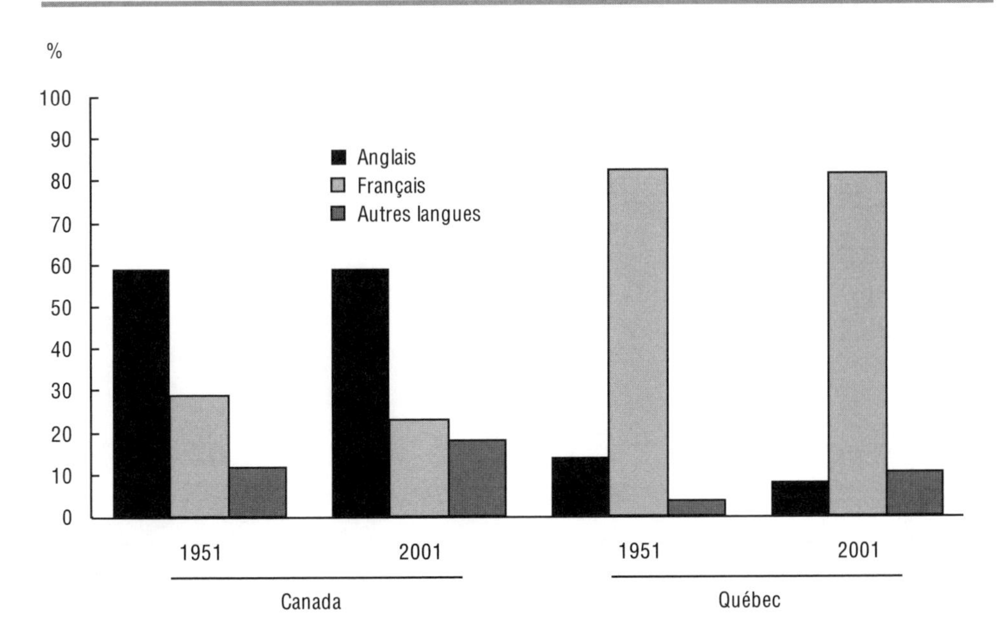

Source : Statistique Canada, recensements de la population de 1951 et 2001.

Par exemple, on observe une augmentation des transferts linguistiques chez les minorités francophones à l'extérieur du Québec. En 1971, 30 % des francophones hors Québec parlaient une autre langue que le français à la maison, habituellement l'anglais. En 2001, ce chiffre est passé à 38 %. Le taux de transfert linguistique variait entre 11 % chez les francophones du Nouveau-Brunswick et 75 % chez les francophones de la Saskatchewan. Au Québec, le taux de transfert linguistique au sein de la minorité anglophone a été de 10 % en 2001, en hausse par rapport au taux de 8 % enregistré en 1971.

En 2001, 1 Canadien sur 6 était allophone, c'est-à-dire que plus de 5,2 millions de personnes possédaient une langue maternelle autre que l'anglais ou le français. Ce chiffre correspond à 18 % de la population, en hausse par rapport au taux de 12 % enregistré en 1951.

Au Québec, de nos jours, un plus grand nombre d'allophones apprennent le français et opèrent un transfert linguistique vers cette langue : 46 % ont adopté le français en 2001, comparativement à 39 % en 1996. En 2001, 73 % des allophones étaient aptes à soutenir une conversation en français, comparativement à 69 % en 1996. Environ 54 % d'allophones ont effectué un transfert linguistique vers l'anglais en 2001, comparativement à 61 % en 1996.

La majorité des allophones habitent en Ontario, en Colombie-Britannique, au Québec et en Alberta, et la plupart d'entre eux vivent dans nos grandes villes. Le chinois est la principale langue non officielle à Vancouver, Toronto, Calgary, Ottawa et Edmonton. L'italien est la principale langue non officielle à Montréal et à Windsor, tandis qu'à Winnipeg et à Kitchener, c'est l'allemand. En 2001, le pendjabi est devenu la principale langue non officielle de la ville d'Abbotsford en Colombie-Britannique.

Les huit plus grands groupes allophones

1971		2001[1]	
	milliers		
Allemand	559,0	Chinois	872,4
Italien	538,8	Italien	494,0
Ukrainien	309,9	Allemand	455,5
Néerlandais[2]	146,7	Pendjabi	284,8
Polonais	136,5	Espagnol	260,8
Grec	103,7	Portugais	222,9
Chinois	95,9	Arabe	220,5
Magyar (Hongrois)	87,5	Polonais	215,0

1. Inclut toutes les réponses où il est fait mention de ces langues non officielles.
2. Comprend aussi les répondants ayant déclaré le flamand ou le frison.

Source : Statistique Canada, recensements de la population de 1971 et 2001.

Langues maternelles

De nombreux immigrants estiment qu'il est important d'enseigner leur langue maternelle

Graphique 18.2
Population allophone, par province et territoire, 2001

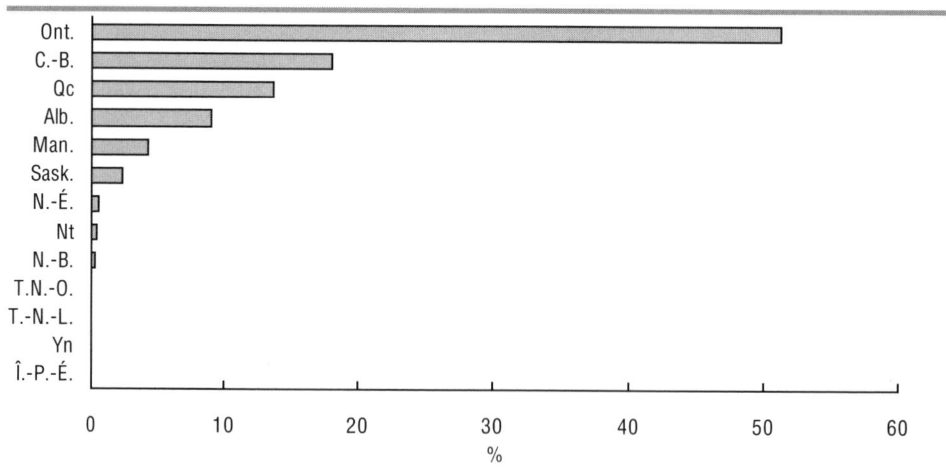

Note : Les allophones sont les personnes dont la langue maternelle n'est ni l'anglais ni le français.
Source : Statistique Canada, Recensement de la population de 2001.

à leurs enfants nés au Canada. Outre sa valeur culturelle, cet enseignement transmet des connaissances d'une autre langue aux enfants, leur procure une forte identité ethnique et leur permet de participer à des entreprises ethniques et d'entretenir des relations sociales avec les membres de leur groupe ethnique.

L'Enquête sur la diversité ethnique de 2002 a permis d'établir que 64 % des adultes ont déclaré avoir appris la langue ancestrale de leurs parents dans l'enfance et que 74 % d'entre eux étaient encore aptes à soutenir une conversation dans cette langue. Les enfants étaient plus susceptibles d'utiliser la langue maternelle de leurs parents à la maison s'ils l'avaient apprise en bas âge.

Une fois adultes, 32 % des enfants utilisaient régulièrement la langue maternelle de leurs parents à la maison. En dehors de la maison, 16 % des enfants d'immigrants récents devenus adultes parlaient régulièrement leur langue ancestrale avec leurs amis, tandis que 12 % de ceux qui étaient sur le marché du travail l'utilisaient régulièrement au travail.

Les parents dont la langue maternelle était le pendjabi, l'espagnol, le cantonais, le coréen ou le grec étaient les plus susceptibles d'avoir des enfants qui avaient appris leur langue en tant que langue maternelle. Les personnes faisant partie de groupes d'immigrants moins récents — notamment les Hollandais, les Scandinaves, les Allemands, les Philippins, les peuples sémitiques et nigéro-congolais — étaient les moins susceptibles de transmettre leur langue maternelle aux jeunes générations.

Graphique 18.3
Bilinguisme français-anglais, par province et territoire, 2001

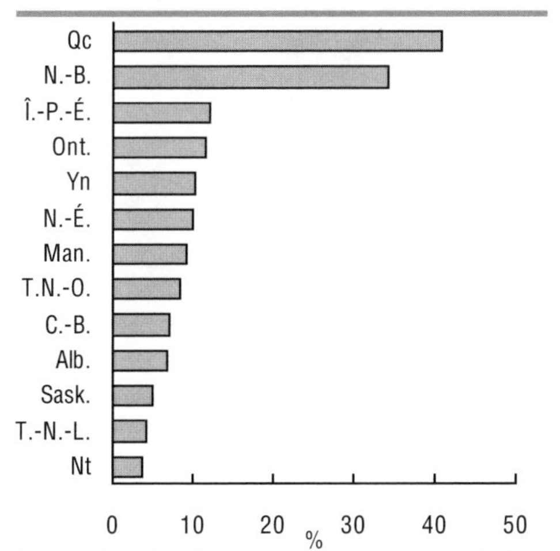

Source : Statistique Canada, Recensement de la population de 2001.

Hausse du bilinguisme

Au Recensement de 2001, 18 % de la population, soit 5,2 millions de personnes, ont déclaré être bilingues (anglais-français), en hausse par rapport au taux de 17 %, soit 4,8 millions de personnes, observé cinq ans auparavant. À l'échelle nationale, 44 % des francophones ont déclaré être bilingues en 2001, comparativement à 9 % des anglophones.

Le bilinguisme est en hausse au Québec. En 2001, 41 % des Québécois ont déclaré être bilingues, contre 38 % en 1996 et 35 % en 1991. Les anglophones du Québec affichent le taux de bilinguisme le plus élevé au Canada; ce taux est en hausse, étant passé de 63 % en 1996 à 67 % en 2001. Par contre, la proportion d'anglophones a diminué, passant de 14 % de la population du Québec en 1951 à 8 % en 2001.

Dans le reste du Canada, le taux de bilinguisme a augmenté : en 2001, il s'élevait à 10 %, comparativement à 8 % en 1971.

Sources choisies

Statistique Canada

- *Le volet canadien de l'Enquête internationale sur l'alphabétisation et les compétences des adultes de 2003 (EIACA) : état de la situation chez les minorités de langue officielle.* Irrégulier. 89-552-MIF2006015
- *Les langues au Canada : Recensement de 2001.* Patrimoine canadien et Statistique Canada, 2004. 96-326-XIF
- *L'utilisation du français et de l'anglais au travail, Recensement de 2001.* Tous les 5 ans. 96F0030XIF2001011
- *Profil des langues au Canada : l'anglais, le français et bien d'autres langues, Recensement de 2001.* Tous les 5 ans. 96F0030XIF2001005
- *Tendances sociales canadiennes.* Irrégulier. 11-008-XWF

Langue maternelle : littératie et numératie

Les résultats de l'Enquête internationale sur l'alphabétisation et les compétences des adultes de 2003 indiquent des écarts importants dans les niveaux de compétences en littératie et en numératie chez les francophones, les anglophones et les allophones au Canada.

Les écarts sont moins prononcés chez les plus jeunes participants et ils sont presque inexistants lorsqu'on tient compte du niveau de scolarité. C'est donc le niveau de scolarité, et non la langue, qui est fortement associé aux compétences en littératie nécessaires pour traiter l'information écrite, qu'il s'agisse de textes ou de chiffres.

Les participants de langue maternelle anglaise ont obtenu de meilleurs résultats aux différents tests de littératie et de numératie que ceux des deux autres groupes linguistiques. Près de 21 % des anglophones avaient atteint le niveau de compétence le plus élevé sur l'échelle de compréhension de textes suivis (éditoriaux, nouvelles ou brochures). La proportion était de 13 % chez les francophones et de 10 % chez les allophones. On obtient des résultats similaires en ce qui a trait à la compréhension de textes schématiques (demandes d'emploi, talons de chèque de paie, horaires de transport, cartes routières, tableaux et graphiques).

Selon l'enquête, 42 % de la population adulte âgée de 16 à 65 ans n'a pas obtenu au moins le niveau 3 sur l'échelle de compréhension de textes suivis; il s'agit du niveau de compétence minimal pour faire face aux exigences actuelles de la société de l'information.

La performance en littératie varie selon la province. Au Nouveau-Brunswick, 66 % des francophones n'ont pas atteint le niveau de compétence minimal sur l'échelle des textes suivis, comparativement à 55 % des francophones du Québec, de l'Ontario et du Manitoba. Les anglophones du Nouveau-Brunswick sont proportionnellement plus nombreux que leurs homologues des autres provinces à ne pas avoir atteint ce niveau.

Graphique 18.4
Compétences en littératie et en numératie au niveau 3 et plus, population de 16 à 65 ans, selon la langue maternelle, 2003

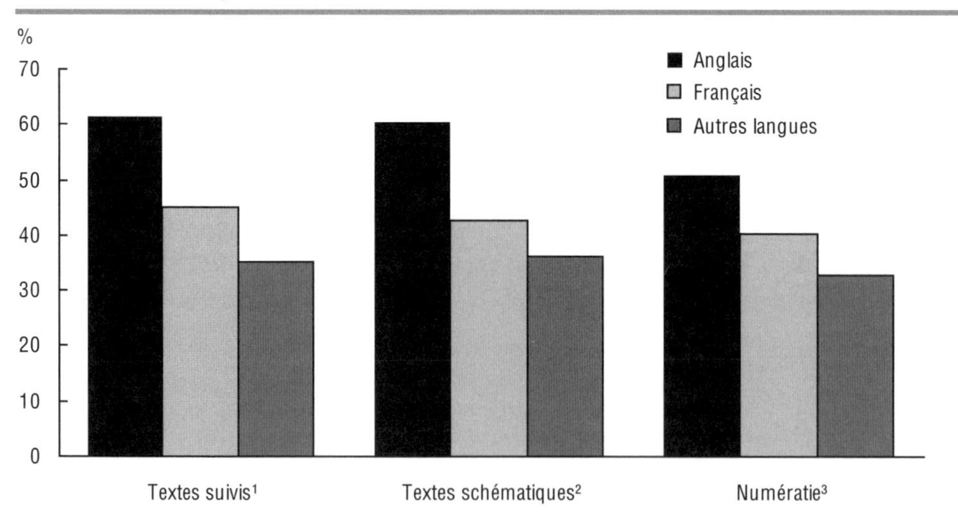

Note : Le niveau 3 est considéré comme un seuil minimal permettant de comprendre et d'utiliser l'information contenue dans des textes et des tâches de difficulté grandissante.

1. Les connaissances et les compétences requises pour comprendre et utiliser l'information de textes suivis.
2. Les connaissances et les compétences requises pour situer et utiliser l'information contenue dans des documents de divers formats, des cartes, des tableaux, des graphiques et des horaires.
3. Les connaissances et les compétences requises pour gérer efficacement les exigences relatives aux notions de calcul de diverses situations quotidiennes.

Source : Statistique Canada, produit nº 89-617-MIF au catalogue.

Évolution des langues autochtones

Bien que le nombre de locuteurs de certaines langues autochtones diminue, d'autres langues sont en croissance. Si l'on compare les chiffres des communautés autochtones du Recensement de 1996 avec leur situation en 2001, le nombre de locuteurs de l'inuktitut a augmenté. En 2001, 31 945 personnes ont dit être aptes à soutenir une conversation en inuktitut, en hausse de 8,7 % par rapport aux 29 400 locuteurs recensés en 1996. Le nombre de personnes qui parlent le déné et le montagnais-naskapi a augmenté de 10,2 %.

Toutefois, moins d'Autochtones ont déclaré avoir pour langue maternelle une langue autochtone : 198 595 personnes en 2001, soit un recul de près de 4 % comparativement aux 205 800 personnes recensées en 1996. Une langue maternelle est la première langue apprise à la maison dans l'enfance et encore comprise.

Le nombre de personnes dont le cri est la langue maternelle a reculé de 3 % par rapport à 1996, tandis que le nombre de celles qui parlent l'ojibway a reculé de 6 %. Parmi les langues autochtones déclarées langues maternelles en 2001, les trois plus courantes sont le cri (80 000 personnes), l'inuktitut (29 700 personnes) et l'ojibway (23 500 personnes).

Un bon indicateur de la rétention linguistique dans une collectivité est la langue parlée par les enfants de 14 ans et moins. En 2001, 64 % des enfants inuits utilisaient une langue autochtone comme langue maternelle, comparativement à 17 % des enfants qui était membres des Premières nations. En outre, 2 % des enfants métis parlaient une langue autochtone en tant que langue maternelle.

En 2001, 71 % des Inuits ont déclaré connaître leur langue ancestrale. Près de 30 % des Premières nations ont déclaré connaître leur langue ancestrale, comparativement à 5 % des Métis. En 2001, 24 % des Autochtones ont déclaré pouvoir soutenir une conversation dans leur langue, soit une baisse comparativement aux 29 % enregistrés en 1996. Les Autochtones qui vivent dans le Nord, sur des réserves ou dans des établissements sont plus susceptibles de conserver leur langue maternelle que ceux qui vivent dans des zones urbaines.

Graphique 18.5
Langues maternelles, certaines langues autochtones, 2001

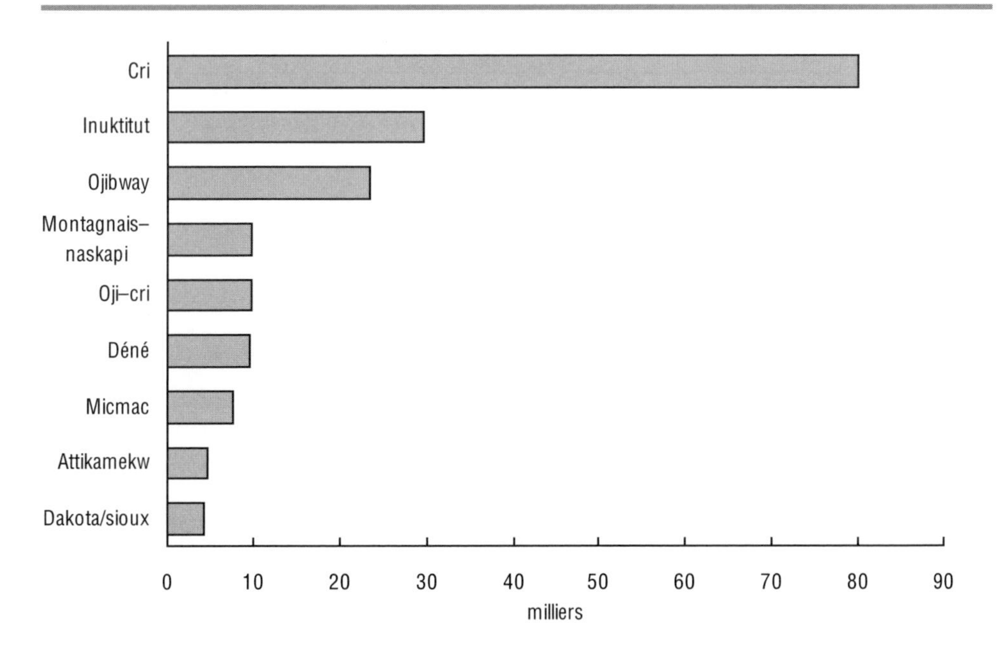

Source : Statistique Canada, Recensement de la population de 2001.

Le chinois, langue maternelle

Le chinois comme langue maternelle a connu une croissance rapide au Canada depuis les années 1980, en raison de l'immigration croissante, particulièrement en provenance de la République populaire de Chine, de Hong Kong et de Taiwan.

Le chinois est la langue la plus parlée au Canada après l'anglais et le français. Au Recensement de 2001, 853 700 personnes ont déclaré le chinois comme langue maternelle encore comprise. Les dialectes chinois les plus répandus comme langue maternelle sont le cantonais (322 300 personnes) et le mandarin (101 800 personnes).

La majorité des immigrants s'installent dans les grandes villes. Vancouver exerce un attrait puissant sur les immigrants chinois. À Vancouver, en 2001, 1 résident sur 6 avait le chinois pour langue maternelle. Parmi les travailleurs allophones de cette ville (les personnes dont la langue maternelle n'est ni le français, ni l'anglais), 37 % avaient le chinois comme langue maternelle. De ce groupe, 53 % utilisaient le chinois au travail.

À Toronto, le chinois est la langue maternelle de 18 % des travailleurs allophones. De ce groupe, 40 % parlent chinois au travail. À Montréal, le chinois est la langue maternelle de 6 % des travailleurs allophones. De ce groupe, 39 % parlent chinois au travail.

En 2001, 85 % des Chinois (autant ceux nés au Canada que ceux nés à l'étranger) étaient aptes à soutenir une conversation en anglais ou en français. Environ 790 500 d'entre eux ont déclaré qu'ils parlaient chinois régulièrement à la maison. Il s'agit de 81 900 personnes de moins que celles ayant déclaré avoir le chinois pour langue maternelle. Ce résultat donne à penser qu'un transfert linguistique a eu lieu, principalement chez les personnes nées au Canada qui ont appris le chinois dans leur enfance, mais qui ne le parlent pas régulièrement ou qui ne l'utilisent pas comme langue principale à la maison.

Graphique 18.6
Population dont le chinois est la langue maternelle selon certaines régions métropolitaines de recensement, 2001

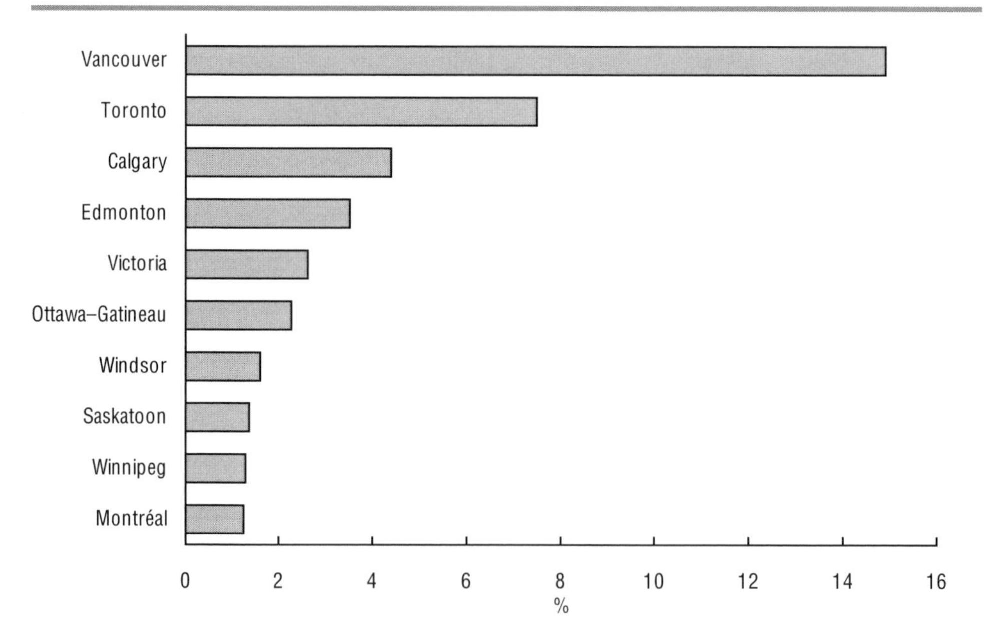

Note : Les répondants qui ont déclaré une seule langue comme langue maternelle.
Source : Statistique Canada, Recensement de la population de 2001.

Services langagiers

Les Canadiens parlent plus de 100 autres langues que le français ou l'anglais. Un visiteur au Canada pourrait entendre parler chinois, italien, allemand, pendjabi, inuktitut ou cri.

Les entreprises de services linguistiques œuvrent dans un solide marché langagier au Canada. En 2004, plus de 14 000 personnes occupaient un emploi permanent ou contractuel comme traducteurs, professeurs de langue, ou interprètes au sein des 600 entreprises privées du secteur des services langagiers.

Ensemble, ces entreprises ont généré 404,1 millions de dollars de recettes. La formation en classe et sur le Web a représenté près de la moitié de ce montant, soit 193,2 millions de dollars. Les recettes des services de traduction ont atteint 154,1 millions de dollars, tandis que l'interprétation a généré 8,7 millions de dollars. Les frais d'hébergement liés à l'étude d'une langue se sont fixés à 23,1 millions de dollars, et d'autres services connexes ont rapporté 25,0 millions de dollars.

En 2004, près de 200 000 personnes ont suivi une formation linguistique. Parmi les institutions recensées, 84 % étaient des écoles de langue privées, 9 % des établissements sans but lucratif, et 7 % des universités, des collèges et autres établissements d'enseignement.

Les services langagiers comptent 7 405 employés permanents répartis également en personnel à temps plein et à temps partiel dont 2 557 professeurs d'anglais, 628 professeurs de français et 1 033 traducteurs. Par ailleurs, 6 954 travailleurs étaient contractuels.

Les deux tiers des écoles de langue offraient une formation à des étudiants étrangers. Les étudiants de l'Asie constituaient la majorité des étudiants étrangers, suivis de ceux du Mexique, de l'Amérique du Sud, de l'Amérique centrale et de l'Europe. Le tiers des entreprises de traduction et d'interprétation ont exporté des produits et des services. Environ 81 % des entreprises ont exporté aux États-Unis, tandis que 38 % d'entre elles ont exporté en Europe.

Graphique 18.7
Secteur des services langagiers, employés selon la profession, 2004

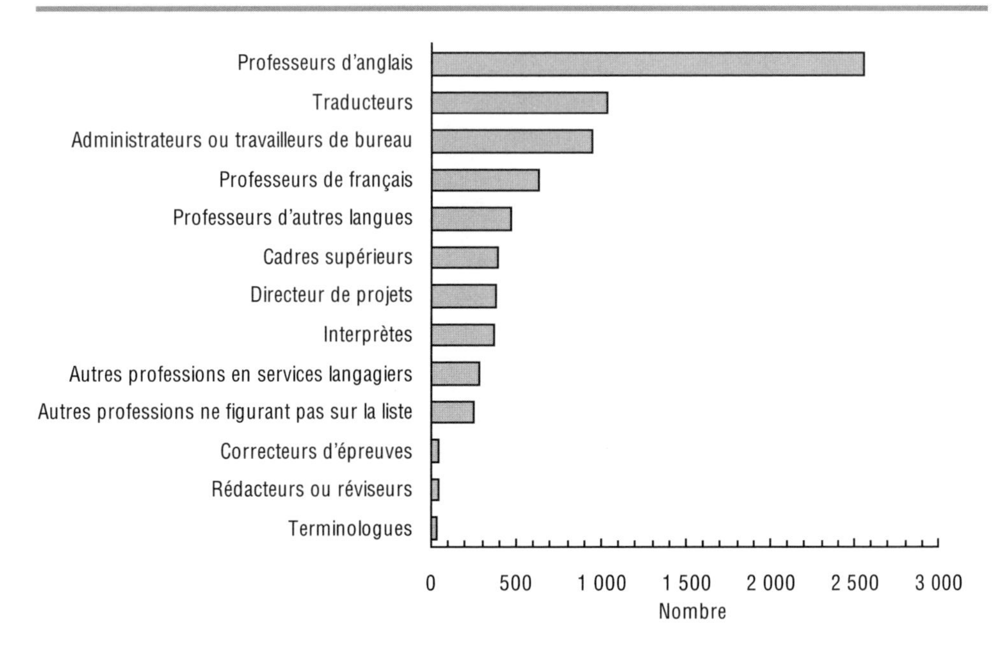

Source : Industrie Canada.

Tableau 18.1 Population selon la langue maternelle, par province et territoire, 2001

	Canada	Terre-Neuve-et-Labrador	Île-du-Prince-Édouard	Nouvelle-Écosse	Nouveau-Brunswick
	nombre				
Population	**29 639 035**	**508 080**	**133 385**	**897 570**	**719 710**
Langue maternelle, réponses uniques[1]	**29 257 885**	507 425	132 855	893 195	713 770
Anglais	**17 352 315**	499 750	125 125	832 660	465 170
Français	**6 703 325**	2 110	5 665	34 025	236 665
Langues non officielles	**5 202 245**	5 495	2 065	26 510	11 935
Chinois	**853 745**	520	130	2 125	1 215
Cantonais	**322 315**	50	0	425	190
Mandarin	**101 790**	25	20	115	105
Hakka	**4 565**	0	0	15	10
Chinois (non précisé par ailleurs)	**425 085**	445	115	1 505	915
Italien	**469 485**	115	60	865	510
Allemand	**438 080**	340	190	3 015	1 420
Polonais	**208 375**	75	65	960	220
Espagnol	**245 495**	55	55	700	510
Portugais	**213 815**	105	15	355	150
Pendjabi	**271 220**	90	0	275	80
Ukrainien	**148 085**	20	20	320	105
Arabe	**199 940**	215	145	4 035	535
Néerlandais	**128 670**	90	480	1 980	855
Tagalog (Pilipino)	**174 060**	130	20	335	150
Grec	**120 360**	35	0	1 110	165
Vietnamien	**122 055**	60	10	480	110
Cri	**72 885**	0	0	30	10
Inuktitut (inuit)	**29 010**	550	10	10	15
Autres langues non officielles	**1 506 965**	3 090	860	9 930	5 815
Langue maternelle, réponses multiples[2]	**381 145**	650	530	4 375	5 940
Français et anglais	**112 575**	330	440	2 555	5 255
Anglais et langue non officielle	**219 860**	310	85	1 660	550
Français et langue non officielle	**38 630**	0	0	125	105
Français, anglais et langue non officielle	**10 085**	10	0	35	35

1. Le répondant a déclaré une seule langue comme langue maternelle.
2. Le répondant a déclaré plus d'une langue comme langues maternelles.

Source : Statistique Canada, Recensement de la population de 2001.

Québec	Ontario	Manitoba	Saskatchewan	Alberta	Colombie-Britannique	Yukon	Territoires du Nord-Ouest	Nunavut
				nombre				
7 125 580	**11 285 550**	**1 103 695**	**963 150**	**2 941 150**	**3 868 875**	**28 520**	**37 105**	**26 670**
7 028 225	11 122 935	1 087 415	953 500	2 907 380	3 820 125	28 190	36 660	26 210
557 040	7 965 225	823 910	817 955	2 379 515	2 825 780	24 590	28 650	6 940
5 761 765	485 630	44 340	17 775	58 645	54 400	890	950	395
709 420	2 672 085	219 160	117 765	469 220	939 945	2 705	7 065	18 875
43 745	404 250	9 115	6 010	78 205	307 990	175	160	25
6 140	158 035	2 530	1 430	26 255	127 160	30	65	10
4 050	41 845	700	395	5 580	48 880	10	10	0
70	2 245	15	20	570	1 625	0	0	0
33 490	202 125	5 945	4 170	45 795	130 330	150	90	10
124 695	295 205	4 945	890	13 935	28 165	30	60	15
17 690	156 080	63 215	32 515	78 040	84 605	725	215	25
17 155	138 940	9 910	3 015	20 635	17 320	20	40	10
70 095	111 690	5 210	1 970	19 820	28 240	75	60	15
33 355	152 115	7 005	405	6 110	14 155	0	15	10
9 900	110 540	5 420	535	22 535	121 740	70	20	0
5 125	48 620	26 540	19 650	33 970	13 600	55	50	15
76 285	94 640	1 280	1 085	15 390	6 235	10	70	0
3 220	69 655	3 975	1 930	19 575	26 740	100	65	0
9 550	88 870	11 385	1 545	11 705	35 940	100	300	25
41 980	65 285	1 315	975	2 770	6 680	10	25	0
21 640	55 240	2 950	1 390	16 680	23 215	65	160	0
11 810	4 405	11 110	22 055	15 105	1 115	20	155	10
8 620	160	70	50	95	50	15	765	18 605
214 550	869 400	41 645	23 730	107 635	224 070	1 215	4 910	105
7 350	162 605	16 285	9 650	33 770	48 750	335	440	455
50 060	37 135	2 675	1 375	5 780	6 780	85	85	20
15 045	114 275	13 070	7 910	26 420	39 525	250	335	430
26 890	8 000	435	255	1 090	1 705	0	15	10
5 355	3 200	110	115	475	745	0	10	10

Tableau 18.2 Population ayant déclaré une identité autochtone, selon la langue maternelle, par province et territoire, 2001

	Canada	Terre-Neuve-et-Labrador	Île-du-Prince-Édouard	Nouvelle-Écosse	Nouveau-Brunswick
	nombre de personnes				
Population d'identité autochtone	**976 305**	**18 775**	**1 345**	**17 010**	**16 990**
Langue maternelle, réponse unique[1]	**956 240**	18 685	1 320	16 805	16 565
Anglais	**704 770**	16 595	1 105	11 975	9 165
Français	**64 130**	50	25	785	4 385
Langues non officielles	**187 340**	2 040	195	4 050	3 020
Langues autochtones	**186 835**	2 040	195	4 045	3 005
Cri	**72 680**	10	0	30	10
Inuktitut	**29 005**	545	10	10	20
Ojibway	**20 890**	0	0	10	10
Montagnais-naskapi	**9 655**	1 470	0	0	0
Micmac	**7 230**	10	185	3 995	2 265
Dakota/sioux	**3 880**	0	0	0	0
Pied-noir	**2 740**	0	0	0	0
Langues salish	**2 590**	0	0	0	0
Esclave du Sud	**1 380**	0	0	0	0
Flanc-de-chien	**1 860**	0	0	0	0
Porteur	**1 225**	0	0	0	0
Langues wakash	**1 275**	0	0	0	0
Chipewyan	**575**	0	0	0	0
Autres langues autochtones	**31 840**	0	0	15	715
Langues non autochtones	**505**	0	0	0	15
Langue maternelle, réponses multiples[2]	**20 070**	90	20	205	425
Réponses multiples autochtones et non autochtones	**15 470**	75	10	135	190
Anglais et langue(s) autochtone(s)	**14 130**	75	10	135	175
Français et langue(s) autochtone(s)	**1 010**	0	0	0	15
Anglais, français et langue(s) autochtone(s)	**330**	0	0	0	0
Autres réponses multiples	**4 600**	15	10	70	235

1. Le répondant a déclaré une seule langue comme langue maternelle.
2. Le répondant a déclaré plus d'une langue comme langues maternelles.

Source : Statistique Canada, Recensement de la population de 2001.

Québec	Ontario	Manitoba	Saskatchewan	Alberta	Colombie-Britannique	Yukon	Territoires du Nord-Ouest	Nunavut
				nombre				
79 400	**188 310**	**150 040**	**130 190**	**156 220**	**170 025**	**6 545**	**18 725**	**22 720**
77 560	185 010	145 845	127 125	153 000	167 240	6 360	18 440	22 290
9 180	151 320	106 050	95 095	127 505	154 640	5 540	12 965	3 640
32 900	13 560	6 400	1 585	2 050	2 180	60	135	25
35 480	20 125	33 395	30 445	23 445	10 420	755	5 340	18 625
35 455	19 970	33 315	30 405	23 380	10 315	755	5 340	18 615
11 810	4 385	18 090	22 020	15 010	1 160	15	155	0
8 620	160	70	50	100	50	20	760	18 605
20	9 670	8 840	1 370	625	275	10	65	0
8 180	0	0	0	0	0	0	0	0
690	60	0	20	0	15	0	0	0
0	10	730	350	2 765	25	0	0	0
10	25	25	15	2 630	35	10	0	0
0	0	0	0	0	2 570	10	0	0
0	0	0	0	250	100	20	1 005	0
0	10	0	10	10	20	0	1 830	0
0	0	0	0	0	1 215	0	0	0
0	0	0	0	0	1 270	0	0	0
0	10	20	0	225	10	10	300	10
6 130	5 640	5 540	6 570	1 760	3 570	675	1 215	0
30	155	75	45	70	105	0	0	10
1 845	3 300	4 200	3 065	3 215	2 790	195	290	445
970	1 605	3 645	2 845	2 915	2 225	160	270	435
325	1 485	3 520	2 695	2 770	2 100	150	260	425
565	65	95	95	90	70	0	10	10
80	55	30	55	55	55	10	0	0
875	1 695	555	220	300	565	35	20	10

Tableau 18.3 Certaines langues parlées à la maison selon la fréquence d'utilisation, 2001

	Total de fréquence	Langue parlée uniquement	Le plus souvent[1]	À égalité[2]	Régulièrement[3]
	nombre				
Anglais	**21 863 015**	18 267 825	1 506 980	478 760	1 609 450
Français	**7 214 280**	5 861 130	586 455	172 880	593 815
Chinois (non précisé ailleurs)	**392 950**	199 995	109 250	20 265	63 440
Italien	**371 200**	110 275	76 275	30 515	154 135
Cantonais	**345 730**	189 430	95 645	13 245	47 410
Pendjabi	**280 535**	132 380	71 660	29 220	47 275
Espagnol	**258 465**	70 355	78 235	28 860	81 015
Allemand	**220 685**	48 075	60 420	13 940	98 250
Arabe	**209 240**	58 115	57 235	32 635	61 255
Portugais	**187 475**	63 890	46 670	15 355	61 560
Tagalog (Pilipino)	**185 420**	36 710	53 705	41 915	53 090
Polonais	**163 745**	53 320	54 050	15 115	41 260
Vietnamien	**130 280**	64 665	35 865	9 555	20 195
Grec	**114 955**	33 515	30 385	10 255	40 800
Mandarin	**110 710**	54 060	36 335	3 660	16 655
Tamoul	**97 345**	45 860	29 745	9 460	12 280
Persan (farsi)	**92 025**	41 970	28 005	7 600	14 450
Ourdou	**89 370**	30 760	27 845	12 200	18 565
Russe	**87 080**	37 905	28 025	5 150	16 000
Coréen	**83 020**	44 255	23 600	3 165	12 000
Cri	**71 955**	20 585	21 730	7 440	22 200
Ukrainien	**67 665**	14 325	14 515	5 385	33 440
Hindi	**65 895**	14 175	16 075	9 090	26 555
Gujarati	**60 105**	18 305	16 830	7 180	17 790
Langues créoles	**49 905**	7 845	8 135	10 445	23 480
Néerlandais	**45 780**	3 700	8 010	3 260	30 810
Roumain	**44 975**	16 320	14 945	3 760	9 950
Croate	**44 605**	10 645	13 635	4 135	16 190
Hongrois	**44 590**	11 575	11 810	3 940	17 265
Serbe	**39 965**	16 725	14 275	2 435	6 530
Japonais	**30 565**	10 255	6 865	1 775	11 670
Bengali	**29 705**	12 840	9 615	2 780	4 470
Inuktitut (esquimau)	**29 615**	14 415	9 535	405	5 260
Somali	**27 800**	10 915	7 930	4 335	4 620
Arménien	**26 215**	10 395	9 045	1 875	4 900
Serbo-croate	**24 530**	9 630	8 840	1 850	4 210
Ojibway	**18 540**	4 930	3 250	2 385	7 975
Turc	**16 560**	5 945	4 650	1 380	4 585
Khmer (cambodgien)	**16 435**	6 235	4 545	2 075	3 580
Langues malayo-polynésiennes (non inclus ailleurs)	**16 430**	3 475	4 720	3 090	5 145
Hébreu	**15 645**	2 350	3 300	1 485	8 510
Tchèque	**15 245**	2 695	5 065	1 500	5 985
Macédonien	**14 410**	3 585	4 085	1 320	5 420
Lao	**13 525**	5 005	3 720	2 030	2 770

1. La seule langue parlée le plus souvent à la maison bien qu'une autre langue soit parlée de façon régulière.
2. Cette langue, de même qu'une autre, sont parlées plus souvent à la maison.
3. Cette langue est utilisée de façon régulière à la maison; une autre langue est parlée plus souvent.

Source : Statistique Canada, produit nº 97F0007XCB2001004 au catalogue.

Tableau 18.4 Certaines langues parlées à la maison selon la région métropolitaine de recensement, 2001

	Anglais	Français	Chinois[1]	Italien	Cantonais	Pendjabi	Langues autochtones[2]
	nombre						
Canada	**21 863 015**	**7 214 280**	**392 950**	**371 200**	**345 730**	**280 535**	**63 315**
St. John's	170 520	1 105	210	45	60	45	0
Halifax	350 575	10 255	1 135	370	265	195	50
Saint John	120 015	4 755	300	155	20	20	20
Saguenay	3 495	152 505	125	0	0	0	45
Québec	28 235	667 410	480	290	55	0	240
Sherbrooke	15 055	143 320	100	145	0	0	0
Trois-Rivières	4 005	134 115	0	65	0	0	45
Montréal	886 050	2 638 915	31 640	101 650	6 390	10 200	445
Ottawa–Gatineau	759 310	377 960	14 415	8 140	5 115	2 545	460
Partie québécoise	72 570	222 655	485	215	105	140	100
Partie ontarienne	686 740	155 305	13 930	7 940	5 010	2 415	335
Kingston	139 225	4 720	675	630	225	140	20
Oshawa	287 165	6 420	680	2 435	530	475	0
Toronto	3 940 275	81 855	155 000	162 415	159 085	99 000	350
Hamilton	615 530	10 520	4 560	17 460	1 765	4 120	170
St. Catharines–Niagara	359 750	12 465	1 355	9 845	195	210	25
Kitchener	384 170	5 480	2 845	1 280	1 085	2 500	40
London	409 010	5 860	2 325	2 955	635	685	40
Windsor	282 575	11 255	3 215	9 540	865	1 605	0
Greater Sudbury / Grand Sudbury	139 380	42 980	300	2 280	50	45	345
Thunder Bay	117 755	2 625	170	2 795	15	25	690
Winnipeg	629 765	26 405	5 190	3 660	2 460	5 335	3 625
Regina	187 105	2 610	1 130	370	405	340	320
Saskatoon	218 340	3 180	1 985	115	745	190	1 670
Calgary	884 990	15 570	21 955	4 790	15 145	13 565	585
Edmonton	881 160	18 945	17 995	4 280	11 945	9 695	2 165
Abbotsford	132 560	1 590	585	155	380	16 300	10
Vancouver	1 663 185	29 515	109 575	13 235	129 695	91 210	680
Victoria	298 950	5 370	3 350	780	2 930	2 765	180

Note : Langue parlée à la maison (total des fréquences).

1. Non précisé par ailleurs.

2. L'ensemble des langues autochtones se classe au douzième rang de fréquence au niveau du Canada.

Source : Statistique Canada, produit n° 97F0007XCB2001004 au catalogue.

Tableau 18.5 Langue de travail selon la fréquence d'utilisation, 2001

	Total de fréquence	Langue parlée uniquement	Le plus souvent[1]	À égalité[2]	Régulièrement[3]
	nombre				
Anglais	**14 371 770**	11 918 110	1 015 235	367 300	1 071 125
Français	**4 355 930**	2 433 570	981 525	289 890	650 945
Chinois (non déclaré ailleurs)	**108 260**	31 505	19 760	11 515	45 480
Cantonais	**74 720**	22 740	14 625	6 170	31 185
Pendjabi	**49 835**	11 265	5 240	8 345	24 985
Allemand	**59 030**	7 365	10 330	5 095	36 240
Mandarin	**25 425**	6 635	4 820	2 225	11 745
Portugais	**38 205**	5 775	5 415	4 750	22 265
Espagnol	**63 820**	5 380	4 980	9 325	44 135
Vietnamien	**17 905**	3 525	2 205	2 185	9 990
Coréen	**15 470**	3 110	3 135	1 425	7 800
Italien	**64 590**	3 075	4 330	11 200	45 985
Autres langues	**271 240**	27 535	36 585	39 415	167 705

1. Langue parlée le plus souvent au travail bien qu'une autre langue soit parlée de façon régulière.
2. Cette langue, de même qu'une autre, sont parlées le plus souvent au travail.
3. Cette langue est utilisée de façon régulière au travail; une autre langue est parlée plus souvent.
Source : Statistique Canada, Recensement de la population de 2001.

Tableau 18.6 Certains langues parlées au travail selon certaines régions métropolitaine de recensement, 2001

	Anglais	Français	Chinois[1]	Cantonais	Italien	Espagnol
	nombre					
Canada	**14 371 770**	**4 355 930**	**108 260**	**74 720**	**64 590**	**63 820**
St. John's	96 300	1 280	15	0	15	55
Halifax	210 255	8 810	260	60	55	280
Saint John	66 365	4 005	55	0	10	160
Saguenay	7 845	77 245	0	0	0	105
Québec	77 320	383 470	165	10	85	1 805
Sherbrooke	25 870	83 020	40	0	40	300
Trois-Rivières	9 480	69 825	10	0	0	110
Montréal	1 068 440	1 729 840	7 275	1 020	18 165	16 860
Ottawa–Gatineau	578 270	270 310	2 250	725	1 370	2 815
Oshawa	169 920	4 080	125	165	300	230
Toronto	2 692 890	70 150	42 565	33 375	32 285	18 780
Hamilton	366 415	7 110	715	220	2 450	1 040
St. Catharines–Niagara	205 050	6 070	285	55	1 340	440
Kitchener	246 690	3 830	340	95	140	775
London	245 305	3 965	435	90	280	1 035
Windsor	168 165	4 645	530	125	1 495	270
Winnipeg	390 385	15 060	935	430	360	885
Regina	113 630	1 635	195	60	30	145
Saskatoon	131 945	1 345	285	185	0	165
Calgary	605 165	9 005	5 380	2 730	500	2 395
Edmonton	570 510	9 425	3 770	2 040	440	1 365
Vancouver	1 112 005	17 470	38 215	31 475	1 580	5 390
Victoria	178 375	3 790	770	450	55	410

Note : Langue parlée au travail (total des fréquences).
1. Non précisé par ailleurs.
Source : Statistique Canada, produit nº 97F0016XCB2001006 au catalogue.

Peuples autochtones

19

SURVOL

En 2001, un peu plus de 1,3 million de Canadiens ont déclaré que leurs ancêtres appartenaient à au moins un des groupes autochtones désignés dans la *Loi constitutionnelle* de 1982 — Indiens de l'Amérique du Nord, Inuits et Métis. Chacun de ces groupes a des héritages, des langues, des pratiques culturelles et des croyances spirituelles qui lui sont propres. Toutefois, ce ne sont pas toutes les personnes d'ascendance autochtone qui se sont définies comme Autochtones. Dans le Recensement de 2001, 976 305 personnes ont déclaré faire partie d'au moins un de ces groupes autochtones.

En 2001, les Indiens de l'Amérique du Nord, également désignés par le terme « Premières nations », représentaient 62 % de la population ayant une identité autochtone, les Métis, 30 %, et les Inuits, 5 %. Le 3 % restant regroupait ceux qui n'ont pu être classés dans un seul groupe autochtone, ainsi que les Indiens inscrits ou les membres de bandes indiennes qui ne s'étaient pas définis comme Autochtones.

En outre, 8 membres des Premières nations sur 10 ont déclaré être inscrits conformément à la *Loi sur les Indiens*.

Répartition de la population autochtone

Les peuples autochtones forment une grande partie de la population des territoires en 2001 : 85 % au Nunavut, 51 % dans les Territoires du Nord-Ouest et 23 % au Yukon. Cependant, en chiffres absolus, les populations autochtones les plus importantes sont recensées en Ontario (188 000), en Colombie-Britannique (170 000), en Alberta (156 000), au Manitoba (150 000) et en Saskatchewan (130 000).

Dans les régions métropolitaines, le plus grand nombre de personnes autochtones est à Winnipeg, près de 56 000 en 2001, ce qui représente plus de 8 % de la population de la ville. Winnipeg compte également la population la plus importante de Métis (un peu plus de

Graphique 19.1
Population non autochtone et population autochtone selon le groupe d'âge, 2001

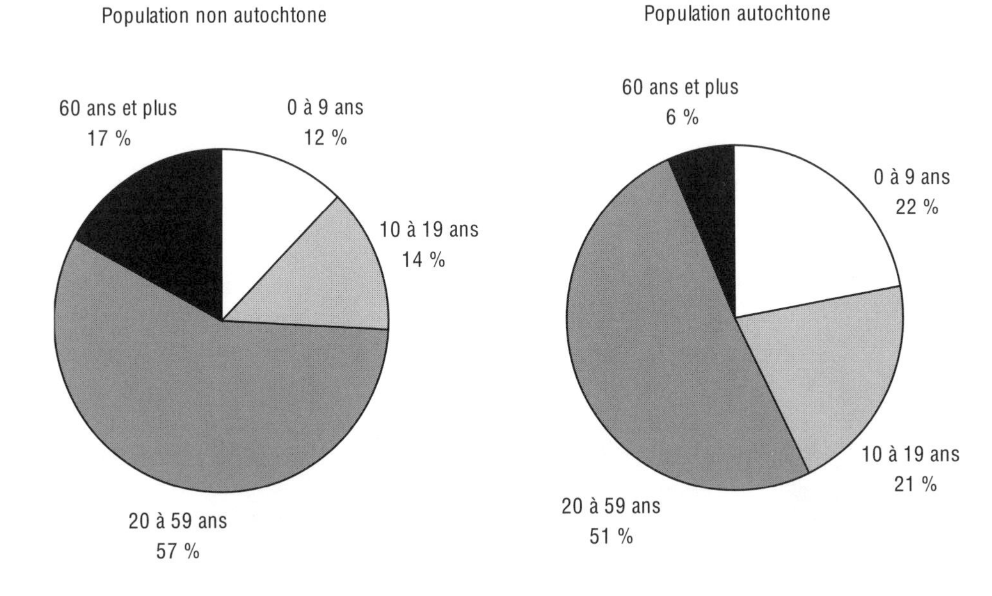

Source : Statistique Canada, Recensement de la population de 2001.

31 000) et d'Indiens inscrits (19 000). C'est à Vancouver qu'on recense le plus d'Indiens non inscrits (8 000).

La population d'identité autochtone a augmenté de 22 % de 1996 à 2001, comparativement à 3 % pour la population non autochtone. Environ la moitié de cette hausse est attribuable à la croissance démographique ou naturelle — des taux de fécondité supérieurs, par exemple. L'autre moitié est imputable à des facteurs non démographiques, comme une meilleure couverture censitaire par rapport aux années précédentes et une propension plus marquée des Autochtones à déclarer leur identité autochtone. L'accroissement naturel pourrait, à lui seul, faire passer la population autochtone à 1,4 million de personnes d'ici 2017.

Une population jeune et en pleine croissance

De 1996 à 2001, la population métisse a augmenté de 43 %, celle des Premières nations, de 15 %, et la population inuite, de 12 %. L'accroissement naturel est à l'origine de la majeure partie de l'augmentation observée chez les membres des Premières nations et les Inuits, tandis que les facteurs non démographiques expliquent la majeure partie de la croissance de la population métisse.

Population autochtone au Canada, dans les territoires et certaines provinces

	2001	2017
	% de la population	
Canada	**3,4**	**4,1**
Nunavut	84,3	83,6
Territoires du Nord-Ouest	50,5	57,7
Yukon	23,8	35,3
Saskatchewan	13,8	20,8
Manitoba	13,8	18,4
Ontario	1,8	1,9
Québec	1,3	1,6

Note : Les données de 2001 sont des estimations définitives et celles de 2017, des projections.
Source : Statistique Canada, produit nº 91-547-XIF au catalogue.

En 2001, la moitié des Autochtones avaient moins de 25 ans, comparativement aux Canadiens non autochtones dont la moitié avait moins de 38 ans. Les Inuits comptaient la population la plus jeune (la moitié ayant moins de 21 ans), venaient ensuite les membres des Premières nations (la moitié ayant moins de 24 ans), puis les Métis (la moitié ayant moins de 27 ans).

On prévoit que le nombre d'Autochtones dans la vingtaine augmentera considérablement, ce qui pourrait avoir une incidence sur le profil des nouveaux arrivants sur le marché du travail

Graphique 19.2
Jeunes Autochtones adultes ne fréquentant pas l'école et n'ayant pas de diplôme d'études secondaires selon le sexe, dans certaines RMR

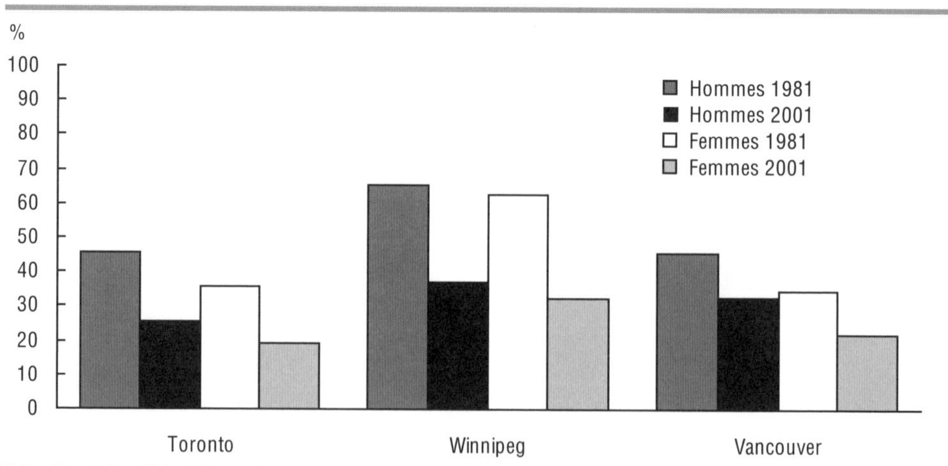

Note : Population d'identité autochtone de 20 à 24 ans.
Source : Statistique Canada, produit nº 89-613-MIF au catalogue.

dans certaines régions du pays. Selon les projections, d'ici 2017, les Autochtones de 20 à 29 ans représenteraient 30 % de la population en Saskatchewan, 24 % au Manitoba, 40 % au Yukon et 58 % dans les Territoires du Nord-Ouest. Ils forment déjà 80 % de la population de ce groupe d'âge au Nunavut et ce pourcentage est à la hausse.

Écarts entre les Autochtones et les non-Autochtones

Au Canada, les Autochtones n'ont pas la même qualité de vie que l'ensemble de la population. Leur situation varie grandement selon leur lieu de résidence, leur groupe autochtone et leur sexe. Ainsi, 1 Inuit vivant dans l'Arctique sur 3 a déclaré que leur eau était contaminée à certains moments de l'année 2001.

Cette année-là, 14 % des Autochtones vivaient dans un logement surpeuplé, comparativement à 4 % pour l'ensemble de la population. On observe le plus haut taux de surpeuplement chez les Inuits, soit 32 %. Les membres des Premières nations vivant dans les réserves affichent également un taux de surpeuplement élevé (25 %).

Bien que le taux d'emploi des Autochtones ait augmenté plus rapidement que celui des non-Autochtones de 1996 à 2001, des écarts subsistent entre les deux populations. En 2001, 62 % des Canadiens non autochtones occupaient un emploi, comparativement à 59 % des Métis, 49 % des Inuits et 45 % des Premières Nations.

Au sein de la population hors réserve de l'Ouest du Canada, le taux d'emploi des Métis en 2005 s'apparentait à celui de la population non autochtone, soit 65 %. En revanche, le taux d'emploi des Premières Nations était nettement inférieur, celui-ci étant de 51 %.

Le pourcentage des Autochtones de 20 à 24 ans qui n'ont pas terminé leurs études secondaires a considérablement diminué de 1981 à 2001 : il est passé de 64 % à 47 % pour les hommes et de 61 % à 40 % pour les femmes. Les femmes autochtones sont maintenant plus susceptibles d'avoir un diplôme d'études collégiales ou un grade universitaire que les hommes autochtones.

Malgré cela, de 1981 à 2001, l'écart de scolarisation entre les Autochtones et les non-Autochtones s'est creusé au niveau universitaire. Il s'agit d'un constat important puisque l'éducation semble avoir pour effet de réduire les écarts au chapitre de l'emploi. Par exemple, en 2001, les diplômés universitaires autochtones et non autochtones de 20 à 64 ans enregistraient des taux d'emploi presque identiques.

Graphique 19.3
Taux d'emploi des non-Autochtones et des Autochtones hors réserve dans l'Ouest du Canada

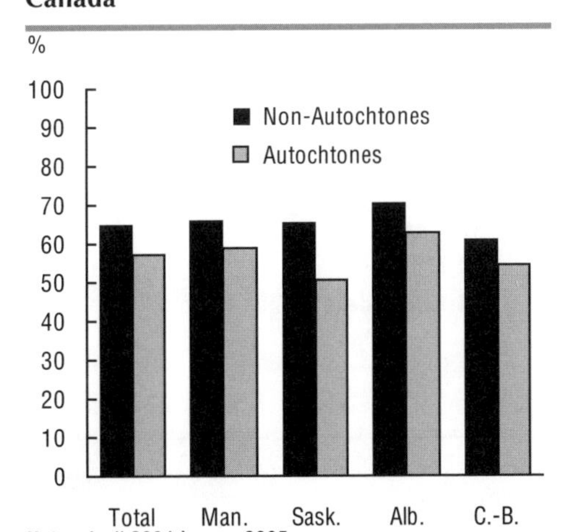

Note : Avril 2004 à mars 2005.
Source : Statistique Canada, produit nº 71-587-MIF au catalogue.

Sources choisies

Statistique Canada

- *Femmes au Canada : rapport statistique fondé sur le sexe.* Hors série. 89-519-XIF
- *L'emploi et le revenu en perspective.* Mensuel. 75-001-XWF
- *Peuples autochtones du Canada : un profil démographique.* Recensement de 2001. Hors série. 96F0030XIF2001007
- *Regard sur le marché du travail canadien.* Irrégulier. 71-222-XWF
- *Un portrait des aînés au Canada.* Hors série. 89-519-XWF

Autre

- Santé Canada

La situation des femmes autochtones

La situation des femmes autochtones est paradoxale. Bien qu'elles soient plus scolarisées que les hommes autochtones, elles sont moins susceptibles d'appartenir à la population active. Et lorsqu'elles occupent un emploi rémunéré, elles sont moins bien payées que les hommes autochtones ou que les femmes non autochtones.

La situation familiale peut jouer un rôle à cet égard. De 1996 à 2001, les femmes autochtones ont affiché un taux de fécondité nettement supérieur à celui des femmes non autochtones : 2,6 enfants en moyenne au cours de la vie pour les premières contre 1,5 pour les secondes.

Chez les femmes autochtones vivant hors réserve, « les responsabilités familiales » représentent la raison la plus souvent invoquée pour les études postsecondaires inachevées, alors que « la grossesse ou les soins des enfants » constitue l'explication la plus fréquente de l'abandon des études secondaires. Toutefois, les femmes autochtones sont proportionnellement plus nombreuses à reprendre leurs études ultérieurement que ne le sont les hommes autochtones et les autres femmes.

En 2001, les femmes autochtones enregistraient un taux de monoparentalité deux fois plus élevé que celui des femmes non autochtones (19 % contre 8 %). Les femmes des Premières nations étaient plus susceptibles d'être à la tête d'une famille monoparentale (21 %) que les femmes inuites (17 %) ou métisses (16 %). Les familles monoparentales dirigées par des femmes autochtones tendaient à être plus nombreuses.

En 2001, 47 % des femmes autochtones occupaient un emploi, comparativement à 56 % des femmes non autochtones et à 53 % des hommes autochtones. Cependant, surtout dans les localités rurales ou éloignées, les taux d'emploi ne reflètent pas le travail non rémunéré, qui est fréquent dans bien des collectivités autochtones où l'on consacre beaucoup de temps à la pêche, au piégeage, à la chasse, à la couture et aux soins prodigués aux enfants. Enfin, le travail saisonnier est courant dans de nombreuses collectivités autochtones.

Graphique 19.4
Milieu familial des femmes autochtones selon la catégorie d'identité autochtone, 2001

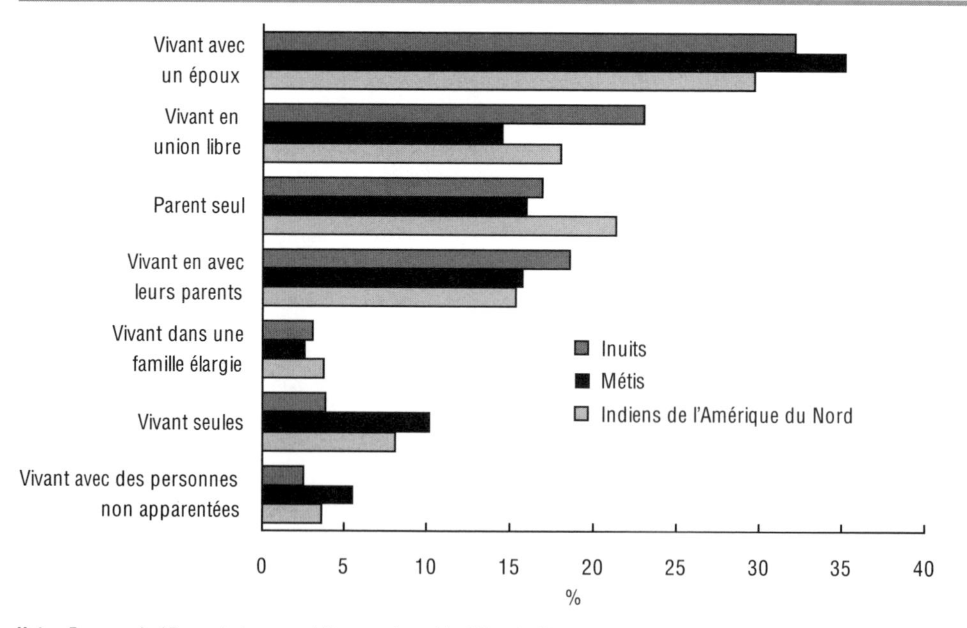

Note : Femmes de 15 ans et plus, population ayant une identité autochtone.
Source : Statistique Canada, produit nº 89-503-XIF au catalogue.

Les aînés : assises des collectivités

Les aînés jouent un rôle important et exercent une influence considérable au sein des collectivités autochtones. Les aînés autochtones transmettent leurs connaissances des traditions, de la culture et des langues à leur collectivité.

En 2001, 39 700 personnes de 65 ans et plus se sont identifiées comme Autochtones. Si les Autochtones représentaient 3 % de l'ensemble de la population, les aînés autochtones ne représentaient que 1 % de la population totale des personnes âgées.

En 2001, seulement 4 % de la population autochtone était âgée de 65 ans et plus, comparativement à 13 % de la population non autochtone. Selon les projections, la proportion de personnes âgées autochtones devrait augmenter pour atteindre 7 % de la population autochtone totale d'ici 2017, un taux qui demeurerait inférieur à celui prévu pour les personnes âgées non autochtones, soit 17 %.

Le revenu médian des aînés autochtones est inférieur à celui des autres aînés. En 2000, le revenu médian des aînés autochtones représentait 83 % de celui des personnes âgées non autochtones : 14 259 $ comparativement à 17 123 $.

Le rôle des aînés est crucial pour la préservation des langues autochtones. La majorité des Inuits âgés est capable de soutenir une conversation en inuktitut : c'est le cas de 78 % des Inuits de 65 ans et plus et de 77 % des Inuits de 45 à 64 ans. Chez les Métis, 16 % des aînés peuvent converser dans une langue autochtone.

On observe des différences importantes quant aux caractéristiques linguistiques des aînés des Premières nations vivant dans les réserves et hors réserve. En 2001, 79 % des aînés des Premières nations vivant dans les réserves pouvaient soutenir une conversation dans une langue autochtone, comparativement à 32 % pour leurs homologues vivant à l'extérieur des réserves.

Graphique 19.5
Connaissance des langues autochtones selon le groupe d'identité autochtone et certains groupes d'âge, 2001

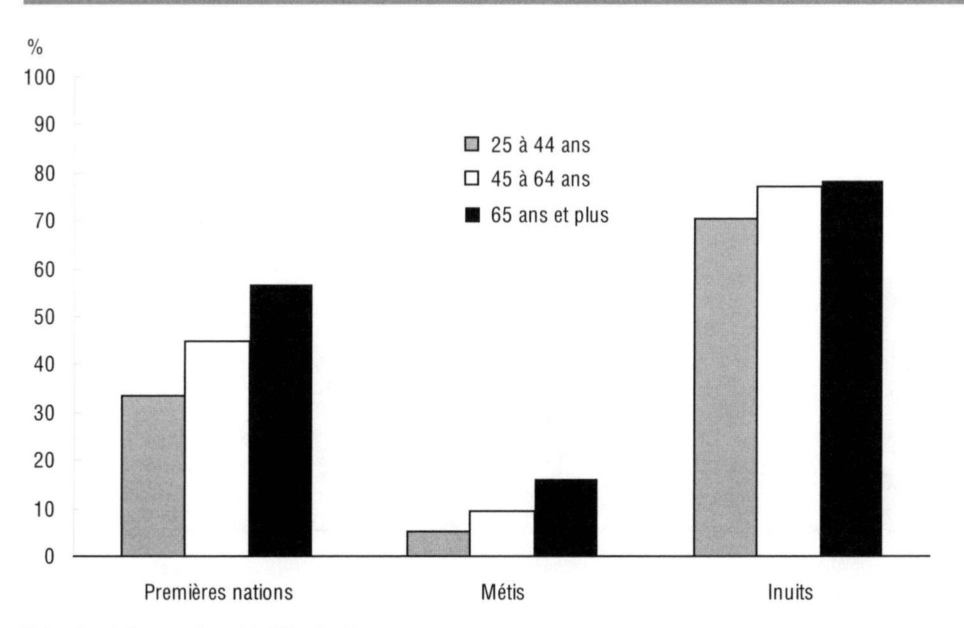

Note : Population ayant une identité autochtone.
Source : Statistique Canada, Recensement de la population de 2001.

Où vivent les Autochtones?

D'après les données du Recensement de 2001, 70 % des 976 305 personnes ayant une identité autochtone vivaient à l'extérieur d'une réserve. Les réserves indiennes sont des terres mises de côté à l'usage des membres des Premières nations appelés aussi Indiens de l'Amérique du Nord. En 2001, plus de la moitié (53 %) des 505 000 membres des Premières nations ayant un statut légal d'Indien vivaient dans des réserves. Puisque les réserves sont destinées aux membres des Premières nations, très peu de Métis ou d'Inuits y vivaient.

En 2001, seulement 7 315 Métis — 3 % des 292 310 Métis au Canada — vivaient dans des réserves. Près de 7 Métis sur 10 vivaient dans des villes : 4 sur 10, dans de grandes villes et 3 sur 10, dans des villes plus petites.

Les Inuits vivent surtout dans le Nord du pays. En 2001, environ la moitié des 45 070 Inuits au Canada vivaient au Nunavut, 21 % au Nunavik (Nord québécois), 10 % au Nunatsiavut (Labrador) et 9 % au Inuvialuit (Territoires du Nord-Ouest). Les Inuits sont les Autochtones les moins susceptibles d'habiter dans les grandes villes, seulement 7 % d'entre eux ont opté pour les grands centres urbains.

Parmi les 48 % des membres des Premières nations ayant un statut légal d'Indien et vivant à l'extérieur des réserves en 2001, la plupart habitaient en milieu urbain (21 % dans de grandes villes et 17 % dans de petites villes), et 10 % vivaient dans des régions rurales hors réserve. Par ailleurs, 73 % des Indiens de l'Amérique du Nord sans statut légal habitaient dans des villes (grandes et petites).

Contrairement aux idées reçues, la population des réserves indiennes n'est pas en recul. Au cours des 20 dernières années, les réserves ont affiché de légères hausses nettes de leur population : 3 % de leur population ont quitté les réserves pour vivre ailleurs, mais 4 % ont déménagé dans des réserves.

Graphique 19.6
Région de résidence de la population autochtone selon le groupe et le statut d'identité autochtone, 2001

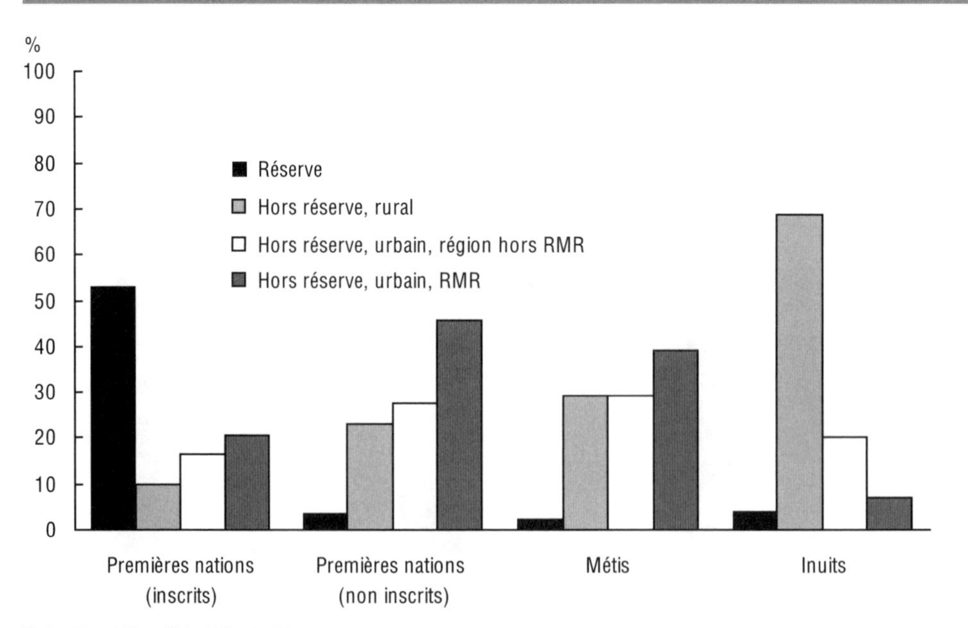

Note : Population d'identité autochtone.
Source : Statistique Canada, Recensement de la population de 2001.

Santé et bien-être des Autochtones

Les Autochtones font face aujourd'hui à deux problèmes particulièrement aigus : l'accès à des logements de qualité convenable et l'état général de leur santé. Le taux de surpeuplement chez les Autochtones des réserves et du Nord est de cinq à six fois plus élevé que celui de l'ensemble de la population. Les mauvaises conditions de logement entraînent la propagation de maladies telle la tuberculose.

En 2005, les taux de tuberculose évolutive étaient de 27 cas pour 100 000 dans la population autochtone comparativement à 5 cas pour 100 000 dans l'ensemble de la population canadienne. Parmi les 1 600 cas de tuberculose évolutive signalés au Canada en 2005, 19 % des patients étaient des autochtones, 13 %, des non-Autochtones nés au Canada et 63 %, des personnes nées à l'étranger.

L'infection par VIH et le sida chez les peuples autochtones constituent un problème toujours préoccupant, en particulier pour les femmes et les jeunes. De 1998 à 2005, les femmes représentaient 47 % des rapports de tests positifs chez les Autochtones, comparativement à 21 % chez les peuples non autochtones. En outre, les Autochtones reçoivent un diagnostique de VIH à un plus jeune âge que les non-Autochtones : parmi les nouveaux tests positifs chez les Autochtones, 1 personne sur 3 sont des jeunes de moins de 30 ans par rapport à 1 personne sur 5 chez les non-Autochtones.

Les taux plus élevés de diabète sucré chez les Autochtones du Canada soulèvent aussi de vives inquiétudes. En 2001, parmi la population adulte, on a diagnostiqué le diabète chez 8 % des Indiens de l'Amérique du Nord, chez 6 % des Métis et chez 2 % des Inuits vivant hors réserve, comparativement à 3 % pour l'ensemble de la population adulte. En outre, on a décelé le diabète chez 11 % des adultes vivant dans les réserves. Ces taux plus élevés sont étroitement liés aux principaux déterminants de la santé dans les collectivités autochtones au nombre desquels figurent les niveaux de revenu et d'emploi, la scolarité, les conditions sociales et l'accès aux soins de santé.

Graphique 19.7
Population ayant un diabète sucré diagnostiqué selon le groupe d'âge, 2001

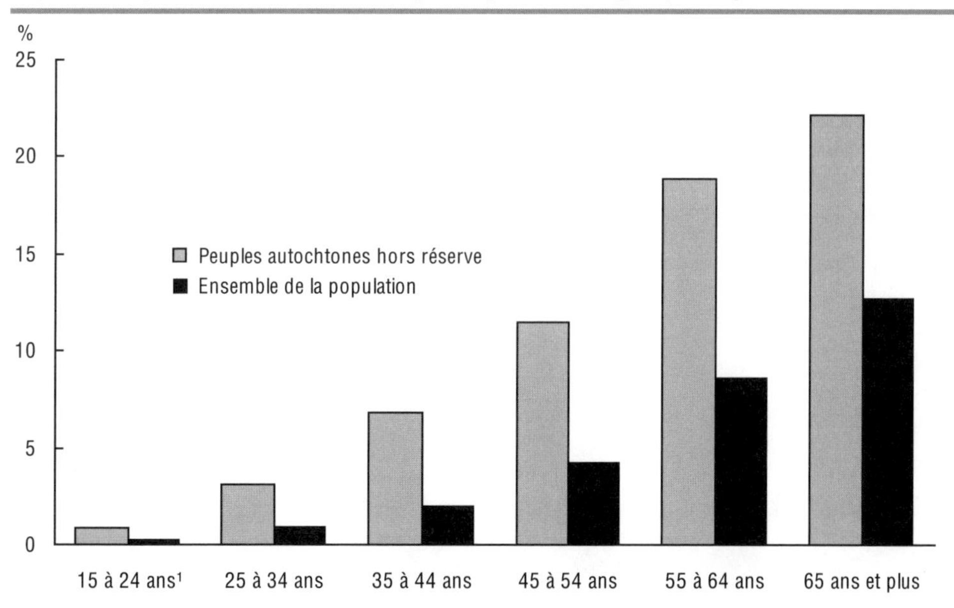

1. À utiliser avec prudence.
Source : Statistique Canada, Enquête auprès des peuples autochtones de 2001 et Enquête sur la santé dans les collectivités canadiennes de 2000-2001.

Tableau 19.1 Population d'origine autochtone selon le sexe, par province et territoire, 2001

	Canada	Terre-Neuve-et-Labrador	Île-du-Prince-Édouard	Nouvelle-Écosse	Nouveau-Brunswick
	nombre				
Les deux sexes	**1 319 890**	**28 065**	**2 720**	**33 415**	**28 470**
Indien de l'Amérique du Nord	**455 805**	5 435	580	9 035	8 180
Indien de l'Amérique du Nord et non autochtones[1]	**501 840**	10 035	1 775	19 005	14 785
Métis	**72 210**	2 540	10	510	855
Métis et non autochtones[2]	**193 810**	2 460	230	3 385	3 390
Inuit	**37 030**	3 135	20	135	105
Inuit et non autochtones[3]	**14 365**	3 030	105	775	245
Origines autochtones multiples	**44 835**	1 425	10	575	910
Hommes	**640 780**	**13 725**	**1 320**	**15 800**	**14 100**
Indien de l'Amérique du Nord	**223 775**	2 565	270	4 435	4 025
Indien de l'Amérique du Nord et non autochtones[1]	**239 345**	4 880	865	8 715	7 080
Métis	**36 740**	1 340	10	285	470
Métis et non autochtones[2]	**93 945**	1 200	130	1 620	1 805
Inuit	**18 560**	1 535	10	50	75
Inuit et non autochtones[3]	**6 975**	1 570	45	360	170
Origines autochtones multiples	**21 445**	635	0	330	490
Femmes	**679 105**	**14 340**	**1 395**	**17 620**	**14 370**
Indien de l'Amérique du Nord	**232 035**	2 865	315	4 595	4 155
Indien de l'Amérique du Nord et non autochtones[1]	**262 495**	5 155	910	10 290	7 705
Métis	**35 470**	1 205	0	225	390
Métis et non autochtones[2]	**99 860**	1 265	105	1 765	1 585
Inuit	**18 465**	1 600	10	85	35
Inuit et non autochtones[3]	**7 390**	1 455	60	410	80
Origines autochtones multiples	**23 390**	790	10	245	420

1. Le répondant a déclaré avoir une origine Indien de l'Amérique du Nord et non autochtone.
2. Le répondant a déclaré avoir une origine Métis et non autochtone.
3. Le répondant a déclaré avoir une origine Inuit et non autochtone.

Source : Statistique Canada, Recensement de la population de 2001.

Québec	Ontario	Manitoba	Saskatchewan	Alberta	Colombie-Britannique	Yukon	Territoires du Nord-Ouest	Nunavut
				nombre				
159 905	**308 105**	**160 250**	**135 035**	**199 015**	**216 110**	**6 990**	**18 955**	**22 860**
49 980	80 065	74 690	70 385	64 940	78 685	3 895	9 855	85
77 560	163 740	27 870	24 045	68 205	90 295	2 320	2 095	110
5 375	9 230	14 190	12 475	17 315	8 305	115	1 265	20
14 095	46 470	35 975	19 880	35 620	31 190	325	765	20
8 535	625	165	145	600	365	75	2 945	20 185
1 635	2 700	375	235	1 305	1 055	100	555	2 260
2 725	5 280	6 990	7 865	11 025	6 220	165	1 480	180
76 125	**148 195**	**78 155**	**65 460**	**97 080**	**106 335**	**3 415**	**9 470**	**11 600**
24 545	38 675	36 225	34 660	31 915	39 555	1 925	4 940	40
35 985	77 985	13 710	11 100	33 055	43 770	1 135	1 005	60
2 705	4 910	7 210	6 020	8 790	4 285	60	670	10
6 590	22 500	17 565	9 720	17 210	15 085	155	365	15
4 315	290	75	75	245	165	20	1 460	10 245
740	1 225	185	115	615	470	65	270	1 140
1 245	2 615	3 190	3 775	5 245	3 005	55	760	95
83 775	**159 910**	**82 095**	**69 570**	**101 935**	**109 775**	**3 570**	**9 485**	**11 255**
25 440	41 395	38 465	35 725	33 025	39 125	1 970	4 915	45
41 570	85 755	14 165	12 945	35 150	46 530	1 185	1 085	50
2 665	4 325	6 980	6 460	8 530	4 020	60	600	10
7 510	23 970	18 410	10 160	18 415	16 105	170	390	0
4 220	335	90	65	350	195	50	1 490	9 940
895	1 470	190	125	690	580	30	285	1 120
1 480	2 665	3 795	4 095	5 780	3 205	105	720	85

Tableau 19.2 Population ayant une identité autochtone selon le groupe d'âge, par province et territoire, 2001

	Canada	Terre-Neuve-et-Labrador	Île-du-Prince-Édouard	Nouvelle-Écosse	Nouveau-Brunswick
			nombre		
Les deux sexes, tous les âges	**976 305**	**18 780**	**1 345**	**17 015**	**16 990**
0 à 4 ans	**102 610**	1 465	160	1 800	1 675
5 à 9 ans	**113 075**	1 665	115	1 880	1 660
10 à 14 ans	**108 270**	1 920	170	1 730	1 550
15 à 19 ans	**92 985**	2 050	125	1 570	1 630
20 à 24 ans	**76 080**	1 550	115	1 425	1 200
25 à 34 ans	**148 550**	2 920	155	2 730	2 645
35 à 44 ans	**145 855**	2 995	165	2 455	2 840
45 à 54 ans	**96 365**	2 285	180	1 915	1 945
55 à 64 ans	**52 830**	1 055	80	835	1 085
65 ans et plus	**39 680**	875	80	675	755
Hommes, tous les âges	**476 700**	**9 395**	**635**	**8 320**	**8 655**
0 à 4 ans	**52 375**	740	85	890	825
5 à 9 ans	**57 905**	850	65	975	830
10 à 14 ans	**55 060**	965	65	800	830
15 à 19 ans	**47 020**	1 060	65	840	855
20 à 24 ans	**36 585**	785	65	660	640
25 à 34 ans	**70 275**	1 415	65	1 330	1 345
35 à 44 ans	**68 405**	1 360	90	1 165	1 435
45 à 54 ans	**45 800**	1 210	55	880	955
55 à 64 ans	**25 140**	560	45	425	590
65 ans et plus	**18 145**	450	35	360	355
Femmes, tous les âges	**499 605**	**9 380**	**710**	**8 690**	**8 330**
0 à 4 ans	**50 235**	720	75	905	850
5 à 9 ans	**55 170**	820	50	905	830
10 à 14 ans	**53 210**	955	105	930	720
15 à 19 ans	**45 970**	985	60	735	770
20 à 24 ans	**39 500**	765	45	770	560
25 à 34 ans	**78 275**	1 505	85	1 400	1 305
35 à 44 ans	**77 450**	1 635	70	1 285	1 405
45 à 54 ans	**50 565**	1 075	125	1 035	990
55 à 64 ans	**27 690**	495	35	410	500
65 ans et plus	**21 530**	425	45	315	405

Source : Statistique Canada, Recensement de la population de 2001.

Québec	Ontario	Manitoba	Saskatchewan	Alberta	Colombie-Britannique	Yukon	Territoires du Nord-Ouest	Nunavut
				nombre				
79 400	**188 315**	**150 040**	**130 185**	**156 220**	**170 025**	**6 540**	**18 730**	**22 720**
7 580	17 160	18 000	16 785	16 890	15 445	635	1 880	3 135
8 090	20 165	18 985	17 885	18 675	17 900	665	2 245	3 150
7 840	18 320	17 085	16 855	18 130	18 650	675	2 245	3 100
6 700	16 575	14 400	13 395	15 535	16 315	575	1 800	2 330
6 085	14 150	11 615	10 570	13 145	12 415	450	1 485	1 880
11 780	28 745	22 890	18 870	25 190	25 470	900	2 705	3 535
12 130	31 710	20 820	16 355	22 330	27 555	1 230	2 685	2 585
9 240	20 925	13 305	9 890	14 005	18 860	665	1 675	1 480
5 405	11 935	7 410	5 375	7 185	10 170	405	985	895
4 555	8 630	5 540	4 210	5 135	7 240	345	1 025	625
38 995	**91 140**	**73 030**	**63 290**	**75 945**	**83 220**	**3 190**	**9 355**	**11 520**
3 935	8 660	9 325	8 515	8 680	7 835	320	945	1 630
4 150	10 500	9 720	9 085	9 415	9 210	330	1 190	1 600
4 055	9 370	8 510	8 360	9 355	9 680	350	1 135	1 590
3 345	8 390	7 255	6 700	7 895	8 220	295	900	1 200
2 975	6 810	5 305	4 910	6 490	6 045	220	725	945
5 665	13 385	10 710	8 535	11 935	12 375	435	1 335	1 740
5 720	14 910	9 765	7 790	10 290	12 770	570	1 275	1 260
4 530	9 940	6 470	4 695	6 280	8 950	310	795	735
2 570	5 505	3 540	2 735	3 220	4 770	205	525	450
2 055	3 675	2 435	1 975	2 390	3 365	150	535	375
40 405	**97 175**	**77 010**	**66 895**	**80 270**	**86 805**	**3 350**	**9 375**	**11 200**
3 645	8 500	8 675	8 270	8 210	7 615	310	935	1 510
3 935	9 665	9 265	8 805	9 260	8 685	340	1 055	1 550
3 785	8 950	8 575	8 500	8 775	8 975	325	1 110	1 505
3 355	8 185	7 140	6 695	7 645	8 095	280	895	1 130
3 110	7 340	6 305	5 655	6 650	6 370	230	755	935
6 115	15 360	12 185	10 335	13 255	13 100	465	1 370	1 800
6 410	16 800	11 055	8 565	12 040	14 790	655	1 410	1 325
4 710	10 985	6 840	5 190	7 730	9 915	355	885	750
2 840	6 435	3 870	2 645	3 965	5 400	200	460	445
2 495	4 955	3 110	2 235	2 740	3 875	195	490	250

Tableau 19.3 Population selon l'identité autochtone, le plus haut niveau de scolarité atteint et le sexe, 2001

	Tous les niveaux de scolarité	Moins que le secondaire	Diplôme secondaire seulement	Formation post-secondaire partielle	École de métiers[1]	Collège[1]	Universitaire [2]	Universitaires[3]
	nombre							
Les deux sexes	**23 901 360**	**7 476 900**	**3 367 900**	**2 590 165**	**2 598 925**	**3 578 400**	**601 425**	**3 687 650**
Population ayant une identité autochtone	**652 350**	313 315	64 390	81 940	79 225	75 505	9 125	28 845
Indien de l'Amérique du Nord	**395 325**	200 070	35 470	50 355	45 425	42 170	5 660	16 165
Métis	**207 610**	87 490	24 655	25 665	28 160	27 830	2 865	10 950
Inuit	**27 610**	15 940	1 700	3 550	3 070	2 610	230	515
Identité autochtone multiple	**4 535**	2 005	550	465	540	700	105	165
Autres identités autochtones	**17 265**	7 805	2 010	1 910	2 030	2 200	260	1 050
Population non autochtone	**23 249 015**	7 163 585	3 303 510	2 508 225	2 519 700	3 502 890	592 300	3 658 800
Hommes	**11 626 790**	**3 662 275**	**1 520 080**	**1 239 015**	**1 643 455**	**1 455 130**	**242 160**	**1 864 675**
Population ayant une identité autochtone	**311 360**	157 520	30 660	35 305	47 290	26 730	3 060	10 795
Indien de l'Amérique du Nord	**186 020**	99 290	16 775	21 175	26 655	14 860	1 745	5 525
Métis	**102 515**	45 800	12 035	11 490	17 380	9 920	1 165	4 725
Inuit	**13 650**	7 950	815	1 630	1 920	1 095	65	175
Identité autochtone multiple	**2 030**	1 045	205	175	285	240	20	55
Autres identités autochtones	**7 155**	3 440	825	835	1 045	615	65	325
Population non autochtone	**11 315 430**	3 504 755	1 489 420	1 203 710	1 596 165	1 428 400	239 100	1 853 880
Femmes	**12 274 570**	**3 814 625**	**1 847 820**	**1 351 150**	**955 470**	**2 123 275**	**359 265**	**1 822 975**
Population ayant une identité autochtone	**340 985**	155 795	33 730	46 635	31 935	48 780	6 060	18 050
Indien de l'Amérique du Nord	**209 300**	100 780	18 700	29 180	18 770	27 305	3 920	10 645
Métis	**105 100**	41 690	12 620	14 170	10 775	17 905	1 700	6 225
Inuit	**13 960**	7 990	885	1 915	1 155	1 515	160	345
Identité autochtone multiple	**2 510**	960	340	290	255	465	90	110
Autres identités autochtones	**10 115**	4 370	1 185	1 075	980	1 585	200	720
Population non autochtone	**11 933 585**	3 658 830	1 814 090	1 304 520	923 530	2 074 495	353 195	1 804 925

Note : Population de 15 ans et plus.

1. Certificat ou diplôme.
2. Certificat ou diplôme inférieure au baccalauréat.
3. Universitaire au niveau du baccalauréat ou plus.

Source : Statistique Canada, Recensement de la population de 2001.

Tableau 19.4 Population selon l'identité autochtone, certaines caractéristiques de la population active et le sexe, 2001

	Ensemble des états d'activité	Population active	Personnes occupées	Chômeurs	Inactifs	Taux d'activité	Taux d'emploi	Taux de chômage
	nombre					pourcentage		
Les deux sexes	**23 901 360**	**15 872 070**	**14 695 135**	**1 176 940**	**8 029 290**	**66,4**	**61,5**	**7,4**
Population ayant une identité autochtone	**652 350**	400 435	323 940	76 490	251 915	61,4	49,7	19,1
Indien de l'Amérique du Nord	**395 325**	226 670	176 345	50 320	168 655	57,3	44,6	22,2
Métis	**207 615**	143 360	123 280	20 080	64 255	69,1	59,4	14,0
Inuit	**27 610**	17 260	13 425	3 830	10 345	62,5	48,6	22,2
Identité autochtone multiple	**4 535**	2 755	2 305	450	1 780	60,7	50,8	16,3
Autres identités autochtones	**17 270**	10 390	8 585	1 805	6 880	60,2	49,7	17,4
Population non autochtone	**23 249 010**	15 471 640	14 371 190	1 100 445	7 777 370	66,5	61,8	7,1
Hommes	**11 626 790**	**8 452 015**	**7 810 290**	**641 720**	**3 174 775**	**72,7**	**67,2**	**7,6**
Population ayant une identité autochtone	**311 365**	207 920	163 490	44 425	103 450	66,8	52,5	21,4
Indien de l'Amérique du Nord	**186 020**	116 655	87 445	29 210	69 365	62,7	47,0	25,0
Métis	**102 515**	76 335	64 575	11 760	26 180	74,5	63,0	15,4
Inuit	**13 650**	8 930	6 720	2 210	4 715	65,4	49,2	24,7
Identité autochtone multiple	**2 030**	1 220	985	235	810	60,1	48,5	19,3
Autres identités autochtones	**7 150**	4 770	3 760	1 015	2 380	66,7	52,6	21,3
Population non autochtone	**11 315 430**	8 244 100	7 646 805	597 290	3 071 330	72,9	67,6	7,2
Femmes	**12 274 570**	**7 420 055**	**6 884 840**	**535 220**	**4 854 515**	**60,5**	**56,1**	**7,2**
Population ayant une identité autochtone	**340 985**	192 520	160 455	32 060	148 470	56,5	47,1	16,7
Indien de l'Amérique du Nord	**209 305**	110 010	88 895	21 115	99 290	52,6	42,5	19,2
Métis	**105 100**	67 020	58 705	8 315	38 080	63,8	55,9	12,4
Inuit	**13 960**	8 330	6 705	1 620	5 630	59,7	48,0	19,4
Identité autochtone multiple	**2 505**	1 535	1 320	215	975	61,3	52,7	14,0
Autres identités autochtones	**10 120**	5 620	4 830	795	4 495	55,5	47,7	14,1
Population non autochtone	**11 933 580**	7 227 540	6 724 385	503 155	4 706 045	60,6	56,3	7,0

Note : Population de 15 ans et plus.

Source : Statistique Canada, Recensement de la population de 2001.

Tableau 19.5 Population selon l'identité autochtone et certaines caractéristiques de la population active, l'Ouest du Canada, 2005

	Provinces de l'Ouest	Manitoba	Saskatchewan	Alberta	Colombie-Britannique
	pourcentage				
Taux d'emploi					
Autochtones	**57,2**	58,9	50,7	62,6	54,5
Indiens de l'Amérique du Nord	**50,1**	48,6	42,1	57,4	49,8
Métis	**63,7**	65,6	57,9	66,4	62,5
Population non autochtone	**65,2**	65,9	65,7	70,4	61,2
Taux de chômage					
Autochtones	**13,6**	11,6	16,0	10,2	17,3
Indiens de l'Amérique du Nord	**17,7**	14,9	21,0	12,9	20,9
Métis	**10,5**	10,0	12,6	8,6	12,2
Population non autochtone	**5,3**	4,8	4,5	4,2	6,6
Taux d'activité					
Autochtones	**66,2**	66,6	60,3	69,7	65,9
Indiens de l'Amérique du Nord	**60,9**	57,0	53,3	65,8	62,9
Métis	**71,2**	72,9	66,2	72,7	71,2
Population non autochtone	**68,9**	69,2	68,7	73,5	65,5

Notes : Population non réserve de 15 ans et plus.
Période allant d'avril 2004 à mars 2005.

Source : Statistique Canada, produit nº 71-587-XIF au catalogue.

Tableau 19.6 Importance de conserver, d'apprendre ou de réapprendre une langue autochtone selon l'identité autochtone et le groupe d'âge, par province et territoire, 2001

	Tous les groupes d'âge	15 à 24 ans	25 à 44 ans	45 à 64 ans	65 ans et plus
	pourcentage répondont « très important » ou « assez important »				
Identité autochtone	**59,1**	**57,2**	**62,1**	**56,6**	**52,5**
Provinces de l'Atlantique	58,3	56,1	62,0	54,4	56,4
Québec	51,4	51,1	60,2	44,1	34,0[E]
Ontario	57,7	56,0	60,8	55,1	48,5
Manitoba	54,7	52,6	57,2	52,5	53,3
Saskatchewan	64,5	62,5	67,7	61,3	58,4
Alberta	59,2	57,1	61,3	59,6	49,6
Colombie-Britannique	56,9	52,4	58,8	58,8	54,2
Yukon	77,5	76,1	78,3	81,8	67,6
Territoires du Nord-Ouest	75,2	72,0	75,9	75,9	80,6
Nunavut	95,0	93,5	95,1	96,9	97,0
Indien de l'Amérique du Nord	**63,8**	**62,0**	**66,9**	**61,2**	**55,9**
Provinces de l'Atlantique	63,8	60,7	69,7	58,4	60,4[E]
Québec	47,6	43,3	62,5	39,4	23,3[E]
Ontario	61,1	61,6	62,8	59,8	50,4[E]
Manitoba	68,2	65,4	70,0	66,7	73,5
Saskatchewan	76,0	69,5	79,7	77,1	77,6
Alberta	66,5	64,4	67,1	69,8	57,7
Colombie-Britannique	61,6	57,9	63,7	61,2	62,1
Yukon	78,2	76,5	78,7	82,0	66,6
Territoires du Nord-Ouest	81,8	77,6	83,0	82,1	84,6
Métis	**49,6**	**47,0**	**52,9**	**47,9**	**42,6**
Provinces de l'Atlantique	48,8	43,2	53,1	45,6	44,6[E]
Québec	42,5	39,9[E]	44,5	42,1	42,6[E]
Ontario	47,7	43,9	53,2	44,6	36,9[E]
Manitoba	46,3	43,7	48,8	45,6	41,0
Saskatchewan	53,4	55,0	56,1	48,0	44,2
Alberta	53,8	52,1	56,9	52,7	43,2
Colombie-Britannique	49,6	42,9	51,8	53,8	45,4[E]
Territoires du Nord-Ouest	51,9	48,1	56,1	50,0	57,1[E]
Inuit	**86,9**	**86,8**	**87,6**	**85,1**	**87,9**
Terre-Neuve-et-Labrador	74,1	69,8	77,4	73,0	68,4
Québec	91,2	91,6	95,2	80,5[E]	100,0
Territoires du Nord-Ouest	74,6	71,4	72,5	82,6	81,2
Nunavut	95,2	93,7	95,3	96,4	97,0

Note: Population non réserve de 15 ans et plus.

Source : Statistique Canada, produit n° 89-592-XIF au catalogue.

Tableau 19.7 Population selon l'identité autochtone, le niveau de revenu et le sexe, 2001

	Total	Sans revenu	Avec revenu	Moins de 5 000 $	5 000 $ à 9 999 $
	nombre				
Les deux sexes	**23 901 360**	**1 178 305**	**22 723 050**	**2 945 715**	**2 477 270**
Population ayant une identité autochtone	**652 350**	43 065	609 280	141 860	94 630
Indien de l'Amérique du Nord	**395 325**	26 950	368 375	94 600	60 485
Métis	**207 615**	12 440	195 170	36 835	27 065
Inuit	**27 610**	2 380	25 230	5 860	3 970
Identité autochtone multiple	**4 535**	255	4 280	1 000	705
Autres identités auctochtones	**17 270**	1 040	16 225	3 565	2 400
Population non autochtone	**23 249 010**	1 135 240	22 113 770	2 803 850	2 382 640
Hommes	**11 626 785**	**437 755**	**11 189 035**	**1 195 190**	**878 755**
Population ayant une identité autochtone	**311 365**	18 665	292 690	66 840	39 170
Indien de l'Amérique du Nord	**186 020**	11 765	174 250	45 465	25 405
Métis	**102 515**	5 205	97 310	16 575	10 800
Inuit	**13 645**	1 135	12 515	3 035	1 750
Identité autochtone multiple	**2 030**	145	1 880	415	315
Autres identités auctochtones	**7 150**	415	6 740	1 350	900
Population non autochtone	**11 315 430**	419 085	10 896 340	1 128 350	839 580
Femmes	**12 274 570**	**740 555**	**11 534 015**	**1 750 520**	**1 598 520**
Population ayant une identité autochtone	**340 985**	24 395	316 585	75 020	55 460
Indien de l'Amérique du Nord	**209 305**	15 180	194 125	49 130	35 080
Métis	**105 095**	7 235	97 860	20 260	16 270
Inuit	**13 960**	1 240	12 715	2 825	2 220
Identité autochtone multiple	**2 510**	110	2 395	585	395
Autres identités auctochtones	**10 115**	625	9 490	2 215	1 500
Population non autochtone	**11 933 585**	716 155	11 217 430	1 675 500	1 543 055

Notes : Population de 15 ans et plus.
Niveau de revenu des particuliers en 2000.

Source : Statistique Canada, Recensement de la population de 2001.

10 000 $ à 19 999 $	20 000 $ à 29 999 $	30 000 $ à 39 999 $	40 000 $ à 49 999 $	50 000 $ à 59 999 $	60 000 $ et plus	Revenu médian
		nombre				dollars
5 008 265	**3 565 425**	**2 974 545**	**2 022 035**	**1 338 810**	**2 390 990**	**22 120**
151 135	85 580	58 910	33 455	19 155	24 555	13 525
93 310	49 740	32 445	17 000	9 595	11 200	12 263
46 700	29 800	22 035	13 680	7 960	11 100	16 342
6 175	3 295	2 365	1 400	895	1 270	13 699
1 020	585	405	220	140	200	13 573
3 930	2 165	1 665	1 150	570	785	14 535
4 857 130	3 479 840	2 915 635	1 988 585	1 319 655	2 366 440	22 431
1 931 575	**1 681 570**	**1 587 695**	**1 236 905**	**886 090**	**1 791 255**	**29 276**
63 075	40 830	31 055	20 470	12 705	18 545	15 512
39 375	23 400	16 025	10 000	6 185	8 390	13 173
19 165	14 635	12 825	8 960	5 615	8 740	20 767
2 725	1 710	1 250	730	500	810	14 902
345	250	190	135	95	140	14 824
1 465	835	770	645	305	465	16 859
1 868 500	1 640 735	1 556 645	1 216 430	873 385	1 772 710	29 730
3 076 690	**1 883 855**	**1 386 850**	**785 135**	**452 720**	**599 735**	**17 122**
88 065	44 750	27 855	12 985	6 445	6 010	12 311
53 940	26 340	16 420	7 000	3 405	2 805	11 844
27 535	15 160	9 215	4 725	2 340	2 360	13 592
3 455	1 585	1 110	670	390	460	12 987
675	340	220	90	45	60	12 971
2 465	1 325	890	505	260	320	13 055
2 988 625	1 839 100	1 358 995	772 150	446 275	593 725	17 273

Tableau 19.8 Conditions chroniques fréquemment déclarées selon l'idendité autochtone, par province et territoire, 2001

	Arthrite ou rhumatisme	Hypertension	Asthme	Affections digestives[1]	Diabète	Problèmes cardiaques
	pourcentage					
Identité autochtone	**19,3**	**12,0**	**11,6**	**10,2**	**7,0**	**6,5**
Provinces de l'Atlantique	20,5	15,2	9,9	10,4	5,9	6,1
Québec	17,0	12,7	13,1	8,8	5,8	6,7
Ontario	25,7	14,6	15,8	12,6	9,4	9,3
Manitoba	17,3	12,6	10,7	8,7	7,6	4,8
Saskatchewan	17,1	11,0	9,5	9,5	7,9	5,5
Alberta	17,0	10,3	11,1	9,1	5,9	5,4
Colombie-Britannique	19,0	10,3	10,6	11,5	6,5	6,3
Yukon	15,6	12,7	9,8	10,7	5,4E	5,4
Territoires du Nord-Ouest	11,5	7,5	5,2	6,7	3,2	3,5
Nunavut	7,3	6,8	2,8	4,2	1,8E	5,1
Indien de l'Amérique du Nord	**20,3**	**12,1**	**12,5**	**10,4**	**8,3**	**6,6**
Provinces de l'Atlantique	20,8	16,8	10,1	10,8	8,0E	5,1E
Québec	18,7	13,8	15,8	8,4E	6,9E	8,0E
Ontario	26,7	14,9	16,6	12,0	11,0	8,1
Manitoba	17,7	12,8	11,4	8,7	10,3	5,5
Saskatchewan	17,3	9,9	9,2	9,5	8,7	5,8
Alberta	16,3	9,2	10,9	8,4	6,4	5,5
Colombie-Britannique	18,4	9,3	10,3	11,3	6,1	6,2
Yukon	15,0	12,5	9,4	11,7	5,3E	5,9
Territoires du Nord-Ouest	10,8	6,4	5,0	7,7	3,1	2,9
Métis	**19,5**	**12,7**	**11,7**	**10,5**	**5,9**	**6,8**
Provinces de l'Atlantique	21,2	15,2	8,9E	10,1E	3,6E	7,6E
Québec	19,9	13,4	12,4	10,8	5,2E	5,9E
Ontario	24,0	14,7	14,9	13,2	6,0E	12,0
Manitoba	17,3	12,8	10,3	8,7	5,8	4,6
Saskatchewan	16,6	12,0	9,8	9,6	7,1	5,1
Alberta	17,4	11,4	11,2	9,5	5,3	5,4
Colombie-Britannique	21,1	11,8	11,7	11,4	6,7	6,3
Territoires du Nord-Ouest	14,2	7,3E	6,8E	6,4E	6,0E	4,3E
Inuit	**9,4**	**8,1**	**5,6E**	**5,8**	**2,3**	**4,8**
Terre-Neuve-et-Labrador	15,9	14,9	10,6E	8,6E	4,9E	4,9E
Québec	4,2	4,3	2,9E	3,6E	2,4E	2,6E
Territoires du Nord-Ouest	11,0	11,4	3,5E	4,3E	x	4,7E
Nunavut	7,0	6,9	2,8	4,1	1,8E	5,0

Note : Population non réserve de 15 ans et plus.

1. Inclut les problèmes gastriques ou ulcères intestinaux.

Source : Statistique Canada, produit nº 89-592-XIF au catalogue.

Population et démographie

20

SURVOL

Malgré le vieillissement de la population et la faible fécondité des femmes, la population canadienne s'est légèrement accrue au cours des dernières années. Au 1er juillet 2006, elle atteignait le cap des 32,6 millions de personnes.

Le Canada compte principalement sur l'immigration pour accroître sa population. En 2005-2006, les deux tiers de la croissance démographique au pays reposaient sur l'immigration. De juillet 2005 à juin 2006, le Canada a accueilli 254 400 immigrants, un chiffre légèrement supérieur à la moyenne annuelle de 225 000 observée depuis le début des années 1990. Parallèlement, l'accroissement naturel, c'est-à-dire le nombre de naissances moins le nombre de décès, a continué de diminuer. Selon les plus récentes estimations, il est passé de 210 500 personnes en 1990-1991 à 108 600 en 2005-2006.

La majorité de la population se concentre le long d'un étroit corridor longeant l'extrémité sud du pays près de la frontière américaine. Au 1er juillet 2006, 62 % de la population demeurait au Québec et en Ontario, les deux plus grandes provinces du Canada en superficie.

Les vastes étendues polaires des Territoires du Nord-Ouest, du Yukon et du Nunavut, soit 40 % de la masse continentale du Canada, sont beaucoup moins peuplées. Leurs habitants ne forment que 0,3 % de la population.

La fécondité est moins élevée

Beaucoup de couples tardent à fonder une famille, notamment parce qu'ils terminent leurs études et sont plus susceptibles de se marier vers la fin de la vingtaine. L'âge moyen des mères ayant donné naissance à un enfant en 2004 était de 29,7 ans, ce qui représente une légère augmentation par rapport à 29,6 ans en 2003. Cette tendance à la hausse persiste depuis environ trois décennies.

En retardant ainsi la grossesse, les couples ont souvent moins d'enfants. En effet, au cours des

Graphique 20.1
Accroissement démographique

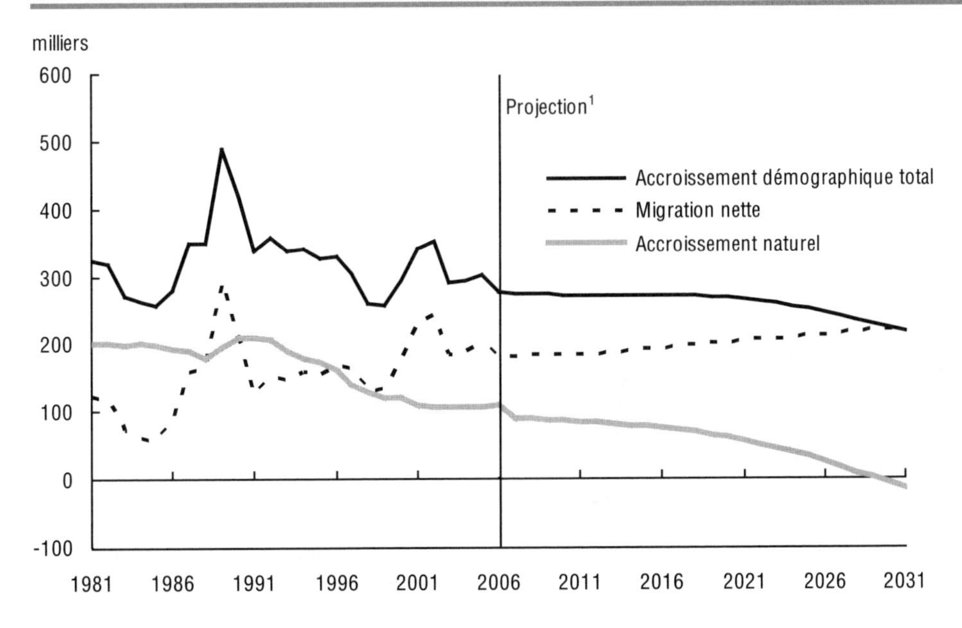

1. Scénario de croissance moyenne.
Source : Statistique Canada, CANSIM : tableaux 051-0004 et 052-0004.

deux dernières décennies, la fécondité chez les Canadiennes a généralement diminué. L'indice synthétique de fécondité s'établissait à 1,49 enfant par femme en 2000, en baisse par rapport à 1,65 en 1981. Depuis, il a légèrement augmenté pour s'établir à 1,53 en 2003 et 2004.

L'indice synthétique de fécondité du Canada se rapproche de celui d'autres pays industrialisés. Par contre, il est inférieur à celui des États-Unis, où on observe depuis quelques années un niveau très proche du seuil de remplacement des générations (2,1 enfants par femme). Ainsi, la croissance démographique américaine repose davantage sur l'accroissement naturel que celle du Canada dont la croissance est attribuable aux deux tiers à l'immigration.

Selon le Recensement de 2001, l'indice synthétique de fécondité des immigrantes arrivées au Canada entre 1996 et 2001 était de 3,1 enfants par femme, un indice nettement supérieur à celui des autres femmes canadiennes. L'indice de fécondité des immigrantes tend toutefois à se rapprocher de celui des autres Canadiennes à mesure que la période écoulée depuis leur immigration s'allonge.

La population vieillit rapidement

Même si les Canadiens jouissent d'une des espérances de vie les plus élevées des pays industrialisés, le nombre de décès ne cesse

Graphique 20.2
Indice synthétique de fécondité

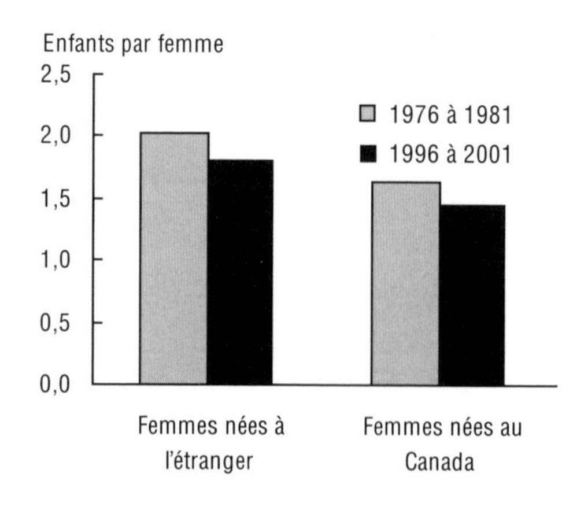

Source : Statistique Canada, produit n° 91-209-XIF au catalogue.

Certaines composantes démographiques

	1990-1991	2005-2006
	nombre	
Naissances	402 929	343 517
Décès	192 439	234 914
Immigrants	221 382	254 359
Émigrants	43 692	38 551

Note : Période allant du 1er juillet au 30 juin.
Source : Statistique Canada, CANSIM : tableau 051-0004.

d'augmenter au Canada depuis le début de la décennie, en raison de l'accroissement de la population et de son vieillissement. En 2005-2006, 234 914 personnes sont décédées, en hausse par rapport aux 219 114 décès enregistrés en 2000-2001.

Alors que l'espérance de vie augmente et que la fécondité demeure relativement stable, la population vieillit rapidement. Au 1er juillet 2006, l'âge médian de la population du Canada atteignait 39 ans, en hausse comparativement à 31 ans en 1985.

Les personnes âgées représentaient 13 % de la population du pays, soit presque le double de la proportion de 7 % enregistrée au début du baby-boom, en 1946. Au cours de la même période, la proportion des personnes de 20 à 64 ans est passée de 56 % à 63 %.

Parallèlement, la proportion d'enfants et de jeunes a diminué de façon considérable. Le 1er juillet 2006, le groupe d'âge des 19 ans et moins représentait 24 % de la population, comparativement à 37 % de la population en 1946. Ce recul devrait se poursuivre au cours des 50 prochaines années.

Comme les hommes ont tendance à vivre moins longtemps que les femmes, ils sont moins nombreux aux âges avancés. En 2005-2006, on comptait 91 hommes pour 100 femmes dans la population des 65 à 74 ans. Chez les 90 ans et plus, ce rapport passe à 36 hommes pour 100 femmes. Chez les 19 ans et moins, on comptait 105 garçons pour 100 filles.

La croissance est inégale

En 2005-2006, seuls trois provinces et un territoire ont connu une croissance démographique supérieure à celle de 10,0 pour 1 000 personnes enregistrée au Canada dans son ensemble : l'Alberta (29,5 pour 1 000), la

Colombie-Britannique (12,3 pour 1 000) l'Ontario (10,2 pour 1 000) et le Nunavut (24,4 pour 1 000). Pour une 14e année consécutive, Terre-Neuve-et-Labrador a vu sa population décliner en 2005-2006, résultant en un taux de croissance négatif (-8,4 pour 1 000). Les taux des autres provinces allaient de -4,6 pour 1 000 en Saskatchewan à 7,1 pour 1 000 au Québec.

La migration alimente la croissance

L'Alberta, championne de la croissance démographique depuis 1997, doit cette situation à la combinaison d'un accroissement naturel relativement élevé par rapport aux autres provinces et d'une augmentation notable de la migration interprovinciale puis, dans une moindre mesure, de la migration internationale.

Comme la plupart des provinces, la croissance de la population de l'Ontario et de la Colombie-Britannique dépend en grande partie de l'immigration, alors que celle du Nunavut est essentiellement attribuable à un indice synthétique de fécondité de trois enfants par femme qui est environ le double de celui de l'ensemble du pays. Quant à Terre-Neuve-et-Labrador, elle est la première province canadienne où l'on estime que les décès ont excédé les naissances de juillet 2005 à juin 2006.

Graphique 20.3
Les six régions métropolitaines de recensement qui croissent le plus rapidement

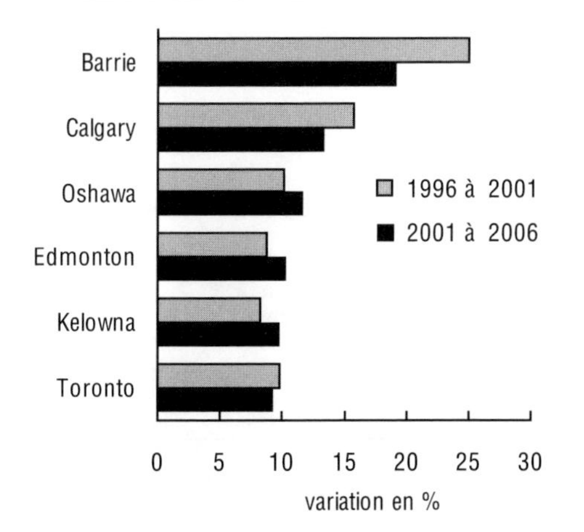

Source : Statistique Canada, recensements de la population de 1996, 2001 et 2006.

La plupart des Canadiens continuent à vivre dans une région urbaine. Selon le Recensement de 2006, 25,6 millions de personnes représentant plus de 80 % de la population habitaient dans des régions urbaines. La majorité d'entre elles, soit 21,5 millions de personnes, vivaient dans l'une des 33 régions métropolitaines de recensement (RMR) du pays. Six RMR ont affiché une population de plus de 1 million, soit Toronto, Montréal, Vancouver et Ottawa–Gatineau ainsi que, pour la première fois, Calgary et Edmonton. La population de ces six RMR s'est élevée à 14,1 millions de personnes, soit 45 % de l'ensemble de la population.

La croissance de la population des RMR a été bien supérieure à la moyenne nationale. De 2001 à 2006, les plus grandes RMR ont vu leur population croître de 6,9 % comparativement à 5,4 % pour l'ensemble du Canada.

Quinze RMR ont un taux de croissance démographique plus élevé que la moyenne nationale. Parmi celles-ci, six se situent au sud de l'Ontario, dans la région du Grand Golden Horseshoe : Barrie, Oshawa, Toronto, Kitchener, Guelph et Brantford. La RMR ayant connu le taux de croissance le plus rapide est Barrie où la population a crû de 19 % pour atteindre 177 061 personnes en 2006, suivie de Calgary où la population a augmenté de 13 % pour s'établir à 1,1 million de personnes.

De 2001 à 2006, la population vivant dans les petites villes et régions rurales a crû de 1 %. En 2006, un peu moins de 20 % des Canadiens, soit environ 6 millions de personnes, vivaient dans les petites villes et régions rurales.

Sources choisies

Statistique Canada

- *Naissances.* Semestriel. 84F0210XIF
- *Projections démographiques pour le Canada, les provinces, et les territoires.* Hors série. 91-520-XWF
- *Statistiques démographiques annuelles.* Annuel. 91-213-XIB
- *Statistiques démographiques trimestrielles.* Trimestriel. 91-002-XWF
- *Tendances sociales canadiennes.* Trimestriel. 11-008-XIF

L'avenir de la population canadienne

Selon les plus récentes projections démographiques, la population canadienne, qui s'élevait à 32,6 millions de personnes en 2006, devrait continuer à augmenter et pourrait atteindre entre 36 millions et 42 millions de personnes en 2031. En outre, les décès excéderaient les naissances entre 2020 et 2046, et le solde migratoire international serait alors le seul moteur de la croissance démographique.

En 2005, la population du Canada était plus jeune que dans la plupart des pays du G8. Cependant, on s'attend à ce qu'elle vieillisse plus rapidement pendant les années à venir. Le maintien d'une faible fécondité et une longévité croissante expliquent en grande partie le vieillissement de la population. Pendant les deux prochaines décennies, la génération du baby-boom, qui constitue le plus grand segment de la population, atteindra 65 ans, ce qui contribuera à accélérer le rythme du vieillissement.

Vers l'an 2015, les personnes de 65 ans et plus pourraient être pour la première fois dans l'histoire du Canada, plus nombreuses que les enfants de moins de 15 ans. En 2031, le nombre de personnes de 65 ans et plus varierait entre 8,9 millions et 9,4 millions; le nombre d'enfants se situerait entre 4,8 millions et 6,6 millions.

Au cours des prochaines décennies, la proportion de personnes de 65 ans et plus augmenterait plus rapidement pour atteindre entre 23 % et 25 % de la population en 2031. Elle représenterait alors presque le double de la proportion actuelle de 13 %. La proportion du groupe des 80 ans et plus augmenterait encore plus rapidement : on prévoit que 1 Canadien sur 10 ferait partie de ce groupe d'âge d'ici 2056, alors que la proportion était de 1 sur 30 en 2005.

L'arrivée à 65 ans de la génération du baby-boom aura également des répercussions sur la population active. La population en âge de travailler (de 15 à 64 ans) représente actuellement 70 % de l'ensemble de la population. Ce taux pourrait chuter à 62 % au tournant des années 2030 et se stabiliser par la suite à environ 60 %.

Graphique 20.4
Projections démographiques, enfants et personnes âgées

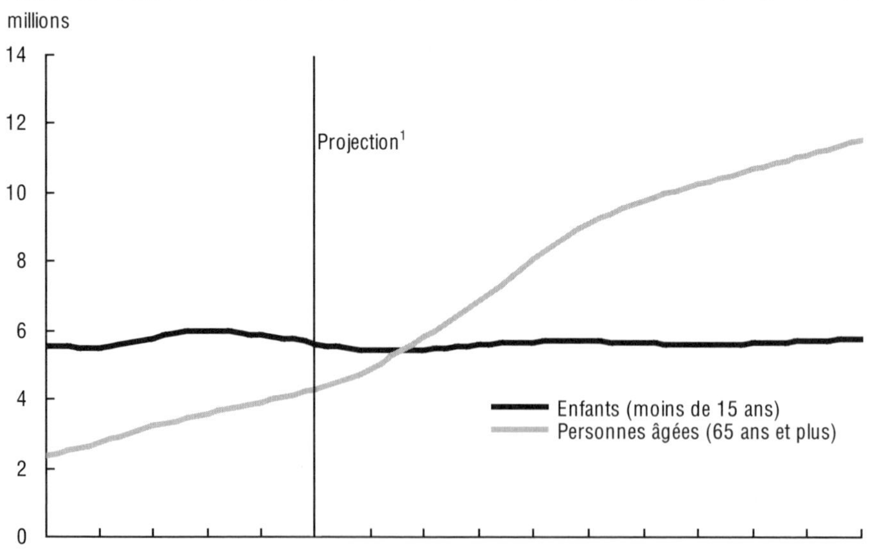

1. Scénario de croissance moyenne.
Source : Statistique Canada, CANSIM : tableaux 051-0001 et 052-0004.

Une croissance parmi les plus élevées du G8

De 1994 à 2004, le Canada a affiché l'un des taux de croissance démographique les plus élevés du monde industrialisé. Ce taux était presque deux fois plus élevé que le taux de croissance moyen des pays européens membres du G8. Durant cette période, seuls les États-Unis ont affiché une croissance plus élevée que le Canada.

Récemment, la croissance démographique canadienne a toutefois été légèrement supérieure à celle de son voisin du Sud. En 2004-2005, l'accroissement démographique du Canada était de 9,6 pour 1 000 personnes, comparativement à 9,3 pour 1 000 aux États-Unis.

C'est par son apport migratoire que le Canada se démarque le plus des autres pays. De 1994 à 2004, le taux d'accroissement migratoire international au Canada, qui s'est établi à 0,61 %, a été le taux le plus élevé parmi les pays du G8. Les États-Unis ont occupé la deuxième place affichant un taux de 0,52 %. Le Japon et la France ont fermé la marche avec des soldes migratoires de 0,01 % et 0,07 % respectivement.

Si la population canadienne augmente de plus en plus grâce à son accroissement migratoire, la croissance démographique aux États-Unis, quant à elle, s'explique surtout par l'accroissement naturel. De 1994 à 2004, le taux d'accroissement naturel au Canada a été de 0,39 %, alors que celui des États-Unis a atteint 0,58 %.

Avec un indice synthétique de fécondité (1,5 enfant par femme en 2004) qui se situe au quatrième rang parmi les pays du G8 et une espérance de vie semblable aux autres pays du groupe, l'accroissement naturel du Canada est demeuré relativement élevé en 2004 comparativement à celui des autres pays. Seuls les États-Unis ont dépassé le Canada à ce chapitre.

Si on la compare avec d'autres pays du G8, la population canadienne se classe parmi les plus jeunes. Seuls les États-Unis et la Fédération de Russie présentent une population plus jeune que celle du Canada : l'âge médian pour ces deux pays est de 36,3 ans et 37,9 ans respectivement, tandis que celui du Canada s'élève à 38,3 ans.

Graphique 20.5
Taux d'accroissement démographique, pays du G8, moyenne annuelle, 1994 à 2004

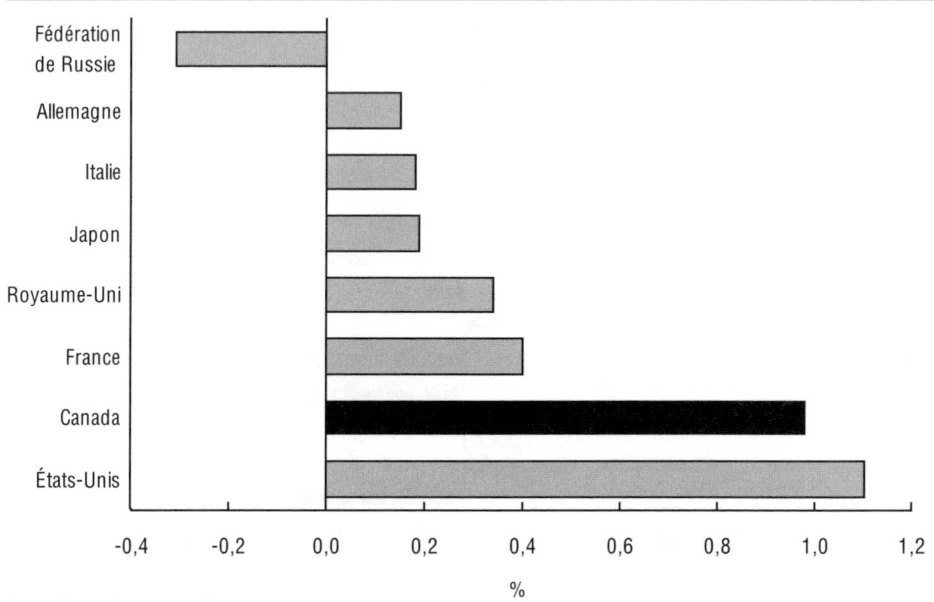

Note : Population au 1er juillet.
Sources : Statistique Canada; US Census Bureau; Eurostat; UK Office of National Statistics; Statistics Bureau of Japan; et Russian Federal State Statistics Service.

L'essor de la population albertaine

Sur le plan économique, l'Alberta connaît une période de prospérité. Ainsi, il n'est pas étonnant que sa population ait augmenté considérablement au cours des dernières années. De juillet 2005 à juin 2006 seulement, la population de l'Alberta s'est accrue de 29,5 pour 1 000 personnes, soit un taux près de trois fois supérieur à celui de la moyenne nationale. Selon les estimations, la population de l'Alberta au 1er juillet 2006 se situait à 3,4 millions d'habitants.

Les emplois abondants, les salaires élevés, les surplus budgétaires et les taxes peu élevées ont attiré un grand nombre de migrants d'autres provinces. De juillet 2005 à juin 2006, l'Alberta a enregistré un solde migratoire interprovincial record de 57 100, en hausse de 22 700 par rapport à l'année précédente. Le solde de la migration interprovinciale a été à l'origine de 58 % de la croissance démographique de la province. De plus, l'accroissement naturel albertain est demeuré le plus élevé parmi les provinces, le nombre de naissances étant en hausse depuis 2000.

L'attraction albertaine s'est surtout fait sentir en Colombie-Britannique, en Saskatchewan et dans les Territoires du Nord-Ouest où plus de la moitié des sortants ont opté pour cette province en 2005-2006. Durant cette période, l'Alberta a également reçu 27 961 migrants en provenance de l'Ontario, lesquels représentaient le tiers des sortants de l'Ontario. Près de 48 % des migrants ayant quitté Terre-Neuve-et-Labrador, soit 7 103 personnes, avaient déménagé en Alberta.

La demande de logements abordables et la pénurie de main-d'œuvre sont des défis importants que pose la croissance rapide de la population de l'Alberta. Malgré une augmentation des mises en chantier, la demande de logements dans cette province a grimpé de 17 % en 2005, ce qui a fait monter en flèche les prix des logements neufs en 2006. En outre, dans l'Enquête sur les perspectives du monde des affaires de 2005, 25 % des fabricants albertains ont déclaré des pénuries de main-d'œuvre non qualifiée; la proportion correspondante n'était que de 2 % en 2003.

Graphique 20.6
Taux d'accroissement démographique, par province et territoire

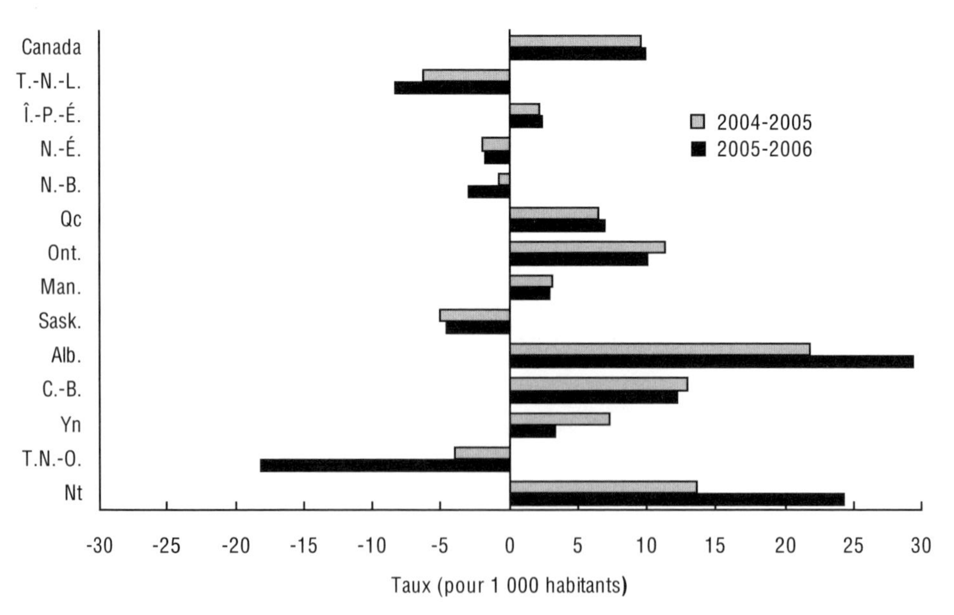

Note : Année se terminant le 30 juin.
Source : Statistique Canada, produit no 91-215-XIF au catalogue.

Naissances : tendances de la migration

Tout comme l'immigration, la migration interprovinciale entraîne une variation du nombre de naissances d'une province à l'autre. Chaque année, plusieurs personnes changent de province ou de territoire. Ces migrants ont des enfants dans une région autre que celle dans laquelle ils sont nés et contribuent à modifier le profil démographique du pays.

Beaucoup de jeunes en âge d'avoir des enfants quittent Terre-Neuve-et-Labrador pour émigrer vers d'autres provinces, ce qui contribue à diminuer le nombre de naissances dans cette province. En 2004, les femmes habitant à Terre-Neuve-et-Labrador ont donné naissance à 4 598 bébés, soit environ la moitié des 8 929 bébés nés en 1983.

Le nombre de migrants en provenance d'autres pays et d'autres provinces qui s'établissent à Terre-Neuve-et-Labrador n'est pas aussi élevé que le nombre d'émigrants qui quittent cette province. En 2004, Terre-Neuve-et-Labrador avait la plus faible proportion de naissances provenant de résidentes nées à l'extérieur du Canada ou ailleurs au Canada : moins de 1 naissance sur 100 et 9 naissances sur 100 respectivement.

En 2004, l'Alberta était la seule province à avoir enregistré un accroissement de son nombre de naissances pour une quatrième année consécutive. Cet accroissement est attribuable dans une large mesure à la venue d'un grand nombre de jeunes Canadiens en provenance d'autres régions du pays. Dans cette province, 29 naissances sur 100 provenaient de femmes nées ailleurs au Canada et 20 naissances sur 100, de femmes nées à l'étranger.

L'Ontario compte une proportion beaucoup plus élevée de bébés qui sont nés de femmes immigrantes d'autres pays. Au total, 56 naissances sur 100 en Ontario provenaient de femmes nées en Ontario et 36 sur 100, d'immigrantes internationales. Seulement 8 naissances sur 100 provenaient de femmes nées ailleurs au Canada.

Graphique 20.7
Naissances, selon le lieu de naissance de la mère et de l'enfant, Canada et certaines provinces, 2004

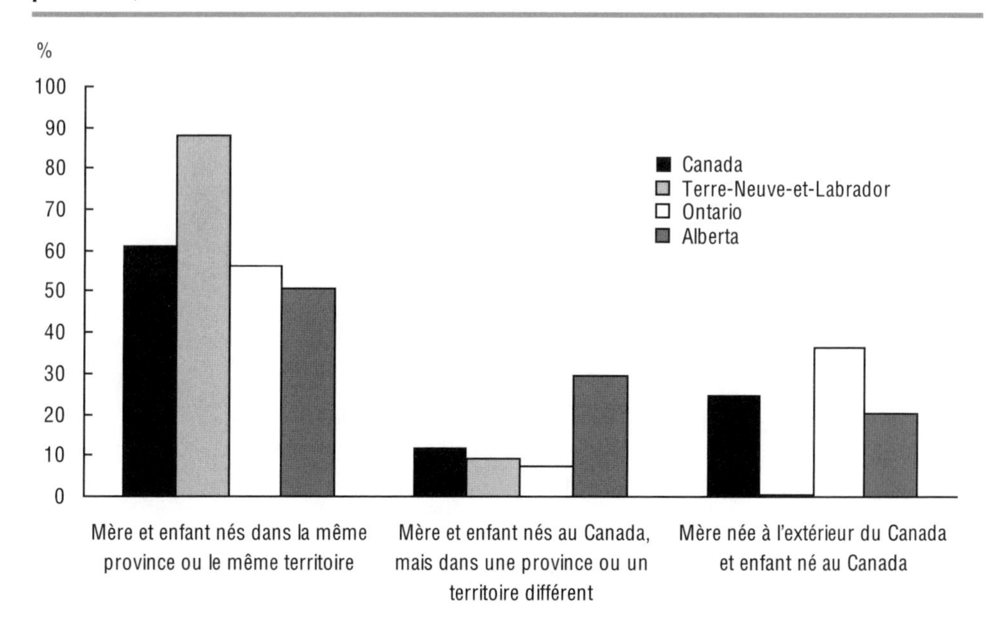

Note : Province ou territoire de résidence de l'enfant au moment de la naissance.
Source : Statistique Canada, produit nº 84F0210XIF au catalogue.

Tableau 20.1 Population, par province et territoire, années de recensement 1861 à 2006

	1861	1871	1881	1891	1901	1911	1921
	nombre						
Canada[1]	**3 229 633**	**3 689 257**	**4 324 810**	**4 833 239**	**5 371 315**	**7 206 643**	**8 787 949**[2]
Terre-Neuve-et-Labrador	..	..	..	..	..	..	..
Île-du-Prince-Édouard	80 857	94 021	108 891	109 078	103 259	93 728	88 615
Nouvelle-Écosse	330 857	387 800	440 572	450 396	459 574	492 338	523 837
Nouveau-Brunswick	252 047	285 594	321 233	321 263	331 120	351 889	387 876
Québec	1 111 566	1 191 516	1 359 027	1 488 535	1 648 898	2 005 776	2 360 510
Ontario	1 396 091	1 620 851	1 926 922	2 114 321	2 182 947	2 527 292	2 933 662
Manitoba	..[3]	25 228	62 260	152 506	255 211	461 394	610 118
Saskatchewan	..[3]	..[3]	..[3]	..[3]	91 279	492 432	757 510
Alberta	..[3]	..[3]	..[3]	..[3]	73 022	374 295	588 454
Colombie-Britannique	51 524	36 247	49 459	98 173	178 657	392 480	524 582
Yukon	..	..	..	..	27 219	8 512	4 157
Territoires du Nord-Ouest (incluant le Nunavut)	6 691	48 000	56 446	98 967	20 129	6 507	8 143
Territoires du Nord-Ouest[4]	..	..	..	..	..	..	..
Nunavut[4]	..	..	..	..	..	..	..

Note : Avant 1961, les données du recensement correspondaient à celles obtenues le jour du recensement. Depuis 1961, elles sont en date du 1er juillet.

1. Les totaux pour le Canada comprennent Terre-Neuve-et-Labrador à partir de 1951.
2. Comprend 485 membres de la Marine royale canadienne dont la province de résidence n'est pas connue.
3. Comprise dans celle des Territoires du Nord-Ouest.
4. Avant le 1er juillet 1991, seules les données combinées pour les Territoires du Nord-Ouest et le Nunavut étaient disponibles.

Source : Statistique Canada, CANSIM : tableau 051-0001 et produit nº 11-516-XIF au catalogue.

Tableau 20.2 Population, selon le sexe et le groupe d'âge, par province et territoire, 2006

	Les deux sexes			
	Tous les âges	0 à 14 ans	15 à 64 ans	65 ans et plus
	milliers			
Canada	**32 623,5**	**5 644,6**	**22 664,6**	**4 314,2**
Terre-Neuve-et-Labrador	**509,7**	78,3	362,4	69,0
Île-du-Prince-Édouard	**138,5**	24,0	94,6	19,9
Nouvelle-Écosse	**934,4**	147,7	650,7	136,0
Nouveau-Brunswick	**749,2**	118,2	524,4	106,6
Québec	**7 651,5**	1 241,6	5 334,5	1 075,3
Ontario	**12 687,0**	2 262,9	8 782,6	1 641,5
Manitoba	**1 177,8**	228,0	790,0	159,8
Saskatchewan	**985,4**	190,0	648,3	147,0
Alberta	**3 375,8**	637,4	2 386,0	352,3
Colombie-Britannique	**4 310,5**	690,2	3 018,7	601,5
Yukon	**31,2**	5,6	23,3	2,3
Territoires du Nord-Ouest	**41,9**	10,2	29,7	2,0
Nunavut	**30,8**	10,4	19,5	0,9

Note : Population en date du 1er juillet 2006.

Source : Statistique Canada, CANSIM : tableau 051-0001.

1931	1941	1951	1961	1971	1981	1991	2001	2006
				nombre				
10 376 786	**11 506 655**	**14 009 429**	**18 238 247**	**21 961 999**	**24 820 393**	**28 031 394**	**31 021 251**	**32 623 490**
..	..	361 416	457 853	530 851	574 775	579 518	521 986	509 677
88 038	95 047	98 429	104 629	112 591	123 741	130 306	136 672	138 519
512 846	577 962	642 584	737 007	797 291	854 646	915 102	932 389	934 405
408 219	457 401	515 697	597 936	642 469	706 325	745 528	749 890	749 168
2 874 662	3 331 882	4 055 681	5 259 211	6 137 306	6 547 705	7 064 586	7 396 990	7 651 531
3 431 683	3 787 655	4 597 542	6 236 092	7 849 002	8 811 312	10 428 132	11 897 647	12 686 952
700 139	729 744	776 541	921 686	998 874	1 036 433	1 109 614	1 151 285	1 177 765
921 785	895 992	831 728	925 181	932 037	975 867	1 002 686	1 000 134	985 386
731 605	796 169	939 501	1 331 944	1 665 717	2 294 198	2 592 626	3 056 739	3 375 763
694 263	817 861	1 165 210	1 629 082	2 240 472	2 823 933	3 373 464	4 078 447	4 310 452
4 230	4 914	9 096	14 628	18 991	23 903	28 907	30 129	31 229
9 316	12 028	16 004	22 998	36 398	47 555	..	..	..
..	..	..	..	..	..	38 746	40 822	41 861
..	..	..	..	..	..	22 179	28 121	30 782

Hommes				Femmes			
Tous les âges	0 à 14 ans	15 à 64 ans	65 ans et plus	Tous les âges	0 à 14 ans	15 à 64 ans	65 ans et plus
			milliers				
16 155,5	**2 890,9**	**11 382,6**	**1 882,0**	**16 468,0**	**2 753,7**	**11 282,0**	**2 432,3**
250,1	40,3	178,9	30,9	259,6	38,0	183,5	38,1
67,4	12,3	46,4	8,6	71,2	11,7	48,1	11,3
456,9	74,8	323,1	58,9	477,5	72,9	327,6	77,1
369,5	60,5	263,1	45,8	379,7	57,7	261,3	60,7
3 777,3	636,1	2 687,4	453,8	3 874,2	605,6	2 647,2	621,5
6 262,1	1 156,3	4 387,8	718,0	6 424,8	1 106,6	4 394,8	923,4
585,4	117,0	400,0	68,4	592,4	111,0	390,0	91,4
489,7	97,7	328,0	64,0	495,7	92,4	320,2	83,1
1 707,0	327,3	1 221,9	157,8	1 668,8	310,1	1 164,2	194,5
2 136,9	355,1	1 508,9	272,8	2 173,6	335,1	1 509,8	328,7
15,7	2,8	11,7	1,2	15,5	2,9	11,5	1,1
21,6	5,2	15,4	1,0	20,2	5,0	14,3	1,0
15,9	5,4	10,0	0,5	14,8	5,0	9,5	0,4

Tableau 20.3 Chiffres de population et des logements selon la région métropolitaine de recensement, années de recensement 1996, 2001 et 2006

	1996	2001	2006
		nombre	
St. John's	174 051	172 918	181 113
Halifax	342 966[1]	359 183	372 858
Moncton	..	118 678[1]	126 424
Saint John	125 705	122 678	122 389
Saguenay	160 454	154 938	151 643
Québec[2]	671 889	686 569[1]	715 515
Sherbrooke	149 569[1]	175 950[1]	186 952
Trois-Rivières	139 956	137 507	141 529
Montréal[2]	3 326 447[1]	3 451 027[1]	3 635 571
Ottawa–Gatineau	998 718[1]	1 067 800[1]	1 130 761
Kingston	144 528[1]	146 838	152 358
Peterborough	..	110 876[1]	116 570
Oshawa	268 773	296 298	330 594
Toronto	4 263 759[1]	4 682 897	5 113 149
Hamilton	624 360	662 401	692 911
St. Catharines–Niagara	372 406	377 009	390 317
Kitchener	382 940	414 284	451 235
Brantford[2]	..	118 086[1]	124 607
Guelph	..	117 344	127 009
London	416 546[1]	435 600[1]	457 720
Windsor	286 811[1]	307 877	323 342
Barrie	..	148 480	177 061
Greater Sudbury / Grand Sudbury	165 618[1]	155 601	158 258
Thunder Bay	126 643[1]	121 986	122 907
Winnipeg	667 093[1]	676 594[1]	694 668
Regina	193 652	192 800	194 971
Saskatoon	219 056	225 927	233 923
Calgary[2]	821 628	951 494[1]	1 079 310
Edmonton	862 597	937 845	1 034 945
Kelowna	..	147 739	162 276
Abbotsford	136 480	147 370	159 020
Vancouver	1 831 665	1 986 965	2 116 581
Victoria[2]	304 287	311 902	330 088

1. Chiffre ajusté en raison de changement de limite.
2. Ne comprend pas les données du recensement pour une ou plusieurs réserves indiennes ou établissements indiens partiellement dénombrés.

Source : Statistique Canada, recensements de la population, 1996, 2001 et 2006.

Tableau 20.4 Centres urbains de taille moyenne présentant les plus fortes croissances de population de 2001 à 2006

	2001	2006	Croissance
	nombre		pourcentage
Okotoks, Alberta	11 689	17 145	46,7
Wood Buffalo, Alberta	42 581	52 643	23,6
Grande Prairie, Alberta	58 787	71 868	22,3
Red Deer, Alberta	67 829	82 772	22,0
Yellowknife, Territoires du Nord-Ouest	16 541	18 700	13,1
Lloydminster, Saskatchewan / Alberta	23 964	27 023	12,8
Canmore, Alberta	10 792	12 039	11,6
Medicine Hat, Alberta	61 735	68 822	11,5
Saint-Jean-sur-Richelieu, Québec	79 600	87 492	9,9
Joliette, Québec	39 720	43 595	9,8
Chilliwack, Colombie-Britannique	74 003	80 892	9,3
Fort St. John, Colombie-Britannique	23 007	25 136	9,3
Parksville, Colombie-Britannique	24 285	26 518	9,2
Lethbridge, Alberta	87 388	95 196	8,9
Courtenay, Colombie-Britannique	45 205	49 214	8,9
Granby, Québec	63 069	68 352	8,4
Nanaimo, Colombie-Britannique	85 664	92 361	7,8
Collingwood, Ontario	16 039	17 290	7,8
Kawartha Lakes, Ontario	69 179	74 561	7,8
Vernon, Colombie-Britannique	51 530	55 418	7,5

Source : Statistique Canada, recensements de la population, 2001 et 2006.

Tableau 20.5 Centres urbains de taille moyenne présentant les plus importantes diminutions de population de 2001 à 2006

	2001	2006	Diminution
	nombre		pourcentage
Kitimat, Colombie-Britannique	10 285	8 987	12,6
Prince Rupert, Colombie-Britannique	15 302	13 392	12,5
Quesnel, Colombie-Britannique	24 426	22 449	8,1
Terrace, Colombie-Britannique	19 980	18 581	7,0
Williams Lake, Colombie-Britannique	19 768	18 760	5,1
Campbellton, Nouveau-Brunswick / Québec	18 820	17 888	5,0
North Battleford, Saskatchewan	18 590	17 765	4,4
Kenora, Ontario	15 838	15 177	4,2
Elliot Lake, Ontario	11 956	11 549	3,4
Bathurst, Nouveau-Brunswick	32 523	31 424	3,4
Edmundston, Nouveau-Brunswick	22 173	21 442	3,3
Cape Breton, Nouvelle-Écosse	109 330	105 928	3,1
La Tuque, Québec	15 725	15 293	2,7
Thetford Mines, Québec	26 721	26 107	2,3
Dolbeau-Mistassini, Québec	14 879	14 546	2,2
Prince George, Colombie-Britannique	85 035	83 225	2,1
Miramichi, Nouveau-Brunswick	25 274	24 737	2,1
Amos, Québec	18 302	17 918	2,1
Baie-Comeau, Québec	30 401	29 808	2,0
Prince Albert, Saskatchewan	41 460	40 766	1,7

Source : Statistique Canada, recensements de la population, 2001 et 2006.

Tableau 20.6 Composantes de l'accroissement démographique, 1861 à 2006

	1861 à 1871	1871 à 1881	1881 à 1891	1891 à 1901	1901 à 1911	1911 à 1921	1921 à 1931	1931 à 1941
	milliers							
Population du recensement à la fin de la période[2]	**3 689**	**4 325**	**4 833**	**5 371**	**7 207**	**8 788**	**10 377**	**11 507**
Accroissement démographique total[3]	459	636	508	538	1 836	1 581	1 589	1 130
Naissances	1 370	1 480	1 524	1 548	1 925	2 340	2 415	2 294
Décès	760	790	870	880	900	1 070	1 055	1 072
Immigration[2]	260	350	680	250	1 550	1 400	1 200	149
Émigration[2]	410	404	826	380	740	1 089	970	241

1. Comprend Terre-Neuve-et-Labrador à partir de 1951.
2. Population selon les données des recensements avant 1971; à partir de 1971, la population est calculée en fonction des estimations démographiques ajustées.
3. La variation de l'effectif de la population entre deux recensements.

Source : Statistique Canada, Recensement de la population, CANSIM : tableaux 051-0001, 051-0004 et 071-0001, et produit nº 11-516-XIF au catalogue.

Tableau 20.7 Composantes de l'accroissement démographique, par province et territoire, 2005-2006

	Canada	Terre-Neuve-et-Labrador	Île-du-Prince-Édouard	Nouvelle-Écosse	Nouveau-Brunswick
	nombre				
Naissances	**343 517**	4 368	1 393	8 617	6 837
Décès	**234 914**	4 494	1 231	8 446	6 585
Immigration	**254 359**	450	343	2 199	1 387
Émigration	**38 551**	140	139	784	337
Solde de l'émigration temporaire	**25 562**	105	33	375	223
Émigrants de retour	**20 505**	66	61	386	330
Solde des résidents non permanents	**4 640**	-62	76	608	66
Solde de la migration interprovinciale	...	-4 368	-127	-3 930	-3 788

Notes : Période allant du 1er juillet 2005 au 30 juin 2006.
Données provisoires.

Source : Statistique Canada, CANSIM : tableau 051-0004.

Tableau 20.8 Taux d'accroissement démographique du Canada, des provinces et des territoires, 1956 à 2006

	Canada	Terre-Neuve-et-Labrador	Île-du-Prince-Édouard	Nouvelle-Écosse	Nouveau-Brunswick
	pourcentage				
1956 à 1961	**13,4**	10,3	5,4	6,1	7,8
1961 à 1966	**9,7**	7,8	3,7	2,6	3,2
1966 à 1971	**7,8**	5,8	2,9	4,4	2,9
1971 à 1976	**6,6**	6,8	5,9	5,0	6,7
1976 à 1981	**5,9**	1,8	3,6	2,3	2,8
1981 à 1986	**4,0**	0,1	3,4	3,0	1,9
1986 à 1991	**7,9**	0,0	2,5	3,1	2,0
1991 à 1996	**5,7**	-2,9	3,7	1,0	2,0
1996 à 2001	**4,0**	-7,0	0,5	-0,1	-1,2
2001 à 2006	**5,4**	-1,5	0,4	0,6	0,1

1. Avant le 1er juillet 1991, les données pour les Territoires du Nord-Ouest incluent le Nunavut.

Source : Statistique Canada, recensements de la population, 1956 à 2006.

1941 à 1951[1]	1951 à 1956	1956 à 1961	1961 à 1966	1966 à 1971	1971 à 1976	1976 à 1981	1981 à 1986	1986 à 1991	1991 à 1996	1996 à 2001	2001 à 2006
					milliers						
13 648	**16 081**	**18 238**	**20 015**	**21 568**	**23 450**	**24 820**	**26 101**	**28 031**	**29 611**	**31 021**	**32 623**
2 141	2 433	2 157	1 777	1 553	1 488	1 371	1 281	1 930	1 579	1 410	1 602
3 186	2 106	2 362	2 249	1 856	1 760	1 820	1 872	1 933	1 936	1 705	1 679
1 214	633	687	731	766	824	843	885	946	1 024	1 089	1 143
548	783	760	539	890	1 053	771	678	1 164	1 118	1 217	1 384
379	185	278	280	427	358	278	278	213	338	376	317

Québec	Ontario	Manitoba	Saskatchewan	Alberta	Colombie-Britannique	Yukon	Territoires du Nord-Ouest	Nunavut
				nombre				
78 450	133 170	13 915	12 031	41 989	40 926	365	686	770
52 900	90 945	10 226	9 250	20 310	30 028	149	214	136
41 983	133 116	8 884	2 112	19 869	43 858	76	73	9
6 139	16 643	1 370	522	5 311	7 116	15	20	15
4 074	10 627	560	513	2 932	6 068	24	18	10
3 343	9 046	795	376	3 026	3 062	7	4	3
1 255	-7 443	814	268	4 745	4 206	42	48	17
-8 155	-21 391	-8 635	-9 073	57 105	3 779	-194	-1 327	104

Québec	Ontario	Manitoba	Saskatchewan	Alberta	Colombie-Britannique	Yukon	Territoires du Nord-Ouest[1]	Nunavut[1]
				pourcentage				
13,6	15,4	8,4	5,1	18,6	16,5	20,0	19,1	...
9,9	11,6	4,5	3,3	9,9	15,0	-1,7	25,0	...
4,3	10,7	2,6	-3,0	11,3	16,6	27,9	21,1	...
3,4	7,3	3,4	-0,5	12,9	12,9	18,7	22,4	...
3,3	4,4	0,5	5,1	21,7	11,3	6,0	7,3	...
1,5	5,5	3,6	4,3	5,7	5,1	1,5	14,2	...
5,6	10,8	2,7	-2,0	7,6	13,8	18,3	10,4	...
3,5	6,6	2,0	0,1	5,9	13,5	10,7	9,0	16,4
1,4	6,1	0,5	-1,1	10,3	4,9	-6,8	-5,8	8,1
4,3	6,6	2,6	-1,1	10,6	5,3	5,9	11,0	10,2

Tableau 20.9 Naissances, par province et territoire, 2000 à 2006

	2000 à 2001	2001 à 2002	2002 à 2003	2003 à 2004	2004 à 2005	2005 à 2006p
	nombre					
Canada	**327 107**	**328 155**	**330 523**	**337 762**	**338 894**	**343 517**
Terre-Neuve-et-Labrador	4 732	4 636	4 596	4 598	4 451	4 368
Île-du-Prince-Édouard	1 381	1 313	1 374	1 403	1 390	1 393
Nouvelle-Écosse	8 922	8 693	8 635	8 713	8 700	8 617
Nouveau-Brunswick	7 202	6 971	7 104	7 072	6 924	6 837
Québec	71 825	72 602	72 273	74 364	75 347	78 450
Ontario	127 741	128 947	129 256	132 874	132 769	133 170
Manitoba	13 939	13 746	13 765	13 981	13 864	13 915
Saskatchewan	12 084	11 996	11 794	12 121	12 012	12 031
Alberta	37 197	37 602	39 450	40 635	41 056	41 989
Colombie-Britannique	40 367	39 932	40 534	40 205	40 565	40 926
Yukon	348	344	322	374	364	365
Territoires du Nord-Ouest	656	651	658	697	698	686
Nunavut	713	722	762	725	754	770

Note : Période allant du 1er juillet au 30 juin.
Source : Statistique Canada, CANSIM : tableau 051-0004.

Tableau 20.10 Taux de natalité, par province et territoire, 2000 à 2006

	2000 à 2001	2001 à 2002	2002 à 2003	2003 à 2004	2004 à 2005	2005 à 2006p
	taux pour 1 000 personnes					
Canada	**10,6**	**10,5**	**10,5**	**10,6**	**10,5**	**10,6**
Terre-Neuve-et-Labrador	9,0	8,9	8,9	8,9	8,6	8,5
Île-du-Prince-Édouard	10,1	9,6	10,0	10,2	10,1	10,1
Nouvelle-Écosse	9,6	9,3	9,2	9,3	9,3	9,2
Nouveau-Brunswick	9,6	9,3	9,5	9,4	9,2	9,1
Québec	9,7	9,8	9,7	9,9	9,9	10,3
Ontario	10,8	10,7	10,6	10,8	10,6	10,5
Manitoba	12,1	11,9	11,9	12,0	11,8	11,8
Saskatchewan	12,0	12,0	11,8	12,2	12,1	12,2
Alberta	12,3	12,2	12,6	12,8	12,7	12,6
Colombie-Britannique	9,9	9,7	9,8	9,6	9,6	9,6
Yukon	11,5	11,4	10,6	12,2	11,7	11,7
Territoires du Nord-Ouest	16,1	15,8	15,7	16,4	16,3	16,2
Nunavut	25,6	25,4	26,3	24,7	25,3	25,3

Note : Période allant du 1er juillet au 30 juin.
Source : Statistique Canada, CANSIM : tableaux 051-0001 et 051-0004.

Tableau 20.11 Décès, par province et territoire, 2000 à 2006

	2000 à 2001	2001 à 2002	2002 à 2003	2003 à 2004	2004 à 2005	2005 à 2006p
	nombre					
Canada	**219 114**	**220 494**	**223 905**	**230 092**	**233 749**	**234 914**
Terre-Neuve-et-Labrador	4 233	4 126	4 276	4 318	4 405	4 494
Île-du-Prince-Édouard	1 209	1 205	1 217	1 190	1 208	1 231
Nouvelle-Écosse	7 847	7 922	7 944	8 146	8 305	8 446
Nouveau-Brunswick	5 972	6 065	6 181	6 325	6 461	6 585
Québec	54 017	54 735	54 896	56 475	55 800	52 900
Ontario	81 119	80 993	83 410	85 524	88 196	90 945
Manitoba	9 873	9 720	9 852	9 940	10 096	10 226
Saskatchewan	9 001	8 650	8 880	9 061	9 172	9 250
Alberta	17 590	17 937	18 098	18 888	19 517	20 310
Colombie-Britannique	27 815	28 697	28 694	29 752	30 103	30 028
Yukon	135	150	145	136	141	149
Territoires du Nord-Ouest	175	164	183	205	212	214
Nunavut	128	130	129	132	133	136

Note : Période allant du 1er juillet au 30 juin.

Source : Statistique Canada, CANSIM : tableau 051-0004.

Tableau 20.12 Taux de mortalité, par province et territoire, 2000 à 2006

	2000 à 2001	2001 à 2002	2002 à 2003	2003 à 2004	2004 à 2005	2005 à 2006p
	taux pour 1 000 personnes					
Canada	**7,1**	**7,1**	**7,1**	**7,2**	**7,3**	**7,2**
Terre-Neuve-et-Labrador	8,1	7,9	8,2	8,3	8,5	8,8
Île-du-Prince-Édouard	8,9	8,8	8,9	8,6	8,8	8,9
Nouvelle-Écosse	8,4	8,5	8,5	8,7	8,9	9,0
Nouveau-Brunswick	8,0	8,1	8,2	8,4	8,6	8,8
Québec	7,3	7,4	7,3	7,5	7,4	6,9
Ontario	6,9	6,7	6,8	6,9	7,1	7,2
Manitoba	8,6	8,4	8,5	8,5	8,6	8,7
Saskatchewan	9,0	8,7	8,9	9,1	9,2	9,4
Alberta	5,8	5,8	5,8	5,9	6,0	6,1
Colombie-Britannique	6,9	7,0	6,9	7,1	7,1	7,0
Yukon	4,5	5,0	4,8	4,4	4,5	4,8
Territoires du Nord-Ouest	7,0	7,0	7,3	7,9	5,0	5,1
Nunavut	4,4	4,5	4,4	4,4	4,4	4,5

Note : Période allant du 1er juillet au 30 juin.

Source : Statistique Canada, CANSIM : tableaux 051-0001 et 051-0004.

Tableau 20.13 Migrants interprovinciaux, par province ou territoire d'origine et de destination, 2005-2006

	Destination			
	Terre-Neuve-et-Labrador	Île-du-Prince-Édouard	Nouvelle-Écosse	Nouveau-Brunswick
	nombre			
Solde migratoire	**-4 368**	**-127**	**-3 930**	**-3 788**
Entrants[1]	10 544	3 356	16 486	12 116
Sortants[1]	14 912	3 483	20 416	15 904
Origine				
Terre-Neuve-et-Labrador	.	181	1 384	614
Île-du-Prince-Édouard	162	.	737	427
Nouvelle-Écosse	1 644	788	.	2 505
Nouveau-Brunswick	701	471	2 724	.
Québec	277	275	846	2 267
Ontario	4 713	1 139	6 601	3 942
Manitoba	138	57	413	314
Saskatchewan	91	75	184	125
Alberta	2 112	205	1 971	1 145
Colombie-Britannique	398	133	1 496	690
Yukon	28	26	40	19
Territoires du Nord-Ouest	197	0	56	23
Nunavut	83	6	34	45

Note : Période allant du 1er juillet 2005 au 30 juin 2006.

1. Ne comprend pas les déménagements entre les divisions de recensement à l'intérieur d'une province ou d'un territoire.

Source : Statistique Canada, produit nº 91-215-XIF au catalogue.

Tableau 20.14 Migrants interprovinciaux selon le groupe d'âge, par province et territoire, 2005-2006

	Terre-Neuve-et-Labrador	Île-du-Prince-Édouard	Nouvelle-Écosse	Nouveau-Brunswick
	nombre			
Entrants, tous les âges	**10 544**	**3 356**	**16 486**	**12 116**
0 à 17 ans	2 342	680	3 296	2 642
18 à 24 ans	1 669	562	3 095	2 099
25 à 44 ans	4 381	1 269	6 940	5 049
45 à 64 ans	1 828	665	2 424	1 805
65 ans et plus	324	180	731	521
Sortants, tous les âges	**14 912**	**3 483**	**20 416**	**15 904**
0 à 17 ans	2 652	597	4 201	3 257
18 à 24 ans	4 563	1 032	4 519	3 920
25 à 44 ans	5 348	1 255	8 475	6 287
45 à 64 ans	2 015	448	2 542	1 920
65 ans et plus	334	151	679	520
Solde migratoire, tous les âges	**-4 368**	**-127**	**-3 930**	**-3 788**
0 à 17 ans	-310	83	-905	-615
18 à 24 ans	-2 894	-470	-1 424	-1 821
25 à 44 ans	-967	14	-1 535	-1 238
45 à 64 ans	-187	217	-118	-115
65 ans et plus	-10	29	52	1

Note : Période allant du 1er juillet 2005 au 30 juin 2006.

Source : Statistique Canada, CANSIM : tableau 051-0012.

Québec	Ontario	Manitoba	Saskatchewan	Destination Alberta	Colombie-Britannique	Yukon	Territoires du Nord-Ouest	Nunavut
				nombre				
-8 155	**-21 391**	**-8 635**	**-9 073**	**57 105**	**3 779**	**-194**	**-1 327**	**104**
25 627	64 236	14 215	16 031	109 686	55 759	1 494	2 230	1 066
33 782	85 627	22 850	25 104	52 581	51 980	1 688	3 557	962
198	4 104	249	91	7 103	587	17	195	189
256	858	36	54	734	209	3	7	0
784	6 366	347	236	6 133	1 442	62	91	18
2 420	3 870	278	120	4 260	1 001	23	31	5
.	19 585	357	545	5 953	3 390	110	114	63
16 234	.	4 921	1 953	27 961	17 326	183	346	308
526	5 389	.	2 565	9 018	4 196	35	79	120
472	2 139	2 353	.	15 758	3 718	50	102	37
2 074	9 839	3 364	7 942	.	22 745	269	765	150
2 452	11 377	2 055	2 233	30 225	.	583	294	44
46	109	37	52	578	639	.	89	25
65	396	127	177	1 789	461	159	.	107
100	204	91	63	174	45	0	117	.

Québec	Ontario	Manitoba	Saskatchewan	Alberta	Colombie-Britannique	Yukon	Territoires du Nord-Ouest	Nunavut
				nombre				
25 627	**64 236**	**14 215**	**16 031**	**109 686**	**55 759**	**1 494**	**2 230**	**1 066**
5 046	13 407	3 521	4 298	24 858	10 057	332	497	221
4 383	10 837	2 597	3 051	24 779	9 897	221	434	168
11 083	27 749	5 501	5 849	42 572	21 458	644	936	464
3 878	8 920	1 887	2 114	13 292	10 571	245	335	200
1 237	3 323	709	719	4 185	3 776	52	28	13
33 782	**85 627**	**22 850**	**25 104**	**52 581**	**51 980**	**1 688**	**3 557**	**962**
6 984	18 252	5 524	5 930	11 270	11 081	365	853	231
4 903	13 654	4 172	6 017	9 578	10 437	329	571	97
15 495	36 230	8 903	8 711	20 770	20 023	601	1 391	406
4 481	13 172	3 135	3 152	8 665	7 378	348	690	218
1 919	4 319	1 116	1 294	2 298	3 061	45	52	10
-8 155	**-21 391**	**-8 635**	**-9 073**	**57 105**	**3 779**	**-194**	**-1 327**	**104**
-1 938	-4 845	-2 003	-1 632	13 588	-1 024	-33	-356	-10
-520	-2 817	-1 575	-2 966	15 201	-540	-108	-137	71
-4 412	-8 481	-3 402	-2 862	21 802	1 435	43	-455	58
-603	-4 252	-1 248	-1 038	4 627	3 193	-103	-355	-18
-682	-996	-407	-575	1 887	715	7	-24	3

Tableau 20.15 Projections démographiques, selon le groupe d'âge, années sélectionnées 2006 à 2031

	2006	2011	2016	2021	2026	2031
	milliers					
Tous les âges[1]	**32 547,2**	**33 909,7**	**35 266,8**	**36 608,5**	**37 882,7**	**39 029,4**
0 à 4 ans	1 697,5	1 724,7	1 781,9	1 816,8	1 812,8	1 781,3
5 à 9 ans	1 842,6	1 780,8	1 810,7	1 871,9	1 910,9	1 910,9
10 à 14 ans	2 084,6	1 916,4	1 858,1	1 892,0	1 956,8	1 999,4
15 à 19 ans	2 164,8	2 170,4	2 006,4	1 952,7	1 990,3	2 058,4
20 à 24 ans	2 252,9	2 295,3	2 304,1	2 145,8	2 096,8	2 138,2
25 à 29 ans	2 226,1	2 330,2	2 376,7	2 391,9	2 241,4	2 198,8
30 à 34 ans	2 222,6	2 354,8	2 462,8	2 518,1	2 542,1	2 402,7
35 à 39 ans	2 351,1	2 327,1	2 462,6	2 576,9	2 639,6	2 671,1
40 à 44 ans	2 698,3	2 409,3	2 390,6	2 530,6	2 649,3	2 717,1
45 à 49 ans	2 671,5	2 711,2	2 431,6	2 418,6	2 561,7	2 683,3
50 à 54 ans	2 363,9	2 651,5	2 695,4	2 425,9	2 417,8	2 563,0
55 à 59 ans	2 082,5	2 327,4	2 614,1	2 662,9	2 404,5	2 401,4
60 à 64 ans	1 583,3	2 027,9	2 272,3	2 557,8	2 612,4	2 367,8
65 à 69 ans	1 227,3	1 513,1	1 942,1	2 184,7	2 466,6	2 527,6
70 à 74 ans	1 044,2	1 130,8	1 401,5	1 806,8	2 044,1	2 318,2
75 à 79 ans	878,0	907,6	993,3	1 241,0	1 610,8	1 837,3
80 à 84 ans	638,3	692,2	724,3	804,0	1 016,1	1 332,1
85 à 89 ans	342,8	422,2	465,5	494,6	560,3	719,8
90 à 94 ans	137,3	169,2	211,2	237,4	257,2	299,2
95 à 99 ans	33,1	42,4	54,4	68,6	79,0	87,4
100 ans et plus	4,7	5,4	7,1	9,5	12,1	14,4

Note : Des six scénarios de projections démographiques fondés sur les estimations de la population au 1er juillet 2005, on a retenu le scénario 3 de croissance moyenne et de tendances migratoires moyennes pour ce tableau.

1. Les chiffres ayant été arrondis, leur somme peut ne pas correspondre aux totaux indiqués.

Source : Statistique Canada, CANSIM : tableau 052-0004.

Tableau 20.16 Projections démographiques, par province et territoire, années sélectionnées de 2006 à 2031

	2006	2011	2016	2021	2026	2031
	milliers					
Canada	**32 547,2**	**33 909,7**	**35 266,8**	**36 608,5**	**37 882,7**	**39 029,4**
Terre-Neuve-et-Labrador	515,2	512,5	511,3	510,7	509,1	505,6
Île-du-Prince-Édouard	138,7	141,2	143,7	146,1	148,2	149,5
Nouvelle-Écosse	939,6	948,5	958,4	968,2	975,8	979,4
Nouveau-Brunswick	752,9	757,4	762,2	766,4	768,5	767,2
Québec	7 641,6	7 841,4	8 018,7	8 176,8	8 306,8	8 396,4
Ontario	12 682,0	13 374,7	14 071,4	14 776,6	15 472,0	16 130,4
Manitoba	1 183,1	1 214,8	1 250,9	1 288,1	1 323,7	1 355,7
Saskatchewan	991,5	982,0	978,2	977,4	977,0	975,8
Alberta	3 295,0	3 483,2	3 667,1	3 841,9	4 002,2	4 144,9
Colombie-Britannique	4 302,9	4 545,0	4 792,0	5 040,0	5 280,0	5 502,9
Yukon	31,1	31,6	32,1	32,7	33,4	34,0
Territoires du Nord-Ouest	43,6	46,4	48,9	51,1	52,9	54,4
Nunavut	30,2	31,1	31,9	32,5	33,0	33,3

Note : Des six scénarios de projections démographiques fondés sur les estimations de la population au 1er juillet 2005, on a retenu le scénario 3 de croissance moyenne et de tendances migratoires moyennes pour ce tableau.

Source : Statistique Canada, CANSIM : tableau 052-0004.

Prix et indices des prix

21

SURVOL

Qui peut résister à une bonne affaire? Quand ils doivent dépenser l'argent gagné à la sueur de leur front, les Canadiens se donnent parfois beaucoup de mal pour trouver les meilleurs prix, qu'il s'agisse de passer d'une station-service à l'autre à la recherche d'un écart d'un demi-sou le litre d'essence sans plomb, d'explorer les sites des cybermarchands ou d'attendre les grands soldes. Les décisions des Canadiens en matière de consommation sont souvent fondées sur les prix, et Statistique Canada dispose d'outils permettant de suivre les prix de presque tous les biens et services qu'achètent les Canadiens.

Parmi ces outils figurent les indices de prix qui suivent des biens et services très précis, comme les machines et le matériel, les maisons neuves, les services de messageries, les exportations et les importations, les produits agricoles et les progiciels commerciaux. Les entreprises et les analystes de l'industrie s'en servent pour prendre des décisions, établir les prix et négocier des contrats. La boîte à outils qui permet de suivre les prix renferme aussi des indices plus généraux qui mesurent les prix des biens et services que les Canadiens achètent régulièrement. L'Indice d'ensemble des prix à la consommation (IPC), le plus courant de ces indices, suit le coût d'un « panier » de biens et services achetés par les consommateurs canadiens.

L'indice des prix à la consommation

Lorsque L'IPC a été adopté au début des années 1900, le panier contenait 29 produits alimentaires, cinq articles d'éclairage et de carburants et les coûts du loyer relevés dans une soixantaine de villes. Aujourd'hui, l'IPC vise chacun des biens et services que les Canadiens peuvent acheter, partout au pays.

Les prix sont montés en flèche depuis le début des années 1900. Si l'on utilise les hausses moyennes globales des prix telles qu'elles sont mesurées par l'IPC et 1992 comme année de base, une bouteille de jus d'orange, qui coûtait 3 $ en 1992, coûtait environ 22 cents en 1914,

Graphique 21.1
Indice des prix à la consommation

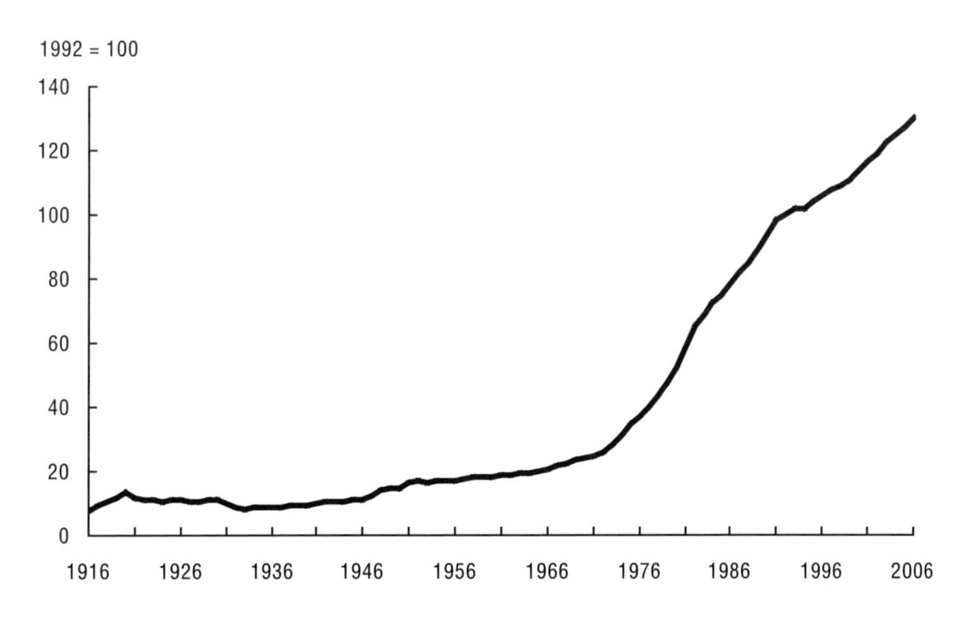

Source : Statistique Canada, CANSIM : tableau 326-0002.

33 cents en 1945 et 78 cents en 1972. Cette progression graduelle des prix s'est accélérée au cours des années 1970, et 10 ans plus tard, en 1982, cette même bouteille de jus d'orange valait 1,96 $. La montée vigoureuse des prix a persisté jusqu'en 1992 environ pour ralentir ensuite. En 2006, cette bouteille de jus d'orange coûtait 3,90 $. L'augmentation persistante des prix est appelée « inflation », et l'IPC est le principal outil qui permet de la mesurer.

Principales composantes de l'IPC

Si les consommateurs achètent des combinaisons diverses de ces biens et services (personne n'achèterait l'ensemble de ces produits), l'IPC mesure la variation moyenne des prix au détail facturés à l'ensemble des consommateurs au Canada. De plus, les biens et services visés par l'IPC sont pondérés pour tenir compte du régime normal de dépense (p. ex., la nourriture représente environ 17 % des dépenses) et de la fréquence d'achat de certains produits (par exemple, les appareils électroménagers sont des achats peu fréquents). Enfin, l'IPC fait l'objet de mises à jour périodiques pour que l'indice soit aussi complet et représentatif que possible.

En janvier 2007, l'IPC d'ensemble s'élevait à 130,3 par rapport à 1992, ce qui signifie que le coût du « panier » de biens et services achetés par les Canadiens a augmenté d'un peu plus de 30 % depuis 1992. Les coûts du logement ont progressé à peu près au même rythme : il s'agit de la composante la plus importante de l'IPC, le logement accaparant près de 27 % des dépenses.

Certains agrégats spéciaux, biens et services

	1986	2006
	1992 = 100	
Biens et services	**78,1**	**129,9**
Biens	80,7	124,0
Services	75,2	136,4

Source : Statistique Canada, CANSIM : tableau 326-0002.

Les prix des autres grandes composantes, toutefois, ont augmenté beaucoup plus rapidement depuis 1992. Les coûts du transport ont bondi de plus de la moitié, la nourriture, du tiers, les loisirs, la formation et la lecture, du quart seulement. En général, les prix des services ont progressé nettement plus vite que ceux des biens. Une seule des principales composantes de l'IPC a, en fait, accusé une baisse des prix : les vêtements et les chaussures coûtent 1 % de moins aujourd'hui qu'en 1992.

Les plus fortes hausses des prix depuis 1992 ont été observées dans la composante de l'énergie, les prix de l'énergie ayant grimpé de 62 % en date de janvier 2007. Mais, comme tous les automobilistes le savent, les prix du carburant fluctuent considérablement d'un mois à l'autre. À Vancouver, au cours de la seule année 2006, le

Graphique 21.2
Indice des prix à la consommation, ensemble et énergie

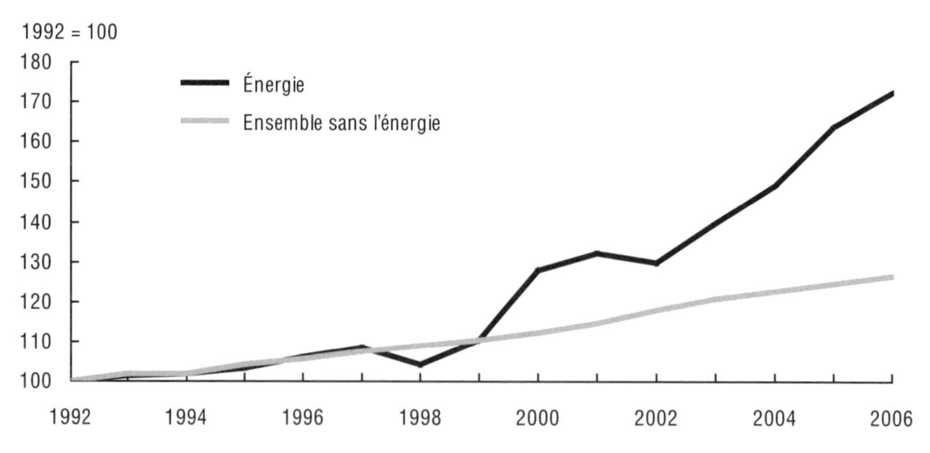

Source : Statistique Canada, CANSIM : tableau 326-0002.

prix du litre d'essence ordinaire sans plomb aux stations avec service complet a varié d'un creux de 91 cents en février à un sommet de 1,19 $ en mai.

Les prix du carburant et d'autres produits, comme les fruits, les légumes, les intérêts hypothécaires et le transport interurbain, sont très instables.

Pour tenir compte de ces fluctuations, Statistique Canada mesure les prix pour différents « paniers » aux fins de l'IPC, parmi lesquels on retrouve l'IPC d'ensemble sans les aliments et l'énergie, et l'IPC de référence qui exclut les huit éléments les plus volatiles.

Variations provinciales

L'IPC est également établi pour les provinces du Canada et quelques grandes villes, ce qui nous permet de voir que les prix peuvent connaître d'importantes variations d'une région à l'autre du pays. La plupart des provinces se situent vers le centre de l'IPC, la valeur de leur indice variant de 128 à 132.

Même l'Ontario et la Colombie-Britannique, longtemps perçues comme les régions les plus chères du pays, se situent dans cette fourchette.

Mais les exceptions méritent d'être soulignées : les plus fortes hausses des prix depuis 1992 ont été relevées en Alberta (IPC de 142,4) et les plus faibles, au Québec (IPC de 125,7).

Réfléchissez bien avant d'accepter un poste à Calgary, Edmonton ou Regina. Les indices de prix pour les grands centres urbains du Canada montrent que les prix ont augmenté là davantage que dans toutes les autres villes canadiennes. Depuis 1992, à Calgary, les coûts du logement ont bondi de 71 %, comparativement à une moyenne nationale de 31 %. En revanche, le prix des logements loués ou occupés par leur propriétaire a peu varié depuis 1992 à Thunder Bay.

Graphique 21.3
Indice des prix à la consommation, logement, certaines RMR, 2006

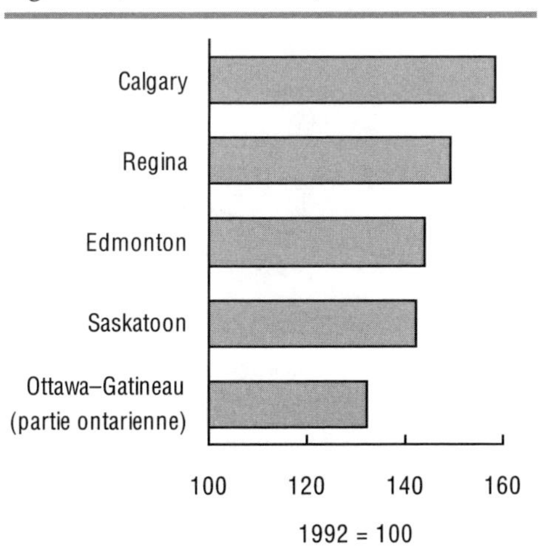

Source : Statistique Canada, CANSIM : tableau 326-0002.

Sources choisies

Statistique Canada

- Comptes des revenus et dépenses - Série technique. Hors série. 13-604-MIF
- Indices des prix de l'industrie. Mensuel. 62-011-XWF
- Indice des prix des produits agricoles. Mensuel. 21-007-XWF
- L'Indice des prix à la consommation. Mensuel. 62-001-XWB
- Statistiques des prix des immobilisations. Trimestriel. 62-007-XIF

Autre

- "Parités de pouvoir d'achat : Niveaux de prix comparés." Principaux indicateurs économiques. OCDE, mai 2007.

Métaux lourds

De nombreux facteurs sont à l'origine de la hausse des prix et l'une des principales causes de l'inflation est l'augmentation du coût des matériaux qui servent à produire les biens que nous achetons : citons entre autres, les matières premières et les produits industriels qu'utilisent les fabricants pour produire leurs marchandises. Ces dernières années, les prix des métaux ont fait grimper les cours des produits de base.

Les fabricants de produits métalliques doivent d'abord acheter les métaux bruts ferreux ou non ferreux qui sont extraits des mines ou du sol. L'Indice des prix des matières brutes (IPMB), qui suit les prix payés par les fabricants canadiens pour l'achat des principales matières premières comme les métaux, montre que le coût des métaux explosé depuis 2001.

Si le prix du métal ferreux brut, en d'autres mots, le minerai de fer, a augmenté de 39 % en 2006 depuis 1997 (année de base actuelle de l'IPMB), la hausse des prix la plus marquée a été observée dans la catégorie des métaux non ferreux (96 %).

Les exploitants de mines d'uranium du Canada, qui se retrouvent surtout en Saskatchewan, ont vu les prix des concentrés radioactifs presque quadrupler. Les prix des concentrés de cuivre, de nickel et de zinc ont aussi considérablement augmenté : le vol de cuivre dans les maisons est aujourd'hui un phénomène étrange mais en expansion. Les prix des métaux précieux comme l'or et le palladium ont également connu une croissance vigoureuse depuis 1997.

Les métaux bruts sont ensuite transformés en produits commerciaux, et comme le montre l'Indice des prix des produits industriels (IPPI), les métaux plus coûteux se traduisent par des prix plus élevés pour les produits métalliques qui sortent de l'usine.

L'IPPI global est en hausse d'environ 14 % par rapport à 1997. À titre de comparaison, les prix des produits métalliques primaires vendus aux autres fabricants qui produisent des appareils électroménagers, des voitures ou d'autres produits métalliques ont grimpé de 39 %, de sorte que le prix de ces produits en métal a augmenté d'environ 23 % depuis 1997.

Graphique 21.4
Indices des prix des matières brutes, certains produits

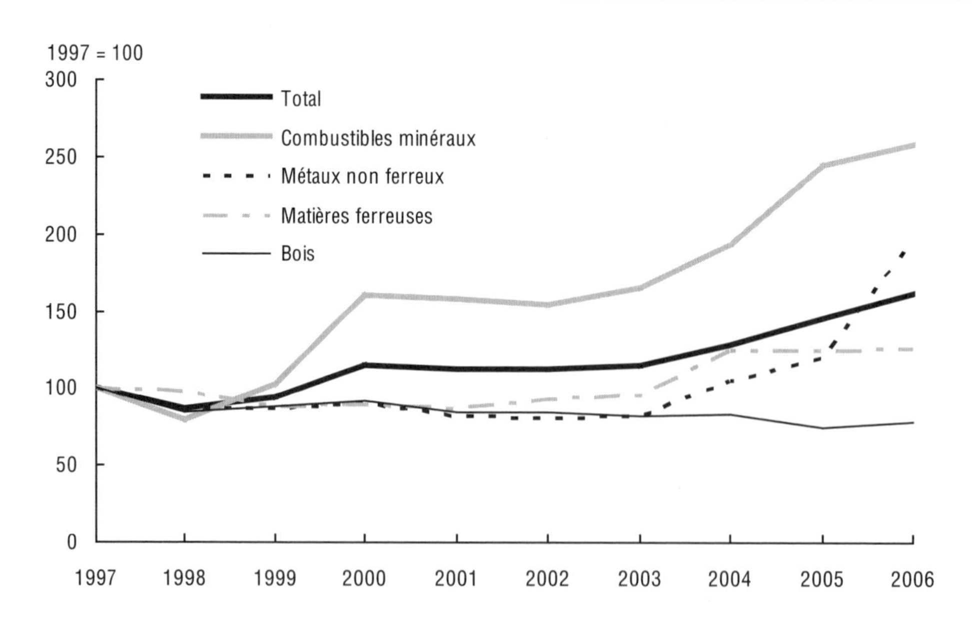

Source : Statistique Canada, CANSIM : tableau 330-0006.

Stagnation des prix des produits agricoles

Tous les Canadiens ressentent les effets de la variation des prix, mais peu les ressentent aussi clairement que les agriculteurs. Ces derniers sont particulièrement sensibles aux humeurs de la nature, lesquelles peuvent avoir une incidence radicale tant sur les prix des cultures et des animaux d'élevage que sur les pertes et profits. Le secteur agricole n'a pas profité de hausses des prix aussi fortes que celles relevées dans la plupart des autres branches d'activité. Dans bien des cas, les prix des produits agricoles sont aujourd'hui plus bas qu'ils ne l'étaient en 1997.

L'Indice des prix des produits agricoles (IPPA) suit les prix des cultures et du bétail vendus directement de la ferme et exclut explicitement certains coûts, comme ceux du transport à partir de la ferme et les coûts d'entreposage. L'indice exprime les prix que les agriculteurs obtiennent lorsqu'ils vendent leurs produits.

La tendance des dernières années n'a pas été positive : à la fin de 2006, l'IPPA s'établissait à 98,9 par rapport à 1997. Cela signifie que les prix globaux des produits agricoles au Canada ont diminué d'environ 1 % par rapport à 1997. Au cours de cette période, l'indice a atteint un sommet de 111,6 au début de 2003. À la fin de 2006, l'indice des prix des cultures s'élevait à 98,6 et celui du bétail, à 99,5, soit à peu près le niveau enregistré en 1997.

Parmi les produits agricoles les plus durement touchés figurent les céréales, les graines oléagineuses et le porc. Les prix obtenus par les agriculteurs pour des céréales telles que le maïs, le blé, l'avoine et l'orge ont chuté de plus de 10 % entre 1997 et la fin de 2006. Le prix du porc a fléchi du tiers environ, et celui des graines oléagineuses s'est replié de 15 %.

Certains agriculteurs ont affiché des résultats plus reluisants. Entre 1997 et la fin de 2006, le prix des pommes de terre a grimpé de plus de la moitié, et le prix des produits laitiers a augmenté du tiers. Enfin, les producteurs maraîchers ont enregistré une hausse des prix d'environ 19 %.

Graphique 21.5
Indice des prix des produits agricoles, certains produits

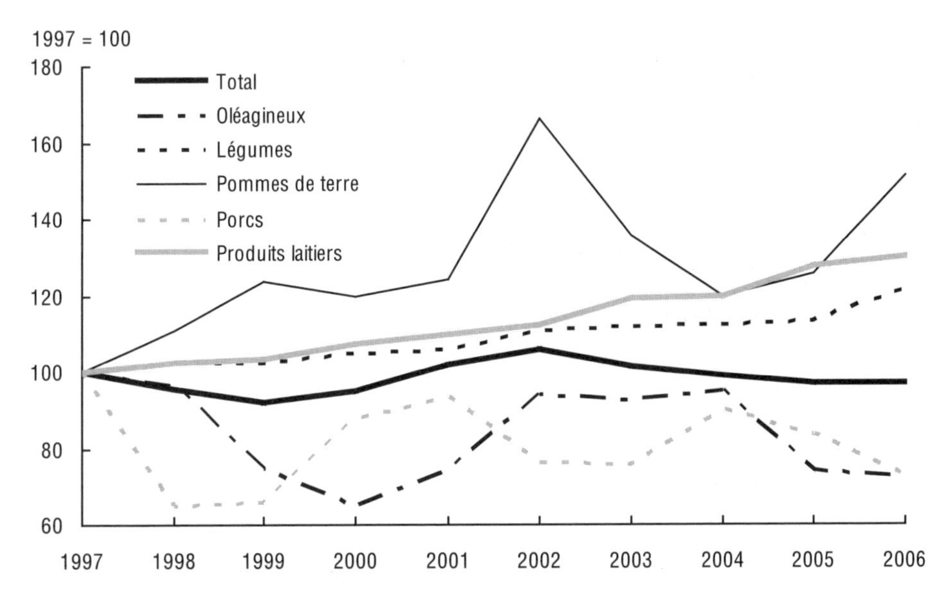

Note : Légumes, sauf les pommes de terre.
Source : Statistique Canada, CANSIM : tableau 002-0022.

Flambée des prix des maisons

Une économie vigoureuse, un afflux constant d'immigrants et l'augmentation des dépenses des membres de la génération du baby-boom à même leur patrimoine. Voilà autant de facteurs à l'origine de l'effervescence du marché résidentiel ces dernières années. Résultat : le coût moyen des maisons neuves a augmenté de près de la moitié depuis 1997.

L'essor économique de l'Alberta et la vigueur des marchés dans les autres provinces des Prairies expliquent dans une large mesure la hausse globale des prix. L'Indice des prix des logements neufs (IPLN), qui mesure la variation des prix de vente des logements neufs par les entrepreneurs, montre que le prix des maisons à Calgary et à Edmonton a plus que doublé entre 1997, l'année de base de l'indice, et décembre 2006. Le prix des maisons neuves à Regina, Winnipeg et Saskatoon a crû de moitié ou plus au cours de la même période.

Pour l'ensemble du pays, l'IPLN (1997=100) s'établissait à 147,5 en décembre 2006, une hausse inférieure à la poussée observée en Alberta, mais qui représente néanmoins un bond de 48 % au cours d'une période de 10 ans. Montréal, Ottawa–Gatineau et St. Catharines–Niagara ont toutes enregistré une croissance comparable à la moyenne nationale.

La flambée qu'ont connue certaines régions du pays ne s'est pas manifestée partout. Depuis 1997, les prix des logements neufs ont augmenté d'environ 15 % à l'Île-du-Prince-Édouard et au Nouveau-Brunswick, et de 4 % seulement à Windsor en Ontario, où l'affaissement du secteur de l'automobile a ralenti l'économie.

La progression de l'IPLN est attribuable à l'effet conjugué de la persistance d'une forte demande de maisons neuves et de l'augmentation constante du coût des matériaux de construction comme le cuivre, les cloisons sèches, le béton et les fenêtres, ainsi que du coût de la main-d'œuvre et du terrain.

Graphique 21.6
Indices de prix des logements neufs, certaines régions métropolitaines de recensement

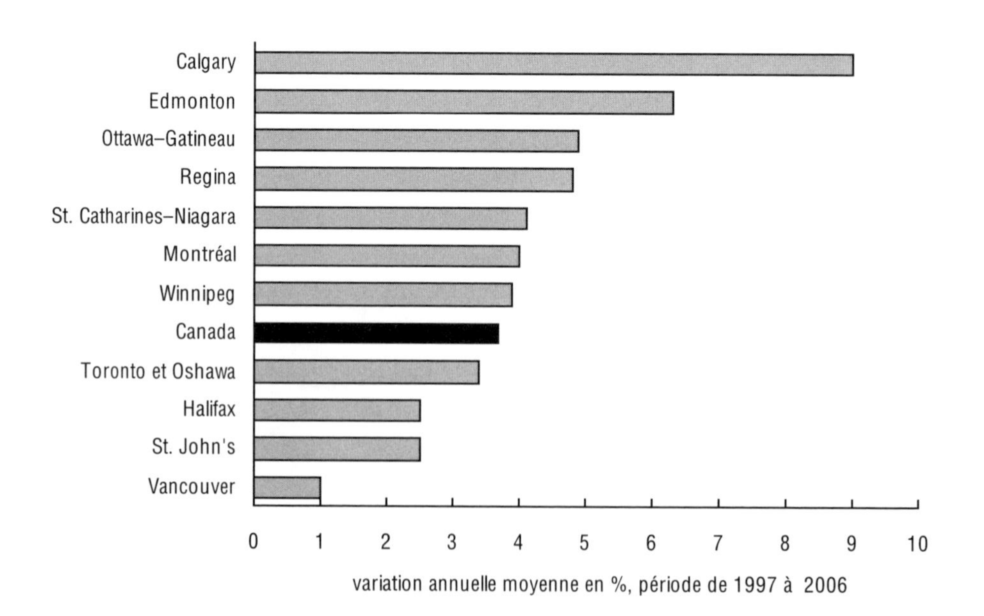

Source : Statistique Canada, CANSIM : tableau 327-0005.

Parités de pouvoir d'achat

Une tasse de café coûte-t-elle plus cher à Paris qu'au service au volant préféré de votre quartier? Un outil statistique appelé « parité de pouvoir d'achat » (PPA) permet de répondre à cette question ainsi qu'à d'autres questions semblables parce qu'il compare le pouvoir d'achat dans différents pays.

Par exemple, si le prix d'un café est de 2 euros en France et de 3 $ au Canada, la PPA pour ces deux pays sera calculée ainsi : 3 $ divisés par 2 . Autrement dit, pour chaque euro requis pour l'achat d'un café en France, il faudra 1,50 $ au Canada.

Dans les faits, cependant, les échanges de biens et de services dans une économie sont loin de se limiter aux tasses de café. Voilà pourquoi les estimations de la PPA couvrent, en pratique, une vaste gamme de plus de 3 000 biens et services.

Les estimations de la PPA calculées pour 2006 par l'Organisation de coopération et de développement économiques (OCDE) ont démontré que 1,23 $CAN au Canada a le même pouvoir d'achat que 1,00 $US aux États-Unis ou 0,89 euros en France — le dollar américain étant la devise de référence.

D'autres statistiques intéressantes peuvent être dérivées des PPA, par exemple les niveaux de prix comparés. Ainsi, un indice de 107 pour le Canada signifierait que le coût du même panier de biens et services canadiens était, en 2006, de 7 % supérieur à la moyenne de l'OCDE, établie à 100.

Les PPA peuvent également servir à faire des comparaisons probantes entre la production économique de différents pays. Par exemple, une estimation de 118 du produit intérieur brut par habitant ajustée en fonction de la PPA pour le Canada en 2006 signifie que la production de biens et services par personne au Canada est de 18 % supérieure à la moyenne de l'OCDE.

Graphique 21.7
Niveaux de prix comparés, certains pays, 2006

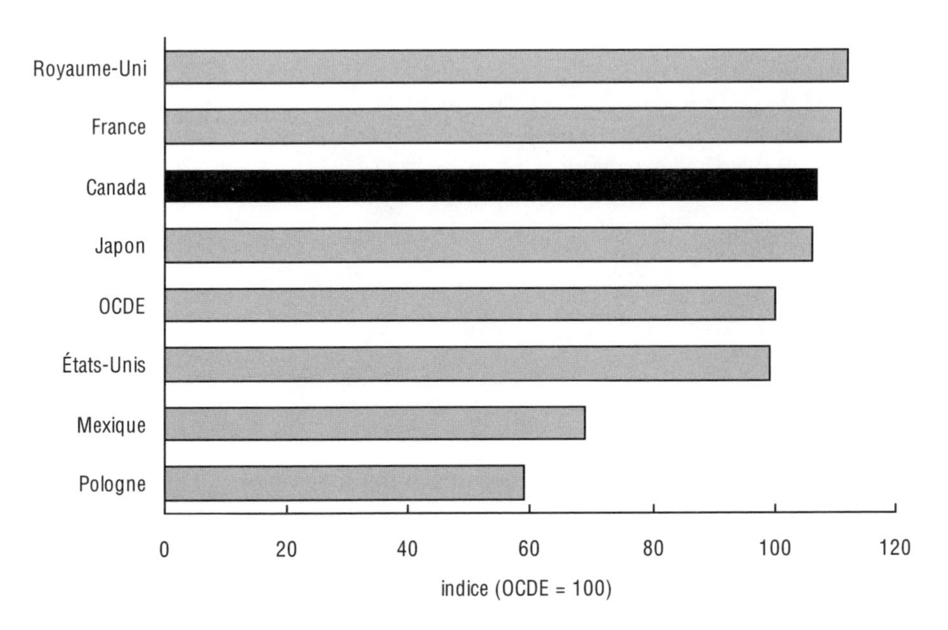

Source : Organisation de coopération et de développement économiques.

Tableau 21.1 Indice des prix à la consommation, 1987 à 2006

	1987	1988	1989	1990	1991	1992	1993
				1992 = 100			
Ensemble	**81,5**	**84,8**	**89,0**	**93,3**	**98,5**	**100,0**	**101,8**
Aliments	86,4	88,7	92,0	95,8	100,4	100,0	101,7
Logement	80,3	84,0	88,9	93,9	98,2	100,0	101,4
Dépenses et équipement du ménage	87,3	90,6	93,8	95,8	99,5	100,0	101,0
Habillement et chaussures	80,5	84,7	88,1	90,6	99,1	100,0	101,0
Transports	85,1	86,7	91,2	96,3	98,0	100,0	103,2
Santé et soins personnels	80,0	83,5	87,1	91,4	97,8	100,0	102,7
Loisirs, formation et lecture	80,4	84,9	88,8	92,5	98,9	100,0	102,4
Boissons alcoolisées et produits du tabac	63,1	67,8	74,1	80,6	94,4	100,0	101,6
Agrégats spéciaux							
Ensemble sans les aliments	80,5	84,0	88,4	92,8	98,2	100,0	101,9
Ensemble sans l'énergie	81,4	84,9	89,2	93,2	98,4	100,0	101,9
			variation en pourcentage depuis l'année précédente				
Ensemble	**4,4**	**4,0**	**5,0**	**4,8**	**5,6**	**1,5**	**1,8**
Aliments	4,3	2,7	3,7	4,1	4,8	-0,4	1,7
Logement	4,6	4,6	5,8	5,6	4,6	1,8	1,4
Dépenses et équipement du ménage	2,9	3,8	3,5	2,1	3,9	0,5	1,0
Habillement et chaussures	4,3	5,2	4,0	2,8	9,4	0,9	1,0
Transports	3,7	1,9	5,2	5,6	1,8	2,0	3,2
Santé et soins personnels	5,1	4,4	4,3	4,9	7,0	2,2	2,7
Loisirs, formation et lecture	5,0	5,6	4,6	4,2	6,9	1,1	2,4
Boissons alcoolisées et produits du tabac	6,6	7,4	9,3	8,8	17,1	5,9	1,6
Agrégats spéciaux							
Ensemble sans les aliments	4,4	4,3	5,2	5,0	5,8	1,8	1,9
Ensemble sans l'énergie	4,6	4,3	5,1	4,5	5,6	1,6	1,9

Note : Les indices moyens annuels sont obtenus en prenant la moyenne des indices pour les 12 mois de l'année civile.
Source : Statistique Canada, CANSIM : tableau 326-0002.

1994	1995	1996	1997	1998	1999	2000	2001	2002	2003	2004	2005	2006
						1992 = 100						
102,0	**104,2**	**105,9**	**107,6**	**108,6**	**110,5**	**113,5**	**116,4**	**119,0**	**122,3**	**124,6**	**127,3**	**129,9**
102,1	104,5	105,9	107,6	109,3	110,7	112,2	117,2	120,3	122,4	124,9	128,0	131,0
101,8	102,9	103,1	103,3	103,7	105,1	108,8	112,8	113,8	117,5	120,5	124,2	128,7
101,2	103,1	105,3	106,6	108,2	109,0	110,0	112,2	113,8	114,6	115,2	115,8	116,2
101,8	101,7	101,4	102,7	103,9	105,3	105,5	106,0	105,2	103,3	103,1	102,6	100,8
107,8	113,4	117,8	121,5	120,5	124,5	130,7	130,8	134,4	141,4	144,8	150,7	154,8
103,6	103,5	104,1	105,9	108,1	110,2	112,0	114,2	115,5	117,0	118,8	120,8	122,3
105,5	109,5	112,1	114,9	117,5	119,6	122,5	124,3	126,3	127,3	127,7	127,4	127,1
85,0	84,9	86,6	89,3	92,6	94,5	97,6	105,1	123,6	136,0	143,3	147,2	150,4
102,0	104,2	105,9	107,6	108,6	110,5	113,9	116,3	118,8	122,4	124,5	127,3	129,7
102,0	104,3	105,9	107,5	109,0	110,5	112,2	114,9	118,1	120,9	122,6	124,5	126,6
						variation en pourcentage depuis l'année précédente						
0,2	**2,2**	**1,6**	**1,6**	**0,9**	**1,7**	**2,7**	**2,6**	**2,2**	**2,8**	**1,9**	**2,2**	**2,0**
0,4	2,4	1,3	1,6	1,6	1,3	1,4	4,5	2,6	1,7	2,0	2,5	2,3
0,4	1,1	0,2	0,2	0,4	1,4	3,5	3,7	0,9	3,3	2,6	3,1	3,6
0,2	1,9	2,1	1,2	1,5	0,7	0,9	2,0	1,4	0,7	0,5	0,5	0,3
0,8	-0,1	-0,3	1,3	1,2	1,3	0,2	0,5	-0,8	-1,8	-0,2	-0,5	-1,8
4,5	5,2	3,9	3,1	-0,8	3,3	5,0	0,1	2,8	5,2	2,4	4,1	2,7
0,9	-0,1	0,6	1,7	2,1	1,9	1,6	2,0	1,1	1,3	1,5	1,7	1,2
3,0	3,8	2,4	2,5	2,3	1,8	2,4	1,5	1,6	0,8	0,3	-0,2	-0,2
-16,3	-0,1	2,0	3,1	3,7	2,1	3,3	7,7	17,6	10,0	5,4	2,7	2,2
0,1	2,2	1,6	1,6	0,9	1,7	3,1	2,1	2,1	3,0	1,7	2,2	1,9
0,1	2,3	1,5	1,5	1,4	1,4	1,5	2,4	2,8	2,4	1,4	1,5	1,7

Tableau 21.2 Indice des prix à la consommation, ensemble, par province, 1977 à 2006

	1977 à 1981	1982 à 1986	1987 à 1991	1992 à 1996	1997 à 2001	2002 à 2006
	1992 = 100					
Canada	**48,5**	**71,9**	**89,4**	**102,8**	**111,3**	**124,6**
Terre-Neuve-et-Labrador	..	75,9	90,4	103,0	110,9	123,1
Île-du-Prince-Édouard	..	74,0	89,1	102,4	109,2	124,8
Nouvelle-Écosse	..	73,6	89,9	102,6	111,4	126,3
Nouveau-Brunswick	..	73,5	89,9	102,3	110,2	124,5
Québec	..	71,2	88,5	101,3	108,6	120,7
Ontario	..	71,0	90,1	102,8	111,9	125,6
Manitoba	..	72,5	90,0	104,6	115,8	128,2
Saskatchewan	..	73,4	90,4	104,7	114,6	129,3
Alberta	..	74,2	89,3	103,2	114,2	131,8
Colombie-Britannique	..	73,5	88,5	105,2	111,9	122,8
	variation annuelle moyenne en pourcentage, période de cinq ans					
Canada	**9,7**	**5,8**	**4,8**	**1,5**	**1,9**	**2,2**
Terre-Neuve-et-Labrador	..	5,7	3,9	1,4	1,6	2,3
Île-du-Prince-Édouard	..	4,9	4,7	1,2	1,7	2,8
Nouvelle-Écosse	..	5,6	4,5	1,2	2,0	2,6
Nouveau-Brunswick	..	5,8	4,4	1,1	1,8	2,5
Québec	..	6,1	4,8	1,0	1,8	2,1
Ontario	..	6,1	5,0	1,4	2,1	2,1
Manitoba	..	5,6	4,6	2,1	2,1	2,0
Saskatchewan	..	5,2	4,7	1,9	2,0	2,3
Alberta	..	5,1	4,5	1,7	2,3	3,0
Colombie-Britannique	..	5,2	4,4	2,3	1,1	2,0

Note : Les indices moyens annuels sont obtenus en prenant la moyenne des indices pour les 12 mois de l'année civile.
Source : Statistique Canada, CANSIM : tableau 326-0002.

Tableau 21.3 Indice avancé composite, février 2006 à février 2007

	Février 2006	Janvier 2007	Février 2007	Janvier 2007 à février 2007
				variation en pourcentage
Indicateur avancé composite (1992 = 100)	**211,9**	**222,1**	**223,7**	**0,7**
Indice du logement (1992 = 100)[1]	146,7	143,3	144,3	0,7
Emploi dans les services aux personnes et aux entreprises (milliers)	2 684	2 794	2 805	0,4
Indice des cours des actions, Toronto Stock Exchange 300 (1975 = 1 000)	11 223	12 565	12 817	2,0
Offre de monnaie M1 (millions de dollars de 1992)[2]	142 883	159 525	162 079	1,6
Indicateur avancé composite des États-Unis (1992 = 100)[3]	126,5	126,8	127,1	0,2
Fabrication				
Heures hebdomadaires moyennes de travail	38,1	38,4	38,4	0,0
Nouvelles commandes, biens durables (millions de dollars de 1992)[4]	26 906	25 943	26 407	1,8
Ratio des livraisons aux stocks de produits finis[4]	1,9	1,8	1,8	-0,6
Commerce de détail				
Meubles et articles ménagers (millions de dollars de 1992)[4]	2 346	2 614	2 631	0,7
Ventes d'autres biens durables (millions de dollars de 1992)[4]	8 058	8 800	8 859	0,7
Indice composite non lissé (1992 = 100)	**214,9**	**225,3**	**226,5**	**0,5**

1. Indice composite des mises en chantier de logements (unités) et des ventes de maisons (service interagences).
2. Données obtenues après déflation selon l'Indice des prix à la consommation.
3. Les statistiques figurant sur cette ligne ont été publiées au cours du mois indiqué, mais portent sur le mois précédent.
4. Les statistiques figurant sur cette ligne ont été publiées au cours du mois indiqué, mais portent sur les deux mois précédents.

Source : Statistique Canada, CANSIM : tableau 377-0003.

Tableau 21.4 Indices des prix des matières brutes, 2000 à 2006

	2000	2001	2002	2003	2004	2005	2006
	1997 = 100						
Ensemble des prix des matières brutes	**114,7**	**113,2**	**112,6**	**114,8**	**128,3**	**145,3**	**161,6**
Combustibles minéraux	160,2	157,5	154,5	165,6	193,9	244,7	258,7
Substances végétales	78,7	84,8	97,7	92,2	88,8	80,3	84,6
Animaux et substances animales	103,9	108,9	103,6	100,3	101,4	104,6	104,3
Bois	91,9	85,0	83,9	82,2	83,0	75,1	77,8
Matières ferreuses	88,8	87,0	92,8	95,9	125,0	125,0	125,7
Métaux non ferreux	90,4	82,0	81,3	82,0	104,8	119,7	195,7
Minéraux non métalliques	108,1	109,0	110,5	116,4	122,6	133,9	141,1
Ensemble sans les combustibles minéraux	93,6	92,7	93,2	91,4	97,9	99,3	116,8

Note : Les indices moyens annuels sont obtenus en prenant la moyenne des indices pour les 12 mois de l'année civile.

Source : Statistique Canada, CANSIM : tableau 330-0006.

Tableau 21.5 Indice des prix à la consommation, aliments, 2002 à 2006

	2002	2003	2004	2005	2006
			1992 = 100		
Ensemble	**119,0**	**122,3**	**124,6**	**127,3**	**129,9**
Aliments	120,3	122,4	124,9	128,0	131,0
Aliments achetés au magasin	119,8	121,6	123,7	126,6	129,4
Viande	127,0	129,3	134,9	137,5	137,1
Viande fraîche ou congelée (sauf la volaille)	129,9	131,0	136,4	138,9	137,4
Volaille fraîche ou congelée	118,5	124,2	133,0	134,0	134,4
Viande traitée	127,0	127,8	130,9	135,1	135,5
Poisson et autres produits de la mer	123,2	122,8	122,0	122,1	120,7
Poisson	119,9	119,3	119,2	120,4	120,3
Autres produits de la mer	132,3	132,6	130,0	126,7	121,7
Produits laitiers et œufs	120,1	123,9	127,0	133,3	138,7
Produits laitiers	118,8	122,3	125,3	132,0	137,5
Œufs	133,9	140,4	144,3	146,1	149,9
Produits de boulangerie et autres produits céréaliers	121,4	126,6	129,9	133,3	137,9
Produits de boulangerie	119,2	126,1	130,3	134,8	140,9
Autres grains céréaliers et produits céréaliers	126,9	128,9	130,4	131,8	133,7
Fruits, préparations à base de fruits et noix	109,4	107,4	108,6	108,1	110,8
Fruits frais	113,1	109,1	110,7	108,8	111,2
Fruits en conserve et préparations à base de fruits	103,7	104,6	105,0	106,3	109,8
Noix	110,0	109,3	111,7	113,3	113,8
Légumes et préparations à base de légumes	117,6	110,8	108,3	110,0	115,7
Légumes frais	122,3	112,7	108,7	109,9	116,5
Légumes en conserve et préparations à base de légumes	104,5	106,3	108,0	111,5	114,1
Autres produits alimentaires	117,0	120,9	122,2	125,3	127,5
Sucre et confiserie	142,0	150,5	152,7	153,0	159,1
Matières grasses et huiles	126,1	130,8	134,7	136,8	139,1
Café et thé	124,2	125,2	127,6	131,8	136,3
Condiments, épices et vinaigres	118,7	119,4	119,7	122,2	123,3
Autres préparations alimentaires	111,9	117,2	119,3	122,1	124,4
Boissons non alcoolisées	101,2	100,6	100,4	104,6	105,0
Aliments achetés au restaurant	122,1	125,1	128,4	132,1	135,6

Note : Les indices moyens annuels sont obtenus en faisant la moyenne des indices pour les 12 mois de l'année civile.
Source : Statistique Canada, CANSIM : tableau 326-0002.

Tableau 21.6 Indices de prix des entrées dans l'agriculture, Est et Ouest du Canada, 1999 à 2005

	1999	2000	2001	2002	2003	2004	2005
				1992 = 100			
Canada							
Entrées dans l'agriculture	**117,0**	**124,1**	**129,5**	**128,5**	**132,8**	**129,6**	**134,8**
Bâtiments et clôtures	123,1	119,8	120,0	122,8	122,4	137,7	136,2
Machines et véhicules automobiles	125,6	137,7	143,7	143,5	157,0	155,3	163,6
Cultures agricoles	121,6	121,5	137,6	135,7	154,7	151,1	156,1
Élevage d'animaux	117,5	127,8	135,1	132,3	128,2	114,4	124,2
Fournitures et services	112,0	118,4	121,1	120,7	127,5	126,9	129,8
Main-d'œuvre agricole salariée	113,3	119,5	125,4	128,2	129,0	135,4	137,7
Impôt foncier	113,8	114,1	112,6	118,9	126,4	129,5	133,2
Intérêt	87,6	96,1	90,5	84,9	83,9	80,7	80,8
Loyer agricole	120,5	113,8	113,8	121,8	131,9	135,8	129,4
Est du Canada							
Entrées dans l'agriculture	**115,0**	**121,6**	**126,6**	**126,2**	**129,0**	**127,5**	**131,3**
Bâtiments et clôtures	122,9	121,2	121,9	124,3	124,2	136,2	138,6
Machines et véhicules automobiles	126,4	139,4	144,4	145,9	159,3	156,4	163,6
Cultures agricoles	120,4	119,1	130,1	128,3	137,0	139,8	148,0
Élevage d'animaux	114,7	122,1	129,3	128,0	125,4	117,6	120,4
Fournitures et services	111,8	120,4	123,4	121,8	129,8	129,1	132,9
Main-d'œuvre agricole salariée	115,6	121,8	127,2	130,4	128,9	135,2	137,8
Impôt foncier	76,4	74,6	79,7	84,8	90,0	93,8	97,7
Intérêt	88,6	98,0	92,6	86,7	85,8	83,2	83,7
Loyer agricole	85,9	81,2	85,2	93,5	97,8	101,4	102,4
Ouest du Canada							
Entrées dans l'agriculture	**119,0**	**126,7**	**132,9**	**130,9**	**137,5**	**131,6**	**138,9**
Bâtiments et clôtures	123,2	118,6	118,5	121,6	120,9	138,8	134,2
Machines et véhicules automobiles	125,0	136,0	143,3	140,7	154,4	154,3	164,1
Cultures agricoles	122,4	123,1	142,7	140,6	167,1	158,4	161,0
Élevage d'animaux	120,3	133,6	141,0	136,6	131,0	111,4	127,3
Fournitures et services	112,3	116,2	118,6	119,6	125,0	124,4	126,5
Main-d'œuvre agricole salariée	111,0	117,1	123,8	126,0	129,9	136,5	138,3
Impôt foncier	124,6	126,1	121,4	127,9	136,0	138,7	142,2
Intérêt	86,9	95,0	89,2	83,7	82,7	79,1	79,0
Loyer agricole	138,4	130,6	128,0	135,6	148,9	152,8	142,2

Note : Les Indices de prix des entrées dans l'agriculture mesurent la variation des prix reçus pour les produits agricoles au premier point de transaction. Les prix utilisés pour calculer l'indice se rapprochent, dans la mesure du possible, des prix obtenus par les agriculteurs au moment de la transaction, lorsque le titre de propriété change de mains pour la première fois. Ces prix comprennent les suppléments et les primes qu'il est possible de rattacher à des produits particuliers, mais non les frais d'entreposage, de transport, de traitement et de manutention qui sont retranchés avant que l'agriculteur ne soit payé.

Source : Statistique Canada, CANSIM : tableau 328-0014.

Tableau 21.7 Indice des prix des produits industriels, 1987 à 2006

	1987	1988	1989	1990	1991	1992	1993
				1997 = 100			
Ensemble des prix des produits industriels	**78,9**	**82,3**	**84,0**	**84,2**	**83,3**	**83,8**	**86,8**
Produits semi-finis	79,2	84,5	86,1	85,1	82,6	82,2	85,1
Produits semi-finis de première étape	81,6	95,2	97,3	90,5	81,8	79,5	76,2
Produits semi-finis de deuxième étape	78,2	81,1	82,6	83,2	82,5	82,6	86,5
Produits finis	78,4	78,9	80,7	82,9	84,4	86,1	89,4
Aliments de consommation et aliments pour animaux	80,0	81,9	84,6	87,1	88,9	89,8	91,4
Matériel capitalisé	76,6	77,0	78,8	80,6	82,0	84,8	89,1
Tous les autres produits finis	78,5	78,5	79,8	82,1	83,4	85,0	88,6
Agrégations par produit							
Viande, poisson et produits laitiers	78,7	79,1	79,7	82,0	82,8	83,7	88,3
Fruits, légumes, aliments pour animaux et autres produits alimentaires	77,8	83,3	86,4	86,6	86,3	87,4	88,6
Boissons	76,4	79,3	84,0	86,5	89,5	90,8	92,2
Tabac et produits du tabac	56,0	58,3	61,2	66,2	73,4	78,9	84,1
Produits en caoutchouc, en cuir et en matière plastique	79,7	85,9	88,9	89,3	89,0	88,1	87,7
Produits textiles	85,4	88,5	90,3	91,4	91,4	91,2	92,3
Produits en tricot et vêtements	84,2	86,6	88,9	91,1	92,2	92,6	92,8
Bois d'œuvre et autres produits de bois	62,3	63,4	65,9	65,5	64,4	69,8	87,1
Meubles et articles d'ameublement	78,0	81,0	84,4	87,4	88,4	87,9	89,8
Pâte de bois et produits de papier	82,6	90,5	93,4	91,9	83,0	79,7	77,3
Impression et édition	65,1	69,2	72,7	74,8	77,4	79,1	82,9
Produits métalliques de première transformation	82,7	98,1	97,8	88,6	81,2	79,0	78,2
Semi-produits métalliques	77,0	80,6	83,3	84,0	83,9	83,7	85,6
Machines et matériel	78,8	81,6	85,5	87,4	88,7	90,0	92,8
Véhicules automobiles et autre matériel de transport	78,8	76,6	76,3	76,7	78,2	82,3	87,8
Produits électriques et de communication	86,9	90,6	93,8	94,0	93,6	94,4	97,0
Produits minéraux non métalliques	85,3	89,1	90,5	91,5	90,8	90,3	91,0
Produits du pétrole et du charbon	91,5	84,7	86,4	97,3	94,0	86,7	85,8
Produits chimiques	77,5	86,5	87,7	85,4	86,5	85,3	87,0
Divers produits manufacturés	79,9	82,3	84,1	85,1	86,6	86,9	90,0
Divers produits non manufacturés	119,4	123,7	104,6	95,0	84,5	83,2	91,3

Note : Les indices moyens annuels sont obtenus en prenant la moyenne des indices pour les 12 mois de l'année civile.

Source : Statistique Canada, CANSIM : tableaux 329-0039, 329-0040, 329-0041, 329-0042, 329-0044, 329-0045, 329-0046 et 329-0048.

1994	1995	1996	1997	1998	1999	2000	2001	2002	2003	2004	2005	2006
						1997 = 100						
92,0	**98,9**	**99,3**	**100,0**	**100,4**	**102,2**	**106,5**	**107,6**	**107,6**	**106,2**	**109,5**	**111,2**	**113,8**
91,8	101,1	100,1	100,0	98,4	99,9	105,3	105,0	104,2	103,8	109,9	112,8	117,5
92,1	118,5	100,1	100,0	93,8	96,5	111,9	104,5	101,8	105,6	118,0	123,1	141,8
91,7	98,3	100,1	100,0	99,0	100,4	104,3	105,1	104,6	103,5	108,7	111,2	113,9
92,5	95,4	98,0	100,0	103,4	105,6	108,3	111,3	112,6	109,7	108,9	108,7	108,1
93,7	95,9	98,2	100,0	100,9	102,2	104,3	106,4	108,0	110,3	112,0	112,1	113,4
92,7	96,0	98,0	100,0	104,9	106,6	107,3	110,7	112,6	107,1	104,5	102,5	100,2
91,8	95,0	97,9	100,0	103,5	106,4	110,7	113,8	114,7	111,1	110,3	111,0	110,6
90,3	92,5	97,0	100,0	98,7	100,4	104,6	107,7	107,2	108,5	109,7	107,1	107,2
93,0	95,8	99,6	100,0	97,9	95,6	95,6	98,2	101,6	103,6	104,9	102,8	104,6
92,8	94,9	97,4	100,0	102,4	105,6	109,0	111,4	114,6	117,7	120,4	121,3	122,4
86,9	89,6	93,4	100,0	103,8	109,4	114,2	127,4	139,5	162,7	169,3	176,3	189,9
91,4	100,2	99,4	100,0	99,8	100,2	105,2	106,1	105,0	106,2	108,1	114,3	118,4
94,1	97,8	99,2	100,0	101,2	99,6	99,1	100,5	100,4	99,4	98,9	99,9	100,3
94,2	96,7	99,0	100,0	101,6	102,2	102,8	103,2	103,8	104,1	104,5	104,3	104,7
97,8	94,0	99,3	100,0	95,9	105,1	95,9	94,6	94,0	90,3	101,1	92,5	87,1
92,1	98,3	99,3	100,0	101,1	102,3	104,8	106,3	107,5	109,2	111,8	115,1	118,2
85,8	119,5	105,7	100,0	103,5	101,7	115,2	115,0	106,0	102,8	104,1	103,5	105,1
87,7	98,6	99,4	100,0	103,5	105,8	109,2	111,8	114,1	113,0	114,0	115,3	115,5
92,4	105,4	97,9	100,0	96,0	95,2	100,6	94,4	96,3	96,2	113,4	116,5	138,6
89,1	96,4	98,5	100,0	102,6	103,0	104,7	104,9	106,5	107,2	117,0	121,5	123,1
95,6	97,6	99,2	100,0	102,3	103,7	104,8	105,9	106,9	105,9	106,0	107,3	107,1
92,2	94,9	97,5	100,0	107,1	108,5	109,0	113,5	115,1	106,3	101,2	96,5	92,4
99,8	102,2	101,1	100,0	100,1	100,2	98,5	99,4	101,3	95,8	94,7	93,7	93,7
94,5	98,9	100,1	100,0	100,2	102,0	105,2	107,4	108,7	109,7	111,6	114,9	119,6
85,6	90,4	100,5	100,0	82,3	96,1	140,3	133,7	125,5	138,4	161,8	199,9	218,1
93,2	101,8	99,8	100,0	96,9	98,6	104,8	107,4	107,3	110,4	113,8	121,0	122,9
95,8	98,7	100,0	100,0	101,4	103,0	104,3	105,5	107,5	107,2	109,6	110,7	112,9
102,9	120,3	111,1	100,0	90,3	90,3	86,4	86,6	90,8	95,8	125,1	163,7	248,1

Tableau 21.8 Parités de pouvoir d'achat du PIB et des pays de l'OCDE, monnaie nationale par dollar américain, 2001 à 2006

	2001	2002	2003	2004	2005	2006
			par dollar des É.-U.			
Groupe pacifique						
Canada (dollar canadien)	1,22	1,23	1,24	1,25	1,25	1,23
Mexique (peso)	6,33	6,58	7,00	7,31	7,48	7,57
États-Unis (dollar des É.-U.)	1,00	1,00	1,00	1,00	1,00	1,00
Japon (yen)	149	144	138	133	128	124
Corée (won)	761	779	783	782	756	744
Australie (dollar australien)	1,33	1,34	1,35	1,36	1,38	1,39
Nouvelle-Zélande (dollar N.Z.)	1,47	1,47	1,46	1,47	1,46	1,47
Pays européen						
Autriche (euro)	0,92	0,91	0,88	0,87	0,87	0,86
Belgique (euro)	0,90	0,88	0,87	0,87	0,86	0,86
République Tchèque (couronne)	14,57	14,27	13,89	14,03	14,08	14,15
Danemark (couronne)	8,33	8,43	8,47	8,40	8,40	8,37
Finlande (euro)	0,97	0,97	1,00	0,97	0,97	0,96
France (euro)	0,90	0,90	0,93	0,92	0,90	0,89
Allemagne (euro)	0,97	0,96	0,91	0,89	0,88	0,88
Grèce (euro)	0,69	0,68	0,68	0,70	0,70	0,70
Hongrie (forint)	109,89	114,72	119,60	124,05	124,90	127,83
Islande (couronne)	88,65	92,18	93,41	94,02	94,55	95,56
Irlande (euro)	0,98	1,00	1,01	1,00	1,00	1,00
Italie (euro)	0,82	0,83	0,85	0,86	0,86	0,86
Luxembourg (euro)	1,00	0,98	0,94	0,92	0,92	0,92
Pays-Bas (euro)	0,92	0,92	0,92	0,90	0,88	0,87
Norvège (couronne)	9,10	9,14	9,03	8,93	8,73	8,68
Pologne (zloty)	1,84	1,83	1,83	1,85	1,85	1,84
Portugal (euro)	0,66	0,66	0,70	0,71	0,70	0,70
Rpublique Slovaque (couronne)	16,26	16,21	16,59	17,19	17,09	17,24
Espagne (euro)	0,75	0,74	0,75	0,76	0,76	0,77
Suède (couronne)	9,32	9,36	9,25	9,18	9,21	9,17
Suisse (franc)	1,89	1,80	1,76	1,73	1,70	1,68
Turquie (livre)	0,42	0,61	0,76	0,83	0,88	0,92
Royaume-Uni (livre sterling)	0,62	0,61	0,62	0,62	0,62	0,62

Source : Statistique Canada, Organisation de coopération et de développement économiques, 2007.

Rendement des entreprises et appartenance

22

SURVOL

Grosse ou petite, chaque entreprise du Canada a tout d'abord été une idée qui a germé dans l'esprit de quelqu'un. À un moment ou à un autre, un entrepreneur disposant d'une mise de fonds initiale et ayant de l'énergie à revendre a décidé de prendre un risque et de se lancer en affaires. Il est devenu nettoyeur à sec, fabricant d'ordinateurs, commerçant, restaurateur ou même éleveur d'émeus.

Les risques pris et le travail acharné de ces personnes ont porté fruit : le bénéfice d'exploitation des entreprises canadiennes a plus que doublé, passant de 112,1 milliards de dollars en 1998 à 243,6 milliards de dollars en 2006. Les entreprises non financières, par exemple les mines, les compagnies de théâtre ou les services Internet, ont réalisé 72 % de ces bénéfices; les établissements financiers et les compagnies d'assurance ont produit le reste.

Les entreprises qui génèrent les plus grosses recettes sont celles qui fournissent des biens aux consommateurs canadiens et au reste de l'économie : les fabricants, les grossistes et les détaillants. Ensemble, ces entreprises ont généré plus de 1 571,0 milliards de dollars de recettes et 73,3 milliards de dollars de bénéfices en 2006. Les constructeurs d'habitations et les autres entreprises de construction ont engrangé une autre tranche de 197,8 milliards de dollars de recettes cette même année, suivis de près par les entreprises en croissance rapide du secteur pétrolier et gazier (157,4 milliards de dollars). Les banques et les compagnies d'assurances ont pour leur part touché des recettes d'environ 275,8 milliards de dollars.

Plus grosses recettes : plus gros bénéfices?

Toutefois, les recettes les plus élevées ne signifient pas toujours les bénéfices les plus élevés. En 2006, les fabricants, les grossistes et les détaillants du Canada étaient parmi les entreprises les moins rentables, leur marge bénéficiaire moyenne se situant à environ 5 %. Entre-temps, les entreprises du secteur des

Graphique 22.1
Bénéfices d'exploitation, toutes les branches d'activité

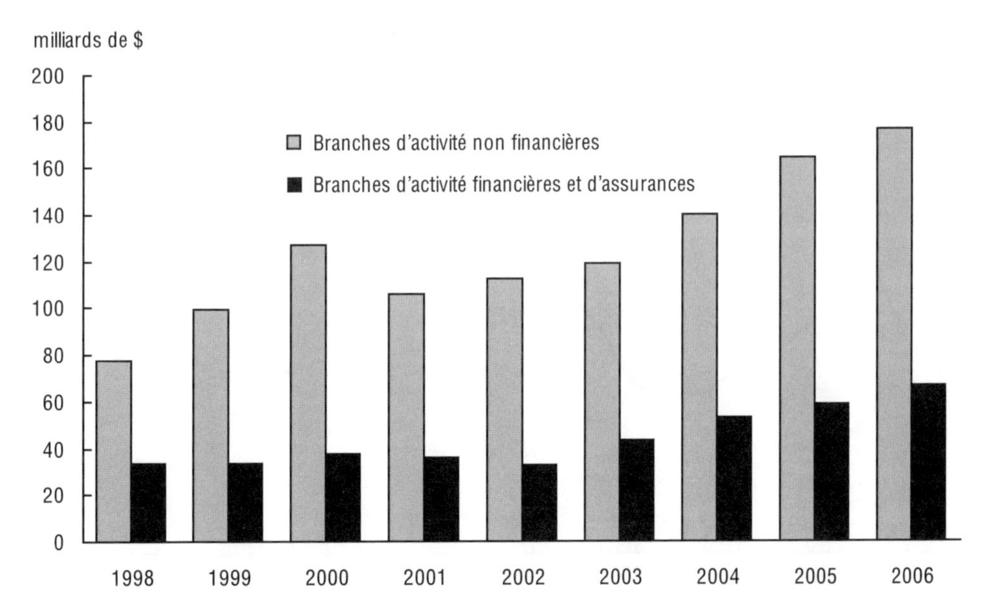

Note : Les données sont désaisonnalisées.
Source : Statistique Canada, CANSIM : tableau 187-0002.

services immobiliers et des services de location ainsi que de l'extraction minière, pétrolière et gazière ont affiché des marges bénéficiaires oscillant entre 18 % et 21 % en 2006. Cependant, la palme revient aux établissements financiers : les banques et les sociétés émettrices de cartes de crédit enregistrent en effet des marges bénéficiaires de 26 % et de 41 % respectivement.

Et la croissance?

La croissance suit les tendances économiques de près. Les entreprises participant au boom pétrolier et gazier dans l'Ouest ont connu une croissance considérable de leurs recettes de 2001 à 2006, tout comme les entreprises du secteur des services immobiliers de tout le pays. La croissance rapide d'Internet s'est également révélée profitable pour de nombreuses entreprises. Les industries de l'information et de la culture ont ainsi vu leurs recettes grimper en flèche pendant la même période.

Les moyennes et grandes entreprises ont tendance à être davantage en mesure de tirer parti de la conjoncture et de croître. De 1991 à 2003, le nombre de moyennes entreprises (de 20 à 99 employés) a augmenté de 25 %, tandis que le nombre de grandes entreprises (de 100 à 499 employés) a augmenté de 33 %. Par ailleurs, le nombre de petites entreprises (de 0 à 19 employés) ne s'est accru que de 11 %.

Faillites des entreprises, industries choisies

	2004	2006
	nombre	
Toutes les industries	**8 128**	**6 756**
Construction	1 344	1 152
Commerce de détail	1 204	989
Finance et assurances	118	81
Hébergement et services de restauration	932	767

Source : Statistique Canada, CANSIM : tableau 177-0006.

Pourtant, les petites entreprises sont de loin les plus nombreuses. En effet, plus de 9 entreprises canadiennes sur 10 en 2003 comptaient moins de 20 employés. Ensemble, ces petites entreprises n'emploient toutefois qu'environ 21 % de tous les travailleurs canadiens. Pour mettre cette statistique en perspective, un petit nombre de grandes entreprises, soit environ 2 000 sur plus d'un million, comptent pour 43 % de tous les employés au pays. Ces proportions sont demeurées presque inchangées de 1993 à 2003.

Les entreprises ont recours aux investissements de capitaux pour soutenir leur croissance. Les petites et moyennes entreprises du Canada ont affiché en effet une dette totale de 377 milliards de dollars en 2004. Si elles n'ont pas accès à un financement suffisant, la plupart des petites et moyennes entreprises ne peuvent pas prendre d'expansion, lancer de nouveaux produits ou investir dans la recherche et le développement.

Graphique 22.2
Faillites d'entreprises

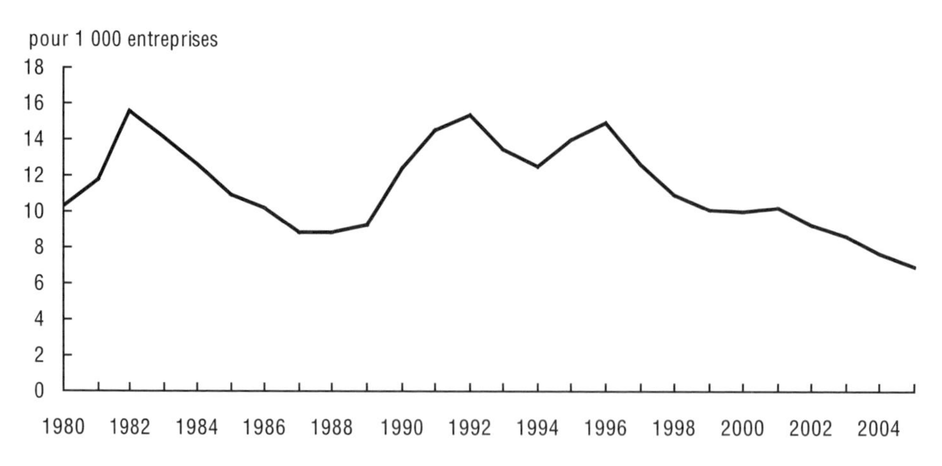

Source : Statistique Canada, produit nº 11-621-MIF au catalogue.

Les entreprises comptant de 1 à 4 employés ont une dette moyenne de 187 000 $, celles employant de 5 à 19 personnes, 489 000 $, et les entreprises ayant de 20 à 99 employés, 2,2 millions de dollars.

Faillites d'entreprises à leur plus faible niveau en 25 ans

Bien que le financement des entreprises soit le carburant de notre économie, les dettes peuvent s'accumuler. Et en l'absence d'importants bénéfices d'exploitation pour rembourser les sommes dues, de nombreuses entreprises doivent déclarer faillite chaque année. Cependant, selon une récente étude, le taux de faillite des entreprises en 2005 a chuté à son niveau le plus bas en 25 ans, soit un taux de seulement 7 faillites pour 1 000 entreprises.

Certains indicateurs montrent que les entreprises du Canada sont aujourd'hui plus en santé et peuvent davantage traverser des périodes difficiles. Par exemple, les récessions et la restructuration économique du début des années 1980 et 1990 étaient accompagnées de taux de faillite d'entreprises considérablement plus élevés. En fait, ces taux ont atteint des sommets en 1982 et en 1992. Toutefois, le ralentissement économique de 2001 et 2002 n'était pas accompagné d'une augmentation semblable au taux de faillite d'entreprises. Ces taux ont fortement baissé, tout comme les pertes financières moyennes associées aux faillites.

Graphique 22.3
Croissance du nombre d'entreprises selon la taille de l'entreprise, 1991 à 2003

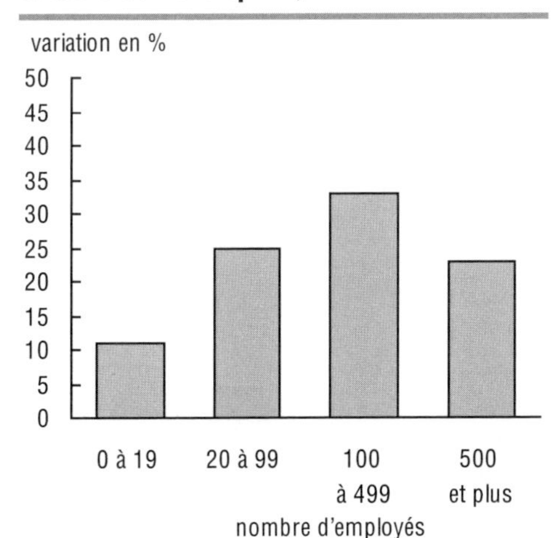

Source : Statistique Canada, produit nº 61-534-XWF au catalogue.

La part de l'économie sous contrôle étranger est stable

Certaines entreprises canadiennes sont sous contrôle étranger et celles-ci ont enregistré des bénéfices records ces dernières années. Malgré leur succès, la part des sociétés sous contrôle étranger est demeurée stable en 2004 : les entreprises étrangères ont possédé 22 % de l'actif des sociétés détenu au Canada et ont produit 30 % des recettes. Mises à part quelques fluctuations, ces proportions sont demeurées passablement stables depuis le milieu des années 1990.

Les États-Unis continuent d'être de loin la force dominante. En effet, les sociétés américaines ont représenté 60 % de la valeur de l'actif et des recettes sous contrôle étranger en 2004. Viennent ensuite le Royaume-Uni, l'Allemagne, le Japon, les Pays-Bas et la France, le classement étant établi en fonction de l'actif et des recettes. Les industries les plus importantes sous contrôle étranger sont le secteur de la fabrication (50 % de l'actif total en 2004) et celui du pétrole et du gaz (45 % de l'actif total en 2004).

Sources choisies

Statistique Canada

- *Analyse en bref.* Hors série. 11-621-MIF
- *Industrie de l'environnement : secteur des entreprises.* Bisannuel. 16F0008XIF
- *La dynamique des entreprises au Canada.* Hors série. 61-534-XIF
- *La Loi sur les déclarations des personnes morales.* Annuel. 61-220-XIF
- *Statistiques financières et fiscales des entreprises.* Annuel. 61-219-XIF
- *Statistiques financières trimestrielles des entreprises.* Trimestriel. 61-008-XIF
- *Statistiques sur le secteur public.* Annuel. 68-213-XIE

Banques étrangères : une visibilité accrue

De nos jours au Canada, il est presque aussi facile de faire affaire avec une banque étrangère qu'avec l'une des principales banques canadiennes à charte. Les banques étrangères ont en effet accru leur visibilité au Canada avec le nouveau millénaire. De 1997 à 2004, les banques sous contrôle étranger ont connu une croissance constante et porté leur part du marché bancaire canadien à environ 8 %.

En 1999, l'administration fédérale autorisait les banques étrangères à implanter des succursales à service complet au Canada, permettant ainsi à ces banques d'offrir une gamme de services financiers beaucoup plus étendue. Le secteur bancaire canadien comprend aujourd'hui 21 banques canadiennes, 26 filiales de banques étrangères et 19 succursales de banques étrangères à service complet.

Tant les banques étrangères que les banques canadiennes ont tiré parti de la récente faiblesse des taux d'intérêt au Canada, qui avaient cours dans tout le marché des services financiers. Stimulées par l'essor des prêts à la consommation, les banques étrangères qui ont connu la croissance la plus rapide ont été celles offrant des services de cartes de crédit et d'autres services financiers électroniques ainsi que celles œuvrant dans le domaine du financement des entreprises et des institutions.

Toutefois, l'accroissement de la part du marché des banques étrangères est le résultat du travail de quelques entreprises seulement. En effet, les activités de six banques étrangères seulement ont représenté 80 % de la valeur des services produits, la croissance annuelle moyenne de la plupart d'entre elles se situant à 10 % ou plus.

Les banques canadiennes continuent cependant de dominer le marché des services financiers au pays. Elles n'ont perdu qu'une partie relativement petite du marché aux mains des banques étrangères, et ce, malgré la forte croissance de ces dernières. La valeur réelle totale des services des banques canadiennes continue de croître à un rythme d'environ 2 % par année.

Graphique 22.4
Part du marché selon le type d'institution financière, 2004

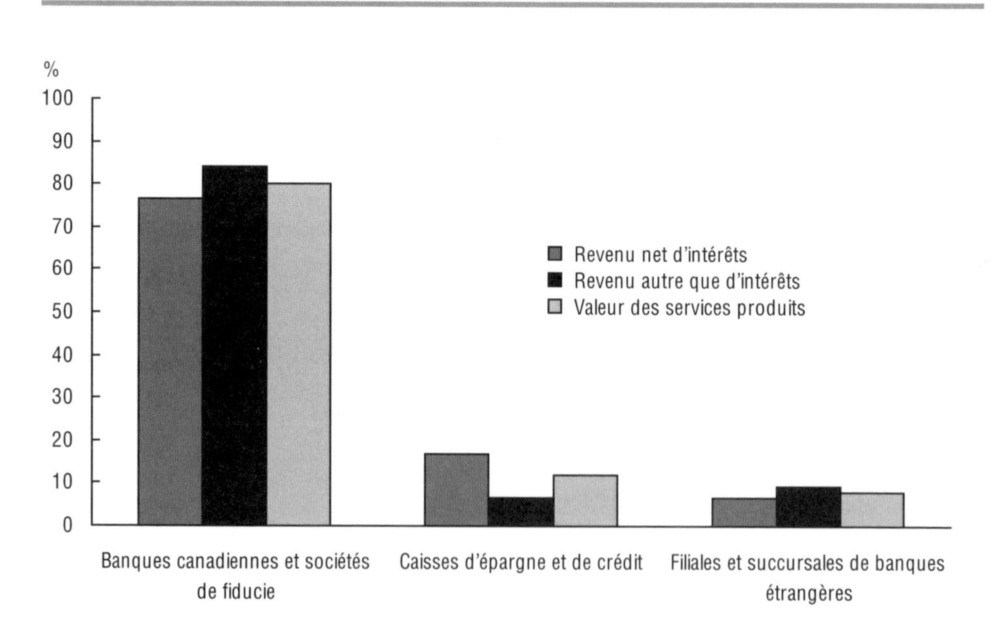

Source : Statistique Canada, produit nº 11-621-MIF au catalogue.

Essor du secteur de l'environnement

Les Canadiens sont conscients des effets de l'activité humaine sur l'environnement et les entrepreneurs investissent davantage dans la protection de l'environnement. En outre, les travaux de recherche et développement ont contribué à l'essor d'éco-entreprises et ont permis à celles-ci d'accroître leurs revenus.

Les biens et services environnementaux permettent d'évaluer, de prévenir, de limiter ou de corriger les dommages qui touchent l'eau, l'air et le sol. Les biens englobent les matières recyclables et les technologies réduisant les émissions de gaz à effet de serre. Les services regroupent la gestion des déchets, les projets de construction liés à l'environnement et les services de conseils en environnement. Ensemble, les entreprises fournissant ces biens et services ont généré environ 16 milliards de dollars de recettes en 2002, en hausse de 8 % par rapport à 2000.

Plusieurs tendances entraînent la croissance des éco-entreprises. Par exemple, les ménages et les entreprises produisent plus de déchets, et les entreprises du secteur des mines, du pétrole, du gaz et du charbon dépensent davantage pour la remise en état et le déclassement. Ainsi, les recettes des entreprises offrant des services de gestion des déchets et d'assainissement ont bondi de 4 milliards de dollars en 2000 à un peu plus de 5 milliards de dollars en 2002.

Les Canadiens tentent d'améliorer le rendement énergétique en réduisant la consommation et en récupérant des sous-produits utiles. Ainsi, les éco-entreprises se développent rapidement : en 2002, elles ont tiré 364 millions de dollars de la vente de technologies servant à réduire les émissions de gaz à effet de serre, notamment des piles à combustible, des carburants de remplacement et des systèmes d'énergie solaire et éolienne. Les services de conseils et de génie en environnement et les services d'analyse ont généré 638 millions de dollars, et les services de gestion de l'eau et des eaux usées, 470 millions de dollars. Les Canadiens ont créé environ 500 nouvelles éco-entreprises de 2000 à 2002, des sociétés de services de conseils pour la plupart.

Graphique 22.5
Revenus tirés de services environnementaux, certains services, 2002

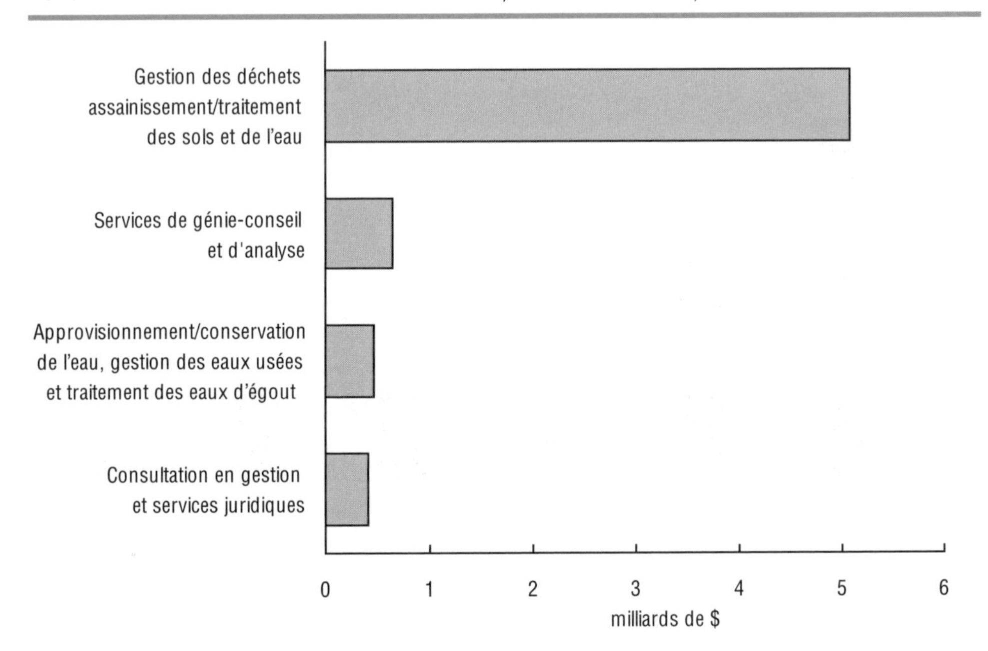

Source : Statistique Canada, produit nº 16F0008XIF au catalogue.

Des profits records pour les entreprises

L'une des plus importantes nouvelles concernant le secteur des entreprises au Canada porte sur les bénéfices d'exploitation, qui ne font qu'augmenter. La croissance a certes ralenti un peu en 2006, mais les entreprises ont néanmoins vu leurs bénéfices d'exploitation augmenter trimestre après trimestre, jusqu'à un sommet de 243,6 milliards de dollars pour l'année.

Les bénéfices d'exploitation des entreprises, c'est-à-dire les bénéfices avant impôts réalisés dans le cours normal de leurs activités, n'ont connu que quelques dérapages trimestriels depuis 2002. Les facteurs contribuant à cet essor comprennent les faibles taux d'intérêt, qui ont favorisé les dépenses des consommateurs et des entreprises, et la vigueur des prix des produits de base, qui ont fait gonfler les bénéfices des entreprises dans le secteur des mines, du pétrole et du gaz.

Le secteur des hydrocarbures a joué un rôle prédominant. Les bénéfices d'exploitation ont plus que doublé : 14,7 milliards de dollars en 2002 et 32,5 milliards de dollars en 2006. Les sociétés minières ont aussi plus que doublé leurs bénéfices d'exploitation, en hausse de 177 %, de même que les entreprises du secteur de la construction en hausse de 126 % grâce à l'effervescence des marchés de la construction résidentielle et commerciale. Le secteur des transports et de l'entreposage et celui des banques ont vu leurs bénéfices grimper pendant cette période : 62 % et 139 % respectivement. De plus, la vigueur du marché immobilier a fait croître les bénéfices d'exploitation des entreprises de ce secteur de 24 %.

Tous les secteurs n'ont cependant pas profité de cette conjoncture. Les industries manufacturières — touchées par les coûts élevés du carburant, la force du dollar canadien et le ralentissement de l'économie des États-Unis — ont vu leurs bénéfices d'exploitation augmenter de seulement 18 % de 2002 à 2004, puis reculer de 5 % de 2004 à 2006.

Les entreprises sous contrôle étranger ont affiché ces dernières années quelques-uns des taux de croissance les plus élevés. De 2002 à 2004, par exemple, ces entreprises ont vu leurs bénéfices d'exploitation bondir de presque 39 %.

Graphique 22.6
Bénéfices d'exploitation, certaines industries

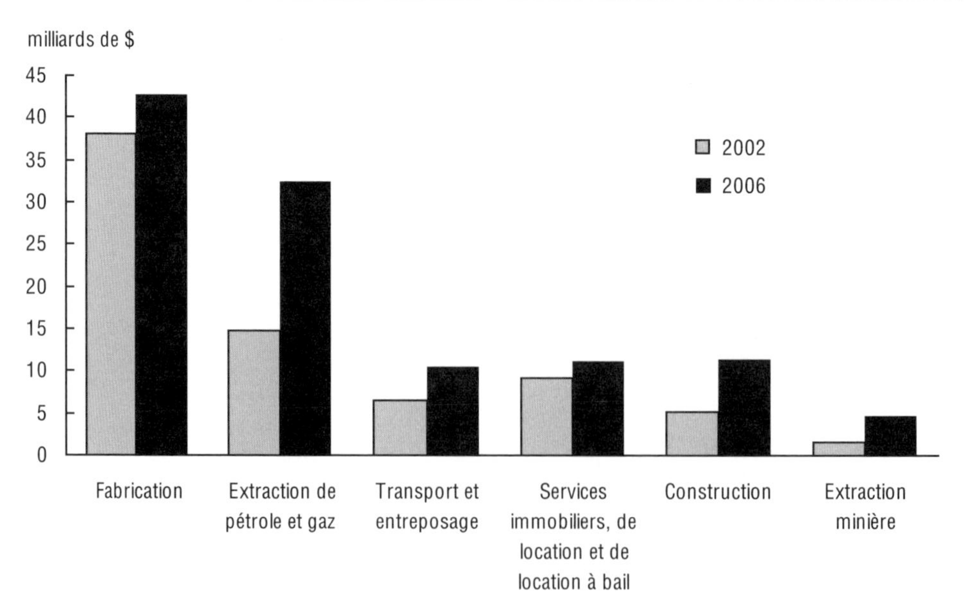

Note : Données désaisonnalisées.
Source : Statistique Canada, CANSIM : tableau 187-0002.

Impôt des sociétés et crédits d'impôt

Les gros brasseurs d'affaires sont aussi de gros contribuables. Les entreprises ont généré 46,5 milliards de dollars en recettes fiscales pour toutes les administrations publiques en 2005. Cette année-là, les sociétés ont dû la part du lion en impôt à l'administration fédérale, soit 31,5 milliards de dollars, suivis par 15,0 milliards de dollars dus aux administrations provinciales.

Tout comme les particuliers, les entreprises ont recours aux crédits d'impôt pour diminuer leurs revenus imposables et, du coup, leurs impôts. Ainsi, l'impôt total sur le bénéfice à payer par les entreprises en 2005 s'élevait à 57,4 milliards de dollars. Toutefois, un crédit d'impôt fédéral au titre de l'impôt sur les bénéfices que les sociétés payent aux administrations provinciales a réduit ce montant de 14,1 milliards de dollars.

Les déductions d'impôt spécifique que réclament les petites entreprises — 5,3 milliards de dollars en 2005 par rapport à 4,7 milliards de dollars en 2004 — représentent un autre crédit d'impôt. Il faut aussi tenir compte de la déduction pour les bénéfices de fabrication et de transformation, qui s'établissait à 1,4 milliard de dollars, une baisse par rapport à 1,7 milliard en 2004.

Les crédits d'impôt à l'investissement aident les sociétés à réduire leur fardeau fiscal lorsqu'elles enregistrent une perte. Ces crédits accumulés sont ensuite payés sous forme d'impôt au moment où la société retrouve la rentabilité. En 2005, les sociétés ont réclamé 1,6 milliard de dollars en crédits d'impôt, en baisse comparativement aux 2,0 milliards de dollars enregistrés en 2004.

Les entreprises non financières ont payé des impôts de 35,5 milliards de dollars, en hausse de 1,2 milliard comparativement à 2004. Plus de la moitié de cette augmentation de 3 % provenait des secteurs de la construction et des services immobiliers, lesquels ont connu une croissance considérable en 2005.

Les trésors des administrations publiques ont augmenté au rythme de la croissance de l'économie : la part des recettes consolidées de toutes les administrations publiques représentée par les impôts des sociétés a plus que doublé de 1995 à 2005.

Graphique 22.7
Impôt sur les sociétés

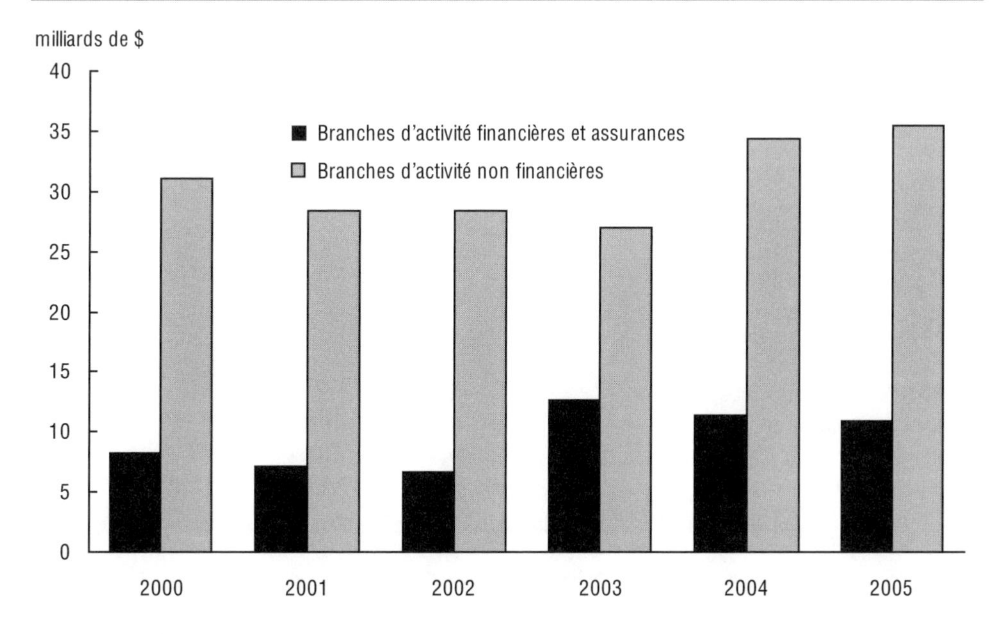

Source : Statistique Canada, CANSIM : tableau 180-0003.

Tableau 22.1 Entreprises, par province et territoire, 1995 à 2003

	Canada	Terre-Neuve-et-Labrador	Île-du-Prince-Édouard	Nouvelle-Écosse
	milliers			
1995	**962,1**	21,6	7,6	32,0
1996	**963,8**	20,5	7,5	31,4
1997	**985,1**	20,4	7,6	32,2
1998	**1 005,0**	20,4	7,7	32,4
1999	**1 017,6**	20,2	7,7	33,0
2000	**1 021,6**	19,8	7,3	32,3
2001	**1 032,9**	19,8	7,2	32,2
2002	**1 044,7**	19,6	7,2	32,0
2003	**1 060,8**	19,9	7,1	32,0

Note : Comme une entreprise peut mener des activités dans plus d'une province, le nombre d'entreprises aux échelons provincial et national peut varier.

1. Inclut les données pour le Yukon, les Territoires du Nord-Ouest et le Nunavut.

Source : Statistique Canada, produit n° 61-534-XIF au catalogue.

Tableau 22.2 Faillites selon le secteur, par province et territoire, 2006

	Canada	Terre-Neuve-et-Labrador	Île-du-Prince-Édouard	Nouvelle-Écosse
	nombre			
Ensemble des secteurs	**6 756**	**45**	**41**	**241**
Agriculture, foresterie, pêche et chasse	**358**	3	8	13
Extraction minière et extraction de pétrole et de gaz	**35**	0	0	1
Services publics	**14**	0	0	1
Construction	**1 152**	8	5	44
Fabrication	**571**	2	1	17
Commerce de gros	**324**	1	1	9
Commerce de détail	**989**	7	8	42
Transport et entreposage	**641**	1	0	23
Industrie de l'information et industrie culturelle	**136**	1	1	4
Finance et assurances	**81**	0	1	3
Services immobiliers et services de location et de location à bail	**149**	0	1	10
Services professionnels, scientifiques et techniques	**431**	1	3	12
Gestion de sociétés et d'entreprises	**39**	0	0	0
Services administratifs, services de soutien, services de gestion des déchets et services d'assainissement	**326**	2	3	6
Services d'enseignement	**60**	0	1	3
Soins de santé et assistance sociale	**75**	2	0	3
Arts, spectacles et loisirs	**156**	1	2	4
Hébergement et services de restauration	**767**	12	5	22
Administrations publiques	**11**	1	0	1
Autres services (excluant les administrations publiques)	**441**	3	1	23

Note : Système de classification des industries de l'Amérique du Nord (SCIAN), 2002.

1. Inclut les données pour le Yukon, les Territoires du Nord-Ouest et le Nunavut.

Source : Statistique Canada, CANSIM : tableau 177-0006.

Nouveau-Brunswick	Québec	Ontario	Manitoba	Saskatchewan	Alberta	Colombie-Britannique	Territoires[1]
				milliers			
27,8	227,7	303,7	35,7	40,8	112,5	149,0	3,7
27,5	227,6	303,8	35,7	40,9	114,5	150,8	3,8
27,6	228,4	311,3	36,2	41,7	121,2	154,8	3,8
28,2	231,7	320,2	36,7	41,2	126,7	156,2	3,8
28,3	233,7	327,2	36,8	40,8	129,7	156,3	3,8
27,8	233,3	332,1	36,2	40,1	132,6	155,9	4,0
27,8	232,9	337,9	36,4	40,1	137,3	157,1	4,1
27,6	233,3	343,6	36,9	39,9	140,9	159,5	4,2
27,4	234,8	351,1	36,9	39,8	144,5	162,9	4,3

Nouveau-Brunswick	Québec	Ontario	Manitoba	Saskatchewan	Alberta	Colombie-Britannique	Territoires[1]
				nombre			
193	**1 837**	**2 677**	**160**	**301**	**666**	**587**	**8**
19	70	52	37	90	19	47	0
0	3	6	0	3	19	3	0
0	3	3	0	0	1	6	0
22	183	496	16	39	223	115	1
20	213	221	13	4	38	42	0
4	130	130	1	7	22	19	0
34	271	424	20	34	67	80	2
31	154	231	16	44	90	50	1
0	44	64	4	1	5	12	0
2	28	31	1	1	10	4	0
5	46	63	1	2	12	9	0
8	136	170	3	14	35	49	0
2	12	16	0	2	1	6	0
9	89	144	2	10	26	35	0
0	22	25	0	3	4	2	0
3	21	25	0	5	8	8	0
8	44	69	6	2	14	6	0
11	241	316	31	25	42	59	3
1	3	5	0	0	0	0	0
14	124	186	9	15	30	35	1

Tableau 22.3 Entreprises selon la taille, 1983 à 2003

	Ensemble des entreprises	0 à 19 employés	20 à 99 employés	100 à 499 employés	500 employés et plus
	milliers				
1983	**752,7**	708,5	36,4	6,1	1,6
1984	**779,8**	732,0	39,6	6,6	1,7
1985	**808,7**	758,3	41,8	6,9	1,7
1986	**834,3**	781,3	44,1	7,2	1,8
1987	**865,2**	808,3	47,4	7,6	1,9
1988	**889,0**	828,9	50,1	8,0	1,9
1989	**907,6**	845,2	52,1	8,3	2,0
1990	**917,4**	855,7	51,5	8,2	2,0
1991	**907,2**	843,0	53,7	8,5	2,0
1992	**907,8**	845,7	52,1	8,1	1,9
1993	**910,3**	847,3	52,9	8,2	2,0
1994	**918,0**	853,8	53,7	8,5	2,0
1995	**923,0**	856,7	55,4	8,8	2,0
1996	**925,2**	857,7	56,5	8,9	2,1
1997	**945,0**	874,7	58,7	9,4	2,2
1998	**957,9**	886,2	59,8	9,7	2,2
1999	**970,2**	897,8	60,2	9,9	2,2
2000	**980,8**	905,5	62,4	10,5	2,3
2001	**991,5**	914,0	64,0	11,0	2,4
2002	**1 003,0**	923,2	66,2	11,2	2,4
2003	**1 018,9**	937,8	67,3	11,4	2,5

Note : Les données pour les années antérieures à 1991 ont été extrapolées retrospectivement au moyen d'un modèle.
Source : Statistique Canada, produit nº 61-534-XIF au catalogue.

Tableau 22.4 Sociétés en activité au Canada, principales caractéristiques financières selon le pays de contrôle, 2001 à 2005

	2001	2002	2003	2004	2005
	millions de dollars				
Sociétés sous contrôle canadien et étranger					
Actif	4 195 238	4 372 325	4 580 424	4 990 267	5 235 806
Revenu d'exploitation	2 401 139	2 430 061	2 514 887	2 671 764	2 848 520
Bénéfice d'exploitation	170 466	170 455	188 832	217 529	249 887
	variation en pourcentage depuis l'année précédente				
Actif	5,9	4,2	4,8	8,9	4,9
Revenu d'exploitation	4,0	1,2	3,5	6,2	6,6
Bénéfice d'exploitation	-11,0	0,0	10,8	15,2	14,9
	millions de dollars				
Sociétés sous contrôle canadien					
Actif	3 239 003	3 380 500	3 573 855	3 911 392	4 126 848
Revenu d'exploitation	1 672 272	1 713 607	1 767 131	1 869 121	1 997 197
Bénéfice d'exploitation	119 264	121 675	133 262	149 758	173 643
Sociétés privées					
Actif	2 896 124	3 028 373	3 221 276	3 550 860	3 767 819
Revenu d'exploitation	1 583 575	1 627 343	1 677 966	1 766 939	1 890 670
Bénéfice d'exploitation	93 702	95 835	105 873	126 014	148 033
Sociétés commerciales publiques					
Actif	342 879	352 127	352 578	360 531	359 028
Revenu d'exploitation	88 697	86 264	89 165	102 182	106 527
Bénéfice d'exploitation	25 562	25 839	27 389	23 744	25 610
Sociétés sous contrôle étranger					
Actif	956 235	991 825	1 006 570	1 078 875	1 108 959
Revenu d'exploitation	728 867	716 454	747 756	802 643	851 323
Bénéfice d'exploitation	51 202	48 780	55 571	67 771	76 244
Sociétés des États-Unis					
Actif	609 557	637 457	622 361	657 637	659 809
Revenu d'exploitation	482 955	469 367	472 522	505 923	536 128
Bénéfice d'exploitation	34 460	31 207	35 771	44 164	48 448
Sociétés de l'Union Européenne					
Actif	258 313	261 943	282 095	320 463	344 923
Revenu d'exploitation	155 760	155 996	179 360	191 724	207 331
Bénéfice d'exploitation	11 850	12 666	14 090	16 739	19 737
Sociétés des autres pays étrangers					
Actif	88 365	92 425	102 114	100 776	104 227
Revenu d'exploitation	90 153	91 091	95 874	104 996	107 864
Bénéfice d'exploitation	4 892	4 908	5 709	6 867	8 060

Source : Statistique Canada, CANSIM : tableau 179-0004.

Tableau 22.5 Bilan pour le secteur bancaire, 2002 à 2006

	2002	2003	2004	2005	2006
			millions de dollars		
Actif	**1 323 806**	**1 408 877**	**1 565 617**	**1 649 746**	**1 837 920**
Encaisse et dépôts	14 545	22 446	44 520	39 752	31 435
Comptes débiteurs et produit à recevoir	5 358	5 137	4 542	5 445	5 924
Placements et comptes auprès des sociétés affiliées	70 196	81 370	91 455	85 559	98 900
Placements de portefeuille	242 364	257 589	277 946	316 894	373 708
Prêts	844 373	869 138	970 474	1 041 953	1 152 766
Hypothécaires	411 648	436 101	477 267	515 631	556 806
Non hypothécaires	432 725	433 037	493 207	526 321	595 960
Provision pour pertes sur placements et prêts	-16 534	-10 765	-8 100	-7 433	-6 916
Engagements des clients des banques comme acceptations	38 686	33 102	33 769	39 434	52 637
Immobilisations nettes	8 830	8 877	8 796	9 214	9 680
Autres actifs	115 988	141 983	142 216	118 929	119 784
Passif	**1 233 500**	**1 315 616**	**1 466 510**	**1 536 865**	**1 709 660**
Dépôts	907 694	965 529	1 064 463	1 141 786	1 242 769
Comptes créditeurs et charges à payer	10 653	12 270	11 090	11 715	15 484
Emprunts et comptes auprès des sociétés	4 466	17 962	19 115	11 465	11 776
Emprunts	23 298	25 934	29 588	33 407	37 374
Emprunts et découverts	2 999	5 012	6 897	7 802	8 994
Auprès des banques	935	283	608	574	763
Auprès des autres	2 064	4 729	6 289	7 228	8 232
Acceptations bancaires et documents bancaires	97	0	0	0	0
Obligations et débentures	19 981	20 692	22 618	25 460	28 127
Hypothèques	221	231	72	145	252
Impôts futurs	703	600	694	323	338
Engagements des clients des banques comme acceptations	38 695	33 104	33 769	39 310	52 512
Autres passifs	247 990	260 216	307 792	298 859	349 406
Avoir	**90 306**	**93 261**	**99 107**	**112 881**	**128 259**
Capital-actions	37 623	37 176	36 672	42 057	44 056
Surplus d'apport	4 563	5 684	6 487	9 411	10 132
Bénéfices non répartis	48 120	50 401	55 949	61 413	74 071

Notes : Système de classification des industries de l'Amérique du Nord (SCIAN), 2002.
Les données du bilan reflètent les valeurs des niveaux rapportés au quatrième trimestre.
Comprend uniquement les entreprises canadiennes des banques à charte, les compagnies de fiducie, les compagnies de prêt hypothécaire acceptant des dépôts et les coopératives de crédit.

Source : Statistique Canada, CANSIM : tableau 187-0001.

Tableau 22.6 Bilan pour le secteur de l'assurance, 2002 à 2006

	2002	2003	2004	2005	2006
	millions de dollars				
Actif	**303 682**	**325 419**	**345 653**	**362 002**	**392 596**
Encaisse et dépôts	4 918	5 351	6 907	5 770	6 138
Comptes débiteurs et produit à recevoir	18 590	21 195	21 613	19 467	19 412
Placements et comptes auprès des sociétés participants	36 519	32 818	35 600	43 473	54 633
Placements de portefeuille	171 048	186 503	198 386	208 862	225 329
Prêts	44 168	44 269	45 240	45 199	46 933
Hypothécaires	38 543	39 366	39 947	39 778	40 857
Non hypothécaires	5 625	4 903	5 293	5 421	6 077
Provision pour pertes sur placements et prêts	-138	-93	-126	-52	-54
Engagements des clients des banques comme acceptations	0	0	0	0	0
Immobilisations nettes	8 369	8 155	7 686	7 939	8 212
Autres actifs	20 209	27 220	30 346	31 344	31 993
Passif	**231 659**	**250 958**	**261 586**	**273 879**	**290 278**
Dépôts	5 140	4 962	5 159	5 335	5 549
Provisions techniques des assureurs	134 707	144 992	149 839	152 698	160 039
Comptes créditeurs et charges à payer	49 571	55 533	60 248	60 503	61 886
Emprunts et comptes auprès des affiliées	3 803	4 221	4 667	8 203	11 532
Emprunts	10 192	8 645	8 088	8 841	9 731
Emprunts et découverts	4 521	3 458	2 772	3 384	3 104
Auprès des banques	3 305	1 489	1 088	1 360	1 296
Auprès des autres	1 216	1 970	1 684	2 024	1 807
Acceptations bancaires et documents bancaires	5	5	5	6	6
Obligations et débentures	5 492	4 979	5 104	5 215	6 304
Hypothèques	175	202	206	237	317
Impôts futurs	-318	-93	-394	-499	-660
Autres passifs	28 562	32 699	33 978	38 798	42 203
Avoir	**72 023**	**74 461**	**84 068**	**88 123**	**102 318**
Capital-actions	18 010	22 458	26 485	26 439	28 580
Surplus d'apport	2 261	2 448	1 831	2 092	2 376
Bénéfices non répartis	51 753	49 555	55 752	59 593	71 362

Notes : Système de classification des industries de l'Amérique du Nord (SCIAN), 2002.
Les données du bilan reflètent les valeurs des niveaux rapportés au quatrième trimestre.
Comprend uniquement les sociétés d'assurance canadiennes incluant les sociétés de réassurance.

Source : Statistique Canada, CANSIM : tableau 187-0001.

Tableau 22.7 Crédits aux entreprises, certaines sources, 2002 à 2006

	2002	2003	2004	2005	2006
	moyenne annuelle (millions de dollars)				
Ensemble des crédits aux entreprises	**887 630**	**904 418**	**944 844**	**1 005 589**	**1 066 468**
Ensemble des crédits à court terme aux entreprises	263 086	255 399	253 297	270 550	305 960
Prêts aux entreprises					
Banques à charte	121 346	121 835	125 509	135 505	147 901
Autres institutions	22 443	24 816	27 032	29 841	33 082
Prêts en monnaies étrangères des banques à charte aux résidents	22 825	18 534	18 064	17 870	20 196
Acceptations bancaires	44 883	39 308	35 929	37 878	48 362
Ajustement des crédits à court terme aux entreprises	189	671	-1 322	-1 634	-1 121
Ensemble des crédits à long terme aux entreprises	624 544	649 019	691 547	735 038	760 508
Prêts hypothécaires sur immeubles non résidentiels					
Banques à charte	16 443	16 965	17 731	18 621	19 629
Sociétés de fiducie ou de prêt hypothécaire	561	553	668	1 039	1 275
Caisses populaires et coopératives d'épargne et de crédit	10 967	11 698	12 263	13 785	15 856
Compagnies d'assurance-vie	23 880	24 800	26 178	27 499	28 242
Créances résultant du crédit-bail					
Banques à charte	5 124	4 807	5 070	5 555	6 384
Sociétés de fiducie ou de prêt hypothécaire	73	25	15	46	58
Autres crédits aux entreprises					
Obligations et débentures	239 360	241 573	253 295	262 444	258 564
Actions et autres	265 002	273 892	285 230	295 749	298 854

Source : Statistique Canada, CANSIM : tableau 176-0023.

Revenu, pensions, dépenses et richesse

23

SURVOL

La plupart des familles canadiennes ont tiré parti de la forte croissance économique de la dernière décennie. Les revenus ont augmenté et les pensions, l'épargne et les caisses de retraite ont affiché une progression considérable. La hausse du revenu a permis aux familles de dépenser davantage et d'accroître leur richesse. En 2006, la richesse des Canadiens avait presque atteint un sommet.

La famille canadienne prend plusieurs formes et chacune gagne sa vie à sa façon. En 2005, ce sont les familles biparentales avec enfants qui touchaient le revenu médian du marché le plus élevé (c'est-à-dire les gains provenant d'un emploi, les revenus de placement et les revenus provenant d'un régime privé de retraite), soit 72 800 $. Ces mêmes familles ont aussi payé le plus d'impôts et, n'ayant reçu que relativement peu de transferts gouvernementaux, leur revenu médian après impôt se chiffrait à 65 700 $.

Les personnes seules ont enregistré le revenu médian du marché le plus faible à savoir 18 100 $. Les familles monoparentales dirigées par une femme touchaient également des revenus médians peu élevés. Cependant, des transferts gouvernementaux importants leur ont permis de hausser leur revenu médian après impôt à 30 400 $. Les familles âgées n'ont pas un revenu du marché appréciable, mais les transferts gouvernementaux médians versés à ce groupe se sont chiffrés à 22 000 $; combinés à des impôts peu élevés, ces familles avaient un revenu médian après impôt de 40 400 $ en 2005.

Dans l'ensemble, le revenu médian après impôt des familles économiques canadiennes de deux personnes ou plus s'est accru de 1,6 % par rapport à 2004 pour se fixer à 56 000 $ après correction pour tenir compte de l'inflation. Cette augmentation de revenu après impôt fait suite à un accroissement de 1,3 % affiché en 2004, alors que la forte croissance économique avait créé des emplois et fait monter les gains.

Graphique 23.1
Taux de faible revenu selon le type de famille

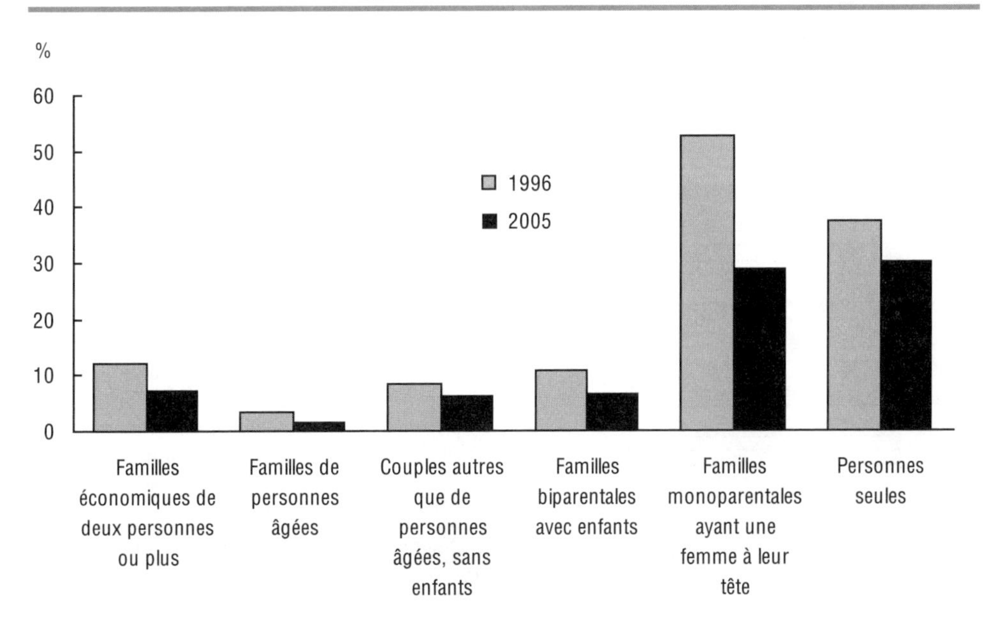

Note : Revenu après impôt, sur la base de 1992.
Source : Statistique Canada, produit nº 75-202-XIF au catalogue.

La proportion à faible revenu a baissé considérablement

Grâce à la conjoncture économique favorable de la dernière décennie, le pourcentage de personnes sous le seuil de faible revenu — le seuil de revenu sous lequel les Canadiens consacrent une part de leur revenu supérieure à la moyenne aux nécessités de la vie comme la nourriture, le logement et l'habillement — a fortement diminué. Pour tous les types de famille, cette proportion est passée d'un sommet de 12,1 % en 1996 à 7,4 % en 2005.

De 1996 à 2005, le pourcentage de familles monoparentales dirigées par une femme qui se trouvaient sous le seuil de faible revenu a chuté, passant de 52,7 % à 29,1 %. Cette baisse est attribuable en partie à une hausse du nombre de mères seules touchant un revenu de travail. Le taux de faible revenu chez les personnes âgées a atteint un creux de 1,6 % en 2005. La proportion d'enfants de moins de 18 ans appartenant à une famille à faible revenu est passée d'un sommet de 18,6 % en 1996 à 11,7 %.

Les niveaux de revenu par province varient considérablement

Les niveaux de revenu varient considérablement d'une province à l'autre. En 2005, les familles économiques albertaines de deux personnes ou plus ont enregistré pour la deuxième fois le revenu médian du marché le plus élevé au pays, soit 70 300 $. Seules les familles de l'Alberta et celles de l'Ontario (63 600 $) ont touché des revenus médians du marché supérieurs à la médiane nationale de 57 700 $. Le revenu médian du marché des familles de l'Atlantique variait de 36 900 $ à Terre-Neuve-et-Labrador à 49 100 $ en Nouvelle-Écosse. Au Québec, enfin, le revenu médian du marché des familles s'est fixé à 50 100 $.

Graphique 23.2
Revenu médian après impôts des familles par province, 2005

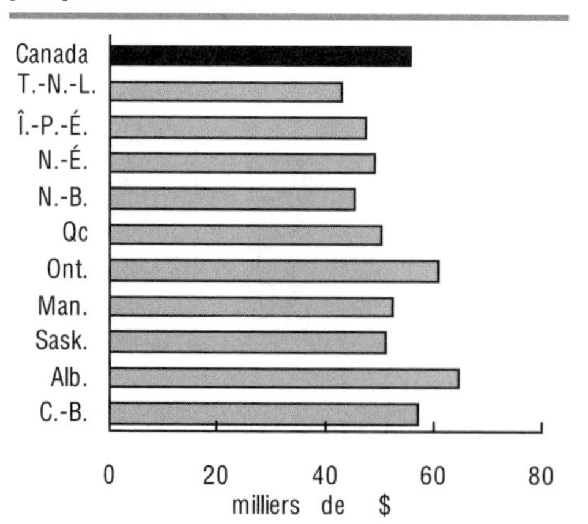

Note : Dollars constants de 2005; familles économiques de deux personnes ou plus.

Source : Statistique Canada, produit nº 75-202-XIF au catalogue.

Dépenses moyennes des ménages, certaines catégories de dépenses, 2005

	$
Impôts personnels	13 698
Logement	12 614
Transport	9 073
Alimentation	7 135
Entretien ménager	3 091
Vêtements	2 588
Soins de santé	1 799
Soins personnels	1 094

Source : Statistique Canada, CANSIM : tableau 203-2001.

Les ménages dépensent plus

Les ménages canadiens, sentant leurs portefeuilles mieux garnis au cours des cinq dernières années, se sont mis à dépenser davantage. En 2000, les ménages canadiens avaient dépensé en moyenne 55 614 $ au titre de la nourriture, du logement, des vêtements, du transport, de l'impôt et d'autres biens et services; ces dépenses ont grimpé pour atteindre 66 857 $ en 2005.

Le lieu de résidence conditionne le montant des dépenses. Les ménages vivant en milieu rural dépensent en moyenne 12 210 $ de moins que les ménages en milieu urbain. Il en va de même pour le mode d'occupation : les ménages propriétaires de leur logement ont des dépenses annuelles presque deux fois plus élevées que celles des ménages locataires. De plus, les couples avec enfants dépensent beaucoup plus que les personnes seules.

Les impôts versés aux administrations fédérale, provinciales et municipales représentent environ 20 % des dépenses moyennes de 66 857 $ des ménages. Le logement et l'entretien ménager (23 %), le transport (14 %) et la nourriture (11 %)

absorbent la majeure partie des autres dépenses. Outre ces biens et services essentiels, les dépenses après impôt des ménages couvrent les loisirs (6 %), les produits du tabac et les boissons alcoolisées (2 %), et les soins personnels (2 %).

Les assurances personnelles et les cotisations de retraite représentent également des postes budgétaires importants pour la plupart des familles canadiennes. Dans le cas des ménages qui mettent régulièrement de l'argent de côté pour assurer leur avenir, les dépenses à ce titre se sont chiffrées à 3 921 $ en 2005.

La répartition des dépenses des ménages dépend en partie du niveau des revenus. Pour les ménages du quintile supérieur des revenus, les impôts constituent 29 % du budget et le logement, 15 %. Les ménages du quintile inférieur allouent moins de 4 % de leurs dépenses aux impôts et 30 % au logement. Les ménages les plus pauvres consacrent à la nourriture une partie de leur budget total plus de deux fois supérieure à celle que les ménages les plus riches affectent à ce poste budgétaire. La part du budget allouée aux vêtements et au transport est presque la même dans tous les groupes de revenu.

Les avoirs et les dettes en hausse

Bien qu'une partie des dépenses soit consacrée à l'achat de biens et de services entièrement consommés ou utilisés (comme la nourriture, le carburant ou les activités de loisirs), des sommes appréciables servent à constituer un capital en biens immobiliers et à accumuler des avoirs financiers et non financiers. La valeur totale des avoirs des familles canadiennes a atteint 5,6 billions de dollars en 2005, comparativement à 3,9 billions de dollars en 1999. Pour les ménages canadiens, la résidence représente leur avoir le plus important, et la valeur des maisons a augmenté de moitié entre 1999 et 2005.

L'augmentation de la valeur des avoirs des ménages s'est accompagnée d'une hausse des dettes du même ordre. De 2001 à 2005, la valeur des avoirs des Canadiens a progressé de 25,9 %, et les dettes ont augmenté de 23,5 % au cours de la même période. La constitution de ces avoirs a nécessité des emprunts, de sorte que les ménages ont affecté environ 8 % de leur revenu disponible au paiement des intérêts sur les fonds empruntés.

Graphique 23.3
Dépenses moyennes annuelles selon certains types de ménage, 2005

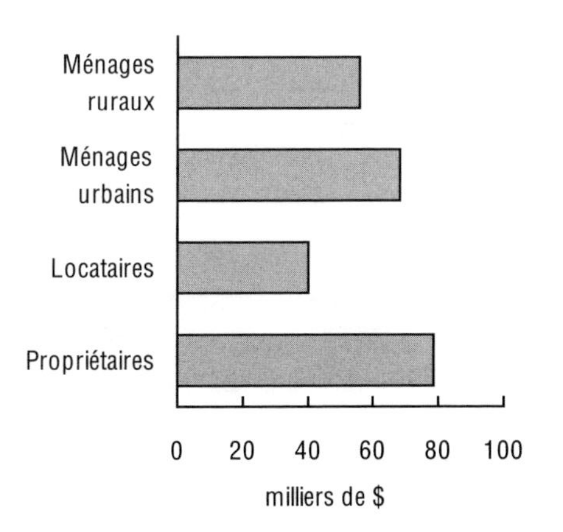

Source : Statistique Canada, produit n° 67-202-XWF au catalogue.

Sources choisies

Statistique Canada

- *Comptes du bilan national : estimations trimestrielles.* Trimestriel. 13-214-XWF
- *Direction des études analytiques : documents de recherche.* Hors série. 11F0019MIF2007294
- *Documents de recherche sur les pensions et le patrimoine.* Hors série. 13F0026MIF2006001
- *L'emploi et le revenu en perspective.* Mensuel. 75-001-XWF
- *Le revenu au Canada.* Annuel. 75-202-XIF
- *Les habitudes de dépenses au Canada.* Annuel. 62-202-XWF
- *Programmes de revenu de retraite au Canada.* Irrégulier. 74-507-XCB
- *Revue trimestrielle des comptes économiques canadiens.* Trimestriel. 13-010-XWF
- *Série de documents de recherche sur les dépenses des ménages.* Hors série. 62F0026MIF2006001
- *Tendances du revenu au Canada.* Annuel. 13F0022XIF

Valeur nette : une mesure de la sécurité

La sécurité financière prend diverses formes pour chacun d'entre nous. Elle est souvent mesurée par la valeur nette, c'est-à-dire la comparaison entre les avoirs et les dettes. Après des années de croissance économique relativement forte et d'effervescence sur le marché immobilier, la valeur nette au Canada a considérablement augmenté. En 2005, la valeur nette médiane des 13,3 millions d'« unités familiales » du Canada se chiffrait à environ 148 350 $.

La valeur totale de tous les avoirs détenus par les familles canadiennes a crû de 42,4 % de 1999 à 2005, surtout en raison de la poussée des prix de l'immobilier. Collectivement, les Canadiens ont déclaré, en 2005, des avoirs d'une valeur de 2,36 billions de dollars en biens immobiliers.

Les Canadiens ont aussi enregistré une hausse de leur valeur nette dans deux autres grandes catégories d'avoirs : les avoirs de retraite privés et les avoirs financiers autres que les pensions. La valeur des avoirs de retraite, qui comprennent notamment les régimes de pension agréés (RPA) de l'employeur et les régimes enregistrés d'épargne-retraite (REER) personnels, a augmenté presque aussi rapidement que celle des avoirs non financiers (qui couvrent les biens immobiliers, les véhicules et les autres avoirs non financiers), en hausse de 41,7 % de 1999 à 2005.

La valeur des avoirs financiers, comme les fonds communs de placement, les fonds d'investissement, les actions et les obligations, a crû plus lentement (20,0 %), partiellement en raison des fluctuations sur les marchés boursiers pendant les premières années du nouveau siècle. La valeur de l'ensemble des actions détenues par les Canadiens a peu changé de 1999 à 2005.

Les dettes sont un autre aspect du bilan de la sécurité financière. Si la valeur des avoirs des Canadiens a augmenté depuis 1999, les Canadiens se sont aussi plus endettés. De 1999 à 2005, la valeur totale des dettes a crû de 47,5 %. Les hypothèques ont représenté les trois quarts de toutes les dettes, les autres sources importantes d'endettement étant les marges de crédit, les cartes de crédit et les prêts-automobiles. Malgré une hausse un peu plus marquée des dettes que des avoirs, la sécurité financière de la famille canadienne type reste assez bonne.

Graphique 23.4
Avoirs des familles

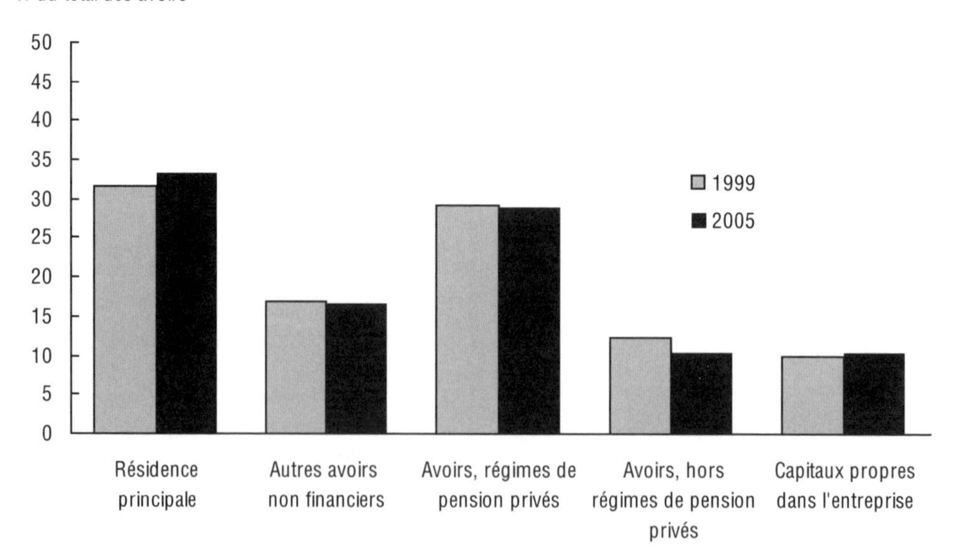

Source : Statistique Canada, produit n° 13F0026MIF au catalogue.

Faibles revenus et nouveaux immigrants

Essayer de vous imaginer : vous commencez une nouvelle vie dans un nouveau pays. Vous laissez derrière vous parents, amis et tout ce qui vous est familier; vous débarquez de l'avion pour plonger dans l'inconnu; vous devez chercher un toit et peut-être commencer à apprendre la langue du pays, sans compter qu 'il vous faudra aussi trouver une source de revenus.

Si bon nombre de familles commencent à toucher un bon salaire peu après leur arrivée, il n'en va pas de même pour d'autres. En fait, bien que le Canada attire des immigrants plus qualifiés et scolarisés, la situation économique des familles de nouveaux immigrants s'est peu améliorée depuis 2000.

Les nouveaux immigrants, soit ceux qui sont au pays depuis moins de deux ans, semblent éprouver des difficultés à s'adapter au cours de leurs premières années d'établissement, selon une étude sur le revenu des immigrants arrivés au Canada de 1992 à 2004. En 2004, les taux de faible revenu des immigrants au cours de leur première année complète au Canada étaient 3,2 fois plus élevés que ceux des personnes nées au Canada.

La probabilité pour les immigrants de se retrouver sous le seuil des faibles revenus pendant leur première année au Canada était élevée, variant de 34 % à 46 % pour la période à l'étude. Toutefois, entre 34 % et 41 % des immigrants ayant un faible revenu dans leur première année au pays passait au-dessus de ce seuil après un an. En fait, les immigrants qui ne sont pas tombés sous le seuil des faibles revenus pendant leur première année complète au Canada avaient de bonnes chances de rester au-dessus de ce seuil.

Enfin, 18,5 % des immigrants récents ont été dans une situation de faible revenu pendant au moins quatre de leurs cinq premières années au Canada.

En 1993, le Canada a modifié son système de sélection afin d'attirer des immigrants plus scolarisés et ayant des compétences spécifiques, ce qui s'est traduit par une forte hausse de la proportion d'immigrants de 15 ans et plus détenant un grade universitaire et ayant des compétences valorisées sur le marché du travail.

Graphique 23.5
Taux de faible revenu de l'ensemble de la population et des immigrants

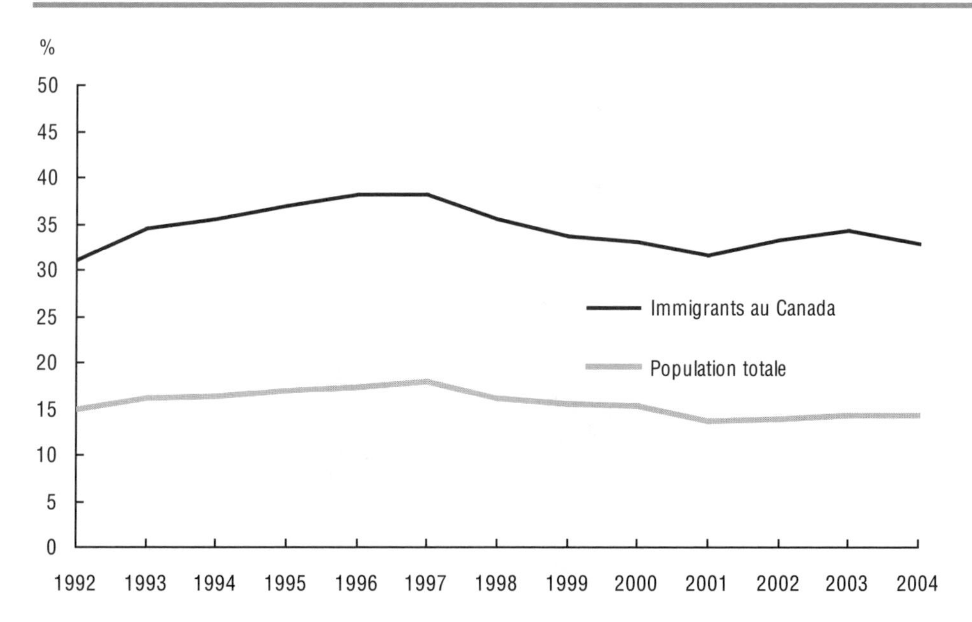

Note : Personnes âgées de 20 ans et plus; immigrants au Canada depuis 1 à 10 ans complets.
Source : Statistique Canada, produit nº 11F0019MIF au catalogue.

Un pécule qui fructifie

Une fois l'inflation prise en compte, la valeur des actifs accumulés par les Canadiens dans les régimes de pension agréés (RPA) parrainés par l'employeur, les régimes enregistrés d'épargne-retraite (REER), le Régime de pensions du Canada (RPC) et le Régime de rentes du Québec (RRQ) a doublé depuis 1990. En 2003, l'épargne constituée par les Canadiens pour leurs vieux jours se chiffrait à plus de 1,3 billion de dollars.

Les RPA, des régimes établis par les entreprises pour offrir des prestations de retraite à leurs employés, détiennent la majeure partie de ces sommes, environ 63 %. Les REER, des régimes d'épargne-retraite personnels offerts par les institutions financières, regroupent 30 % des fonds accumulés, et les régimes publics RPC/RRQ, environ 6 %.

Les fonds de pension investissent une part importante de leur actif en actions et en placements directs en actions, de sorte que le dynamisme du marché boursier durant les années 1990 a eu une incidence marquante sur la croissance de la valeur de l'actif de ces caisses de retraite. Bien que l'actif détenu dans les RPA et les REER ait eu du mal à rattraper les niveaux atteints en 2000 en raison de la précarité du marché au cours des premières années du nouveau centenaire, à plus long terme, ces fonds de retraite ont affiché une croissance vigoureuse.

En janvier 2004, quelque 14 777 régimes de pension agréés actifs au Canada couvraient 5,6 millions de travailleurs canadiens. Le pourcentage de Canadiens couverts par un RPA, toutefois, a diminué dans les trois dernières décennies : de 46 % en 1977 à 39 % en 2003.

En plus des RPA, les Canadiens peuvent cotiser à divers régimes d'épargne-retraite, dont les REER. En 2004, quelque 5,6 millions de Canadiens, soit environ 38 % de l'ensemble des contribuables admissibles âgés de 25 à 64 ans, ont cotisé à un REER, et ces cotisations se sont chiffrées à 25,2 milliards de dollars. La proportion de cotisants a légèrement augmenté par rapport à 1992, année où elle s'établissait à 36 %. En 2004, plus de 1,4 million de Canadiens ont retiré environ 7 milliards de dollars de leurs REER, soit en moyenne 4 905 $ par personne.

Graphique 23.6
Économies de pensions

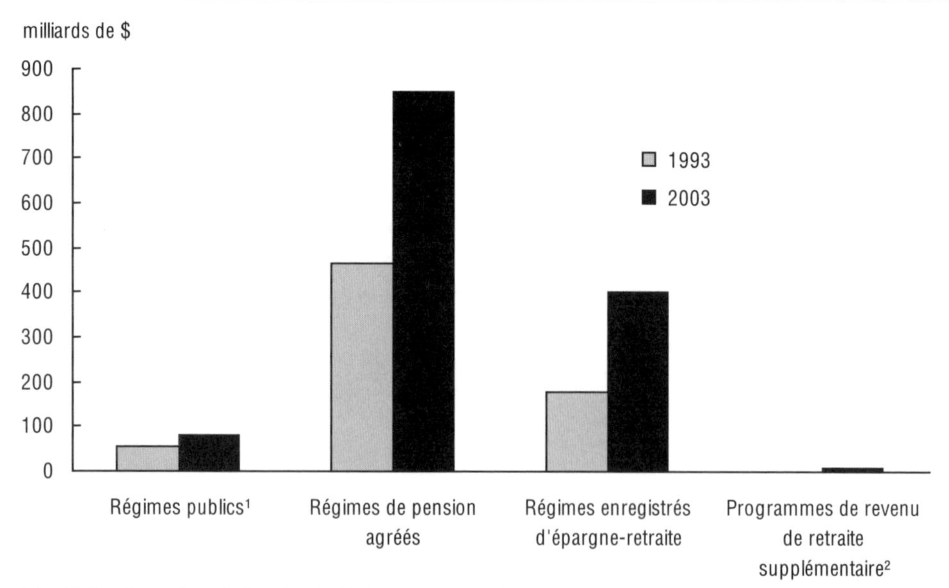

1. Le Régime de pensions du Canada et le Régime de rentes du Québec.
2. Régimes de retraite destinés aux cadres supérieurs connus sous le nom de « conventions de retraite ».
Source : Statistique Canada, produit nº 74-507-XIF au catalogue.

Un déferlement de richesse

À bien des égards, les riches, de fait, s'enrichissent. Si l'on exclut la croissance des comptes de pension, ce sont les familles canadiennes les plus riches qui ont affiché la progression la plus forte de la richesse entre 1984 et 2005. Durant cette période, la valeur nette médiane des familles du quintile supérieur de la richesse au Canada a augmenté de 64 %, et de 48 % pour les familles du quintile suivant.

Parallèlement, les familles du quintile inférieur n'ont enregistré aucune croissance de leur richesse, et celles de l'avant-dernier quintile ont en fait accusé un recul de 11 % à ce chapitre. La valeur nette des familles canadiennes du quintile intermédiaire a progressé à un rythme constant ces vingt dernières années, passant de 67 300 $ en 1984 à 74 400 $ en 1999, puis à 84 800 $ en 2005 — une hausse de 26 % au cours de cette période.

La croissance de la valeur nette est partiellement attribuable au vieillissement de la population du Canada. L'augmentation de l'âge moyen de la population signifie que la plupart des Canadiens sont dans leurs années actives les mieux rémunérées.

L'effervescence du marché de l'habitation au cours des dernières années a également contribué à cette croissance, particulièrement chez les familles du quintile supérieur de la richesse. De 1999 à 2005, la valeur médiane de la résidence principale de ces familles a grimpé de 75 000 $. Dans la mesure où la plupart des familles du quintile supérieur sont propriétaires d'une maison, ce groupe de Canadiens a largement profité du boom immobilier. En revanche, comme très peu de familles parmi les plus pauvres sont propriétaires, ce groupe n'a pas pu tirer parti de la hausse des prix des maisons.

En ce qui concerne la richesse réelle, l'écart entre les plus riches et les plus pauvres est encore plus marqué : la valeur nette médiane des familles les plus riches se chiffre à 551 000 $, tandis que les familles les plus pauvres doivent environ 1 000 $. Les familles canadiennes de l'avant-dernier quintile, quant à elles, s'en tirent un peu mieux, leur valeur nette médiane s'élevant à 12 500 $.

Graphique 23.7
Ensemble du patrimoine des familles

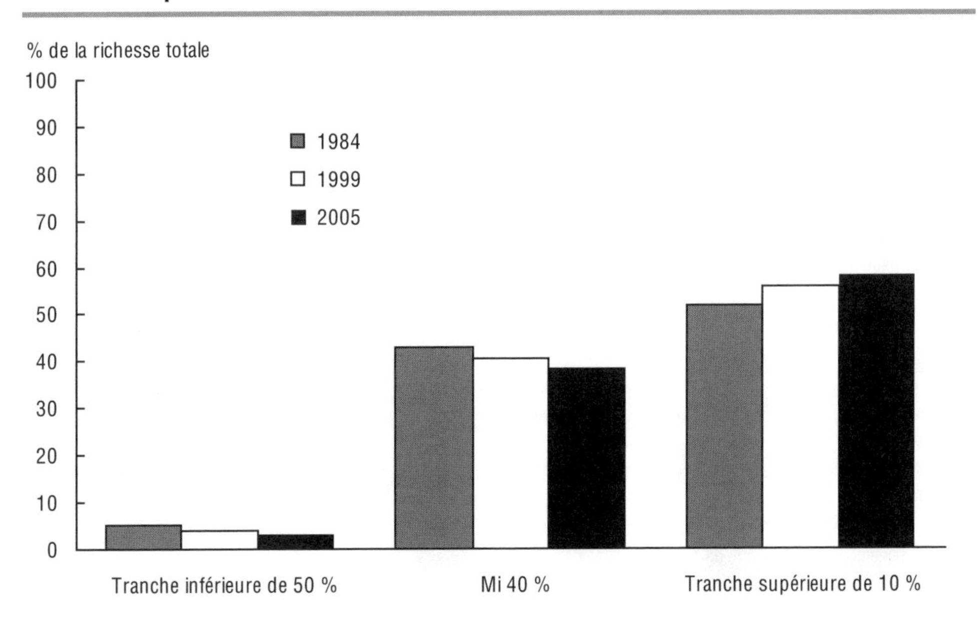

Note : Excluant la valeur des régimes de pension agréés.
Source : Statistique Canada, produit nº 75-001-XIF au catalogue.

Tableau 23.1 Revenu total moyen selon le type de famille économique, 1991 à 2005

	1991	1992	1993	1994	1995	1996
	dollars constants de 2005					
Familles économiques	**67 500**	**67 000**	**65 900**	**66 600**	**67 000**	**67 200**
Familles de personnes âgées[1]	51 300	49 600	50 300	50 000	52 500	48 200
Couples mariés	45 800	44 800	46 300	46 000	47 000	47 000
Autres familles de personnes âgées	63 700	60 100	58 900	59 300	65 300	52 100
Familles autres que celles de personnes âgées[2]	70 300	70 100	68 700	69 600	69 600	70 200
Couples mariés	66 700	68 800	66 800	64 800	66 000	68 900
Aucune personne ne gagnant un revenu	32 200	31 600	30 400	31 300	29 100	33 300
Une personne gagnant un revenu	52 600	53 200	53 500	54 000	53 900	53 200
Deux personnes gagnant un revenu	76 300	79 200	78 000	74 800	76 400	81 500
Familles biparentales avec enfants[3]	75 400	75 800	74 000	75 300	75 100	75 000
Aucune personne ne gagnant un revenu	21 400	21 500	23 200	22 300	20 700	22 700
Une personne gagnant un revenu	55 800	55 700	54 500	56 900	54 200	57 800
Deux personnes gagnant un revenu	76 600	78 000	76 300	78 100	78 500	78 400
Trois personnes ou plus gagnant un revenu	95 700	94 300	95 700	95 800	95 700	97 000
Couples mariés avec d'autres personnes apparentées	93 000	92 300	92 500	93 500	92 000	96 600
Familles monoparentales[3]	30 900	32 100	30 300	31 300	32 000	31 200
Familles monoparentales ayant un homme à leur tête	48 600	49 900	43 100	43 200	43 900	48 200
Familles monoparentales ayant une femme à leur tête	28 400	29 800	28 400	29 400	30 200	28 600
Aucune personne ne gagnant un revenu	17 000	17 500	18 300	17 900	18 400	17 100
Une personne gagnant un revenu	31 100	33 000	31 600	32 600	33 100	33 600
Deux personnes gagnant un revenu	45 700	46 600	43 600	48 400	50 600	46 300
Autres familles que celles de personnes âgées	55 500	49 900	53 700	54 100	53 500	60 700
Personnes seules	**27 800**	**28 000**	**28 000**	**27 800**	**28 200**	**27 500**
Hommes âgés	25 400	27 600	25 500	29 500	28 200	29 200
Hommes ne gagnant aucun revenu	24 000	27 200	24 200	25 900	25 900	26 600
Hommes gagnant un revenu	38 900	32 200	37 700	61 200	49 600	49 900E
Femmes âgées	22 400	22 100	20 900	21 200	22 800	23 700
Femmes ne gagnant aucun revenu	22 000	21 600	20 400	20 800	22 400	23 100
Femmes gagnant un revenu	33 900	29 400	36 600	32 600	35 600	40 500
Autres hommes que ceux âgés	31 900	31 700	32 100	32 400	31 700	31 000
Hommes ne gagnant aucun revenu	13 200	13 400	13 300	13 900	12 900	11 600
Hommes gagnant un revenu	36 200	35 800	37 700	37 200	36 400	36 000
Autres femmes que celles âgées	26 700	26 900	27 800	25 800	27 200	24 800
Femmes ne gagnant aucun revenu	14 100	14 100	13 800	16 000	14 100	11 300
Femmes gagnant un revenu	30 500	31 300	32 500	29 900	31 800	30 100

Note : Le « revenu total moyen » est le revenu de toute provenance (y compris les transferts gouvernementaux) avant déduction des impôts fédéral et provincial sur le revenu. Il est aussi appelé « revenu avant impôt » (mais après les transferts).

1. Familles dans lesquelles le soutien économique principal est de 65 ans et plus; pour les données antérieures à 1996, le chef de famille est de 65 ans et plus.
2. Familles dans lesquelles le soutien économique principal est de moins de 65 ans.
3. Familles avec enfants de moins de 18 ans.

Source : Statistique Canada, CANSIM : tableau 202-0403.

1997	1998	1999	2000	2001	2002	2003	2004	2005
				dollars constants de 2005				
68 700	**71 200**	**72 700**	**75 400**	**76 600**	**76 400**	**75 900**	**77 700**	**78 400**
48 500	49 200	51 100	51 400	51 600	52 300	52 100	53 000	55 100
47 300	48 100	50 400	49 900	50 700	50 700	51 100	52 800	53 400
52 400	53 000	53 600	57 000	55 100	58 300	55 800	53 900	61 700
72 000	74 800	76 300	79 400	80 700	80 300	79 900	82 000	82 400
72 100	73 200	72 400	73 400	77 900	76 400	74 300	75 100	77 800
34 900	33 000	34 700	35 700	40 800	37 400	35 600	35 300	35 600
56 700	58 100	60 300	58 800	63 900	58 400	59 200	62 700	64 900
83 200	85 700	83 300	83 600	87 700	87 700	84 000	83 700	87 300
77 500	81 200	83 200	86 300	87 500	88 100	89 100	92 400	89 500
24 800	23 900	23 200	23 000	25 300	25 600	23 400	24 800	21 500
56 900	64 100	63 200	63 200	64 400	68 100	69 900	67 600	64 200
80 500	83 500	84 800	88 200	88 600	88 800	89 300	92 500	90 900
99 600	99 600	103 100	107 400	109 900	107 400	108 800	115 200	111 200
96 100	98 300	102 900	110 000	105 900	105 100	105 300	108 100	113 700
31 300	34 100	35 300	38 400	39 200	37 400	38 200	38 200	44 500
47 700	50 800	51 700	56 400	53 000	53 300	57 700	53 800	64 200
28 600	31 200	32 200	34 800	36 300	33 600	33 800	34 700	40 100
16 200	16 700	17 700	16 700	17 600	16 800	16 600	17 900	17 800
32 200	33 300	33 700	34 700	36 100	34 000	33 400	34 800	41 300
48 700	51 700	50 900	56 100	58 200	50 800	53 300	50 600	53 000
59 300	64 000	64 700	67 300	67 500	69 300	64 000	67 300	65 500
27 400	**28 200**	**30 000**	**30 000**	**30 800**	**31 400**	**32 000**	**31 800**	**32 300**
29 500	30 500	29 200	28 000	29 800	29 500	30 800	30 200	31 200
27 000	27 000	27 400	26 100	27 900	26 800	27 000	28 100	26 800
44 300	51 700[E]	41 200	38 500	40 900	41 200	44 300	38 300	48 600
24 300	23 900	23 900	24 500	25 500	26 000	25 800	26 900	25 900
23 300	23 000	23 200	23 700	24 300	25 400	24 900	25 700	24 800
38 300	36 700	35 200	35 900	40 200	33 300	33 200	36 800	36 500
30 500	31 600	33 300	34 600	35 100	35 300	36 300	35 400	36 800
10 900	10 900	10 600	10 500	12 400	12 200	12 900	12 500	12 900
36 200	37 100	38 000	39 100	39 500	40 100	41 200	39 800	42 000
24 700	25 600	29 300	27 500	28 300	29 800	30 100	30 000	29 800
12 200	11 400	11 300	11 200	12 600	12 500	13 500	13 400	15 200
29 800	31 400	35 800	33 100	33 500	35 200	34 900	35 000	33 700

Tableau 23.2 Revenu total moyen selon le type de famille économique, par province, 2005

	Canada	Terre-Neuve-et-Labrador	Île-du-Prince-Édouard	Nouvelle-Écosse
	dollars constants de 2005			
Familles économiques	**78 400**	**60 200**	**62 600**	**68 000**
Familles de personnes âgées[1]	**55 100**	38 500	45 700	47 600
Couples mariés	**53 400**	37 000	45 800	48 100
Autres familles de personnes âgées	**61 700**	41 900	F	46 300
Familles autres que celles de personnes âgées[2]	**82 400**	64 400	65 800	72 100
Couples mariés	**77 800**	58 300	63 600	67 400
Aucune personne ne gagnant un revenu	**35 600**	27 400E	F	39 500
Une personne gagnant un revenu	**64 900**	48 900	50 800	57 700
Deux personnes gagnant un revenu	**87 300**	70 200	70 100	75 700
Familles biparentales avec enfants[3]	**89 500**	72 400	72 700	76 300
Aucune personne ne gagnant un revenu	**21 500**	F	F	F
Une personne gagnant un revenu	**64 200**	44 500	F	51 000
Deux personnes gagnant un revenu	**90 900**	77 000	70 800	75 500
Trois personnes ou plus gagnant un revenu	**111 200**	84 700	81 500	94 700
Couples mariés avec d'autres personnes apparentées	**113 700**	86 900	85 300	101 100
Familles monoparentales[3]	**44 500**	35 300	32 300	35 600
Familles monoparentales ayant un homme à leur tête	**64 200**	F	F	F
Familles monoparentales ayant une femme à leur tête	**40 100**	31 100	31 200	31 500
Aucune personne ne gagnant un revenu	**17 800**	F	F	F
Une personne gagnant un revenu	**41 300**	31 800	29 800	30 400
Deux personnes gagnant un revenu	**53 000**	F	F	F
Autres familles que celles de personnes âgées	**65 500**	52 900	52 200	72 800
Personnes seules	**32 300**	**24 800**	**23 700**	**25 400**
Hommes âgés	**31 200**	20 800	F	24 700
Hommes ne gagnant aucun revenu	**26 800**	20 400	F	24 800
Hommes gagnant un revenu	**48 600**	F	F	F
Femmes âgées	**25 900**	19 700	22 400	24 500
Femmes ne gagnant aucun revenu	**24 800**	19 700	22 600	24 400
Femmes gagnant un revenu	**36 500**	F	F	F
Autres hommes que ceux âgés	**36 800**	28 000	22 300	26 200
Hommes ne gagnant aucun revenu	**12 900**	F	F	11 800E
Hommes gagnant un revenu	**42 000**	36 700	26 300	30 900
Autres femmes que celles âgées	**29 800**	25 300	26 400	25 300
Femmes ne gagnant aucun revenu	**15 200**	F	F	13 900
Femmes gagnant un revenu	**33 700**	29 300	30 000	29 000

Note : Le « revenu total moyen » est le revenu de toute provenance (y compris les transferts gouvernementaux) avant déduction des impôts fédéral et provincial sur le revenu. Il est aussi appelé « revenu avant impôt » (après les transferts).

1. Familles dans lesquelles le soutien économique principal est de 65 ans et plus.
2. Familles dans lesquelles le soutien économique principal est de moins de 65 ans.
3. Familles avec enfants de moins de 18 ans.

Source : Statistique Canada, CANSIM : tableau 202-0403.

Nouveau-Brunswick	Québec	Ontario	Manitoba	Saskatchewan	Alberta	Colombie-Britannique
dollars constants de 2005						
61 700	**69 800**	**85 700**	**71 600**	**70 700**	**88 100**	**77 100**
43 400	46 700	60 400	52 500	48 000	56 000	63 400
41 400	46 000	56 800	49 900	48 000	55 000	62 700
50 400	48 800	73 300	64 200	48 200	61 100[E]	66 700
65 100	73 700	90 100	75 000	75 100	92 800	79 500
58 900	68 500	84 700	68 100	73 400	94 900	80 400
30 300	37 400	34 500	F	F	F	39 800[E]
57 100	61 700	68 700	53 100	53 100	85 600[E]	60 200
64 900	75 600	97 700	75 100	80 600	99 300	91 600
74 500	83 800	94 400	81 300	82 900	98 400	87 800
F	F	F	F	F	F	F
44 600	64 100	64 000	62 400	54 200	83 000	58 900
75 400	85 500	97 900	78 600	79 000	92 000	94 200
92 400	100 800	115 600	105 900	107 800	126 000	108 800
90 400	96 800	130 800	107 200	106 800	127 900	91 300
32 400	45 600	48 700	37 700	32 200	46 500	39 500
F	70 800[E]	66 000	45 500	42 900	68 200	50 300[E]
30 000	37 600	45 400	36 000	30 500	41 000	37 500
F	17 100	19 000	F	F	F	F
28 800	36 900	49 300	34 500	29 200	39 300	38 200
F	54 700	56 100	F	F	50 700	F
48 800	57 100	70 300	69 500	58 700	67 500	66 000
23 700	**28 200**	**36 000**	**28 200**	**27 100**	**38 100**	**32 600**
22 900	26 300	38 100	28 100	27 400	33 600	29 400
20 500	23 200	30 700	24 400	25 400	33 800	26 100
F	F	60 100	F	F	F	F
22 300	22 100	29 500	23 700	22 800	26 100	28 400
21 700	21 300	28 200	22 700	21 900	23 900	27 000
F	32 800	40 400	29 200	29 300	37 200[E]	38 000
26 800	31 700	40 400	32 100	31 900	44 200	37 700
7 100	11 000	14 000	11 900[E]	10 800[E]	F	15 900[E]
31 800	36 800	46 600	34 900	35 500	46 300	43 400
20 700	27 300	33 200	26 000	24 300	34 200	28 000
13 500[E]	13 800	17 700	13 200[E]	10 500[E]	12 700[E]	15 900[E]
22 700	32 200	37 400	29 200	27 500	37 200	29 900

Tableau 23.3 Revenu après impôt moyen selon le type de famille économique, 1991 à 2005

	1991	1992	1993	1994	1995	1996
	dollars constants de 2005					
Familles économiques	**54 100**	**54 100**	**53 200**	**53 600**	**53 700**	**54 000**
Familles de personnes âgées[1]	44 100	43 300	43 700	43 400	45 100	41 300
Couples mariés	39 700	39 400	40 300	40 000	40 600	40 100
Autres familles de personnes âgées	54 200	51 900	51 000	51 300	55 600	45 500
Familles autres que celles de personnes âgées[2]	55 900	56 100	54 900	55 400	55 300	56 000
Couples mariés	52 200	54 200	52 300	51 100	51 800	53 800
Aucune personne ne gagnant un revenu	27 500	27 900	26 500	27 700	25 900	28 400
Une personne gagnant un revenu	41 700	43 200	42 900	43 100	42 700	42 300
Deux personnes gagnant un revenu	59 200	61 500	60 200	58 200	59 300	62 900
Familles biparentales avec enfants[3]	59 500	60 100	58 900	59 400	59 100	59 300
Aucune personne ne gagnant un revenu	20 900	21 200	22 700	21 900	20 400	22 200
Une personne gagnant un revenu	44 200	44 400	44 200	45 100	43 500	45 400
Deux personnes gagnant un revenu	60 200	61 400	60 100	61 100	61 100	61 700
Trois personnes ou plus gagnant un revenu	75 800	75 300	76 300	76 100	75 700	77 100
Couples mariés avec d'autres personnes apparentées	74 400	74 200	74 200	74 500	73 100	76 900
Familles monoparentales[3]	27 000	28 200	27 200	27 600	28 100	27 900
Familles monoparentales ayant un homme à leur tête	38 200	40 000	36 100	35 000	35 700	39 800
Familles monoparentales ayant une femme à leur tête	25 400	26 600	25 800	26 500	26 900	26 000
Aucune personne ne gagnant un revenu	16 900	17 300	18 200	17 700	18 100	17 000
Une personne gagnant un revenu	27 300	28 900	27 900	28 700	28 900	29 700
Deux personnes gagnant un revenu	38 600	40 000	38 400	41 700	43 000	40 800
Autres familles que celles de personnes âgées	46 400	42 300	44 700	45 100	44 700	50 900
Personnes seules	**23 000**	**23 200**	**23 100**	**22 900**	**23 200**	**22 800**
Hommes âgés	22 300	24 100	22 600	25 000	24 400	24 900
Hommes ne gagnant aucun revenu	21 400	23 800	21 700	22 900	23 000	23 100
Hommes gagnant un revenu	31 200	27 200	31 000	43 500	37 400	38 900
Femmes âgées	20 200	20 100	19 200	19 600	20 500	21 100
Femmes ne gagnant aucun revenu	19 900	19 800	18 900	19 300	20 200	20 600
Femmes gagnant un revenu	28 800	25 500	29 500	27 300	29 000	32 400
Autres hommes que ceux âgés	25 400	25 400	25 400	25 500	25 100	24 700
Hommes ne gagnant aucun revenu	12 200	12 500	12 400	12 900	12 000	10 800
Hommes gagnant un revenu	28 500	28 400	29 300	28 800	28 400	28 300
Autres femmes que celles âgées	21 800	22 000	22 600	21 200	22 200	20 500
Femmes ne gagnant aucun revenu	12 800	12 800	12 700	14 400	13 000	10 600
Femmes gagnant un revenu	24 500	25 300	25 900	24 100	25 400	24 500

Note : Le « revenu après impôt moyen » est le revenu total (y compris les transferts gouvernementaux), moins l'impôt sur le revenu.

1. Familles dans lesquelles le soutien économique principal est de 65 ans et plus; pour les données antérieures à 1996, le chef de famille est de 65 ans et plus.
2. Familles dans lesquelles le soutien économique principal est de moins de 65 ans.
3. Familles avec enfants de moins de 18 ans.

Source : Statistique Canada, CANSIM : tableau 202-0603.

1997	1998	1999	2000	2001	2002	2003	2004	2005
dollars constants de 2005								
55 100	**56 900**	**58 600**	**60 400**	**62 900**	**62 900**	**62 400**	**63 900**	**64 800**
41 700	42 000	43 900	43 500	45 000	45 600	45 400	46 300	48 200
40 400	40 800	42 900	42 200	43 900	44 200	44 400	45 800	46 300
46 000	46 400	47 200	48 200	49 200	50 900	49 200	48 000	54 900
57 200	59 300	61 100	63 200	65 800	65 700	65 300	67 000	67 600
55 900	56 800	56 700	57 500	62 100	61 300	59 700	60 300	62 700
29 300	28 300	29 100	29 800	34 200	30 700	30 800	29 200	30 600
45 000	45 800	47 500	46 600	51 500	47 900	47 800	50 300	52 300
63 800	65 700	64 800	65 100	69 400	69 800	67 100	67 100	70 200
61 000	63 800	65 900	68 300	70 700	71 500	72 000	74 600	73 000
24 100	23 200	22 800	22 200	25 000	24 900	23 200	24 500	21 200
43 900	49 100	49 800	49 900	51 900	54 500	55 400	54 600	52 700
63 200	65 400	66 700	69 300	71 300	71 700	71 900	74 400	73 700
79 400	79 300	82 800	86 200	89 500	88 500	88 900	93 600	91 600
76 700	78 200	82 700	87 600	87 200	86 400	86 800	88 800	92 900
27 900	30 200	31 300	33 800	35 100	33 500	34 100	34 300	38 800
39 300	41 800	41 800	45 100	43 900	44 500	47 400	45 100	51 500
26 000	28 200	29 300	31 500	33 200	30 900	31 200	31 900	36 000
16 100	16 500	17 100	16 700	17 600	16 800	16 500	17 800	17 700
28 700	29 600	30 300	31 200	32 800	31 100	30 900	31 800	36 300
42 900	45 900	46 000	50 100	52 300	45 800	47 700	45 900	48 300
50 000	53 300	54 400	54 800	57 800	59 200	55 100	57 800	56 500
22 800	**23 200**	**24 400**	**24 600**	**25 700**	**26 300**	**26 600**	**26 500**	**27 000**
25 200	26 000	25 100	24 100	25 900	25 800	26 600	26 200	27 000
23 600	23 600	24 000	23 000	24 600	24 000	23 900	25 000	24 000
35 000	40 400	32 400	30 600	33 700	33 500	35 900	30 800	38 800
21 500	21 300	21 300	21 600	22 900	23 400	22 900	23 800	23 200
20 800	20 700	20 800	21 100	22 100	23 000	22 400	23 000	22 300
30 500	29 700	28 300	29 400	34 300	28 400	27 200	30 900	30 800
24 500	25 200	26 500	27 600	28 500	28 900	29 400	28 800	29 900
10 200	10 300	9 900	9 800	11 600	11 300	11 900	11 400	11 600
28 700	29 200	29 900	30 900	31 700	32 500	33 100	32 200	33 900
20 500	21 100	23 400	22 400	23 600	24 800	24 900	24 800	25 200
11 300	10 600	10 100	10 100	11 700	11 500	12 300	12 300	13 800
24 300	25 400	28 100	26 600	27 600	28 800	28 500	28 600	28 200

Tableau 23.4 Revenu après impôt moyen selon le type de famille économique, par province, 2005

	Canada	Terre-Neuve-et-Labrador	Île-du-Prince-Édouard	Nouvelle-Écosse
	dollars constants de 2005			
Familles économiques	**64 800**	**50 300**	**53 200**	**56 800**
Familles de personnes âgées[1]	**48 200**	35 100	40 900	42 100
Couples mariés	**46 300**	33 600	40 800	41 800
Autres familles de personnes âgées	**54 900**	38 300	F	42 900
Familles autres que celles de personnes âgées[2]	**67 600**	53 300	55 500	59 700
Couples mariés	**62 700**	47 600	52 600	54 600
Aucune personne ne gagnant un revenu	**30 600**	24 200	F	34 200
Une personne gagnant un revenu	**52 300**	40 500	43 000	46 600
Deux personnes gagnant un revenu	**70 200**	56 600	57 500	61 100
Familles biparentales avec enfants[3]	**73 000**	58 700	60 800	63 100
Aucune personne ne gagnant un revenu	**21 200**	F	F	F
Une personne gagnant un revenu	**52 700**	38 600	F	43 300
Deux personnes gagnant un revenu	**73 700**	61 900	58 200	62 000
Trois personnes ou plus gagnant un revenu	**91 600**	68 600	69 600	78 500
Couples mariés avec d'autres personnes apparentées	**92 900**	72 700	72 700	84 800
Familles monoparentales[3]	**38 800**	31 200	29 700	31 900
Familles monoparentales ayant un homme à leur tête	**51 500**	F	F	F
Familles monoparentales ayant une femme à leur tête	**36 000**	28 900	29 000	29 400
Aucune personne ne gagnant un revenu	**17 700**	F	F	F
Une personne gagnant un revenu	**36 300**	29 100	28 000	28 100
Deux personnes gagnant un revenu	**48 300**	F	F	F
Autres familles que celles de personnes âgées	**56 500**	46 600	46 600	60 700
Personnes seules	**27 000**	**21 400**	**20 800**	**21 800**
Hommes âgés	**27 000**	19 100	F	22 200
Hommes ne gagnant aucun revenu	**24 000**	19 000	F	22 200
Hommes gagnant un revenu	**38 800**	F	F	F
Femmes âgées	**23 200**	18 500	20 200	22 000
Femmes ne gagnant aucun revenu	**22 300**	18 500	20 300	21 900
Femmes gagnant un revenu	**30 800**	F	F	F
Autres hommes que ceux âgés	**29 900**	23 300	19 500	21 900
Hommes ne gagnant aucun revenu	**11 600**	F	F	10 400[E]
Hommes gagnant un revenu	**33 900**	30 000	22 600	25 700
Autres femmes que celles âgées	**25 200**	21 400	22 700	21 400
Femmes ne gagnant aucun revenu	**13 800**	F	F	12 700
Femmes gagnant un revenu	**28 200**	24 400	25 600	24 300

Note : Le « revenu après impôt moyen » est le revenu total (y compris les transferts gouvernementaux), moins l'impôt sur le revenu.

1. Familles dans lesquelles le soutien économique principal est de 65 ans et plus.
2. Familles dans lesquelles le soutien économique principal est de moins de 65 ans.
3. Familles avec enfants de moins de 18 ans.

Source : Statistique Canada, CANSIM : tableau 202-0603.

Nouveau-Brunswick	Québec	Ontario	Manitoba	Saskatchewan	Alberta	Colombie-Britannique
			dollars constants de 2005			
52 300	**57 000**	**70 400**	**59 300**	**59 100**	**73 200**	**65 000**
39 200	40 500	52 400	45 900	42 900	50 000	55 200
37 500	39 500	49 000	43 800	42 700	48 700	54 400
45 200	44 100	64 300	55 200	43 500	56 500[E]	59 100
54 700	59 800	73 500	61 600	62 300	76 700	66 800
49 000	54 500	67 600	55 700	59 600	77 100	66 200
26 900	32 300	29 700	F	F	F	35 100
46 100	49 000	54 400	43 800	43 500	69 600[E]	51 100
54 000	59 900	77 900	61 200	65 300	80 700	74 800
61 800	67 600	76 800	66 100	68 400	81 000	72 600
F	F	F	F	F	F	F
39 400	52 000	52 500	50 000	45 800	65 900	50 000
61 900	68 700	79 100	64 200	65 100	76 200	76 700
77 000	81 600	95 200	85 000	88 600	104 000	91 600
76 000	78 700	105 300	87 800	88 700	105 200	78 600
29 700	39 000	42 000	33 500	29 900	41 200	36 000
F	53 700	54 600	36 900	36 700	56 700	42 800[E]
28 000	34 300	39 500	32 700	28 800	37 300	34 700
F	17 000	19 000	F	F	F	F
26 900	33 400	41 500	31 300	27 700	35 500	35 200
F	49 700	50 900	F	F	46 700	F
43 400	48 500	60 600	59 100	51 300	59 100	57 900
20 700	**23 500**	**29 800**	**23 900**	**23 200**	**31 900**	**27 600**
21 100	23 500	31 600	24 500	24 000	30 000	26 100
19 400	21 200	26 800	22 200	22 400	30 500	23 700
F	F	46 000	F	F	F	F
20 900	20 100	26 000	21 600	20 700	24 000	24 700
20 400	19 500	25 000	20 900	20 100	22 500	23 500
F	26 800	33 700	25 500	25 600	31 900[E]	33 000
22 600	25 400	32 700	26 100	26 300	35 900	31 100
7 000	10 100	12 400	10 500[E]	9 900[E]	F	13 900[E]
26 600	29 200	37 500	28 300	29 100	37 600	35 600
18 000	23 000	27 700	22 200	20 900	29 100	24 100
12 300	12 400	16 200	11 900[E]	9 500[E]	12 100[E]	14 600[E]
19 600	26 900	30 800	24 700	23 500	31 500	25 600

Tableau 23.5 Personnes à faible revenu après impôt selon le groupe d'âge, le sexe et le type de famille économique, 1991 à 2005

	1991	1992	1993	1994	1995	1996
			pourcentage			
Les deux sexes	**13,2**	**13,3**	**14,3**	**13,7**	**14,6**	**15,7**
0 à 17 ans	15,0	14,9	16,7	15,8	17,6	18,6
18 à 64 ans	12,8	13,2	13,8	13,9	14,6	15,7
65 ans et plus	11,1	9,8	11,5	8,6	8,6	9,8
Hommes	12,1	12,2	13,1	12,5	13,6	14,9
0 à 17 ans	15,2	15,1	16,4	15,4	17,3	19,1
18 à 64 ans	11,7	12,2	12,8	12,7	13,7	14,8
65 ans et plus	6,6	5,1	7,1	4,1	3,8	5,6
Femmes	14,2	14,3	15,4	14,9	15,6	16,5
Moins de 18 ans	14,7	14,8	17,1	16,3	17,9	18,1
18 à 64 ans	13,9	14,2	14,9	15,0	15,4	16,6
65 ans et plus	14,5	13,4	14,8	11,9	12,2	13,0
Familles économiques	**9,9**	**10,1**	**11,2**	**10,6**	**11,6**	**12,5**
Hommes	9,2	9,2	10,1	9,6	10,7	11,8
Femmes	10,7	11,0	12,3	11,6	12,4	13,2
0 à 17 ans	15,0	14,9	16,7	15,8	17,6	18,6
Familles biparentales	9,3	9,1	10,7	10,2	11,8	12,4
Familles monoparentales ayant une femme à leur tête	54,5	49,0	50,3	50,4	53,5	55,8
Autres familles économiques	16,1	19,3	19,1	25,2	21,5	20,4
18 à 64 ans	8,7	9,0	9,8	9,5	10,3	11,2
Hommes	7,3	7,4	8,0	8,0	9,0	9,8
Femmes	10,0	10,5	11,4	10,8	11,5	12,5
65 ans et plus	2,8	2,6	3,5	2,3	1,9	2,8[E]
Hommes	2,8	2,5	3,7	2,1	1,9	2,5[E]
Femmes	2,7	2,7	3,3	2,5	1,9	3,1[E]
Personnes seules	**35,4**	**35,1**	**35,4**	**35,0**	**35,0**	**37,3**
Hommes	33,2	33,4	34,1	32,5	33,8	35,8
Femmes	37,3	36,6	36,7	37,4	36,1	38,8
0 à 65 ans	37,7	38,5	38,3	39,9	39,6	41,9
Hommes	34,8	36,0	36,3	35,7	37,5	38,4
Femmes	41,5	41,9	41,3	45,7	42,5	46,9
65 ans et plus	29,1	25,9	28,1	22,3	23,1	25,4
Hommes	23,8	16,9	21,3	13,1	12,1	19,8
Femmes	30,8	28,8	30,4	25,3	26,7	27,3

Note : La prévalence de faible revenu indique la proportion de personnes d'un groupe donné vivant sous le seuil de faible revenu par rapport à l'ensemble des personnes de ce groupe; les seuils ont été établis à la suite d'une analyse des données de l'Enquête sur les dépenses des familles de 1992.

Source : Statistique Canada, CANSIM : tableau 202-0802.

1997	1998	1999	2000	2001	2002	2003	2004	2005
				pourcentage				
15,3	**13,7**	**13,0**	**12,5**	**11,2**	**11,6**	**11,6**	**11,4**	**10,8**
17,8	15,5	14,4	13,8	12,1	12,2	12,5	13,0	11,7
15,5	13,9	13,4	12,9	11,7	12,1	12,2	11,9	11,4
9,1	8,6	7,8	7,6	6,7	7,6	6,8	5,6	6,1
14,3	12,8	12,4	11,4	10,3	10,7	11,0	10,8	10,5
18,0	16,0	14,7	13,4	12,0	12,7	12,8	13,1	12,2
14,3	12,9	12,7	11,8	10,6	11,0	11,5	11,3	11,1
5,6	5,4	4,7	4,6	4,6	4,9	4,4	3,5	3,2
16,3	14,5	13,6	13,6	12,1	12,4	12,2	11,9	11,2
17,5	14,9	14,1	14,2	12,2	11,8	12,2	12,8	11,1
16,7	15,0	14,0	14,1	12,8	13,1	12,9	12,6	11,8
11,8	11,1	10,3	10,0	8,3	9,7	8,7	7,3	8,4
11,9	**10,4**	**9,7**	**9,3**	**8,1**	**8,6**	**8,6**	**8,2**	**7,5**
10,9	9,6	9,1	8,4	7,4	8,0	8,1	7,7	7,1
12,8	11,1	10,2	10,0	8,7	9,2	9,2	8,8	7,9
17,8	15,5	14,4	13,8	12,1	12,2	12,5	13,0	11,7
11,6	9,9	9,4	9,5	8,3	7,3	7,9	8,4	7,8
53,2	46,1	41,9	40,1	37,4	43,0	41,2	40,4	33,4
23,6	20,0	21,4	12,8	8,9[E]	9,1[E]	12,2[E]	13,0[E]	11,8[E]
10,6	9,2	8,8	8,4	7,3	8,1	8,1	7,5	6,9
8,9	7,8	7,8	7,4	6,3	7,0	7,2	6,4	6,0
12,1	10,6	9,8	9,5	8,3	9,2	9,0	8,4	7,7
3,4[E]	3,3[E]	2,2[E]	2,1[E]	1,9[E]	2,4	2,2	1,6[E]	1,2[E]
3,0[E]	2,7[E]	2,0[E]	1,7[E]	1,9[E]	2,3[E]	2,0[E]	1,7[E]	1,1[E]
3,8[E]	3,9[E]	2,3[E]	2,5[E]	1,9[E]	2,4[E]	2,3[E]	1,6[E]	1,3[E]
37,9	**35,1**	**34,0**	**32,9**	**30,8**	**29,5**	**29,6**	**30,1**	**30,4**
36,6	33,8	32,9	30,0	28,4	27,1	28,4	29,2	29,8
39,2	36,4	35,1	35,6	33,2	32,0	30,8	31,0	31,0
43,8	40,4	38,7	37,3	35,3	33,2	33,8	35,0	34,3
39,8	36,5	35,4	32,1	30,3	29,0	30,7	32,0	32,3
49,5	45,8	43,4	44,3	42,1	39,0	38,0	39,3	37,1
22,0	20,8	21,0	20,6	18,1	19,4	17,7	15,4	18,4
17,2	17,5	17,2	17,6	16,8	15,9	14,7	11,5	13,4
23,7	22,0	22,3	21,6	18,6	20,7	18,9	16,9	20,3

Tableau 23.6 Dépenses moyennes des ménages, par province et territoire, 2005

	Canada	Terre-Neuve-et-Labrador	Île-du-Prince-Édouard	Nouvelle-Écosse	Nouveau-Brunswick
			dollars		
Dépenses totales	**66 857**	**52 612**	**53 007**	**56 105**	**53 714**
Consommation courante totale	**47 484**	38 250	38 887	41 038	39 370
Alimentation	**7 135**	6 270	6 230	6 403	6 135
Logement	**12 614**	8 415	9 652	10 097	9 074
Entretien ménager	**3 091**	2 742	2 887	3 081	2 931
Articles et accessoires d'ameublement	**1 969**	1 810	1 619	1 607	1 632
Habillement	**2 588**	2 330	2 068	2 087	2 034
Transport	**9 073**	7 635	7 209	7 922	8 335
Soins de santé	**1 799**	1 524	1 820	1 693	1 772
Soins personnels	**1 094**	994	957	965	916
Loisirs	**3 918**	3 263	2 794	3 219	3 279
Matériel de lecture et autres imprimés	**284**	199	269	263	232
Éducation	**1 219**	867	983	1 012	755
Produits du tabac et boissons alcoolisées	**1 422**	1 332	1 453	1 468	1 350
Jeux de hasard (montant net)	**278**	270	273	320	239
Divers	**1 001**	599	672	901	688
Impôts sur le revenu des particuliers	**13 698**	10 123	9 356	10 207	9 865
Versements d'assurance individuelle et cotisations de retraite	**3 921**	3 106	3 339	3 388	3 314
Dons en argent et contributions	**1 753**	1 133	1 424	1 471	1 165

Source : Statistique Canada, CANSIM : tableau 203-0001.

Québec	Ontario	Manitoba	Saskatchewan	Alberta	Colombie-Britannique	Yukon	Territoires du Nord-Ouest	Nunavut
				dollars				
55 348	**75 920**	**60 181**	**57 734**	**75 346**	**68 231**	**64 477**	**89 729**	**64 225**
39 418	52 926	41 579	41 337	53 019	51 002	45 660	62 201	46 327
6 900	7 431	6 351	5 854	7 390	7 502	7 350	10 002	12 819
9 715	15 135	9 997	9 924	13 137	13 899	11 428	17 692	10 027
2 420	3 452	2 810	2 879	3 569	3 228	3 010	3 820	3 082
1 623	2 160	1 705	1 772	2 432	2 057	1 559	1 944	1 916
2 189	2 936	2 179	2 231	2 889	2 611	2 120	3 564	2 739
7 132	10 351	8 253	8 387	10 301	9 366	9 390	10 503	4 607
1 861	1 587	1 558	1 712	2 130	2 185	949	1 373	735
1 022	1 167	977	989	1 236	1 058	877	1 277	902
3 235	4 089	3 859	3 998	5 100	4 246	4 905	6 166	5 347
232	325	279	244	303	288	362	327	136
650	1 620	964	843	1 348	1 453	477	591	235
1 365	1 288	1 298	1 330	1 759	1 693	2 185	3 182	2 771
230	301	360	252	295	274	327	638	407
845	1 083	989	919	1 132	1 143	720	1 121	606
11 464	16 308	12 571	10 792	16 094	11 921	13 411	20 949	13 467
3 634	4 388	3 819	3 742	4 043	3 492	3 850	5 299	3 246
831	2 299	2 211	1 863	2 190	1 816	1 557	1 279	1 186

Tableau 23.7 Avoirs et dettes détenus par les unités familiales, 1999 et 2005

	1999			2005		
	dollars constants de 2005	milliers d'unités familiales	pourcentage détenant des avoirs et dettes	dollars constants de 2005	milliers d'unités familiales	pourcentage détenant des avoirs et dettes
Avoirs	**184 622**	**12 216**	**100,0**	**229 930**	**13 348**	**100,0**
Dans les régimes de pension privés[1]	57 602	8 511	69,7	68 020	9 417	70,6
REER, CRIF, FERR et autres[2]	23 041	7 197	58,9	30 000	7 748	58,0
RPA[3]	56 214	5 611	45,9	68 305	6 490	48,6
Hors des régimes de pension privés	5 299	10 965	89,8	6 100	11 932	89,4
Dépôts dans des institutions financières	2 880	10 685	87,5	3 600	11 613	87,0
Fonds mutuels, fonds de placements et fiducies de revenu	14 976	1 706	14,0	24 200	1 641	12,3
Capital-actions	10 368	1 207	9,9	11 500	1 321	9,9
Obligations d'épargnes et autres obligations	2 880	1 715	14,0	2 500	1 394	10,4
Autres avoirs financiers[4]	5 530	1 615	13,2	6 000	2 329	17,5
Avoirs non financiers	115 204	12 216	100,0	141 700	13 348	100,0
Résidence principale	144 005	7 278	59,6	180 000	8 265	61,9
Autres biens immobiliers	72 578	1 987	16,3	85 000	2 142	16,1
Véhicules	10 368	9 346	76,5	11 557	10 062	75,4
Autres avoirs non financiers[5]	11 520	12 216	100,0	10 000	13 348	100,0
Capitaux propres dans l'entreprise	10 368	2 325	19,0	15 794	2 221	16,6
Dettes	**32 257**	**8 215**	**67,3**	**44 500**	**9 263**	**69,4**
Hypothèques	79 490	4 191	34,3	93 000	4 870	36,5
Résidence principale	76 610	3 908	32,0	90 000	4 557	34,1
Autres biens immobiliers	69 122	563	4,6	90 000	624	4,7
Marge de crédit	5 760	1 880	15,4	9 000	3 323	24,9
Carte de crédit et crédit à tempérament[6]	2 074	4 648	38,0	2 400	5 252	39,3
Prêts étudiants	8 295	1 435	11,7	9 000	1 574	11,8
Prêts automobiles	10 368	2 541	20,8	11 000	3 449	25,8
Autres dettes	4 608	1 983	16,2	6 000	1 878	14,1
Valeur nette (avoirs moins dettes)[7]	**120 451**	**12 209**	**99,9**	**148 350**	**13 342**	**100,0**

Notes : Les unités familiales comprennent les familles économiques.
Montants médians.

1. Exclut les régimes publics administrés ou parrainés par les gouvernements : la Sécurité de la vieillesse, y compris le Supplément de revenu garanti et l'allocation au conjoint, de même que le Régime de pension du Canada / Régime des rentes du Québec.
2. REER (Régimes enregistrés d'épargne-retraite), CRIF (Comptes de retraite avec immobilisation des fonds) et FERR (Fonds enregistrés de revenu de retraite). Autres incluent les Régimes de participation différée aux bénéfices (RPDB) et les rentes et divers avoirs reliés à la retraite.
3. RPA : Régimes de pension agréés offerts par l'employeur. L'estimation de la valeur est fondée sur la terminaison. Elle prend en compte la participation au régime jusqu'au moment de l'Enquête sur la sécurité financière. Les taux d'intérêt sont basés sur les taux du marché du moment.
4. Inclut les Régimes enregistrés d'épargne-études (REEE), les bons du Trésor, les titres hypothécaires, les sommes fiduciaires, les montants dus au répondant et divers avoirs financiers, y compris les parts de compagnies privées.
5. La valeur du contenu de la résidence principale du répondant, objets de valeur et de collection, droit d'auteur, brevets, etc.
6. Inclut les principales cartes de crédit et les cartes des grands magasins au détail, les cartes de station d'essence, etc. Par crédit à tempérament, on entend le total du montant dû sur les paiements différés ou les régimes à tempérament qui s'appliquent quand l'article acheté est payé par versements échelonnés sur une période de temps.
7. Pour la valeur nette, la médiane a été calculée sur la base de toutes les unités familiales pertinentes, pas uniquement celles qui ont une valeur nette supérieure ou inférieure à 0 $. Le nombre et le pourcentage d'unités familiales avec une valeur nette, cependant, sont celles qui ont une valeur nette supérieure ou inférieure à 0 $.

Source : Statistique Canada, Enquête sur la sécurité financière.

Tableau 23.8 Avoirs et dettes détenus par les unités familiales selon le niveau de scolarité, 1999 et 2005

	1999		2005	
	dollars constants de 2005	milliers d'unités familiales	dollars constants de 2005	milliers d'unités familiales
Tous les niveaux de scolarité[1]				
Avoirs[2]	184 622	12 216	229 930	13 348
Dettes	32 257	8 215	44 500	9 263
Valeur nette (avoirs moins dettes)	120 451	12 209	148 350	13 342
Sans diplôme d'études secondaires				
Avoirs[2]	118 660	3 375	114 198	2 813
Dettes	13 248	1 723	14 400	1 408
Valeur nette (avoirs moins dettes)	87 901	3 370	92 433	2 806
Diplôme d'études secondaires				
Avoirs[2]	168 773	2 869	202 000	3 508
Dettes	32 031	2 007	42 073	2 470
Valeur nette (avoirs moins dettes)	103 039	2 868	120 007	3 508
Certificat non universitaire				
Avoirs[2]	191 579	3 434	251 125	3 737
Dettes	38 017	2 579	45 500	2 907
Valeur nette (avoirs moins dettes)	117 841	3 432	171 000	3 737
Certificat universitaire ou baccalauréat				
Avoirs[2]	313 354	2 539	370 500	3 290
Dettes	54 155	1 907	78 130	2 478
Valeur nette (avoirs moins dettes)	**220 161**	**2 539**	**237 400**	**3 290**

Notes : Les unités familiales comprennent les familles économiques.
Montants médians.

1. « Scolarité » vise les personnes seules ou, pour les familles, les soutiens économiques principaux.
2. Inclut les régimes de pension agréés offerts par l'employeur. L'estimation de la valeur est fondée sur la terminaison. Elle prend en compte la participation au régime jusqu'au moment de l'Enquête sur la sécurité financière. Les taux d'intérêt sont basés sur les taux du marché du moment. Exclut les régimes publics administrés ou parrainés par les gouvernements : la Sécurité de la vieillesse, y compris le Supplément de revenu garanti et l'allocation au conjoint, de même que le Régime de pension du Canada / Régime des rentes du Québec.

Source : Statistique Canada, Enquête sur la sécurité financière.

Tableau 23.9 Valeur nette des unités familiales selon le sexe et le groupe d'âge, 2005

	Unités familiales	Valeur nette[1]		
	pourcentage	pourcentage	dollars constants de 2005[2]	ratio de la dette sur l'avoir
Les deux sexes, tous les âges	**100,0**	**100,0**	**148 350**	**0,14**
Moins de 65 ans	82,0	76,0	120 200	0,17
Moins de 35 ans	25,0	5,3	18 750	0,39
35 à 44 ans	21,8	18,2	135 408	0,24
45 à 54 ans	20,7	26,6	231 900	0,13
55 à 64 ans	14,5	25,9	407 417	0,07
65 ans et plus	18,0	24,0	303 167	0,02
Hommes, tous les âges	**100,0**	**100,0**	**184 964**	**0,14**
Moins de 65 ans	83,4	75,9	151 471	0,17
Moins de 35 ans	23,9	5,2	28 203	0,41
35 à 44 ans	22,5	18,1	150 225	0,25
45 à 54 ans	21,7	25,9	273 483	0,13
55 à 64 ans	15,3	26,8	448 795	0,07
65 ans et plus	16,6	24,1	405 000	0,02
Femmes, tous les âges	**100,0**	**100,0**	**105 470**	**0,13**
Moins de 65 ans	79,9	76,2	76 499	0,16
Moins de 35 ans	26,6	5,6	9 900	0,37
35 à 44 ans	20,7	18,6	96 856	0,22
45 à 54 ans	19,2	28,1	178 650	0,14
55 à 64 ans	13,4	24,0	345 877	0,07
65 ans et plus	20,1	23,8	204 833	F

Note : Les unités familiales comprennent les familles économiques.

1. La valeur nette inclut les régimes de pension agréés offerts par l'employeur dont l'estimation de la valeur est fondée sur la terminaison.
2. Montant médian.

Source : Statistique Canada, Enquête sur la sécurité financière.

Tableau 23.10 Unités familiales et valeur nette selon le groupe de valeur nette, 2005

	Unités familiales		Valeur nette[1]	
	milliers	pourcentage	millions de dollars constants de 2005	pourcentage
Ensemble des groupes de valeur nette des unités familiales[2]	**13 348**	**100,0**	**4 862 486**	**100,0**
Valeur nette négative	872	6,5	-12 751	-0,3
Moins de 5 000 $	1 220	9,1	2 068	0,0
5 000 $ à 14 999 $	854	6,4	7 762	0,2
15 000 $ à 29 999 $	791	5,9	17 149	0,4
30 000 $ à 49 999 $	602	4,5	23 235	0,5
50 000 $ à 74 999 $	760	5,7	46 275	1,0
75 000 $ à 99 999 $	583	4,4	51 702	1,1
100 000 $ à 149 999 $	1 020	7,6	127 010	2,6
150 000 $ à 249 999 $	1 487	11,1	293 647	6,0
250 000 $ à 499 999 $	2 253	16,9	813 922	16,7
500 000 $ à 999 999 $	1 807	13,5	1 233 616	25,4
1 000 000 $ et plus	1 098	8,2	2 258 851	46,5

Note : Les unités familiales comprennent les familles économiques.

1. La valeur nette inclut les régimes de pension agréés offerts par l'employeur dont l'estimation de la valeur est fondée sur la terminaison.
2. Inclut des unités familiales avec une valeur nette de 0 $.

Source : Statistique Canada, Enquête sur la sécurité financière.

Tableau 23.11 Épargne-retraite au moyen des régimes enregistrés d'épargne-retraite et des régimes de pension agréés, 2004

	Nombre de déclarants[1] ayant des économies	Économies moyennes[2]	Économies dans des REER[2]	Économies dans des RPA[2]	Part du revenu[3] épargné
	milliers	dollars	pourcentage		
Les deux sexes	**7 941**	**6 402**	**49,6**	**50,4**	**10,9**
Moins de 10 000 $	147	1 314	45,4	54,6	24,7
10 000 $ à 19 999 $	508	1 596	69,3	30,7	10,1
20 000 $ à 29 999 $	991	2 370	59,1	40,9	9,3
30 000 $ à 39 999 $	1 396	3 523	50,8	49,2	10,1
40 000 $ à 59 999 $	2 325	5 785	44,4	55,6	11,8
60 000 $ à 79 999 $	1 343	9 180	41,1	58,9	13,3
80 000 $ et plus	1 231	13 638	57,4	42,6	9,4
Hommes	**4 202**	**7 293**	**51,7**	**48,3**	**10,4**
Moins de 10 000 $	42	1 533	41,1	58,9	30,7
10 000 $ à 19 999 $	145	1 795	75,1	24,9	11,4
20 000 $ à 29 999 $	338	2 370	68,3	31,7	9,3
30 000 $ à 39 999 $	584	3 306	57,8	42,2	9,4
40 000 $ à 59 999 $	1 282	5 522	47,0	53,0	11,1
60 000 $ à 79 999 $	877	8 823	42,8	57,3	12,8
80 000 $ et plus	935	13 657	57,4	42,6	9,1
Femmes	**3 740**	**5 400**	**46,4**	**53,6**	**11,8**
Moins de 10 000 $	106	1 228	47,5	52,5	22,5
10 000 $ à 19 999 $	364	1 517	66,5	33,5	9,6
20 000 $ à 29 999 $	653	2 371	54,4	45,6	9,3
30 000 $ à 39 999 $	812	3 680	46,4	53,6	10,5
40 000 $ à 59 999 $	1 043	6 107	41,5	58,5	12,6
60 000 $ à 79 999 $	466	9 852	38,4	61,6	14,4
80 000 $ et plus	296	13 576	57,3	42,8	10,7

1. Comprend les déclarants âgés de 25 à 64 ans au 31 décembre 2004.
2. Les économies incluent les contributions à un régime enregistré d'épargne-retraite (REER) et le facteur d'équivalence (FE) qui ont été déclarés pour l'année d'imposition 2004. L'épargne-retraite au moyen des régimes de pension agréés (RPA) est estimée à l'aide du FE.
3. Le revenu est celui qui a été inscrit à la ligne 150 de la déclaration de revenus.

Source : Statistique Canada, produit nº 74-507-XIF au catalogue.

Tableau 23.12 Régimes de pension privés détenus par les unités familiales selon certaines caractéristiques des familles, 1999 et 2005

	1999			2005		
	Toutes les unités familiales	Unités familiales avec des régimes de pension privés[1]		Toutes les unités familiales	Unités familiales avec des régimes de pension privés[1]	
	pourcentage	pourcentage	dollars constants de 2005[2]	pourcentage	pourcentage	dollars constants de 2005[2]
Tous les âges	**100,0**	**100,0**	**57 602**	**100,0**	**100,0**	**68 020**
Moins de 35 ans	25,4	4,8	11 515	25,0	3,1	10 421
35 à 44 ans	25,2	14,4	40 545	21,8	11,8	47 000
45 à 54 ans	19,1	25,8	97 923	20,7	26,4	121 052
55 à 64 ans	11,9	27,8	188 632	14,5	32,8	242 547
65 ans et plus	18,4	27,2	131 781	18,0	25,9	156 613
Tous les groupes de revenu après impôt	**100,0**	**100,0**	**57 602**	**100,0**	**100,0**	**68 020**
Moins de 20 000 $	23,5	4,5	16 179	21,0	2,6	F
20 000 $ à 29 999 $	15,6	7,2	28 801	15,8	6,4	30 000
30 000 $ à 39 999 $	15,0	11,6	34 561	13,8	8,7	40 000
40 000 $ à 49 999 $	12,2	12,7	45 230	11,2	10,8	58 201
50 000 $ à 74 999 $	19,3	27,0	66 568	19,6	27,5	69 567
75 000 $ et plus	14,2	37,0	150 124	18,6	44,1	187 275
Tous les niveaux de scolarité	**100,0**	**100,0**	**57 602**	**100,0**	**100,0**	**68 020**
Sans diplôme d'études secondaires	27,6	17,1	53 789	21,1	12,2	75 000
Diplôme d'études secondaires	23,5	20,5	48 197	26,3	21,9	60 000
Certificat non universitaire	28,1	23,9	46 081	28,0	26,1	62 116
Certificat universitaire ou baccalauréat	20,8	38,5	95 619	24,6	39,8	90 000
Statut d'emploi	**100,0**	**100,0**	**57 602**	**100,0**	**100,0**	**68 020**
Travailleurs rémunérés	56,2	48,0	42 169	58,1	52,6	52 486
Travailleurs autonomes	10,2	11,0	50 114	9,8	9,1	60 000
Personnes non rémunérées ou sans emploi	33,6	41,1	121 230	32,0	38,3	149 512
Situation des propriétaires-occupants	**100,0**	**100,0**	**57 602**	**100,0**	**100,0**	**68 020**
Avec emprunt hypothécaire	32,0	32,2	51 842	34,1	33,0	57 516
Sans emprunt hypothécaire	27,6	56,6	144 274	27,8	57,6	200 841
Non propriétaire	40,4	11,2	16 772	38,1	9,4	15 000

Notes : Les unités familiales comprennent les familles économiques.

Les caractéristiques réfèrent à une personne seule, ou, dans le cas des familles, à la personne qui reçoit le revenu principal.

Exclut les régimes publics administrés ou parrainés par les gouvernements : la Sécurité de la vieillesse (SV), y compris le Supplément de revenu garanti (SRG) et l'allocation au conjoint (AC), de même que le Régime de pensions du Canada / Régime des rentes du Québec (RPC / RRQ).

1. Le pourcentage d'unités familiales et la médiane tiennent compte des unités possédant d'autres régimes de pension privés que les Régimes de pension agréés offerts par l'employeur, Régimes enregistrés d'épargne-études et Fonds enregistrés de revenu de retraite. Le montant accumulé dans ces autres régimes est relativement faible (environ 5 % du montant global accumulé dans les régimes privés) et comprennent les rentes et les régimes de participation différée aux bénéfices.
2. Montant médian.

Source : Statistique Canada, Enquête sur la sécurité financière.

Santé

24

SURVOL

En 2006, les administrations publiques ont dépensé 99,0 milliards de dollars au chapitre des services de santé, en hausse par rapport à 44,8 milliards de dollars en 1991. La majorité des dépenses gouvernementales au chapitre des services de santé vont aux hôpitaux, aux médicaments et aux médecins.

Au cours du dernier siècle, l'état de santé des Canadiens s'est beaucoup amélioré. Les taux de mortalité ont chuté, l'espérance de vie a augmenté, plusieurs maladies infectieuses ont été pratiquement enrayées et les techniques médicales n'ont cessé de progresser. Selon les dernières enquêtes, 60 % des Canadiens se disent en très bonne ou en excellente santé.

Par rapport aux années précédentes, les Canadiens sont proportionnellement plus nombreux à adopter des habitudes de vie saines comme ne pas fumer ou pratiquer une activité physique. En outre, l'ensemble de la population bénéficie de meilleures conditions socioéconomiques, telles qu'un revenu et un niveau de scolarité plus élevés, ce qui favorise un meilleur état de santé global.

État de santé

Au Canada, l'espérance de vie à la naissance a atteint 80,2 ans en 2004, comparativement à 77,8 ans en 1991. Une femme née en 2004 peut s'attendre à vivre jusqu'à 82,6 ans, et un homme, jusqu'à 77,8 ans. De 1979 à 2004, l'espérance de vie des hommes s'est améliorée de 6,4 années et celle des femmes de 3,8 années.

La plupart des Canadiens se croient en bonne santé. En 2005, ceux qui avaient de 20 à 34 ans étaient les plus positifs : 70 % d'entre eux évaluant leur santé comme excellente ou très bonne. Les évaluations positives diminuaient aux âges plus avancés. Chez les personnes de 65 ans et plus, la proportion de personnes jugeant leur santé bonne ou excellente chutait à 40 %.

Au cours du dernier quart de siècle, les causes principales de décès au Canada ont été les

Graphique 24.1
Espérance de vie

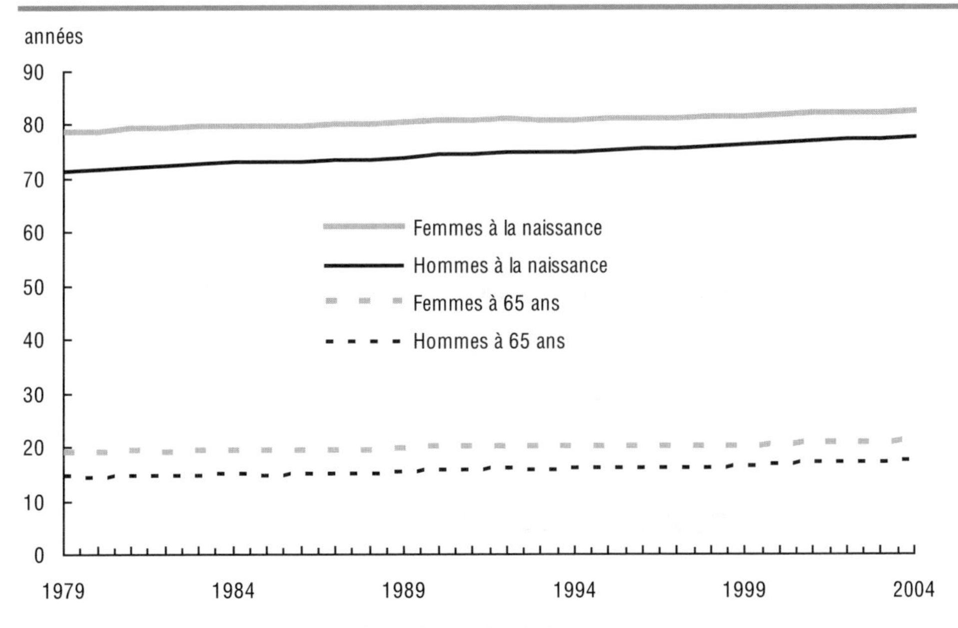

Note : L'espérance de vie est le nombre estimé d'années que devrait vivre une personne.
Source : Statistique Canada, CANSIM : tableaux 102-0025 et 102-0511.

maladies du système circulatoire et le cancer. Ces maladies sont plus répandues chez une population vieillissante. En 2003, les maladies confondues du système circulatoire et le cancer ont causé 6 décès sur 10.

Bon nombre de Canadiens souffrent aujourd'hui de problèmes de santé chroniques, comme la tension artérielle élevée et les maladies cardiovasculaires. L'asthme, le diabète et l'obésité comptent parmi les grandes conditions chroniques mettant en danger la santé et le bien-être d'un nombre croissant de Canadiens. En outre, comme la population vieillit, d'autres maladies chroniques affectent de plus en plus de gens, surtout des personnes âgées.

Effet positif des comportements sains sur la santé

Des comportements sains comme la pratique d'une activité physique régulière, de bonnes habitudes alimentaires et le fait d'éviter de fumer sont associés à une meilleure santé.

De 2001 à 2005, la proportion de Canadiens de 12 ans et plus qui était active ou modérément active durant les loisirs a augmenté. En 2005, 51 % des Canadiens étaient actifs ou modérément actifs durant leurs loisirs comparativement à une proportion de 43 % en 2000-2001. Les jeunes de 12 à 19 ans étaient les plus actifs.

Indicateurs de la santé, 2004

	Hommes	Femmes
Espérance de vie à la naissance (années)	77,8	82,6
Taux de mortalité infantile, (décès pour 1 000 naissances vivantes)	5,5	5,0
Bébés de faible poids à la naissance (%)	5,5	6,3
Indice synthétique de fécondité, (naissances vivantes pour chaque femme)	...	1,5
Fumeurs réguliers (%)[1]	18,2	14,9

1. Données de 2005.

Source : Statistique Canada, CANSIM : tableaux 102-0506, 102-0511, 102-4505, 102-4511 et 105-0427.

Parallèlement, la proportion de personnes qui fument quotidiennement a diminué. En 2005, 22 % des Canadiens de 12 ans et plus fumaient, en baisse par rapport à 26 % en 2000-2001. La baisse la plus marquée des taux de tabagisme s'est produite chez les jeunes de 12 à 17 ans.

Selon les données de l'Enquête sur la santé dans les collectivités canadiennes, bien des Canadiens n'ont pas un régime alimentaire équilibré. En 2004, 7 enfants sur 10 de quatre à huit ans ne consommaient pas le nombre minimal de portions de fruits et légumes que recommande le *Guide alimentaire canadien*. En outre, chez le quart de la population de 31 à 50 ans, les lipides excédaient 35 % de l'apport calorique total.

Graphique 24.2
Activité physique durant les loisirs selon le groupe d'âge

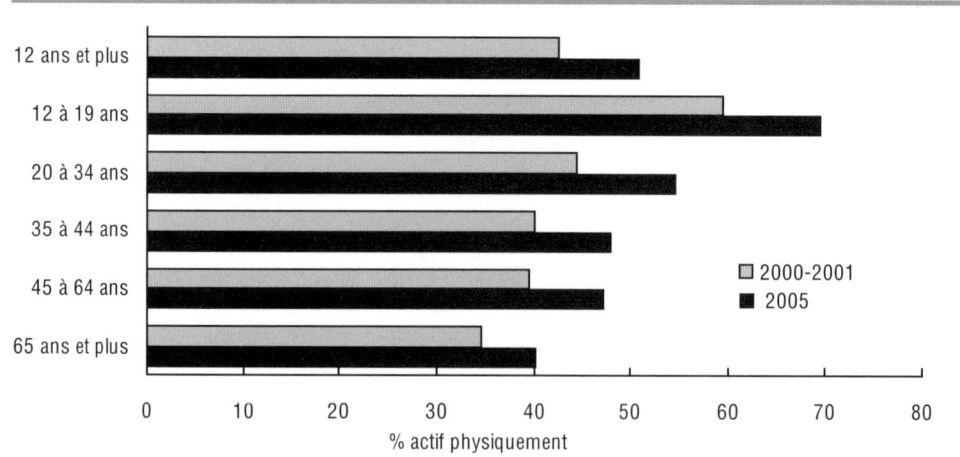

Note : La population à domicile qui était active physiquement ou modérément active durant les loisirs.
Source : Statistique Canada, CANSIM : tableaux 105-0033 et 105-0433.

Par contre, selon l'enquête, la consommation quotidienne moyenne de calories n'a pas beaucoup augmenté dans les trois dernières décennies et la consommation totale des lipides a diminué de 40 % à 31 % de l'apport calorique quotidien des Canadiens durant cette période.

Accès aux soins de santé

Bien que l'accès aux soins de santé soit garanti par la *Loi canadienne sur la santé*, il peut s'avérer difficile pour certains citoyens de trouver un médecin. En 2005, 3,5 millions de Canadiens adultes n'avaient pas de médecin de famille régulier, soit 13,6 % de la population adulte. Cette proportion de Canadiens adultes sans médecin de famille régulier a légèrement diminué par rapport à 2003, alors que 13,7 % des Canadiens se trouvaient dans cette situation.

Au total, 2,8 millions de personnes de 15 ans et plus ont consulté un médecin spécialiste en 2005 et 19 % d'entre elles ont déclaré avoir éprouvé des difficultés d'accès. À l'échelle nationale, les temps d'attente médians pour tous les services spécialisés ont varié de trois à quatre semaines selon le type de soins, un chiffre qui a peu changé par rapport à 2003. Par ailleurs, la proportion de personnes ayant attendu plus de trois mois allait de 10 % pour les tests diagnostiques à 19 % pour les interventions chirurgicales non urgentes.

Graphique 24.3
Temps d'attente pour des services médicaux spécialisés, 2005

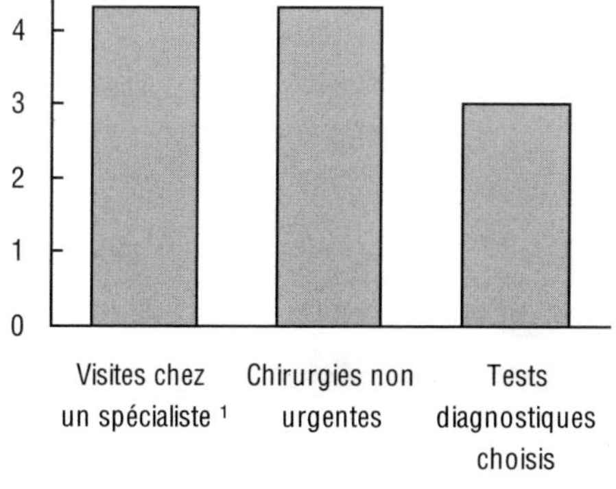

médian (en semaines)

5
4
3
2
1
0

Visites chez un spécialiste [1]
Chirurgies non urgentes
Tests diagnostiques choisis

1. Pour un nouveau problème de santé.
Source : Statistique Canada, CANSIM : tableau 105-3001.

Les temps d'attente pour certains services spécialisés varient d'une province à l'autre. Par exemple, les temps d'attente médians pour les interventions chirurgicales non urgentes ont diminué de moitié au Québec, passant de presque neuf semaines en 2003 à quatre semaines en 2005. En ce qui a trait aux tests diagnostiques, les temps d'attente médians à Terre-Neuve-et-Labrador ont augmenté de façon importante, passant de deux semaines à quatre semaines; en Colombie-Britannique, ils sont passés de deux semaines à trois semaines.

La perception des patients en ce qui a trait à l'attente de soins a peu varié de 2003 à 2005. Même si de 70 % à 80 % des patients ont indiqué des temps d'attente acceptables, certains continuent d'être d'avis que leurs temps d'attente étaient inacceptables et avaient des conséquences négatives sur leur vie. Les principaux problèmes mentionnés étaient l'inquiétude, le stress et l'anxiété pour eux-mêmes ainsi que pour leurs amis et les membres de leurs familles. Certains ont aussi indiqué avoir éprouvé de la douleur et des problèmes liés aux activités quotidiennes.

Sources choisies

Statistique Canada

- *Accès aux services de soins de santé au Canada.* Irrégulier. 82-575-XIF
- *Décès.* Annuel. 84F0211XWF
- *En santé aujourd'hui, en santé demain? Résultats de l'Enquête nationale sur la santé de la population.* Hors série. 82-618-MWF
- *Indicateurs de la santé.* Semestriel. 82-221-XIF
- *Mortalité : liste sommaire des causes.* Annuel. 84F0209XWF
- *Nutrition : résultats de l'Enquête sur la santé dans les collectivités canadiennes.* Hors série. 82-620-MWF
- *Rapports sur la santé.* Trimestriel. 82-003-XIF
- *Rapports sur la santé : supplément.* Annuel. 82-003-SIF
- *Votre collectivité, votre santé : résultats de l'Enquête sur la santé dans les collectivités canadiennes (ESCC).* Hors série. 82-621-XWF

Moins de fumée secondaire

L'interdiction de plus en plus généralisée de l'usage du tabac dans les lieux publics semble avoir contribué à la diminution de la proportion de fumeurs au Canada. En 2005, la proportion de fumeurs était estimée à 22 % de personnes, en baisse par rapport à 26 % en 2000-2001. La diminution la plus marquée a été enregistrée chez les jeunes de 12 à 17 ans; une proportion croissante de jeunes n'a jamais commencé à fumer.

À mesure que l'interdiction de l'usage du tabac dans les lieux publics se généralise, les non-fumeurs sont moins exposés à la fumée secondaire. Ces restrictions pourraient contribuer à modifier le comportement des fumeurs dans d'autres endroits comme à la maison ou dans un véhicule privé.

En 2005, 23 % des non-fumeurs ont indiqué avoir été régulièrement exposés à la fumée secondaire dans au moins un des lieux suivants : les lieux publics, la maison, un véhicule privé. Il s'agit d'une diminution par rapport au taux de 29 % constaté deux ans auparavant.

Même si elle a diminué, c'est dans les lieux publics que la proportion de non fumeurs exposés régulièrement à la fumée secondaire est demeurée la plus élevée. En 2005, 15 % des non-fumeurs ont déclaré que les lieux publics constituaient un type d'endroit où ils étaient le plus souvent exposés à la fumée secondaire. La proportion de non-fumeurs ayant été exposés à la fumée secondaire à la maison s'élevait à 9 %. Le taux d'exposition dans les véhicules privés était de 8 %.

Le risque d'exposition à la fumée secondaire était le plus élevé chez les jeunes, et ce, dans au moins un type d'endroit. En 2005, environ 40 % des non-fumeurs de 12 à 17 ans ont déclaré avoir été régulièrement exposés à la fumée secondaire dans au moins un type d'endroit. Par comparaison, le taux était de 31 % chez les personnes de 18 à 34 ans, de 19 % chez les 35 à 64 ans et de 11 % chez les 65 ans et plus.

Graphique 24.4
Fumeurs actuels selon la province ou le territoire

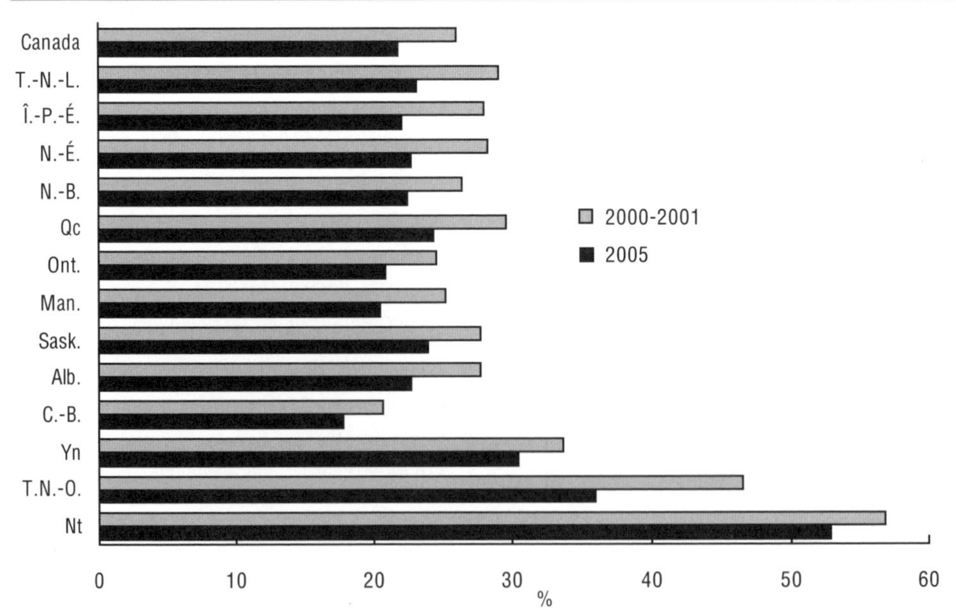

Note : Les fumeurs actuels incluent ceux qui fument à tous les jours ou à l'occasion.
Source : Statistique Canada, produit nº 82-621-XWF au catalogue.

Santé et bien-être du personnel infirmier

Bien des infirmières et infirmiers font régulièrement des heures supplémentaires et plusieurs cumulent plus d'un emploi, ce qui peut laisser croire que ce personnel est plus susceptible que l'ensemble de la population active occupée de connaître des problèmes de santé.

Toutefois, dans l'Enquête nationale sur le travail et la santé du personnel infirmier de 2005, on a établi peu de relations entre le mauvais état de santé et des facteurs comme les quarts de travail ou les longues heures de travail. Ce sont surtout des facteurs psychosociaux (y compris le stress au travail, le manque d'autonomie et de respect) qui sont plus fortement liés aux problèmes de santé des infirmières. En outre, les infirmières sont plus susceptibles que l'ensemble de la population occupée de subir un degré élevé de tension et de contraintes.

La tension et les contraintes sont étroitement liées à un état passable ou mauvais de santé physique et mentale, ainsi qu'à des absences prolongées ou fréquentes du travail pour des raisons de santé. Ainsi, 17 % des infirmières qui se considéraient très stressées ont déclaré 20 jours et plus de maladie durant l'année ayant précédé l'enquête, comparativement à 12 % de celles qui éprouvaient moins de tension et de contraintes.

En ce qui concerne l'évolution de la qualité des soins dans leur milieu de travail, 57 % des infirmières étaient d'avis que la qualité était la même, mais les constats de détérioration étaient plus fréquents que les constats d'amélioration. Les changements apportés aux effectifs se sont révélés un déterminant important des changements dans la qualité des soins; 27 % des infirmières ayant déclaré une détérioration des soins prodigués aux patients ont mentionné un manque d'effectifs en 2005.

En 2005, 314 900 personnes travaillaient en soins infirmiers réglementés; les femmes représentaient 95 % de cet effectif. Aux fins de l'Enquête, le personnel infirmier réglementé désigne les hommes et les femmes occupant un emploi d'infirmière autorisée, d'infirmière auxiliaire autorisée et d'infirmière psychiatrique autorisée.

Graphique 24.5
Infirmières ayant du stress au travail selon certaines caractéristiques du lieu de travail, 2005

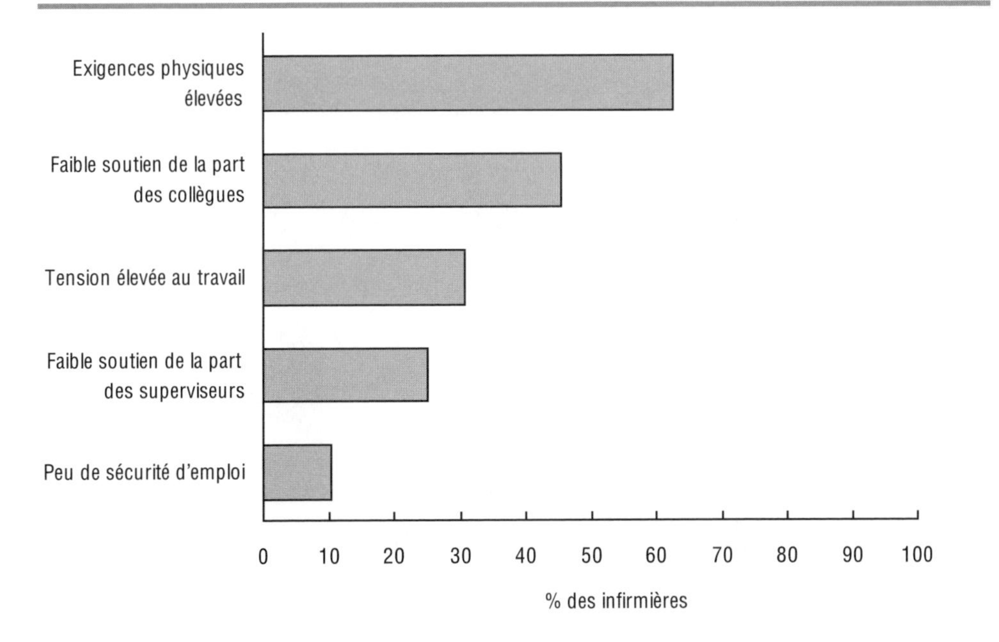

Source : Statistique Canada, produit nº 83-003-XIF au catalogue.

Souffrir de dépression au travail

Bon nombre de personnes peuvent se sentir déprimées à l'occasion sans que cela nuise à leurs occupations. Cependant, pour certains, la dépression peut influer sur différents aspects de leur vie et avoir des conséquences néfastes sur leur rendement au travail.

Selon des données de l'Enquête sur la santé dans les collectivités canadiennes de 2002, environ un demi-million (4 %) de travailleurs canadiens de 25 à 64 ans avaient vécu un épisode dépressif au cours de l'année qui a précédé l'enquête. De l'avis de la plupart d'entre eux, leurs symptômes nuisaient à leurs capacités au travail.

Les travailleurs les plus à risque de souffrir de dépression étaient les cols blancs ainsi que ceux qui travaillaient dans le secteur des ventes et des services. Tout comme dans l'ensemble de la population, la prévalence de la dépression était presque deux fois plus élevée chez les femmes que chez les hommes qui travaillaient.

Environ 4 travailleurs sur 5 ayant souffert de dépression au cours de l'année qui a précédé l'enquête ont déclaré que leurs symptômes avaient nui à leur capacité de travailler dans au moins une certaine mesure. De plus, 1 travailleur sur 5 ayant souffert de dépression avait connu des troubles très sévères.

Les travailleurs souffrant de dépression ont déclaré avoir été totalement incapables de travailler ou d'exécuter leurs activités normales en moyenne pendant 32 jours durant les 12 mois ayant précédé l'enquête. Ils étaient aussi plus susceptibles que ceux n'ayant pas d'antécédents de dépression de déclarer plusieurs problèmes particuliers au travail dont une réduction des activités au travail en raison d'un problème de santé de longue durée, au moins un jour d'incapacité pour des raisons de santé mentale dans les deux dernières semaines ainsi que l'absence du travail dans la dernière semaine.

L'étude a permis d'établir une association entre la dépression chez les travailleurs et la présence de problèmes de santé chroniques, de dépendance à l'alcool ou aux drogues ou des troubles anxieux. L'excès de poids n'était toutefois pas associé à la dépression chez les travailleurs.

Graphique 24.6
Travailleurs ayant vécu un épisode dépressif récent selon la catégorie professionelle, 2002

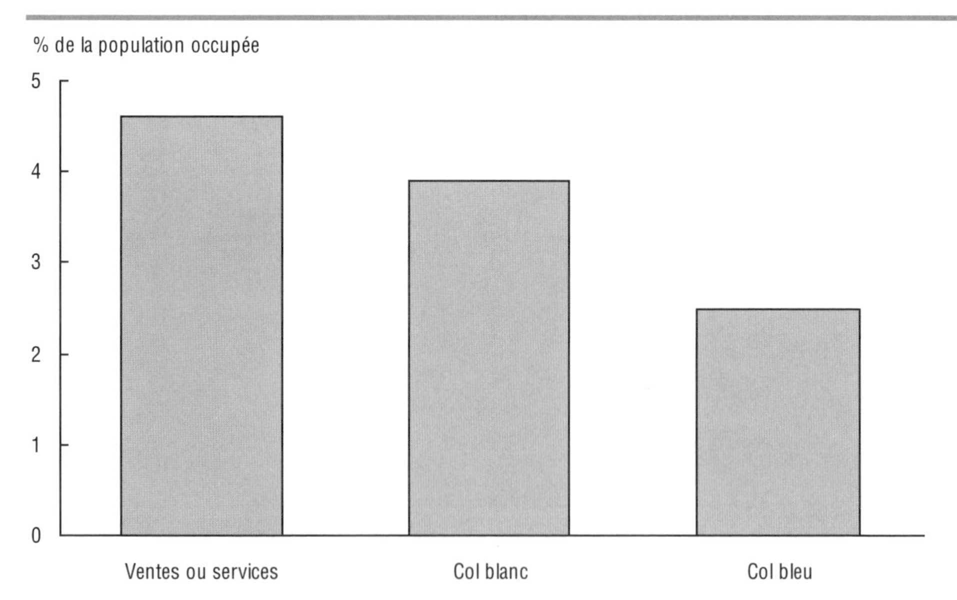

Note : Population occupée de 25 à 64 ans ayant souffert de dépression au cours des 12 derniers mois.
Source : Statistique Canada, produit nº 82-003-XWF au catalogue.

Moins d'obésité dans les grandes villes

Les adultes qui vivent dans les grandes villes du Canada sont beaucoup moins susceptibles d'être obèses que leurs homologues qui habitent à l'extérieur des régions métropolitaines. Dans l'ensemble, 20 % des résidents des régions métropolitaines de recensement (RMR) de 18 ans et plus étaient obèses en 2004, comparativement à 29 % de ceux qui vivaient dans une région autre qu'une RMR. La moyenne nationale se chiffrait à 23 %.

En outre, dans les villes où la population est élevée, la probabilité d'être obèse est plus faible. Dans les RMR comptant au moins 2 millions d'habitants, soit Toronto, Montréal et Vancouver, seulement 17 % des adultes étaient obèses. Le taux comparable pour les RMR comptant entre 100 000 et 2 millions d'habitants se situait à 24 %. Dans les centres urbains comptant entre 10 000 et 100 000 habitants, 30 % des adultes étaient obèses.

À l'échelle nationale, la relation qui existe chez les adultes entre l'excès de poids et le fait de résider en région urbaine ou rurale ne s'observe pas chez les enfants. Seulement l'Alberta échappe à cette tendance. En 2004, les jeunes Albertains de 2 à 17 ans qui vivaient dans une RMR étaient moins susceptibles d'être obèses ou de faire de l'embonpoint que ceux qui habitaient dans une région autre qu'une RMR.

Chez les adultes qui ne vivaient pas dans un centre urbain, on a constaté que ceux qui faisaient la navette entre leur domicile et une grande ville ou même un centre urbain plus petit étaient moins susceptibles d'être obèses. Par contre, dans les municipalités où peu d'habitants se rendaient dans un centre urbain pour travailler, le taux d'obésité était presque le double de la moyenne nationale.

La hausse de prévalence de l'obésité chez les Canadiens ces dernières années suscite beaucoup d'inquiétude étant donné le risque plus élevé qu'ont les personnes obèses de souffrir de problèmes de santé comme le diabète de type 2, les maladies cardiovasculaires ou l'hypertension. Des limitations fonctionnelles et des incapacités sont également associées à l'excès de poids.

Graphique 24.7
Obésité adulte selon la zone métropolitaine, 2004

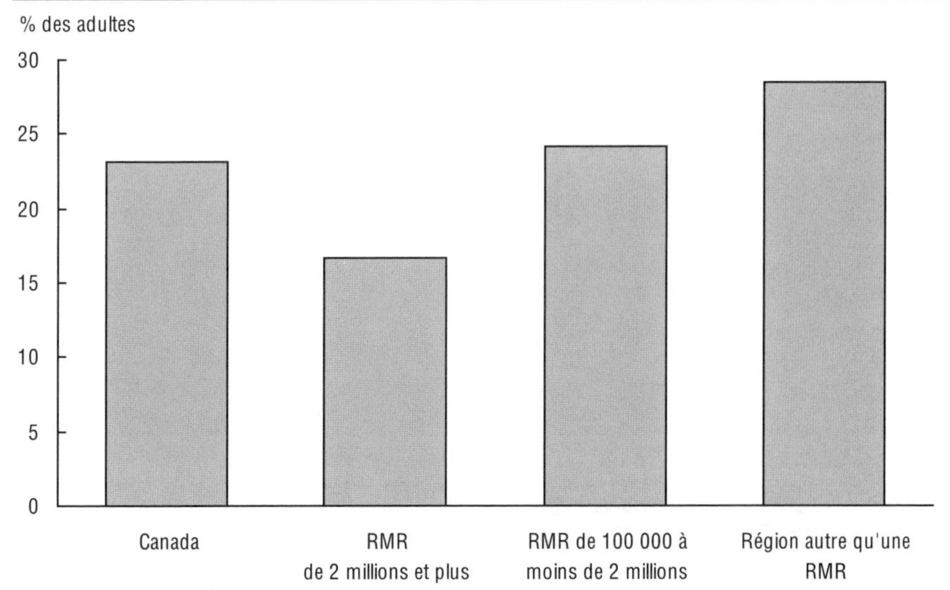

Notes : Population à domicile de 18 ans et plus avec un indice de masse corporelle mesuré de 30 ou plus. Territoires non compris.

Source : Statistique Canada, produit nº 82-003-XIF au catalogue.

Tableau 24.1 Taux de mortalité selon certaines causes de décès et le sexe, 2000 et 2004

	2000			2004		
	Les deux sexes	**Hommes**	**Femmes**	**Les deux sexes**	**Hommes**	**Femmes**
	taux pour 100 000 habitants					
Ensemble des causes de décès	**615,5**	**778,3**	**493,2**	**571,9**	**710,0**	**465,6**
Septicémie	**3,8**	4,6	3,3	**4,0**	4,6	3,6
Hépatite virale	**0,4**	0,6	0,2	**1,0**	1,4	0,7
Maladies dues au virus de l'immunodéficience humaine	**1,6**	2,6	0,5	**1,2**	1,9	0,4
Tumeurs malignes	**180,4**	225,3	149,4	**173,7**	212,1	147,0
Côlon, rectum et anus	**19,0**	24,0	15,1	**18,7**	23,5	15,0
Pancréas	**8,9**	10,1	7,8	**9,3**	10,4	8,2
Trachée, bronches et poumon	**47,1**	64,3	34,4	**46,6**	60,6	36,2
Sein	**13,9**	0,3	25,0	**12,8**	0,2	23,1
Prostate[1]	**...**	26,7	...	**...**	23,4	...
Diabète sucré	**18,9**	22,9	15,7	**19,6**	24,8	15,8
Maladie d'Alzheimer	**13,2**	11,7	13,8	**12,7**	10,5	13,7
Maladies du cœur	**152,0**	202,9	113,4	**126,8**	168,1	94,6
Cardiopathies ischémiques	**117,5**	163,1	82,9	**96,2**	133,3	67,6
Autres cardiopathies	**31,6**	37,3	27,3	**27,7**	32,0	24,1
Maladies cérébrovasculaires	**42,2**	46,4	38,8	**34,9**	37,9	32,4
Grippe et pneumopathie	**13,2**	17,0	11,0	**13,4**	17,0	11,3
Grippe	**1,5**	1,6	1,4	**0,7**	0,8	0,6
Pneumopathie	**11,7**	15,4	9,6	**12,7**	16,2	10,6
Maladies chroniques des voies respiratoires inférieures	**27,2**	39,8	19,8	**24,8**	33,8	19,4
Maladies chroniques et cirrhoses du foie	**6,5**	9,4	3,9	**6,0**	8,4	3,9
Maladie alcoolique du foie	**3,3**	5,2	1,5	**3,0**	4,5	1,6
Autres maladies chroniques et cirrhoses du foie	**3,2**	4,2	2,4	**3,0**	3,9	2,3
Insuffisance rénale	**8,4**	11,3	6,7	**8,3**	11,6	6,5
Certaines affections dont l'origine se situe dans la période périnatale	**3,9**	4,3	3,5	**4,3**	4,5	4,2
Malformations congénitales et anomalies chromosomiques	**3,4**	3,7	3,1	**3,1**	3,1	3,1
Accidents (blessures involontaires)	**25,8**	35,8	16,6	**24,7**	33,8	16,0
Accidents de véhicule à moteur	**8,6**	12,4	5,0	**8,7**	12,7	4,9
Chutes	**4,3**	5,9	3,1	**5,4**	6,8	4,3
Empoisonnement accidentel par des substances nocives et exposition à des substances nocives	**3,0**	4,3	1,7	**2,8**	4,1	1,6
Suicide	**11,4**	18,0	5,0	**10,8**	16,6	5,1
Homicide	**1,6**	2,3	0,8	**1,7**	2,4	0,9

Note : Les taux sont normalisés selon l'âge à l'aide des effectifs de population du Recensement de la population de 1991.

1. Aucun taux global n'a été calculé pour les causes de décès propres à un seul des deux sexes.

Source : Statistique Canada, CANSIM : tableau 102-0552.

Tableau 24.2 Espérance de vie à la naissance selon le sexe, par province et territoire, 2004

	Hommes	Femmes
	âge en années	
Canada	**77,8**	**82,6**
Terre-Neuve-et-Labrador	75,8	81,3
Île-du-Prince-Édouard	76,8	81,6
Nouvelle-Écosse	76,5	81,6
Nouveau-Brunswick	77,0	82,2
Québec	77,5	82,6
Ontario	78,3	82,7
Manitoba	76,4	81,4
Saskatchewan	76,6	82,1
Alberta	77,8	82,6
Colombie-Britannique	78,7	83,1
Yukon	74,5	78,6
Territoires du Nord-Ouest	78,4	81,7
Nunavut	66,8	74,2

Source : Statistique Canada, CANSIM : tableau 102-0511.

Tableau 24.3 Bénéficiaires dans les établissements de soins pour personnes âgées selon le sexe, par province et territoire, 1999-2000 et 2004-2005

	1999-2000			2004-2005		
	Les deux sexes	Hommes	Femmes	Les deux sexes	Hommes	Femmes
	nombre					
Canada[1]	**168 911**	**38 469**	**97 605**	**189 325**	**44 748**	**106 146**
Terre-Neuve-et-Labrador	**3 785**	1 272	2 513	**4 225**	1 379	2 846
Île-du-Prince-Édouard	**1 502**	443	1 059	**1 623**	494	1 129
Nouvelle-Écosse	**6 613**	1 737	4 876	**6 550**	1 772	4 778
Nouveau-Brunswick	**5 814**	1 741	4 073	**6 206**	1 898	4 308
Québec[1]	**32 837**	..	..	**38 431**	..	..
Ontario	**68 827**	18 656	50 171	**80 674**	23 001	57 673
Manitoba	**8 883**	2 515	6 368	**9 563**	2 856	6 707
Saskatchewan	**8 495**	2 632	5 863	**8 126**	2 568	5 558
Alberta	**13 382**	4 180	9 202	**14 185**	4 684	9 501
Colombie-Britannique	**18 582**	5 226	13 356	**19 528**	6 017	13 511
Territoires[2]	**191**	67	124	**214**	79	135

Notes : Les données sont en date du 31 mars.

Les établissements dont les bénéficiaires sont majoritairement des personnes âgées. La population de ces établissements n'est toutefois pas exclusivement âgée.

1. Les données du Québec proviennent de sources administratives du Ministère de la santé et des services sociaux qui ne contiennent pas la distribution des bénéficiaires selon l'âge et le sexe. Par conséquent, les données pour les hommes et les femmes dans l'ensemble du Canada excluent le Québec.
2. Données pour le Yukon, les Territoires du Nord-Ouest et le Nunavut.

Source : Statistique Canada, CANSIM : tableau 107-5504.

Tableau 24.4 Auto-évaluation de la santé selon le groupe d'âge et le sexe, 2000-2001 et 2005

	2000-2001			2005		
	Très bonne ou excellente	Bonne	Passable ou mauvaise	Très bonne ou excellente	Bonne	Passable ou mauvaise
	pourcentage					
Les deux sexes	**61,4**	**26,6**	**12,0**	**60,1**	**28,7**	**11,2**
12 à 19 ans	70,8	24,3	4,9	67,4	27,9	4,6
12 à 14 ans	72,7	23,4	3,9	68,3	27,6	3,9
15 à 19 ans	69,7	24,8	5,5	66,9	28,1	5,0
20 à 34 ans	73,0	21,9	5,1	70,0	25,0	5,0
20 à 24 ans	72,4	22,4	5,1	69,0	25,9	5,1
25 à 34 ans	73,3	21,6	5,1	70,5	24,6	5,0
35 à 44 ans	66,7	25,3	8,0	65,2	27,2	7,4
45 à 64 ans	55,8	29,1	15,1	56,0	30,2	13,7
45 à 54 ans	59,2	28,0	12,8	58,7	30,0	11,3
55 à 64 ans	50,5	30,7	18,7	52,4	30,5	17,0
65 ans et plus	36,4	33,8	29,7	39,5	34,0	26,2
Hommes	**63,0**	**25,8**	**11,2**	**60,6**	**28,7**	**10,7**
12 à 19 ans	73,4	22,3	4,2	69,7	26,2	4,1
12 à 14 ans	72,7	23,6	3,6	67,8	27,9	4,3
15 à 19 ans	73,7	21,6	4,6	70,8	25,2	3,9
20 à 34 ans	75,0	20,3	4,7	69,6	25,5	4,9
20 à 24 ans	76,1	18,9	4,8	69,7	24,9	5,3
25 à 34 ans	74,3	21,0	4,6	69,5	25,8	4,6
35 à 44 ans	66,8	25,7	7,5	64,8	27,8	7,4
45 à 64 ans	56,2	29,1	14,6	55,8	30,7	13,4
45 à 54 ans	59,3	28,8	11,9	58,6	30,5	10,8
55 à 64 ans	51,5	29,5	18,9	52,2	31,0	16,8
65 ans et plus	36,7	33,0	30,2	39,9	33,6	26,2
Femmes	**59,9**	**27,4**	**12,7**	**59,6**	**28,7**	**11,7**
12 à 19 ans	68,0	26,3	5,6	65,0	29,7	5,2
12 à 14 ans	72,7	23,1	4,1	68,9	27,2	3,6
15 à 19 ans	65,6	28,1	6,4	62,8	31,0	6,1
20 à 34 ans	70,9	23,6	5,6	70,3	24,5	5,2
20 à 24 ans	68,5	26,0	5,4	68,2	27,0	4,9
25 à 34 ans	72,1	22,3	5,6	71,4	23,3	5,3
35 à 44 ans	66,6	24,8	8,6	65,8	26,7	7,5
45 à 64 ans	55,3	29,0	15,6	56,2	29,7	14,0
45 à 54 ans	59,1	27,2	13,7	58,8	29,5	11,7
55 à 64 ans	49,5	31,9	18,6	52,6	30,1	17,3
65 ans et plus	36,2	34,4	29,3	39,1	34,3	26,3

Notes : Population à domicile de 12 ans et plus qui évalue son état de santé comme étant excellent, très bon, bon, passable ou mauvais.
Exclut la catégorie « Non déclarée ».

Source : Statistique Canada, CANSIM : tableaux 105-0022, 105-0222 et 105-0422.

Tableau 24.5 Consommation de fruits et légumes selon le groupe d'âge et le sexe, 2005

	Moins de 5 fois par jour	5 à 10 fois par jour	Plus de 10 fois par jour	Non déclaré
	pourcentage			
Les deux sexes	**53,3**	**36,9**	**4,3**	**5,5**
12 à 19 ans	47,7	38,8	7,1	6,5
12 à 14 ans	43,0	40,7	8,3	8,0
15 à 19 ans	50,7	37,5	6,3	5,6
20 à 34 ans	55,3	35,9	5,3	3,5
20 à 24 ans	56,1	34,1	5,9	3.9[E]
25 à 34 ans	54,9	36,9	5,0	3,2
35 à 44 ans	58,4	34,8	3,1	3,7
45 à 64 ans	54,9	36,4	3,8	4,9
45 à 54 ans	56,8	35,3	4,0	3,9
55 à 64 ans	52,3	38,0	3,6	6,2
65 ans et plus	44,7	40,6	3,2	11,6
Hommes	**60,0**	**30,4**	**3,6**	**6,0**
12 à 19 ans	50,6	35,5	7,0	6,9
12 à 14 ans	46,4	36,0	8.1[E]	9,5
15 à 19 ans	53,5	35,1	6,3	5.1[E]
20 à 34 ans	62,2	29,3	4,5	4,0
20 à 24 ans	62,9	26,9	5.6[E]	4.6[E]
25 à 34 ans	61,8	30,6	3,9	3,6
35 à 44 ans	65,6	27,9	2,4	4,1
45 à 64 ans	62,4	29,2	2,8	5,6
45 à 54 ans	63,9	28,4	3.1[E]	4,6
55 à 64 ans	60,5	30,3	2.3[E]	6,9
65 ans et plus	51,2	33,7	2.2[E]	13,0
Femmes	**46,7**	**43,2**	**5,1**	**5,0**
12 à 19 ans	44,5	42,2	7,2	6,1
12 à 14 ans	39,3	45,8	8.5[E]	6.4[E]
15 à 19 ans	47,8	39,9	6.3[E]	6,0
20 à 34 ans	48,5	42,4	6,1	3,0
20 à 24 ans	48,8	41,7	6.2[E]	3.2[E]
25 à 34 ans	48,3	42,8	6,1	2.9[E]
35 à 44 ans	50,9	41,9	3,8	3,4
45 à 64 ans	47,5	43,5	4,8	4,2
45 à 54 ans	50,1	41,8	4,8	3.3[E]
55 à 64 ans	44,0	45,7	4,8	5,5
65 ans et plus	39,4	46,1	4,0	10,5

Note : Population à domicile de 12 ans et plus qui a déclaré le nombre moyen de fois par jour qu'elle consomme des fruits et légumes.

Source : Statistique Canada, CANSIM : tableau 105-0449.

Tableau 24.6 Fumeurs quotidiens ou occasionnels selon le sexe et le groupe d'âge, par province et territoire, 2005

	Canada	Terre-Neuve-et-Labrador	Île-du-Prince-Édouard	Nouvelle-Écosse	Nouveau-Brunswick
	pourcentage				
Les deux sexes	**21,7**	**23,1**	**22,2**	**22,6**	**22,5**
12 à 19 ans	**12,1**	17,6	11,2[E]	9,5	9,8
20 à 34 ans	**28,6**	32,3	29,3	30,8	32,2
35 à 44 ans	**26,8**	29,2	21,8	32,9	29,2
45 à 64 ans	**22,3**	20,6	27,6	21,6	22,8
65 ans et plus	**10,5**	11,7	10,9[E]	12,2	9,6
Hommes	**23,6**	**23,4**	**25,4**	**23,7**	**24,8**
12 à 19 ans	**11,9**	18,0[E]	10,6[E]	10,7[E]	11,4[E]
20 à 34 ans	**32,1**	33,2	36,3	31,7	35,6
35 à 44 ans	**29,6**	28,7	25,0[E]	36,8	31,9
45 à 64 ans	**23,4**	19,1	29,1	22,0	24,5
65 ans et plus	**11,1**	15,9	16,4[E]	11,2	10,2
Femmes	**19,8**	**22,8**	**19,1**	**21,6**	**20,3**
12 à 19 ans	**12,3**	17,1[E]	11,7[E]	8,4[E]	8,2[E]
20 à 34 ans	**25,0**	31,4	23,1	29,9	28,7
35 à 44 ans	**23,9**	29,7	18,6[E]	29,3	26,6
45 à 64 ans	**21,2**	22,0	26,2	21,2	21,2
65 ans et plus	**10,1**	8,3	6,6[E]	12,9	9,2[E]

Note : Population à domicile de 12 ans et plus qui a déclaré qu'elle fumait (tous les jours ou à l'occasion).
Source : Statistique Canada, CANSIM : tableau 105-0427.

Tableau 24.7 Non-fumeurs exposés à la fumée secondaire au domicile selon le groupe d'âge, par province et territoire, 2005

	Canada	Terre-Neuve-et-Labrador	Île-du-Prince-Édouard	Nouvelle-Écosse	Nouveau-Brunswick
	pourcentage				
12 ans et plus	**8,7**	**11,9**	**13,6**	**10,6**	**12,1**
12 à 14 ans	**22,1**	35,2	28,7[E]	19,9	31,0
15 à 19 ans	**20,8**	22,8	30,4[E]	23,7	25,8
20 à 24 ans	**13,9**	16,4[E]	21,9[E]	17,7[E]	20,8[E]
25 à 34 ans	**6,0**	5,4[E]	7,5[E]	6,8[E]	9,2[E]
35 à 44 ans	**5,4**	10,6	11,0[E]	6,1[E]	8,5[E]
45 à 54 ans	**6,9**	12,9	F	11,4[E]	9,0[E]
55 à 64 ans	**6,9**	9,5[E]	13,0[E]	7,9[E]	10,2
65 à 74 ans	**5,8**	3,5[E]	10,7[E]	7,9[E]	8,7[E]
75 ans et plus	**4,4**	8,0[E]	F	5,1[E]	4,4[E]

Note : Population à domicile de non fumeurs de 12 ans et plus qui ont déclaré qu'au moins une personne fume à leur domicile tous les jours ou presque tous les jours.
Source : Statistique Canada, CANSIM : tableau 105-0456.

Québec	Ontario	Manitoba	Saskatchewan	Alberta	Colombie-Britannique	Yukon	Territoires du Nord-Ouest	Nunavut
				pourcentage				
24,4	**20,7**	**20,4**	**23,8**	**22,7**	**17,8**	**30,4**	**36,0**	**52,8**
16,6	10,6	9,9	13,1	10,9	10,0	15,2^{E}	17,6	43,0
31,1	27,3	28,4	31,9	28,4	25,1	40,1	42,9	62,5
28,6	26,3	26,2	28,5	29,7	20,4	26,5^{E}	46,6	57,5
25,3	21,4	21,4	27,0	22,8	17,8	35,0	31,8	45,6
12,6	9,3	8,6	11,4	12,0	9,3	18,7^{E}	31,8^{E}	F
25,3	**23,3**	**21,7**	**24,8**	**25,5**	**19,6**	**32,6**	**33,7**	**52,8**
15,1	10,9	10,5^{E}	12,7	10,6	9,9	12,6^{E}	19,8^{E}	35,3
31,1	33,4	32,0	32,6	33,6	27,2	43,4^{E}	42,6	65,1
31,2	28,8	25,9	30,2	33,8	25,0	33,0^{E}	39,3	64,0
26,3	22,9	21,1	27,5	24,2	19,2	37,2	27,7^{E}	40,4
13,5	9,7	10,8	12,6	12,4	9,1	F	34,1^{E}	F
23,4	**18,2**	**19,1**	**22,8**	**20,0**	**16,0**	**28,1**	**38,6**	**52,9**
18,3	10,3	9,3^{E}	13,4	11,1	10,0	18,1^{E}	15,3^{E}	50,9
31,0	21,5	24,9	31,2	23,1	23,0	37,3^{E}	43,3	59,8
26,0	23,6	26,5	26,9	25,4	15,8	19,9^{E}	54,4	51,2^{E}
24,4	20,0	21,7	26,4	21,3	16,3	32,5	36,6^{E}	50,9^{E}
11,9	9,0	7,0	10,3	11,7	9,5	F	F	F

Québec	Ontario	Manitoba	Saskatchewan	Alberta	Colombie-Britannique	Yukon	Territoires du Nord-Ouest	Nunavut
				pourcentage				
13,0	**7,3**	**8,6**	**7,8**	**8,1**	**4,8**	**8,2^{E}**	**19,0**	**17,0^{E}**
31,3	17,4	20,6	22,8	22,9	16,0	35,3^{E}	43,4^{E}	57,4
31,0	18,1	19,6	17,9	18,9	13,6	20,9^{E}	37,4^{E}	F
20,8	11,5	14,4^{E}	7,8^{E}	13,1	9,2	F	F	F
10,2	5,1	4,3^{E}	3,7^{E}	4,7	2,7^{E}	F	F	F
8,7	4,2	5,3^{E}	6,9^{E}	4,4^{E}	2,4^{E}	F	F	F
10,7	5,3	7,0^{E}	6,4^{E}	5,9^{E}	4,0^{E}	F	F	F
10,6	5,6	7,9^{E}	6,4^{E}	5,8^{E}	2,6^{E}	F	F	F
7,9	5,7	5,8^{E}	3,7^{E}	4,8^{E}	2,6^{E}	F	F	F
6,3	4,4	4,2^{E}	3,3^{E}	4,6^{E}	1,6^{E}	F	F	F

Tableau 24.8 Dépenses au chapitre de la santé, 2002 à 2006

	2002	2003	2004	2005p	2006p
	millions de dollars				
Dépenses au chapitre de la santé	**114 912,4**	**123 382,0**	**131 380,2**	**139 836,3**	**148 014,1**
Hôpitaux	34 887,5	37 162,1	39 863,8	42 098,8	44 131,3
Autres établissements	10 751,1	11 501,9	12 326,1	13 204,3	13 962,2
Médecins	15 048,9	16 124,6	17 167,9	18 127,8	19 413,2
Autres professionnels	13 096,8	13 190,3	14 197,9	14 904,6	15 616,4
Services dentaires	8 264,8	8 447,1	8 983,1	9 486,1	9 943,3
Services de soins de la vue	2 792,1	2 675,0	3 054,2	3 117,5	3 247,7
Autres	2 040,0	2 068,2	2 160,6	2 301,0	2 425,5
Médicaments	18 441,3	20 139,3	21 829,0	23 721,6	25 155,4
Médicaments d'ordonnance	14 839,9	16 482,7	18 009,8	19 735,8	21 090,3
Médicaments en vente libre	3 601,4	3 656,6	3 819,1	3 985,8	4 065,1
Autres dépenses	22 686,6	25 263,8	25 995,5	27 779,1	29 735,4
	pourcentage du produit intérieur brut				
Dépenses au chapitre de la santé	**10,0**	**10,1**	**10,2**	**10,2**	**10,3**

Note : Les dépenses au chapitre de la santé comprennent les déboursés des administrations fédérale, provinciales, territoriales et locales, ainsi que ceux du secteur privé et des commissions des accidents du travail.

Source : Institut canadien d'information sur la santé.

Tableau 24.9 Rémunération hebdomadaire moyenne des travailleurs du secteur des soins de santé et de l'assistance sociale selon certains groupes, 1996, 2001 et 2006

	1996	2001	2006
	dollars		
Ensemble des soins de santé et assistance sociale	**536,84**	**580,66**	**678,91**
Services de soins ambulatoires	493,18	532,95	683,14
Cabinets de médecins	458,21	491,54	671,59
Cabinets de dentistes	493,93	535,85	701,57
Hôpitaux	641,68	688,10	770,46
Établissements de soins infirmiers et de soins pour bénéficiaires internes	452,13	519,67	613,00
Assistance sociale	395,67	459,75	537,24
Services de garderie	345,58	409,08	472,99

Note : Inclut les heures supplémentaires.

Source : Statistique Canada, CANSIM : tableau 281-0027.

Tableau 24.10 Dépenses en immobilisations et en réparations du secteur des soins de santé et de l'assistance sociale, par province et territoire, 1995, 2000 et 2005

	1995	2000	2005p
		millions de dollars	
Canada	**2 814,4**	**4 658,8**	**8 035,2**
Terre-Neuve-et-Labrador	27,0	130,3	80,2
Île-du-Prince-Édouard	6,9	16,0	17,0
Nouvelle-Écosse	87,6	75,7	123,0
Nouveau-Brunswick	118,2	56,9	194,3
Québec	x	982,9	1 709,8
Ontario	1 204,5	1 835,4	3 185,9
Manitoba	70,9	227,1	295,7
Saskatchewan	93,4	156,3	190,4
Alberta	123,8	557,2	1 011,2
Colombie-Britannique	370,6	602,3	1 189,8
Yukon	11,2	5,8	5,5
Territoires du Nord-Ouest (incluant le Nunavut)	14,4	..	..
Territoires du Nord-Ouest	..	6,9	14,6
Nunavut	..	6,0	17,7

Source : Statistique Canada, CANSIM : tableau 029-0005.

Tableau 24.11 Accès à des services spécialisés de la santé selon le type de service et les difficultés éprouvées, 2003 et 2005

	2003	2005
	millions	
Personnes ayant eu accès à des soins		
Visites chez un spécialiste	2,9	2,8
Chirurgies non urgentes	1,6	1,6
Tests diagnostiques	1,9	2,2
	pourcentage	
Personnes ayant eu accès à des soins		
Visites chez un spécialiste	11,6	10,9
Chirurgies non urgentes	6,2	6,0
Tests diagnostiques	7,5	8,5
Personnes ayant éprouvé des difficultés[1]		
Visites chez un spécialiste	20,9	18,7
Chirurgies non urgentes	12,9	12,5
Tests diagnostiques	15,9	13,4

Notes : Population de 15 ans et plus dans les ménages privés.
Les « services spécialisés » incluent les visites chez un spécialiste pour un nouveau problème de santé, les chirurgies non urgentes sauf les chirurgies dentaires, et certains tests diagnostiques (imagerie par résonance magnétique (IRM), tomodensitométrie (CT-scan) et angiographie non urgentes).

1. Analyse fondée sur les personnes ayant eu accès à des services spécialisés au cours des 12 mois qui ont précédé l'enquête.

Source : Statistique Canada, produit nº 82-575-XIF au catalogue.

Tableau 24.12 Obstacles à l'accès aux services spécialisés de la santé selon le type de services, 2003 et 2005

	2003	2005
	pourcentage	
Visites chez un spécialiste		
Attente trop longue pour obtenir un rendez-vous	67,8	67,8
Difficulté à obtenir un rendez-vous	24,5	32,2
Chirurgies non urgentes		
Attente trop longue pour obtenir un rendez-vous	61,7	65,6
Difficulté à obtenir un rendez-vous	23,6[E]	22,9
Tests diagnostiques		
Attente trop longue pour obtenir un rendez-vous	55,0	58,8
Attente trop longue pour le test	33,5	36,2
Difficulté à obtenir un rendez-vous	21,8[E]	17,8[E]

Notes : Les « services spécialisés » incluent les visites chez un spécialiste pour un nouveau problème de santé, les chirurgies non urgentes sauf les chirurgies dentaires, et certains tests diagnostiques (imagerie par résonance magnétique (IRM), tomodensitométrie (CT-scan) et angiographie non urgentes).
Population de 15 ans et plus dans les ménages privés.
Les réponses multiples ayant été acceptées, les totaux pourraient être supérieurs à 100 %.
Analyse fondée sur les personnes ayant eu accès à des services spécialisés au cours des 12 mois qui ont précédé l'enquête. Les cas de non-réponse (« Ne sait pas », « Non déclaré » et « Refus ») sont exclus de l'analyse.
Source : Statistique Canada, produit nº 82-575-XIF au catalogue.

Tableau 24.13 Temps d'attente pour des services spécialisés de la santé selon le type de service, 2003 et 2005

	2003	2005
	pourcentage	
Visites chez un spécialiste		
Moins d'un mois	47,9	46,0
1 à 3 mois	40,7	41,1
Plus de 3 mois	11,4	12,9
Chirurgies non urgentes		
Moins d'un mois	40,5	40,3
1 à 3 mois	42,1	40,7
Plus de 3 mois	17,4	19,1
Tests diagnostiques		
Moins d'un mois	57,5	56,4
1 à 3 mois	31,1	33,3
Plus de 3 mois	11,5	10,2

Notes : Les « services spécialisés » incluent les visites chez un spécialiste pour un nouveau problème de santé, les chirurgies non urgentes sauf les chirurgies dentaires, et certains tests diagnostiques (imagerie par résonance magnétique (IRM), tomodensitométrie (CT-scan) et angiographie non urgentes).
Population de 15 ans et plus dans les ménages privés.
Analyse fondée sur les personnes ayant déclaré des temps d'attente pour l'accès à des « services spécialisés » au cours des 12 mois qui ont précédé l'enquête. Les cas de non-réponse (« Ne sait pas », « Non déclaré » et « Refus ») sont exclus de l'analyse.
Source : Statistique Canada, CANSIM : tableaux 105-3002, 105-3003 et 105-3004.

Science et technologie

25

SURVOL

La science-fiction n'est plus ce qu'elle était. Dans notre univers dépendant de la technologie, la science ne fait plus partie d'un monde fantastique et inaccessible : elle est devenue un élément central de la vie quotidienne des Canadiens.

Les secteurs de la biotechnologie et de la chimie formulent de nouveaux médicaments, les entreprises de haute technologie produisent les tout derniers gadgets indispensables à un rythme sans précédent, et les programmes de recherche génèrent régulièrement des innovations de pointe dans les domaines de l'intelligence artificielle, de la nanotechnologie, de la robotique, de la photonique, de la géomatique et de l'aéronautique.

Les manières dont l'industrie utilise la science pour améliorer les méthodes d'extraction, de raffinage, de livraison et d'exploitation viable de nos ressources sont moins faciles à observer. La science a profondément modifié la compréhension que nous avons de notre impact sur l'environnement, mais elle nous aide également à développer d'autres sources d'énergie, une croissance plus durable et des produits meilleurs pour la santé.

La science a une incidence énorme. Elle améliore notre qualité de vie, stimule notre économie et renforce nos industries. Aujourd'hui, un peu partout au pays, des centaines de milliers de Canadiens talentueux gagnent leur vie dans les entreprises privées, les laboratoires gouvernementaux et les programmes de recherche universitaires en faisant avancer la science dans de nouvelles directions.

Financement de la science

Le Canada investit d'importantes sommes dans la recherche-développement (R-D) scientifique. En 2006, les universités, hôpitaux, laboratoires gouvernementaux et entreprises avaient prévu consacrer 28,4 milliards de dollars à la R-D, soit plus du double du montant dépensé dix ans plus tôt. Ce total, qui regroupe les dépenses intérieures

Graphique 25.1
Dépenses intérieures brutes en recherche et développement selon le secteur

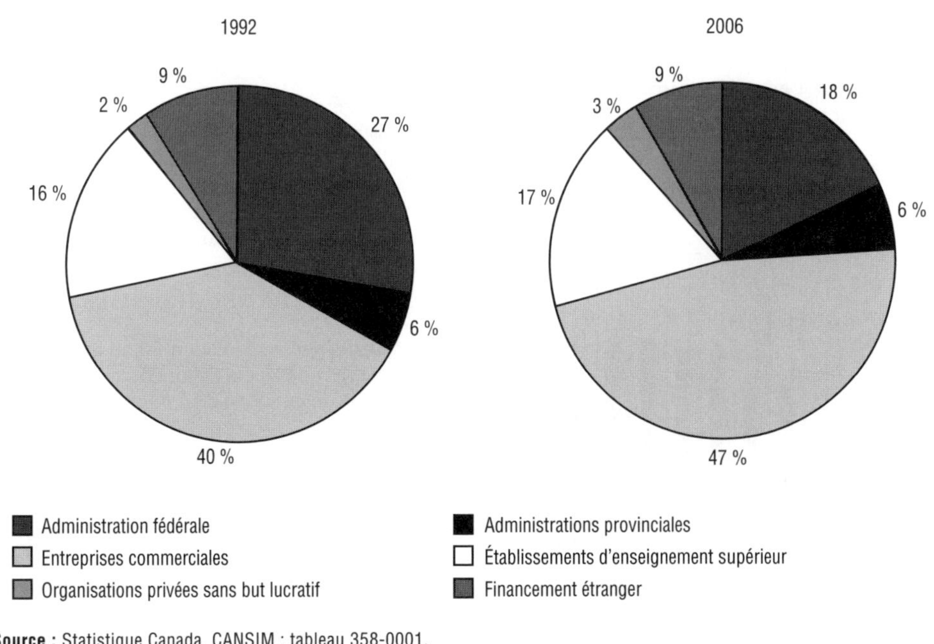

Source : Statistique Canada, CANSIM : tableau 358-0001.

brutes en recherche-développement (DIRD), constitue l'ensemble des dépenses effectuées en R-D au pays au cours d'une année donnée.

Les DIRD représentent les dépenses totales liées à la R-D dans un pays par l'ensemble des sources de financement locales et étrangères. Elles excluent les paiements envoyés à l'étranger pour des activités de R-D effectuées dans d'autres pays.

Les DIRD constituent un point de référence important pour déterminer l'intensité de la recherche dans un pays donné et pour effectuer des comparaisons à l'échelle nationale ou internationale. Des niveaux de financement plus élevés des DIRD se traduisent généralement par l'acquisition d'un savoir scientifique plus important.

En 2006, près de la moitié du total des DIRD prévues, soit 13,2 milliards de dollars, était financées par les entreprises commerciales. L'administration fédérale prévoyait avoir financé 5,2 milliards de dollars et les établissements d'enseignement supérieur, 4,9 milliards de dollars. Le secteur des organisations privées sans but lucratif, qui a accru son financement en R-D de près de 300 % depuis 1992, prévoyait avoir investi 900 millions de dollars. Le reste du financement provenait des administrations provinciales (1,6 milliard de dollars) et de l'étranger (2,4 milliards de dollars).

Graphique 25.2
Dépenses de l'administration fédérale en activités scientifiques et technologiques

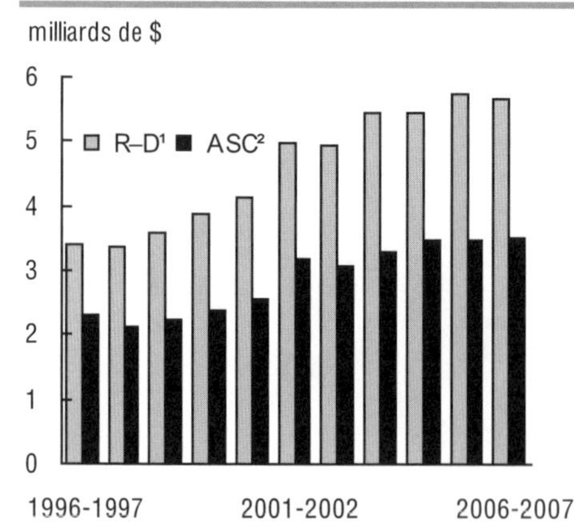

1. Recherche et développement expérimental.
2. Activités scientifiques connexes.

Source : Statistique Canada, produit nº 88-001-XIF au catalogue.

Revenus et dépenses de recherche et développement en biotechnologie selon le secteur, 2005

	Entreprises	Revenus	Dépenses de recherche et développement
	nombre	millions de dollars	
Toutes les entreprises de biotechnologie innovatrices	**532**	**4 191**	**1 703**
Santé humaine	303	2 955	1 486
Agriculture et transformation des produits alimentaires	130	1 075	157
Environnement	54	121	34
Autre	45	41	27

Source : Statistique Canada, produit nº 88-003-XIF au catalogue.

En 2004, le Canada se situait à la 12e place parmi les 30 pays de l'Organisation de coopération et de développement économiques (OCDE) au chapitre du pourcentage du produit intérieur brut consacré à la R-D. Le Canada a dépensé à cet égard 2,0 % de son produit intérieur brut, comparativement à 2,3 % en moyenne pour l'ensemble de l'OCDE. La Finlande et le Japon sont deux des pays qui ont le plus dépensé, avec respectivement 3,5 % et 3,1 % de leur produit intérieur brut.

Pour l'exercice financier 2006-2007, l'administration fédérale prévoyait dépenser 9,2 milliards de dollars au chapitre des activités de science et technologie (S-T), y compris 5,7 milliards de dollars pour la recherche et le développement expérimental.

Accroissement des dépenses

La part des dépenses de l'administration fédérale en S-T consacrées aux activités en sciences naturelles et du génie est de 6,9 milliards de dollars en 2006-2007, soit 74 % du total des dépenses, en baisse par rapport à un sommet de 78 % en 2002-2003. Seulement 30 % des 2,4 milliards de dollars consacrés aux activités en sciences sociales sont affectés à la R-D, le reste est affecté à des activités scientifiques connexes, comme la collecte de données, le maintien de normes nationales et les essais, les études de faisabilité et les études liées à des politiques.

De 2000-2001 à 2006-2007, les dépenses de l'administration fédérale pour des activités scientifiques et technologiques ont progressé de 39 % (en dollars courants). Cette progression a surtout eu lieu en 2001-2002 lorsque le gouvernement a investi un supplément de 1,5 milliard de dollars, soit une croissance de 22 % par rapport à l'année financière précédente.

Les établissements universitaires et les hôpitaux de recherche allouent aussi plus de fonds à leurs programmes scientifiques. En 2000, 14 % des DIRD étaient financées par les établissements d'enseignement supérieur; en 2006, cette proportion était passée à 17 %. Pendant la même période, le secteur des entreprises a accrû sa participation au financement des DIRD de 45 % à 47 %.

Où travaillent les scientifiques?

En 2006-2007, plus de 36 000 personnes étaient employées à temps plein par le gouvernement fédéral à des activités en science et technologie, soit une hausse de 3 % par rapport à 2005-2006. La majorité (61 %) de ces emplois, en 2006-2007, s'exerçaient dans des activités scientifiques connexes.

En 2006-2007, les activités en sciences naturelles et génie constituaient 68 % des dépenses totales estimées pour le personnel, dont 54 % en R-D.

Graphique 25.3
Entreprises en biotechnologie selon la taille d'entreprise, 2005

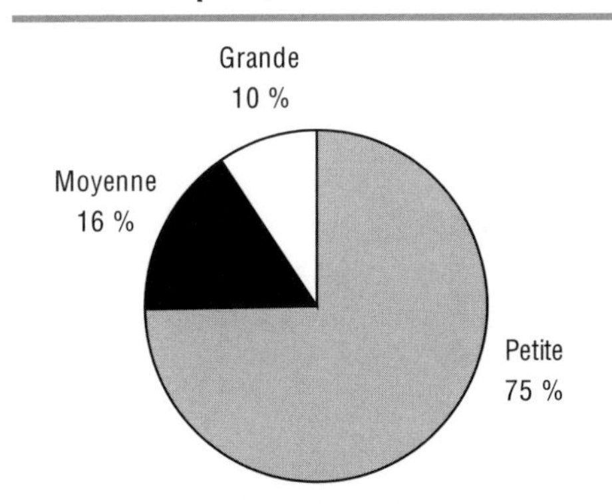

Notes : Petite (0 à 50 employés)
Moyenne (50 à 149 employés)
Grande (plus de 150 employés)
Les pourcentages ayant été arrondis, leur somme peut ne pas être égale à 100 %.

Source : Statistique Canada, produit nº 88-003-XWF au catalogue.

Par contre, le personnel en sciences sociales et humaines représentait 32 % du total, dont seulement 7 % étaient alloués aux travaux de R-D.

Les scientifiques canadiens repoussent également les frontières du savoir et sont des acteurs de premier plan dans les sciences de pointe comme la biotechnologie, où ils développent des cultures résistant aux virus ou mettent au point de nouveaux traitements pour les brûlures.

En 2005, plus de 13 400 Canadiens étaient engagés dans des activités de biotechnologie dans 532 entreprises de biotechnologie novatrices, c'est-à-dire des entreprises qui élaborent de nouveaux produits ou procédés. Plus de 3 de ces entreprises sur 4 sont situées dans les trois provinces où sont concentrés plus de 90 % des revenus de biotechnologie : le Québec, l'Ontario et la Colombie-Britannique.

Dans l'ensemble, les entreprises de biotechnologie ont généré 4,2 milliards de dollars en 2005 et dépensé 1,7 milliard de dollars en R-D. La plupart d'entre elles sont petites, et emploient moins de 50 personnes. Toutefois, plus de deux tiers des revenus sont attribuables aux 50 plus grandes de ces entreprises, celles qui ont au moins 150 employés.

La biotechnologie liée à la santé humaine demeure le secteur le plus important pour ce qui est du nombre d'entreprises et d'employés, des activités de R-D et des revenus.

Sources choisies

Statistique Canada

- *Activités scientifiques fédérales.* Annuel. 88-204-XIF
- *Bulletin de l'analyse en innovation.* Irrégulier. 88-003-XIF
- *Division des sciences, de l'innovation et de l'information électronique : documents de recherche.* Irrégulier. 88F0017MIF
- *Division des sciences, de l'innovation et de l'information électronique : documents de travail.* Hors série. 88F0006XIF
- *Statistique des sciences.* Irrégulier. 88-001-XIF

Aliments fonctionnels et nutraceutiques

À mesure que la population canadienne vieillit et est confrontée aux coûts croissants des soins de santé, bon nombre de personnes en viennent à établir un lien entre la santé et le régime alimentaire. Le secteur des aliments fonctionnels et des nutraceutiques profite de ce phénomène : au Canada, 389 entreprises ont tiré 2,9 milliards de dollars de revenus de ces produits et fait travailler 13 000 personnes en 2004-2005.

Ces entreprises conçoivent des produits (consommés comme aliments ou comme suppléments) directement à partir de sources naturelles pour améliorer la santé humaine. De l'ensemble de ces revenus, 1,6 milliard de dollars provenaient d'entreprises vendant seulement des nutraceutiques, 824 millions, d'entreprises spécialisées dans les aliments fonctionnels et 443 millions, d'entreprises qui vendaient les deux types de produits. Aujourd'hui, près de 10 000 aliments fonctionnels et produits nutraceutiques sont offerts en magasins et la gamme de produits est en expansion grâce à la R-D. Le secteur a investi 75 millions de dollars en 2004 en R-D orientée sur les aliments fonctionnels et les nutraceutiques. Cette somme représente 46 % des dépenses des entreprises en R-D.

Les entreprises ne vendant que des nutraceutiques présentent la plus faible proportion (39 %) de fonds affectés à la R-D sur les aliments fonctionnels et les nutraceutiques; pourtant, elles ont réalisé la plus grande partie des ventes d'aliments fonctionnels et de nutraceutiques (57 %). Cela indique que la plupart des produits nutraceutiques sont déjà sur le marché et génèrent des revenus.

Le nombre d'entreprises produisant des aliments fonctionnels ou des nutraceutiques a cru, passant de 294 en 2002 à 389 en 2004. Ces aliments et ces produits offrent non seulement des ouvertures sur le marché canadien, mais aussi l'occasion de conquérir le marché international. Les États-Unis constituent l'un des principaux marchés où ces entreprises exportent quelque 545 millions de dollars d'aliments fonctionnels et de nutraceutiques qu'elles produisent.

Graphique 25.4
Entreprises participant à des activités reliées aux aliments fonctionnels et/ou aux nutraceutiques, 2004

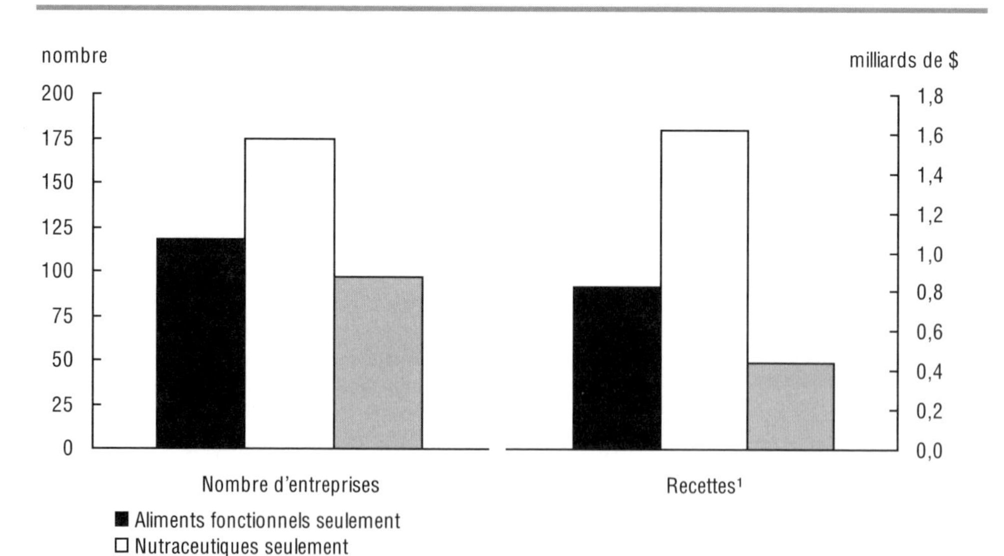

1. L'estimation pour les recettes totales des entreprises participant à des activités reliées aux aliments fonctionnels et aux nutraceutiques doit être utilisée avec prudence.

Source : Statistique Canada, produit nº 88-003-XIF au catalogue.

La persévérance est rentable

Chaque année, des milliers d'entreprises entreprennent des projets de R-D pour faire progresser la science et concevoir de nouveaux produits et services. Toutefois, selon l'Enquête de Recherche et développement dans l'industrie canadienne, seule une minorité maintiennent des programmes de R-D de longue durée.

Parmi les 31 200 entreprises effectuant une certaine forme de R-D de 1994 à 2002, seulement 5 % (soit 1 700) étaient des exécutants de R-D « persévérants ». Dans l'enquête, les entreprises étaient regroupées en fonction de leurs dépenses annuelles en R-D, un indice de la vigueur de leur programme de R-D. L'analyse a révélé que le groupe de dépenses en R-D auquel l'entreprise appartient influence sa persévérance à poursuivre des activités de R-D.

En 1994, les programmes d'entreprises ayant dépensé 10 millions de dollars ou plus en R-D duraient plus longtemps que ceux des entreprises y ayant consacré moins de 100 000 $. Près du tiers de celles qui avaient les dépenses les plus élevées ont déclaré avoir effectué de la R-D chacune des neuf années de la période de 1994 à 2002; seulement 3 % de celles ayant effectué le moins de dépenses (moins de 100 000 $ par année en R-D) ont indiqué avoir fait de la R-D sur une aussi longue période. Cette tendance laisse apparaître les différentes manières de percevoir la R-D : les entreprises qui y consacrent le plus de ressources financières la considèrent comme un programme; celles qui y investissent le moins l'envisagent comme un projet à court terme.

Les dépenses annuelles moyennes en R-D pour l'ensemble des entreprises étaient de 1,7 million de dollars en 2001, et ont reculé à 1,6 million de dollars en 2002, traduisant ainsi les renversements du marché dans le secteur des entreprises point-com et celui du matériel de télécommunications. Pourtant, il s'agissait encore de près du triple les dépenses annuelles moyenne comparativement à 1994. De plus, les dépenses totales en R-D devaient atteindre 14,8 milliards de dollars en 2006, une augmentation de 86 % par rapport à 1996. De 1994 à 2002, le nombre d'entreprises dépensant 10 millions de dollars ou plus par an en R-D a presque doublé.

Graphique 25.5
Persistance des activités de R-D selon certains groupes de dépenses, 1994 à 2002

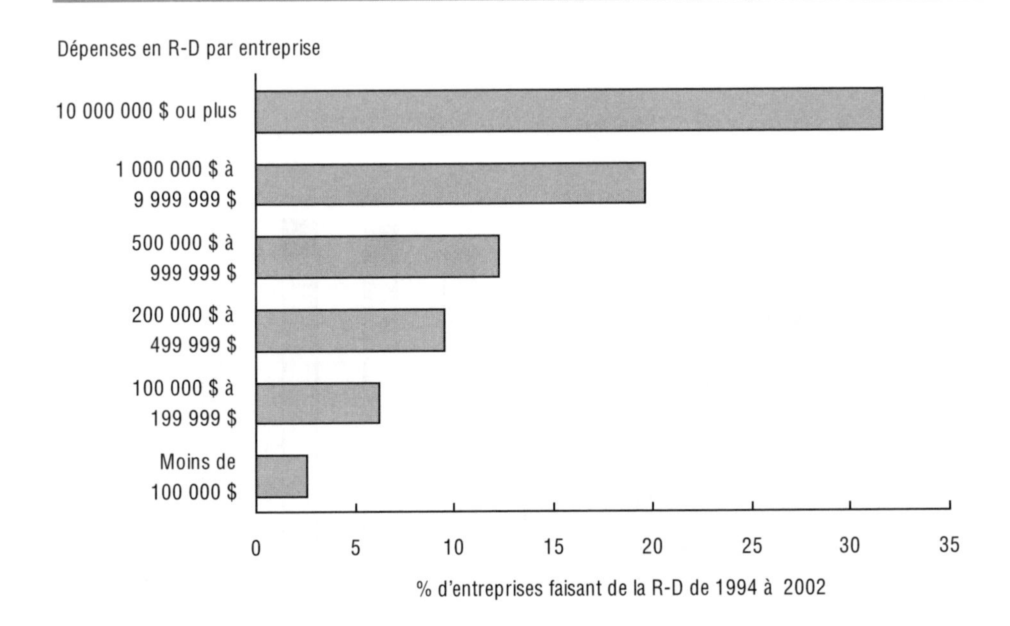

Source : Statistique Canada, produit n° 88-003-XIF au catalogue.

Les chercheurs et les concepteurs

Les chercheurs et techniciens scientifiques sont recherchés. De 1980 à 2004, le nombre de chercheurs, techniciens et employés de soutien engagés à temps plein en R-D au Canada s'est accru de 140 %, passant de 83 000 à 199 000 personnes. Le nombre de chercheurs a plus que triplé; celui des techniciens a presque doublé.

Le Canada a 7,2 chercheurs pour 1 000 travailleurs, donc plus que la moyenne de 6,9 de l'OCDE. Les États-Unis ont 9,6 pour 1 000 travailleurs, et le Japon se situe en première place, avec 10,4 pour 1 000 travailleurs.

Les sciences naturelles et le génie attirent le plus grand nombre d'employés en R-D, soit près de 90 % des chercheurs, techniciens et employés de soutien en 2004. Soixante-treize pour cent d'entre eux travaillent dans des entreprises commerciales, 18 % dans des établissements d'enseignement supérieur et 9 % dans les administrations fédérale et provinciales.

Dans les établissements d'enseignement postsecondaire, les dépenses en R-D ont presque doublé, passant de 5,1 milliards de dollars en 1999 à 9,0 milliards de dollars en 2004. Le nombre de travailleurs en R-D dans les établissements d'enseignement supérieur a bondi de 6 % de 2003 à 2004. Depuis 2002, les rangs du personnel de R-D dans l'enseignement supérieur au Canada se sont accrus un peu plus rapidement que dans beaucoup d'autres pays de l'OCDE.

La concentration de personnel de R-D correspond aux tendances des dépenses en R-D. C'est en Ontario et au Québec que se trouvent la plupart des installations de recherche au Canada; on y a dénombré 76 % de l'ensemble du personnel de R-D en 2004. Environ 10 % du personnel de R-D travaillait en Colombie-Britannique cette année-là, alors qu'une autre tranche de 7 % œuvrait en Alberta. À Terre-Neuve-et-Labrador, 2 travailleurs en R-D sur 3 œuvrent dans l'enseignement supérieur et les organisations privées sans but lucratif. Cette proportion est de 1 sur 2 en Nouvelle-Écosse et au Nouveau-Brunswick. La majorité (62 % à 70 %) du personnel de R-D au Québec, en Ontario et en Colombie-Britannique travaille dans les entreprises.

Graphique 25.6
Emploi dans la recherche et développement

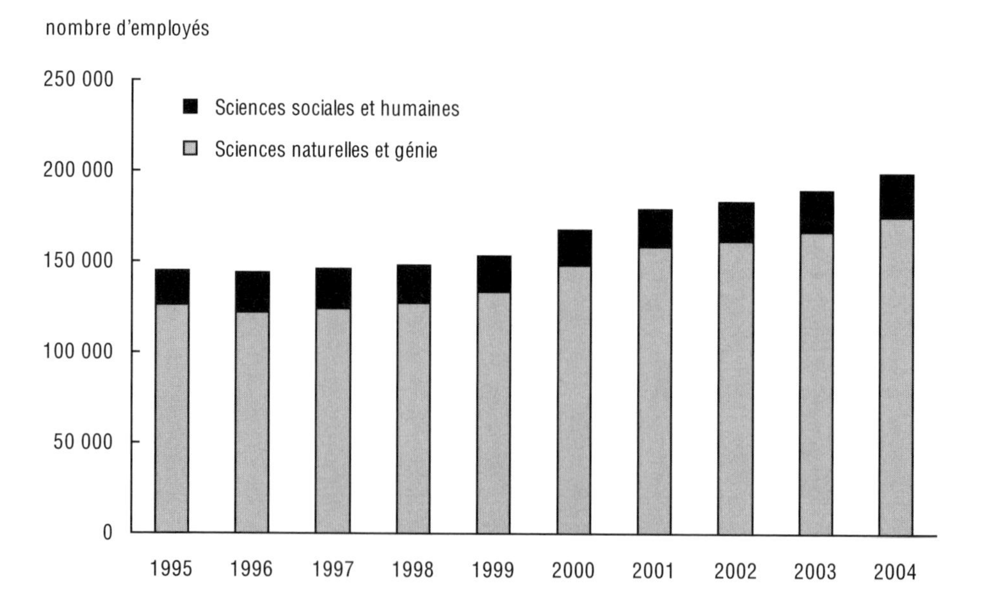

Source : Statistique Canada, produit nº 88-001-XIF au catalogue.

Le dévoilement des inventions

Les universités canadiennes et les hôpitaux de recherche commercialisent un plus grand nombre d'inventions issues de leurs laboratoires. Elles exploitent celles qui présentent la meilleure performance au moyen d'entreprises dérivées. Elles ont créé 50 de ces entreprises en 2003 et 2004 seulement.

En 2004, les universités et les hôpitaux de recherche ont dévoilé 1 432 inventions, soit 26 % de plus qu'en 2003, et elles ont obtenu près de 400 brevets pour ces nouvelles technologies. À la fin de 2004, elles avaient octroyé des licences, cédé ou commercialisé d'une manière ou d'une autre 50 % des brevets qu'elles détenaient au Canada, contre 35 % à la fin de 2003.

À la fin de 2004, les universités et leurs hôpitaux de recherche avaient créé 968 entreprises dérivées. Ces dernières couvrent un large éventail de secteurs d'activité et sont centrées sur les inventions de haute technologie, par exemple la fabrication d'appareils médicaux et les applications techniques ainsi que la conception de systèmes informatiques. De 1995 à 1999, un tiers des entreprises dérivées se sont constituées en société; 64 % sont encore en exploitation. En 2004, 33 hôpitaux et universités ont fourni des locaux à 87 entreprises en démarrage, par rapport à 25 établissements ayant hébergé 74 entreprises en démarrage en 2003.

Le financement de la recherche subventionnée totalisait 5 milliards de dollars en 2004. Environ 68 % de ce montant été alloué à des établissements du Québec et de l'Ontario. Ces deux provinces représentaient 57 % des inventions. Les universités des Prairies ont reçu 18 % des sommes consacrées à la recherche subventionné, et pourtant, elles ont présenté 21 % des inventions faites au pays et obtenu 26 % des brevets délivrés. Les établissements de la Colombie-Britannique étaient aussi très performants, puisqu'ils ont reçu 10 % des fonds destinés à la recherche mais ont généré 17 % de toutes les inventions. Les établissements du Canada Atlantique constituent 7 % de toutes les entreprises dérivées créées jusqu'à maintenant.

Graphique 25.7
Distribution du financement de la recherche et des inventions par les universités et les hôpitaux de recherche canadiens selon la région, 2004

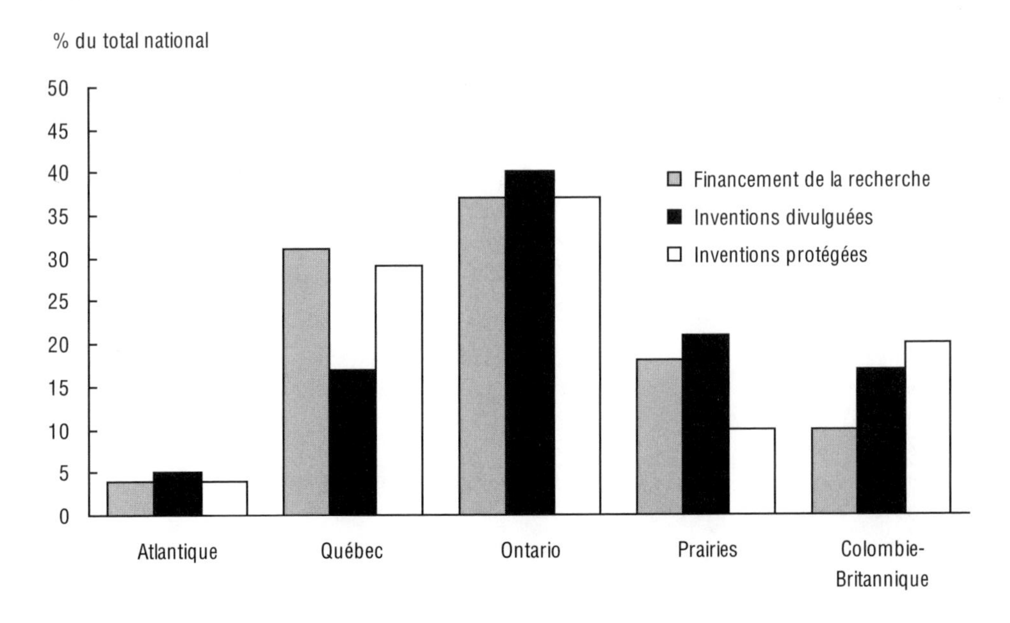

Source : Statistique Canada, produit nº 88F0006XIF au catalogue.

Tableau 25.1 Dépenses fédérales au chapitre des sciences et de la technologie, par province et territoire, 1999-2000 à 2004-2005

	1999-2000	2000-2001	2001-2002	2002-2003	2003-2004	2004-2005
	millions de dollars					
Canada (incluant la région de la capitale nationale)	**5 640**	**6 084**	**7 476**	**7 300**	**7 976**	**8 156**
Région de la capitale nationale[1]	1 981	2 130	2 603	2 608	2 642	2 708
Canada (excluant la région de la capitale nationale)	**3 659**	**3 954**	**4 873**	**4 692**	**5 333**	**5 448**
Terre-Neuve-et-Labrador	87	101	95	117	121	137
Île-du-Prince-Édouard	20	29	26	24	33	39
Nouvelle-Écosse	197	220	225	247	257	294
Nouveau-Brunswick	72	68	82	102	100	122
Québec[2]	833	1 017	1 381	1 243	1 328	1 352
Ontario[2]	1 309	1 347	1 653	1 582	2 038	1 967
Manitoba	161	190	211	214	194	226
Saskatchewan	131	148	165	151	159	157
Alberta	301	327	476	395	469	474
Colombie-Britannique	528	479	525	582	588	645
Yukon, Territoires du Nord-Ouest et Nunavut	20	28	34	35	46	35

1. Dépenses fédérales intra-muros seulement.
2. Inclut les dépenses extra-muros de la région de la capitale nationale exécutées dans la province.

Source : Statistique Canada, produit nº 88-001-XIF au catalogue.

Tableau 25.2 Dépenses fédérales en recherche et développement selon l'activité, 2001-2002 à 2006-2007

	2001-2002	2002-2003	2003-2004	2004-2005	2005-2006p	2006-2007p
	millions de dollars					
Recherche et développement et activités scientifiques connexes	**8 169**	**8 014**	**8 765**	**8 935**	**9 228**	**9 185**
Recherche et développement	4 989	4 927	5 462	5 455	5 751	5 663
Dépenses courantes	4 571	4 492	5 033	5 033	5 314	5 259
Administration des programmes extra-muros	213	227	257	269	282	275
Dépenses en immobilisations	205	208	172	152	154	128
Activités scientifiques connexes	3 180	3 087	3 303	3 480	3 477	3 523
Collecte de données	1 611	1 498	1 618	1 702	1 699	1 717
Services de renseignements	618	679	663	679	708	717
Études et services spéciaux	513	588	615	666	644	655
Aide à l'éducation	286[1]	177	206	230	253	267
Administration des programmes extra-muros	49	54	56	58	58	61
Dépenses en immobilisations	103	91	145	146	115	106

1. Comprend une subvention de 125 millions de dollars à La Fondation Pierre Elliott Trudeau.

Source : Statistique Canada, produit nº 88-001-XIF au catalogue.

Tableau 25.3 Dépenses intérieures brutes en recherche et développement selon les secteurs d'exécution et de financement, 1990 à 2006

	Total[1]	Administration fédérale	Administrations provinciales	Entreprises commerciales	Enseignement supérieur	Sources étrangères
	millions de dollars					
Secteur d'exécution						
1990	**10 260**	1 654	302	5 169	3 033	...
1991	**10 770**	1 685	328	5 355	3 292	...
1992	**11 338**	1 716	293	5 742[2]	3 519	...
1993	**12 184**	1 757	269	6 424	3 660	...
1994	**13 341**	1 753	260	7 567[2]	3 675	...
1995	**13 754**	1 727	254	7 991	3 691	...
1996	**13 817**	1 792	242	7 997	3 697	...
1997	**14 634**	1 720	214	8 739	3 879	...
1998	**16 088**	1 743	216	9 682	4 370	...
1999	**17 637**	1 859	233	10 400	5 082	...
2000	**20 580**	2 080	255	12 395	5 793	...
2001	**23 169**	2 103	307	14 272	6 424	...
2002	**23 539**	2 190	315	13 516	7 455	...
2003	**24 337**	2 083	315	13 704	8 143	...
2004	**26 003**	2 083	326	14 441	9 037	...
2005p	**27 174**	2 162	336	14 655	9 900	...
2006p	**28 357**	2 145	345	14 850	10 890	...
Secteur de financement						
1990	**10 260**	2 859	641	3 960	1 618	949
1991	**10 770**	2 946	696	4 113	1 735	1 013
1992	**11 338**	3 109	644	4 445[2]	1 867	1 049
1993	**12 184**	3 156	665	5 025	1 892	1 170
1994	**13 341**	3 094	663	5 874[2]	1 914	1 498
1995	**13 754**	2 989	652	6 288	1 926	1 590
1996	**13 817**	2 815	629	6 396	1 905	1 714
1997	**14 634**	2 813	658	7 031	1 971	1 794
1998	**16 088**	2 831	639	7 354	2 339	2 553
1999	**17 637**	3 216	770	7 917	2 649	2 705
2000	**20 580**	3 560	878	9 224	2 892	3 580
2001	**23 169**	4 096	1 048	11 643	2 928	2 918
2002	**23 539**	4 254	1 185	12 086	3 462	1 924
2003	**24 337**	4 533	1 396	12 057	3 589	2 125
2004	**26 003**	4 666	1 407	12 743	4 126	2 332
2005p	**27 174**	4 978	1 520	13 004	4 498	2 375
2006p	**28 357**	5 227	1 644	13 245	4 948	2 416

1. Inclut les organismes privés sans but lucratif.

2. Estimations, étant donné qu'aucune enquête n'a eu lieu.

Source : Statistique Canada, produit nº 88-001-XIF au catalogue.

Tableau 25.4 Dépenses fédérales en recherche et développement selon les provinces d'exécution et de financement, 1990 à 2004

	Canada[1]	Région de la capitale nationale	Canada[2]	Terre-Neuve-et-Labrador	Île-du-Prince-Édouard	Nouvelle-Écosse
	millions de dollars					
Province d'exécution						
1990	**1 654**	711	**943**	35	10	81
1991	**1 685**	733	**952**	35	10	81
1992	**1 716**	753	**963**	35	9	73
1993	**1 757**	774	**983**	36	11	75
1994	**1 753**	789	**964**	33	11	84
1995	**1 727**	805	**922**	27	9	77
1996	**1 792**	771	**1 021**	25	10	79
1997	**1 720**	757	**963**	23	10	70
1998	**1 743**	812	**931**	26	10	77
1999	**1 859**	808	**1 051**	25	12	72
2000	**2 080**	889	**1 191**	30	16	88
2001	**2 103**	926	**1 177**	27	16	70
2002	**2 190**	1 015	**1 175**	32	8	76
2003	**2 083**	999	**1 084**	23	12	65
2004	**2 083**	960	**1 123**	23	10	81
Province de financement						
1990	**2 859**	711	**2 148**	56	11	133
1991	**2 946**	733	**2 213**	54	12	135
1992	**3 109**	748	**2 361**	62	10	125
1993	**3 156**	767	**2 388**	59	12	120
1994	**3 094**	784	**2 310**	52	12	127
1995	**2 989**	796	**2 193**	42	11	113
1996r	**2 815**	755	**2 060**	42	12	112
1997	**2 813**	740	**2 073**	40	11	107
1998	**2 831**	798	**2 033**	44	12	113
1999	**3 216**	796	**2 420**	48	14	113
2000	**3 560**	872	**2 688**	54	19	129
2001	**4 096**	907	**3 189**	52	20	121
2002	**4 254**	994	**3 260**	63	13	134
2003	**4 533**	983	**3 550**	59	20	132
2004	**4 666**	945	**3 721**	60	19	157

1. Incluant la région de la capitale nationale, le Yukon, les Territoires du Nord-Ouest et le Nunavut.

2. Incluant le Yukon, les Territoires du Nord-Ouest et le Nunavut; excluant la région de la capitale nationale.

3. Les données du Québec et de l'Ontario excluent les dépenses de l'administration fédérale effectuées dans la région de la capitale nationale.

Source : Statistique Canada, produit nº 88-001-XIF au catalogue.

Nouveau-Brunswick	Québec[3]	Ontario[3]	Manitoba	Saskatchewan	Alberta	Colombie-Britannique
millions de dollars						
36	215	249	94	50	77	95
37	217	251	95	51	78	96
36	234	274	81	56	78	86
33	250	276	83	54	75	88
28	225	253	79	48	93	103
29	218	259	71	52	98	81
32	226	348	77	47	94	78
29	212	302	59	74	96	83
31	226	276	49	54	94	85
32	250	322	58	60	108	106
27	350	314	69	62	116	111
26	373	328	77	63	98	96
46	370	324	72	53	92	99
30	314	351	63	54	87	80
26	320	329	73	54	110	91
56	550	730	131	78	162	240
54	568	746	133	84	168	258
54	634	848	119	89	167	252
63	660	849	121	87	164	251
60	592	799	119	82	190	270
60	580	756	108	81	207	234
44	546	719	108	75	191	206
41	547	741	88	96	195	200
44	540	737	82	77	183	198
49	665	868	98	103	218	238
42	806	899	113	121	234	263
45	999	1 126	126	123	284	290
68	994	1 118	132	113	282	340
61	1 056	1 289	132	121	325	349
58	1 057	1 327	148	124	339	427

Tableau 25.5 Dépenses intérieures brutes en recherche et développement, par province, 1992, 1996, 2000 et 2004

	1992	1996	2000	2004
	millions de dollars			
Canada (incluant la région de la capitale nationale)[1]	**11 338**	**13 817**	**20 580**	**26 003**
Région de la capitale nationale	753	771	889	960
Canada (excluant la région de la capitale nationale)[1]	**10 585**	**13 046**	**19 691**	**25 043**
Terre-Neuve-et-Labrador	110	103	138	169
Île-du-Prince-Édouard	14	17	36	40
Nouvelle-Écosse	233	257	363	446
Nouveau-Brunswick	122	150	161	222
Québec[2]	3 113	3 801	5 680	7 161
Ontario[2]	4 818	6 176	9 564	11 720
Manitoba	281	295	412	519
Saskatchewan	235	233	376	422
Alberta	779	1 007	1 337	2 053
Colombie-Britannique	879	1 002	1 616	2 282

1. Incluant le Yukon, les Territoires du Nord-Ouest et le Nunavut.
2. Les données du Québec et de l'Ontario excluent les dépenses de l'administration fédérale effectuées dans la région de la capitale nationale.

Source : Statistique Canada, produit nº 88-001-XIF au catalogue.

Tableau 25.6 Dépenses intérieures brutes en recherche et développement, secteur de la santé en comparaison avec l'ensemble des secteurs, 1988 à 2005

	Ensemble des secteurs	Secteur de la santé		
	millions de dollars	millions de dollars	pourcentage de l'ensemble des secteurs	dollars par habitant
1988	**9 045**	1 221	13,5	46
1989	**9 516**	1 365	14,3	50
1990	**10 260**	1 551	15,1	56
1991	**10 767**	1 665	15,5	59
1992	**11 338**	1 783	15,7	63
1993	**12 184**	2 006	16,5	70
1994	**13 342**	2 105	15,8	73
1995	**13 754**	2 196	16,0	75
1996	**13 816**	2 317	16,8	78
1997	**14 634**	2 447	16,7	82
1998	**16 088**	2 692	16,7	89
1999	**17 637**	2 967	16,8	98
2000	**20 635**	3 560	17,3	116
2001	**23 206**	4 159	17,9	134
2002	**23 382**	5 050	21,6	161
2003	**23 992**	5 234	21,8	165
2004	**25 259**	5 574	22,1	174
2005p	**26 268**	5 953	22,7	184

Source : Statistique Canada, CANSIM : tableaux 051-0001, 358-0001 et 384-0036, et produit nº 88-001-XIF au catalogue.

Tableau 25.7 Dépenses au chapitre de la recherche et développement effectuées selon les entreprises commerciales, par province et territoire, 1999 à 2004

	1999	2000	2001	2002	2003	2004
	millions de dollars					
Canada	**10 400**	**12 395**	**14 272**	**13 516**	**13 704**	**14 441**
Terre-Neuve-et-Labrador	18	20	21	21	26	26
Île-du-Prince-Édouard	3	5	6	4	7	6
Nouvelle-Écosse	62	67	91	95	77	89
Nouveau-Brunswick	39	40	45	64	62	75
Québec	3 047	3 642	4 158	4 131	4 154	4 308
Ontario	5 799	6 856	7 900	7 064	7 241	7 457
Manitoba	148	133	173	150	136	165
Saskatchewan	78	76	87	112	84	111
Alberta	490	583	710	782	790	892
Colombie-Britannique	714	973	1 080	1 092	1 127	1 309
Yukon, Territoires du Nord-Ouest et Nunavut	2	0	1	0	1	3

Note : Les dépenses pour l'exécution en recherche et développement.
Source : Statistique Canada, produit nº 88-001-XIF au catalogue.

Tableau 25.8 Gestion de la propriété intellectuelle dans les universités et les hôpitaux de recherche, 1999 à 2005

	1999	2001	2003	2004	2005P
	pourcentage				
Établissements qui s'occupent de la gestion de la propriété intellectuelle	61	66	72	76	..
	nombre				
Employés équivalents à temps plein qui s'occupent de la gestion de la propriété intellectuelle	178	221	255	280	..
Contrats de recherche	5 748	8 247	11 432	14 324	..
Divulgations d'inventions	893	1 105	1 133	1 432	1 475
Inventions protégées[1]	549	682	527	629	744
Inventions refusées par l'établissement	..	..	256	355	323
Demandes de brevet	656	932	1 252	1 264	1 427
Brevets délivrés	349	381	347	397	374
Brevets détenus	1 915	2 133	3 047	3 827	3 953
Nouvelles licences et options	232	354	422	494	577
Licences et options actives	1 165	1 424	1 756	2 022	2 216
	milliers de dollars				
Dépenses de fonctionnement liées à la gestion de la propriété intellectuelle	22 018	28 505	36 419	36 927	..
Valeur des contrats de recherche	393 358	527 051	810 431	940 993	..
Revenus tirés de propriétés intellectuelles	24 745	52 510	55 525	51 210	55 127
Valeur des parts encore détenues par l'établissement dans des entreprises dérivées cotées en bourse	54 560	45 120	52 351	49 872	..
Investissement dans des entreprises dérivées mobilisé avec l'aide de l'établissement	..	..	54 640	56 421	..

Note : Pour les années 2000 et 2002, les données n'ont pas été recueillies puisque l'Enquête sur la commercialisation de la propriété intellectuelle dans le secteur de l'enseignement supérieur a été menée de façon irrégulière entre les années de 1998 à 2003.

1. Ont donné lieu à des activités de protection.

Source : Statistique Canada, CANSIM : tableau 358-0025.

Tableau 25.9 Effectifs universitaires, programmes en technologies, en sciences appliquées et en sciences naturelles selon le sexe, 2000-2001 à 2004-2005

	2000-2001	2001-2002	2002-2003	2003-2004	2004-2005
			nombre		
Ensemble des programmes d'enseignement					
Les deux sexes[1]	**850 572**	**886 605**	**933 870**	**993 246**	**1 014 486**
Hommes	362 271	376 884	397 167	419 463	429 006
Femmes	488 145	509 586	536 640	573 531	585 249
Sciences physiques et de la vie et technologies					
Les deux sexes[1]	**79 140**	**80 553**	**83 616**	**91 719**	**96 441**
Hommes	35 766	36 396	37 329	40 692	42 738
Femmes	43 368	44 154	46 284	51 015	53 697
Mathématiques, informatique et sciences de l'information					
Les deux sexes[1]	**43 527**	**46 377**	**45 897**	**44 190**	**40 929**
Hommes	30 801	32 958	33 165	32 304	29 880
Femmes	12 723	13 419	12 732	11 865	11 004
Architecture, génie et services connexes					
Les deux sexes[1]	**70 023**	**74 817**	**81 087**	**85 776**	**86 451**
Hommes	53 640	57 432	62 376	66 522	67 332
Femmes	16 380	17 385	18 708	19 242	19 116
Agriculture, ressources naturelles et conservation					
Les deux sexes[1]	**15 420**	**14 841**	**14 487**	**14 613**	**14 640**
Hommes	7 491	6 930	6 666	6 579	6 588
Femmes	7 929	7 908	7 821	8 028	8 052

Notes : Les données sont arrondies au cinquième près.
Les données historiques codées avec la classification du Système d'information statistique sur la clientèle universitaire ont été converties à la Classification des programmes d'enseignement 2000.

1. La somme des chiffres peut ne pas correspondre exactement aux totaux indiqués en raison de l'exclusion de la catégorie « sexe non déclaré » ou de l'arrondissement des chiffres.

Source : Statistique Canada, CANSIM : tableau 477-0013.

Services : entreprises, consommateurs et propriété

26

SURVOL

Certes, les activités d'extraction minière, de pétrole et de gaz naturel font la manchette. Toutefois, malgré sa poussée récente, cette vieille branche de l'économie n'est pas sur le point de surclasser le secteur des services. Au Canada, le secteur des services domine l'économie : sa production s'est chiffrée à près de 758,9 milliards de dollars en 2006 et il emploie les trois quarts des Canadiens actifs.

Les services assurent à l'économie des rouages bien huilés et font gagner du temps aux consommateurs. Les entreprises canadiennes dépendent grandement du secteur des services pour une vaste gamme d'activités, qu'il s'agisse de dresser leur bilan, de transporter leurs marchandises, de créer leurs sites Web ou d'éliminer leurs déchets industriels. Les consommateurs comptent, eux aussi, sur les fournisseurs de services : les banques, le transport en commun, les coiffeurs, les nettoyeurs et bien d'autres services contribuent à leur faciliter la vie. En outre, les entreprises et les consommateurs font appel aux entreprises de services immobiliers pour l'achat, la vente et la gestion de leurs propriétés.

Transformation importante à long terme

Autrefois considéré comme un pays de « bûcherons et de porteurs d'eau », le Canada s'est profondément transformé au fil des ans en se détournant d'une économie axée sur les ressources naturelles. La diversification économique ainsi que l'adoption et l'invention de nouvelles technologies ont favorisé l'expansion du secteur des services afin de répondre aux besoins d'une économie en mutation.

Après la Seconde Guerre mondiale, le secteur des services représentait 49 % de l'économie canadienne; en 2006, il était à l'origine d'environ 70 % du produit intérieur brut (PIB) du pays.

La main-d'œuvre s'est adaptée à la nouvelle économie : aujourd'hui, de plus en plus de Canadiens hautement qualifiés fournissent

Graphique 26.1
PIB pour les industries produisant des biens et des services

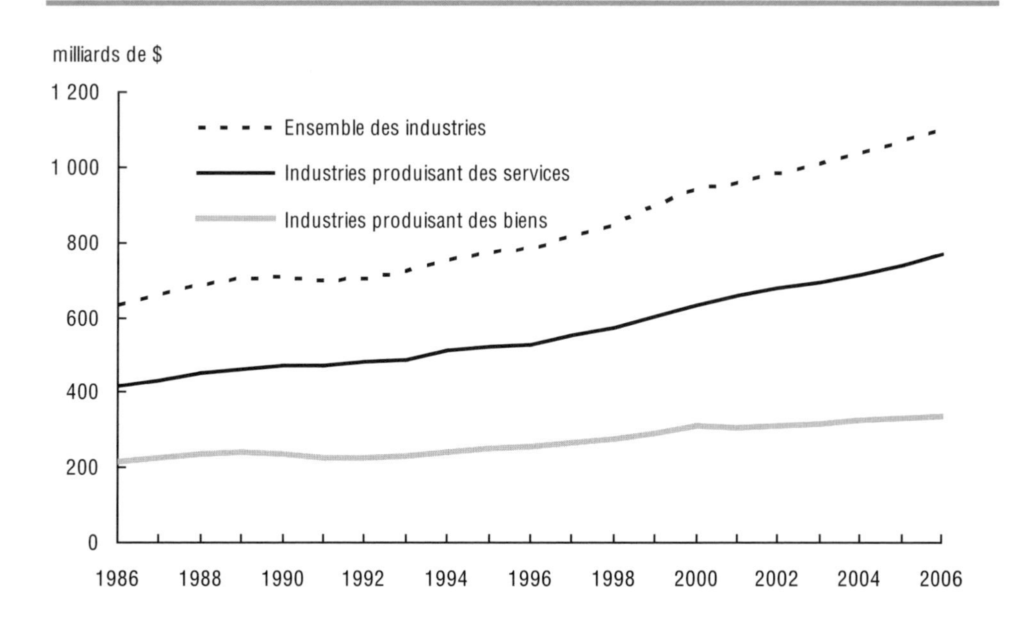

Source : Statistique Canada, CANSIM : tableaux 379-0017 et 379-0020.

des services professionnels, techniques et financiers de calibre international. De 1991 à 2006, par exemple, le nombre de Canadiens ayant un emploi dans le secteur des services professionnels, scientifiques et techniques a augmenté de près de 81 %, tandis que le nombre de travailleurs dans les industries primaires, à l'exception de l'agriculture, n'a crû que de 11 %.

Profil variable des provinces et des territoires

Toutes les provinces sont maintenant largement axées sur les services, bien que l'importance relative de ce secteur dépende dans une certaine mesure des forces économiques de chacune. En 2006, en Nouvelle-Écosse, à l'Île-du-Prince-Édouard, en Ontario et en Colombie-Britannique, de 72 % à 78 % du PIB était attribuable au secteur des services. La vigueur du secteur des ressources naturelles à Terre-Neuve-et-Labrador, en Saskatchewan et en Alberta a restreint la part des services dans ces provinces, laquelle représente de 59 % à 64 % du PIB. En fait, à Terre-Neuve-et-Labrador, la part du PIB attribuable aux services a diminué de près de 10 % depuis 1999.

Les trois territoires présentent un profil singulier à cet égard : le secteur des services est plus important au Yukon (83 %) et au Nunavut (74 %)

PIB aux prix de base, certaines industries

	1997	2006
	millions de dollars enchaînés (1997)	
Commerce de gros	43 694	70 410
Commerce de détail	42 252	65 442
Finance et assurances	49 497	68 027

Source : Statistique Canada, CANSIM : tableau 379-0017.

que la moyenne canadienne, alors que les Territoires du Nord-Ouest ne tirent que 41 % de leur PIB des services. Le boom de l'industrie des diamants a transformé l'économie des Territoires du Nord-Ouest, en faveur de l'exploitation des ressources naturelles. La part du PIB qui revient aux services a donc rétrécie de 20 % de 1999 à 2006, et ce, malgré la progression de ce secteur.

Les branches les plus dynamiques du secteur des services

Bien que le boom du secteur des ressources naturelles minières et pétrolières ait animé la croissance économique dans certaines régions, il n'a pas changé la tendance observée à l'échelon du pays : de 1997 à 2006, le secteur des services a affiché une progression de 38 %, comparativement à une croissance de 26 % pour la production des biens. Le soutien administratif, les services de gestion des déchets

Graphique 26.2
Emplois dans les services professionnels, scientifiques et techniques et extraction minière et extraction de pétrole et de gaz

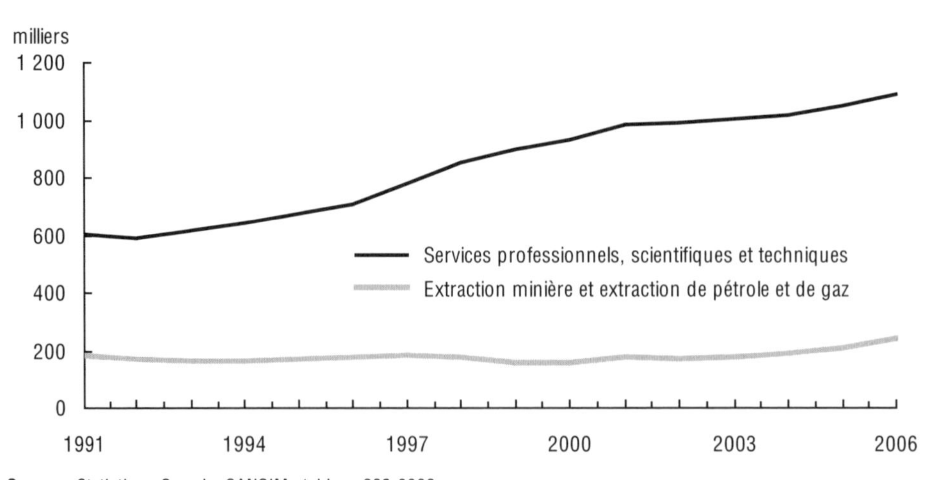

Source : Statistique Canada, CANSIM : tableau 282-0008.

et d'assainissement, le commerce de gros, ainsi que les services professionnels, scientifiques et techniques sont les services qui ont affiché la croissance la plus rapide durant cette décennie.

Les services de traitement de l'information et des données — services de nouvelles, bibliothèques et archives, fournisseurs de service d'information en ligne et machines de traitements des données — se sont accrrus rapidement: de 73 % au cours de la décennie. La radiodiffusion et les télécommunications ont augmenté de 71 %, puisque les Canadiens ont soucrit à de nouveaux services comme la télévision numérique et par satellite et ont acheté des cellulaires. Les industries de l'information et de la cultures combinées sont demeurées une petite composante de l'ensemble du secteur des services; elles représentaient 44,4 milliards de dollars du PIB du Canada.

Que ce soit pour se divertir ou pour faire de l'exercice, les Canadiens s'adonnent aussi régulièrement aux arts, aux divertissements et aux loisirs : la part du PIB attribuable à ces services se chiffre à un peu plus de 9,3 milliards de dollars en 2006. La bonne forme physique s'est imposée comme un facteur clé de motivation en 2004, les revenus des centres de conditionnement physique et de loisirs ayant bondi de 21 % pour atteindre 1,5 milliard de dollars. Les revenus des terrains de golf et des country clubs ont grimpé, quant à eux, de plus de 15 % pour se chiffrer à 2,3 milliards de dollars.

Certains ménages consacrent une part croissante de leur budget aux divertissements hors du foyer — cinéma, spectacles sur scène, événements sportifs ou visites d'établissements du patrimoine. De 1997 à 2005, les dépenses relatives à ces activités ont augmenté de 37 %. En moyenne, les ménages canadiens ont consacré 288 $ aux services de divertissement en 2005.

Dans la même vague, les Canadiens se dorlotent de plus en plus. Les fournisseurs de soins personnels, comme les salons de coiffure, les salons de beauté, les clubs de santé et autres établissements du genre, ont enregistré une hausse constante de leurs revenus qui se sont fixés à environ 3,9 milliards de dollars en 2004. Parmi les services personnels, les blanchisseries et les nettoyeurs à sec se sont révélés fort populaires, leurs revenus s'étant chiffrés à 1,9 milliard de dollars en 2004.

Les Canadiens ont également accru leurs dépenses au chapitre des services immobiliers. Les agents, les courtiers et les évaluateurs ont su tirer parti de la tendance à la hausse persistante des prix des propriétés résidentielles. En effet, leurs revenus totaux ont fait un bond de plus de 9 % pour atteindre près de 9,2 milliards de dollars en 2005.

Graphique 26.3
Revenu d'exploitation, des agents et courtiers immobiliers et d'évaluateurs de biens immobiliers

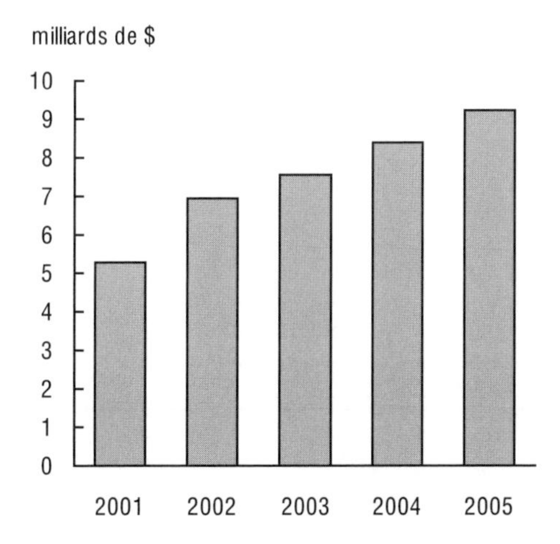

Source : Statistique Canada, CANSIM : tableau 352-0005.

Sources choisies

Statistique Canada

- *Bulletin des industries de service.* Irrégulier. 63-018-XWF
- *Emploi, gains et durée du travail.* Mensuel. 72-002-XIB
- *Information sur la population active.* Mensuel. 71-001-XWF
- *Le commerce international de services du Canada.* Annuel. 67-203-XWF
- *Produit intérieur brut par industrie.* Mensuel. 15-001-XIF
- *Revue des comptes économiques des provinces et des territoires.* Semestriel. 13-016-XWF
- *Tendances et conditions dans les régions métropolitaines de recensement.* Hors série. 89-613-MIF2005006

Commerce international de services

Les Canadiens sont d'importants commerçants sur la scène mondiale. La valeur de nos ventes a longtemps été supérieure à celle de nos achats d'outre-mer. En général, cet excédent du commerce international est attribuable à nos exportations traditionnelles, les ressources naturelles et les produits manufacturés notamment.

En 2006, le commerce international de services du Canada a prolongé une longue succession de déficits, les entreprises canadiennes ayant acquis à l'étranger des services d'une valeur de 82,4 milliards de dollars et en ayant vendu pour 67,2 milliards de dollars. Ce déficit de 15,2 milliards de dollars au chapitre des services — le plus élevé jamais enregistré — s'explique principalement par l'augmentation des déficits associés aux services de voyages et de transport.

Bien que le Canada ait toujours attiré un grand nombre de touristes étrangers, les touristes canadiens à l'étranger ont dépensé, en 2006, 6,7 milliards de dollars de plus que les premiers. L'augmentation du nombre de Canadiens en voyage à l'étranger en 2006 s'est accompagnée d'une hausse des dépenses relatives au transport assuré par des sociétés non canadiennes, si bien que le déficit des services de transport a grimpé pour s'établir à 7,1 milliards de dollars en 2006. La hausse des prix du carburant et le gonflement de la demande de services de transport ont contribué à l'augmentation du déficit en 2006.

Nos échanges internationaux de services commerciaux ont enregistré un déficit global de 2,2 milliards de dollars en 2006, les déficits les plus importants ayant été observés dans la catégorie des droits d'auteur et de permis et dans celle des services d'assurance.

Les services d'architecture, de génie et les autres services techniques, les services d'informatique et d'information et la recherche et le développement ont généré des excédents dans le secteur des services commerciaux, les sociétés étrangères sollicitant les compétences technologiques et l'ingéniosité des entreprises canadiennes.

Graphique 26.4
Balance canadienne de transactions internationales de services selon certaines régions, 2004

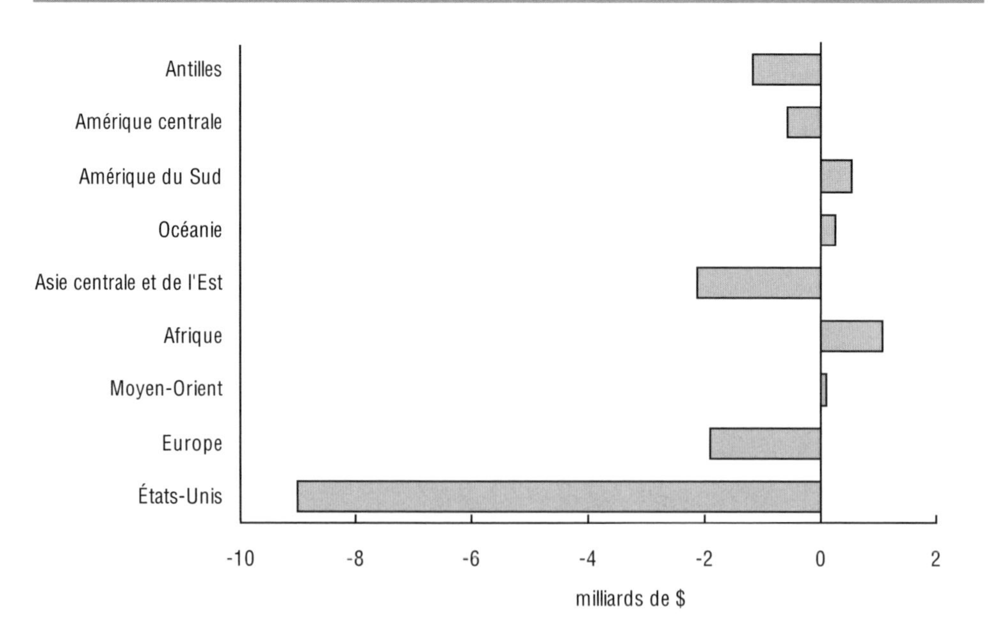

Source : Statistique Canada, CANSIM : tableau 376-0036.

Montée des services dans les villes

Les villes comportent de fortes concentrations de personnes, de capitaux, de connaissances et d'idées. On les considère souvent comme les piliers naturels de l'expansion du secteur des services. Il n'est donc pas surprenant que les services emploient généralement plus de travailleurs dans les villes que dans les régions rurales et les petites localités. En 2003, ce secteur accaparait 78 % de la main-d'œuvre dans les 27 villes les plus importantes du Canada, contre 75 % pour l'ensemble du pays.

Ces chiffres, toutefois, masquent des variations considérables d'une ville à l'autre. Les administrations publiques figurent parmi les principaux employeurs du secteur des services, et c'est pourquoi les six villes canadiennes les plus axées sur les services sont aussi des capitales comptant d'importants effectifs de fonctionnaires. Dans ces capitales, au moins 85 % de la main-d'œuvre travaille dans le secteur des services. Par contre, dans d'autres villes du Québec et du sud de l'Ontario, on observe des pourcentages supérieurs à la moyenne de travailleurs œuvrant dans les industries de production des biens. Le secteur des services a pris de l'expansion dans presque toutes les régions urbaines du Canada au cours des années 1990. De 1989 à 2003, l'emploi dans ce secteur a augmenté plus rapidement que dans celui des biens, et ce, dans 23 des 27 principales régions urbaines. La part des travailleurs œuvrant dans le secteur des services a crû plus rapidement dans les villes qui se caractérisaient, au départ, par des concentrations relativement faibles de services.

La montée du secteur des services dans nos villes a coïncidé avec le déclin général du secteur de la fabrication et l'expansion des services aux entreprises. Certains des bastions de la production manufacturière au Canada ont accusé de fortes pertes. À Montréal, par exemple, le nombre d'emplois dans le secteur de la fabrication a chuté de 46 300 de 1989 à 2003. La progression rapide des services aux entreprises a été largement attribuable à la forte croissance des services professionnels, scientifiques et techniques dont la part de l'emploi total est passée de 5 % en 1989 à 8 % en 2003.

Graphique 26.5
Emplois dans les industries de biens et de services selon certaines RMR, 2003

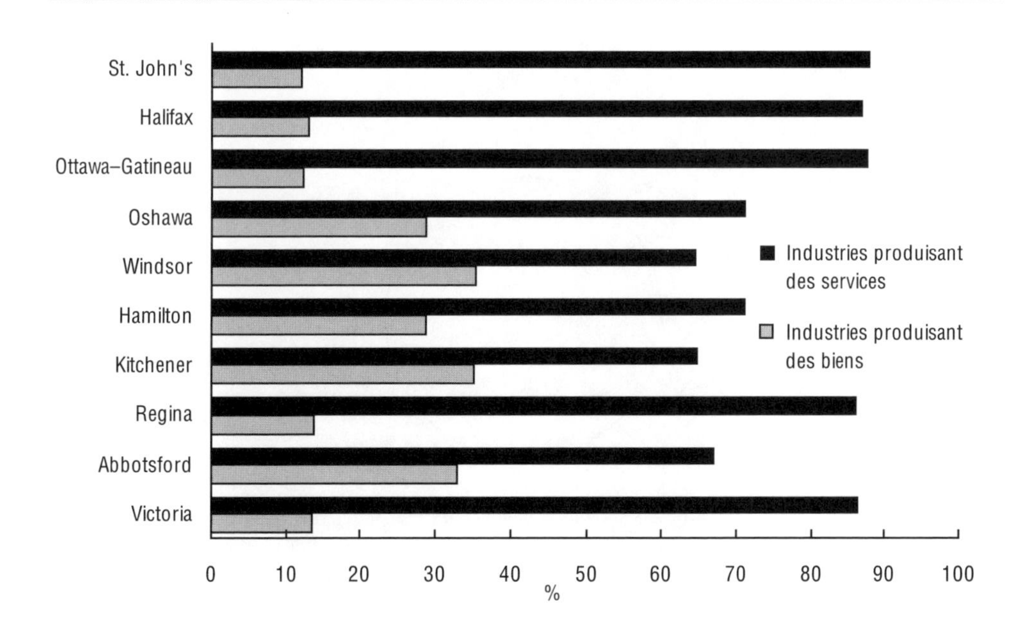

Source : Statistique Canada, produit nº 89-613-MIF au catalogue.

Gagner sa vie sur la route

Les chauffeurs canadiens de taxi et de limousine offrent un service fondamental. Ils nous transportent dans les embouteillages jusqu'à nos lieux de réunion, nous conduisent et viennent nous chercher à l'aéroport ou viennent nous y chercher, assurent avec élégance le transport de nos parents et amis aux bals des finissants et aux mariages, et nous raccompagnent à la maison en toute sécurité après une soirée de festivités.

En 2004, les compagnies de taxi et de limousine ont généré des revenus de 1,3 milliard de dollars en tarifs et autres services. C'est une légère hausse par rapport à 2003, mais une progression de 27 % depuis 2000. Les Canadiens qui gagnent leur vie sur la route sont particulièrement sensibles au prix du carburant. La hausse des prix du carburant en 2004 a fait augmenter les dépenses d'exploitation plus vite que les revenus. Les marges globales d'exploitation ont ainsi fléchi d'environ 4 % par rapport à 2003.

Les quelque 35 300 entreprises de services de taxi et de limousine se répartissent en deux grandes catégories : les associations et les compagnies ainsi que les chauffeurs travaillant à leur propre compte. Quelques associations et compagnies (environ 5 % des entreprises du secteur) cnstituent environ 42 % des revenus d'exploitation. Les quelque 33 500 chauffeurs travaillant à leur compte (95 % de l'industrie) se partagent le reste des revenus (58 %).

Les grandes compagnies affichent des marges d'exploitation plus élevées. En 2004, les revenus d'exploitation des associations et des compagnies de taxi et de limousine se chiffraient à 530,3 millions. Les dépenses d'exploitation ont consommé 523,6 millions, ce qui laissait une marge bénéficiaire de 3 %. Le tiers de ces dépenses a été consacré aux salaires, traitements et avantages sociaux.

Les revenus d'exploitation des chauffeurs travaillant à leur propre compte ont totalisé 735,0 millions et leurs dépenses, et ont déclaré des dépenses moyennes de 16 300 $, obtenant ainsi une marge bénéficiaire de 25 %. Leur marge bénéficiaire est plus élevé, car ils signalent souvent cela comme un revenu personnel.

Graphique 26.6
Industrie des services de taxi et de limousine, revenus, dépenses et transporteurs, 2004

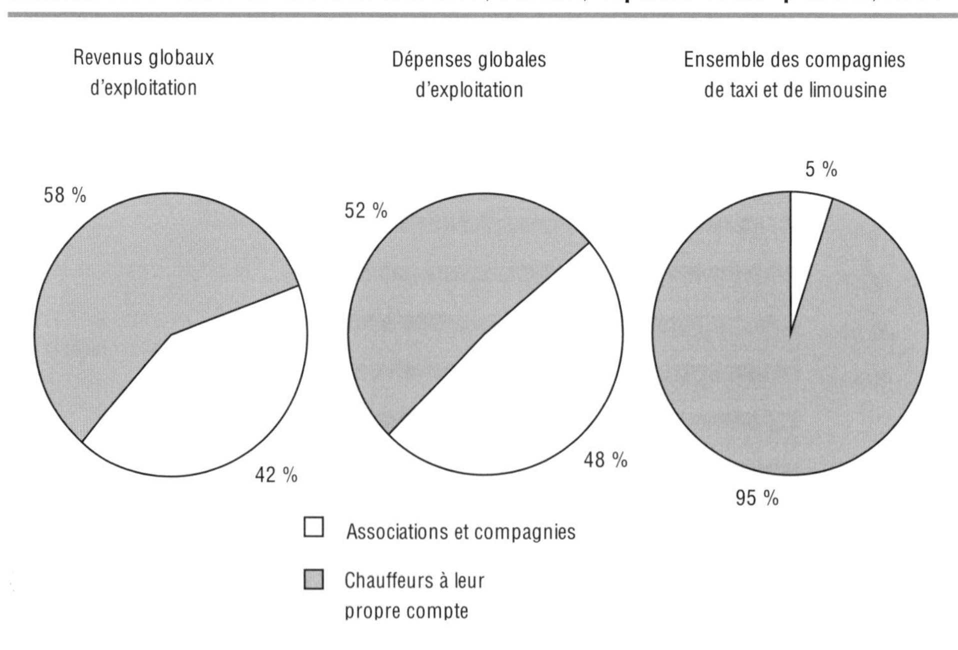

Source : Statistique Canada, CANSIM : 407-0001.

Les services : salaires moyens

C'est dans le champ de pétrole que se trouve le pactole. En 2006, le salaire moyen dans l'extraction minière, pétrolière et gazière se chiffrait à 1 346 $ par semaine en 2006, ce qui est plus élevé que dans tous les secteurs, même celui des services privilégiant une main-d'œuvre scolarisée et des compétences en haute technologie.

Par rapport au secteur des services, les Canadiens travaillant dans la production des biens touchent, en moyenne, des revenus 35 % plus élevés. Toutefois, les gains dans le secteur des services varient énormément : les gains hebdomadaires moyens nécessitant une main-d'œuvre très formée ou scolarisée (sociétés et entreprises de gestion; services professionnels, scientifiques et techniques; finance et assurances) ont varié entre 948 $ à 964 $ en 2006, par rapport à 937 $ pour l'ensemble de la production des biens.

Les salariés d'autres branches clés du secteur des services (l'enseignement, l'administration publique, l'information et la culture, le commerce de gros et le transport) gagnent de 785 $ à 933 $ par semaine, soit un peu plus que les gains moyens de 695 $ enregistrés dans l'ensemble du secteur des services. Ces gains moyens globaux du secteur des services sont entraînés à la baisse par la faible rémunération des travailleurs de quelques branches d'activité : l'hébergement et les services de restauration; les arts, les spectacles et les loisirs; le commerce de détail. Les travailleurs de restaurants sont parmi les moins bien payés, leurs gains hebdomadaires moyens s'établissant à 274 $. Les artistes du spectacle touchent environ 570 $ par semaine, et les vendeurs du commerce au détail, environ 483 $.

De 1996 à 2006, les salaires dans les services ont augmenté de 23 %. Il s'agit d'une croissance légèrement plus rapide que ceux de la production des biens qui ont augmenté de 25 %. Les travailleurs de la plupart des branches de services ont enregistré des hausses de salaire comparables. Cependant, les gains des travailleurs dans l'hébergement et des soins de santé ont augmenté, variant entre 25 % et 28 % au cours de la décennie.

Graphique 26.7
Rémunération hebdomadaire moyenne, certaines industries de services

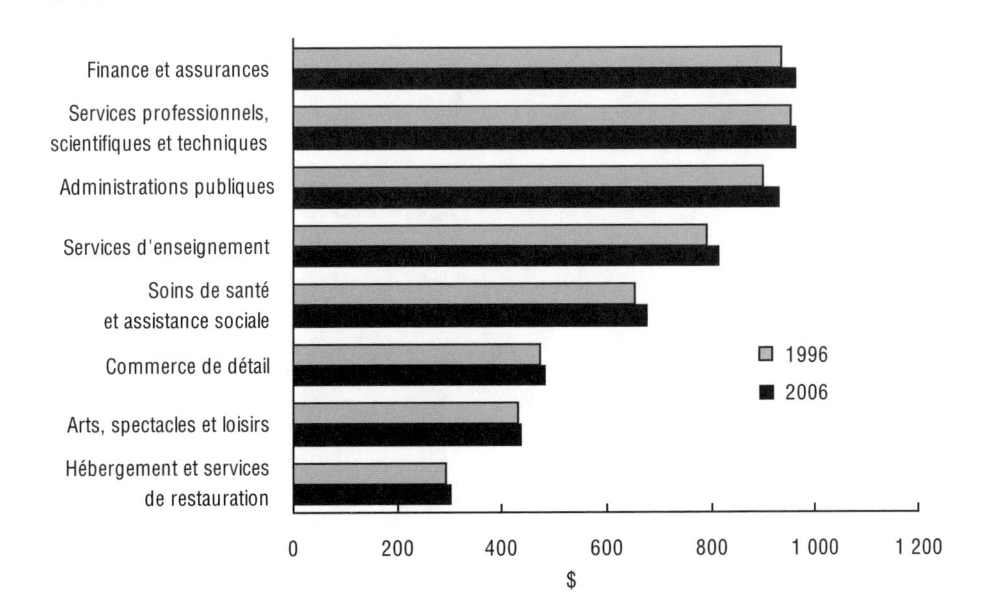

Source : Statistique Canada, CANSIM : tableau 281-0028.

Tableau 26.1 Produit intérieur brut des industries produisant des biens et des services, par province et territoire, 2001 à 2005

	2001	2002	2003	2004	2005
	millions de dollars enchaînés (1997)				
Canada					
Industries produisant des biens	**305 727,0**	**311 482,0**	**315 935,0**	**325 202,0**	**331 595,0**
Industries produisant des services	**652 200,0**	**672 177,0**	**687 921,0**	**709 800,0**	**732 506,0**
Terre-Neuve-et-Labrador					
Industries produisant des biens	3 506,9	5 227,1	5 905,8	5 635,4	5 634,9
Industries produisant des services	7 634,2	7 927,9	8 130,6	8 261,2	8 306,5
Île-du-Prince-Édouard					
Industries produisant des biens	682,3	746,4	733,9	787,3	785,0
Industries produisant des services	2 130,0	2 201,3	2 258,1	2 307,1	2 364,4
Nouvelle-Écosse					
Industries produisant des biens	5 250,4	5 586,0	5 609,2	5 511,4	5 499,8
Industries produisant des services	16 287,5	16 899,2	17 274,3	17 542,9	17 927,7
Nouveau-Brunswick					
Industries produisant des biens	5 361,5	5 686,9	5 854,5	5 982,8	5 806,6
Industries produisant des services	12 221,9	12 621,9	12 874,6	13 162,4	13 390,3
Québec					
Industries produisant des biens	70 015,6	71 095,8	70 903,6	72 345,6	72 916,1
Industries produisant des services	134 223,1	138 578,6	141 548,1	145 585,2	149 345,2
Ontario					
Industries produisant des biens	122 673,1	125 226,0	125 040,2	127 656,8	128 467,2
Industries produisant des services	279 424,1	286 927,5	292 652,9	302 039,8	312 355,9
Manitoba					
Industries produisant des biens	8 215,9	8 386,8	8 461,0	8 646,5	8 893,4
Industries produisant des services	22 431,7	22 866,7	23 134,8	23 659,6	24 237,3
Saskatchewan					
Industries produisant des biens	10 437,3	9 775,2	10 797,3	11 211,5	11 787,5
Industries produisant des services	18 132,6	18 591,1	19 019,2	19 560,3	20 009,3
Alberta					
Industries produisant des biens	47 534,9	47 005,6	48 225,3	50 909,0	53 330,5
Industries produisant des services	71 529,6	74 393,2	77 440,1	80 764,8	84 734,7
Colombie-Britannique					
Industries produisant des biens	30 037,9	30 966,9	31 574,8	33 217,2	34 326,9
Industries produisant des services	85 130,7	87 937,4	90 218,3	93 612,8	96 851,4
Yukon					
Industries produisant des biens	176,8	159,8	146,5	183,0	209,5
Industries produisant des services	918,6	928,5	940,7	955,0	984,4
Territoires du Nord-Ouest					
Industries produisant des biens	1 464,2	1 544,8	2 052,1	2 293,5	2 260,1
Industries produisant des services	1 356,6	1 445,0	1 501,6	1 531,7	1 571,8
Nunavut					
Industries produisant des biens	246,9	244,1	192,2	209,7	188,5
Industries produisant des services	605,3	651,4	678,9	681,0	691,5

Note : Système de classification des industries de l'Amérique du Nord (SCIAN), 2002.
Source : Statistique Canada, CANSIM : tableaux 379-0020 et 379-0026.

Tableau 26.2 Rémunération hebdomadaire moyenne selon le secteur, 2002 à 2006

	2002	2003	2004	2005	2006
	dollars				
Ensemble des industries (excluant celles non classifiées)	**679,32**	**688,31**	**702,87**	**725,51**	**747,08**
Secteur des biens	854,02	868,28	886,22	914,82	938,95
Foresterie, exploitation et soutien	852,47	867,64	887,54	925,75	966,70
Extraction minière et extraction de pétrole et de gaz	1 168,01	1 182,06	1 248,93	1 311,14	1 345,58
Services publics	1 058,31	1 068,89	1 061,59	1 065,65	1 087,82
Construction	810,87	831,35	841,22	872,81	895,21
Fabrication	833,36	844,47	861,18	885,65	905,59
Secteur des services	628,75	637,02	651,27	673,22	694,85
Commerce	544,83	554,81	563,66	581,59	601,14
Transport et entreposage	764,55	761,44	756,40	776,01	784,73
Industrie de l'information et industrie culturelle	821,36	822,71	833,69	881,23	933,13
Finance et assurances	852,81	879,82	903,02	935,96	964,93
Services immobiliers et services de location et de location à bail	610,78	606,52	626,72	650,96	675,10
Services professionnels, scientifiques et techniques	901,63	914,98	928,59	951,99	963,06
Gestion de sociétés et d'entreprises	846,25	859,07	863,11	907,21	948,43
Services administratifs, services de soutien, services de gestion des déchets et services d'assainissement	537,31	541,58	559,81	577,85	601,16
Services d'enseignement	715,27	735,43	761,02	787,81	813,02
Soins de santé et assistance sociale	604,07	612,15	636,54	654,94	678,91
Arts, spectacles et loisirs	444,63	427,29	422,60	429,47	436,62
Hébergement et services de restauration	279,11	270,11	279,59	291,47	304,36
Administrations publiques	829,33	855,15	872,05	899,05	930,85
Autres services	530,24	527,67	546,85	565,48	583,52

Notes : Système de classification des industries de l'Amérique du Nord (SCIAN), 2002.
Les données comprennent les heures supplémentaires.

Source : Statistique Canada, CANSIM : tableau 281-0027.

Tableau 26.3 Population active, nombre d'employés selon la permanence de l'emploi, 2001 à 2006

	2001	2002	2003	2004	2005	2006
	milliers					
Employés permanents						
Ensemble des industries	11 049,6	11 314,8	11 619,1	11 772,4	11 860,6	12 163,1
Secteur de la production de biens	2 831,7	2 894,1	2 946,9	2 968,7	2 946,5	2 944,1
Secteur des services	8 217,9	8 420,7	8 672,2	8 803,7	8 914,1	9 219,0
Employés temporaires						
Ensemble des industries	1 619,8	1 681,2	1 651,3	1 721,2	1 797,6	1 823,2
Secteur de la production de biens	335,1	370,5	347,8	358,4	369,9	353,9
Secteur des services	1 284,8	1 310,7	1 303,5	1 362,8	1 427,7	1 469,3

Note : Système de classification des industries de l'Amérique du Nord (SCIAN), 2002.

Source : Statistique Canada, CANSIM : tableau 282-0080.

Tableau 26.4 Statistiques d'exploitation, certains services, 2001 à 2005

	2001			2002		
	Revenu	Dépenses	Marge bénéficiaire	Revenu	Dépenses	Marge bénéficiaire
	millions de dollars		pourcentage	millions de dollars		pourcentage
Services personnels et services de blanchissage	7 133,7	6 529,9	8,5	7 640,3	6 861,5	10,2
Soins personnels	2 923,4	2 674,1	8,5	3 228,9	2 883,0	10,7
Services funéraires	1 227,4	1 110,0	9,6	1 313,8	1 178,2	10,3
Services de nettoyage à sec et de blanchissage	1 770,0	1 630,7	7,9	1 885,3	1 707,9	9,4
Autres services personnels	1 212,9	1 115,0	8,1	1 212,3	1 092,4	9,9
Services de conseils en gestion	6 514,8	5 278,3	19,0	6 710,0	5 410,0	19,4
Conseils scientifiques et techniques	1 466,1	1 185,1	19,2	1 725,5	1 437,6	16,7
Bureaux d'agents et de courtiers immobiliers	5 157,4	3 355,2	34,9	6 672,5	4 214,0	36,8
Bureaux d'évaluateurs de biens immobiliers	118,5	107,0	9,7	271,7	251,0	7,6
Location et location à bail de matériel automobile	4 813,5	4 046,9	15,9	4 963,5	4 253,3	14,3
Location de biens de consommation	1 861,8	1 759,7	5,5	1 940,8	1 820,5	6,2
Centres de location d'articles divers	265,0	233,2	12,0	271,8	238,6	12,2
Services de restauration et débits de boissons	33 224,8	31 312,2	5,8	35 538,8	33 850,2	4,8
Restaurants à service complet	14 756,5	13 930,4	5,6	15 993,2	15 283,4	4,4
Établissements de restauration à service restreint	12 831,8	12 066,7	6,0	13 809,2	13 142,5	4,8
Services de restauration spéciaux	2 754,0	2 635,4	4,3	2 915,3	2 775,1	4,8
Débits de boissons (alcoolisées)	2 882,6	2 679,8	7,0	2 821,2	2 649,2	6,1
Services d'architecture paysagère	142,4	121,5	14,7	161,3	140,0	13,2
Services spécialisés de design	1 919,2	1 747,5	8,9	2 042,4	1 799,2	11,9
Design d'intérieur	527,4	481,0	8,8	561,2	514,0	8,4
Design industriel	144,7	137,3	5,1	163,4	133,9	18,1
Design graphique	1 148,8	1 037,7	9,7	1 195,5	1 043,4	12,7
Autres services spécialisés de design	98,3	91,5	6,9	122,2	107,9	11,7
Agences de publicité	2 262,0	2 015,6	10,9	2 218,7	1 990,3	10,3
Autres services de publicité et services connexes	2 681,2	2 467,1	8,0	2 675,4	2 480,8	7,3
Services d'architecture	1 539,3	1 306,6	15,1	1 824,7	1 553,4	14,9
Services de génie	10 446,0	9 324,3	10,7	10 866,3	9 679,0	10,9
Services de prospection, d'arpentage et de cartographie	1 792,1	1 593,5	11,1	1 833,1	1 676,8	8,5
Services de comptabilité, de préparation des déclarations de revenus, de tenue de livres et de paye	8 157,6	5 798,0	28,9	7 854,6	5 550,6	29,3
Services d'emploi	5 125,0	4 933,9	3,7	5 420,7	5 227,4	3,6
Bailleurs d'immeubles résidentiels et de logements, sauf les ensembles de logements sociaux	18 043,8	14 616,0	19,0	18 704,0	15 123,3	19,1
Location à bail non résidentielle	21 458,6	16 835,8	21,5	22 999,3	18 324,0	20,3
Gestionnaires de biens immobiliers	2 093,2	1 846,8	11,8	2 278,8	1 951,9	14,3

Note : Système de classification des industries de l'Amérique du Nord (SCIAN), 2002.

Source : Statistique Canada, CANSIM : tableaux 352-0003, 352-0005, 352-0008, 352-0010, 355-0005, 359-0001, 360-0001, 360-0002, 360-0004, 360-0005, 360-0006, 360-0007 et 361-0001.

2003			2004			2005		
Revenu	Dépenses	Marge bénéficiaire	Revenu	Dépenses	Marge bénéficiaire	Revenu	Dépenses	Marge bénéficiaire
millions de dollars		pourcentage	millions de dollars		pourcentage	millions de dollars		pourcentage
8 044,7	7 199,7	10,5	8 537,2	7 882,5	7,7	9 118,0	8 202,4	10,0
3 539,9	3 142,4	11,2	3 885,5	3 634,7	6,5	4 145,2	3 739,1	9,8
1 399,6	1 253,0	10,5	1 460,8	1 314,8	10,0	1 519,4	1 335,8	12,1
1 920,8	1 740,8	9,4	1 925,5	1 758,9	8,7	2 065,2	1 875,4	9,2
1 184,4	1 063,5	10,2	1 265,3	1 174,2	7,2	1 388,3	1 252,2	9,8
6 634,4	5 449,6	17,9	6 909,3	5 507,0	20,3	7 388,0	5 862,2	20,7
1 908,3	1 614,7	15,4	2 038,5	1 684,6	17,4	2 407,9	1 999,1	17,0
7 024,5	4 583,3	34,8	7 834,1	5 132,4	34,5	8 554,1	5 237,0	38,8
505,7	412,8	18,4	577,5	477,8	17,3	651,2	548,1	15,8
4 639,8	4 072,2	12,2	4 539,5	4 035,6	11,1	4 724,0	4 298,5	9,0
1 893,4	1 766,4	6,7	1 979,0	1 834,8	7,3	2 106,9	1 966,1	6,7
271,0	237,1	12,5	318,3	280,0	12,0	366,8	322,0	12,2
35 260,0	34 120,7	3,2	37 366,0	35 994,3	3,7	38 851,9	37 391,9	3,8
15 380,0	14 998,6	2,5	16 465,6	16 016,2	2,7	17 265,4	16 738,3	3,1
14 029,5	13 480,3	3,9	14 873,1	14 177,6	4,7	15 395,4	14 646,7	4,9
2 973,7	2 840,0	4,5	3 095,7	2 982,2	3,7	3 378,0	3 286,1	2,7
2 876,8	2 801,7	2,6	2 931,6	2 818,4	3,9	2 813,1	2 720,9	3,3
176,6	153,4	13,1	207,3	178,5	13,9	231,9	204,7	11,7
2 016,8	1 816,6	9,9	2 229,9	1 975,2	11,4	2 332,9	2 071,2	11,2
541,6	494,6	8,7	618,1	540,3	12,6	682,2	616,7	9,6
209,3	196,2	6,3	222,5	210,5	5,4	228,6	207,3	9,3
1 135,1	1 003,8	11,6	1 246,2	1 098,6	11,8	1 265,6	1 106,8	12,6
130,7	122,0	6,6	143,1	125,7	12,1	156,5	140,4	10,3
2 151,6	1 963,7	8,7	2 205,6	1 981,5	10,2	2 532,6	2 301,3	9,1
2 583,0	2 432,4	5,8	2 778,7	2 590,6	6,8	3 080,2	2 836,0	7,9
1 873,1	1 573,8	16,0	1 920,3	1 620,3	15,6	2 059,0	1 708,2	17,0
11 044,5	9 941,9	10,0	12 147,8	10 734,8	11,6	13 793,5	11 919,7	13,6
1 865,4	1 703,8	8,7	1 972,1	1 794,2	9,0	2 285,4	2 046,3	10,5
8 244,0	5 837,7	29,2	8 713,7	6 097,7	30,0	9 928,4	6 930,8	30,2
5 689,1	5 491,9	3,5	6 124,4	5 888,8	3,8	7 182,3	6 909,3	3,8
18 884,1	14 843,7	21,4	20 815,1	16 471,7	20,9	22 957,7	15 050,4	34,4
24 735,8	18 804,0	24,0	26 347,3	20 812,4	21,0	27 822,4	19 136,7	31,2
2 771,6	2 353,7	15,1	3 450,7	2 897,8	16,0	4 032,0	3 325,7	17,5

Tableau 26.5 Population active, emploi selon le secteur, par province, 2006

	Canada	Terre-Neuve-et-Labrador	Île-du-Prince-Édouard	Nouvelle-Écosse
	milliers			
Ensemble des industries	**16 484,3**	**215,7**	**68,6**	**441,8**
Secteur de la production de biens	**3 985,9**	49,1	18,9	85,7
Agriculture	**346,4**	1,9	3,9	4,7
Foresterie, pêche, mines et extraction de pétrole et de gaz	**330,1**	16,4	2,4	12,7
Services publics	**122,0**	2,2	0,3	1,8
Construction	**1 069,7**	12,9	5,7	27,3
Fabrication	**2 117,7**	15,7	6,6	39,1
Secteur des services	**12 498,4**	166,6	49,7	356,2
Commerce	**2 633,5**	37,7	9,9	78,2
Transport et entreposage	**802,2**	11,6	2,2	18,7
Finance, assurances, immobilier et location	**1 040,5**	6,5	2,1	22,3
Services professionnels, scientifiques et techniques	**1 089,9**	6,7	2,8	18,4
Services aux entreprises, services relatifs aux bâtiments et autres services de soutien	**690,0**	8,5	2,8	28,8
Services d'enseignement	**1 158,4**	16,6	4,6	34,7
Soins de santé et assistance sociale	**1 785,5**	30,1	7,9	59,1
Information, culture et loisirs	**745,0**	8,8	2,6	16,3
Hébergement et services de restauration	**1 015,0**	13,4	5,6	29,8
Administrations publiques	**837,4**	15,3	6,3	29,2
Autres services	**701,0**	11,3	2,9	20,7

Note : Système de classification des industries de l'Amérique du Nord (SCIAN), 2002.

Source : Statistique Canada, CANSIM : tableau 282-0008.

Nouveau-Brunswick	Québec	Ontario	Manitoba	Saskatchewan	Alberta	Colombie-Britannique
			milliers			
355,4	**3 765,4**	**6 492,7**	**587,0**	**491,6**	**1 870,7**	**2 195,5**
77,1	901,1	1 600,5	138,1	132,8	518,9	463,9
6,2	65,1	100,4	29,4	47,8	52,3	34,7
9,9	38,8	38,7	6,5	21,5	139,3	43,8
3,1	29,7	49,0	5,6	4,5	17,1	8,6
21,1	186,1	405,2	29,9	29,6	172,6	179,3
36,9	581,3	1 007,2	66,6	29,3	137,5	197,5
278,3	2 864,4	4 892,2	448,9	358,8	1 351,8	1 731,6
56,8	628,5	1 015,7	91,3	79,2	282,4	353,7
19,9	167,2	296,1	35,1	25,7	106,2	119,5
16,4	222,3	476,8	34,2	25,7	96,2	138,0
14,5	241,7	453,8	23,4	18,9	142,2	167,6
21,8	139,8	295,8	18,3	12,6	62,7	98,8
27,2	260,9	444,5	45,5	38,1	130,4	156,0
45,3	454,1	638,2	79,6	59,5	179,5	232,2
11,9	160,4	319,6	23,7	20,2	68,3	113,2
25,0	214,8	373,2	37,5	30,2	114,9	170,5
21,7	215,6	314,5	35,0	27,5	81,1	91,3
17,7	159,1	264,0	25,4	21,2	87,9	90,8

Tableau 26.6 Emploi dans les industries produisant des biens et des services, par région métropolitaine de recensement, 1989 et 2003

	1989		2003		Emplois dans les services	
	Biens	Services	Biens	Services	1989	2003
	nombre				pourcentage	
Canada	**3 838 500**	**9 147 900**	**3 986 100**	**11 759 900**	**70,4**	**74,7**
Ensemble des régions métropolitaines de recensement	2 199 800	6 390 800	2 320 700	8 273 200	74,4	78,1
St. John's	10 100	64 300	10 700	78 200	86,4	88,0
Halifax	24 200	134 900	24 200	163 800	84,8	87,1
Saint John	14 600	41 600	10 800	48 300	73,9	81,7
Saguenay	19 400	44 500	16 400	54 500	69,6	76,8
Québec	44 500	253 600	52 400	306 200	85,1	85,4
Sherbrooke	17 600	49 400	22 400	56 700	73,7	71,7
Trois-Rivières	18 500	43 000	17 000	48 900	70,0	74,2
Montréal	438 600	1 104 900	392 300	1 403 600	71,6	78,2
Ottawa–Gatineau	62 000	426 100	74 500	534 100	87,3	87,8
Kingston	8 400	46 700	8 500	46 900	84,7	84,6
Oshawa	47 000	79 400	49 300	122 500	62,8	71,3
Toronto	601 200	1 543 700	655 000	2 021 900	72,0	75,5
Hamilton	126 600	195 000	104 400	259 500	60,6	71,3
St. Catharines–Niagara	54 300	106 000	49 700	146 100	66,1	74,6
Kitchener	85 300	111 000	83 000	152 900	56,5	64,8
London	51 600	144 600	54 800	165 300	73,7	75,1
Windsor	50 300	81 800	57 200	104 200	61,9	64,6
Greater Sudbury / Grand Sudbury	19 800	50 400	15 900	56 600	71,8	78,1
Thunder Bay	14 200	47 500	13 100	51 100	76,9	79,6
Winnipeg	71 500	260 000	70 100	291 600	78,4	80,6
Regina	17 600	78 900	14 700	91 900	81,7	86,2
Saskatoon	21 500	80 600	20 000	101 100	78,9	83,5
Calgary	96 600	293 200	142 300	452 600	75,2	76,1
Edmonton	84 100	331 500	120 900	415 800	79,8	77,5
Abbotsford	16 000	33 800	24 500	49 600	67,9	67,0
Vancouver	162 800	636 400	195 400	915 400	79,6	82,4
Victoria	21 400	108 300	21 200	134 000	83,5	86,4
Régions autres qu'une région métropolitaine de recensement	1 638 700	2 757 100	1 665 400	3 486 700	62,7	67,7

Note : Les chiffres ont été arrondis à la centaine près.

Source : Statistique Canada, produit nº 89-613-MIF au catalogue.

Société et communauté

27

SURVOL

Les changements sociaux, économiques et démographiques transforment la société canadienne. Les travailleurs voient beaucoup moins les membres de leur famille et leurs amis lors de leurs journées de travail et ils passent beaucoup plus de temps seuls.

Pourtant, les Canadiens sont généralement perçus comme des citoyens engagés, qui prodiguent temps et argent. La plupart d'entre eux aiment également être bien informés : ils consacrent énormément de temps à écouter ou à lire les nouvelles et à suivre l'actualité. C'est pourquoi ils ont tendance à participer davantage à des activités politiques autres que le vote, comme le fait d'assister à des réunions publiques, d'effectuer des recherches sur des questions politiques, de se porter bénévoles pour un parti politique, d'exprimer leur point de vue en s'adressant à un journal ou à un politicien, de signer une pétition ou de prendre part à une marche ou à une manifestation.

Dons de bienfaisance

Les Canadiens ont encore fait preuve de générosité en 2005 envers des organismes de charité enregistrés et des organismes sans but lucratif. Les dons de plus de 5,8 millions de contribuables à des organismes de charité délivrant des reçus officiels aux fins de l'impôt ont en effet atteint une somme record de 7,9 milliards de dollars. Il s'agit d'une augmentation de presque 1 % du nombre de donateurs et d'une hausse des dons de 13,8 % par rapport à 2004.

Le montant des dons a augmenté dans toutes les provinces et tous les territoires. Les hausses les plus importantes ont été observées en Alberta (21,1 %), en Nouvelle-Écosse (18,5 %) et au Manitoba (17,7 %). Le nombre de donateurs a également augmenté partout, sauf en Saskatchewan et à Terre-Neuve-et-Labrador, où il a diminué, mais où le montant des dons est resté stable.

Graphique 27.1
Dons de charité et donateurs, par nombre et par montant

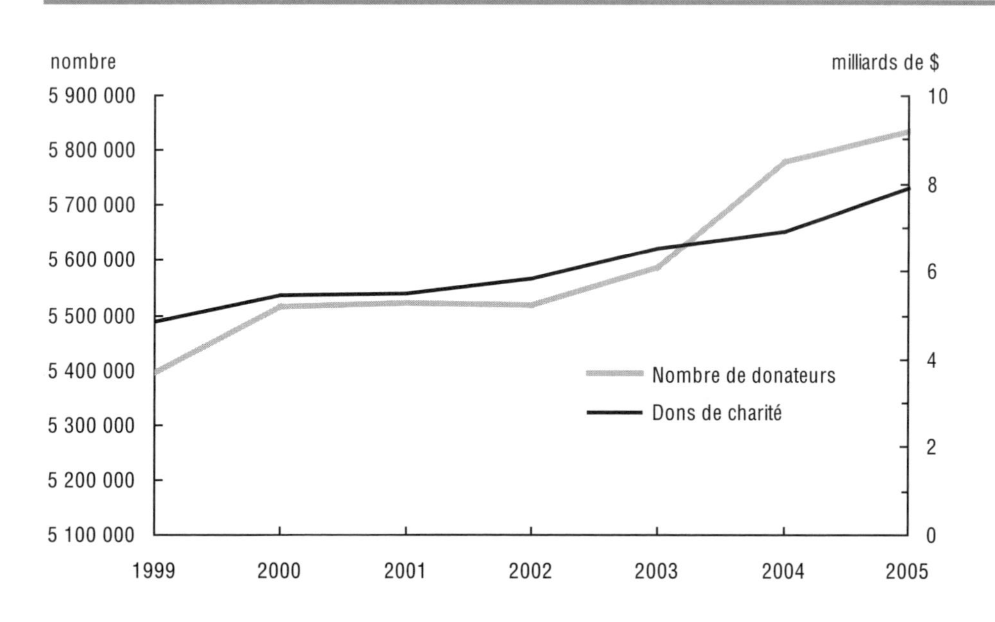

Source : Statistique Canada, CANSIM : tableau 111-0001.

À l'échelle nationale, le revenu total médian des donateurs s'établissait en 2005 à 45 400 $, une hausse de 3,9 % par rapport à 2004. Le montant médian des dons a pour sa part augmenté de 4,3 %, passant de 230 $ à 240 $.

C'est au Nunavut que le revenu médian des donateurs était le plus élevé en 2005, soit 77 100 $, et c'est aussi dans ce territoire que le don médian était le plus élevé, se situant à 400 $.

C'est toutefois l'Alberta qui affichait la plus forte croissance du revenu médian des donateurs (6,1 %) et une augmentation du don médian de 3,6 %, passant de 280 à 290 $.

En 2005, l'âge moyen des donateurs au pays s'établissait à 52 ans, tout comme en 2004. C'est en Nouvelle-Écosse que l'âge moyen des donateurs était le plus élevé, soit 55 ans, et c'est au Nunavut et aux Territoires du Nord-Ouest qu'on observait l'âge moyen des donateurs le plus bas, soit 44 ans.

Bénévolat et participation à la vie communautaire

Environ 34 % des Canadiens ont dit avoir fait du bénévolat en 2003. Les résidents des régions rurales sont plus susceptibles que les résidents des régions urbaines de faire du bénévolat — même lorsque des facteurs comme l'âge, le sexe, le revenu du ménage, le niveau de scolarité, le lieu de naissance, la province de résidence et l'état matrimonial sont pris en compte.

Sentiment d'appartenance à la communauté locale, population à domicile de 12 ans et plus, 2005

	Hommes	Femmes
	%	
Sentiment d'appartenance très fort ou plutôt fort	61,7	62,9
Sentiment d'appartenance plutôt faible	25,5	24,9
Sentiment d'appartenance très faible	9,2	9,4
Sentiment d'appartenance non déclaré	3,6	2,9

Source : Statistique Canada, CANSIM : tableau 105-0490.

Les différences entre les habitants des régions rurales et ceux des régions urbaines s'amenuisent lorsqu'il est question de la participation ou de l'adhésion à divers types d'organisations (associations professionnelles, organismes sportifs ou récréatifs, groupes religieux, clubs sociaux ou sociétés fraternelles, etc.). Toutefois, en 2003, les résidents des régions rurales étaient plus susceptibles que ceux des régions urbaines de participer ou d'adhérer à des clubs sociaux et à des sociétés fraternelles.

La participation des citoyens à la vie politique, notamment le fait d'assister à des réunions publiques ayant trait aux affaires municipales, est plus fréquente dans les régions rurales et petites villes que dans les grandes villes. En 2003, plus

Graphique 27.2
Certains types d'organismes auxquels appartiennent les Canadiens, 2003

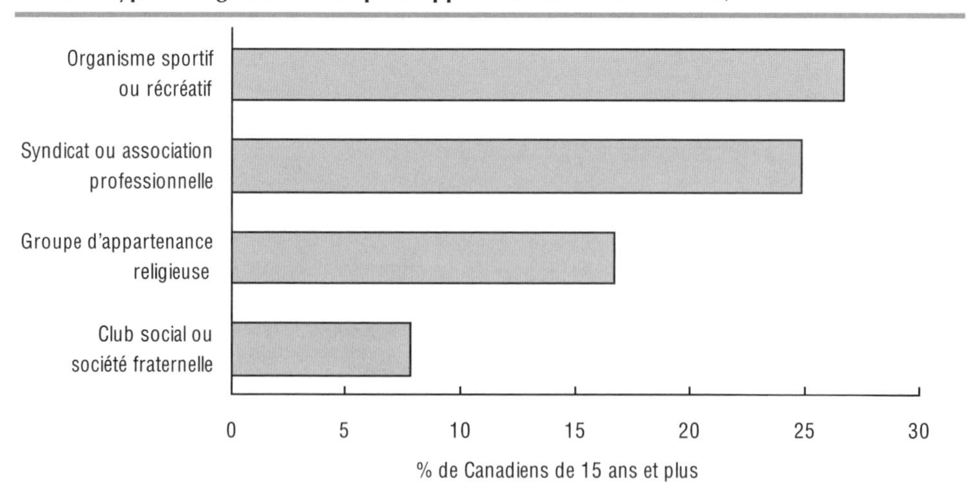

Source : Statistique Canada, produit nº 89-598-XIF au catalogue.

la localité était importante, plus la proportion de particuliers affirmant avoir assisté à une réunion publique était faible.

Réseaux sociaux dans les régions urbaines et rurales

De nombreuses personnes croient que les résidents des grandes régions urbaines sont plus susceptibles d'être isolés sur le plan social ou de rendre visite à leurs amis moins souvent que ceux habitant dans les collectivités rurales, mais tel n'est pas le cas au Canada.

Les réseaux sociaux des personnes habitant les milieux urbains du Canada comprennent certes une plus faible proportion de proches et de voisins, mais ils englobent d'autre part une plus forte proportion d'amis et de connaissances. Par contraste, les résidents des régions rurales comptent une plus grande proportion de voisins et de membres de la famille dans leurs réseaux sociaux intimes, mais la proportion d'amis est inférieure.

Isolement par rapport à la famille

Les résidents des régions rurales ne sont pas plus susceptibles ou moins susceptibles que les habitants des milieux urbains d'être isolés de leur famille. En 2003, chez les personnes nées au Canada, une proportion égale de résidents des régions rurales et urbaines n'avaient pas vu leurs proches depuis un mois. Cependant, la proportion de résidents des régions rurales qui avaient vu les membres de leur famille quelques fois par semaine ou tous les jours était plus élevée.

Les Canadiens vivant dans les régions rurales sont tout aussi susceptibles que les Canadiens vivant dans les plus grandes régions métropolitaines de recensement (RMR) du pays d'affirmer ne pas avoir d'amis intimes. En outre, les habitants des régions rurales ressemblent beaucoup aux citadins pour ce qui est du type d'aide apportée aux amis, aux voisins et aux membres de la famille.

Il est possible que les résidents des grandes RMR du Canada soient moins susceptibles d'aider les autres en fournissant du transport ou en faisant des travaux domestiques parce que ce type d'aide importe moins pour les membres de leurs réseaux sociaux. De plus, ils sont légèrement moins susceptibles que les résidents des régions rurales d'aider à prendre soin des enfants. Quoi qu'il en soit, en 2003, ils étaient tout aussi susceptibles que les résidents des autres régions d'aider les autres en leur fournissant un soutien affectif, de donner des leçons ou des cours particuliers, d'entraîner, d'aider en fournissant des conseils pratiques ou d'apporter leur aide d'une autre façon.

Graphique 27.3
Engagement social par type d'activité, 2004

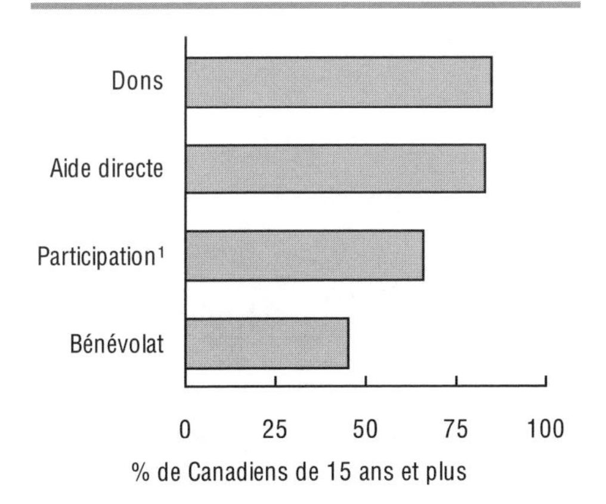

1. La participation se définit comme la population appartenant à un groupe ou un organisme.

Source : Statistique Canada, produit nº 71-542-XIF au catalogue.

Sources choisies

Statistique Canada

- *Bulletin d'analyse : régions rurales et petites villes du Canada.* Hors série. 21-006-XIF
- *L'emploi et le revenu en perspective.* Mensuel. 75-001-XIF
- *Tendances sociales canadiennes.* Irrégulier. 11-008-XWF

Être informé est synonyme de civisme

Les gens qui écoutent ou lisent les nouvelles fréquemment sont plus susceptibles d'être engagés sur le plan politique que ceux qui ne le font pas. La plupart des Canadiens écoutent ou lisent les nouvelles et suivent l'actualité au moins plusieurs fois par semaine. Voilà un indice important d'une société florissante.

L'Enquête sociale générale de 2003 indique que 89 % des Canadiens écoutent ou lisent les nouvelles quotidiennement ou plusieurs fois par semaine. Les personnes de 65 ans et plus sont plus portées à écouter ou à lire fréquemment les nouvelles que les jeunes adultes de 19 à 24 ans.

Pour 91 % des personnes assidues aux nouvelles, la télévision est la grande favorite. C'est le premier choix des femmes, des Québécois et des personnes dont le revenu du ménage est inférieur à 60 000 $ par année. Soixante-dix pour cent des gens qui s'informent assidûment optent pour le journal. Ce choix est plus courant chez les hommes et chez ceux dont le revenu est supérieur à 60 000 $. La troisième source la plus commune d'information est la radio, auprès de laquelle 53 % des gens assidus aux nouvelles font le plein. Les personnes âgées ont beaucoup plus tendance à l'écouter que les autres, leur proportion s'élevant à 83 % à ce chapitre.

Internet est particulièrement populaire chez les jeunes : 30 % de tous les Canadiens suivant régulièrement l'actualité l'utilisent, mais 42 % des jeunes adultes et seulement 9 % des personnes âgées y ont recours. Les hommes sont plus enclins à utiliser Internet pour s'informer, de même que les Canadiens touchant des revenus supérieurs. Les immigrants sont également plus susceptibles d'utiliser Internet puisque les nouvelles peuvent y être plus approfondies et diffusées dans la langue de leur choix.

Les Canadiens qui suivent l'actualité par l'entremise de plusieurs médias sont plus susceptibles de participer à des activités politiques en plus de voter, comme le fait d'assister à une réunion publique ou de se porter bénévoles pour un parti politique. Ne consulter que la télévision pour s'informer se traduit généralement par une moins forte participation.

Graphique 27.4
Sources principales de nouvelles pour personnes assidues aux nouvelles, 2003

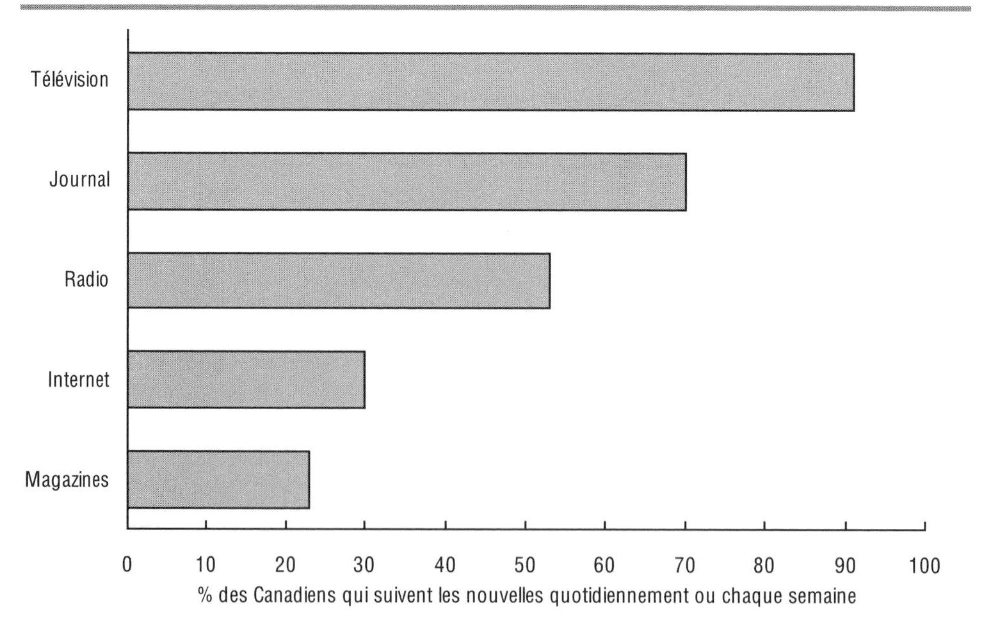

Note : Canadiens âgés de 19 ans et plus.
Source : Statistique Canada, produit nº 11-008-XIF au catalogue.

Rôles des hommes et des femmes

Le taux de participation des Canadiennes au marché du travail est presque le même que celui des Canadiens. En fait, leur taux de participation au marché du travail rémunéré est l'un des plus élevés au monde. Mais cela signifie-t-il que leurs partenaires partagent davantage les responsabilités relatives aux travaux ménagers?

Aujourd'hui, les couples dont les membres ont de 25 à 54 ans partagent beaucoup plus équitablement les responsabilités financières et les obligations liées aux soins des enfants et aux travaux ménagers. Toutefois, s'il existe encore des différences entre les sexes en matière de répartition du travail, elles diminuent peu à peu.

Les femmes continuent à faire considérablement plus de travaux ménagers que les hommes. En 1986, 54 % des hommes effectuaient chaque jour des travaux ménagers : ce pourcentage est passé à 69 % en 2005. Le taux de participation des femmes aux travaux ménagers est demeuré stable à environ 90 %. La participation des hommes aux soins des enfants a aussi augmenté.

Malgré que plus de gens effectuent des travaux ménagers et malgré la tendance favorisant les maisons plus grandes, on observe une réduction du temps alloué aux travaux ménagers. Une des raisons de cette situation pourrait être l'économie d'aujourd'hui axée sur les services. Les Canadiens embauchent d'autres personnes pour faire l'entretien ménager et paysager et pour pelleter. Ils achètent des électroménagers permettant d'épargner du temps, ainsi que des produits alimentaires préemballés et des mets à emporter. En outre, les normes relatives aux travaux ménagers semblent s'assouplir au fur et à mesure que les priorités des gens changent.

Dans les familles à deux revenus, la participation des hommes aux travaux ménagers a augmenté (de 70 % en 1992 à 74 % en 2005); chez les femmes, elle a diminué (de 94 % à 90 %). Les couples dans lesquels les deux conjoints travaillent se sentent stressés par le manque de temps, surtout les femmes. Cependant, malgré les pressions attribuables aux efforts pour concilier le travail et la vie, la plupart des couples à deux revenus se disent satisfaits de la vie en général.

Graphique 27.5
Temps consacré au travail rémunéré et aux travaux ménagers dans les familles à deux soutiens selon le type de travail

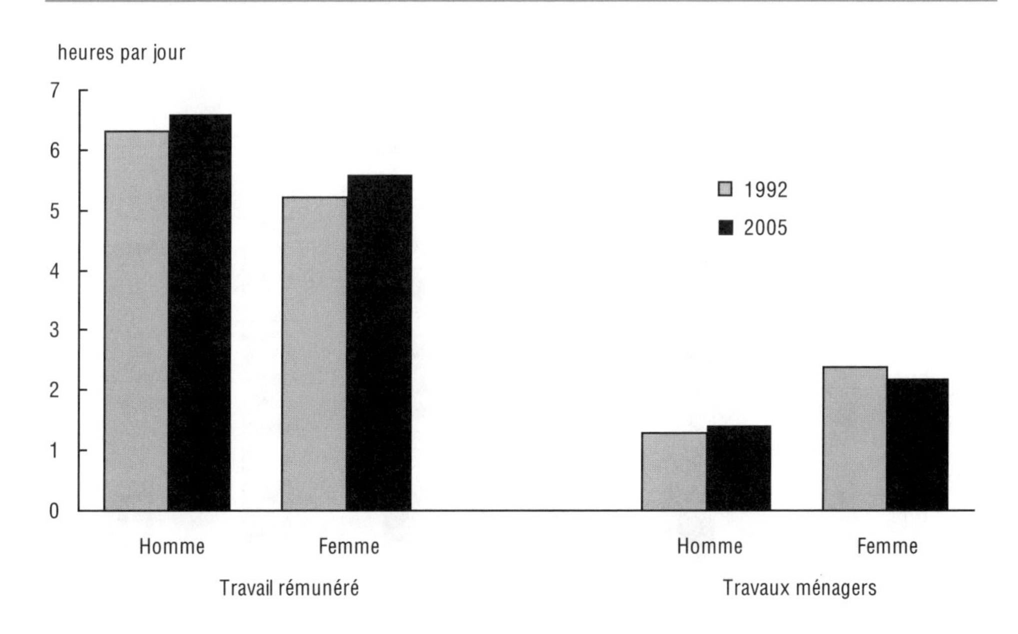

Source : Statistique Canada, produit n° 75-001-XIF au catalogue.

Moins de temps en famille

Les travailleurs canadiens passent moins de temps avec les membres de leur famille, et cette tendance est généralisée. Elle touche les hommes, les femmes, les travailleurs vivant uniquement avec un conjoint et ceux vivant avec des enfants ainsi que les travailleurs ayant un diplôme collégial et ceux n'ayant pas terminé leurs études secondaires. Ce sont les travailleurs vivant avec un enfant de moins de 5 ans qui passent le plus de temps en famille, alors que les parents qui vivent seuls avec un adolescent ou un jeune adulte passent le moins de temps en famille.

De 1986 à 2005, le temps que passaient en moyenne les travailleurs avec les membres de leur famille pendant une journée de travail type a chuté de 250 minutes par jour à 206 minutes par jour. Et les travailleurs ne passent pas plus de temps avec des amis. En effet, le temps passé avec des amis a aussi diminué, passant de 44 minutes à 19 minutes.

Le temps consacré en moyenne à un emploi rémunéré a considérablement augmenté, allant de 506 minutes à 536 minutes. En outre, les travailleurs passent plus de temps seuls, soit 174 minutes par jour en moyenne en 2005 par rapport à 133 minutes par jour en 1986. Quoi qu'il en soit, en 2005, environ le tiers des travailleurs ont dit vouloir passer plus de temps seuls. À noter que le temps passé seul n'englobe pas le temps passé seul au travail.

Cinq facteurs ont contribué à la réduction du temps passé en famille depuis 1986. Premièrement, les travailleurs sont beaucoup plus susceptibles de prendre au moins un repas, une collation ou un café seuls (27 % en 2005 contre 17 % en 1986). Deuxièmement, la durée moyenne du temps consacré aux repas hors des heures de travail a diminué, passant de 60 minutes à 45 minutes. Troisièmement, un plus grand nombre de travailleurs regardent la télévision seuls, soit 27 % en 2005 contre 17 % en 1986. Quatrièmement, les travailleurs consacrent plus de temps aux soins personnels (se laver, s'habiller et dormir) qu'en famille. Enfin, les travailleurs consacrent moins de la moitié du temps qu'en 1986 à des activités sociales à l'extérieur de la maison.

Graphique 27.6
Temps moyen passé avec la famille selon le groupe d'âge

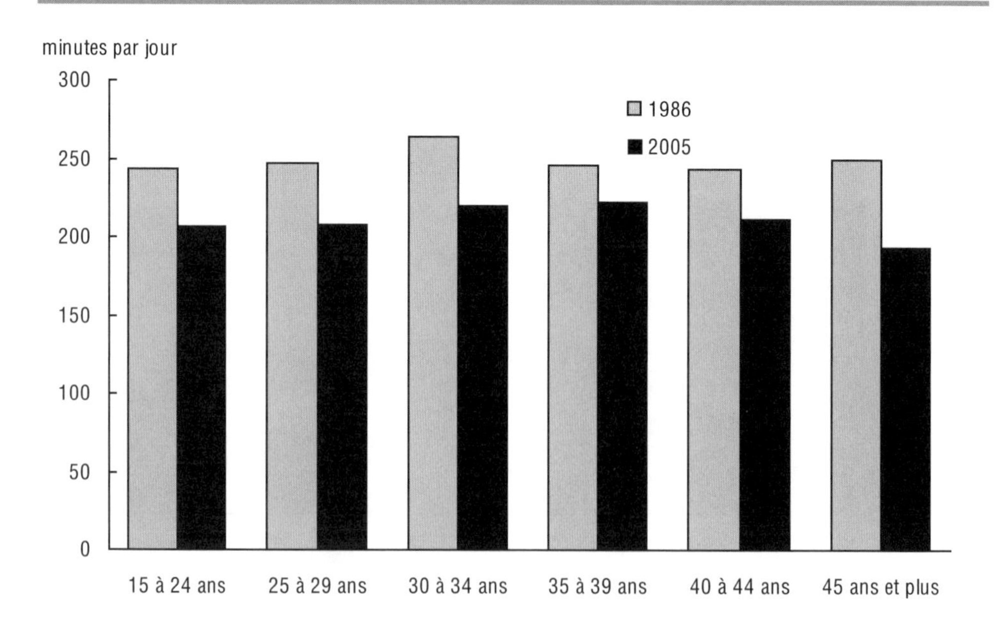

Source : Statistique Canada, produit nº 11-008-XIF au catalogue.

Le nombre d'unions interreligieuses croît

Le nombre d'unions interreligieuses augmente au Canada. Il n'y a rien de surprenant à cela compte tenu de la plus grande diversité culturelle au pays et du déclin de l'appartenance religieuse. Néanmoins, 4 couples sur 5 sont formés de partenaires du même groupe religieux.

En 1981, seulement 15 % des Canadiens en couple vivaient en union interreligieuse (mariage ou union de fait). En 2001, ce pourcentage était passé à 19 %, c'est-à-dire que sur les 14,1 millions de Canadiens vivant en couple, 2,7 millions avaient un partenaire provenant d'un grand groupe religieux différent.

La moitié des unions interreligieuses, ou 1,3 million, ont lieu entre catholiques et protestants, les deux plus grands groupes religieux au pays. Ces unions ne sont pas réparties également sur le plan géographique, la présence de partenaires de même confession ayant tendance à réduire la fréquence des unions interreligieuses. Au Québec par exemple, où 83 % de la population est catholique et 5 %, protestante, 2 % seulement des catholiques vivent en couple avec un protestant. En Ontario, où le nombre de catholiques et de protestants est presque égal, 18 % des catholiques en couple vivent en union interreligieuse avec une personne de confession protestante.

Les gens très religieux et ceux qui observent leur doctrine religieuse de façon plus traditionnelle sont moins susceptibles de vivre en union interreligieuse. Ainsi, seulement 13 % des protestants conservateurs vivent dans ce type d'union par rapport à 23 % des protestants conventionnels.

Les chrétiens orthodoxes sont aujourd'hui plus susceptibles d'être en union interreligieuse, particulièrement avec une personne catholique. Les juifs ont aussi tendance à vivre en plus grand nombre en union interreligieuse, particulièrement avec les catholiques et les protestants. L'union interreligieuse la plus courante pour les bouddhistes est celle avec un partenaire sans religion. Les sikhs, les musulmans et les hindous sont les moins susceptibles d'être en union interreligieuse.

Graphique 27.7
Personnes en union interreligieuse selon le groupe d'âge

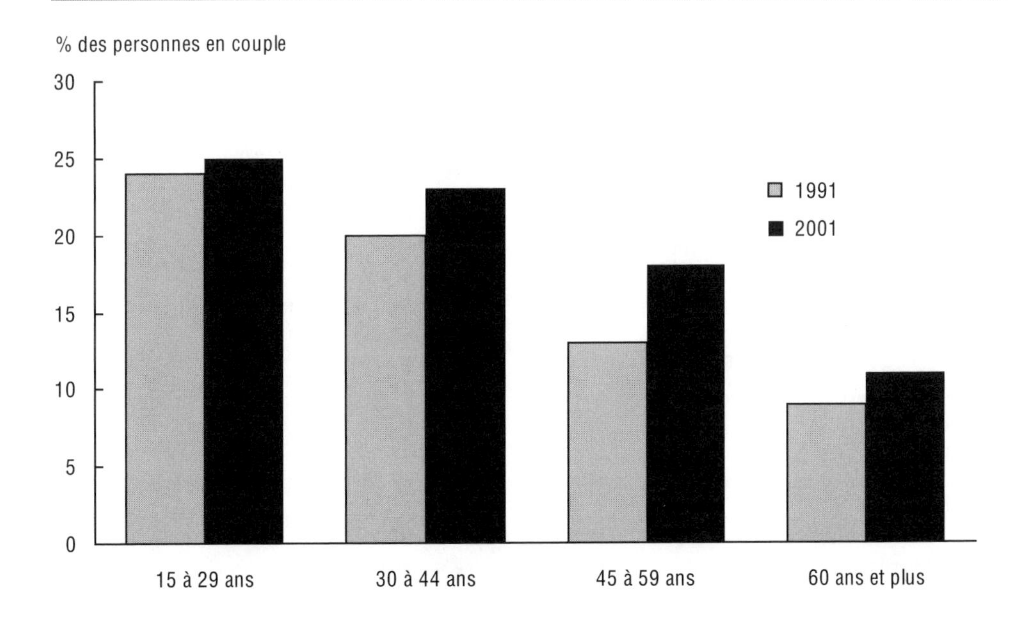

Source : Statistique Canada, produit nº 11-008-XIF au catalogue.

Tableau 27.1 Dons de charité selon certaines caractéristiques des donateurs, par province et territoire, 2005

	Canada	Terre-Neuve-et-Labrador	Île-du-Prince-Édouard	Nouvelle-Écosse	Nouveau-Brunswick
			nombre		
Ensemble des déclarants[1]	**23 311 690**	**390 770**	**102 870**	**685 500**	**563 240**
Ensemble des donateurs	**5 833 930**	**83 420**	**27 030**	**162 830**	**130 620**
			pourcentage		
Hommes					
Déclarants[1]	**48**	49	48	48	49
Donateurs	**56**	60	54	55	56
Femmes					
Déclarantes[1]	**52**	51	52	52	51
Donatrices	**44**	40	46	45	44
			années		
Âge moyen des donateurs[2]	**52**	**54**	**54**	**55**	**54**
			pourcentage		
Groupe d'âge des donateurs[2]					
0 à 24 ans	**3**	1	2	2	2
25 à 34 ans	**12**	9	10	9	11
35 à 44 ans	**20**	18	18	17	18
45 à 54 ans	**23**	24	23	23	23
55 à 64 ans	**18**	23	21	21	21
65 ans et plus	**24**	23	25	28	25
			dollars		
Moyenne des dons selon l'âge du donateur[2]					
0 à 24 ans	**490**	330	240	290	410
25 à 34 ans	**820**	480	390	540	600
35 à 44 ans	**1 200**	620	680	850	870
45 à 54 ans	**1 400**	860	800	1 100	1 100
55 à 64 ans	**1 500**	990	1 000	1 200	1 300
65 ans et plus	**1 700**	1 000	1 600	1 600	1 500
Revenu total médians des donateurs[3,4]	**45 400**	**34 400**	**36 700**	**40 800**	**38 000**
Dons total médian, les deux sexes[4]	**240**	**320**	**340**	**280**	**280**
Hommes	**260**	340	390	310	320
Femmes	**210**	280	290	260	240
			milliers de dollars		
Total des dons de charité	**7 879 588**	**69 933**	**26 256**	**184 297**	**148 430**
Hommes	**5 293 624**	47 615	15 439	119 708	95 883
Femmes	**2 585 965**	22 317	10 817	64 588	52 547

Notes : Les dons de charité représentent la portion admissible des dons de charité, tel que déclaré sur la déclaration d'impôt. Les donateurs sont toutes personnes ayant déclaré des dons de charité à la ligne 340 de la déclaration d'impôt des particuliers.

1. Les déclarants sont les personnes qui ont rempli une déclaration d'impôt pour la période de référence et qui étaient vivantes à la fin de l'année.
2. Les caractéristiques telles que l'âge datent du 31 décembre de l'année de référence.
3. Le revenu total comprend toutes les sources de revenu. Les revenus médians sont arrondis à 100 dollars près.
4. Les zéros ne sont pas inclus dans le calcul des médianes pour les particuliers.

Source : Statistique Canada, CANSIM : tableaux 111-0001 et 111-0002.

Québec	Ontario	Manitoba	Saskatchewan	Alberta	Colombie-Britannique	Yukon	Territoires du Nord-Ouest	Nunavut
				nombre				
5 766 410	**8 804 910**	**832 510**	**706 360**	**2 375 330**	**3 019 590**	**21 630**	**27 050**	**15 520**
1 290 340	**2 389 140**	**236 620**	**185 660**	**601 180**	**715 940**	**4 680**	**4 760**	**1 710**
				pourcentage				
49	48	48	48	49	48	50	51	50
58	56	55	55	58	54	46	52	49
51	52	52	52	51	52	50	49	50
42	44	45	45	42	46	54	48	51
				années				
53	**52**	**52**	**54**	**50**	**53**	**49**	**44**	**44**
				pourcentage				
3	3	4	3	4	3	2	4	5
11	13	12	11	15	11	13	20	23
19	20	19	17	21	19	22	27	23
25	23	23	23	25	23	31	28	26
19	17	17	17	16	19	20	15	18
24	24	25	29	20	26	12	5	6
				dollars				
150	600	640	680	630	570	290	240	430
290	1 000	970	750	980	880	550	690	790
500	1 500	1 500	1 100	1 500	1 300	700	920	1 200
560	1 800	1 800	1 300	2 100	1 600	1 100	1 300	1 800
600	1 800	1 800	1 400	2 300	1 600	1 300	1 700	1 800
810	1 900	1 800	1 500	2 600	1 900	1 300	1 600	980
42 700	**48 600**	**40 000**	**40 300**	**50 300**	**44 800**	**56 000**	**73 800**	**77 100**
120	**300**	**300**	**300**	**290**	**300**	**220**	**210**	**400**
140	330	350	330	340	340	260	250	420
100	270	260	270	250	260	200	180	370
				milliers de dollars				
738 774	**3 869 951**	**376 491**	**235 751**	**1 116 053**	**1 101 549**	**4 595**	**5 216**	**2 292**
495 270	2 587 602	257 472	151 460	794 400	721 916	2 594	3 031	1 232
243 504	1 282 348	119 019	84 291	321 653	379 632	2 001	2 185	1 060

Tableau 27.2 Dons de charité selon certaines caractéristiques des donateurs, 2000 à 2005

	2000	2001	2002	2003	2004	2005
	nombre					
Ensemble des déclarants[1]	**21 611 830**	**21 886 860**	**21 979 210**	**22 465 770**	**22 725 310**	**23 311 690**
Ensemble des donateurs	**5 516 420**	**5 521 780**	**5 520 560**	**5 588 590**	**5 781 250**	**5 833 930**
	pourcentage					
Hommes						
Déclarants[1]	49	49	49	49	48	48
Donateurs	57	57	57	57	56	56
Femmes						
Déclarantes[1]	51	51	51	51	52	52
Donatrices	43	43	43	43	44	44
	années					
Âge moyen des donateurs[2]	**52**	**52**	**52**	**52**	**52**	**52**
	pourcentage					
Groupe d'âge des donateurs[2]						
0 à 24 ans	3	3	3	3	3	3
25 à 34 ans	13	12	12	12	12	12
35 à 44 ans	22	22	21	21	20	20
45 à 54 ans	23	23	23	23	23	23
55 à 64 ans	15	16	16	17	18	18
65 ans et plus	24	24	24	24	24	24
	dollars					
Moyenne des dons selon l'âge du donateur[2]						
0 à 24 ans	340	360	380	470	460	490
25 à 34 ans	510	520	590	700	700	820
35 à 44 ans	840	860	940	1 000	1 000	1 200
45 à 54 ans	1 000	1 100	1 100	1 200	1 300	1 400
55 à 64 ans	1 100	1 100	1 200	1 300	1 300	1 500
65 ans et plus	1 300	1 300	1 300	1 400	1 500	1 700
Revenu total médian des donateurs[3,4]	**39 300**	**40 300**	**41 200**	**42 400**	**43 700**	**45 400**
Dons total médians, les deux sexes[4]	**190**	**200**	**210**	**220**	**230**	**240**
Hommes	210	220	230	240	250	260
Femmes	170	180	180	200	200	210
	milliers de dollars					
Total des don de charité	**5 438 672**	**5 514 371**	**5 847 068**	**6 513 013**	**6 922 616**	**7 879 588**
Hommes	3 636 560	3 715 250	3 940 147	4 389 106	4 591 471	5 293 624
Femmes	1 802 112	1 799 121	1 906 921	2 123 908	2 331 145	2 585 965

Notes : Les dons de charité représentent la portion admissible des dons de charité, tel que déclaré sur la déclaration d'impôt. Les donateurs sont toutes personnes ayant déclaré des dons de charité à la ligne 340 de la déclaration d'impôt des particuliers.

1. Les déclarants sont les personnes qui ont rempli une déclaration d'impôt pour la période de référence et qui étaient vivantes à la fin de l'année.
2. Les caractéristiques telles que l'âge datent du 31 décembre de l'année de référence.
3. Le revenu total comprend toutes les sources de revenu. Les revenus médians sont arrondis à 100 dollars près.
4. Les zéros ne sont pas inclus dans le calcul des médianes pour les particuliers.

Source : Statistique Canada, CANSIM : tableaux 111-0001 et 111-0002.

Tableau 27.3 Temps moyen passé avec la famille par les travailleurs lors d'une journée typique de travail selon certaines caractéristiques des travailleurs, 1986 et 2005

	1986	2005	Changement de 1986 à 2005
		minutes	
Ensemble des travailleurs	**250**	**206**	**-44**
Âge			
15 à 24 ans	243	207	n.s.[1]
25 à 29 ans	247	208	-39
30 à 34 ans	264	220	-44
35 à 39 ans	246	223	-23
40 à 44 ans	243	212	-31
45 ans et plus	249	194	-54
Sexe			
Femme	248	209	-39
Homme	250	205	-45
Région de résidence			
Atlantique	258	220	-38
Québec	237	209	-28
Ontario	254	205	-50
Prairies	255	207	-48
Colombie-Britannique	250	201	-49
Situation familiale			
Vit avec un conjoint, aucun enfant	231	191	-40
Vit avec un conjoint, enfant cadet de moins de 5 ans	274	244	-30
Vit avec un conjoint, enfant cadet de 5 à 12 ans	271	227	-44
Vit avec un conjoint, enfant cadet de 13 à 24 ans	247	198	-49
Parent seul, enfant cadet de moins de 5 ans	346	251	-95
Parent seul, enfant cadet de 5 à 12 ans	243	196	n.s.[1]
Parent seul, enfant cadet de 13 à 24 ans	150	132	n.s.[1]
Plus haut niveau de scolarité			
Élémentaire	252	210	-42
Diplôme d'études secondaires	254	203	-50
Diplôme d'études collégiales ou d'une école de métiers	243	205	-38
Diplôme universitaire	241	211	-30

1. n.s. indique que le changement de 1986 à 2005 n'est pas statistiquement significatif au seuil de $p < 0,01$.

Source : Statistique Canada, produit nº 11-008-XIF au catalogue.

Tableau 27.4 Temps moyen passé avec la famille par les travailleurs lors d'une journée typique de travail selon certaines activités des travailleurs, 1986 et 2005

	Temps moyen passé avec la famille par jour		
	1986	2005	Changement de 1986 à 2005
	minutes		
Ensemble des travailleurs	**250**	**206**	**-44**
Temps pour le travail et pour les activités qui y sont liées			
3 à 5 heures	379	345	n.s.[1]
5 à 6 heures	341	307	n.s.[1]
6 à 7 heures	279	270	n.s.[1]
7 à 8 heures	270	236	34
8 à 9 heures	260	219	41
9 à 10 heures	220	202	18
10 à 11 heures	206	164	42
11 heures et plus	118	107	n.s.[1]
Temps pour les soins personnels incluant le sommeil			
Moins de 7 heures	303	244	-58
7 à 8 heures	257	216	-40
8 à 9 heures	250	213	-37
9 à 10 heures	228	185	-43
10 à 11 heures	208	179	n.s.[1]
11 heures et plus	189	143	n.s.[1]
Temps pour les repas et les collations à la maison			
N'a pas mangé à la maison	169	200	n.s.[1]
1 à 24 minutes	233	183	-51
25 à 44 minutes	227	196	-31
45 à 64 minutes	245	211	-35
65 minutes et plus	285	233	-53
Temps pour les déplacements en voiture ou en transport en commun			
Aucun déplacement en voiture ni en transport en commun	242	201	-42
1 à 60 minutes	248	196	-52
61 à 120 minutes	246	216	-30
121 minutes et plus	273	221	-52
Temps pour regarder la télévision, incluant le visionnement de vidéocassettes ou de DVD			
Pas de télévision	218	184	-34
1 à 60 minutes	236	193	-43
61 à 120 minutes	241	216	-25
121 à 180 minutes	260	228	-32
181 minutes et plus	323	256	-67

1. n.s. indique que le changement de 1986 à 2005 n'est pas statistiquement significatif au seuil de $p < 0,01$.

Source : Statistique Canada, produit nº 11-008-XIF au catalogue.

Tableau 27.5 Limitations en matière de travail, 2001

	Effectif total des employés	Incapacité		
		Légère	Modérée	Grave / très grave
	milliers			
Ensemble des personnes avec des incapacités	**817,0**	**379,8**	**242,7**	**194,5**
	pourcentage			
L'incapacité affecte le travail ou les études				
Parfois	33,5	32,7	41,1	25,5
Souvent	25,4	8,0	28,0	56,4
Non	34,5	53,0	26,6	8,2
Ne s'applique pas	5,9	5,4E	3,7E	9,5
Changement au travail à cause de l'incapacité				
Le genre de travail a changé	33,5	22,3	40,3	46,9
La charge de travail a changé	42,9	29,2	47,6	63,6
Le travail a changé	28,2	19,6	32,6	39,3
L'incapacité limite le genre de travail dans le poste actuel	51,4	34,9	56,7	77,0
Attitude concernant les incapacités				
Se considèrent désavantagées en matière d'emploi	34,3	17,2	41,0	59,1
Se considèrent désavantagées par leur employeur	35,4	19,3	41,3	59,5
L'incapacité rend le changement de travail ou la promotion				
Très difficile	20,9	8,0	20,0	47,4
Difficile	23,0	15,9	31,9	25,6
Pas difficile	49,3	68,8	41,2	21,3
Dans les 5 dernières années, à cause de l'incapacité,				
Se sont vu refuser un emploi	10,6	4,3	12,5	20,8
Se sont vu refuser une promotion	5,9	2,6E	7,0	11,0
Se sont vu refuser de la formation	2,8	1,2E	2,0E	6,9
Ont été licenciées	6,6	3,6E	7,0	12,0

Note : Population âgée de 15 à 64 ans.
Source : Statistique Canada, produit nº 75-001-XIF au catalogue.

Tableau 27.6 Temps moyen passé par les travailleurs pour certaines activités lors d'une journée typique de travail, 1986, 1992, 1998 et 2005

	1986	1992	1998	2005
	minutes			
Travail et activités qui y sont liées	506	523	528	536
Soins personnels incluant le sommeil	491	484	488	500
Repas à la maison, collation, café	60	52	44	45
Déplacements en voiture ou en transport en commun	66	68	72	73
Déplacements à pied	5	5	5	3
Activités sociales en dehors de son domicile	23	16	14	11
Lecture (livres, revues, journaux, etc.)	18	17	15	10
Télévision, incluant le visionnement de vidéocassettes ou de DVD	95	89	84	79

Source : Statistique Canada, produit nº 11-008-XIF au catalogue.

Tableau 27.7 Couples interreligieux selon certains groupes religieux, 1981, 1991 et 2001

	Les deux sexes			Hommes	Femmes
	1981	1991	2001	2001	
	pourcentage				
Ensemble des groupes religieux	**15**	**17**	**19**	**19**	**19**
Catholiques	12	14	16	15	17
Protestants	14	17	21	19	23
Protestants conventionnels[1]	15	19	23	21	25
Protestants conservateurs[2]	9	11	13	11	15
Autres protestants	15	22	25	23	27
Chrétiens orthodoxes	23	25	26	27	24
Autres religions chrétiennes	19	18	18	15	20
Musulmans	13	11	9	11	6
Juifs	9	12	17	19	16
Bouddhistes	19	16	19	16	22
Hindous	11	10	9	9	8
Sikhs	4	4	3	4	3
Autres religions orientales	26	24	27	25	29
Autres religions[3]	41	41	46	40	50
Aucune religion	38	27	25	32	17

Note : Couples interreligieux consistent en des personnes mariées ou vivant dans une union libre où les époux appartiennent à deux grands groupes religieux différents.

1. Parmi les protestants conventionnels, on compte les anglicans, les luthériens, les presbytériens et les membres de l'Église Unie.
2. Parmi les protestants conservateurs, on compte les baptistes, les pentecôtistes, les membres de l'Église du Nazaréen, les membres de l'Église évangélique libre, les mennonites, les membres de l'Armée du Salut, les membres de l'Église réformée, les membres de l'Alliance chrétienne et missionnaire et les membres d'autres petits groupes.
3. Les autres religions incluent : nouvel âge, spiritualité autochtone, païenne, scientologie, satanisme, wicca, rasta, gnostique, unité, nouvelle pensée, panthéiste et autres petits groupes religieux.

Source : Statistique Canada, produit nº 11-008-XIF au catalogue.

Tableau 27.8 Participation et temps consacré au travail rémunéré, aux travaux ménagers et aux autres travaux non rémunérés selon l'activité et le sexe, 1992, 1998 et 2005

	Hommes de 25 à 54 ans			Femmes de 25 à 54 ans		
	1992	1998	2005	1992	1998	2005
	nombre moyen d'heures par jour[1] de participants[2] et de non participants					
Total du travail rémunéré et non rémunéré	**8,6**	**8,9**	**8,8**	**8,4**	**8,5**	**8,8**
Travail rémunéré et activités connexes	6,1	6,3	6,3	3,6	4,0	4,4
Travail	5,1	5,1	5,3	3,0	3,2	3,7
Activités connexes	0,6	0,6	0,4	0,3	0,4	0,3
Navettage	0,5	0,5	0,6	0,3	0,3	0,4
Travaux ménagers	1,4	1,4	1,4	2,9	2,6	2,4
Principaux	0,5	0,7	0,7	2,3	2,2	1,9
Non principaux	0,9	0,7	0,7	0,6	0,5	0,5
Autres travaux non rémunérés	1,1	1,2	1,1	1,9	2,0	1,9
Soins aux enfants	0,4	0,5	0,5	1,0	1,0	1,0
Achats et services	0,6	0,7	0,6	0,9	1,0	0,9
	nombre moyen d'heures par jour[1] de participants[2]					
Total du travail rémunéré et non rémunéré	**8,9**	**9,1**	**9,2**	**8,5**	**8,6**	**8,9**
Travail rémunéré et activités connexes	9,4	9,5	9,7	8,0	8,2	8,5
Travail	8,1	8,1	8,5	6,9	7,1	7,5
Activités connexes	1,2	1,3	1,1	1,0	1,0	1,1
Navettage	0,8	0,9	1,0	0,7	0,8	0,9
Travaux ménagers	2,0	1,8	2,1	3,1	2,8	2,8
Principaux	1,0	1,0	1,2	2,6	2,4	2,3
Non principaux	2,3	2,2	2,5	1,6	1,4	1,8
Autres travaux non rémunérés	2,1	2,1	2,2	2,8	2,8	2,9
Soins aux enfants	1,6	1,8	1,8	2,2	2,3	2,5
Achats et services	1,8	1,7	1,9	2,0	1,9	2,0
	pourcentage de la population qui a fait le travail ou l'activité					
Total du travail rémunéré et non rémunéré	**96**	**98**	**96**	**99**	**99**	**98**
Travail rémunéré et activités connexes	65	67	65	45	48	51
Travail	63	63	62	43	46	49
Activités connexes	48	51	39	33	36	30
Navettage	57	59	58	40	43	46
Travaux ménagers	67	77	69	93	94	89
Principaux	52	69	59	91	92	85
Non principaux	38	36	31	37	42	35
Autres travaux non rémunérés	51	56	49	68	71	66
Soins aux enfants	28	30	27	44	43	39
Achats et services	33	39	31	47	51	45

1. Calcul de la moyenne des heures au cours de sept jours; les chiffres ayant été arrondis, leur somme peut ne pas correspondre aux totaux.
2. Inclut seulement ceux qui ont réellement fait l'activité de travail.

Source : Statistique Canada, produit n° 75-001-XIF au catalogue.

Tableau 27.9 Caractéristiques des personnes assidues aux nouvelles selon la source de média, 2003

	Ensemble des sources de média	Télévision	Radio	Journal	Magazines	Internet	Nombre moyen de sources consultées
	pourcentage						
Ensembles des personnes intéressées par les nouvelles[1]	**89**	**91**	**53**	**70**	**23**	**30**	**2,67**
Âge							
19 à 24 ans	79	86	41	66	20	42	2,55
25 à 44 ans	87	89	54	67	21	38	2,70
45 à 64 ans	93	92	57	73	25	27	2,73
65 ans et plus	95	95	83	74	24	9	2,55
Sexe							
Femme	88	92	52	68	22	24	2,58
Homme	91	90	54	73	24	36	2,76
État matrimonial							
Marié ou en union libre	91	91	56	72	23	30	2,71
Autre	86	89	49	68	21	30	2,58
Plus haut niveau de scolarité							
Aucunes études postsecondaires	87	93	47	64	16	12	2,32
Études postsecondaires partielles	91	89	57	73	26	39	2,81
Type d'emploi							
Professionnel ou gestionnaire	93	91	60	75	30	48	3,04
Autres types d'emploi	88	88	52	69	21	24	2,58
Revenu du ménage							
Moins de 29 999 $	87	93	48	61	18	20	2,40
De 30 000 $ à 59 999 $	89	91	53	68	21	27	2,59
60 000 $ et plus	92	87	59	76	28	41	2,92
Non déclaré	87	92	49	69	19	21	2,50
Né au Canada							
Oui	89	91	54	71	23	28	2,67
Non	90	90	52	67	20	36	2,68
Langue parlée à la maison							
Anglais	89	89	57	75	25	32	2,79
Français	91	94	44	61	19	21	2,39
Autre	87	90	49	62	18	34	2,53
Région							
Atlantique	88	91	58	67	17	24	2,57
Québec	91	94	46	62	19	23	2,44
Ontario	90	89	55	74	24	34	2,75
Prairies	88	90	56	74	24	29	2,73
Colombie-Britannique	88	89	57	75	27	36	2,81
Région urbaine ou rurale							
Montréal	91	93	48	63	21	29	2,53
Toronto	92	90	55	73	24	39	2,80
Vancouver	89	88	57	74	25	39	2,83
Autre région métropolitaine de recensement	89	89	54	73	24	32	2,73
Agglomération de recensement	88	92	53	74	23	26	2,67
Région rurale	87	92	54	64	20	19	2,48

Note : Population de 19 ans et plus; exclut les territoires.

1. Personnes qui suivent les nouvelles et l'actualité au moins plusieurs fois par semaine.

Source : Statistique Canada, produit nº 11-008-XIF au catalogue.

Technologie : information et communications

28

SURVOL

Les technologies de l'information et des communications (TIC) — télécommunications, services informatiques et de câblodistribution et fabrication du matériel, y compris Internet — jouent un rôle de premier plan dans la vie des Canadiens. Les technologies comme les réseaux sans fil et Internet ont transformé nos façons de communiquer à la maison, au travail, à l'école et dans nos déplacements quotidiens.

En 2005, près de 17 millions de Canadiens d'âge adulte, soit 68 % de la population de 18 ans et plus, ont utilisé Internet à des fins personnelles non commerciales. Environ 90 % d'entre eux, 15 millions, l'ont fait à partir de la maison.

La grande majorité des utilisateurs à domicile, 91 %, sont allés en ligne pour envoyer et recevoir du courrier électronique, et 84 %, pour naviguer sur Internet. La recherche de renseignements et les finances personnelles ont pris le pas sur le divertissement, comme les jeux ou la radio en ligne. Environ 6 utilisateurs adultes sur 10 ont employé Internet pour obtenir des bulletins sur les conditions météorologiques ou routières, pour consulter les nouvelles ou les résultats sportifs, pour trouver des renseignements médicaux ou relatifs à la santé, pour obtenir de l'information sur les voyages et faire des réservations, et pour effectuer des opérations bancaires.

En 2005, environ 50 % des utilisateurs d'Internet à domicile étaient branchés par câble et 44 %, par ligne téléphonique. Plus de 80 % de l'ensemble des utilisateurs d'Internet à domicile disposaient d'une connexion à haute vitesse. On observe une utilisation plus importante d'Internet dans les régions urbaines, chez les adultes de moins de 45 ans, chez les personnes ayant fait des études postsecondaires, dans les ménages comptant des enfants et au sein des ménages à revenu élevé.

Les entreprises, elles aussi, ont su tirer parti d'Internet. En 2006, les ventes en ligne des entreprises privées ont fait un bond de 42 % par rapport à l'année précédente pour s'établir à 46,5 milliards de dollars. La majorité de ces

Graphique 28.1
Certaines activités sur Internet des utilisateurs adultes à domicile, 2005

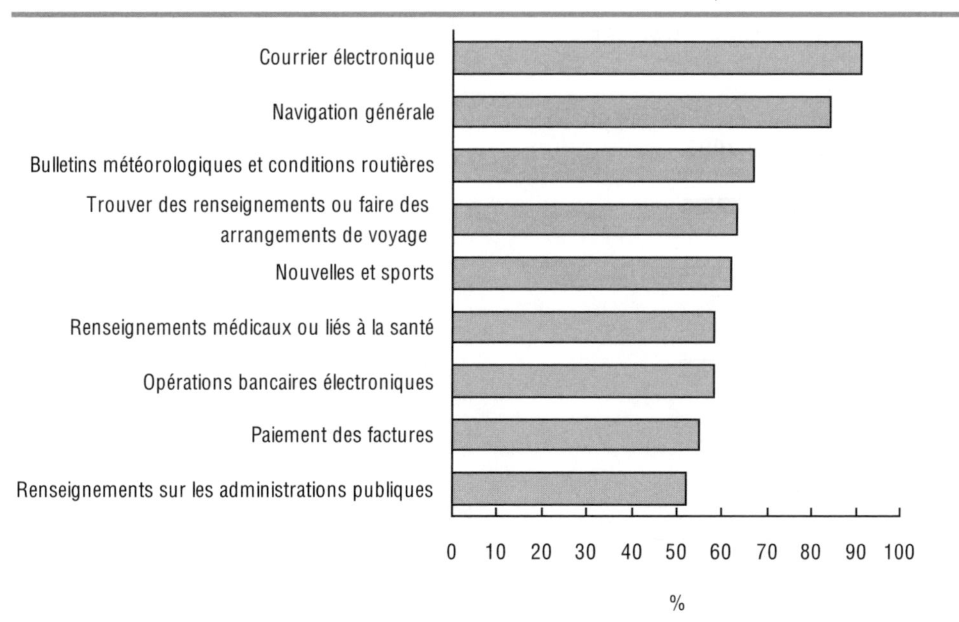

Source : Statistique Canada, CANSIM : tableau 358-0130.

ventes, dont la valeur s'élève à 31,4 milliards de dollars, se sont faites entre entreprises. En 2006, 45 % des entreprises canadiennes ont fait des achats en ligne. Pour les entreprises, les principaux avantages d'Internet sur le plan des affaires sont de joindre de nouveaux clients (36 % des entreprises) et d'améliorer la coordination avec les fournisseurs, les clients ou les partenaires (35 %). Seulement 27 % des entreprises ont déclaré que l'utilisation d'Internet leur permettait de réduire leurs coûts.

Les ménages dépensent plus au titre des TIC

En 2005, les Canadiens ont dépensé davantage qu'en 2004 au chapitre de l'accès Internet, des services de téléphonie cellulaire et d'autres services sans fil, du matériel informatique et des abonnements à la télévision par satellite et par câble. En revanche, les dépenses des ménages au titre des services téléphoniques par ligne terrestre (réseau par fil) ont continué de diminuer.

Les dépenses annuelles au titre des services de téléphonie cellulaire et d'autres services sans fil se sont chiffrées en moyenne à 410 $ par ménage en 2005, en hausse de plus de 21 % par rapport à 2004, tandis que les dépenses annuelles pour les services téléphoniques par fil ont fléchi de 3 % pour s'établir en moyenne à 680 $. Les ménages

Graphique 28.2
Ménages ayant seulement un téléphone cellulaire, décembre 2005

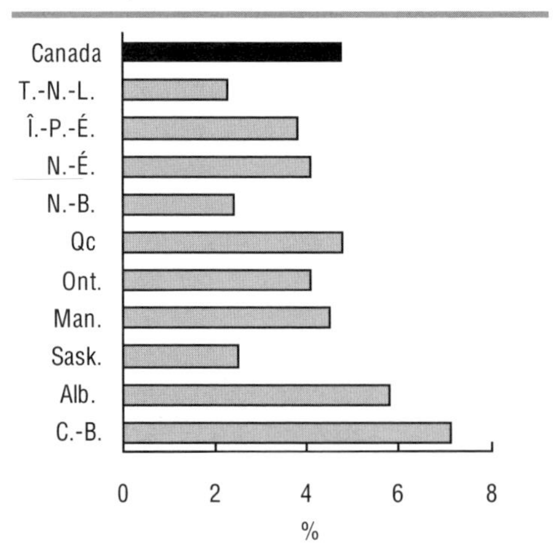

Source : Statistique Canada, produit nº 56M0001XCB au catalogue.

Utilisateurs d'Internet selon le sexe et le groupe d'âge, 2005

	Hommes	Femmes
	%	
18 à 34 ans	88,2	89,7
35 à 54 ans	72,6	77,4
55 à 64 ans	52,0	55,6
65 ans et plus	28,7	19,8

Source : Statistique Canada, CANSIM : tableau 358-0124.

ont accru de 8 % leurs dépenses pour l'achat de matériel informatique en 2005, ces dépenses se fixant à 290 $, soit presque le sommet atteint en 2000.

Les dépenses des ménages au titre de l'accès Internet ont également augmenté pour s'établir à 240 $ en 2005, en hausse de 15 % par rapport à 2004. La proportion des ménages disposant d'un accès Internet à haute vitesse a atteint 50 % en 2005, comparativement à 43 % en 2004.

En 2005, environ la même proportion de ménages possédait un récepteur de télévision par satellite qu'en 2004, soit 1 ménage sur 5. Cependant, les dépenses annuelles moyennes des ménages au titre des abonnements à la télévision par satellite ont crû de 17 % par rapport à l'année précédente pour se chiffrer à 138 $ en 2005. Plus de 3 ménages sur 5 étaient abonnés à des services de câblodistribution en 2005. Les dépenses pour ces services n'ont augmenté que de 1 % par rapport à 2004 pour se fixer à 348 $.

Les services sans fil mènent le bal

La technologie des communications sans fil a élargi sa part de marché en 2006 et s'est imposée comme le créneau le plus rentable du secteur des télécommunications affichant des marges bénéficiaires d'exploitation de 32 %. Quant aux fournisseurs de services par fil, ils ont déclaré des marges bénéficiaires d'exploitation deux fois moins élevées (16 %).

Les abonnements aux services de téléphonie sans fil ont dépassé la barre des 18 millions en 2006, alors que le nombre d'abonnements aux services téléphoniques par ligne terrestre s'est replié sous la barre des 11 millions. La perte d'abonnés aux services téléphoniques résidentiels a fait baisser les bénéfices d'exploitation des fournisseurs des services traditionnels par fil, lesquels se sont contractés de 14 % pour se fixer à 3,5 milliards de dollars en 2006.

Le secteur de la technologie sans fil a non seulement continué d'attirer un nombre croissant d'utilisateurs, mais il a également persuadé les abonnés de se servir de leurs dispositifs sans fil plus souvent et de dépenser davantage pour les services offerts. À la fin de 2006, les recettes d'exploitation par abonné avaient augmenté de 7,2 % pour atteindre 190 $ par abonné, comparativement à 177 $ en 2005.

Toutefois, le changement le plus frappant observé sur le marché des services sans fil est la convergence des taux d'utilisateurs par rapport aux services téléphoniques traditionnels par fil. À la fin de 2006, le Canada comptait 55,1 abonnés aux services de téléphonie sans fil pour 100 habitants et 55,3 abonnés aux services traditionnels par fil pour 100 habitants. À titre de comparaison, à la fin du premier trimestre de 1999, on a dénombré 18,7 abonnés aux services de téléphonie sans fil pour 100 habitants et 64,4 abonnés aux services traditionnels par fil pour 100 habitants. De toute évidence, un nombre croissant de Canadiens adoptent la technologie sans fil pour leur service principal de téléphone.

Le secteur des TIC reste vigoureux

La contribution du secteur des TIC au produit intérieur brut (PIB) du Canada s'est chiffrée à 65,0 milliards de dollars en 2006, soit 6 % du PIB total — le même pourcentage qu'en 2005. Les services des TIC sont à l'origine de la majeure partie des revenus de ce secteur, 82 % en 2006. À son apogée en 2000, la fabrication de TIC représentait 31 % du PIB de ce secteur. Cependant, ce pourcentage a diminué de moitié pour s'établir à 16 % en 2002, niveau auquel se maintient toujours la fabrication de TIC en 2006.

Les investissements en recherche-développement (R-D) par le secteur des TIC se sont élevés à plus de 5,7 milliards de dollars en 2006, soit à peu près le niveau observé en 2005. Les dépenses annuelles en R-D avaient atteint un sommet de 6,6 milliards de dollars en 2001 pour redescendre à 5,3 milliards de dollars en 2002 au moment de la dégringolade du secteur de la haute technologie. En 2006, les investissements au chapitre de la R-D par le secteur des TIC ont représenté 39 % des dépenses totales en R-D du secteur privé.

Au Canada, 4 établissements manufacturiers sur 5 ont fait preuve d'innovation entre 2002 et 2004, c'est-à-dire qu'ils ont lancé sur le marché un produit ou un procédé de production nouveau ou nettement amélioré. Les deux sous-secteurs les plus novateurs ont été ceux de la fabrication de matériel informatique et périphérique et celui de la fabrication de matériel de radiodiffusion, de télédiffusion et de communication sans fil, où 89 % du matériel était novateur.

Graphique 28.3
Dépenses au titre de la recherche et développement

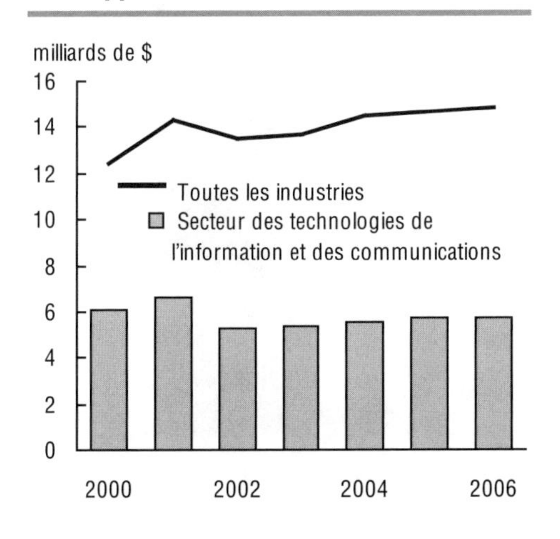

Source : Statistique Canada, CANSIM : tableau 358-0024.

Sources choisies

Statistique Canada

- *Bulletin de l'analyse en innovation.* Irrégulier. 88-003-XIF
- *Enquête canadienne sur l'utilisation d'Internet — Fichier de microdonnées à grande diffusion.* Bisannuel. 56M0003XCB
- *Enquête sur le service téléphonique résidentiel.* Semestriel. 56M0001XCB
- *La fracture numérique au Canada.* Hors série. 56F0009XIF
- *Radiodiffusion et télécommunications.* Irrégulier. 56-001-XIF
- *Série sur la connectivité. Hors série.* 56F0004MIF
- *Statistiques trimestrielles des télécommunications.* Trimestriel. 56-002-XIF

Usagers des logiciels libres : qui sont-ils?

Seulement 14 % des entreprises privées du Canada ont déclaré utiliser des logiciels libres en 2006. Les « logiciels libres » sont des logiciels dont le code source, c'est-à-dire les instructions qui permettent l'exécution de l'application, est du domaine public. Toute personne peut les lire, les modifier et les redistribuer sans avoir à payer de redevances ou de droits de licence; le code évolue par le biais de la collaboration. Les logiciels libres peuvent être mis à niveau bien plus vite que les logiciels commerciaux classiques dont le code source est du domaine privé et non accessible au public aux fins d'utilisation ou de modification.

Le secteur public se montre plus empressé que le secteur privé d'adopter les technologies de l'information et des communications (TIC), et les logiciels libres ne font pas exception à cet égard : 51 % des entreprises publiques utilisaient de tels logiciels en 2006.

La réticence du secteur privé à adopter les logiciels libres tranche avec l'utilisation plus marquée d'Internet dans ce secteur. En 2006, 45 % des entreprises privées ont fait des achats de produits et de services en ligne, et 40 % disposaient d'un site Web.

Les grandes entreprises du secteur privé sont plus enclines à utiliser des technologies de pointe et novatrices et à adopter rapidement ces technologies : 34 % des grandes entreprises utilisaient des logiciels libres en 2006 contre 13 % seulement des petites entreprises.

Les entreprises qui utilisent des logiciels libres y trouvent des avantages. Jadis, les préoccupations quant à la stabilité et aux caractéristiques des logiciels en entravaient l'adoption généralisée. Aujourd'hui, les logiciels libres permettent aux entreprises de s'adapter rapidement à l'évolution de leurs besoins en matière de TIC.

Les entreprises de l'industrie de l'information et de l'industrie culturelle sont les plus susceptibles d'utiliser des logiciels libres : 43 % l'avaient fait en 2006. Viennent ensuite les entreprises des services publics et des services d'enseignement (25 %), puis celles des services professionnels, scientifiques et techniques (25 %).

Graphique 28.4
Utilisation des logiciels libres selon le secteur

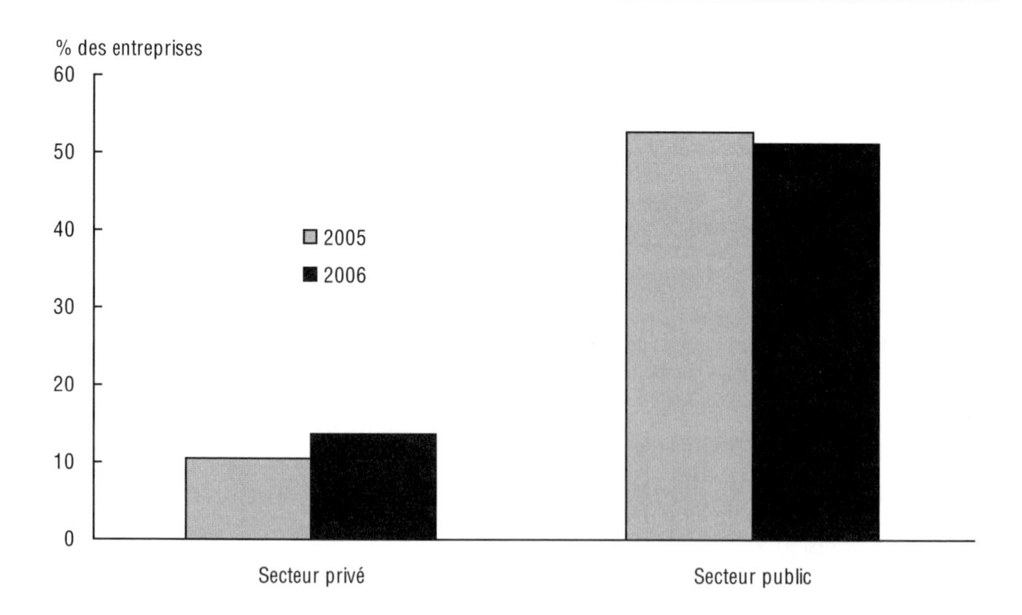

Source : Statistique Canada, CANSIM : tableau 358-0121.

Qui magasine sur Internet?

Plus de 9 millions de Canadiens de 18 ans et plus ont fait du lèche-vitrine sur Internet en 2005. Près de 7 millions de Canadiens, environ 41 % des adultes qui ont utilisé Internet cette année-là, ont fait des achats en ligne.

Le magasinage sur Internet couvre toute une gamme d'activités, qu'il s'agisse de consulter les rayons virtuels d'une librairie, de comparer les spécifications et les prix des voitures neuves ou encore de commander de nouveaux meubles. Le magasinage électronique offre aux consommateurs canadiens l'accès aux services 24 heures sur 24, la possibilité de comparer les prix des vendeurs et un accès aux commerces peu importe la distance.

Les Canadiens d'âge adulte ont commandé pour un peu plus de 7,9 milliards de dollars de biens et services sur Internet pour leur consommation personnelle et celle du ménage en 2005. Près de 50 millions de commandes ont été passées en ligne. Malgré cela, la valeur des commandes passées en ligne ne représente encore qu'une petite fraction des 761 milliards de dollars de dépenses personnelles en biens et services faites par les Canadiens en 2005.

Les achats en ligne les plus fréquents pour les Canadiens visent les services de voyage, comme les réservations d'hôtel et la location de voitures, suivis de près par les livres et les revues. Les achats de produits de divertissement, comme les billets de concert, ainsi que de vêtements, de bijoux et d'accessoires sont également courants. Parmi les produits les plus convoités par les adeptes du lèche-vitrine virtuel figurent les appareils électroniques grand public, les articles de ménage comme les électroménagers et les meubles, les vêtements, les bijoux et les accessoires, ainsi que les services de voyage.

Les trois quarts environ des adultes qui ont passé une commande en ligne en 2005 ont payé leurs achats directement sur Internet par carte de crédit ou de débit. Toutefois, les questions de sécurité pourraient entraver la croissance du commerce électronique : 48 % des adeptes du lèche-vitrine virtuel ayant fait des achats après avoir cherché en ligne étaient très préoccupés par l'utilisation sécuritaire des cartes de crédit sur Internet.

Graphique 28.5
Commandes par Internet, valeur moyenne par personne selon le lieu du vendeur, 2005

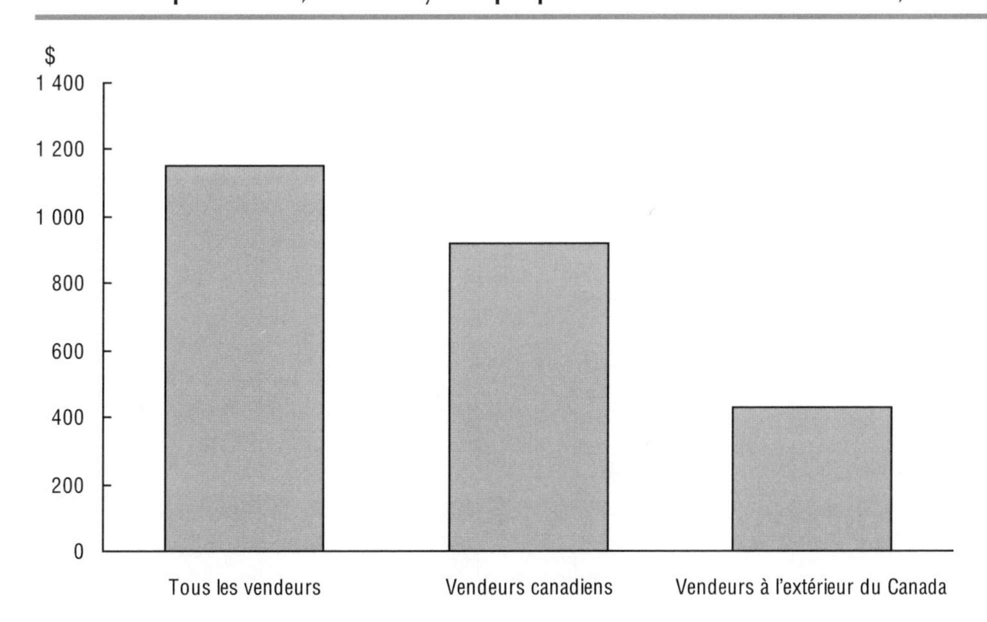

Note : Commandes électroniques destinées à la consommation personnelle ou à celle du ménage.
Source : Statistique Canada, CANSIM : tableau 358-0137.

Convergence et câblodistribution

Non seulement les technologies de l'information et des communications (TIC) changent-elles la vie des gens, mais elles modifient également les pratiques commerciales des entreprises. La transformation de l'industrie de la câblodistribution illustre bien ce phénomène.

À la fin des années 1990 et au début des années 2000, l'industrie de la câblodistribution a investi des sommes considérables dans les TIC pour moderniser ses réseaux. Ces investissements lui ont permis d'offrir des services Internet et téléphoniques et de fournir des services de télévision numérique comparables à ceux proposés par les fournisseurs de services de télévision par satellite. Ces investissements ont radicalement transformé ce secteur d'activité.

En 2005, moins de 10 ans après avoir introduit les services Internet par câble dans quelques marchés-tests, l'industrie de la câblodistribution passait la barre des 3 millions de clients. À la fin d'août 2005, elle comptait près d'un abonné à Internet pour deux abonnés à la télévision.

Les câblodistributeurs se sont montrés moins empressés d'offrir des services téléphoniques, mais quelques grandes entreprises ont pénétré ce marché en 2005. Ensemble, ces entreprises de câblodistribution regroupaient un peu plus de 200 000 clients en date du 31 août 2005.

Cette industrie est donc de moins en moins tributaire des revenus provenant des services traditionnels de télévision. En effet, les services Internet et les services téléphoniques ont généré des revenus de 1,4 milliard de dollars en 2005, soit un peu plus de 28 % des revenus totaux d'abonnement de l'industrie. Cinq ans plus tôt, les services non traditionnels représentaient moins de 8 % des revenus des entreprises de câblodistribution.

La technologie numérique a aussi permis aux entreprises de téléphonie traditionnelle d'offrir des services de télévision par ligne téléphonique, poussant ainsi encore plus loin la convergence entre les industries de la téléphonie et de la câblodistribution.

Graphique 28.6
Abonnés à Internet par câble

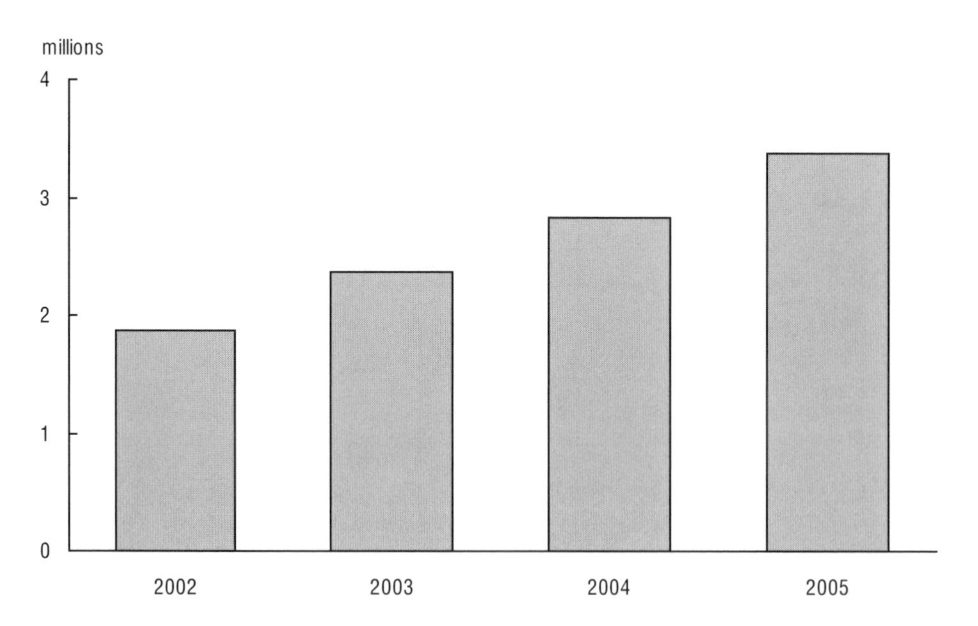

Source : Statistique Canada, produit nº 56-001-XIF au catalogue.

La vie à l'ère numérique

L'introduction de la technologie numérique annonçait l'avènement de la société sans papier et la fin du courrier postal. Ni l'une ni l'autre de ces prédictions ne s'est encore avérée, mais l'utilisation généralisée des technologies de l'information et des communications (TIC) a provoqué quelques transformations intéressantes des comportements.

L'arrivée de l'ordinateur personnel devait mener au « bureau électronique ». Or, entre 1985 et 2005, la consommation estimative de papier d'impression et de rédaction au Canada a augmenté de 73 %, et la majeure partie de cette hausse s'est produite entre 1985 et 1995.

Le volume de livraisons postales est également en progression : en 2006, Postes Canada a livré 11,6 milliards de lettres et de colis, dont 9 millions de formulaires de recensement pour Statistique Canada. Les messageries et les services locaux de livraison prolifèrent, malgré l'utilisation importante d'Internet et du courrier électronique.

L'une des manifestations des TIC est que la société de l'information est une « société bavarde ». Les Canadiens n'ont jamais autant parlé au téléphone, en dépit du fait qu'ils envoient et reçoivent des quantités impressionnantes de courriels et d'autres messages électroniques.

Comme les gens communiquent plus et par des méthodes différentes, ils font le choix d'élargir leurs relations, remplaçant les collectivités définies géographiquement par des collectivités d'intérêts.

Les consommateurs sont aussi prêts à payer pour ces services, comme le montrent leurs habitudes de dépenses. Entre 1997 et 2005, les dépenses moyennes des ménages au titre des services Internet ont progressé, passant de 30 $ à 241 $. Au cours de la même période, les dépenses relatives aux services téléphoniques par fil ont diminué, passant de 725 $ à 640 $.

Graphique 28.7
Indicateurs de l'utilisation du téléphone

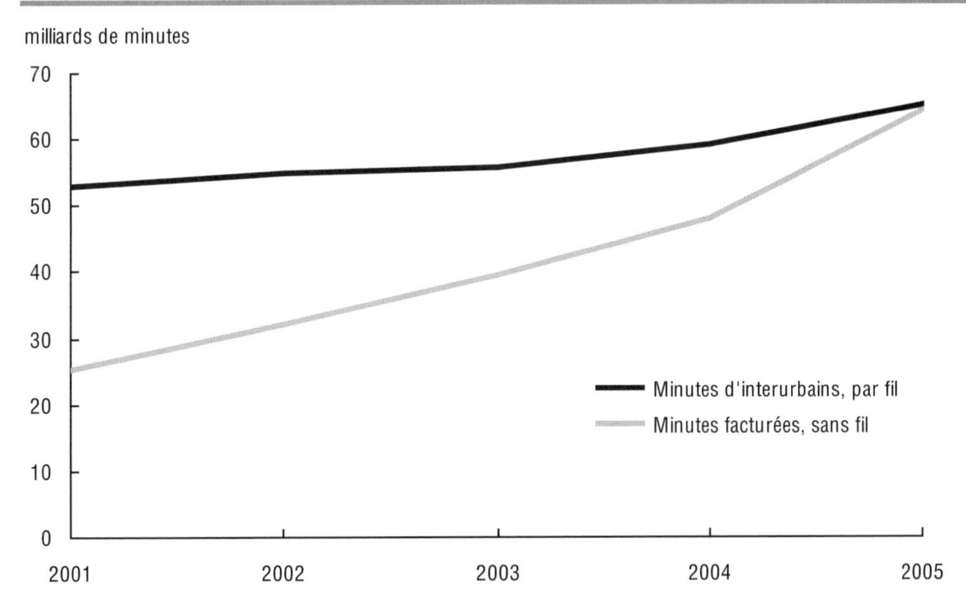

1. Les données incluent les appels locaux et interurbains.

Sources : Statistique Canada, produit nº 56-002-XIF au catalogue; Rapport de surveillance du CRTC sur les télécommunications, juillet 2006.

Tableau 28.1 Produit intérieur brut aux prix de base, industrie de l'information et industrie culturelle, 1992 à 2006

	1992	1993	1994	1995	1996	1997
	millions de dollars constants de 1997					
Industrie de l'information et industrie culturelle	**22 206**	**22 269**	**22 985**	**23 786**	**24 130**	**27 979**
Édition et services d'information et de traitement des données	4 406	4 214	4 284	4 366	4 364	7 748
Édition	..	..	..	..	..	6 211
Services d'information et de traitement des données	..	..	..	..	..	1 537
Industries du film et de l'enregistrement sonore	1 201	1 411	1 460	1 595	1 671	1 718
Radiotélévision et télécommunications	16 585	16 628	17 215	17 800	18 067	18 513
Agrégations industrielles spéciales						
Ensemble des technologies de l'information et des communications	..	..	..	..	..	32 707
Fabrication des technologies de l'information et des communications	..	..	..	..	..	8 233
Services des technologies de l'information et des communications	..	..	..	..	..	24 474

Note : Système de classification des industries de l'Amérique du Nord (SCIAN), 2002.

Source : Statistique Canada, CANSIM : tableaux 379-0017 et 379-0020.

Tableau 28.2 Emploi, industrie de l'information et industrie culturelle, 1993 à 2006

	1993	1994	1995	1996	1997
	nombre				
Industrie de l'information et industrie culturelle	**279 504**	**279 777**	**284 566**	**283 051**	**288 372**
Édition	71 566	68 555	68 679	69 542	72 250
Éditeurs de journaux, de périodiques, de livres et de bases de données	64 382	60 559	59 939	59 531	60 229
Éditeurs de logiciels	7 184	7 996	8 740	10 010	12 021
Industries du film et de l'enregistrement sonore	24 456	25 210	25 234	26 895	29 912
Industries du film et de la vidéo	22 778	23 552	23 488	24 944	27 791
Industries de l'enregistrement sonore	1 678	1 657	1 746	1 950	2 121
Radiotélévision (excluant par Internet)	36 318	36 051	36 381	37 064	37 008
Radiodiffusion et télédiffusion	35 378	35 071	35 429	36 098	36 074
Télévision payante et spécialisée	940	980	953	966	934
Édition, radiodiffusion et télédiffusion par Internet	..	..	..	..	..
Télécommunications	114 896	116 554	120 488	114 248	113 820
Télécommunications par fil	70 704	71 542	73 418	68 960	68 789
Télécommunications sans fil (excluant par satellite)	22 089	22 734	23 567	22 339	22 355
Revendeurs de services de télécommunications	5 788	6 188	6 614	5 743	5 423
Télécommunications par satellite	2 504	2 560	2 606	2 425	2 502
Câblodistribution et autres activités de distribution d'émissions de télévision	13 403	13 121	13 857	14 343	14 316
Autres services de télécommunications	407	409	427	438	435
Fournisseurs de services Internet, portails de recherche et services de traitement de données	x	x	x	x	x
Fournisseurs de services Internet, portails de recherche	x	x	x	x	x
Traitement de données, hébergement de données et services connexes	4 186	4 728	5 304	5 905	7 033
Autres services d'information	x	x	x	x	x

Note : Système de classification des industries de l'Amérique du Nord (SCIAN), 2002.

Source : Statistique Canada, CANSIM : tableau 281-0024.

1998	1999	2000	2001	2002	2003	2004	2005	2006
				millions de dollars constants de 1997				
29 866	**33 658**	**36 356**	**39 232**	**41 017**	**41 924**	**42 534**	**44 258**	**45 311**
8 534	9 420	9 716	10 568	10 679	10 908	10 802	11 296	11 628
7 011	7 674	7 828	8 463	8 404	8 470	8 303	8 767	9 020
1 523	1 746	1 888	2 105	2 275	2 438	2 499	2 529	2 608
1 915	2 072	2 114	2 204	2 315	2 168	2 118	2 135	2 051
19 417	22 166	24 526	26 460	28 023	28 848	29 614	30 827	31 632
37 744	48 037	56 811	53 404	53 492	57 085	59 076	62 343	65 354
9 788	13 678	18 101	11 255	9 291	10 294	10 783	11 665	12 156
27 956	34 359	38 710	42 149	44 201	46 791	48 293	50 678	53 198

1998	1999	2000	2001	2002	2003	2004	2005	2006
				nombre				
297 503	**304 067**	**318 783**	**328 509**	**329 770**	**335 202**	**335 136**	**341 786**	**349 519**
75 475	76 656	83 152	85 653	86 087	x	82 512	85 371	85 787
61 348	59 589	62 964	63 030	62 694	x	59 546	60 252	58 638
14 127	17 066	20 188	22 623	23 393	22 526	22 966	25 119	27 148
32 735	34 306	36 622	38 228	38 694	37 872	35 549	36 065	34 037
30 430	31 954	34 213	35 872	36 260	35 256	32 659	33 023	31 346
2 305	2 351	2 409	2 356	2 434	2 616	2 890	3 041	2 691
37 837	37 453	37 634	37 436	37 822	39 006	39 888	39 103	42 369
36 897	36 550	36 764	35 975	36 125	37 005	37 775	37 035	40 122
941	902	870	1 460	1 698	2 000	2 113	2 068	2 247
..	..	..	0	x	x	434	1 006	1 583
115 881	116 265	118 426	119 036	119 764	125 999	130 441	134 758	139 228
70 457	70 740	72 257	71 344	72 297	76 811	78 991	80 415	80 788
22 367	22 257	22 837	23 176	22 661	23 206	23 142	23 351	24 689
5 527	5 457	5 562	6 294	6 072	5 266	5 732	6 276	7 041
2 574	2 571	2 641	3 300	3 759	4 883	5 731	6 202	6 792
14 545	14 863	14 734	14 616	14 720	15 614	16 580	18 251	19 516
410	377	395	306	256	218	264	264	401
x	x	x	x	x	x	19 860	19 125	19 368
x	x	x	x	x	x	6 146	5 969	5 635
8 248	10 233	11 939	14 344	13 963	13 628	13 715	13 156	13 733
x	x	x	x	x	x	26 452	26 358	27 148

Tableau 28.3 Temps passé à regarder la télévision selon certains groupes d'âge, par province, 2004

	Population de 2 ans et plus	Enfants de 2 à 11 ans	Adolescents de 12 à 17 ans	Population de 18 ans et plus	
				Hommes	Femmes
	heures moyennes par semaines				
Canada	**21,4**	**14,1**	**12,9**	**20,9**	**25,6**
Terre-Neuve-et-Labrador	22,7	18,9	12,3	21,3	26,8
Île-du-Prince-Édouard	20,0	14,5	12,3	19,8	23,5
Nouvelle-Écosse	22,7	12,9	13,8	22,4	27,2
Nouveau-Brunswick	23,7	14,7	12,6	23,2	28,4
Québec[1]	23,3	14,3	13,5	22,4	28,5
Anglophones	20,6	14,2	13,4	19,8	24,2
Francophones	23,8	14,3	13,7	22,9	29,2
Ontario	20,6	13,5	13,2	20,1	24,7
Manitoba	22,1	15,5	13,0	22,0	26,4
Saskatchewan	21,2	15,2	12,7	20,5	25,7
Alberta	19,4	14,1	12,4	18,2	23,9
Colombie-Britannique	20,7	14,4	11,7	21,5	23,4

Note : Les données sont recueillies en automne (quatre semaines de novembre).

1. Pour le Québec, la classification selon la langue est basée sur la langue parlée à la maison. Pour l'ensemble du Québec, les répondants qui n'ont pas répondu à cette question ou qui ont indiqué une langue autre que l'anglais ou le français sont inclus.

Source : Statistique Canada, CANSIM : tableaux 502-0002 et 502-0003.

Tableau 28.4 Temps passé à regarder la télévision selon le genre d'émission, 2004

	Émissions canadiennes et étrangères	Émissions canadiennes	Émissions étrangères
	pourcentage d'heures		
Ensemble des genres d'émissions	**100,0**	**37,2**	**62,8**
Actualités et affaires publiques	**24,4**	18,4	6,0
Documentaire	**3,2**	1,3	1,9
Instruction académique	**3,2**	1,7	1,5
Instruction sociale ou récréative	**1,1**	0,4	0,6
Religion	**0,3**	0,2	0,1
Sports	**6,5**	2,9	3,6
Variétés et jeux	**15,2**	4,6	10,7
Musique et danse	**1,0**	0,8	0,2
Comédie	**10,0**	1,6	8,4
Drame	**27,3**	5,3	22,1
Enregistrée (magnétoscope/lecteur de DVD)	**4,9**	0,0	4,9
Autres émissions de télévision	**2,9**	0,0	2,9

Notes : Les données sont recueillies en automne (quatre semaines de novembre).
Population de 2 ans et plus.

Source : Statistique Canada, CANSIM : tableau 502-0004.

Tableau 28.5 Utilisation d'Internet à domicile par les particuliers selon l'activité, 2005

	Tous les Canadiens[1]	Utilisateurs d'Internet à domicile[2]
	pourcentage	
Courrier électronique	55,6	91,3
Participer à des groupes de discussion (clavardage) ou utiliser un messager	23,1	37,9
Chercher des renseignements sur un gouvernement municipal, provincial ou fédéral du Canada	31,7	52,0
Communiquer avec un gouvernement municipal, provincial ou fédéral du Canada	13,8	22,6
Chercher des renseignements médicaux ou liés à la santé	35,3	57,9
Besoins d'études, d'une formation ou de travaux scolaires	26,1	42,9
Trouver des renseignements ou faire des arrangements de voyage	38,5	63,1
Acquitter des factures	33,5	55,0
Effectuer des opérations bancaires électroniques	35,2	57,8
Se renseigner sur des investissements	16,0	26,2
Pratiquer des jeux	23,5	38,7
Acquérir ou sauvegarder la musique	22,3	36,6
Acquérir ou sauvegarder un logiciel	19,4	31,8
Visionner les nouvelles ou les sports	37,6	61,7
Obtenir des bulletins météorologiques ou les conditions des routes	40,5	66,6
Écouter la radio sur Internet	15,9	26,1
Télécharger ou regarder la télévision	5,2	8,5
Télécharger ou regarder un film	5,0	8,3
Se renseigner sur des événements communautaires	25,8	42,3
Faire de la navigation générale (surfer sur Internet)	51,2	84,0
Autres activités sur Internet	6,7	10,9

1. Pourcentage de toutes les personnes de 18 ans et plus.
2. Pourcentage de toutes les personnes de 18 ans et plus qui ont répondu avoir utilisé Internet au cours des 12 derniers mois à des fins personnelles non commerciales à domicile.

Source : Statistique Canada, CANSIM : tableau 358-0130.

Tableau 28.6 Utilisation d'Internet par les particuliers selon le point d'accès, 2005

	pourcentage[1]
Ensemble des points d'accès[2]	**67,9**
Domicile	60,9
Travail	26,3
École	11,7
Bibliothèque publique	10,2
Autres endroits	20,3

1. Pourcentage de toutes les personnes de 18 ans et plus qui ont répondu avoir utilisé l'Internet au cours des 12 derniers mois à des fins personnelles non commerciales de n'importe quel endroit.
2. Comprend l'utilisation à la maison, à l'école, au travail, dans une bibliothèque publique ou un autre endroit et compte la personne une fois seulement, peu importe qu'il y ait utilisation à partir d'endroits multiples.

Source : Statistique Canada, CANSIM : tableau 358-0122.

Tableau 28.7 Câblodistribution et autres activités de distribution d'émissions de télévision, statistiques financières et d'exploitation, 2001 à 2005

	2001	2002	2003	2004	2005
	millions de dollars				
Recettes d'exploitation	**4 606,0**	**5 215,7**	**5 818,8**	**6 350,4**	**6 818,0**
Télévision par câble	3 926,6	4 268,9	4 615,2	4 995,8	5 347,8
Télévision par satellite et sans fil[1]	679,4	946,8	1 203,6	1 354,7	1 470,2
Dépenses d'exploitation	**4 268,9**	**4 728,8**	**5 066,8**	**5 245,2**	**5 445,7**
Télévision par câble	3 279,1	3 536,1	3 753,1	3 797,6	4 018,1
Télévision par satellite et sans fil[1]	989,8	1 192,7	1 313,8	1 447,5	1 427,6
Salaires et bénéfices	**726,6**	**743,8**	**717,7**	**768,5**	**868,0**
Télévision par câble	625,7	631,4	612,9	657,4	729,8
Télévision par satellite et sans fil[1]	100,9	112,4	104,7	111,1	138,1
	milliers				
Abonnés aux services télévisuels	**9 457**	**9 644**	**9 779**	**9 935**	**10 106**
Télévision par câble	7 848	7 626	7 574	7 611	7 612
Télévision par satellite et sans fil[1]	1 609	2 019	2 205	2 325	2 495

Note : Système de classification des industries de l'Amérique du Nord (SCIAN), 2002.

1. Services payants similaires aux services de télévision par câble mais offerts en utilisant des technologies sans fil. N'inclut pas la télévision gratuite.

Source : Statistique Canada, CANSIM : tableau 353-0003.

Tableau 28.8 Radio privée et télévision privée conventionnelle, statistiques financières et d'exploitation, 2001 à 2005

	2001	2002	2003	2004	2005
	millions de dollars				
Radio privée					
Recettes d'exploitation	1 074,8	1 105,8	1 196,5	1 234,7	1 345,7
Recettes publicitaires	1 051,5	1 084,1	1 175,0	1 214,2	1 319,4
Dépenses d'exploitation	902,9	932,8	969,2	1 011,8	1 068,5
Salaires et bénéfices	468,2	485,8	509,8	535,2	559,1
Bénéfice avant intérêt et impôt sur le revenu	171,9	173,1	227,3	222,9	277,3
Télévision privée conventionnelle					
Recettes d'exploitation	1 910,9	1 900,9	2 102,8	2 122,1	2 207,1
Recettes publicitaires	1 790,1	1 760,7	1 932,6	1 943,0	2 017,8
Dépenses d'exploitation	1 669,2	1 722,2	1 802,5	1 889,6	1 964,4
Salaires et bénéfices	495,3	521,3	542,4	559,0	569,9
Bénéfice avant intérêt et impôt sur le revenu	241,6	178,6	300,3	232,5	242,7

Notes : Système de classification des industries de l'Amérique du Nord (SCIAN), 2002.

Exclut les chaînes de télévision dédiées aux sports, aux nouvelles ou aux films et celles qui ne sont accessibles qu'à ceux qui s'abonnent à la télévision par câble ou par satellite.

Exclut les chaînes de télévision financées en plus grande partie par les fonds publics ou par les levées de fonds.

Source : Statistique Canada, CANSIM : tableau 357-0001.

Transport

29

SURVOL

Le Canada est très urbanisé et occupe une grande superficie géographique riche en ressources naturelles. Nous utilisons le réseau de transport pour expédier des marchandises et des ressources naturelles au pays et à l'étranger.

Notre réseau de transport compte plus de 1,4 million de kilomètres de routes, 10 grands aéroports internationaux, 300 petits aéroports, 72 093 kilomètres de voies ferrées en exploitation et plus de 300 ports de commerce donnant accès à trois océans et au réseau formé par les Grands Lacs et la Voie maritime du Saint-Laurent.

Malgré un bond des prix du carburant en 2005, la demande de services de transport au Canada a augmenté. La vigueur de l'économie a donné lieu à une reprise du transport par camion et par chemin de fer en 2004 et à celle du transport aérien en 2005. Le transport aérien a redémarré après trois années consécutives de repli à la suite des attentats du 11 septembre 2001.

Les expéditions en provenance d'outre-mer ont également joué un rôle dans la relance du secteur du transport. En 2004, l'activité portuaire a été relancée grâce à l'accroissement de la demande de marchandises, notamment de produits fabriqués en Asie.

Le camionnage est en croissance

En 2005, la vigueur de l'économie et la croissance des ventes de gros et de détail ont fait grimper la demande de services de camionnage, et ce, malgré la hausse des prix du carburant. Plus d'un tiers du produit intérieur brut (PIB) généré par le secteur du transport en 2005 provenait du camionnage.

Le transport de marchandises par camion à l'échelle provinciale a représenté plus des deux tiers de la croissance du camionnage en 2005 et plus de la moitié de celle du secteur du camionnage depuis 2002. De 1990 à 2003, la croissance de la quantité de frets transporté par des services de camionnage pour compte d'autrui a été près de trois fois supérieure à celle des autres modes de transport réunis.

Graphique 29.1
Marchandises transportées selon le mode de transport, 2003

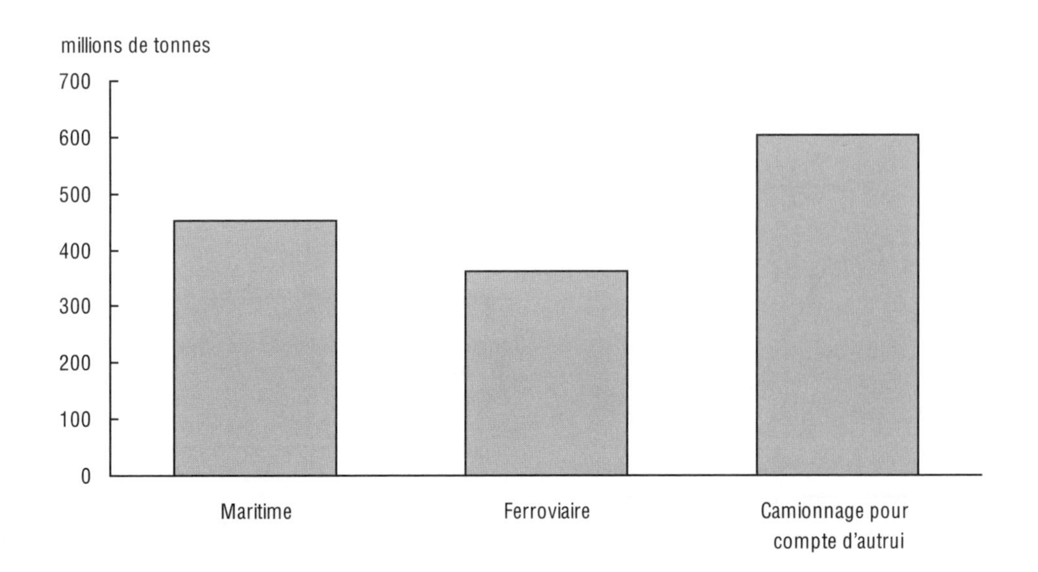

Note : Le transport aérien représente moins de 1 % du fret total transporté.
Source : Statistique Canada, CANSIM : tableaux 404-0016 et 403-0001, et produit nº 16-201-XIF au catalogue.

La croissance affichée en 2005 est surtout attribuable au camionnage pour compte d'autrui, qui a généré un chiffre d'affaires de 27 milliards de dollars. De 2002 à 2005, les entreprises canadiennes de camionnage pour compte d'autrui ont vu leur chiffre d'affaires augmenter en moyenne de 9,8 % par année. Pendant la même période, la production manufacturière a progressé de 3,6 %, le commerce de gros de 4,7 % et le commerce de détail de 4,8 %.

En 2005, le carburant représentait 11,6 % des frais d'exploitation totaux, en légère hausse par rapport à 2004. Toutefois, la main-d'œuvre constituait la dépense la plus coûteuse des propriétaires de parc.

Le trafic ferroviaire augmente

En 2005, le secteur ferroviaire a affiché des gains pour une deuxième année d'affilée et a transporté le tonnage de fret le plus élevé depuis 2000. La hausse de la demande canadienne de produits manufacturés en Chine et dans d'autres pays asiatiques a fait augmenter le tonnage transporté par chemin de fer depuis les ports maritimes du Canada.

Les exportations de bois d'œuvre, de charbon et de concentrés de minerai de fer ont progressé, alors que celles de blé et de potasse ont fléchi. En 2005, les chemins de fer ont chargé plus de 288,6 millions de tonnes de marchandises, en hausse de 3,6 %, soit de 10,1 millions de tonnes par rapport à 2004.

Graphique 29.2
Expédition de cargaisons par conteneurs ferroviaires

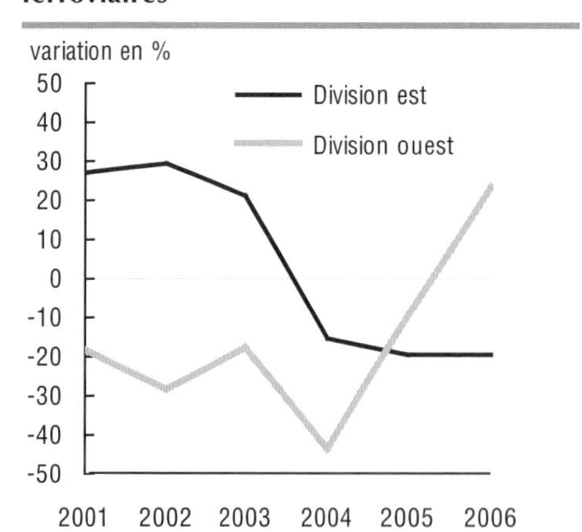

Note : L'Est et l'Ouest sont démarqués par une ligne imaginaire allant de Thunder Bay à Armstrong, en Ontario.
Source : Statistique Canada, CANSIM : tableau 404-0002.

PIB des industries du transport au Canada selon le type de transport

	2005	
	Part des transports dans le PIB	Taux de croissance par rapport à 2004
	%	
Total	**100**	**5**
Transport aérien	9	12
Transport ferroviaire	13	5
Transport maritime	3	3
Transport routier	35	4
Transport en commun et transport terrestre de personnes	12	3
Transport par pipeline	11	3
Transport touristique et activités auxiliaires	17	3

Source : Statistique Canada, CANSIM : tableau 379-0017.

Les expéditions de conteneurs de marchandises de l'Ouest canadien ont augmenté plus rapidement que celles des provinces situées à l'est du Manitoba, en partie grâce à l'accroissement des expéditions à destination et en provenance de l'Extrême-Orient.

Les ports sont en pleine expansion

En 2004, le trafic enregistré par les ports canadiens a augmenté. On estime que les ports ont manutentionné quelque 452,3 millions de tonnes de marchandises, contre 443,8 millions de tonnes en 2003. Principal mode d'expédition de fret outre-mer, les services de transport maritime ont représenté 48 % de la valeur du commerce international du Canada.

Le trafic maritime transfrontalier entre le Canada et les États-Unis s'est établi à 123,3 millions de tonnes en 2004, un total pratiquement inchangé par rapport à 2003. Les expéditions provenant de l'étranger et vers l'étranger (à l'exclusion des États-Unis) ont atteint 191,3 millions de tonnes, en hausse de 4,3 % par rapport à 2003.

En 2004, le commerce maritime entre le Canada et l'étranger (à l'exclusion des États-Unis) s'est chiffré à 101,2 milliards de dollars; les exportations et les importations ont compté pour 40 milliards et 61 milliards de dollars respectivement.

La plupart des exportations canadiennes étaient destinées aux États-Unis, à l'Asie et à l'Europe en 2004; il s'agissait surtout de minerai de fer et ses concentrés, de pétrole brut et de charbon. Quant aux importations, elles provenaient surtout des États-Unis et de l'Europe et comprenaient principalement du charbon, du pétrole brut et du minerai de fer et ses concentrés.

Selon le poids des expéditions manutentionnées, les ports les plus actifs en 2004 étaient les suivants : Vancouver; Come by Chance, T.-.N.-L.; Saint John, N.-B.; Port Hawkesbury et Montréal/ Contrecœur.

Le transport aérien reprend vie

Le transport aérien commercial a affiché en 2005 une croissance qui a mis fin à trois années de recul de sa production économique à la suite des attentats terroristes de 2001. En 2005, le secteur a généré près de 4,2 milliards de dollars, ce qui est légèrement inférieur aux 4,3 milliards de dollars enregistrés en 2000. Le PIB du secteur du transport aérien a bondi de 11,8 %, après avoir progressé de 7,9 % en 2004.

En 2005, le nombre de vols commerciaux intérieurs était supérieur à celui enregistré en 2000. Ce résultat n'a pourtant pas entraîné une augmentation du nombre de sièges. En 2005, 63,5 millions de sièges étaient disponibles, contre 71,4 millions en 1995. La disparition de deux petits transporteurs, l'un en 2004 et l'autre en 2005, a contribué à la réduction du nombre de sièges et, peut-être, à la hausse des tarifs.

L'accroissement du nombre de vols et la baisse du nombre de sièges sont attribuables à d'importantes modifications apportées aux flottes d'avions. On remplace les grands avions ayant plus de sièges par des avions plus petits et plus économiques en carburant. Parallèlement, les grandes compagnies aériennes augmentent le nombre de passagers transportés en volant avec des coefficients de remplissage plus élevés, c'est-à-dire un plus grand nombre de passagers par vol.

Les aéroports canadiens ayant compté le plus grand nombre de vols en 2005 :

- Aéroport international Lester B. Pearson de Toronto — plus de 411 000 vols;
- Aéroport international de Vancouver — 323 000 vols;
- Aéroport international de Calgary — 229 000 vols;
- Aéroport Pierre-Elliott-Trudeau de Montréal — 208 000 vols.

Graphique 29.3 Passagers aériens

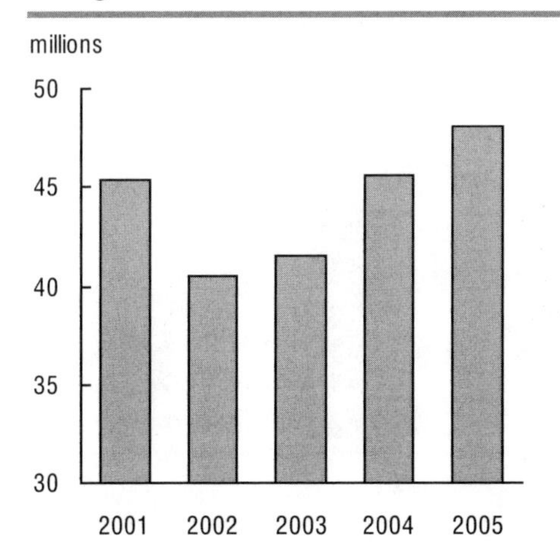

Source : Statistique Canada, produit nº 51-004-XIF au catalogue.

Sources choisies

Statistique Canada

- *Aviation : bulletin de service.* Irrégulier. 51-004-XIB
- *L'activité humaine et l'environnement : statistiques annuelles.* Annuel. 16-201-XWE
- *Le camionnage au Canada.* Annuel. 53-222-XIF
- *L'emploi et le revenu en perspective.* Trimestriel. 75-001-XIF
- *Une analyse de l'industrie du transport en 2005.* Hors série. 11-621-MWF

Autres

- Transports Canada

On demande des camionneurs

Depuis la fin des années 1980, le camionnage a crû constamment grâce à l'Accord commercial Canada–États-Unis de 1989. Toutefois, la hausse de la demande de transport par camion, le vieillissement de la population active et le désintérêt des jeunes pour la profession risquent d'entraîner une pénurie de conducteurs qualifiés.

En 2004, on comptait 271 000 camionneurs au Canada, en hausse de 28 % par rapport à 1987. Environ 80 % sont des salariés; les autres sont des camionneurs artisans. Les hommes représentent 97 % des camionneurs; ils sont généralement moins scolarisés que l'ensemble des travailleurs. Néanmoins, les camionneurs à temps plein touchaient en 2004 des gains moyens de 41 100 $ par année, soit plus que la moyenne de 40 500 $ pour l'ensemble des travailleurs. Toutefois, après rajustement en fonction de l'inflation, ce salaire était à peine supérieur à celui que touchaient les camionneurs en 1998.

Abstraction faite de la stagnation des gains, le camionnage attire moins les jeunes, peut-être à cause des longues heures de travail, des horaires irréguliers, du peu d'avantages sociaux et de l'attrait des métiers concurrents. À ces problèmes s'ajoutent l'âge minimal d'obtention d'un permis pour conduire un camion et les primes d'assurance plus élevées pour les conducteurs masculins de moins de 25 ans.

En 1987, l'âge moyen d'un camionneur était de 37 ans; en 2004, il était de 42 ans chez les camionneurs salariés et de 45 ans chez les camionneurs artisans. En 2004, pour la première fois, les camionneurs de 55 ans et plus étaient plus nombreux que ceux de moins de 30 ans. En outre, 18 % des camionneurs ont maintenant plus de 55 ans, contre 13 % pour l'ensemble des travailleurs.

Selon une étude de l'industrie du camionnage, réalisée en 2003, il faudrait recruter en moyenne 37 300 nouveaux camionneurs par année jusqu'en 2008 pour répondre à la croissance du secteur et compenser les départs à la retraite et les autres facteurs d'érosion de la profession.

Graphique 29.4
Répartition des travailleurs pour l'ensemble des professions et le camionnage selon le groupe d'âge, 2004

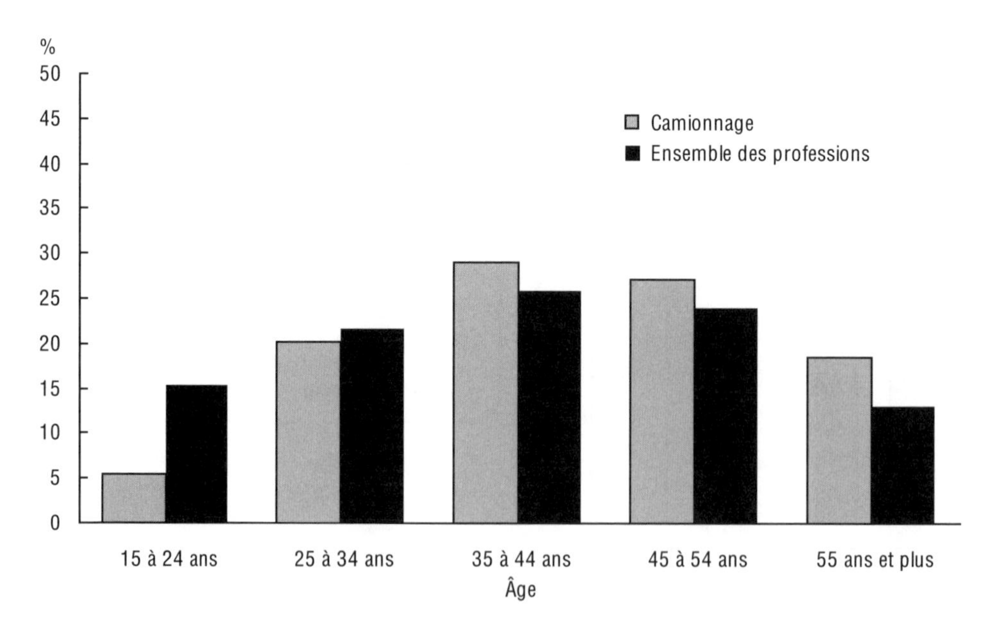

Source : Statistique Canada, produit nº 75-001-XIF au catalogue.

Importance économique du transport

Le transport « pour compte d'autrui » représente une part importante du transport : on loue un véhicule et les services d'un conducteur pour transporter des produits de l'usine au magasin ou pour déménager les biens d'une famille d'une ville à l'autre. Il existe aussi ce qu'on appelle le camionnage « pour son propre compte » : par exemple, une entreprise possédant son propre parc de véhicules transporte des fruits et légumes d'un entrepôt alimentaire à une épicerie.

En 2000, le transport pour compte d'autrui représentait 3,7 % de la production de l'économie canadienne. En y ajoutant les services pour son propre compte, l'importance économique du transport s'élève à 6,3 %. On estime l'apport total du transport à 64 milliards de dollars, dont les services pour son propre compte constituent 27 milliards de dollars.

Même en incluant les services pour son propre compte, le transport représente une part de l'économie canadienne inférieure à celle de la fabrication ou des administrations publiques.

Les entreprises ayant leurs propres services de transport ont dépensé 89 % de ce budget pour les camions de livraison. Les 11 % restants sont liés au transport aérien, ferroviaire, par eau, par autobus et autres modes de transport terrestre. Seulement 45 % des coûts du transport pour le compte d'autrui vont aux services de transport par camion et de livraison; le reste est réparti dans divers services de transport intermodal : 22 % pour les autres services de transport (groupeurs de marchandises, courtiers en douanes, empotage et mise en caisse); 13 % pour le transport aérien; 11 % pour le transport ferroviaire; 7 % pour le transport urbain, interurbain et autres modes de transport terrestre; et 2 % pour le transport maritime.

À l'échelle nationale, les industries ont consacré au transport environ 3,4 cents pour chaque dollar de leur production en 2000. Les grossistes sont les principaux utilisateurs des services de transport : ils y consacrent 10,3 cents par dollar de leur production. Les détaillants suivent avec 7,6 cents.

Graphique 29.5
Part du PIB, certaines industries, 2000

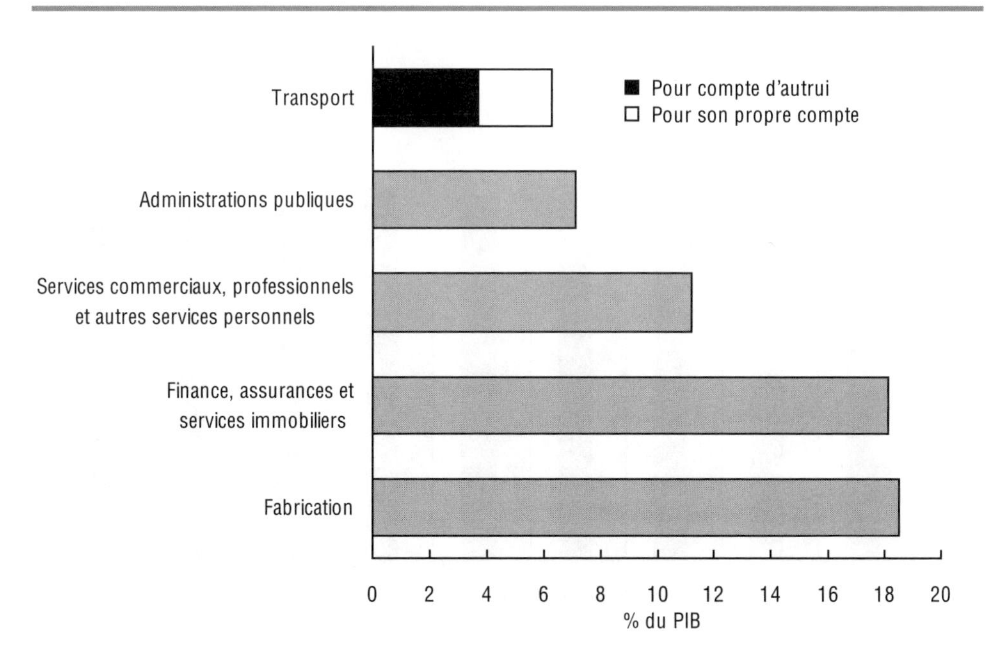

Source : Statistique Canada, produit nº 13-597-XIF au catalogue.

L'essence : prix et consommation

En 2005, les automobilistes canadiens ont été durement touchés par la montée des prix de l'essence. Ils peuvent blâmer les conflits au Moyen-Orient, les ouragans Katrina et Rita dans le Golfe du Mexique et le vieillissement d'un oléoduc dans le Nord.

La hausse des prix de l'essence a coïncidé avec une baisse de la consommation, les conducteurs achetant moins d'essence pour leurs véhicules. À l'exception de l'Île-du-Prince-Édouard, où le gouvernement provincial contrôle le prix de l'essence, et de l'Alberta, où il n'y a pas de taxe de vente provinciale, il s'agit du premier recul important des ventes brutes d'essence depuis 1994.

Le prix de l'essence a atteint un sommet en septembre 2005. À Montréal, le prix moyen pour l'essence régulière sans plomb dans les stations libre-service s'élevait à 118,5 cents le litre. À Toronto, il s'élevait à 107,2 cents et, à Edmonton, à 102,2 cents. En comparaison, le prix moyen en août 2002 était de 75,3 cents le litre à Montréal, 70,3 cents à Toronto et 68,8 cents à Edmonton.

Les automobilistes ont acheté 39,8 milliards de litres d'essence en 2005, soit 1,4 % de moins que les 40,3 milliards de litres achetés en 2004. En 2001, une baisse de 0,1 % s'était produite quand les attentats du 11 septembre ont perturbé l'industrie du transport.

En 2005, les ventes d'essence ont augmenté dans deux provinces : 4,1 % à l'Île-du-Prince-Édouard, et 0,6 % en Alberta. Si on tient compte de l'augmentation du nombre d'immatriculations de véhicules, les ventes d'essence par véhicule ont diminué de 3,5 % en Alberta passant de 1 563 litres par véhicule en 2004 à 1 509 litres en 2005.

La Saskatchewan a connu la plus importante chute des ventes brutes par véhicule; ces dernières ont baissé de 16,7 %, passant de 2 038 litres à 1 697 litres. Les ventes brutes d'essence ont diminué de 3,0 % en Ontario et de 2,8 % au Québec. En 1999, l'Ontario et le Québec ont connu les ventes brutes d'essence les plus élevées, tandis que l'Île-du-Prince-Édouard, les Territoires du Nord-Ouest et le Yukon ont eu des ventes d'essence par véhicule considérablement plus élevées.

Graphique 29.6
Prix de détail moyen de l'essence, certaines régions métropolitaines de recensement

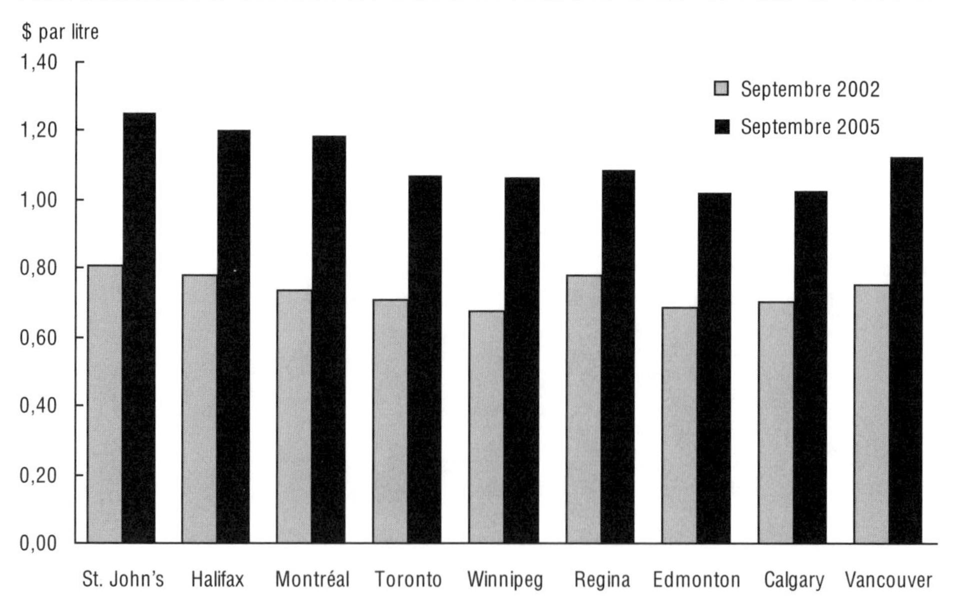

Note : Essence ordinaire sans plomb aux stations libre-service.
Source : Statistique Canada, CANSIM : tableau 326-0009.

Essor du transport ferroviaire

Les trains de marchandises sifflent quotidiennement dans nos collectivités, traînant de nombreux wagons et conteneurs remplis de biens de consommation et de produits industriels du monde entier.

Ces conteneurs font partie d'un système de transport établi à l'échelle de la planète. Il s'agit d'un système intermodal, puisqu'il utilise plus d'un mode de transport — les bateaux, les camions ou les wagons de chemin de fer — pour expédier des marchandises (de l'origine à la destination). En raison du vaste territoire canadien, les chemins de fer jouent un rôle essentiel dans l'acheminement des conteneurs.

De 2000 à 2005, le transport intermodal par chemin de fer a augmenté au rythme annuel moyen de 4,9 %, tandis que les chargements sont passés de 21,9 millions à 27,8 millions de tonnes. Les provinces de l'Ouest comptaient pour la plus grande partie de cette croissance affichant une augmentation annuelle moyenne de 11,6 %, ce qui est nettement supérieur à celle de 3,2 % observée dans les provinces à l'est du Manitoba.

L'expédition de marchandises par conteneurs standardisés réduit la manutention du fret; elle est donc plus rentable, plus sûre, plus fiable et plus rapide et contribue à réduire les dommages et les pertes. La plupart des conteneurs transportaient des produits fabriqués en Asie ou aux États-Unis et destinés aux magasins de détail canadiens.

Ordinairement, les matières premières ne sont pas transportées dans des conteneurs; elles entrent dans la catégorie du transport non intermodal qui demeure important au Canada et qui constitue environ 90 % des cargaisons ferroviaires. En 2005, le trafic ferroviaire non intermodal a totalisé 260,8 millions de tonnes. Il a connu une croissance considérable, affichant des gains de 6,9 % en 2004 et de 3,8 % en 2005. Cette croissance était surtout attribuable à l'augmentation des expéditions de charbon, de bois d'œuvre et de minerai de fer qui, en 2005, ont représenté plus du tiers des chargements ferroviaires non intermodaux. Le trafic non intermodal s'est accru de 2,4 % de 2000 à 2005, passant de 254,7 à 260,7 millions de tonnes.

Graphique 29.7
Traffic ferroviaire, taux de croissance annuel

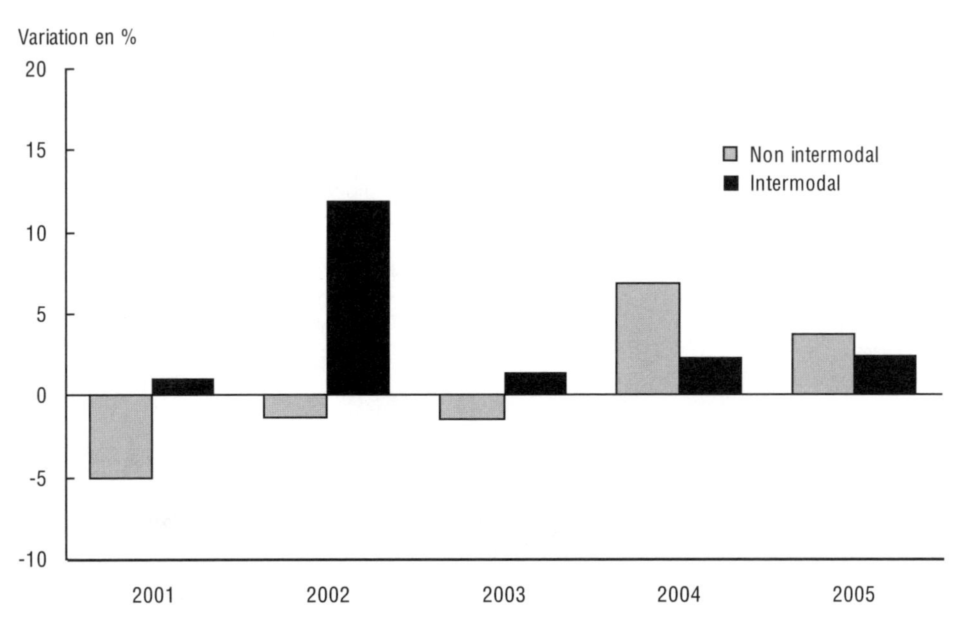

Source : Statistique Canada, CANSIM : tableau 404-0002.

Tableau 29.1 Produit intérieur brut aux prix de base pour le transport et l'entreposage selon certains sous-secteurs, 2001 à 2006

	2001	2002	2003	2004	2005	2006
	millions de dollars 1997 enchaînés					
Transport et entreposage	**47 014**	**46 911**	**47 517**	**49 528**	**51 241**	**52 789**
Transport aérien	4 017	3 657	3 563	3 848	4 262	4 659
Transport ferroviaire	5 259	5 343	5 401	5 743	5 885	5 898
Transport par eau	1 220	1 237	1 315	1 432	1 451	1 522
Transport par camion	13 263	13 451	13 607	14 212	14 744	15 116
Transport en commun et transport terrestre de voyageurs	4 909	5 228	5 140	5 277	5 438	5 509
Transport par pipeline	4 572	4 691	4 800	4 912	5 044	5 102
Services postaux	3 096	2 886	3 093	3 074	3 090	3 144
Messageries et services de messagers	2 279	2 290	2 324	2 373	2 454	2 501
Entreposage	1 453	1 438	1 484	1 694	1 791	1 912

Source : Statistique Canada, CANSIM : tableau 379-0017.

Tableau 29.2 Statistiques d'exploitation des transporteurs ferroviaires canadiens, 2000 à 2005

	2000	2001	2002	2003	2004	2005
	milliers de dollars					
Recettes d'exploitation	**8 100 542**	**8 149 560**	**8 192 924**	**8 287 268**	**8 861 767**	**9 823 178**
Recettes tirées du transport des marchandises	7 196 857	7 216 866	7 236 765	7 336 846	7 879 379	8 760 228
Recettes tirées du transport des voyageurs	247 338	268 504	287 196	255 822	265 192	282 881
Autres recettes d'exploitation	656 347	664 190	668 963	694 600	717 194	780 069
Dépenses d'exploitation	**6 421 478**	**6 587 940**	**6 593 880**	**6 691 897**	**6 951 895**	**7 507 357**
Dépenses liées aux voies et ouvrages	1 230 377	1 209 088	1 227 811	1 218 878	1 283 774	1 311 699
Dépenses liées à l'équipement	1 420 580	1 465 863	1 389 300	1 428 561	1 371 147	1 441 080
Dépenses liées au transport ferroviaire	2 676 069	2 793 077	2 710 634	2 765 619	2 929 148	3 216 557
Frais généraux	1 094 452	1 119 912	1 266 135	1 278 837	1 367 826	1 538 021
	milliers					
Transport et autres services moyennant des coûts						
Tonnes de marchandises transportées	352 203	345 795	333 974	338 036	361 606	369 719
Tonnes-kilomètres de marchandises transportées	321 894 342	321 291 130	318 314 680	317 932 601	338 897 938	352 133 353
Passagers transportés	4 160	4 179	4 251	3 958	4 048	4 257
Voyageurs-kilomètres de passagers transportés	1 532 715	1 553 059	1 596 947	1 426 367	1 420 804	1 472 781
Litres de carburant diesel consommés pour tous les trains	1 987 610	2 002 327	2 019 167	2 050 764	2 097 070	2 130 224
	nombre					
Employés	40 983	39 475	37 246	36 276	35 591	34 995

Source : Statistique Canada, CANSIM : tableaux 404-0004, 404-0005, 404-0013, 404-0016 et 404-0019.

Tableau 29.3 Activités portuaires au Canada, fret chargé et déchargé, 1994 à 2004

	Total	Intérieur	International		
			Total	États-Unis	Autre
	milliers de tonnes				
Total manutentionné					
1994	**351 316**	104 368	246 948	78 801	168 147
1995	**360 455**	100 740	259 715	85 198	174 518
1996	**357 513**	97 649	259 863	88 484	171 379
1997	**376 067**	93 418	282 650	94 313	188 337
1998	**376 032**	96 607	279 425	100 060	179 364
1999	**385 597**	104 398	281 199	101 983	179 216
2000	**402 783**	109 020	293 762	108 794	184 969
2001	**394 701**	107 842	286 859	107 955	178 904
2002	**408 141**	125 407	282 734	114 310	168 424
2003	**443 779**	137 079	306 700	123 366	183 335
2004	**452 328**	137 768	314 560	123 280	191 280
Chargé					
1994	**222 222**	52 184	170 038	49 520	120 518
1995	**226 910**	50 370	176 540	49 939	126 601
1996	**223 096**	48 825	174 272	52 399	121 873
1997	**234 653**	46 709	187 945	56 891	131 054
1998	**227 346**	48 304	179 042	58 872	120 171
1999	**231 847**	52 199	179 648	59 727	119 921
2000	**242 351**	54 507	187 843	64 744	123 099
2001	**228 663**	53 939	174 724	62 038	112 685
2002	**237 051**	62 780	174 270	72 867	101 404
2003	**259 872**	68 485	191 387	81 180	110 207
2004	**264 999**	68 897	196 102	83 792	112 310
Déchargé					
1994	**129 094**	52 184	76 910	29 282	47 629
1995	**133 546**	50 370	83 176	35 259	47 917
1996	**134 416**	48 825	85 592	36 085	49 506
1997	**141 414**	46 709	94 705	37 423	57 283
1998	**148 686**	48 304	100 382	41 189	59 194
1999	**153 750**	52 199	101 551	42 256	59 295
2000	**160 432**	54 513	105 919	44 050	61 869
2001	**166 038**	53 903	112 135	45 917	66 219
2002	**171 091**	62 626	108 464	41 444	67 020
2003	**183 908**	68 594	115 314	42 186	73 128
2004	**187 330**	68 871	118 458	39 488	78 971

Source : Statistique Canada, produit nº 54-205-XIF au catalogue.

Tableau 29.4 Emplois en transport et entreposage selon certains sous-secteurs, 1992 à 2006

	1992	1993	1994	1995	1996	1997
	nombre					
Transport et entreposage	**544 935**	**548 415**	**548 374**	**552 170**	**555 010**	**567 099**
Transport aérien	47 534	45 386	45 660	48 634	50 059	55 863
Transport ferroviaire	58 566	55 924	53 619	50 971	48 349	46 614
Transport par eau	10 487	10 765	11 088	12 827	13 209	11 683
Transport par camion	132 311	133 101	137 754	141 304	145 125	155 044
Transport en commun et transport terrestre de voyageurs	103 507	103 087	95 453	91 245	91 752	91 173
Transport par pipeline	5 776	5 483	5 310	5 086	4 842	4 943
Transport de tourisme et d'agrément	1 645	1 735	1 791	1 931	1 872	1 786
Activités de soutien au transport	67 195	68 431	69 741	69 385	66 534	68 732
Messageries et services de messagers	33 060	34 904	36 070	36 815	37 047	38 160
Entreposage	23 873	25 653	25 949	25 568	27 584	27 144

Note : Système de classification des industries de l'Amérique du Nord, 2002.
Source : Statistique Canada, CANSIM : tableau 281-0024.

Tableau 29.5 Statistiques d'exploitation des principaux transporteurs aériens canadiens, 1991 à 2005

	1991	1992	1993	1994	1995	1996
	milliers					
Passagers transportés	21 000	21 261	21 947	19 126	21 428	23 164
Passagers-kilomètres	43 626 433	45 414 285	44 806 137	45 281 336	51 798 045	57 015 549
Kilogrammes de marchandises transportées	390 819	392 514	419 838	395 674	386 560	405 975
Tonnes-kilomètres de marchandises transportées	1 315 448	1 331 586	1 463 995	1 537 977	1 728 762	1 882 803
Heures de vol	774	783	746	638	723	785
Litres de carburant à turbomoteurs consommés	3 208 912	3 157 922	3 035 245	3 055 616	3 417 802	3 349 814

Source : Statistique Canada, CANSIM : tableau 401-0001.

Tableau 29.6 Camionnage pour compte d'autrui, 1990 à 2004

	1990	1991	1992	1993	1994	1995	1996
	milliers						
Tonnage transporté	174 245	150 605	149 499	173 400	195 587	210 941	228 974
Tonnes-kilomètres transportés	77 770 738	70 624 205	72 947 210	84 613 287	101 783 711	110 010 665	121 133 146
Expéditions (unités)	29 953	29 082	27 636	27 930	30 474	32 341	35 181

1. L'Enquête sur l'origine et la destination des marchandises transportées par camion s'est élargie en 2004 pour englober les livraisons locales effectuées par les transporteurs de longue distance et toutes les livraisons des transporteurs locaux.
Source : Statistique Canada, CANSIM : tableau 403-0001 et produit nº 53-222-XIF au catalogue.

1998	1999	2000	2001	2002	2003	2004	2005	2006
				nombre				
584 948	**591 979**	**603 483**	**615 404**	**614 210**	**608 616**	**614 272**	**622 719**	**633 516**
62 040	64 694	65 120	62 568	56 746	57 809	57 435	57 636	57 808
47 059	47 240	49 144	50 376	49 703	44 936	43 145	43 612	42 427
10 965	11 580	12 705	14 439	14 783	x	x	x	x
156 256	156 415	157 328	160 389	163 043	162 665	166 735	171 077	172 847
91 776	93 039	97 161	98 157	101 115	100 199	99 275	99 389	100 687
4 694	4 653	4 949	4 989	5 012	x	x	x	x
1 780	1 903	2 051	2 855	2 879	x	x	x	x
71 285	76 532	78 978	83 520	83 862	84 857	84 378	83 565	86 602
39 215	38 501	38 271	39 766	39 978	40 549	41 561	43 034	44 103
28 350	29 033	29 436	30 842	30 950	30 820	33 284	34 650	39 043

1997	1998	1999	2000	2001	2002	2003	2004	2005
				milliers				
24 363	24 571	24 047	24 480	23 414	23 430	20 042	28 159	32 091
62 479 410	64 426 065	65 711 146	68 516 738	67 018 521	69 254 337	59 508 960	76 122 855	83 909 440
449 828	431 150	451 801	407 876	361 834	355 493	298 990	297 246	268 947
2 058 953	2 340 594	2 016 503	1 934 683	1 725 325	1 800 415	1 419 988	1 478 716	1 378 548
826	843	904	921	856	806	703	926	981
3 631 436	3 855 178	3 571 445	3 871 274	3 678 966	3 453 486	2 999 282	3 660 671	3 855 953

1997	1998	1999	2000	2001	2002	2003	2004[1]
			milliers				
223 313	233 931	269 285	278 442	287 975	293 644	305 153	604 273
130 853 651	138 090 023	158 656 177	164 981 978	170 936 593	177 215 621	184 963 662	225 608 043
32 076	33 832	36 410	35 561	36 917	38 492	40 259	65 884

Tableau 29.7 Immatriculations des véhicules, 2001 à 2006

	2001	2002	2003	2004	2005	2006
	nombre					
Ensemble des véhicules immatriculés	**23 427 184**	**24 198 219**	**24 687 511**	**25 196 428**	**25 838 309**	**26 684 822**
Immatriculations de véhicules à moteur routhier	18 101 675	18 617 413	18 883 584	19 156 055	19 515 295	20 065 171
Véhicules pesant moins de 4 500 kilogrammes	17 054 798	17 543 659	17 768 773	17 989 919	18 275 275	18 738 941
Véhicules pesant de 4 500 kilogrammes à 14 999 kilogrammes	387 330	366 962	379 079	393 528	415 764	442 607
Véhicules pesant 15 000 kilogrammes et plus	267 129	277 339	282 420	285 942	301 574	318 272
Autobus	74 086	79 364	79 948	77 842	78 962	80 447
Motocyclettes et cyclomoteurs	318 330	350 088	373 362	408 822	443 718	484 903
Remorques	4 023 215	4 161 491	4 315 996	4 513 641	4 722 563	4 961 184
Véhicules tout terrains, véhicules de construction, véhicules agricoles	1 302 295	1 419 305	1 487 930	1 526 731	1 600 450	1 658 466

Source : Statistique Canada, CANSIM : tableau 405-0004.

Tableau 29.8 Ventes de carburants des véhicules automobiles de route, 2000 à 2005

	2000	2001	2002	2003	2004	2005
	milliers de litres					
Ventes nettes d'essence	36 375 338	36 552 556	37 949 600	38 421 608	39 103 552	38 499 830
Ventes brutes d'essence	38 176 681	38 126 164	39 205 669	39 797 315	40 337 720	39 784 265
Ventes nettes de carburant diesel	13 179 694	13 336 346	13 737 648	14 720 634	15 678 724	16 219 913
Ventes nettes de gaz de pétrole liquéfié[1]	461 641	415 355	323 935	313 019	324 238	F

Note : Les ventes brutes représentent le volume total des ventes et les ventes nettes représentent le volume des ventes sur lesquelles des taxes ont été payées.

1. Les données concernant la Colombie-Britannique ne sont pas incluses.

Source : Statistique Canada, CANSIM : tableau 405-0002.

Travail

30

SURVOL

Le taux de chômage mensuel est l'un des indicateurs du bien-être économique les plus suivis du Canada. Ce taux était toujours encourageant en 2006, car il tournait autour de son niveau le plus bas en 30 ans, en grande partie grâce à la force d'un certain nombre d'industries telles que l'extraction minière et l'extraction de pétrole et de gaz, ainsi que la construction.

Le taux de chômage se situait à 6,3 % en 2006, une baisse par rapport à la fin de 2005, où il s'établissait à 6,8 %. L'emploi a augmenté de 1,9 % en 2006, soit une 14e hausse annuelle d'affilée au Canada. Comme la plupart des Canadiens tirent la plus grande partie de leur revenu d'un emploi, le travail rémunéré constitue une pierre angulaire de notre société et de notre économie, et avoir un emploi est une priorité pour nombre d'entre nous.

En 2006, les taux de chômage étaient les plus bas en 30 ans dans six provinces. Ils se situaient à moins de 5,0 % dans toutes les provinces de l'Ouest, tandis qu'il allait généralement en augmentant de l'Ontario (6,3 %) vers l'est, plafonnant à 14,8 % à Terre-Neuve-et-Labrador.

Le taux d'activité du Canada, c'est-à-dire le pourcentage de Canadiens en âge de travailler qui avaient un emploi ou qui en cherchaient un, était resté stable à 67,2 % en 2006.

Les femmes font croître l'emploi

Le tableau de l'emploi varie selon les caractéristiques comme le sexe et l'âge. Par exemple, les femmes de 25 ans et plus ont enregistré des gains notables en 2006, alors qu'elles représentaient près de la moitié de la croissance globale de l'emploi. Au cours de l'année, la proportion de femmes qui travaillaient a atteint un record de 58,3 %, faisant reculer leur taux de chômage à 6,1 %, soit un taux inférieur à celui des hommes adultes (6,5 %).

La situation des jeunes de 15 à 24 ans sur le marché du travail s'est également améliorée ces dernières années. En effet, le taux de chômage de

Graphique 30.1
Taux de chômage par province

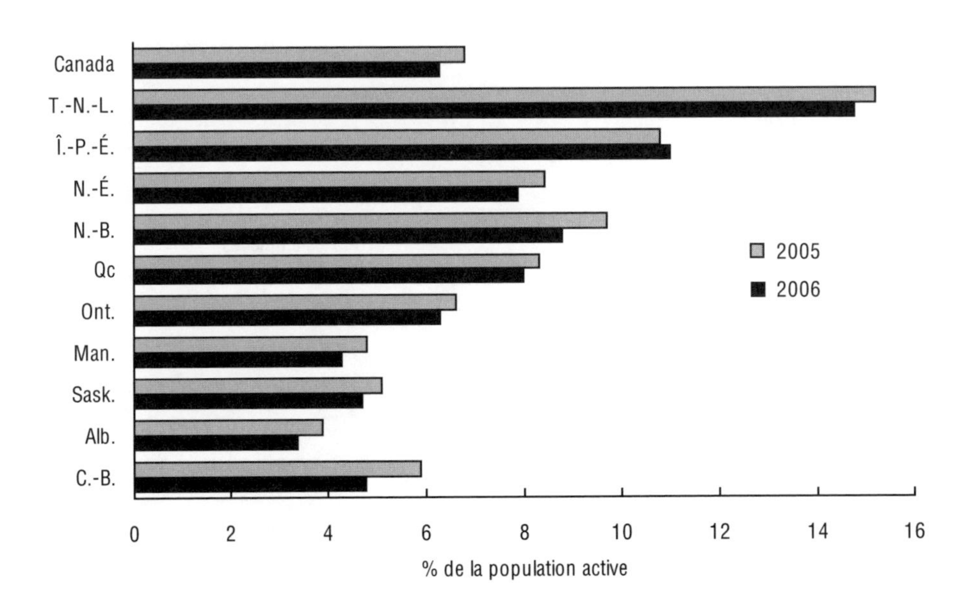

Source : Statistique Canada, CANSIM : tableau 282-0002.

ce groupe a chuté à 11,6 % en 2006, le taux le plus bas depuis 1989.

Les effets du baby-boom se font ressentir dans les taux de participation des travailleurs de 55 ans et plus, au fur et à mesure qu'un plus grand nombre d'entre eux atteignent cet âge. En 2006, 30,5 % des Canadiens de ce groupe d'âge avaient du travail. Leur nombre a augmenté de 5,1 % cette année-là, par comparaison à une hausse de 0,9 % chez les travailleurs de moins de 55 ans en 2005.

Les Autochtones sont habituellement moins bien lotis sur le marché du travail que les non-Autochtones. En 2006, le taux de chômage des Autochtones vivant hors réserve dans les quatre provinces de l'Ouest se situait à 9,8 %, par rapport à 4,0 % pour les non-Autochtones.

Là où sont les emplois : ressources naturelles, les provinces de l'Ouest

L'emploi a progressé dans presque toutes les industries en 2006. Les principaux secteurs ayant affiché des gains comprennent l'extraction minière et l'extraction de pétrole et de gaz; les services professionnels, scientifiques et techniques; les services aux entreprises, les services relatifs aux bâtiments et les autres services de soutien; la finance, les assurances, l'immobilier et la location; la construction; les services d'enseignement; les soins de santé et l'assistance sociale; et le commerce de gros et de détail. Seuls la fabrication et les services publics ont connu des baisses.

Caractéristiques de la population active, 2006

	Hommes	Femmes
	milliers	
Population de 15 ans et plus	**12 882,7**	**13 302,5**
Population active	9 335,4	8 257,3
Emploi	8 727,1	7 757,2
Chômage	608,3	500,1
Population inactive	3 547,2	5 045,1
	pourcentage	
Taux de chômage	6,5	6,1
Taux d'activité	72,5	62,1
Taux d'emploi	67,7	58,3

Source : Statistique Canada, CANSIM : tableau 282-0002.

L'Ontario a continué à ressentir les effets des baisses dans la fabrication : ces diminutions ont totalisé en effet 130 000 emplois dans la province depuis le sommet atteint dans ce secteur en 2004. D'autre part, l'Alberta, la Saskatchewan et la Colombie-Britannique ont réalisé d'importants gains dans les secteurs de l'extraction minière et de l'extraction de pétrole et de gaz et de la construction.

En dépit des récentes pertes d'emploi, la fabrication reste le deuxième secteur d'embauche

Graphique 30.2
Permanence de l'emploi

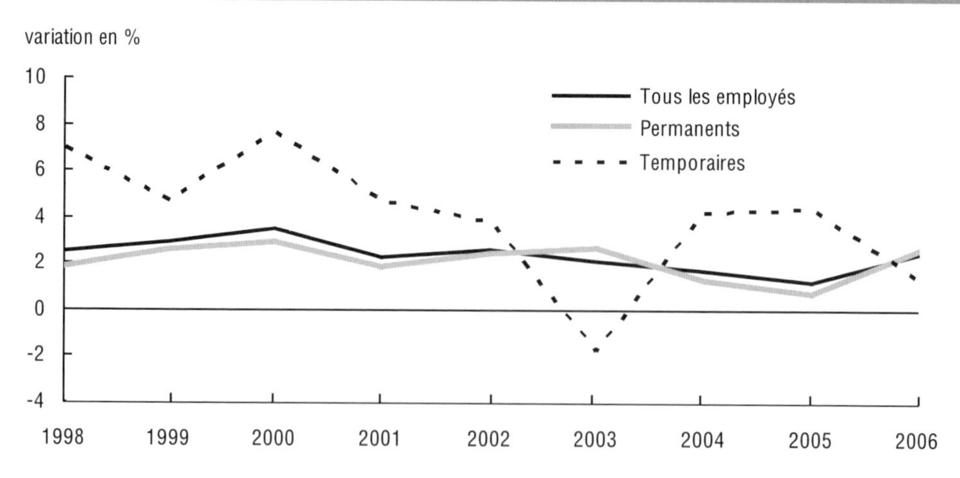

Source : Statistique Canada, CANSIM : tableau 282-0080.

en importance au Canada, après le commerce de gros et de détail. Néanmoins, la transition des emplois des industries productrices de biens vers le secteur des services se poursuit.

Pour ce qui est des professions, le plus important groupe de Canadiens de sexe masculin travaille dans le secteur des métiers ou encore comme conducteurs de matériel ou d'équipement. Quant aux femmes, elles travaillent surtout dans les secteurs de la vente et des services. La tendance au travail autonome semble s'être stabilisée : elle a atteint un sommet de 17,1 % des travailleurs en 1997 pour se replier à 15,2 % en 2006.

Changement des heures de travail

Nous n'en sommes pas encore à l'avènement de la société des loisirs que certains futuristes prédisaient au siècle dernier. En fait, après avoir constamment diminué depuis 1994, le nombre d'heures moyen de la semaine de travail des employés à temps plein a augmenté en 2005 pour une seconde année consécutive. Toutefois, il ne s'agit pas nécessairement d'une mauvaise chose; cela indique plutôt que l'excellent marché du travail roule presque à pleine capacité. Incapables de recruter d'autres employés, les employeurs donnent davantage de travail à leurs employés actuels.

Les pénuries de main-d'œuvre sont peut-être l'une des raisons pour lesquelles la proportion de personnes travaillant à temps partiel a diminué ces dernières années, pour se situer à 18,0 % en 2006, une baisse par rapport à 18,8 % en 2002. La croissance de l'emploi est surtout survenue dans le travail à temps plein. En 2006, plus de 9 emplois créés sur 10 étaient des emplois à temps plein. Pour répondre à leurs besoins croissants en main-d'œuvre, certains secteurs ont transformé des postes à temps partiel en postes à temps plein. La plupart de ceux qui travaillent à temps partiel le font par préférence ou parce qu'ils sont aux études.

Graphique 30.3
Taux d'emploi selon le groupe d'âge

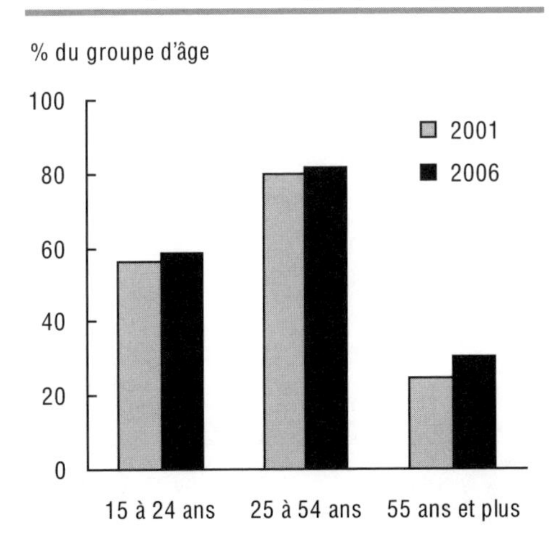

Source : Statistique Canada, CANSIM : tableau 282-0002.

Rémunération à la hausse

Le resserrement du marché du travail a favorisé la hausse de la rémunération. En 2006, le revenu total du travail a crû de 6,1 %, soit bien au-dessus du taux d'inflation de 2,2 %. Pour ce qui est des employés rémunérés à l'heure, le salaire horaire moyen s'établissait à 19,72 $ en 2006, par rapport à 15,59 $ en 1997. Lorsque l'inflation est prise en considération, cela signifie une augmentation moyenne de 4,8 %.

Sources choisies

Statistique Canada

- *Connaissance des langues officielles chez les nouveaux immigrants : à quel point est-ce important sur le marché du travail?* Hors série. 89-624-XIF
- *Emploi, gains et durée du travail.* Mensuel. 72-002-XWF
- *Enquête sociale générale sur l'emploi du temps, cycle 19.* Hors série. 89-622-XIF
- *Information sur la population active.* Mensuel. 71-001-XWF
- *L'emploi et le revenu en perspective.* Mensuel. 75-001-XWF
- *L'Observateur économique canadien.* Mensuel. 11-010-XWB
- *Regard sur le marché du travail canadien.* Irrégulier. 71-222-XWF
- *Revue chronologique de la population active.* Annuel. 71F0004XCB
- *Tendances sociales canadiennes.* Irrégulier. 11-008-XWF

Essor de l'emploi en Alberta

Le marché du travail de l'Alberta est le plus serré de toute l'Amérique du Nord : on y trouve la plus faible proportion de chômeurs et la plus forte proportion de travailleurs. Dans cette province, l'emploi a augmenté à un rythme effréné, surtout grâce aux industries florissantes de l'extraction pétrolière et gazière et de la construction.

En 2006, le nombre d'emplois en Alberta a augmenté de 6,0 %, soit presque trois fois la moyenne nationale et le taux de chômage se situait à peine à 3,4 %, c'est-à-dire presque la moitié du taux national de 6,3 %. Depuis 2003, l'Alberta affiche le plus faible taux au Canada.

Quelque 86 000 personnes de plus ont travaillé en Alberta en 2006, ce qui représente 27 % de la croissance globale de l'emploi au Canada, et ce, même si seulement 1 Canadien sur 10 en âge de travailler vit dans la province.

La croissance de l'emploi s'accompagne de hausses salariales en Alberta. La rémunération horaire moyenne s'est élevée de 6,9 % en 2006, soit plus du double de l'augmentation de 2,6 % dans l'ensemble du Canada. À 21,62 $ l'heure, l'Alberta dominait au pays sur ce plan. Cette province affichait le plus faible pourcentage de travailleurs touchant le salaire minimum ou moins, soit à peine 1,7 %.

En raison du plus grand nombre d'emplois disponibles et d'une rémunération plus élevée, davantage de personnes travaillent dans les grandes villes de l'Alberta. En 2006, Calgary et Edmonton se classaient respectivement au premier et au sixième rang des villes canadiennes affichant les taux d'emploi les plus élevés. La croissance de l'emploi a aussi aidé les Autochtones : ceux qui vivent hors réserve en Alberta ont connu un taux d'emploi semblable à la moyenne canadienne.

Cependant, cette poussée économique ne va pas sans présenter de défis. Les employeurs connaissent des pénuries de main-d'œuvre dans certains secteurs. En 2005, par exemple, 42 % des fabricants ont signalé une pénurie de travailleurs qualifiés.

Graphique 30.4
Taux de chômage, Canada et Alberta

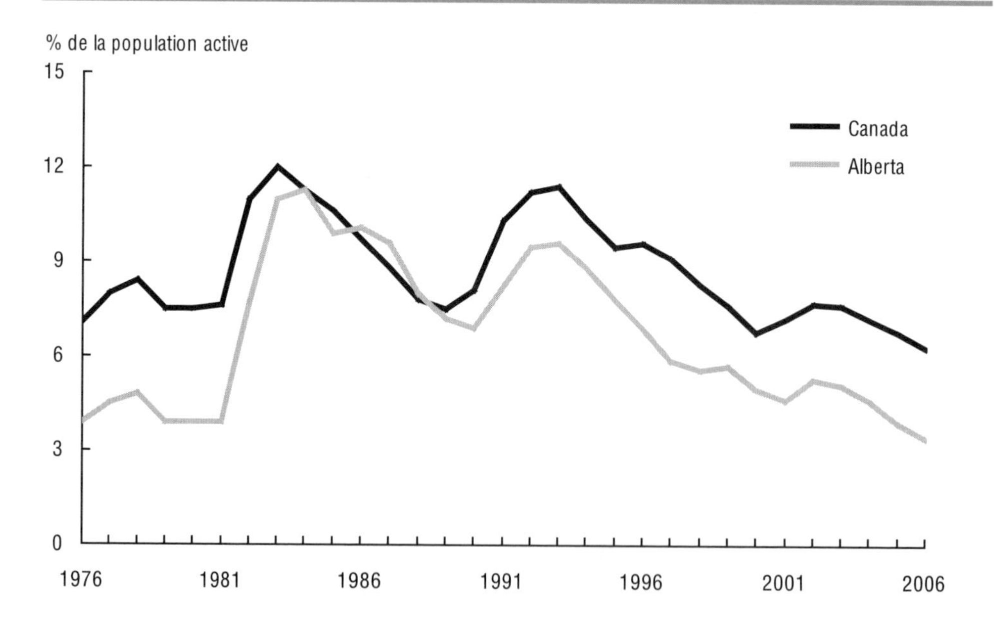

Source : Statistique Canada, CANSIM : tableau 282-0002.

Perspectives d'emploi des immigrants

La plupart des nouveaux immigrants sont heureux de vivre au Canada et apprécient notre climat social et politique. Toutefois, même après quatre années au pays, leurs plus grandes difficultés restent l'obtention d'un emploi adéquat et la barrière linguistique.

Selon une étude menée auprès des immigrants de 25 à 44 ans arrivés au Canada entre avril 2001 et mars 2002, 62 % de ceux-ci cherchaient toujours un emploi entre 7 et 24 mois après leur arrivée, et 53 % en cherchaient toujours un entre 25 et 48 mois après leur arrivée.

La majorité des immigrants en quête de travail ont déclaré s'être heurtés à des difficultés dans la recherche d'un emploi. Ils ont signalé, entre autres, le manque d'expérience de travail au Canada (50 %), le manque de relations sur le marché du travail (37 %), la non-reconnaissance de l'expérience acquise à l'étranger (37 %) ou des titres de compétence acquis à l'étranger (35 %) et la barrière linguistique (32 %).

Environ 16 % des personnes à la recherche d'un emploi ont déclaré que les problèmes linguistiques constituaient la difficulté la plus importante. Les données du Recensement de 2001 indiquent que seulement 18 % des immigrants arrivés au Canada entre 1996 et 2001 avaient le français ou l'anglais pour langue maternelle, une forte baisse par rapport aux 40 % d'immigrants francophones ou anglophones arrivés au Canada durant les années 1970.

La plupart des immigrants réussissent à surmonter ces obstacles. Le taux d'emploi des immigrants visés par l'étude est passé de 51 % six mois après l'arrivée à 65 % deux ans après l'arrivée, puis à 75 % après quatre années; le taux d'emploi des Canadiens de 25 à 44 ans s'établit à 82 %.

Les taux d'emploi des immigrants et la qualité de l'emploi (un emploi dans leur domaine, associé à un niveau de compétence élevé et à un bon salaire) augmentent à mesure que s'accroît la capacité de s'exprimer en anglais. On a aussi observé des taux d'emploi supérieurs chez les immigrants capables de s'exprimer en français.

Graphique 30.5
Difficultés à trouver un emploi éprouvées par les immigrants, 2005

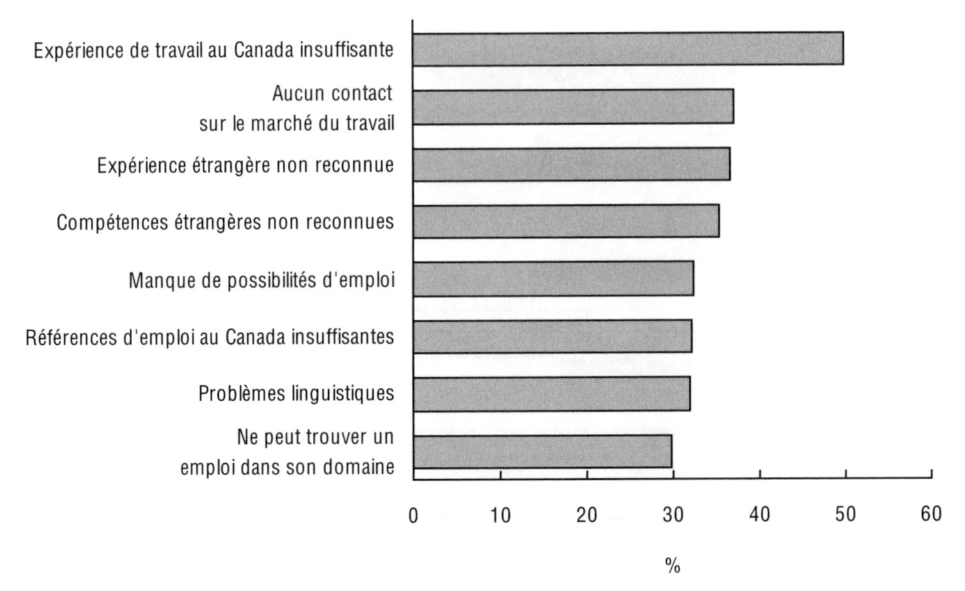

Note : Immigrants âgés de 25 à 44 ans au moment de leur arrivée au Canada; difficultés éprouvées après 25 à 48 mois au Canada.
Source : Statistique Canada, produit nº 11-008-XIF au catalogue.

Attitudes par rapport au navettage

Nous consacrons plus de temps pour nous rendre au travail et en revenir, et une enquête menée en 2005 auprès de travailleurs canadiens révèle que nous sommes nombreux à aimer nous déplacer pour aller travailler. Pour certains, il s'agit du seul moment tranquille dans une journée occupée, tandis que pour d'autres, cela leur permet de rattraper le retard au travail. Malgré l'impression négative que les gens ont du navettage, nombreux sont ceux qui préfèrent cette activité à l'épicerie ou aux réparations à la maison.

Quelque 38 % des navetteurs aiment faire l'aller-retour entre leur domicile et leur lieu de travail; ce pourcentage englobe les 16 % disant aimer beaucoup le faire. Seulement 30 % disent ne pas aimer cette activité. En outre, plus une personne aime son travail, plus elle est susceptible d'aimer faire la navette et d'être disposée à subir les frustrations inhérentes au navettage.

Ceux qui marchent ou utilisent une bicyclette pour se rendre au travail sont les navetteurs les plus heureux (61 % des marcheurs et 57 % des cyclistes disent aimer ou beaucoup aimer cette activité). Ceux qui combinent voiture et transport en commun formulent les commentaires les plus négatifs sur le navettage (pour 58 % d'entre-eux, le navettage est déplaisant ou très déplaisant). Chez ceux qui n'utilisent que le transport en commun, 23 % aiment faire la navette, par rapport à 39 % des automobilistes.

La durée des trajets s'allonge. En 2005, il fallait en moyenne 63 minutes par jour pour nous rendre au travail et en revenir ou environ 12 jours par année pour un travailleur à temps plein. Par contre, il fallait 54 minutes par jour en 1992 et 59 minutes en 1998. La durée du trajet varie selon la ville. Parmi les six plus grandes villes du Canada, c'est à Toronto que revient la palme de l'aller-retour le plus long, soit 79 minutes en moyenne en 2005, tandis que le déplacement le plus court s'observe à Edmonton (62 minutes).

Nous parcourons de plus longues distances pour travailler. De 1996 à 2001, la distance médiane des déplacements entre la maison et le lieu de travail est passée de 7,0 kilomètres à 7,2 kilomètres.

Graphique 30.6
Attitudes par rapport au navettage selon le type de transport, 2005

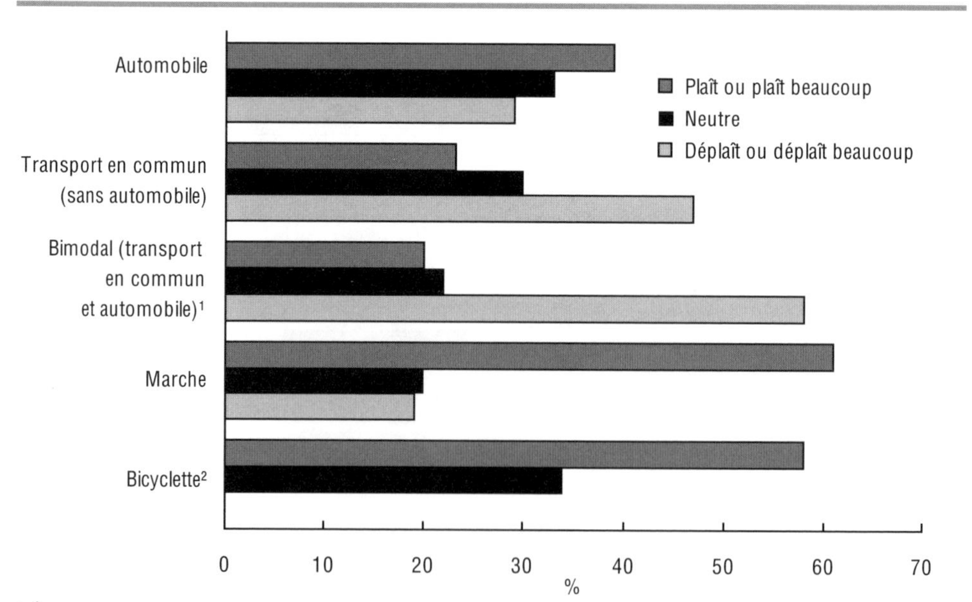

1. À utiliser avec prudence pour « Neutre » et « Plaît ou plaît beaucoup ».
2. Données trop peu fiables pour être publiées pour « Déplaît ou déplaît beaucoup ».
Source : Statistique Canada, produit nº 11-008-XIF au catalogue.

Jeunes retraités : peu retournent travailler

De généreuses prestations de régimes de pension d'employeur et l'accès à d'autres ressources financières font en sorte que de nombreux cinquantenaires retraités n'ont presque pas besoin de continuer à travailler.

Environ 1 déclarant canadien sur 5 prend sa retraite avant son 60e anniversaire, l'âge où on a droit aux prestations des régimes de retraite publics. Moins de 1 % des travailleurs touchent des prestations d'un régime de pension d'employeur entre 50 et 54 ans. En revanche, 5 % des hommes et 4 % des femmes prennent leur retraite à 55 ans, âge auquel de nombreux régimes d'employeur offrent aux employés à long terme l'accès aux prestations sans restriction.

Une fois à la retraite, il semble que très peu d'arguments puissent persuader ces jeunes retraités de revenir au travail. Seulement la moitié d'entre eux ont travaillé contre une certaine rémunération dans l'année ayant suivi leur retraite, et 30 % des jeunes retraités ont gagné plus de 5 000 $. Apparemment heureux de ne plus avoir de patron, nombre d'entre eux ne veulent même pas devenir leur propre patron. En effet, moins de 1 jeune retraité sur 10 a touché un revenu de travail autonome dans l'année suivant sa retraite. Plus l'employé prend sa retraite à un âge avancé, plus la probabilité de réemploi est faible.

Les retraites anticipées ont atteint un sommet au milieu des années 1990, alors que les administrations publiques et d'autres employeurs réduisaient leurs effectifs et organisaient des programmes d'encouragement à la retraite anticipée. Le rythme a ralenti puisque les jeunes employés d'aujourd'hui sont moins susceptibles de participer à un régime de pension.

Les gains des jeunes retraités un an avant leur retraite étaient en moyenne 50 % plus élevés que ceux des personnes qui n'avaient pas pris de retraite anticipée. Les gens qui prennent une retraite anticipée continuent de toucher les deux tiers environ de leur revenu après l'arrêt de travail. Les régimes des employeurs représentent plus de 60 % du revenu des jeunes retraités.

Graphique 30.7
Taux de réemploi des jeunes retraités

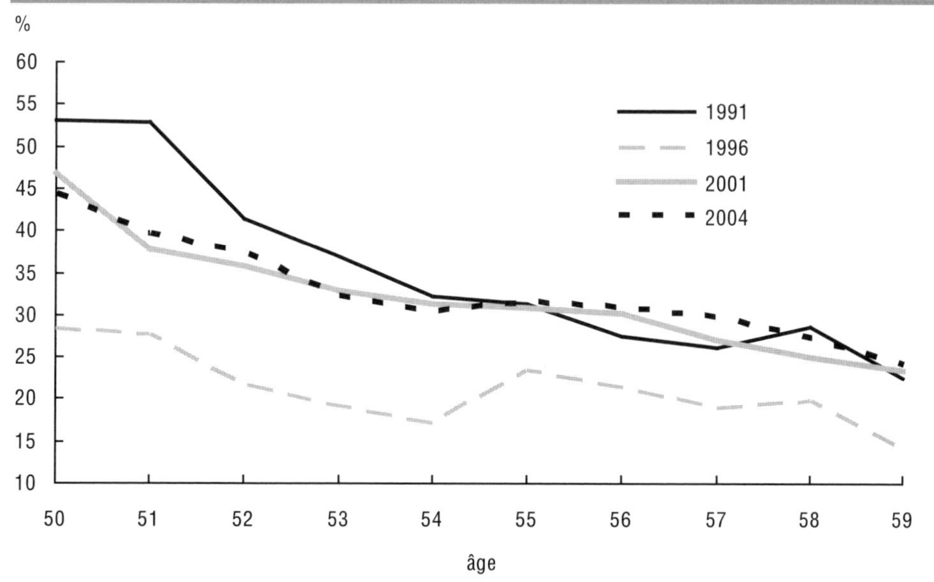

Notes : Gains d'emploi de 5 000 $ ou plus.
Retraités âgés de 50 à 59 ans.
En dollars constants de 2004.
Source : Statistique Canada, produit no 75-001-XIF au catalogue.

Tableau 30.1 Caractéristiques de la population active selon le sexe, par province, 2006

	Canada	Terre-Neuve-et-Labrador	Île-du-Prince-Édouard	Nouvelle-Écosse
	milliers			
Population				
Les deux sexes	**26 185,1**	427,7	112,3	762,8
Hommes	**12 882,7**	208,4	54,2	368,0
Femmes	**13 302,5**	219,3	58,1	394,8
Population active				
Les deux sexes	**17 592,8**	253,1	77,1	480,0
Hommes	**9 335,4**	131,7	39,5	247,9
Femmes	**8 257,3**	121,4	37,6	232,0
Personnes occupées				
Les deux sexes	**16 484,3**	215,7	68,6	441,8
Hommes	**8 727,1**	109,8	34,4	224,8
Femmes	**7 757,2**	105,9	34,2	217,0
Personnes en chômage				
Les deux sexes	**1 108,4**	37,5	8,5	38,1
Hommes	**608,3**	21,9	5,1	23,2
Femmes	**500,1**	15,6	3,5	15,0
Personnes inactives				
Les deux sexes	**8 592,4**	174,6	35,1	282,8
Hommes	**3 547,2**	76,7	14,7	120,1
Femmes	**5 045,1**	97,9	20,4	162,7
	pourcentage			
Taux d'activité				
Les deux sexes	**67,2**	59,2	68,7	62,9
Hommes	**72,5**	63,2	72,9	67,4
Femmes	**62,1**	55,4	64,7	58,8
Taux d'emploi				
Les deux sexes	**63,0**	50,4	61,1	57,9
Hommes	**67,7**	52,7	63,5	61,1
Femmes	**58,3**	48,3	58,9	55,0
Taux de chômage				
Les deux sexes	**6,3**	14,8	11,0	7,9
Hommes	**6,5**	16,6	12,9	9,4
Femmes	**6,1**	12,9	9,3	6,5

Note : Population de 15 ans et plus.

Source : Statistique Canada, CANSIM : tableau 282-0002.

Nouveau-Brunswick	Québec	Ontario	Manitoba	Saskatchewan	Alberta	Colombie-Britannique
			milliers			
611,3	6 251,5	10 229,0	892,0	746,4	2 641,3	3 511,0
298,3	3 073,4	5 016,1	438,5	368,0	1 329,6	1 728,1
313,0	3 178,1	5 212,9	453,4	378,4	1 311,7	1 782,8
389,6	4 094,2	6 927,3	613,5	515,6	1 937,5	2 305,1
203,8	2 184,3	3 650,3	326,6	275,9	1 058,2	1 217,2
185,7	1 909,9	3 277,0	286,8	239,6	879,3	1 087,9
355,4	3 765,4	6 492,7	587,0	491,6	1 870,7	2 195,5
182,9	1 998,4	3 418,4	312,0	262,4	1 023,1	1 160,9
172,5	1 767,0	3 074,3	275,0	229,2	847,6	1 034,5
34,2	328,7	434,6	26,5	24,0	66,8	109,6
21,0	185,8	231,9	14,7	13,5	35,1	56,2
13,2	142,9	202,7	11,8	10,5	31,7	53,4
221,7	2 157,3	3 301,7	278,5	230,9	703,8	1 205,9
94,4	889,1	1 365,8	111,9	92,1	271,4	510,9
127,3	1 268,2	1 935,9	166,6	138,8	432,4	694,9
			pourcentage			
63,7	65,5	67,7	68,8	69,1	73,4	65,7
68,3	71,1	72,8	74,5	75,0	79,6	70,4
59,3	60,1	62,9	63,3	63,3	67,0	61,0
58,1	60,2	63,5	65,8	65,9	70,8	62,5
61,3	65,0	68,1	71,2	71,3	76,9	67,2
55,1	55,6	59,0	60,7	60,6	64,6	58,0
8,8	8,0	6,3	4,3	4,7	3,4	4,8
10,3	8,5	6,4	4,5	4,9	3,3	4,6
7,1	7,5	6,2	4,1	4,4	3,6	4,9

Tableau 30.2 Population active et taux d'activité selon le sexe et le groupe d'âge, 1981 à 2006

	Population active			Taux d'activité		
	15 ans et plus			15 ans et plus		
	Les deux sexes	Hommes	Femmes	Les deux sexes	Hommes	Femmes
	milliers			pourcentage		
1981	**12 235,8**	7 269,2	4 966,7	**65,0**	78,4	52,0
1982	**12 301,8**	7 245,7	5 056,2	**64,4**	77,0	52,1
1983	**12 527,6**	7 319,8	5 207,8	**64,7**	76,9	53,0
1984	**12 747,9**	7 392,8	5 355,1	**65,0**	76,7	53,8
1985	**13 012,4**	7 478,9	5 533,5	**65,6**	76,7	54,9
1986	**13 272,1**	7 585,4	5 686,7	**66,1**	76,8	55,7
1987	**13 526,0**	7 680,2	5 845,8	**66,5**	76,8	56,5
1988	**13 779,1**	7 754,3	6 024,8	**66,8**	76,6	57,4
1989	**14 057,0**	7 872,4	6 184,6	**67,3**	76,8	58,1
1990	**14 244,6**	7 924,1	6 320,6	**67,1**	76,1	58,5
1991	**14 336,3**	7 924,6	6 411,8	**66,6**	75,0	58,4
1992	**14 336,1**	7 911,2	6 425,0	**65,7**	73,9	57,8
1993	**14 435,0**	7 943,2	6 491,9	**65,3**	73,3	57,7
1994	**14 573,7**	8 014,3	6 559,4	**65,2**	73,1	57,5
1995	**14 689,2**	8 049,5	6 639,8	**64,8**	72,5	57,5
1996	**14 853,5**	8 129,1	6 724,4	**64,7**	72,2	57,4
1997	**15 079,1**	8 233,8	6 845,3	**64,8**	72,2	57,8
1998	**15 316,3**	8 324,3	6 992,0	**65,1**	72,1	58,4
1999	**15 588,3**	8 457,6	7 130,7	**65,5**	72,4	58,9
2000	**15 847,0**	8 569,2	7 277,8	**65,8**	72,4	59,4
2001	**16 109,8**	8 690,9	7 418,9	**65,9**	72,3	59,7
2002	**16 579,3**	8 906,2	7 673,1	**66,9**	73,0	60,9
2003	**16 958,5**	9 067,7	7 890,9	**67,5**	73,4	61,9
2004	**17 182,3**	9 166,0	8 016,3	**67,5**	73,2	62,0
2005	**17 342,6**	9 243,7	8 098,8	**67,2**	72,8	61,8
2006	**17 592,8**	9 335,4	8 257,3	**67,2**	72,5	62,1

Source : Statistique Canada, CANSIM : tableau 282-0002.

Taux d'activité							
15 à 24 ans		25 à 44 ans		45 ans et plus		65 ans et plus	
Hommes	Femmes	Hommes	Femmes	Hommes	Femmes	Hommes	Femmes
pourcentage							
73,6	64,8	95,4	65,2	62,9	30,4	12,7	4,0
70,7	63,8	94,3	66,1	61,8	30,5	12,7	4,0
70,6	64,5	94,0	67,6	61,3	30,8	12,1	3,7
70,8	65,0	94,1	69,4	60,3	30,8	11,8	3,9
71,1	65,6	94,2	70,9	59,4	31,8	11,8	4,1
72,3	67,0	94,4	73,1	58,6	30,9	11,1	3,4
73,0	67,5	94,3	74,0	58,1	32,0	11,2	3,3
73,1	68,0	94,2	75,3	57,5	33,0	10,7	3,6
73,8	68,5	94,2	76,6	57,4	33,4	10,5	3,9
72,4	67,3	93,8	77,7	56,8	33,9	10,8	3,6
70,1	66,1	93,1	77,8	56,3	34,6	11,1	3,4
67,8	64,5	92,0	76,8	55,9	35,4	10,6	3,4
66,5	62,2	92,1	77,1	55,5	36,1	9,7	3,5
65,9	61,9	91,8	76,9	55,9	36,6	10,7	3,4
64,9	61,3	91,6	77,1	55,4	36,9	9,9	3,4
64,1	60,3	91,6	77,8	55,4	37,1	9,8	3,4
63,6	59,2	91,9	78,4	55,8	38,1	9,8	3,6
63,4	60,2	92,2	79,0	55,8	39,3	10,2	3,5
65,3	61,5	92,2	79,6	56,4	39,9	9,8	3,4
65,9	62,8	92,1	79,9	56,7	40,9	9,5	3,3
66,1	63,2	92,1	80,4	56,9	41,6	9,4	3,4
67,8	65,3	92,3	81,3	58,1	43,2	10,3	3,8
68,3	66,5	92,5	81,7	59,2	45,0	11,5	4,2
67,8	66,2	92,4	82,2	59,6	45,5	11,8	4,4
66,1	65,8	92,3	81,8	59,9	45,9	12,1	5,0
66,4	66,4	92,0	81,8	59,6	46,8	12,1	5,2

Tableau 30.3 Caractéristiques de la population active selon le sexe et le groupe d'âge, 2006

	Population	Population active	Personnes occupées	Personnes en chômage	Taux d'activité	Taux d'emploi	Taux de chômage
	milliers				pourcentage		
Les deux sexes	**26 185,1**	**17 592,8**	**16 484,3**	**1 108,4**	**67,2**	**63,0**	**6,3**
15 à 24 ans	**4 320,6**	2 869,5	2 535,8	333,7	66,4	58,7	11,6
15 à 19 ans	**2 113,1**	1 135,1	954,3	180,8	53,7	45,2	15,9
20 à 24 ans	**2 207,5**	1 734,4	1 581,5	152,9	78,6	71,6	8,8
25 ans et plus	**21 864,6**	14 723,2	13 948,5	774,7	67,3	63,8	5,3
25 à 44 ans	**9 277,1**	8 063,8	7 610,7	453,0	86,9	82,0	5,6
25 à 34 ans	**4 343,4**	3 748,8	3 528,0	220,8	86,3	81,2	5,9
35 à 44 ans	**4 933,8**	4 315,0	4 082,7	232,3	87,5	82,7	5,4
45 à 64 ans	**8 570,6**	6 327,7	6 020,7	307,0	73,8	70,2	4,9
45 à 54 ans	**4 955,2**	4 205,2	4 008,9	196,3	84,9	80,9	4,7
55 à 64 ans	**3 615,4**	2 122,5	2 011,8	110,7	58,7	55,6	5,2
55 ans et plus	**7 632,2**	2 454,2	2 328,9	125,4	32,2	30,5	5,1
65 ans et plus	**4 016,8**	331,8	317,1	14,7	8,3	7,9	4,4
Hommes	**12 882,7**	**9 335,4**	**8 727,1**	**608,3**	**72,5**	**67,7**	**6,5**
15 à 24 ans	**2 205,1**	1 465,1	1 276,9	188,2	66,4	57,9	12,8
15 à 19 ans	**1 080,8**	565,8	466,2	99,6	52,4	43,1	17,6
20 à 24 ans	**1 124,3**	899,3	810,7	88,6	80,0	72,1	9,9
25 ans et plus	**10 677,6**	7 870,4	7 450,2	420,2	73,7	69,8	5,3
25 à 44 ans	**4 647,8**	4 278,2	4 035,3	242,9	92,0	86,8	5,7
25 à 34 ans	**2 181,2**	1 992,8	1 871,7	121,2	91,4	85,8	6,1
35 à 44 ans	**2 466,6**	2 285,3	2 163,6	121,7	92,6	87,7	5,3
45 à 64 ans	**4 237,2**	3 375,6	3 208,3	167,3	79,7	75,7	5,0
45 à 54 ans	**2 457,6**	2 195,8	2 091,4	104,4	89,3	85,1	4,8
55 à 64 ans	**1 779,6**	1 179,8	1 116,9	62,9	66,3	62,8	5,3
55 ans et plus	**3 572,1**	1 396,4	1 323,5	73,0	39,1	37,1	5,2
65 ans et plus	**1 792,4**	216,6	206,6	10,0	12,1	11,5	4,6
Femmes	**13 302,5**	**8 257,3**	**7 757,2**	**500,1**	**62,1**	**58,3**	**6,1**
15 à 24 ans	**2 115,5**	1 404,5	1 258,9	145,5	66,4	59,5	10,4
15 à 19 ans	**1 032,3**	569,3	488,1	81,2	55,1	47,3	14,3
20 à 24 ans	**1 083,2**	835,1	770,8	64,3	77,1	71,2	7,7
25 ans et plus	**11 187,0**	6 852,9	6 498,3	354,6	61,3	58,1	5,2
25 à 44 ans	**4 629,3**	3 785,6	3 575,4	210,2	81,8	77,2	5,6
25 à 34 ans	**2 162,1**	1 756,0	1 656,4	99,5	81,2	76,6	5,7
35 à 44 ans	**2 467,2**	2 029,6	1 919,0	110,6	82,3	77,8	5,4
45 à 64 ans	**4 333,3**	2 952,2	2 812,3	139,7	68,1	64,9	4,7
45 à 54 ans	**2 497,5**	2 009,5	1 917,4	91,9	80,5	76,8	4,6
55 à 64 ans	**1 835,8**	942,7	894,9	47,8	51,4	48,7	5,1
55 ans et plus	**4 060,1**	1 057,8	1 005,4	52,4	26,1	24,8	5,0
65 ans et plus	**2 224,3**	115,2	110,5	4,6	5,2	5,0	4,0

Note : Population de 15 ans et plus.
Source : Statistique Canada, CANSIM : tableau 282-0002.

Tableau 30.4 Caractéristiques de la population active selon la région métropolitaine de recensement, 2006

	Population	Population active	Personnes occupées	Personnes en chômage	Taux d'activité	Taux d'emploi	Taux de chômage
	milliers				pourcentage		
St. John's	151,4	101,6	93,4	8,2	67,1	61,7	8,1
Halifax	311,3	215,7	204,8	10,8	69,3	65,8	5,0
Saint John	103,4	65,9	61,9	4,0	63,7	59,9	6,1
Saguenay	126,1	77,2	70,4	6,8	61,2	55,8	8,8
Québec	599,4	397,4	376,6	20,8	66,3	62,8	5,2
Sherbrooke	135,2	88,8	81,9	7,0	65,7	60,6	7,9
Trois-Rivières	119,3	73,2	67,3	5,9	61,4	56,4	8,1
Montréal	3 003,8	2 026,7	1 856,8	169,8	67,5	61,8	8,4
Ottawa–Gatineau	943,5	678,6	643,3	35,3	71,9	68,2	5,2
Partie québécoise	235,6	169,7	160,2	9,5	72,0	68,0	5,6
Partie ontarienne	707,8	509,0	483,1	25,9	71,9	68,3	5,1
Kingston	125,7	82,4	77,3	5,1	65,6	61,5	6,2
Oshawa	274,5	189,7	177,3	12,4	69,1	64,6	6,5
Toronto	4 374,0	2 998,7	2 802,1	196,6	68,6	64,1	6,6
Hamilton	588,0	395,3	371,9	23,5	67,2	63,2	5,9
St. Catharines–Niagara	327,0	203,1	190,2	12,9	62,1	58,2	6,4
Kitchener	371,1	265,2	251,4	13,8	71,5	67,7	5,2
London	378,1	261,8	245,6	16,2	69,2	65,0	6,2
Windsor	270,5	181,3	165,1	16,3	67,0	61,0	9,0
Greater Sudbury / Grand Sudbury	132,6	84,2	78,1	6,1	63,5	58,9	7,2
Thunder Bay	104,3	66,5	61,5	5,0	63,8	59,0	7,5
Winnipeg	571,5	400,7	382,2	18,5	70,1	66,9	4,6
Regina	161,0	115,2	109,6	5,6	71,6	68,1	4,9
Saskatoon	188,2	133,9	128,0	5,9	71,1	68,0	4,4
Calgary	887,4	676,9	655,1	21,8	76,3	73,8	3,2
Edmonton	837,8	584,0	561,3	22,7	69,7	67,0	3,9
Abbotsford	128,2	86,3	82,3	3,9	67,3	64,2	4,5
Vancouver	1 862,2	1 241,9	1 187,1	54,8	66,7	63,7	4,4
Victoria	278,3	182,0	175,2	6,7	65,4	63,0	3,7

Note : Population de 15 ans et plus.

Source : Statistique Canada, CANSIM : tableau 282-0053.

Tableau 30.5 Emploi à temps plein et à temps partiel selon le sexe et le groupe d'âge, 2001 à 2006

	2001	2002	2003	2004	2005	2006
	milliers					
Ensemble des personnes occupées	**14 946,2**	**15 310,4**	**15 672,3**	**15 947,0**	**16 169,7**	**16 484,3**
15 à 24 ans	2 324,6	2 399,1	2 449,4	2 461,0	2 472,5	2 535,8
25 à 44 ans	7 570,8	7 575,6	7 571,5	7 594,0	7 597,5	7 610,7
45 ans et plus	5 050,8	5 335,7	5 651,4	5 892,0	6 099,7	6 337,8
À temps plein	12 242,5	12 439,3	12 705,3	12 998,1	13 206,2	13 509,7
15 à 24 ans	1 314,8	1 323,1	1 344,3	1 361,4	1 370,2	1 419,8
25 à 44 ans	6 637,5	6 627,0	6 624,7	6 671,2	6 684,7	6 730,9
45 ans et plus	4 290,2	4 489,1	4 736,3	4 965,5	5 151,3	5 359,0
À temps partiel	2 703,7	2 871,1	2 967,0	2 948,9	2 963,5	2 974,7
15 à 24 ans	1 009,8	1 076,0	1 105,1	1 099,6	1 102,3	1 116,0
25 à 44 ans	933,3	948,5	946,8	922,8	912,8	879,9
45 ans et plus	760,6	846,6	915,0	926,5	948,4	978,8
Ensemble des hommes occupés	**8 035,8**	**8 184,4**	**8 348,1**	**8 480,6**	**8 594,7**	**8 727,1**
15 à 24 ans	1 192,6	1 224,3	1 243,2	1 248,3	1 239,0	1 276,9
25 à 44 ans	4 044,9	4 028,4	4 029,0	4 023,8	4 032,1	4 035,3
45 ans et plus	2 798,3	2 931,7	3 075,8	3 208,4	3 323,6	3 414,9
À temps plein	7 195,3	7 287,9	7 423,0	7 559,3	7 664,0	7 781,0
15 à 24 ans	753,3	763,9	774,9	781,2	782,5	809,2
25 à 44 ans	3 855,2	3 831,1	3 832,2	3 834,1	3 832,6	3 845,6
45 ans et plus	2 586,8	2 692,9	2 815,9	2 944,1	3 048,9	3 126,2
À temps partiel	840,5	896,5	925,0	921,3	930,7	946,1
15 à 24 ans	439,3	460,4	468,3	467,1	456,5	467,7
25 à 44 ans	189,7	197,4	196,9	189,8	199,5	189,7
45 ans et plus	211,5	238,8	259,8	264,4	274,7	288,7
Ensemble des femmes occupées	**6 910,3**	**7 126,0**	**7 324,2**	**7 466,4**	**7 575,0**	**7 757,2**
15 à 24 ans	1 132,0	1 174,8	1 206,2	1 212,6	1 233,5	1 258,9
25 à 44 ans	3 525,9	3 547,1	3 542,5	3 570,2	3 565,4	3 575,4
45 ans et plus	2 252,4	2 404,0	2 575,6	2 683,5	2 776,2	2 922,9
À temps plein	5 047,1	5 151,4	5 282,3	5 438,8	5 542,3	5 728,7
15 à 24 ans	561,5	559,2	569,4	580,2	587,8	610,5
25 à 44 ans	2 782,3	2 796,0	2 792,5	2 837,2	2 852,1	2 885,3
45 ans et plus	1 703,4	1 796,2	1 920,4	2 021,4	2 102,4	2 232,8
À temps partiel	1 863,2	1 974,6	2 041,9	2 027,6	2 032,8	2 028,5
15 à 24 ans	570,5	615,6	636,8	632,4	645,8	648,4
25 à 44 ans	743,6	751,2	749,9	733,0	713,3	690,1
45 ans et plus	549,1	607,8	655,2	662,1	673,7	690,0

Source : Statistique Canada, CANSIM : tableau 282-0002.

Tableau 30.6 Raisons du travail à temps partiel selon le sexe et le groupe d'âge, 2006

	Tous les âges	15 à 24 ans	25 à 44 ans	45 ans et plus
	milliers			
Ensemble des personnes travaillant à temps partiel	**2 974,7**	**1 116,0**	**879,9**	**978,8**
Ensemble des hommes travaillant à temps partiel	**946,1**	467,7	189,7	288,7
Ensemble des femmes travaillant à temps partiel	**2 028,5**	648,4	690,1	690,0
	pourcentage			
Les deux sexes				
Maladie	**3,1**	0,5	3,4	5,8
Soin des enfants	**10,3**	1,0	28,7	4,5
Autres obligations personnelles ou familiales	**2,9**	0,6	4,0	4,6
Études	**31,5**	75,0	10,4	0,9
Préférence personnelle	**27,2**	5,8	20,0	58,2
Autres raisons volontaires	**0,8**	0,4	1,4	0,9
Non volontaire (aucun travail à temps plein disponible)	**24,1**	16,8	32,2	25,1
Hommes				
Maladie	**3,1**	0,6	5,1	6,0
Soin des enfants	**1,3**	x	4,0	1,4
Autres obligations personnelles ou familiales	**1,3**	0,6	2,0	2,1
Études	**41,7**	76,2	18,9	0,7
Préférence personnelle	**25,4**	5,6	20,9	60,4
Autres raisons volontaires	**1,1**	0,4	2,5	1,3
Non volontaire (aucun travail à temps plein disponible)	**26,1**	16,5	46,8	28,2
Femmes				
Maladie	**3,0**	0,4	2,9	5,7
Soin des enfants	**14,6**	1,6	35,5	5,8
Autres obligations personnelles ou familiales	**3,7**	0,6	4,5	5,7
Études	**26,7**	74,1	8,0	0,9
Préférence personnelle	**28,1**	5,9	19,8	57,3
Autres raisons volontaires	**0,7**	0,3	1,1	0,7
Non volontaire (aucun travail à temps plein disponible)	**23,2**	17,1	28,2	23,8

Notes : En pourcentage de l'ensemble des personnes occupées à temps partiel.
Population de 15 ans et plus.

Source : Statistique Canada, CANSIM : tableau 282-0014.

Tableau 30.7 Emploi selon le secteur, 1991 à 2006

	1991	1992	1993	1994	1995	1996	1997
				milliers			
Ensemble des secteurs	**12 857,4**	**12 730,9**	**12 792,7**	**13 058,7**	**13 295,4**	**13 421,4**	**13 706,0**
Secteur des biens	3 518,8	3 390,6	3 325,2	3 397,5	3 467,6	3 476,0	3 561,0
Agriculture	448,9	439,4	445,5	437,2	419,3	422,5	417,0
Foresterie, pêches, mines, et extraction de pétrole et de gaz	298,1	280,1	271,8	285,6	294,8	294,0	296,7
Services publics	142,8	143,5	137,4	127,0	123,5	124,1	115,3
Construction	738,9	713,1	691,2	724,6	726,4	709,7	721,0
Fabrication	1 890,2	1 814,5	1 779,2	1 823,2	1 903,8	1 925,7	2 010,9
Secteur des services	9 338,5	9 340,3	9 467,6	9 661,2	9 827,7	9 945,4	10 145,1
Commerce	2 063,2	2 038,4	2 027,0	2 061,1	2 077,5	2 087,7	2 106,1
Transport et entreposage	624,2	609,6	618,6	644,9	660,8	674,0	694,6
Finances, assurances, immobilier et location	853,9	840,5	839,8	832,7	846,1	861,4	865,0
Services professionnels, scientifiques et techniques	603,8	590,0	615,9	642,5	674,3	706,7	777,8
Services aux entreprises, services relatifs aux bâtiments et autres services de soutien	319,2	322,8	342,8	365,4	402,5	420,8	441,8
Services d'enseignement	859,0	886,5	905,5	927,2	928,3	913,0	916,6
Soins de santé et assistance sociale	1 310,0	1 326,9	1 348,5	1 364,2	1 388,6	1 390,9	1 388,4
Information, culture et loisirs	499,1	492,9	503,2	537,4	567,7	579,1	603,5
Hébergement et services de restauration	758,6	769,6	772,1	799,1	816,1	847,9	871,0
Administrations publiques	852,0	865,0	861,7	834,8	818,6	807,8	797,2
Autres services	595,6	598,0	632,5	651,9	647,2	656,0	683,0

Note : Système de classification des industries de l'Amérique du Nord (SCIAN), 2002.
Source : Statistique Canada, CANSIM : tableau 282-0008.

1998	1999	2000	2001	2002	2003	2004	2005	2006
				milliers				
14 046,2	**14 406,7**	**14 764,2**	**14 946,2**	**15 310,4**	**15 672,3**	**15 947,0**	**16 169,7**	**16 484,3**
3 657,9	3 742,5	3 822,0	3 779,9	3 878,6	3 925,7	3 989,8	4 002,4	3 985,9
424,2	406,0	372,1	323,3	325,4	332,4	326,0	343,7	346,4
293,5	263,8	275,4	278,9	270,3	281,6	286,6	306,4	330,1
114,7	114,3	114,9	124,4	131,9	130,5	133,3	125,3	122,0
731,9	766,9	810,1	824,3	865,2	906,0	951,7	1 019,5	1 069,7
2 093,5	2 191,5	2 249,4	2 229,0	2 285,9	2 275,2	2 292,1	2 207,4	2 117,7
10 388,4	10 664,3	10 942,2	11 166,2	11 431,8	11 746,6	11 957,2	12 167,3	12 498,4
2 125,4	2 218,2	2 293,3	2 363,3	2 409,3	2 467,8	2 507,1	2 574,6	2 633,5
712,7	737,0	772,3	775,8	760,7	790,9	799,4	793,6	802,2
847,9	859,9	857,9	876,7	895,1	917,0	960,6	987,8	1 040,5
849,8	900,7	932,2	986,5	987,1	1 003,6	1 018,3	1 050,0	1 089,9
478,1	504,7	537,0	537,2	579,6	608,7	630,2	654,4	690,0
930,0	970,7	974,1	981,6	1 007,4	1 027,1	1 035,7	1 106,1	1 158,4
1 428,5	1 436,0	1 514,0	1 540,4	1 617,3	1 679,2	1 733,4	1 734,6	1 785,5
615,8	630,5	662,1	709,4	715,1	714,6	738,0	735,1	745,0
911,4	913,6	938,2	943,2	985,1	1 005,5	1 012,4	1 004,5	1 015,0
781,9	776,3	772,6	785,4	788,9	819,0	825,5	833,1	837,4
706,8	716,5	688,5	666,8	686,2	713,1	696,6	693,4	701,0

Tableau 30.8 Emploi selon le secteur, par province, 2006

	Canada	Terre-Neuve-et-Labrador	Île-du-Prince-Édouard	Nouvelle-Écosse
	milliers			
Ensemble des secteurs	**16 484,3**	**215,7**	**68,6**	**441,8**
Secteur des biens	**3 985,9**	49,1	18,9	85,7
Agriculture	**346,4**	1,9	3,9	4,7
Foresterie, pêches, mines, et extraction de pétrole et de gaz	**330,1**	16,4	2,4	12,7
Services publics	**122,0**	2,2	0,3	1,8
Construction	**1 069,7**	12,9	5,7	27,3
Fabrication	**2 117,7**	15,7	6,6	39,1
Secteur des services	**12 498,4**	166,6	49,7	356,2
Commerce	**2 633,5**	37,7	9,9	78,2
Transport et entreposage	**802,2**	11,6	2,2	18,7
Finances, assurances, immobilier et location	**1 040,5**	6,5	2,1	22,3
Services professionnels, scientifiques et techniques	**1 089,9**	6,7	2,8	18,4
Services aux entreprises, services relatifs aux bâtiments et autres services de soutien	**690,0**	8,5	2,8	28,8
Services d'enseignement	**1 158,4**	16,6	4,6	34,7
Soins de santé et assistance sociale	**1 785,5**	30,1	7,9	59,1
Information, culture et loisirs	**745,0**	8,8	2,6	16,3
Hébergement et services de restauration	**1 015,0**	13,4	5,6	29,8
Administrations publiques	**837,4**	15,3	6,3	29,2
Autres services	**701,0**	11,3	2,9	20,7

Note : Système de classification des industries de l'Amérique du Nord (SCIAN), 2002.

Source : Statistique Canada, CANSIM : tableau 282-0008.

Nouveau-Brunswick	Québec	Ontario	Manitoba	Saskatchewan	Alberta	Colombie-Britannique
			milliers			
355,4	**3 765,4**	**6 492,7**	**587,0**	**491,6**	**1 870,7**	**2 195,5**
77,1	901,1	1 600,5	138,1	132,8	518,9	463,9
6,2	65,1	100,4	29,4	47,8	52,3	34,7
9,9	38,8	38,7	6,5	21,5	139,3	43,8
3,1	29,7	49,0	5,6	4,5	17,1	8,6
21,1	186,1	405,2	29,9	29,6	172,6	179,3
36,9	581,3	1 007,2	66,6	29,3	137,5	197,5
278,3	2 864,4	4 892,2	448,9	358,8	1 351,8	1 731,6
56,8	628,5	1 015,7	91,3	79,2	282,4	353,7
19,9	167,2	296,1	35,1	25,7	106,2	119,5
16,4	222,3	476,8	34,2	25,7	96,2	138,0
14,5	241,7	453,8	23,4	18,9	142,2	167,6
21,8	139,8	295,8	18,3	12,6	62,7	98,8
27,2	260,9	444,5	45,5	38,1	130,4	156,0
45,3	454,1	638,2	79,6	59,5	179,5	232,2
11,9	160,4	319,6	23,7	20,2	68,3	113,2
25,0	214,8	373,2	37,5	30,2	114,9	170,5
21,7	215,6	314,5	35,0	27,5	81,1	91,3
17,7	159,1	264,0	25,4	21,2	87,9	90,8

Tableau 30.9 Emploi et rémunération hebdomadaire moyenne dans les administrations publiques et pour l'ensemble des industries, 1993 à 2006

	1993	1994	1995	1996	1997
	milliers				
Ensemble des industries[1]	**10 817,4**	**10 980,6**	**11 214,7**	**11 298,9**	**11 632,4**
Administrations publiques	767,2	760,5	746,8	722,7	707,6
Administration fédérale[2]	279,8	278,1	265,0	251,9	236,8
Administrations provinciales et territoriales	229,8	224,5	222,6	208,9	202,7
Administrations locales	226,6	227,2	228,4	230,1	234,8
	rémunération hebdomadaire moyenne (dollars)				
Ensemble des industries[1]	**583,15**	**593,15**	**598,90**	**611,26**	**623,63**
Administrations publiques	727,81	732,69	729,83	725,35	729,12
Administration fédérale[2]	800,45	803,86	804,63	801,01	813,34
Administrations provinciales et territoriales	722,87	723,31	721,99	728,45	741,41
Administrations locales	672,67	683,45	678,67	670,12	666,15

Notes : Système de classification des industries de l'Amérique du Nord (SCIAN), 2002.
Les données incluent les heures supplémentaires.
À l'exclusion des propriétaires et des associés des entreprises non constituées en personne morale et des bureaux voués à l'exercice d'une profession libérale, des travailleurs autonomes, des travailleurs familiaux non rémunérés, des personnes travaillant à l'extérieur du Canada, du personnel militaire et des employés occasionnels dont l'employeur n'est pas tenu de remplir le formulaire T4.

1. À l'exclusion de l'agriculture, de la pêche et du piégeage, du service domestique des ménages, des organismes religieux et du service militaire.
2. À l'exclusion du service militaire.

Source : Statistique Canada, CANSIM : tableaux 281-0024 et 281-0027.

1998	1999	2000	2001	2002	2003	2004	2005	2006
				milliers				
11 894,0	**12 066,3**	**12 474,6**	**12 787,7**	**12 980,7**	**13 244,5**	**13 439,7**	**13 702,2**	**14 041,3**
702,3	705,0	713,0	743,7	746,7	782,1	785,0	795,3	813,7
234,7	237,9	240,9	247,5	248,0	258,0	257,0	257,5	269,2
202,1	206,1	208,0	208,4	207,0	222,5	224,4	226,3	229,7
231,5	226,6	229,9	252,8	255,5	260,9	261,6	268,4	272,9
				rémunération hebdomadaire moyenne (dollars)				
632,93	**640,71**	**655,91**	**665,30**	**679,32**	**688,31**	**702,87**	**725,51**	**747,08**
734,05	761,05	781,15	787,87	829,33	855,15	872,05	899,05	930,85
830,71	886,01	926,60	931,57	1 014,45	1 043,49	1 066,43	1 110,61	1 165,74
750,14	758,82	767,44	780,45	804,34	833,63	846,09	862,93	890,59
657,34	671,37	680,57	688,62	710,44	732,21	747,87	767,95	776,45

Tableau 30.10 Salaires horaires moyens des employés selon certaines caractéristiques et professions, 2005 et 2006

	2005		2006		2005 à 2006
	milliers	salaire horaire moyen (dollars)	milliers	salaire horaire moyen (dollars)	variation en pourcentage du salaire horaire moyen
Ensemble des employés[1]	**13 658,2**	**19,09**	**13 986,3**	**19,72**	**3,3**
15 à 24 ans	2 373,5	10,87	2 443,4	11,36	4,5
25 à 54 ans	9 708,3	20,80	9 863,9	21,49	3,3
55 ans et plus	1 576,4	20,95	1 679,0	21,50	2,6
Hommes	6 949,1	20,74	7 105,7	21,43	3,3
Femmes	6 709,1	17,38	6 880,6	17,96	3,3
Travailleurs à temps plein	11 224,5	20,31	11 526,9	20,99	3,4
Travailleurs à temps partiel	2 433,6	13,45	2 459,4	13,80	2,6
Couverts par un syndicat[2]	4 374,4	22,15	4 428,6	22,73	2,6
Non couverts par un syndicat[3]	9 283,8	17,65	9 557,7	18,33	3,9
Emplois permanents[4]	11 860,6	19,73	12 163,1	20,38	3,3
Emplois temporaires[5]	1 797,6	14,91	1 823,2	15,30	2,6
Gestion	947,3	29,86	1 005,9	31,13	4,3
Affaires, finance et administration	2 649,3	18,23	2 729,8	18,79	3,1
Sciences naturelles et appliquées et professions apparentées	959,3	26,91	1 001,0	27,78	3,2
Secteur de la santé	840,7	22,45	860,3	23,11	2,9
Sciences sociales, enseignement, administration publique et religion	1 182,7	25,04	1 239,6	25,64	2,4
Arts, culture, sports et loisirs	322,8	19,63	323,0	19,71	0,4
Ventes et services	3 453,4	12,82	3 514,2	13,10	2,2
Métiers, transport et conducteurs de matériel et professions apparentées	1 982,8	18,91	2 032,4	19,52	3,2
Professions propres au secteur primaire	282,8	15,63	299,6	16,20	3,7
Professions propres à la transformation, à la fabrication et aux services d'utilité publics	1 037,1	16,71	980,8	17,18	2,8

Note : Données non désaisonnalisées.

1. Employés travaillant pour une entreprise privée ou le secteur public.
2. Comprend les employés qui sont membres d'un syndicat et ceux qui n'en sont pas membres, mais qui sont couverts par une convention collective ou par un contrat de travail négocié par un syndicat.
3. Comprend les employés qui ne sont pas membres d'un syndicat ou qui ne sont pas couverts par une convention collective ou par un contrat de travail négocié par un syndicat.
4. Un emploi permanent est un emploi qui devrait durer aussi longtemps que l'employé le désire, à la condition que la conjoncture économique le permette; c'est-à-dire que la date de cessation de l'emploi n'est pas déterminée à l'avance.
5. Un emploi temporaire est un emploi dont la date de cessation est prédéterminée ou qui se terminera dès qu'un projet déterminé aura pris fin. Comprend les emplois saisonniers, les emplois temporaires (c'est-à-dire pour une durée déterminée ou dans le cadre d'un contrat de travail, y compris le travail effectué par le biais d'une agence de placement), les emplois occasionnels et les autres emplois temporaires.

Source : Statistique Canada, CANSIM : tableaux 282-0069 et 282-0073.

Tableau 30.11 Gains moyens selon le sexe et le régime de travail, 1990 à 2004

	Ensemble des travailleurs			Travailleurs à temps plein toute l'année		
	Femmes	Hommes	Ratio des gains[1]	Femmes	Hommes	Ratio des gains[1]
	dollars constants de 2004		pourcentage	dollars constants de 2004		pourcentage
1990	22 100	37 800	58,4	33 000	49 300	66,8
1991	22 100	36 700	60,1	33 700	49 000	68,7
1992	22 500	36 300	61,9	34 800	49 500	70,3
1993	22 700	36 400	62,5	34 900	49 000	71,3
1994	22 600	37 300	60,5	34 200	49 900	68,5
1995	23 300	36 800	63,4	35 500	49 100	72,4
1996	23 200	36 700	63,1	34 900	48 300	72,3
1997	23 300	37 700	61,9	34 600	50 700	68,3
1998	24 400	38 800	62,8	37 100	51 700	71,9
1999	24 800	39 500	62,6	35 700	52 200	68,4
2000	25 200	40 800	61,7	36 900	52 200	70,6
2001	25 300	40 700	62,1	37 200	53 300	69,9
2002	25 600	40 800	62,8	37 500	53 400	70,2
2003	25 300	40 200	62,9	37 300	53 200	70,2
2004	25 600	40 300	63,5	38 400	54 900	69,9

1. Représente le rapport des gains des femmes à celui des hommes.

Source : Statistique Canada, CANSIM : tableau 202-0102.

Tableau 30.12 Personnes gagnant un revenu selon le sexe et le régime de travail, 1990 à 2004

	Ensemble des travailleurs			Travailleurs à temps plein toute l'année		
	Les deux sexes	Femmes	Hommes	Les deux sexes	Femmes	Hommes
	milliers					
1990	**15 239**	6 891	8 348	8 835	3 398	5 437
1991	**15 011**	6 804	8 207	8 564	3 352	5 212
1992	**15 048**	6 867	8 181	8 405	3 305	5 100
1993	**14 905**	6 795	8 110	8 461	3 347	5 114
1994	**15 006**	6 800	8 206	8 654	3 349	5 305
1995	**15 346**	6 993	8 352	8 843	3 478	5 365
1996	**15 187**	6 880	8 307	7 881	3 044	4 837
1997	**15 577**	7 122	8 455	8 008	3 135	4 873
1998	**15 896**	7 298	8 599	8 178	3 239	4 939
1999	**16 403**	7 590	8 813	8 497	3 431	5 066
2000	**16 858**	7 830	9 028	8 305	3 349	4 956
2001	**17 226**	8 004	9 221	8 713	3 518	5 194
2002	**17 445**	8 121	9 324	8 483	3 477	5 006
2003	**17 830**	8 336	9 494	8 725	3 650	5 075
2004	**18 302**	8 539	9 763	9 064	3 778	5 286

Note : Les données antérieures à 1996 ont été tirées de l'Enquête sur les finances des consommateurs(EFC) et celles à partir de 1996, de l'Enquête sur la dynamique du travail et du revenu (EDTR). Dans le cadre de ces enquêtes, on utilise différentes définitions. Par conséquent, le nombre de personnes travaillant à temps plein toute l'année de l'EDTR est moins élevé que dans l'EFC.

Source : Statistique Canada, CANSIM : tableau 202-0101.

Tableau 30.13 Augmentations salariales en vigueur dans les conventions collectives selon le secteur industriel et l'unité de négociation collective, 2001 à 2006

	2001	2002	2003	2004	2005	2006
	pourcentage					
Ensemble des secteurs	**3,3**	**3,0**	**2,5**	**2,0**	**2,4**	**2,4**
Industries primaires	2,6	..	..	..	2,2	..
Fabrication	2,6	3,3	2,5	2,7	2,4	2,2
Services	2,4	2,6	2,8	..	2,5	2,6
Construction	3,1	..	..	2,7	..	..
Commerce de gros et de détail	1,5	1,9	..	1,7	2,0	..
Transport	2,6	3,4	1,9	1,6	2,8	2,5
Information et culture	3,1	..	2,1	2,6	2,3	1,8
Finance, immobilier et gestion	1,9	1,7	2,8	..	..	2,5
Éducation, santé et services sociaux	3,6	3,2	3,5	1,6	2,4	2,6
Loisirs et hôtellerie	..	1,8	2,6	..	..	2,9
Administration publique	3,1	2,7	2,4	2,6	2,4	2,8
Unités de négociation collective des secteurs privé et public						
Secteur privé	2,8	2,6	1,6	2,2	2,4	2,2
Secteur public	3,4	3,1	2,8	1,6	2,4	2,6
Administration fédérale	3,7	3,2	..	2,6	2,4	2,6
Sociétés de la couronne	..	..	3,1	..	..	2,6
Administration provinciale	3,5	2,3	..	..	2,1	2,6
Administration locale	2,7	3,1	2,8	2,6	3,1	3,4
Éducation, santé et bien-être	3,7	3,2	3,5	1,6	2,4	2,6
Services publics	2,8	2,9	2,7	..	2,0	..

Note : Système de classification des industries de l'Amérique du Nord (SCIAN), 2002.
Source : Statistique Canada, CANSIM : tableau 278-0007.

Tableau 30.14 Travail autonome selon le sexe, 1976 à 2006

	Les deux sexes	Hommes	Femmes
		milliers	
1976	**1 185,0**	873,4	311,6
1977	**1 210,3**	880,4	329,8
1978	**1 263,4**	910,3	353,1
1979	**1 324,7**	944,6	380,1
1980	**1 363,6**	971,9	391,7
1981	**1 425,2**	1 020,6	404,6
1982	**1 483,2**	1 056,7	426,5
1983	**1 543,2**	1 094,5	448,7
1984	**1 569,7**	1 096,4	473,3
1985	**1 726,0**	1 188,9	537,2
1986	**1 674,2**	1 175,6	498,5
1987	**1 699,1**	1 185,8	513,3
1988	**1 774,1**	1 233,1	541,0
1989	**1 800,3**	1 240,7	559,6
1990	**1 836,6**	1 263,6	573,0
1991	**1 895,8**	1 313,2	582,6
1992	**1 927,5**	1 316,7	610,8
1993	**2 011,1**	1 361,7	649,4
1994	**2 028,5**	1 351,7	676,7
1995	**2 083,1**	1 381,8	701,3
1996	**2 171,6**	1 426,8	744,8
1997	**2 349,4**	1 522,2	827,2
1998	**2 405,7**	1 550,6	855,1
1999	**2 433,0**	1 582,8	850,2
2000	**2 373,7**	1 538,7	835,1
2001	**2 276,7**	1 503,3	773,4
2002	**2 314,5**	1 499,7	814,7
2003	**2 401,8**	1 571,1	830,7
2004	**2 453,4**	1 614,5	838,9
2005	**2 511,6**	1 645,6	866,0
2006	**2 498,0**	1 621,4	876,6

Source : Statistique Canada, CANSIM : tableau 282-0012.

Tableau 30.15 Taux d'emploi selon le niveau de scolarité, le groupe d'âge et le sexe, 2000 et 2006

	2000			2006		
	Les deux sexes	Hommes	Femmes	Les deux sexes	Hommes	Femmes
	pourcentage			pourcentage		
Ensemble des niveaux de scolarité	**61,3**	**67,3**	**55,4**	**63,0**	**67,7**	**58,3**
15 à 24 ans	**56,3**	56,8	55,7	**58,7**	57,9	59,5
25 à 44 ans	**80,8**	86,5	75,1	**82,0**	86,8	77,2
45 ans et plus	**45,9**	53,8	38,7	**50,4**	56,6	44,6
Moins de neuf années d'études	**21,9**	30,4	14,3	**21,5**	29,5	14,5
15 à 24 ans	**25,1**	29,6	19,0	**26,5**	30,9	20,9
25 à 44 ans	**52,0**	62,7	39,5	**52,1**	64,6	36,3
45 ans et plus	**17,3**	25,1	10,9	**17,3**	24,1	11,9
Études secondaires partielles	**45,3**	53,1	37,4	**44,9**	51,3	38,3
15 à 24 ans	**41,9**	43,2	40,5	**43,4**	43,5	43,3
25 à 44 ans	**67,8**	76,5	56,7	**66,8**	75,6	55,2
45 ans et plus	**35,0**	46,0	26,2	**37,1**	46,3	29,0
Diplôme d'études secondaires	**65,9**	73,9	58,9	**65,2**	72,0	59,0
15 à 24 ans	**69,0**	72,1	65,4	**69,4**	69,8	68,9
25 à 44 ans	**80,2**	87,5	73,2	**79,7**	85,9	72,9
45 ans et plus	**50,5**	58,9	44,4	**53,6**	61,1	47,9
Études postsecondaires partielles	**63,6**	67,3	60,0	**64,0**	66,6	61,3
15 à 24 ans	**58,6**	58,7	58,6	**60,6**	59,0	62,0
25 à 44 ans	**77,0**	82,7	71,5	**78,0**	81,7	73,8
45 ans et plus	**52,8**	58,7	47,4	**54,6**	60,2	49,1
Certificat ou diplôme d'études postsecondaires[1]	**72,9**	78,0	67,8	**72,7**	76,5	69,0
15 à 24 ans	**75,7**	75,5	75,9	**78,0**	77,5	78,5
25 à 44 ans	**85,2**	90,2	80,2	**86,1**	90,1	82,2
45 ans et plus	**57,2**	63,6	51,0	**59,6**	63,9	55,5
Baccalauréat	**78,1**	80,9	75,5	**76,8**	79,4	74,5
15 à 24 ans	**75,1**	74,6	75,5	**74,7**	73,0	75,6
25 à 44 ans	**86,4**	91,0	82,6	**85,9**	90,3	82,4
45 ans et plus	**65,8**	68,3	63,1	**65,1**	67,7	62,2
Diplôme ou certificat universitaire supérieur au baccalauréat	**78,9**	79,2	78,6	**77,1**	78,4	75,5
15 à 24 ans	**73,7**	79,5	69,8	**65,7**	62,4	67,7
25 à 44 ans	**87,5**	90,5	84,2	**86,4**	90,6	81,9
45 ans et plus	**70,7**	70,3	71,3	**69,0**	69,3	68,5

1. Comprend les certificats ou les diplômes d'écoles de métiers.

Source : Statistique Canada, CANSIM : tableau 282-0004.

Tableau 30.16 Jours perdus par travailleur durant l'année selon le secteur, 2001 à 2006

	2001	2002	2003	2004	2005	2006
	nombre moyen					
Secteur des biens	**8,5**	**9,2**	**9,3**	**9,1**	**9,3**	**9,6**
Industries primaires	8,5	8,3	7,9	7,9	7,6	8,3
Services publics	7,9	8,3	10,0	10,2	9,1	12,4
Construction	8,4	9,2	8,6	7,2	8,3	9,5
Fabrication	8,6	9,4	9,7	9,9	9,9	9,7
Secteur des services	**8,5**	**9,1**	**9,2**	**9,2**	**9,8**	**9,8**
Commerce	7,5	7,4	8,1	7,6	8,2	8,5
Transport et entreposage	10,1	10,2	11,4	11,1	12,2	11,6
Finances, assurances, immobilier et location	7,5	8,0	8,8	7,8	8,9	7,5
Services professionnels, scientifiques et techniques	5,0	6,1	5,3	5,6	5,3	5,6
Services aux entreprises, services relatifs aux bâtiments et autres services de soutien	8,1	9,1	8,7	9,6	11,0	11,5
Services d'enseignement	8,6	9,8	9,5	8,8	9,8	10,7
Soins de santé et aide sociale	12,8	13,7	13,0	14,4	14,2	14,4
Information, culture et loisirs	7,5	8,2	7,6	7,9	8,5	8,7
Hébergement et services de restauration	7,3	7,7	7,8	7,9	9,1	8,2
Administrations publiques	10,2	11,1	10,9	10,9	12,2	12,0
Autres services	6,5	6,7	7,0	7,5	6,8	7,3

Notes : Système de classification des industries de l'Amérique du Nord (SCIAN), 2002.
Comprend uniquement les travailleurs rémunérés à temps plein qui n'étaient pas au travail en raison d'une maladie, d'une incapacité et d'obligations personnelles ou familiales.

Source : Statistique Canada, CANSIM : tableau 279-0030.

Tableau 30.17 Jours perdus par travailleur durant l'année, par province, 2001 à 2006

	2001	2002	2003	2004	2005	2006
	nombre moyen					
Canada	**8,5**	**9,1**	**9,2**	**9,2**	**9,6**	**9,7**
Terre-Neuve-et-Labrador	8,7	8,6	10,5	10,3	9,5	9,7
Île-du-Prince-Édouard	7,7	8,5	7,7	7,6	8,6	8,5
Nouvelle-Écosse	9,7	10,4	9,8	11,0	10,8	10,7
Nouveau-Brunswick	10,2	9,7	10,2	9,6	10,3	11,5
Québec	9,1	9,9	10,8	10,8	11,2	11,5
Ontario	7,6	8,4	8,3	8,5	8,6	8,8
Manitoba	9,4	10,1	9,4	9,8	9,9	10,1
Saskatchewan	10,0	10,3	10,4	10,3	11,1	11,0
Alberta	8,2	8,5	8,0	7,5	8,6	9,0
Colombie-Britannique	9,7	9,5	9,9	8,8	10,3	9,4

Note : Comprend uniquement les travailleurs rémunérés à temps plein.

Source : Statistique Canada, CANSIM : tableau 279-0029.

Tableau 30.18 Jours perdus par travailleur durant l'année en raison d'une maladie ou d'une incapacité, par province, 2001 à 2006

	2001	2002	2003	2004	2005	2006
	nombre moyen					
Canada	**7,0**	**7,4**	**7,5**	**7,5**	**7,8**	**7,6**
Terre-Neuve-et-Labrador	7,4	6,9	9,1	8,8	8,1	8,2
Île-du-Prince-Édouard	6,5	6,9	6,4	6,0	6,9	6,9
Nouvelle-Écosse	8,3	8,8	8,1	9,1	9,0	8,9
Nouveau-Brunswick	8,8	8,4	8,8	8,0	8,5	9,7
Québec	7,9	8,4	9,3	9,4	9,6	9,3
Ontario	6,0	6,6	6,5	6,7	6,7	6,6
Manitoba	7,7	8,4	7,8	8,0	7,9	8,1
Saskatchewan	8,1	8,3	8,6	8,1	8,9	8,7
Alberta	6,5	6,7	6,2	5,6	6,5	6,6
Colombie-Britannique	8,3	7,8	8,1	7,3	8,5	7,6

Note : Comprend uniquement les travailleurs rémunérés à temps plein.
Source : Statistique Canada, CANSIM : tableau 279-0029.

Tableau 30.19 Population active et travailleurs rémunérés adhérant à un régime de pension agréé selon le sexe, 1984 à 2004

	1984	1989	1994	1999	2004
	nombre				
Adhérents à un régime de pension agréé[1]					
Les deux sexes	**4 564 623**	**5 109 363**	**5 169 644**	**5 267 894**	**5 669 858**
Hommes	3 039 449	3 128 225	2 929 968	2 904 921	2 976 708
Femmes	1 525 174	1 981 138	2 239 676	2 362 973	2 693 150
	pourcentage				
Population active adhérant à un régime de pension agréé					
Les deux sexes	**35,9**	**35,8**	**35,1**	**33,5**	**32,8**
Hommes	40,8	38,9	36,0	34,0	32,2
Femmes	29,1	31,8	34,0	33,0	33,5
Travailleurs rémunérés[2] adhérant à un régime de pension agréé					
Les deux sexes	**45,4**	**42,8**	**44,0**	**41,0**	**39,0**
Hommes	52,3	46,9	45,8	42,1	38,9
Femmes	35,8	37,4	41,6	39,6	39,0

Note : Les données provenant de l'Enquête sur la population active (population active et travailleurs rémunérés) sont des moyennes annuelles auxquelles on a ajouté les membres des Forces canadiennes.

1. Les régimes de pension agréés sont des régimes de prestations de retraite mis sur pied par les employeurs ou les syndicats à l'intention des employés.
2. Les travailleurs rémunérés comprennent les employés du secteur public et privé et les travailleurs indépendants dans les entreprises constituées en société (avec et sans aide rémunérée).

Source : Statistique Canada, Régimes de pension au Canada et l'Enquête sur la population active.

Voyages et tourisme

31

SURVOL

La plupart des Canadiens sont d'actifs voyageurs. Les gens d'affaires se rendent souvent à l'étranger pour y acheter et y vendre des biens et des services, les Canadiens vont régulièrement visiter des membres de leur parenté ailleurs dans le monde et des milliers d'étudiants partent chaque année, sac au dos, pour faire la traditionnelle tournée de l'Europe ou de l'Australie. Et pour bon nombre des mêmes raisons, le Canada est depuis longtemps une destination populaire auprès des touristes étrangers.

Le dollar s'est apprécié par rapport à la devise américaine, et aucune grande crise, telle que l'épidémie du syndrome respiratoire aigu sévère (SRAS) survenue en 2003, n'a éclaté pour freiner l'ardeur des Canadiens à voyager en 2004. Ces derniers ont donc voyagé plus qu'ils ne l'avaient fait l'année précédente, effectuant 216,9 millions de voyages et faisant ainsi augmenter le tourisme de 2,6 % dans l'ensemble.

Pourtant, les Canadiens ont pris des vacances plus près de chez eux en 2004, ayant fait les quatre cinquièmes de leurs voyages — soient 175,1 millions de voyages — au pays même. Il s'agissait d'une légère reprise par rapport à la baisse du nombre de voyages effectués au Canada en 2003.

Les voyageurs intérieurs stimulent l'industrie touristique

L'Ontario a été la destination la plus populaire des voyages interprovinciaux en 2004, les Canadiens y ayant fait 65,2 millions de voyages. Il s'est par ailleurs fait 48,5 millions de voyages au Québec et près de 16 millions dans chacune des deux provinces de l'Alberta et de la Colombie-Britannique. Les voyages intraprovinciaux — ceux que font les Canadiens dans leur propre province de résidence — représentaient néanmoins près de 9 voyages intérieurs sur 10 en 2004.

Voyager est une composante importante de l'économie canadienne. Les Canadiens ont en effet dépensé près de 43 milliards de dollars en 2005 pour voyager au pays, selon les Indicateurs

Graphique 31.1
Provinces visitées par les Canadiens, 2004

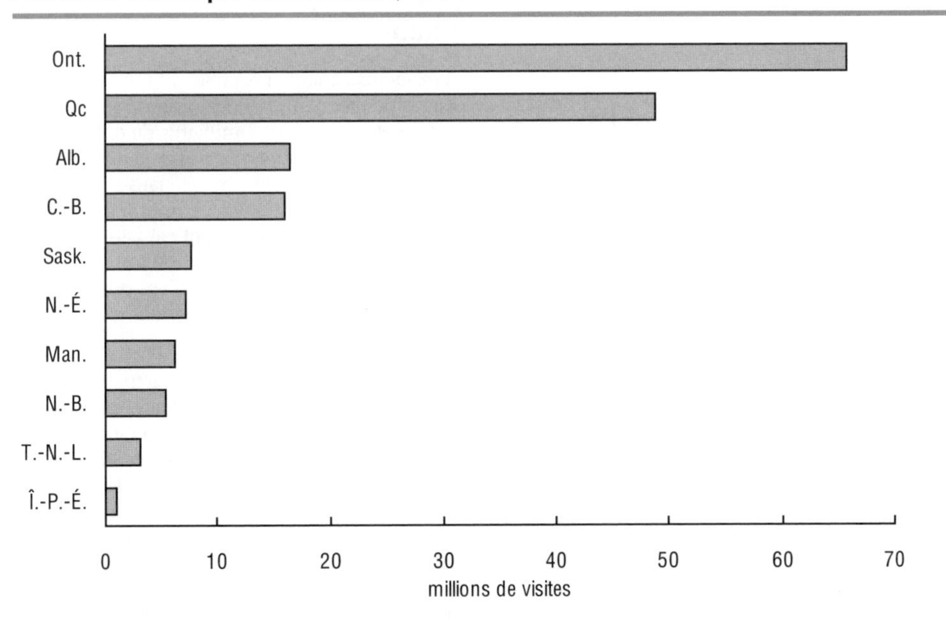

Note : Visites de même jour et avec nuitées.
Source : Statistique Canada, CANSIM : tableau 426-0004.

nationaux de tourisme. Les dépenses intérieures ont été la seule source de croissance de l'industrie canadienne des voyages et du tourisme en 2005.

Les dépenses de voyage des touristes canadiens au Canada ont progressé de 5,9 % en 2005, ce qui représente leur plus forte augmentation annuelle depuis 2000. Entre-temps, après s'être accrues de 9,0 % en 2004, les dépenses des visiteurs internationaux au Canada ont légèrement diminué. Ce recul était attribuable à la baisse du nombre de visiteurs en provenance des États-Unis, conséquence probable de l'appréciation de 7,4 % du dollar canadien par rapport au dollar américain en 2005.

En 2005, les transporteurs aériens ont été les grands gagnants de l'industrie du voyage, les dépenses de transport aérien ayant bondi de 8,6 % et contribué au tiers de la croissance annuelle de l'industrie.

D'autres segments de l'industrie s'en sont moins bien tirés. Les dépenses en essence pour les véhicules n'ont augmenté que très légèrement, la montée des prix de l'essence à la pompe ayant découragé les automobilistes. Les dépenses n'ont pas beaucoup augmenté non plus pour les services d'hébergement et de restauration.

En outre, les entreprises de services de voyage ont subi les contrecoups des réservations en ligne

Graphique 31.2
Trois principaux pays visités par les Canadiens, 2005

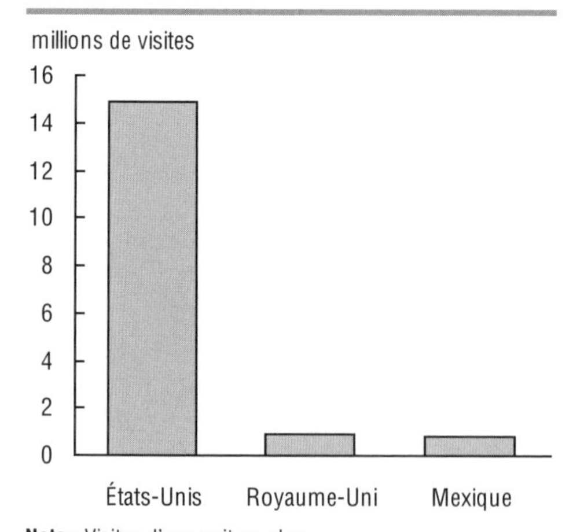

Note : Visites d'une nuit ou plus.
Source : Statistique Canada, Enquête sur les voyages internationaux, 2005.

Services de préparation de voyages et de réservation, caractéristiques financières

	2004	2005
	millions de $	
Revenu d'exploitation	1 501,1	1 592,3
Dépenses d'exploitation	1 414,7	1 509,0
	%	
Marge bénéficiaire d'exploitation	5,8	5,2
	nombre	
Établissements actifs	4 997	4 785

Source : Statistique Canada, CANSIM : tableau 351-0003.

de voyages bon marché en dépit du fait que les dépenses au chapitre des services de voyage ont augmenté de 3,2 %.

En 2005, l'augmentation des dépenses intérieures a fait croître de 4,0 % le produit intérieur brut des voyages et du tourisme, un rythme de croissance supérieur à celui de 2,9 % de l'économie en général. Cette hausse s'inscrivait dans la foulée d'une augmentation d'ampleur semblable à l'année précédente. L'emploi s'est accru de 1,7 % dans l'industrie des voyages et du tourisme, pour atteindre 626 000 emplois, sa plus forte hausse depuis 2000.

Les voyageurs canadiens à l'étranger

Les résidents canadiens ont fait 44 millions de voyages de même jour et de voyages avec nuitées en 2005 et dépensé 20,2 milliards de dollars à cet égard. De ce nombre, près de la moitié, 21,1 millions de voyages, ont été faits à l'étranger et comportaient des nuitées. Environ 6,2 millions de ces voyages avec nuitées ont été faits outre-mer (ailleurs qu'aux États-Unis), plus de la moitié l'ayant été en Europe. Les Canadiens ont dépensé 9,4 milliards de dollars à voyager outre-mer en 2005.

Les États-Unis sont tout de même demeurés la principale destination des Canadiens, qui y ont fait près de 15 millions de visites avec nuitées et dépensé 9,5 milliards de dollars en 2005. Au deuxième et au troisième rangs de leurs destinations préférées figuraient le Royaume-Uni et le Mexique, où ils ont fait respectivement 898 000 et 794 000 visites avec nuitées. La France, avec 616 000 visites, et Cuba, avec 518 000 visites, couronnaient le palmarès des cinq destinations internationales les plus prisées des Canadiens.

L'Italie a enregistré la plus forte augmentation du nombre de voyageurs canadiens en 2005, les visites de ces derniers ayant bondi de moitié par rapport à l'année précédente.

Il s'est fait 1,1 million de voyages avec nuitées en Asie en 2005, ce qui est à peine 8,3 % de plus qu'en 2004. Quoi qu'il en soit, le nombre de voyages de Canadiens en Asie a enregistré une montée fulgurante de 60,6 % depuis l'an 2000, un phénomène possiblement attribuable à l'accroissement de l'immigration chinoise au Canada et du commerce entre les deux pays.

Le tourisme au Canada

En 2005, les visiteurs non résidents ont effectué 36 millions de voyages au Canada, de même jour et avec nuitées, dépensant 14 milliards de dollars. Après trois baisses consécutives, le nombre de visiteurs provenant de pays d'outre-mer au Canada s'est accru pour une deuxième année de suite.

Le nombre de visiteurs provenant des États-Unis — le marché touristique le plus important du Canada — a chuté en 2005. Les Américains ont fait 14,4 millions de voyages avec nuitées, ce qui représente une diminution de 4,6 % et ils ont dépensé 7,5 milliards de dollars, en baisse de 8,6 % comparativement à l'année précédente.

Graphique 31.3
Les trois principaux pays d'origine des voyageurs au Canada, 2005

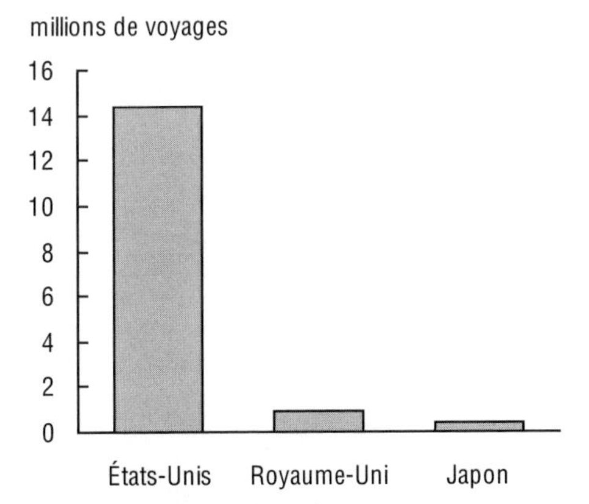

Note : Voyages d'une nuit ou plus.
Source : Statistique Canada, Enquête sur les voyages internationaux, 2005.

Les visiteurs d'autres pays que les États-Unis ont fait 4,2 millions de voyages avec nuitées au Canada, ce qui représente une hausse de 7,1 %. Ces visiteurs d'outre-mer ont dépensé 5,8 milliards de dollars au Canada en 2005, ce qui représente une hausse de 7,0 % par rapport à 2004.

Le Royaume-Uni demeure le plus important marché outre-mer pour le tourisme au Canada. Il s'est fait 888 000 voyages du Royaume-Uni vers le Canada en 2005, en hausse de 10,8 % par rapport à l'année précédente.

En 2005, les étrangers en voyage au Canada étaient surtout originaires, après les États-Unis et le Royaume-Uni, du Japon, de la France et de l'Allemagne. Des 12 principaux marchés pour les voyages au Canada, la Chine est celui dont la croissance annuelle s'est le plus accrue en pourcentage en 2005, les résidents chinois ayant fait 113 000 voyages au Canada cette année-là.

Sources choisies

Statistique Canada

- *Enquête sur les voyages des Canadiens : voyages intérieurs.* Annuel. 87-212-XIF
- *Indicateurs nationaux du tourisme : estimations trimestrielles.* Trimestriel. 13-009-XIB
- *Info-voyages (Touriscope).* Trimestriel. 87-003-XIF
- *Série d'études analytiques - Division des industries de service.* Hors série. 63F0002XIF
- *Voyages internationaux : renseignements préliminaires.* Mensuel. 66-001-PIF

Situation des voyageurs transfrontaliers

Partager la plus longue frontière non protégée du monde présente des avantages pour les voyageurs canadiens et américains. Les excursions de magasinage d'une journée et les séjours d'une nuit ou plus de part et d'autre de la frontière sont érigés en véritable tradition. Cependant, les délais d'attente plus longs à la frontière, le resserrement des mesures de sécurité et la hausse des prix de l'essence changent les choses pour les voyageurs, tant canadiens qu'américains.

En 2004, les Américains ont fait 34,6 millions de voyages de même jour et d'une nuit ou plus au Canada, une baisse de 2,5 % par rapport à l'année précédente. Le nombre de voyages de même jour a diminué de 8 % pour s'établir à 19,5 millions, tandis que les voyages avec nuitées ont progressé de 6 % pour se chiffrer à 15,1 millions. Le nombre de voyages d'une nuit ou plus effectués par des Américains au Canada a augmenté chaque année depuis 1996.

Les Américains en visite au Canada y ont dépensé 8,2 milliards de dollars en 2004, en hausse de 12 % par rapport à 2003. En 2004, les visiteurs américains ont dépensé 541 $ par voyage d'une nuit ou plus, dont la durée moyenne s'établissait à environ quatre nuits par séjour.

Les déplacements transfrontaliers vers les États-Unis ont également été importants en 2004. Les Canadiens ont fait 22,2 millions de voyages de même jour aux États-Unis, soit une hausse de 3 % par rapport à 2003 et la première depuis 1991. Par ailleurs, le nombre de voyages avec nuitées effectués par des Canadiens aux États-Unis s'est accru de 9 % pour se fixer à 13,9 millions.

Les Canadiens voyageant aux États-Unis optent de plus en plus pour la voiture, peut-être à cause des coûts et des tracasseries liés aux voyages aériens. En 2004, les Canadiens ont fait 8,1 millions de voyages d'une nuit ou plus en automobile aux États-Unis, un sommet inégalé depuis 1997.

Les voyageurs canadiens ont passé plus de 107 millions de nuits aux États-Unis en 2004. Ils y ont dépensé 8,7 milliards de dollars, soit une moyenne de 625 $ par voyage. C'est plus que ce qu'ont dépensé les Américains en visite au Canada.

Graphique 31.4
Voyages entre le Canada et les États-Unis

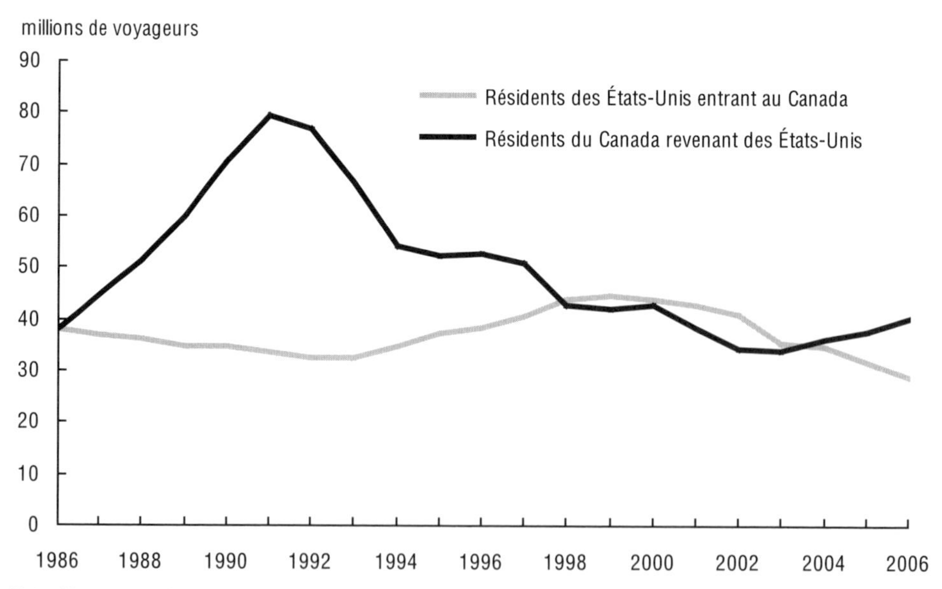

Note : Voyages de même jour et avec nuités.
Source : Statistique Canada, CANSIM : tableau 427-0001.

2003 : une dure année pour le tourisme

Grâce à son patrimoine naturel et à ses attractions populaires, le Canada s'impose depuis longtemps comme l'une des destinations touristiques les plus prisées au monde — et cela se traduit par des revenus pour l'industrie touristique canadienne. Les événements qui réduisent l'attrait du voyage ont donc des conséquences particulièrement fâcheuses pour le Canada. En 2003, les craintes persistantes issues des attentats du 11 septembre, le conflit en Iraq et la poussée inattendue du SRAS au Canada se sont conjugués pour freiner le tourisme partout dans le monde, si bien que 2003 restera l'une des pires années dans l'histoire récente de l'industrie touristique du Canada.

La plus forte baisse du tourisme dans les deux dernières décennies est survenue en 2001, les voyageurs en provenance de l'Asie et de l'Amérique du Nord ayant été en grande partie à l'origine d'une grande partie de ce repli. Lorsque la guerre a éclaté en Iraq en mars 2003 et que le SRAS a atteint sa crête d'intensité en avril et mai, l'industrie du tourisme, tout particulièrement à Toronto et à Vancouver, a été fortement ébranlée.

En mai 2003, le nombre total de voyages au Canada par des visiteurs de pays d'outre-mer (ce qui exclut les États-Unis) a dégringolé de 33 % par rapport à l'année précédente. Le nombre de voyages d'Asie au Canada a chuté de 32 % entre avril et mai 2003, vraisemblablement en raison de l'épidémie du SRAS.

Les visites prenant naissance à Taïwan ont connu le repli le plus marqué : elles ont chuté de 94 % de décembre 2002 à mai 2003. Les voyages prenant origine au Japon, en Chine, à Hong Kong et en Corée du Sud ont accusé des baisses allant de 40 % à 73 %. Tous ces pays figuraient sur la liste des 12 principaux marchés touristiques d'outre-mer du Canada en décembre 2002.

Les voyages au Canada n'ont rebondi qu'en 2004. Le Canada a alors enregistré 1,3 million de voyages depuis la Chine, Hong Kong, le Japon, la Thaïlande et d'autres pays asiatiques, en hausse par rapport aux 923 000 voyages relevés en 2003. Les dépenses des voyageurs de ces pays ont aussi augmenté passant de 1,2 milliard de dollars en 2003 à 1,6 milliard de dollars en 2004.

Graphique 31.5
Voyageurs internationaux

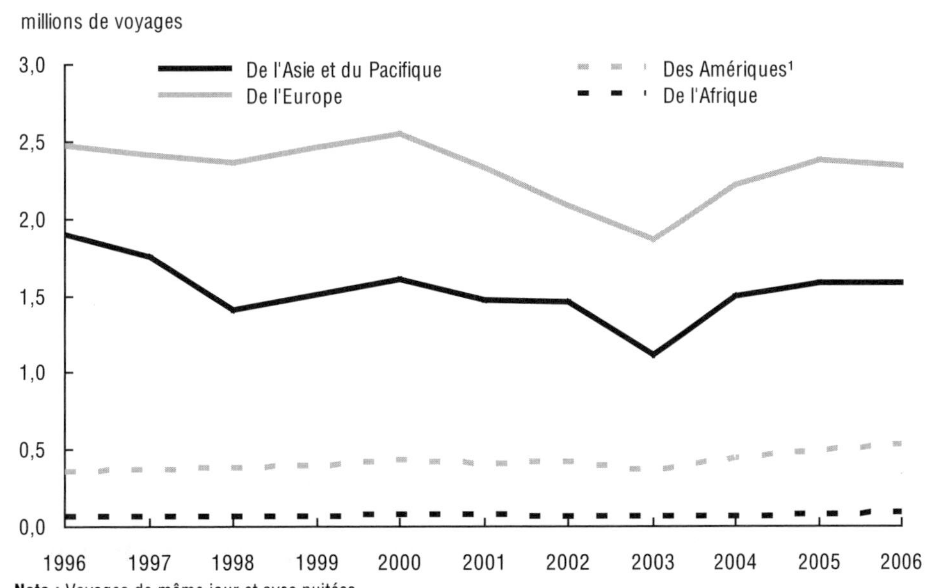

Note : Voyages de même jour et avec nuitées.
1. N'inclut pas les voyageurs des États-Unis.
Source : Statistique Canada, CANSIM : tableau 387-0004.

Voyages internationaux : un déficit record

Le tourisme, comme d'autres secteurs économiques axés sur les échanges commerciaux, est mesuré par les excédents et les déficits. Lorsque les Canadiens dépensent plus d'argent à l'étranger que les visiteurs étrangers n'en dépensent ici, le compte des voyages internationaux accuse un déficit; dans le cas contraire, il affiche un excédent.

En 2006, le déficit au compte des voyages internationaux a grimpé pour se chiffrer à 6,7 milliards de dollars, un niveau sans précédent. Cette escalade est principalement attribuable à des dépenses records des Canadiens aux États-Unis et dans les pays d'outre-mer, celles-ci s'étant établies à 23,3 milliards de dollars, soit une hausse de 5,7 % par rapport au sommet de 2005. Parallèlement, les voyageurs étrangers en visite au Canada ont dépensé un peu moins qu'en 2005, soit 16,6 milliards de dollars.

Néanmoins, les dépenses des voyageurs étrangers au Canada ont atteint, en 2006, leur quatrième sommet en importance. Avant 2005, les dépenses des voyageurs étrangers au Canada avaient crû chaque année depuis 1987, sauf en 2003 durant la crise du SRAS.

Le déficit du Canada au compte des voyages avec les États-Unis est monté à 4,3 milliards de dollars en 2006, son niveau le plus élevé depuis 1993. Pendant neuf ans, un faible niveau de voyages avec nuitées en provenance des États-Unis a limité les dépenses des Américains au Canada. Parallèlement, les dépenses des Canadiens au sud de la frontière ont atteint un niveau record de 12,9 milliards de dollars.

Les voyages outre-mer séduisent de plus en plus les Canadiens. Cela fait constamment croître le déficit du Canada au compte des voyages avec les pays d'outre-mer — il avait quasi triplé durant les cinq années précédentes pour se chiffrer à 2,5 milliards de dollars en 2006. Les voyageurs des pays d'outre-mer ont dépensé 7,9 milliards de dollars au Canada en 2006, en hausse de 2,8 % par rapport à 2006.

Le déficit du Canada au compte des voyages internationaux avec l'ensemble des pays a plus que quadruplé de 2002 à 2006.

Graphique 31.6
Compte des voyages internationaux

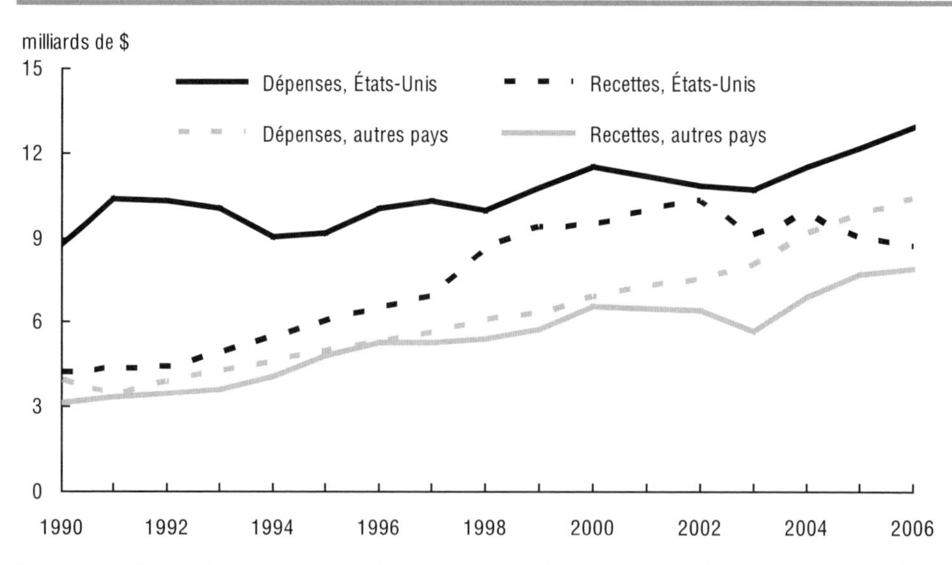

Notes : Les recettes représentent les dépenses des visiteurs voyageant au Canada, y compris les dépenses en éducation et les dépenses médicales.
Les dépenses représentent les dépenses des résidents canadiens voyageant à l'étranger, y compris les dépenses en éducation et les dépenses médicales.

Source : Statistique Canada, CANSIM : tableau 376-0001.

Les voyages d'agrément en vogue

De nombreux Canadiens prennent des congés pour passer du temps à la maison ou simplement pour profiter du beau temps. Toutefois, plus de Canadiens prennent aujourd'hui leur congé annuel pour partir en vacances.

Selon l'Enquête sur les activités et les préférences en matière de voyages, 74 % des adultes canadiens — soit quelque 18 millions de personnes — ont fait des voyages de vacances ou d'agrément entre 2004 et 2006, comparativement à 73 % pour la période de 1997 à 1999.

Les Canadiens sont plus nombreux à opter pour des vacances outre-mer (28 % de la population visée par l'enquête de 2006 contre 20 % en 1999). Par ailleurs, 35 % ont pris des vacances aux États-Unis, comparativement à 29 % lors de la période antérieure, et 41 % ont passé des vacances au Canada mais hors de leur province de résidence, contre 36 % antérieurement. La proportion de Canadiens qui ont pris des vacances dans leur province de résidence a aussi augmenté, passant de 48 % à 59 %.

Les jeunes adultes et les membres de ménages ayant un revenu supérieur à la moyenne sont plus susceptibles de faire des voyages d'agrément avec nuitées que ne le sont les adultes plus âgés et ceux issus de ménages moins nantis. De 2004 à 2006, 80 % des Canadiens de 18 à 34 ans ont fait au moins un voyage d'agrément avec nuitées. En revanche, seulement 66 % des Canadiens de 55 ans et plus ont fait de tels voyages.

Les adultes nés au Canada sont proportionnellement plus nombreux à prendre des vacances avec nuitées que ceux qui sont nés à l'étranger. Par contre, les adultes nés à l'extérieur du Canada sont presque deux fois plus susceptibles de faire des voyages à l'étranger que ne le sont leurs concitoyens nés au pays.

Six adultes sur dix ayant fait un voyage d'agrément avec nuitées de 2004 à 2006 ont indiqué que leur décision quant à la destination était très ou même extrêmement importante. Le sentiment de sécurité a été le principal facteur pris en compte dans le choix de la destination.

Graphique 31.7
Voyages domestiques et internationaux des Canadiens

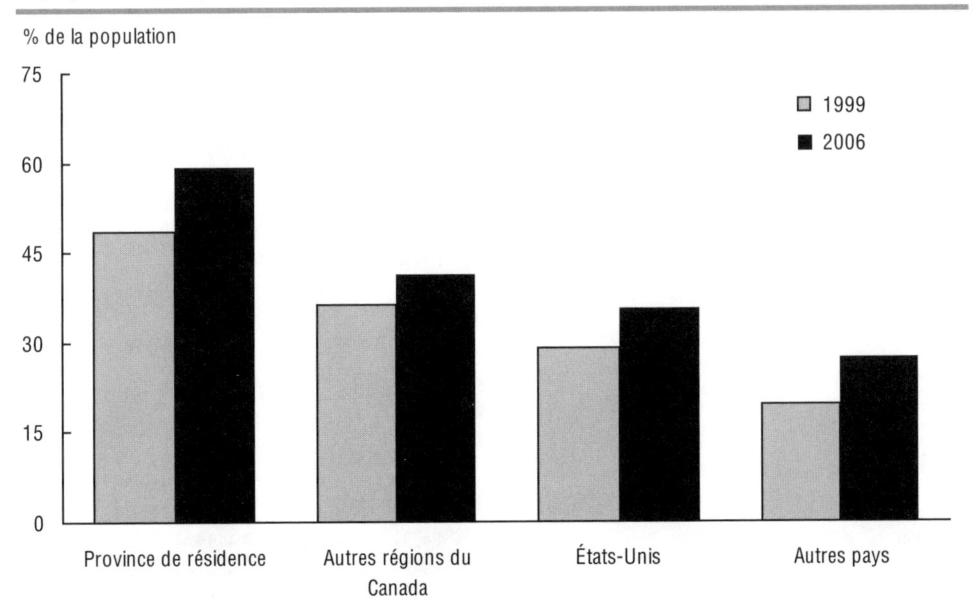

Note : Population qui a effectué au moins un voyage d'agrément à l'extérieur de la ville, avec nuitée au cours des deux dernières années.
Source : Statistique Canada, Enquête sur les activités et les préférences en matière de voyages.

Tableau 31.1 Canadiens voyageant au Canada, par province et territoire de destination, 1999 à 2004

	1999	2000	2001	2002	2003	2004
	milliers					
Canada	**177 461**	**178 628**	**182 092**	**187 890**	**172 244**	**175 084**
Terre-Neuve-et-Labrador	3 975	3 955	3 902	3 784	3 236	3 107
Île-du-Prince-Édouard	864	977	966	1 125	897	911
Nouvelle-Écosse	7 006	7 034	7 019	8 287	7 164	7 066
Nouveau-Brunswick	5 376	4 794	5 344	6 075	5 613	5 038
Québec	38 745	40 842	40 608	45 928	47 216	48 484
Ontario	63 282	65 220	67 160	70 257	62 168	65 290
Manitoba	6 895	6 542	6 621	6 265	5 938	6 009
Saskatchewan	9 043	8 222	8 139	8 029	7 413	7 451
Alberta	20 998	20 022	21 256	19 186	15 775	15 890
Colombie-Britannique	21 183	20 893	20 984	18 842	16 742	15 738
Yukon, Territoires du Nord-Ouest et Nunavut	F	F	92E	113E	83E	99E

Note : Voyages de 80 kilomètres et plus.
Source : Statistique Canada, CANSIM : tableau 426-0001.

Tableau 31.2 Canadiens voyageant au Canada selon certaines régions métropolitaines de recensement de destination, 1999 à 2004

	1999	2000	2001	2002	2003	2004
	milliers					
St. John's	1 574	1 416	1 357	1 068	1 018	1 129
Halifax	2 786	2 905	2 999	3 513	2 769	2 870
Saint John	662	738	815	770	802	619
Saguenay	653	609	713	770	652	773
Québec	5 610	6 256	6 087	7 114	6 836	7 075
Sherbrooke	1 332	1 274	1 746	1 992	1 521	1 654
Trois-Rivières	1 151	1 188	985	1 293	1 434	1 512
Montréal	8 465	9 470	10 117	10 913	11 023	11 000
Ottawa–Gatineau	5 422	5 487	5 924	5 936	6 110	6 194
Toronto	13 752	14 708	14 144	13 894	12 706	13 738
Hamilton	1 968	1 712	2 308	1 966	1 675	1 766
St. Catharines–Niagara	3 010	4 110	4 056	3 949	3 806	4 157
Kitchener	1 858	2 618	2 371	2 833	2 031	2 337
London	3 647	3 124	3 107	3 478	3 282	3 341
Windsor	1 188	1 243	1 033	851	864	1 067
Greater Sudbury / Grand Sudbury	643	927E	1 164	1 002	965	1 005
Winnipeg	2 346	2 395	2 533	2 297	2 305	2 294
Regina	1 329	1 289	1 422	1 357	1 305	1 447
Saskatoon	2 321	1 991	1 980	1 951	1 888	1 854
Calgary	3 734	3 535	3 734	3 701	2 976	2 963
Edmonton	5 043	4 450	4 813	4 448	3 782	3 564
Vancouver	4 275	3 942	3 904	3 437	3 029	2 765
Victoria	1 776	1 800	1 630	1 801	1 568	1 599

Note : Voyages de 80 kilomètres et plus.
Source : Statistique Canada, CANSIM : tableau 426-0001.

Tableau 31.3 Dépenses de voyages des Canadiens au Canada, par province et territoire de destination, 1999 à 2004

	1999	2000	2001	2002	2003	2004
	milliers de dollars					
Canada	**23 764 527**	**26 845 970**	**29 692 470**	**30 926 146**	**28 454 953**	**29 708 136**
Terre-Neuve-et-Labrador	629 831	745 069	795 488	812 691	791 499	722 995
Île-du-Prince-Édouard	209 213	245 001	249 143	254 211	240 243	239 427
Nouvelle-Écosse	904 459	983 217	1 177 481	1 309 866	1 260 350	1 206 290
Nouveau-Brunswick	748 223	798 979	856 011	970 911	842 605	812 595
Québec	4 665 194	5 146 754	5 581 632	6 652 815	6 476 795	6 782 331
Ontario	7 483 373	9 241 261	10 497 261	10 246 161	9 541 466	10 154 235
Manitoba	871 953	865 858	1 033 426	905 212	919 443	967 300
Saskatchewan	942 592	1 024 053	1 151 025	1 112 872	1 076 599	1 120 068
Alberta	3 135 557	3 414 852	3 895 231	4 068 107	3 071 985	3 466 705
Colombie-Britannique	4 136 020	4 278 782	4 407 321	4 525 894	4 162 907	4 162 189
Yukon, Territoires du Nord-Ouest et Nunavut	F	F	F	67 405[E]	F	F

Note : Voyages de 80 kilomètres et plus.

Source : Statistique Canada, CANSIM : tableau 426-0001.

Tableau 31.4 Voyages effectués par les Canadiens à l'étranger selon certaines destinations, 2000 et 2005

	2000			2005		
	Visites	Nuitées	Dépenses dans le pays	Visites	Nuitées	Dépenses dans le pays
	milliers		millions de dollars canadiens	milliers		millions de dollars canadiens
Allemagne	284	2 573	238	317	3 205	276
Autriche	97	579	74	128	640	79
Chine	92	1 868	175	161	2 996	304
Cuba	260	2 290	206	518	4 574	470
Espagne	142	2 069	173	170	2 300	223
États-Unis	14 666	109 062	9 191	14 862	117 164	9 537
France	461	4 918	583	616	7 770	829
Hong Kong	97	1 449	103	151	2 793	209
Italie	232	2 967	340	383	4 860	616
Japon	119	1 874	182	143	1 866	220
Mexique	692	7 470	691	794	8 780	910
Pays-Bas	155	1 389	107	197	1 601	132
République dominicaine	187	1 714	150	506	4 488	457
Royaume-Uni	797	10 438	976	898	11 376	1 091
Suisse	145	996	109	139	937	122

Note : Visites d'une nuit ou plus.

Source : Statistique Canada, Enquête sur les voyages internationaux.

Tableau 31.5 Voyages effectués par les Canadiens vers les États-Unis selon certaines destinations, 2000 et 2005

	2000			2005		
	Visites	Nuitées	Dépenses dans l'État	Visites	Nuitées	Dépenses dans l'État
	milliers		millions de dollars canadiens	milliers		millions de dollars canadiens
Californie	1 036	8 591	950	1 008	8 641	861
Floride	2 042	36 232	2 227	2 038	38 802	2 348
Maine	682	2 255	155	734	2 359	182
Massachusetts	473	2 043	204	505	2 183	204
Michigan	1 237	3 142	228	1 239	3 257	252
Minnesota	511	1 343	134	593	1 663	162
Nevada	811	3 761	592	931	4 354	777
New York	2 314	6 358	628	2 344	6 914	658
Ohio	508	1 297	114	511	1 589	116
Pennsylvanie	648	1 680	146	646	1 533	125
Vermont	608	1 729	100	644	1 757	108
Washington	1 581	4 567	257	1 612	4 588	310

Note : Visites d'une nuit ou plus.

Source : Statistique Canada, Enquête sur les voyages internationaux.

Tableau 31.6 Voyages au Canada selon certains pays d'origine, 2000 et 2005

	2000			2005		
	Visites	Nuitées	Dépenses au Canada	Visites	Nuitées	Dépenses au Canada
	milliers		millions de dollars canadiens	milliers		millions de dollars canadiens
Allemagne	380	5 770	498	311	4 900	410
Australie	173	2 099	231	179	2 447	287
Chine	74	1 561	120	113	3 723	219
Corée du Sud	129	3 507	221	173	4 466	247
États-Unis	15 188	58 447	7 321	14 390	57 331	7 463
France	402	6 052	480	351	5 836	463
Hong Kong	138	1 894	167	109	2 161	151
Inde	66	1 398	79	94	1 771	82
Italie	110	1 609	135	91	1 061	95
Japon	493	4 628	687	398	4 750	557
Mexique	140	1 788	174	179	3 149	240
Pays-Bas	131	1 767	139	118	1 580	131
Royaume-Uni	862	10 261	1 074	888	11 882	1 246
Suisse	105	1 851	154	97	1 684	163
Taïwan	163	2 043	239	98	1 536	110

Note : Visites d'une nuit ou plus.

Source : Statistique Canada, Enquête sur les voyages internationaux.

Tableau 31.7 Voyages au Canada en provenance des États-Unis selon certains États d'origine, 2000 et 2005

	2000			2005		
	Visites	Nuitées	Dépenses au Canada	Visites	Nuitées	Dépenses au Canada
	milliers		millions de dollars canadiens	milliers		millions de dollars canadiens
Californie	1 011	5 160	820	877	4 348	611
Floride	353	2 467	277	466	2 815	338
Ilinois	520	2 139	331	477	2 038	308
Maine	264	878	87	284	1 074	123
Massachusetts	678	2 448	306	554	2 078	265
Michigan	1 821	4 895	527	1 689	4 794	589
Minnesota	540	2 075	256	545	2 389	257
New Jersey	356	1 422	218	417	1 629	238
New York	1 907	6 197	654	1 771	5 833	680
Ohio	816	2 669	350	698	2 377	285
Pennsylvanie	629	2 612	312	642	2 751	361
Texas	415	1 972	332	419	2 018	325
Washington	1 644	5 443	523	1 464	4 914	496
Wisconsin	308	1 431	162	328	1 549	200

Note : Visites d'une nuit ou plus.

Source : Statistique Canada, Enquête sur les voyages internationaux.

Tableau 31.8 Caractéristiques financières du secteur des services de préparation de voyage, 2000 à 2005

	2000	2001	2002	2003	2004	2005
	millions de dollars					
Revenus d'exploitation						
Services d'hébergement	11 804,6	12 165,4	12 780,2	12 314,6	13 220,9	14 311,6
Hôtels, parcs-hôtels et motels	10 421,0	10 755,4	11 291,0	10 902,6	11 528,4	12 431,5
Autres industries d'hébergement	1 383,6	1 410,0	1 489,2	1 412,0	1 692,5	1 880,1
Agences de voyage	1 782,6	1 518,3	1 542,1	1 480,0	1 501,1	1 592,3
Voyagistes	5 418,9	5 738,1	5 735,4	6 105,8	6 288,0	7 019,0
Autres services de préparation de voyages et de réservations	222,6	218,4	216,5	229,5	240,7	264,7
Dépenses d'exploitation						
Services d'hébergement	10 301,7	10 682,7	11 231,0	10 993,6	11 267,9	12 124,4
Hôtels, parcs-hôtels et motels	9 050,5	9 372,9	9 875,3	9 710,0	9 860,1	10 525,9
Autres industries d'hébergement	1 251,2	1 309,8	1 355,8	1 283,5	1 407,7	1 598,5
Agences de voyage	1 660,2	1 421,2	1 435,7	1 455,6	1 414,7	1 509,0
Voyagistes	5 141,0	5 691,7	5 684,7	6 130,9	6 188,6	6 942,2
Autres services de préparation de voyages et de réservations	205,3	201,4	199,1	211,2	221,7	243,8
	pourcentage					
Marge bénéficiaire d'exploitation						
Services d'hébergement	12,7	12,2	12,1	10,7	14,8	15,3
Hôtels, parcs-hôtels et motels	13,2	12,9	12,5	10,9	14,5	15,3
Autres industries d'hébergement	9,6	7,1	9,0	9,1	16,8	15,0
Agences de voyage	6,9	6,4	6,9	1,6	5,8	5,2
Voyagistes	5,1	0,8	0,9	-0,4	1,6	1,1
Autres services de préparation de voyages et de réservations	8,5	8,0	8,0	8,0	7,9	7,9
	nombre					
Établissements actifs						
Services d'hébergement	16 924	16 330	16 407	16 355	15 463	16 630
Hôtels, parcs-hôtels et motels	9 419	9 015	8 814	8 624	8 026	8 538
Autres industries d'hébergement	7 505	7 315	7 593	7 731	7 437	8 092
Agences de voyage	4 962	5 341	5 362	5 364	4 997	4 785
Voyagistes	1 117	1 147	1 207	1 237	1 238	1 238
Autres services de préparation de voyages et de réservations	295	281	282	294	306	338

Source : Statistique Canada, CANSIM : tableaux 351-0002 et 351-0003.

Liste des cartes, graphiques, et tableaux

Cartes

Graphiques

Tableaux

Glossaire

Administration générale : Secteur administratif des administrations publiques, à l'exclusion des unités institutionnelles comme les écoles et les hôpitaux, qui participent directement à la prestation de services.

Agglomération de recensement (AR) : L'agglomération de recensement doit avoir un noyau urbain d'au moins 10 000 habitants.

Aide sociale : Paiements de transfert (y compris les crédits d'impôt remboursables) ayant pour objectif d'aider les particuliers et les familles à maintenir un niveau de revenu socialement acceptable.

Allophones : Personnes de langue maternelle autre que le français ou l'anglais.

Anglophones : Personnes dont la langue maternelle est l'anglais.

AR : *Voir* Agglomération de recensement.

Balance des paiements (BdP) : État statistique résumant de façon systématique, pour une période déterminée, les opérations économiques d'un pays réalisées avec le reste du monde.

BdP : *Voir* Balance des paiements.

BII : *Voir* Bilan des investissements internationaux.

Bilan des investissements internationaux (BII) : Bilan de l'actif et du passif financier d'un pays par rapport au reste du monde. Combiné aux opérations de la balance des paiements, le BII constitue un ensemble de comptes internationaux d'un pays.

CANSIM (Système canadien d'information socio-économique) : Base de données contenant plus de 26 millions de séries chronologiques (observations sur un sujet donné à intervalles réguliers), regroupées dans plus de 2 400 tableaux sur le travail, la fabrication, l'investissement, le commerce international et bien d'autres sujets. CANSIM permet aux utilisateurs de suivre l'évolution de presque toutes les facettes de la vie au Canada.

Chômeurs : *Voir* Personnes en chômage.

Circonscription électorale : Région qu'un député élu représente à la Chambre des communes. Le Canada est divisé en 308 circonscriptions électorales fédérales.

Cols blancs : Relatif au travail non manuel, par exemple, le travail de bureau, administratif ou professionnel. *Voir aussi* Cols bleus.

Cols bleus : Relatif aux travailleurs affectés à la production et à l'entretien, d'habitude rémunérés en fonction du nombre d'heures de travail exécuté qu'avec un salaire fixe. *Voir aussi* Cols blancs.

Combustible fossile : Une substance combustible provenant du pourrissement pendant de très longues périodes de matières organiques sous forte pression, par exemple, le gaz naturel, le pétrole, le gaz propane et le charbon.

Composé organique volatil (COV) : Tout composé organique qui a une forte tendance à passer de l'état solide ou liquide à l'état gazeux dans des conditions environnementales normales. Les composés organiques volatils contribuent à certains processus de pollution atmosphérique incluant la formation du smog urbain.

Composés organiques : Composés du carbone qui contiennent habituellement de l'hydrogène, avec ou sans oxygène, azote ou autres éléments (d'après Wells et Rolston, 1991). À l'origine, le terme organique signifiait « d'origine végétale ou animale »; on l'emploie encore parfois dans ce sens. Par exemple, « déchets organiques » peut désigner les restes d'aliments, le fumier, les eaux usées, les feuilles de végétaux, etc.; « engrais organique », le fumier; « dépôts organiques », la tourbe ou d'autres éléments végétaux dans le sol; « éléments nutritifs organiques », les éléments nutritifs dérivés de végétaux dégradés. Toutefois, comme les humains produisent régulièrement des composés organiques, le terme organique désigne également des composés organiques synthétiques. Ainsi, on parle de « pollution organique » (qui peut comprendre les composés organiques anthropiques toxiques).

Comté : *Voir* Circonscription électorale.

Condamnation avec sursis : Solution de rechange communautaire à l'incarcération, proposée dans les réformes du Projet de loi C-41. Si certains critères juridiques sont remplis, un juge peut imposer une peine d'emprisonnement avec sursis à un délinquant qui, autrement, aurait été envoyé en prison. Le délinquant purgera sa peine d'emprisonnement dans la collectivité, pourvu qu'il respecte les conditions imposées par le tribunal dans l'ordonnance de sursis. Si le délinquant enfreint ces conditions, il peut être envoyé en prison pour purger le reste de la peine.

COV : *Voir* Composé organique volatil.

Déficit : Montant par lequel les dépenses budgétaires de l'État excèdent les recettes pour une année donnée.

Déficit commercial : Si le pays importe plus de produits qu'il n'en exporte, la balance commerciale est négative et on parle alors de déficit commercial.

Densité de la population : Le nombre de personnes au kilomètre carré.

Dépenses en immobilisations : Inclut toutes les dépenses en immeubles, travaux de génie ainsi qu'en machines et matériel. La formation brute de capital fixe en immeubles inclut les coûts de transfert sur la vente d'actifs existants (commissions immobilières, par exemple). La formation brute de capital en machines et matériel comprend les importations de machines et matériels neufs et usagés, puisque ces derniers viennent accroître le stock de capital productif au pays.

Détention provisoire : Une ordonnance de la cour pour qu'une personne soit détenue en attendant une autre comparution. Cette personne n'a pas été condamnée et peut être détenue pour plusieurs raisons: on craint qu'elle ne se présente pas à la date de comparution prévue, qu'elle représente un danger pour elle-même et pour les autres ou il y a un risque qu'elle récidive.

Dette fédérale nette : Total des déficits et des excédents fédéraux cumulés depuis la Confédération. La dette fédérale nette est la dette brute moins les avoirs financiers de l'État, comme les prêts, les placements et les comptes en monnaie étrangère.

Dette nette : *Voir* Dette fédérale nette.

Dollars constants : Dollars d'une année de référence précise, non indexés en fonction de l'inflation ou de la déflation, de façon à montrer les changements du pouvoir d'achat du dollar. L'année de référence doit toujours être indiquée.

Écozone : Région de la surface terrestre présentant de grandes unités écologiques très générales caractérisées par des facteurs abiotiques et biotiques en interaction et en adaptation constante. Le Canada compte 15 écozones terrestres et 5 écozones marines.

Éducateurs : Tous les employés du réseau scolaire public qui doivent posséder un brevet d'enseignement comme condition d'emploi. Comprend les enseignants réguliers, les directeurs, les directeurs adjoints et le personnel professionnel non enseignant (c.-à.-d., les conseillers pédagogiques, les conseillers en orientation scolaire et les enseignants en éducation spécialisée). Exclut les suppléants, les remplaçants temporaires, les enseignants en congé, les étudiants assistants et les assistants à l'enseignement.

Embonpoint : *Voir* Indice de masse corporelle.

Encéphalopathie spongiforme bovine (ESB) : Une maladie mortelle du bétail affectant le système nerveux central. Parfois appelée « maladie de la vache folle », l'ESB a été découverte en Angleterre en 1986, où son apparition a été attribuée à l'utilisation de farines obtenues à partir de carcasses de moutons infectés par la tremblante ou à la contagion de bovins déjà infectés par l'ESB.

Enquête nationale sur la santé de la population (ENSP) : Enquête ayant pour but d'améliorer la compréhension des différents processus affectant la santé. L'Enquête permet de recueillir des données auprès de plus de 17 000 répondants. L'Enquête a débuté en 1994-1995 et a lieu tous les deux ans.

ENSP : *Voir* Enquête nationale sur la santé de la population.

ESB : *Voir* Encéphalopathie spongiforme bovine.

Établissement du patrimoine : Établissement dont la fonction est d'acquérir, de préserver, d'étudier, d'interpréter et de rendre accessibles au public (pour sa formation et son plaisir) des objets, spécimens, documents, immeubles et terrains ayant une valeur éducative et culturelle sur le plan artistique, scientifique, historique, naturel ou technique.

Excédent commercial : Si le pays exporte plus de produits qu'il n'en importe, la balance commerciale est positive et il y a un excédent commercial.

Famille économique : Groupe de deux personnes ou plus vivant dans le même logement et qui sont apparentées par le sang, par mariage, par union libre ou par adoption.

Famille de recensement : Couple marié (avec ou sans enfants des deux conjoints ou de l'un d'eux), couple vivant en union libre (avec ou sans enfants des deux partenaires ou de l'un d'eux) ou parent seul (peu importe son état matrimonial) demeurant avec au moins un enfant dans le même logement. Un couple peut être de sexe opposé ou de même sexe. Les « enfants » dans une famille de recensement incluent les petits-enfants vivant dans le ménage d'au moins un de leurs grands-parents, en l'absence des parents.

Francophones : Personnes dont la langue maternelle est le français.

Formation brute de capital fixe : *Voir* Dépenses en immobilisations.

G8 : Les huit pays les plus industrialisés au monde : Allemagne, Canada, États-Unis, Russie, France, Italie, Japon et Royaume-Uni.

Gaz à effet de serre : Le groupe de composés chimiques responsables de l'effet de serre. Les plus importants gaz à effet de serre produits par l'activité économique sont le dioxyde de carbone (CO_2), le méthane (CH_4), l'oxyde nitreux (N_2O) et les chlorofluorocarbures (CFC).

GES : *Voir* Gaz à effet de serre.

Gigajoule : Une unité d'énergie. Un plein d'essence de 30 litres contient environ un gigajoule d'énergie.

Groupe d'industries : *Voir* Système de classification des industries de l'Amérique du Nord.

Hors-réserve : Peuples autochtones qui ne vivent pas dans un réserve.

Identité autochtone : Personnes appartenant à au moins un groupe autochtone (c.-à.-d., Indiens de l'Amérique du Nord, Métis ou Inuits); Indiens des traités ou Indiens inscrits tel que défini par la Loi sur les Indiens; ou personnes qui appartiennent à une bande indienne ou à une première nation.

IMC : *Voir* Indice de masse corporelle.

Indice de masse corporelle (IMC) : Les définitions de l'embonpoint et de l'obésité reposent sur l'IMC, qui consiste en la mesure du poids d'une personne par rapport à sa taille. L'IMC est fortement en corrélation avec la quantité de tissu adipeux et est largement utilisé afin d'indiquer les risques pour la santé. Selon de nouvelles lignes directrices canadiennes, en harmonie avec celles de l'Organisation mondiale de la santé, l'IMC est réparti en six catégories, représentant chacune un niveau de risque différent : 'Insuffisance pondérale' est moins de 18,5 IMC ; « Poids normal » est de 18,5 à 24,9 IMC; « Embonpoint » de 25,0 à 29,9 IMC ; « Obésité de classe I » de 30,0 à 34,9 IMC; « Obésité de classe II » de 35,0 à 39,9 IMC; et « Obésité de classe III » égale ou plus que 40,0 IMC.

Indice des prix à la consommation (IPC) : Mesure la variation dans le temps du pourcentage du coût moyen d'un grand panier de biens et services qu'achètent les Canadiens. La quantité et la qualité des articles dans le panier demeurant constantes, les variations du coût du panier sont attribuables à de pures variations de prix et non à des changements dans la composition du panier.

Indice des prix des logements neufs (IPLN) : Mesure les variations dans le temps des prix de vente des maisons neuves résidentielles établis par les entrepreneurs, pour les maisons dont les spécifications détaillées n'ont pas changé entre deux périodes consécutives.

Indice des prix des matières brutes (IPMB) : Mesure les variations des prix d'achat des matières brutes par les industries canadiennes. L'expression « matières brutes » désigne soit un produit vendu pour la première fois après son extraction de la nature, soit un produit substitut recyclé (tel les déchets de métaux).

Indice des prix des produits agricoles (IPPA) : Mesure la variation dans le temps des prix reçus pour les produits agricoles au moment de la première transaction.

Indice des prix des produits industriels (IPPI) : Mesure les variations des prix des principaux produits vendus par les fabricants canadiens.

Indice synthétique de fécondité (ISF) : Une estimation du nombre moyen de naissances vivantes qu'une femme peut s'attendre à avoir au cours de sa vie, selon les taux de fécondité par âge d'une année donnée. *Voir aussi* Taux de fécondité *et* Taux de fécondité par âge.

Industrie : *Voir* Système de classification des industries de l'Amérique du Nord.

Inflation : Un mouvement à la hausse du niveau moyen des prix ou un mouvement persistant à la hausse, du prix moyen des biens et des services; affecte le « coût de la vie ». L'Indice des prix à la consommation (IPC) est la mesure de l'inflation la plus largement employée.

Intermodal : Dans le transport intermodal, plus d'un mode de transport est utilisé pour acheminer des marchandises à destination. Les marchandises sont transportées par une remorque routière ou un conteneur de marchandises qui est ensuite transféré d'un wagon de chemin de fer à un autre mode, habituellement un camion ou un bateau

IPC : *Voir* Indice des prix à la consommation.

IPMB : *Voir* Indice des prix des matières brutes.

IPLN : *Voir* Indice des prix des logements neufs.

IPPA : *Voir* Indice des prix des produits agricoles.

IPPI : *Voir* Indice des prix des produits industriels.

ISF : *Voir* Indice synthétique de fécondité.

Kilowatt-heure (kWh) : Unité commerciale d'énergie électrique égalant 1 000 wattheures, soit la quantité d'électricité consommée par dix ampoules électriques de 100 watts pendant une heure. Un kilowatt-heure est égal à 3,6 millions de joules.

kWh : *Voir* Kilowatt-heure.

LCP : *Voir* Lutte contre la pollution.

Longitudinale : Un type d'enquête ou d'étude au fil du temps où l'on étudie une même variable ou un même groupe de répondants.

Médiane : Valeur centrale d'une série établie dans un ordre numérique croissant. Par exemple, chez cinq enfants âgés de 5, 4, 8, 3 et 10 ans, il faudra réinscrire la série d'âge dans un ordre numérique croissant, c.-à-d. 3, 4, 5, 8 et 10. La valeur du nombre du milieu, soit 5, correspondra à leur âge médian.

Ménage non familiaux : Consiste soit en une personne vivant seule, soit en deux ou plusieurs personnes qui partagent un logement, mais qui ne constituent pas une famille (par exemple, un couple avec ou sans enfants).

Minorités visibles : Groupe de minorités visibles auquel le recensé appartient. Selon la *Loi sur l'équité en matière d'emploi*, font partie des minorités visibles « les personnes, autres que les Autochtones, qui ne sont pas de race blanche ou qui n'ont pas la peau blanche ».

Nouveaux immigrants : Personnes ayant immigré au Canada 5 ans ou moins avant la date du Recensement. Par exemple, dans le cas du recensement de 1996, les nouveaux immigrants sont ceux qui ont immigré entre 1991 et les quatre premiers mois de 1996.

Noyau urbain : Une grande région urbaine autour de laquelle les limites d'une région métropolitaine de recensement ou d'une agglomération de recensement sont définies. La population du noyau urbain (d'après les chiffres du recensement précédent) doit s'élever à au moins 100 000 habitants dans le cas d'une région métropolitaine de recensement ou être constituée de 10 000 à 99 999 habitants dans le cas d'une agglomération de recensement.

Obésité : *Voir* Indice de masse corporelle.

OCDE : *Voir* Organisation de coopération et de développement économiques.

Organisation de coopération et de développement économiques (OCDE) : Organisation internationale regroupant 30 pays membres qui partagent l'engagement pour un gouvernement démocratique et l'économie du marché. Par le biais d'instruments internationaux comme les conventions, les décisions et les recommandations, l'OCDE contribue à promouvoir de nouvelles règles du jeu là où des accords multilatéraux sont estimés nécessaires. OECD aide ainsi les gouvernements à répondre aux défis économiques, sociaux et environnementaux posés par une économie mondialisée.

Organismes à but non lucratif : Organismes non gouvernementaux (institutionnellement distincts des gouvernements), ne distribuant pas de bénéfices (qui ne versent à leurs propriétaires ou administrateurs aucun des profits générés), autonomes (indépendants et capables de réglementer leurs propres activités), bénévoles (qui profitent dans une certaine mesure de dons en temps ou en argent) et formellement constitués en personnes morales ou enregistrés en vertu d'une loi spécifique auprès d'un gouvernement provincial ou territorial, ou du gouvernement fédéral.

Origine ethnique : Se rapporte aux groupes ethniques ou culturels auxquels appartenaient les ancêtres du recensé.

Ozone de la basse troposphère : Ozone (O_3) présent près de la surface de la Terre. C'est un polluant préoccupant dans le smog en raison de ses effets toxiques.

Par habitant : Pour chaque personne ou par personne.

Particule : Désigne tout ce qui peut être filtré dans l'air. Les grosses particules, comme la poussière des routes ou le pollen, peuvent irriter les yeux. Les particules plus petites, souvent appelées particules fines, sont présentes dans la fumée et les vapeurs; elles peuvent être inhalées par les poumons.

Particules fines : *Voir* Particule.

Permis de bâtir : Permis exigé dans la plupart des jurisdictions pour l'exécution d'une nouvelle construction ou pour l'ajout d'une construction dans une structure préexistante, ou, dans certains cas, pour des rénovations majeures. En général, la nouvelle construction doit être inspectée pour s'assurer de la conformité aux codes de construction national, régional et local. La non obtention d'un permis peut entraîner des amendes et des pénalisations et même la démolition d'une construction non autorisée si celle-ci ne peut pas être amenée à respecter le code.

Pétajoule : Un million de gigajoules.

Personnes en chômage : Personnes qui, durant la semaine de référence de l'Enquête sur la population active, étaient en arrêt de travail temporaire et disponibles pour travailler; étaient sans emploi ou avaient cherché activement un emploi pendant les quatre dernières semaines et étaient disponibles pour travailler; ou avaient un nouvel emploi qui commençait dans quatre semaines suivant la semaine de référence et étaient disponibles pour travailler. *Voir aussi* Personnes occupées *et* Personnes inactives.

Personnes hors famille : Membres d'un ménage qui n'appartiennent pas à une famille de recensement. Ils peuvent être apparentées à la Personne 1 (par exemple, sa soeur, son beau-frère, son cousin, sa grand-mère) ou non apparentés (par exemple, locataire, colocataire, employé). Une personne vivant seule constitue toujours un ménage non familial.

Personnes inactives : Personnes qui, durant la semaine de référence de l'Enquête sur la population active, ne désiraient ou ne pouvaient offrir ou fournir leurs services compte tenu des conditions du marché du travail. C'est-à-dire qu'elles n'étaient ni occupées ni en chômage. *Voir aussi* Personnes en chômage *et* Personnes occupées.

Personnes occupées : Personnes qui, au cours de la semaine référence de l'Enquête sur la population active, 1) ont accompli quelque travail que ce soit pour un employeur ou pour leur propre compte et ont été rémunérées ou qui ont effectué un travail familial non rémunéré contribuant directement à l'exploitation d'une ferme, d'une entreprise ou d'un bureau professionnel dirigés par un membre de la famille immédiate vivant sous le même toit; 2) avaient un emploi, mais n'étaient pas au travail pour des raisons de santé ou d'incapacité, de responsabilités familiales ou personnelles, de vacances, de conflits de travail ou autres (excluant les personnes mises à pied, entre deux emplois occasionnels et celles ayant un emploi commençant à une date ultérieure). *Voir aussi* Personnes en chômage *et* Personnes inactives.

PIB : *Voir* Produit intérieur brut.

Population active : Population civile de 15 ans et plus (à l'exclusion des pensionnaires d'établissements) qui, durant la semaine de référence de l'Enquête sur la population active, était occupée ou en chômage.

Population des minorités visibles : Groupe de minorités visibles auquel le recensé appartient. Selon la *Loi sur l'équité en matière d'emploi*, font partie des minorités visibles « les personnes, autres que les Autochtones, qui ne sont pas de race blanche ou qui n'ont pas la peau blanche ».

Productivité : *Voir* Productivité du travail.

Productivité du travail : Mesure de la production réelle par heure travaillée. La variation de la productivité sert à évaluer dans quelle mesure le travail est efficient.

Produit intérieur brut (PIB) : Valeur sans double compte des biens et services produits dans l'économie d'un pays ou d'une région au cours d'une période donnée. Le PIB peut être calculé de trois façons : 1) comme la somme des revenus gagnés de la production courante; 2) comme la somme des ventes finales de la production courante; 3) comme la somme des valeurs ajoutées nettes de la production courante. Il peut être évalué au coût des facteurs ou aux prix du marché, peu importe la méthode de mesure employée.

Propriété intellectuelle : Une forme de travail de création qui peut être protégée par une marque de commerce, un brevet, un droit d'auteur, un dessin industriel ou une topographie de circuits intégrés.

Recensement : Toute enquête qui porte sur l'ensemble d'une population (personnes, événements, entreprises, etc.).

Recensement de l'agriculture : Enquête ayant lieu tous les cinq ans afin de produire des données sur l'agriculture, comme le nombre et le type d'exploitations agricoles, les caractéristiques des exploitants agricoles, la gestion des opérations, les pratiques de gestion des sols, les superficies ensemencées, le nombre d'animaux et de volailles, le capital agricole, les dépenses et recettes d'exploitation et les machines et l'équipement agricoles.

Recensement de la population : Enquête ayant lieu tous les cinq ans afin de produire des chiffres sur la population et les logements non seulement pour le Canada, mais aussi pour chaque province et territoire et pour d'autres échelons géographiques plus petits, comme les villes ou les quartiers qui les composent. Les questionnaires sont distribués dans tous les ménages et dans les réserves indiennes et comportent des questions sur l'âge, le sexe, la scolarité, l'origine ethnique, la langue maternelle, l'état matrimonial, la religion, l'emploi et le logement.

Récession : Deux déclins trimestriels consécutifs du produit intérieur brut (PIB) réel.

Recherche et développement : En général, les activités de recherche et développement servent la stratégie de développement d'une organisation. Ses missions consistent à anticiper ou créer les révolutions technologiques, les ruptures d'usages et à développer l'innovation en créant des prototypes et les testant avant de les rendre opérationnels.

Régime enregistré d'épargne-retraite (REER) : Régime d'épargne destiné aux particuliers, y compris les travailleurs indépendants, qui a été agréé aux fins de la *Loi de l'impôt sur le revenu* fédérale. Les cotisations à un REER peuvent être faites jusqu'au 31 décembre de l'année où le contribuable aura l'âge de 69 ans.

Régime de pension agréé (RPA) : Régime de pension destiné aux employés que parraine un employeur ou un syndicat et qui est habituellement financé par les cotisations des employés et de l'employeur. Il doit remplir certaines conditions et être agréé aux fins de la *Loi de l'impôt sur le revenu*.

Régime de pensions du Canada : Régime d'assurance sociale contributif, proportionnel au revenu de travail, qui vous assure une pension stable et fiable à partir de laquelle vous pouvez préparer votre retraite. De plus, il vous fournit, et à vos personnes à charge, une protection financière de base, en cas d'invalidité ou de décès.

Région métropolitaine de recensement (RMR) : Territoire formé d'une ou de plusieurs municipalités voisines les unes des autres qui sont situées autour d'un grand noyau urbain. Le noyau urbain doit compter au moins 100 000 habitants.

REER : *Voir* Régime enregistré d'épargne-retraite.

RMR : *Voir* Région métropolitaine de recensement.

RPA : *Voir* Régime de pension agréé.

SCIAN : *Voir* Système de classification des industries de l'Amérique du Nord.

Secteur : *Voir* Système de classification des industries de l'Amérique du Nord.

Secteur des biens : Secteur de l'économie comprenant l'agriculture, la foresterie, la pêche, les mines et l'extraction de gaz et de pétrole; les services publics (électricité, gaz et eau); la construction; et la fabrication.

Secteur des services : Secteur économique comprenant les activités suivantes : commerce; transport et entreposage; finance, assurances, immobilier et location; services professionnels, scientifiques et techniques; services aux entreprises, services relatifs aux bâtiments et autres services de soutien; services d'enseignement; soins de santé et assistance sociale; information, culture et loisirs; hébergement et services de restauration; autres services; et administrations publiques.

Secteur public : Les administrations publiques fédérale, provinciales et municipales, ainsi que les sociétés d'État, les régies des alcools et les autres institutions gouvernementales comme les écoles (incluant les universités), les hôpitaux et les bibliothèques publiques.

Sécurité de la vieillesse (SV) : Paiement mensuel aux Canadiens âgés de 65 ans et plus et qui auront vécu au Canada au moins 10 ans. Si vous êtes un aîné à faible revenu, vous pourriez être éligible à d'autres bénéfices à partir de 60 ans.

Sous-sous-bassins de drainage (SSBD) : L'unité géographique environnementale minimale qui permet de calculer le changement à la production de fumier. Il y a 978 SSBD au Canada.

Sous-secteur : *Voir* Système de classification des industries de l'Amérique du Nord.

SSBD : *Voir* Sous-sous-bassins de drainage.

SV : *Voir* Sécurité de vieillesse.

Système de classification des industries de l'Amérique du Nord (SCIAN) : Un système de classification des activités économiques vise à fournir des définitions communes de la structure des activités économiques du Canada, du Mexique et des États-Unis. Sa structure hiérarchique comprend 20 secteurs (codes à 2 chiffres), des sous-secteurs (codes à 3 chiffres), des groupes (d'industries) (codes à 4 chiffres) et des classes (d'industries) (codes à 5 chiffres).

Taux d'activité : La population active exprimée en pourcentage de la population de 15 ans et plus. Le taux d'activité d'un groupe particulier (âge, sexe, etc.) est la population active dans ce groupe, exprimée en pourcentage de la population du même groupe.

Taux de change : La valeur du dollar canadien par rapport aux devises d'autres pays.

Taux de chômage : Nombre de chômeurs durant la semaine de référence de l'Enquête sur la population active exprimé en pourcentage de la population active (qui comprend les chômeurs et les personnes occupées). Le taux de chômage pour un groupe donné (selon l'âge, le sexe, la province, etc.) correspond au nombre de chômeurs dans ce groupe, exprimé en pourcentage de la population active dans ce groupe.

Taux de fécondité : Le nombre de naissances vivantes, pour une période donnée, par rapport au nombre de femmes en âge de procréer. *Voir aussi* Taux de fécondité par âge *et* Indice synthétique de fécondité.

Taux de fécondité par âge : Nombre de naissances vivantes pour 1 000 femmes appartenant à un groupe d'âge spécifique. *Voir aussi* Taux de fécondité *et* Indice synthétique de fécondité.

Taux de mortalité : Taux exprimé par le nombre de décès, toutes causes confondues, pour 100 000 habitants.

Travailleurs expérimentés : Les personnes qui, pendant la semaine de dimanche à samedi et avant le jour du recensement (le 15 mai), faisaient partie de la population active depuis le 1 janvier.

Voyageur-kilomètres : Déplacement d'un voyageur sur une distance d'un kilomètre obtenu en multipliant le nombre de voyageurs par la distance parcourue.

Index

Note : La lettre « *g* » signifie que l'information se trouve dans un graphique, lettre « *t* » signifie que l'information se trouve dans un tableau et la lettre « c », qu'elle se trouve dans une carte.

– A –

– B –

– C –

– F –

– G –

– H –

– I –

– J –

– N –

– O –

– P –

– Q –

– R –

– S –

– T –

– U –

– V –

– W –

– Y –

– Z –